D0834047

LE CHEVALIER DRAGON

GORDON R. DICKSON

Le dragon et le georges	*J'ai lu* 3208/**4**
Le chevalier dragon	*J'ai lu* 3418/**7**
Le dragon à la frontière	*J'ai lu* 3620/**6** *(fév. 94)*

GORDON R. DICKSON

LE CHEVALIER DRAGON

TRADUIT DE L'AMÉRICAIN
PAR MICHEL DEUTSCH

ÉDITIONS J'AI LU

Collection créée et dirigée
par Jacques Sadoul

Je dédie ce livre à Dave Wixon en remerciement de l'aide considérable qu'il m'a apportée pour celui-ci et beaucoup d'autres.

THE DRAGON KNIGHT
A Tor Book.
Published by Tom Doherty Associates, Inc., N.Y.

1

Un matin de mars pour le moins glacial se levait sur les bois de Malencontri. Un tel nom aurait pu laisser supposer qu'on se trouvait en France ou en Italie. Mais non, il s'agissait bel et bien de l'Angleterre.

Il faut dire par ailleurs que personne dans les environs – pas plus les deux hérissons roulés en boule dans un trou à deux pas d'une petite haie que sir James Eckert, baron de Bois de Malencontri et de Riveroak, qui dormait avec sa femme, lady Angela, dans le château voisin – personne donc n'avait jamais pris la peine d'employer ce nom francisé dans la conversation. Le site avait été ainsi baptisé par le précédent propriétaire, en fuite depuis belle lurette, du jour où on l'avait dépossédé de son ancien domaine. Possible même qu'il soit à présent sur le continent. Il l'avait bien cherché ! Une fois débarrassés de sir Hugh de Malencontri, les gens du voisinage avaient redonné son ancienne appellation à la forêt de Highbramble.

Ces considérations laissaient à l'évidence indifférente la seule créature pour l'heure éveillée qui se dissimulait derrière les taillis, suffisamment près du château, toutefois, pour le distinguer clairement entre les arbres.

Cette indifférence allait d'ailleurs de soi puisque ce promeneur matinal n'était autre qu'Aragh. Loup anglais de son état, celui-ci considérait ces bois, et bien d'autres encore, comme son territoire personnel. Il ne s'était, en conséquence, jamais inquiété du nom dont on avait pu les affubler.

Du reste, il était très rare qu'Aragh s'inquiète de quelque chose et bien que ce petit matin de printemps fût d'un froid mordant, il n'y prêtait aucune attention. En fait, il éprouvait envers la température le même détachement qu'à l'égard de tout – vent, pluie, ronces, humains, dragons, ogres et *tutti quanti*. Il aurait manifesté une égale insouciance pour les tremblements de terre, les volcans en éruption ou les raz de marée s'il y avait été confronté sur sa route, mais jusqu'à présent rien de tel ne s'était jamais produit. Aragh descendait en droite ligne de loups sauvages de la taille d'un petit poney et son intuition lui disait qu'il mourrait le jour où adviendrait un événement auquel il ne pourrait faire face. Les problèmes seraient alors définitivement réglés !

Il s'arrêta soudain pour jeter un bref coup d'œil au château et à la chambre installée dans la tour solaire carrée aux archères maintenant obturées par des panneaux de verre faisant office de fenêtres et qui commençaient à réfléchir les premières lueurs de l'aurore. Car, en dépit de la répulsion que lui inspiraient les croisées, Aragh nourrissait une profonde affection pour sir James et lady Angela – et tant pis pour eux si ces deux flemmards devaient gâcher une belle aube vivifiante comme celle-là en restant claquemurés dans leur chambre !

Cette amitié remontait à l'époque où sir James et lui (sans compter leurs compagnons) avaient eu une altercation avec un ogre et quelques autres créatures aussi peu engageantes au lieu-dit Tour Répugnante, au-delà des marais. Sir James occupait alors, contraint et forcé, le corps d'un ami d'Aragh, un dragon du nom de Gorbash.

Comme le loup se laissait attendrir un instant par ce passé nostalgique mais plein de souvenirs intéressants, il éprouva tout à coup jusque dans ses os un sentiment de malaise. Concernant James et Angela. Mais surtout James. Cette sensation fugace lui était venue brutalement et, en vrai loup qui se respecte, d'instinct, il fut sur ses gardes.

Loin de se dissiper, cette impression de malaise demeurait, inexplicable. Il huma l'air mais, ne flairant rien d'anormal, il décida qu'il en toucherait deux mots à S. Carolinus la prochaine fois qu'il passerait à proximité de la maison du magicien au-dessus de L'Eau qui Tintinnabule. Carolinus saurait dire s'il fallait voir là le présage de quelque événement fâcheux. Auquel cas il se préparerait à l'affronter, mais Aragh était loin d'imaginer une telle éventualité.

Reléguant pour le moment la question dans un coin de sa mémoire, il se remit à trotter, silhouette sombre qui s'évanouit brusquement au milieu des broussailles et des taillis.

2

James Eckert, maintenant sir James, baron de Bois de Malencontri et autres lieux – titre qui lui semblait bien surfait –, se réveilla dans la pénombre aurorale de la chambre du château de Bois de Malencontri qu'il partageait avec son épouse.

Les pâles rais de lumière que laissaient filtrer les lourds rideaux masquant l'impudeur des vitrages annonçaient la levée imminente du jour. A son côté, sous le petit amas de fourrures et d'édredons qui rendaient supportable la température glaciale de la chambre aux murs de pierre, Angie dormait. Son souffle était régulier.

Encore à moitié assoupi, Jim s'efforça de ne pas penser à ce qui l'avait sorti du sommeil. Il avait une vague sensation de malaise comme si ses sens étaient en veilleuse, probablement un reste de cet état dépressif qui ne l'avait pas quitté au cours de ces quelques lugubres semaines. Un peu comme le sentiment d'oppression que tout le monde éprouve à l'approche d'une tempête.

Oui, ces dernières semaines, il avait été tout près de regretter la décision qu'il avait prise de rester dans cet univers de dragons, de magie et d'institutions médiévales au lieu de retourner avec Angie dans le monde, peut-être plus terne, mais aussi plus familier, du XXe siècle. Sans aucun doute, la saison elle-même était également pour quelque chose dans cet état de déprime. Mais l'hiver, enfin, arrivait à son terme, un hiver qui, au début, avait été stimulant mais qui, maintenant, paraissait s'éterniser avec ces journées courtes, ces torches et ces chandelles dégoulinantes de cire, ces murs glacés...

Veiller à la bonne marche de l'ancienne baronnie de sir Hugh de Bois de Malencontri, à présent tombée entre ses mains, était une tâche qui l'avait accaparé sans relâche ces derniers temps : les bâtiments à entretenir, les routes à remettre en état, les ordres à donner à plusieurs centaines de serfs, d'artisans et de serviteurs, les indispensables préparatifs pour les prochaines semailles... Ces devoirs écrasants qui lui incombaient avaient transformé ce qui était désormais son environnement en un univers presque aussi morne et quotidien que la Terre du XXe siècle elle-même dont il gardait le souvenir.

La première impulsion de Jim fut de fermer les yeux, d'enfouir sa tête sous les couvertures et de se rendormir sans plus se préoccuper de ce qui l'avait réveillé. Il essaya mais en vain : le sommeil se refusait à venir. Ce sentiment de malaise qui l'avait envahi ne cessait de s'intensifier. Il percevait maintenant une anomalie dans son corps tout entier. Un signal d'alarme ! Finalement, avec un soupir d'exaspération, il leva la tête et rouvrit les yeux. La lumière que laissaient passer les rideaux était à présent suffisante pour que l'on puisse vaguement voir l'intérieur de la chambre.

Il fut parcouru d'un frisson – et pas seulement parce qu'il faisait froid.

Il n'était plus dans son corps ! Une fois de plus, comme lorsqu'il était venu dans ce monde par projection astrale pour sauver Angie, il s'était transformé en un dragon de belle taille !

– Non !

Jim se retint de hurler *in extremis* pour ne pas réveiller Angie. Il ne voulait pas qu'elle le voie métamorphosé de la sorte.

Les pensées se bousculaient frénétiquement dans sa tête. Etait-il redevenu dragon pour de bon ? Tout était possible dans ce monde démentiel où la magie faisait bon ménage avec la réalité. Peut-être était-il destiné à ne retrouver que temporairement sa forme humaine ? Peut-être les règles auxquelles était soumis cet univers exigeaient-elles qu'il soit humain seulement la moitié de l'année et dragon le reste du temps ? Si tel était le cas, Angie n'apprécierait guère la période où il serait dans le corps d'un dragon.

Il fallait absolument qu'il sorte de cet imbroglio. Et sa seule source d'information était le Département des Comptes, cette étrange et invisible voix de basse qui semblait tout savoir mais ne se décidait à se manifester que lorsque l'envie lui en prenait. Apparemment, cette entité tenait à jour une sorte de comptabilité du crédit de magie des gens qui usaient de cette ressource. Jim dépendait maintenant de cette mystérieuse organisation. N'était-il pas arrivé sur ce monde par des moyens magiques ? En outre, il avait contribué à mettre en échec les puissances maléfiques de la Tour Répugnante moins de dix mois auparavant.

Il ouvrit la bouche pour interroger le Département des Comptes. Mais il se rappela juste à temps qu'en entamant ce dialogue il allait réveiller Angie de la même façon que s'il avait hurlé comme il avait été à deux doigts de le faire un instant plus tôt.

La seule solution était de se glisser hors du lit, de quitter la chambre en catimini et de trouver un coin tranquille où il pourrait parler librement au Département des Comptes sans risquer de tirer sa femme du sommeil.

Il entreprit donc d'extraire en douceur son gigantesque corps de dragon de l'amoncellement de couvertures. Il sortit sa queue sans difficulté. Puis une patte. Puis l'autre. Il commençait à déplacer ce corps monumental quand Angie s'étira, bâilla, sourit et, les yeux toujours clos, allongea une paire de longs bras ravissants en cambrant les reins – et se réveilla.

Juste au moment où – par la grâce de qui ? par la grâce de quoi ? – Jim reprenait sa forme humaine.

Le sourire qui éclairait le visage de la jeune femme s'effaça progressivement tandis qu'une ride légère se creusait entre ses yeux.

– J'aurais juré..., murmura-t-elle. Tu ne te préparais pas à aller quelque part ? Il m'a semblé... Tu es sûr qu'il ne t'est rien arrivé de... d'anormal, il y a une seconde ?

– Moi ? Quelque chose d'anormal ? Anormal en quoi ?

Angie se dressa sur un coude, ses yeux d'un bleu profond fixés sur lui. Bien que défaite, sa longue chevelure noire était toujours aussi éblouissante. Jim eut brièvement une conscience aiguë de son corps nu, enchanteur, à peine à quelques centimètres du sien. Mais l'appréhension chassa presque instantanément son émoi.

– Je ne sais pas exactement, dit Angie. J'ai juste eu l'impression de quelque chose de... différent, l'impression que tu allais... Mais tu es presque sorti du lit. Pourquoi ?

– Oh ? (Jim se remit prestement sous les fourrures.) J'ai eu envie de descendre demander aux domestiques de préparer le petit déjeuner. Je pensais même venir te l'apporter.

– Ah, Jim, je te reconnais bien là ! Mais ce ne sera

pas nécessaire. Je me sens si merveilleusement bien que je ne peux pas attendre pour me lever.

– Voilà qui est parfait ! (Jim bondit hors des couvertures et se mit en devoir d'enfiler ses vêtements.) Je vais quand même leur dire de le servir, ce petit déjeuner. Descends vite. Peut-être même qu'il nous attend déjà, qui sait ?

– Mais, Jim, ce n'est pas tellement pressé...

Jim n'entendit même pas le reste de la phrase : il était déjà dehors. Il referma la porte et courut le long de la galerie. Quand il fut à bonne distance de la chambre, il s'arrêta, reprit sa respiration et posa la question qui lui brûlait les lèvres :

– Département des Comptes ! Pourquoi me suis-je transformé en dragon ?

Une voix de basse s'éleva à la hauteur de sa cuisse :

– Votre compte a été activé.

– Activé ? Qu'est-ce que cela veut dire ?

– Tout compte dont le détenteur est toujours vivant mais ne s'est pas manifesté depuis six mois au moins est automatiquement activé, répondit le Département des Comptes sur un ton quelque peu pincé.

– Mais je ne comprends toujours pas ce que signifie « activé », protesta Jim.

– Il n'y a pas besoin d'explications. C'est en soi assez clair.

Le Département des Comptes se tut alors et Jim eut la désagréable impression qu'il ne dirait plus un mot, au moins sur ce sujet. Il essaya à deux reprises de renouer le contact mais en vain.

Brusquement, il se rappela le petit déjeuner et, la mine sombre, descendit l'escalier en colimaçon qui menait au donjon.

– Tu pourrais aussi bien me dire la vérité, déclara Angie. (C'était une heure plus tard. Jim et elle étaient encore attablés dans la grande salle du château.) Il s'est passé quelque chose juste avant que j'ouvre les yeux et je veux savoir quoi.

– Sincèrement, Angie...

Toute réponse s'avéra inutile : Jim se changeait à nouveau en dragon !

– Oooooohhhhh ! hurla Angie à pleins poumons.

La salle se transforma aussitôt en un véritable pandémonium. A croire que tous les démons s'étaient rassemblés ici. Le lieu était suffisamment vaste pour que s'y pressent trente ou quarante personnes des deux sexes. Il y avait là celles qui servaient le baron et la lady, huit hommes d'armes normalement de faction, plus un échantillonnage complet de la domesticité, jusques et y compris la petite May Heather qui, à treize ans, était la plus jeune dans la hiérarchie et appartenait au personnel de cuisine.

Le danger était à tout instant présent dans la vie de chacun. Ne s'attendait-on pas constamment à voir surgir l'inattendu ? Des armes de toutes catégories étaient en permanence à portée de main. En moins de deux minutes, les personnes présentes saisirent un objet tranchant ou acéré, formant de leur corps un semblant de rempart dont les hommes d'armes constituaient le fer de lance, prêts à affronter le dragon qui s'était subitement matérialisé sous leurs yeux.

Angie prit alors les choses en main.

– Que personne ne bouge ! ordonna-t-elle d'une voix sèche. Il n'y a aucun danger. Ce que vous voyez devant vous n'est rien de plus que votre seigneur qui a utilisé ses talents magiques pour prendre momentanément l'aspect d'un dragon. May, raccroche immédiatement cette masse d'armes !

La petite May s'était, en effet, emparée d'une masse appartenant à l'ancien baron. Elle la tenait sur l'épaule comme un bûcheron qui porte sa cognée mais il était fort douteux qu'elle sache se servir de cet instrument, à supposer même qu'elle ait la force de le brandir sans se blesser. Le moins qu'on puisse en dire était que la bonne volonté ne faisait pas défaut à la fillette !

Interdite, elle alla remettre la masse d'armes là où elle l'avait prise – sur le mur.

Dans l'instant les serviteurs se dispersèrent pour reprendre leurs tâches respectives en échangeant des regards lourds de sens et en ravalant l'histoire qu'ils allaient maintenant pouvoir raconter : comment, alors qu'il prenait son petit déjeuner, sir James s'était métamorphosé en dragon !

Heureusement, une seconde plus tard, le maître de céans avait retrouvé son apparence humaine. Toutefois, sa tunique, déchirée du haut en bas, gisait en lambeaux à ses pieds.

– Holà ! lança Angie à la ronde. Une autre tunique pour Sa Seigneurie !

Chacun se précipita aussitôt et quelques minutes après Jim fut en possession d'une nouvelle tunique qu'il revêtit avec gratitude.

Angie se tourna alors vers le chef des hommes d'armes.

– Maintenant, Theoluf, veillez à ce que le cheval de sir James soit sellé, approvisionné et équipé, qu'on apporte son armure légère et que tout soit prêt pour qu'il puisse partir immédiatement.

– A vos ordres, milady. Combien d'hommes escorteront-ils Milord ?

– *Aucun !* lança Jim plus fort qu'il n'en avait eu l'intention.

Il ne voulait à aucun prix que les gens sur lesquels il avait autorité le voient se muer à tout bout de champ en dragon, ce qui aurait pu les amener à soupçonner qu'il n'était peut-être pas maître de ces transformations successives.

– Vous avez entendu ce qu'a dit Sa Seigneurie ?

– Oui, milady, répondit Theoluf.

Il aurait fallu qu'il soit sourd comme un pot pour ne pas avoir entendu.

Tandis qu'il se dirigeait vers la porte, Angie rejoignit son seigneur et maître.

– Pourquoi fais-tu cela ? lui demanda-t-elle à mi-voix.

– Je n'en ai aucune idée, répondit Jim d'un air consterné. Tu devrais savoir que c'est involontaire et que je n'y suis pour rien. Sinon, je ne le ferais pas.

– Ce que je te demande, insista Angie, c'est ce qui se passe juste avant que tu te transformes en dragon. Qu'est-ce qui te fait opérer la métamorphose ? (Elle s'interrompit et le fixa, les traits soudain figés.) Tu n'es pas redevenu Gorbash ?

Jim eut un geste de dénégation. Gorbash était le dragon dont il avait occupé le corps quand il avait pour la première fois débarqué sur ce monde étrange.

– Non, c'est bien moi et uniquement moi dans l'enveloppe d'un dragon. Mais le phénomène se produit sans avertissement. Je ne le contrôle pas.

– C'est bien ce que je craignais. Et c'est pour cela que j'ai donné ordre qu'on selle ton cheval et qu'on t'apporte ton armure. Je veux que tu parles tout de suite de cet incident à Carolinus.

– Non, pas Carolinus, protesta faiblement Jim.

– A Carolinus ! répéta fermement Angie. Il faut que tu saches le fin mot de l'histoire. Crois-tu que tu pourras rester humain assez longtemps pour mettre ton armure, sauter sur ton cheval et disparaître hors de la vue des autres avant de te transformer encore une fois en dragon ?

– Je n'en ai pas la moindre idée, répondit Jim d'un air malheureux.

3

Jim eut de la chance.

Il put disparaître dans les profondeurs des bois à l'abri des regards indiscrets avant de se métamorphoser à nouveau en dragon. Heureusement, l'Eau qui Tintinnabule près de laquelle demeurait S. Carolinus ne se trouvait pas loin du château. Carolinus était le mage qui, l'année précédente, avait pris part avec Jim à l'affaire de la Tour Répugnante. Ce personnage grognon et mal embouché s'était révélé également un ami digne de confiance. C'était un magicien de classe AAA+ . Jim savait par le Département des Comptes qu'il n'existait que trois magiciens au monde pouvant se prévaloir non seulement de l'étiquette AAA, qui était le grade le plus élevé, mais aussi du signe + qui les plaçait encore un cran au-dessus du niveau déjà fabuleux que représentaient ces trois lettres. Jim, quant à lui, était un magicien – d'ailleurs involontaire – appartenant simplement à la classe D. Carolinus et le Département des Comptes lui avaient l'un et l'autre donné à entendre qu'il aurait indéniablement beaucoup de veine si jamais il parvenait au cours de son existence à être admis dans la catégorie C.

Comme à l'accoutumée, chevaucher seul à travers bois détendit Jim. Aller tranquillement au pas était merveilleusement apaisant.

Qui plus est, parcourir une forêt anglaise du XIVe siècle ne manquait pas de charme. Les arbres étaient assez hauts pour faire de l'ombre, de sorte que l'herbe ne pouvait pousser que dans les coins les plus ensoleillés et le chemin contournait intelligemment les obstacles occasionnels – mûriers sauvages, buissons ou bouquets de saules.

Et c'était une journée agréable. Il avait plu trois jours durant mais, aujourd'hui, le soleil brillait et les nuages que l'on apercevait parfois à travers la ramure étaient rares et dispersés. Il faisait chaud pour la saison – fin mars –, juste assez pour que les vêtements et l'armure que portait Jim soient supportables.

Ce n'était pas la lourde et inconfortable armure cuirassée qu'il avait involontairement héritée de l'ancien seigneur du château, et qu'il avait d'ailleurs fallu modifier compte tenu de la taille de Jim. Aujourd'hui, il avait jugé préférable de revêtir une légère cotte de mailles par-dessus un haubert de cuir renforcé de cubitières et d'épaulières. Il était coiffé d'un casque muni d'un nasal. Des jambières complétaient le tout.

Il reprenait du poil de la bête, sachant qu'en effet, s'il lui arrivait de se changer inopinément en dragon de temps à autre, Carolinus serait parfaitement capable de lui expliquer pourquoi et de remettre les choses en ordre. Plus Jim se rapprochait de l'Eau qui Tintinnabule, plus la sérénité le gagnait et plus il se sentait joyeux.

Soudain, au détour du chemin, il vit une petite famille de sangliers traverser celui-ci, la laie en tête, suivie d'une demi-douzaine de marcassins. Quant au père, maître Sanglier en personne, il se tenait planté devant lui – à croire qu'il l'attendait.

Jim tira sur la bride pour arrêter son cheval. Il n'était pas totalement pris au dépourvu. Pendant ce long hiver, il s'était entraîné avec son voisin et ami, le chevalier Brian Neville-Smythe, à manier les armes en usage à l'époque. Au cours de ces séances d'exercice, il faisait merveille, ce qui n'avait rien de surprenant de la part de l'athlète-né et champion universitaire de volley-ball qu'il était au XXe siècle. En effet, compte tenu de l'époque, se promener sans armes était folie, même si l'on était en groupe. Outre les sangliers comme celui qui le narguait, il fallait compter avec les loups, les ours, les hors-la-loi et les voisins malintentionnés, sans parler des innombrables mauvaises rencontres que l'on risquait toujours de faire.

Aussi Jim avait-il ceint le braquemart qui ne le quittait pas et le plus petit de ses deux écus était fixé à sa selle. Et ce n'était pas tout. Une dague longue de onze pouces était passée à sa ceinture, faisant pendant à l'épée. Néanmoins, aucun des articles composant cette panoplie n'était idéal pour décourager un gros sanglier aux solides défenses, prêt à charger comme celui qui lui barrait le passage. Il existait d'autres armes, notamment une courte pique munie d'une poignée transversale, mieux adaptée à la chasse au sanglier. Mais voilà : Jim n'en avait pas sous la main.

Il attendit sans bouger, espérant que lorsque la laie et les marcassins auraient disparu dans le sous-bois, le mâle les suivrait. Il ne se sentait pas flambant. Et son cheval l'était encore moins que lui. Jim aurait souhaité pouvoir s'offrir une monture comme celle du sieur Brian – un cheval de guerre admirablement entraîné que son instinct poussait à se battre contre tout ce qui pouvait se présenter à coups de dents et de sabots.

Mais pareil destrier valait une petite fortune et s'il avait un certain crédit de magie à son nom, plus le château, Jim était quelque peu démuni d'espèces sonnantes et trébuchantes.

Le grand point d'interrogation était de savoir si l'instinct naturel du sanglier qui le poussait à attaquer à vue n'importe quel adversaire potentiel serait ou non plus fort que son désir, tout aussi naturel, d'aller se balader paisiblement avec sa petite famille. Et l'animal seul pouvait répondre à cette question.

Apparemment, il avait maintenant fait le tour du problème. La laie et le dernier des petits s'étaient évanouis dans les profondeurs des bois. Le moment était venu pour lui de foncer ou de prendre la poudre d'escampette. Jusque-là, il avait grogné en grattant le sol de ses pattes avant. A présent, il ne se contentait plus de le labourer : il projetait des mottes de terre dans tous les sens. Aucun doute n'était possible : il se préparait à charger. C'est alors que le cheval hennit violemment et prit le mors aux dents, désarçonnant son cavalier.

Jim dégringola. L'espace d'une seconde, il ressentit

une pression presque intolérable qui se dissipa aussi soudainement qu'elle était venue.

Il voyait maintenant la scène sous un angle légèrement différent.

Il était redevenu dragon. Mais en se métamorphosant, il avait à proprement parler jailli hors de sa cotte de mailles et de ses vêtements – à l'exception de ses chausses qui, étant taillées dans un tissu en tricot lâche, ne s'étaient ni déchirées ni même décousues mais avaient simplement glissé en s'entortillant le long de ses pattes. Aussi Jim offrait-il le spectacle plutôt ridicule d'un dragon empêtré dans ce qui donnait l'impression d'être un caleçon long !

Mais pour l'heure, il s'en moquait bien. La seule chose qui comptait était que le sanglier s'obstinait à rester là.

Néanmoins, il était clair que la situation avait évolué. Il avait cessé de gratter la terre et de gronder. Figé sur place, il contemplait fixement le dragon qui, maintenant, lui faisait face. Jim mit un moment à se rendre compte de l'avantage dont il bénéficiait.

– Fous-moi le camp ! ordonna-t-il alors de sa tonitruante voix de dragon. Allez ! Tire-toi !

Ce sanglier, tout comme ses semblables, n'était assurément pas lâche. Acculé, même par un dragon, il aurait sans doute chargé. D'un autre côté, ce monstre ailé n'était pas l'adversaire idéal, et ce d'autant qu'il avait surgi de nulle part. Si belliqueux que puisse être l'ami sanglier, il avait comme tous les animaux sauvages l'instinct de survie ancré en lui. Aussi fit-il demi-tour et il disparut dans le sous-bois pour rejoindre sa compagne et ses petits.

Jim regarda autour de lui en quête de sa monture. Elle s'était réfugiée sous les arbres une vingtaine de mètres derrière lui. Elle ne le quittait pas des yeux et, grâce à sa vision télescopique, il vit qu'elle tremblait.

Il dégagea ses pattes arrière de ses chausses qu'il examina ensuite. Du moins étaient-elles encore mettables ! Puis il passa à ses autres vêtements. Même s'il reprenait sa forme humaine, il lui serait difficile de se rhabiller avec ce qui restait de ses effets. Mais il ne pouvait pas non plus les abandonner au milieu du chemin. Il se résolut à rassembler ses affaires dont il fit un petit paquet qu'il attacha avec sa ceinture. Elle s'était déchirée au moment de sa transformation mais il parvint néanmoins à en nouer tant bien que mal les extrémités. Pour finir, il suspendit le ballot à l'une des épines dorsales qui couraient le long de son échine de dragon depuis le cou jusqu'à la pointe de la queue.

Quand il en eut terminé, il regarda son cheval du coin de l'œil pour ne pas l'effaroucher en lui donnant l'impression de diriger toute son attention sur lui. L'animal ne tremblait plus, bien que sa robe fût maculée de taches de sueur. Contrairement à ce que Jim avait pensé à l'époque, il n'était en rien comparable à Blanchard de Tours, le fier coursier de bataille de sir Brian. Pourtant, c'était une noble bête, le meilleur cheval de son écurie, et le lâcher dans la forêt serait très vraisemblablement le plus sûr moyen de le perdre. D'un autre côté, maintenant que Jim était redevenu dragon, sa monture aurait tout aussi peur de lui que le sanglier. Et s'il essayait de lui parler, devant le son de sa voix, le cheval déguerpirait au grand galop sans demander son reste.

Comme il tournait et retournait ce délicat problème dans sa tête, Jim eut une subite inspiration. L'entraînement du hongre – que, dans un moment de nostalgie, il avait baptisé « Gorp » du nom de l'antique automobile qui avait été la sienne au XXe siècle – n'avait rien eu de commun avec celui dont avait bénéficié Blanchard de Tours mais sir Brian avait conseillé à son ami quelques exercices simples que Gorp pourrait assimiler. L'un des plus rudimentaires avait été de lui apprendre à répondre au sifflet. Jim avait donc suivi les recommandations de Brian et, à sa grande surprise, l'effort avait été couronné de succès. Peut-être que l'alezan obéirait encore maintenant s'il le sifflait. A condition que, sous sa forme actuelle, il soit capable d'émettre des sifflements.

Il n'y avait qu'une seule façon d'en avoir le cœur net : essayer. Jim pinça les lèvres – une sensation bizarre pour ses sens de dragon – et souffla.

Au début, il n'y eut pas le moindre son. Et puis, si soudainement qu'il en fut le premier étonné, le son familier sortit de ses babines démesurées.

Là-bas sous les arbres, Gorp dressa les oreilles et s'agita avec inquiétude. Il considéra le dragon planté au milieu du chemin, mais Jim, tout en évitant de le fixer, siffla à nouveau.

Il lui fallut recommencer cinq fois. Finalement, Gorp se dirigea vers lui d'une allure hésitante et il réussit à se saisir de sa bride. C'était gagné ! Il allait pouvoir conduire le cheval jusqu'à la maison de Carolinus. Et, mieux encore : il n'aurait qu'à accrocher son baudrier au pommeau de la selle et ce serait Gorp qui transporterait son paquetage – vêtements, cotte de mailles et armes. Il le lui fit flairer. Cela suffit à rassurer le cheval qui laissa faire docilement son maître. Alors, le tenant par la bride, Jim se mit en marche.

La demeure de Carolinus n'était plus très loin. A mesure qu'il gagnait du terrain, un sentiment de paix envahissait Jim, de plus en plus intense à chaque pas. Il en allait toujours ainsi quand on approchait de la maison du mage et il y avait longtemps que cela avait cessé de l'étonner.

Il parvint bientôt à la minuscule clairière au milieu de laquelle se dressait la maisonnette. Le ruisseau qui la traversait s'achevait un peu plus bas par une petite cataracte. A côté et légèrement en retrait, il y avait une pièce d'eau et une fontaine. Cette vue réchauffa le cœur de Jim en dépit de la situation délicate dans laquelle il se trouvait. Un petit poisson jaillit hors de l'eau, décrivit une courbe gracieuse et replongea la tête la première.

Comme toujours, l'Eau qui Tintinnabule méritait

bien son nom. Elle tintinnabulait indiscutablement. Mais pas comme l'auraient fait des grelots : c'était le son fragile d'un carillon de verre qu'agite une brise légère. Et, comme toujours aussi, l'allée de gravier soigneusement ratissée – encore que Jim n'ait jamais vu personne, et surtout pas Carolinus, manier le râteau – était bordée de plates-bandes où poussaient à profusion asters, tulipes, zinnias, roses et asphodèles, tous aussi épanouis les uns que les autres comme si l'époque de floraison était la même pour toutes ces espèces différentes.

Au milieu de l'un de ces parterres était planté un poteau surmonté d'une pancarte blanche sur laquelle se détachait le nom S. CAROLINUS peint en élégantes lettres noires et anguleuses. Jim lâcha la bride de Gorp pour le laisser brouter à loisir l'épais tapis d'herbe tendre qui cernait la clairière, sûr et certain que le cheval serait trop à son affaire pour bouger de là, et il se dirigea vers la maisonnette.

C'était une étroite et modeste demeure d'un étage coiffée d'un toit pointu recouvert de tuiles dont la couleur rappelait celle du ciel. Les murs, qui paraissaient montés en pierres à peine plus grosses que des cailloux, étaient uniformément gris. Une cheminée rouge sortait du toit bleu clair. Une marche de pierre, également peinte en rouge, servait de soubassement à la porte qui, elle, était verte.

Jim avait l'intention de frapper mais quand il s'approcha, il s'aperçut qu'elle était entrebâillée. De l'intérieur parvenaient les échos de la voix grondante de quelqu'un au comble de l'exaspération s'exprimant dans une langue inintelligible mais qui, apparemment, abondait en vocables rugueux et peu flatteurs.

C'était la voix de Carolinus. Et, de toute évidence, le mage pestait contre quelque chose.

Jim hésita. La patience n'était certes pas le trait dominant du tempérament de Carolinus et la malchance avait voulu que le baron de Malencontri vienne lui soumettre son problème au moment où le mage se débattait précisément avec les siens propres. Mais la sérénité des lieux eut vite raison de son anxiété et il frappa timidement à la porte, recommençant quand il constata qu'il n'y avait pas de réaction. Finalement – Carolinus semblait bien résolu à faire la sourde oreille –, il poussa le battant et se faufila non sans peine à l'intérieur.

La pièce, où le fouillis régnait en maître, occupait tout le rez-de-chaussée. Les fenêtres ne laissaient pas entrer le moindre soupçon de jour bien que ni les volets ni les rideaux ne fussent tirés et elle baignait dans une profonde pénombre que rompaient seulement des taches de lumière jouant sur le plafond incurvé.

Carolinus, vieil homme émacié vêtu d'une robe rouge, coiffé d'une calotte noire et dont le menton s'ornait d'une barbe peu fournie d'un blanc quelque peu douteux, était debout devant une sphère ivoirine de la taille d'un ballon de basket, éclairée de l'intérieur. C'était cette lumière qui, passant par les ouvertures dont le globe était percé, mouchetait le plafond. Carolinus injuriait copieusement la sphère dans cette langue inconnue qui était parvenue aux oreilles de Jim.

– Eh bien..., dit ce dernier d'une voix hésitante.

Carolinus interrompit la litanie qu'il était en train de débiter et qui ne pouvait être que des jurons. Il posa sur Jim un regard furibond.

– Ce n'est pas le jour où je reçois les drag..., commença-t-il avec véhémence mais, s'interrompant au milieu de sa phrase, il ajouta sur un ton à peine plus amène : Tiens ! James !

– Eh bien, oui, c'est moi, dit timidement Jim. Mais si j'arrive à un mauvais moment...

– Est-ce que quelqu'un m'a jamais rendu visite à un *bon* moment ? gronda le magicien. Si tu es là, c'est que tu as des ennuis, non ? Ne dis pas le contraire ! On ne vient me voir que quand on a des ennuis. Et c'est cela qui t'amène, n'est-ce pas ?

– Eh bien, oui...

– Tu ne pourrais pas commencer chaque phrase que tu prononces autrement que par : « Eh bien » ?

– Si, naturellement.

– Alors, fais-le, je te prie. Tu ne vois pas que j'ai mes tracas, moi aussi ?

– C'est ce que j'ai pensé, en effet, en vous entendant mais je ne sais réellement pas ce qui peut vous tourmenter.

– Vraiment ? J'aurais pourtant cru que le premier zozo venu serait capable de le deviner... même un *diplômé ès lettres*.

Le ton sur lequel Carolinus avait prononcé ces mots était indéniablement empreint de sarcasme. Jim avait eu l'imprudence de lui confier, peu de temps après avoir fait sa connaissance, qu'il était titulaire d'une maîtrise d'études médiévales. Plus tard il avait découvert que dans ce monde, et particulièrement dans la discipline très exclusive de la magie, le mot *maîtrise* impliquait des talents prestigieux que ne recouvrait pas son équivalent universitaire dans l'Etat du Michigan.

– Tu ne vois pas que mon planétaire est détraqué ? poursuivit Carolinus. L'image qu'il me donne du ciel est complètement cul par-dessus tête. Mais je n'arrive pas à mettre le doigt sur l'anomalie. L'étoile Polaire ne devrait pas être là, ça, j'en suis sûr. (Il désigna le coin le plus éloigné de la pièce.) Mais où faut-il qu'elle soit ?

– Au nord, répondit innocemment Jim.

– Evidemment qu'elle est au...

Carolinus n'alla pas plus loin. Il fixa Jim, émit un grognement et, se penchant sur la sphère, la fit pivoter d'un quart de tour. Au plafond, les points lumineux changèrent de position. Le mage leur jeta un coup d'œil et poussa un soupir de satisfaction.

– J'aurais naturellement trouvé moi-même la bonne orientation. Ce n'était qu'une question de temps.

Sa voix s'était faite presque cordiale. Il fixa à nouveau Jim.

– Quel est donc le motif de ta visite ? s'enquit-il sur un ton qui, pour lui, était celui de l'affabilité.

– Cela vous ennuierait-il si nous sortions pour en parler ? se risqua à demander Jim.

Vu sa taille et le plafond bas, plus la pénombre ambiante, il craignait de bousculer une table ou des objets précieux, ce qui aurait pour effet immédiat de redéclencher l'irascibilité de Carolinus.

– Pourquoi pas ? Allez... passe devant.

Quand ils émergèrent dans la clairière ensoleillée, Gorp leva un instant la tête avant de se remettre aux choses sérieuses, c'est-à-dire à brouter l'herbe.

– Alors, comme ça, te voilà avec un corps de dragon, attaqua le mage. Pourquoi ?

– C'est justement la raison de ma présence. On dirait que je redeviens de temps en temps un dragon aux moments les plus inopinés. Je me suis informé auprès du Département des Comptes et la seule chose qu'il ait lâchée, c'est que mon compte a été activé.

– Hmmm. Normal. Cela fait largement plus de six mois que tu ne l'as pas utilisé. Je m'étonne seulement qu'il n'ait pas relancé le processus plus tôt.

– Mais je ne veux pas qu'il le soit ! Je ne veux pas passer mon temps à changer de forme sans préavis. J'ai besoin de votre aide pour que ça s'arrête.

– S'arrêter ? C'est hors de question. Je n'ai aucun moyen de bloquer un compte qui a été activé, et ce d'autant que la date limite est largement dépassée.

– Mais je ne comprends pas. De quoi s'agit-il ?

– Voyons, mon bon James ! s'exclama Carolinus avec exaspération, cela se conçoit sans qu'il soit besoin de faire un dessin. Tu disposes d'un certain crédit au Département des Comptes. Un équilibre, si tu veux. C'est-à-dire de l'énergie – une énergie magique potentielle. Et l'énergie n'est pas quelque chose de statique. Par définition, elle doit être active. Ce qui signifie que tu l'utilises ou – ce qui est à l'évidence le cas – qu'elle se manifeste toute seule. Puisque tu ne t'en es pas servi et qu'en l'occurrence tout ce qu'elle sait de tes goûts et de tes choix se résume au fait que tu as pris un jour le corps d'un dragon, elle te transforme de façon aléatoire d'homme en dragon et vice versa. *Quod erat demonstrandum.* Ou, pour employer une langue que tu es capable de comprendre...

– « ... ce qu'il fallait démontrer », traduisit Jim non sans quelque agacement.

Il n'avait peut-être qu'une vulgaire maîtrise universitaire du XXe siècle, mais il connaissait le latin.

– Bon, enchaîna-t-il en se forçant au calme. Tout cela est bien beau, mais comment allons-nous faire pour enrayer ce mécanisme ?

– *Nous* ne ferons rien. C'est à toi de t'en charger tout seul.

– Mais j'ignore comment procéder. Autrement, je ne serais pas venu vous demander votre aide.

– Là, je ne peux t'aider en rien, rétorqua Carolinus d'un air renfrogné. Il s'agit de ton compte, pas du mien. C'est à toi de jouer. Si tu ne sais pas comment t'y prendre, il ne te reste qu'à apprendre. Est-ce que tu le veux ?

– Il le faut absolument !

– Alors, très bien. Je te prends comme élève. Les dix pour cent de ton compte constituant mes honoraires habituels seront donc automatiquement et immédiatement transférés sur le mien. C'est noté ?

– C'est noté, dit la voix de basse du Département des Comptes.

– Tu me prendras comme conseiller en toutes choses relevant de la magie. Réponds *non* et le marché est annulé, réponds *oui* et tu t'engages à ce que la totalité de ton compte soit garante de ton obéissance.

– Oui, s'empressa de dire Jim. (Il songeait qu'être dépossédé de ce compte ridicule serait un bon débarras. De la sorte, si jamais il désobéissait à Carolinus à propos d'une question touchant à la magie, cela ne lui briserait pas le cœur.) Alors, maintenant, comment allons-nous procéder pour que je retrouve mon apparence normale ?

– Pas si vite ! fit sèchement Carolinus. Il faut d'abord t'ouvrir à la Connaissance. (Le mage se retourna et claqua des doigts.) L'*Encyclopédie* ! ordonna-t-il.

Un volume de l'*Encyclopœdia Britannica* relié en rouge se matérialisa dans l'air et tomba sur le gravier. Un second allait suivre – il était, en fait, déjà à moitié apparu – quand la brusquerie de Carolinus se mua en emportement.

– Non ! Pas ça, imbécile ! gronda-t-il. L'*Encyclopœdia*. La *Necromantick* !

– Toutes nos excuses, dit la voix grave du Département des Comptes – et les deux volumes de la *Britannica* disparurent.

– Ah ! fit le magicien.

Un livre à reliure de cuir, si gros qu'à côté de lui le premier tome de la *Britannica* faisait l'effet d'un timbre-poste, surgit du néant. Carolinus le reçut dans sa main tendue comme s'il ne pesait pas plus qu'une plume. Jim s'approcha pour lire le titre inscrit en lettres d'or obliques sur la couverture.

Encyclopœdia Necromantick.

– Cette fois, c'est le bon, dit Carolinus en soupesant l'ouvrage tout en l'examinant d'un œil perçant. Avec le répertoire. Maintenant... *rapetisse* !

Aussitôt, l'épais volume commença à diminuer de taille. Bientôt, il eut celle d'un morceau de sucre – puis d'un comprimé pharmaceutique. Carolinus le présenta alors à Jim qui ne sentit pour ainsi dire rien quand le mage déposa l'objet dans sa patte calleuse.

– Eh bien, ne reste pas comme ça à le contempler ! Avale-le.

Non sans méfiance, Jim sortit une longue langue rouge qu'il enroula autour de cette espèce de capsule et l'ingurgita.

Sur le coup, il n'éprouva aucune sensation mais,

un instant plus tard, il eut l'impression d'avoir fait un repas plantureux.

– Et voilà, conclut Carolinus avec satisfaction. Tout ce qu'un magicien en herbe – n'importe quel magicien, en fait – a besoin de savoir. Maintenant, tu possèdes toute la connaissance, mon garçon. Il ne te reste plus qu'à apprendre à t'en servir. La pratique, la pratique... il n'y a que cela. La pra-ti-que !

Il se frotta les mains.

– Mais comment... comment dois-je faire ?

– Comment tu dois faire ? Mais je viens de te le dire. La pratique ! Tu trouves le charme qu'il te faut dans le répertoire, tu le cherches ensuite dans l'*Encyclopédie* et tu opères. Voilà tout. Et tu recommences jusqu'à savoir la formule par cœur. Si tu as du talent, tu finiras par en arriver au point où ce genre de béquilles ne te sera plus nécessaire. Une fois que tu auras appris toutes les formules magiques que contient l'*Encyclopédie*, tu seras en mesure de fabriquer les tiennes. Quand on en connaît une, on peut en créer un million, un milliard, un trillion... autant qu'on en veut ! Encore que je ne pense pas que tu atteindras jamais ce niveau-là !

Jim était bien de cet avis. Et il ne tenait d'ailleurs pas particulièrement à en arriver là.

– J'ai l'impression d'être une oie gavée, déclara-t-il. Cela va-t-il durer longtemps ? ajouta-t-il d'une voix faible.

– Ça ? (Carolinus agita négligemment la main.) Oh ! Ce sera une affaire réglée d'ici une demi-heure tout au plus. Juste le temps de digérer ce que tu as avalé. (Il fit demi-tour pour rentrer dans la maison mais, se retournant, il jeta par-dessus son épaule :) Maintenant que ton petit problème est réglé, je peux revenir à mon planétaire. Rappelle-toi ce que je t'ai dit : la pratique. La pratique, il n'y a que ça. Entraîne-toi.

– Attendez ! glapit Jim.

4

Carolinus s'arrêta et se retourna.

– Quoi encore ?

– Je suis toujours dans mon corps de dragon. Il faut que j'en sorte. Comment dois-je m'y prendre ?

– Par la magie, rétorqua Carolinus. Pourquoi te figures-tu que je t'ai pris comme disciple ? Que je t'ai fait avaler l'*Encyclopédie* ? Tu possèdes tous les instruments. Sers-t'en.

– Vous me l'avez fait manger, soit, mais je ne sais pas l'utiliser, répliqua Jim avec abattement. Comment opérer pour quitter cette enveloppe de dragon et redevenir ce que je suis ?

Un sourire malicieux éclaira les traits de Carolinus, effaçant l'expression aigre-douce qu'il arborait un instant plus tôt.

– Tiens ! J'avais naturellement pensé qu'en tant qu'assistant maître de recherches tu saurais faire usage du matériel. Mais il est clair qu'il n'en est rien. (Ses sourcils blancs se froncèrent à nouveau et il marmonna quelque chose dans sa barbe – quelque chose de peu amène à l'égard de la jeune génération.) En conséquence, je suppose que je vais devoir t'initier à la magie. Regarde l'intérieur de ton front, ajouta-t-il.

Jim le dévisagea, puis essaya d'obtempérer. Bien entendu, voir l'intérieur de son front était chose impossible. Pourtant, il avait bizarrement l'impression qu'avec un brin d'imagination il arriverait à se le représenter comme une sorte de tableau noir incurvé.

– Ça y est ? demanda Carolinus.

– Je pense. En tout cas, il me semble que je devine l'intérieur de mon front.

– Bien. Maintenant, appelle le répertoire.

Jim se concentra sur ce tableau noir imaginaire.

Au bout d'un moment, de grosses lettres d'or s'inscrivirent sur la surface de celui-ci et il lut :

RÉPERTOIRE

– Je crois que ça y est aussi.
– Parfait. Maintenant, tu passes aux autres mots. Les uns après les autres. Prêt ?
– Prêt.
– *Transfert*, dit Carolinus.
Jim fit un nouvel effort intellectuel – impossible à décrire mais c'était un peu comme s'il essayait de se remémorer quelque chose qu'il connaissait très bien. Le mot RÉPERTOIRE s'effaça pour être remplacé par d'autres qui se succédaient sans fin derrière son front à la vitesse de l'éclair. De temps en temps, il réussissait à en déchiffrer un – *gros, mince, ailleurs* – mais aucun n'avait le moindre sens. Ils représentaient, supposait-il, des attributs de la forme qu'il cherchait à assumer. Mais ralentir leur vitesse de défilement ou trouver les qualités qui lui convenaient – à condition, encore, qu'il sache lesquelles lui convenaient dans cette profusion de termes – constituait un problème pour l'instant insoluble.
– *Dragon*, grommela Carolinus.
Jim s'appliqua à voir le mot *dragon*. Immédiatement, celui-ci fut remplacé par une succession d'autres termes. Des qualificatifs, cette fois. Il en accrocha quelques-uns au passage : *grand, anglais, féroce*.
– *Flèche*, poursuivit Carolinus.
Jim fit de son mieux pour obéir. Au bout d'un moment, une ligne droite se terminant par un triangle inachevé apparut derrière son front. Ce qui donnait ceci :

TRANSFERT/DRAGON →

– Ça y est, dit Jim à qui sa réussite commençait à donner des fourmillements d'excitation. Jusqu'à présent, j'ai tout. TRANSFERT – DRAGON – FLÈCHE.

– *Moi*, dicta Carolinus.

– Moi, répéta Jim en faisant apparaître le mot à la suite de la flèche sur le tableau noir de son esprit. Il avait maintenant :

TRANSFERT/DRAGON → MOI

Brusquement, il eut affreusement froid. Oubliant le tableau noir, il tourna son attention sur l'environnement et sur lui-même. Et ce fut pour s'apercevoir qu'il avait retrouvé sa forme première et qu'il était nu.

– Voilà qui est fait, laissa tomber Carolinus en pivotant à nouveau sur ses talons pour rentrer chez lui.

– Attendez ! Et mes vêtements ? Mon armure ? Tout est en lambeaux !

Le magicien le fixa. Son expression était tout sauf aimable. Jim se précipita vers Gorp pour détacher le ballot accroché au pommeau de sa selle et revint auprès de Carolinus avec ses affaires – habits, cotte de mailles et armes entassés pêle-mêle. Il faisait frisquet. On pouvait même dire franchement froid et les graviers de l'allée s'enfonçaient douloureusement dans la plante de ses pieds. Il déposa son balluchon devant Carolinus et entreprit de dénouer la ceinture qui le maintenait.

– Je vois, murmura pensivement le mage en se caressant la barbe.

– Je portais cet attirail quand je me suis transformé en dragon. Naturellement, je suis devenu si gros que tout s'est déchiré.

– Oui. Oui, bien sûr. (Carolinus continuait de se caresser la barbe.) Intéressant.

– Alors ? Allez-vous m'*expliquer* comment je vais pouvoir remettre tout ça en état par la magie ?

– C'est faisable, bien sûr. Mais il y a des choses que tu dois encore découvrir, James.

– Oui ? Lesquelles ?

– Le moment est peut-être venu pour toi de prendre ta première leçon. Je vais te dévoiler quelques-uns des secrets qui sont derrière les éléments de la magie. Ecoute-moi attentivement.

Jim frissonna. La température était positivement glaciale. Il en avait la chair de poule. D'un autre côté, il connaissait suffisamment Carolinus pour savoir que maintenant qu'il était lancé, ce dernier ne se laisserait en aucun cas détourner de son objectif. Si seulement il possédait une formule magique qui pouvait l'empêcher d'avoir aussi froid ! S'efforçant d'oublier qu'il grelottait, Jim prêta toute son attention aux paroles de Carolinus.

– Imagine, disait celui-ci, imagine comment se présentaient les choses à l'époque où l'homme était une brute de l'âge de la pierre et même avant. Tout était alors magie. Supposons qu'avec les autres membres de ta tribu tu te sois jeté sur un ours féroce, disons, jusqu'à ce qu'il s'écroule et ne bouge plus : c'était à la magie que vous étiez redevables de votre victoire. Les massues n'y étaient pour rien. Il n'y avait aucun rapport entre les coups de gourdin et la mort de la créature qui constituait un danger pour vous. Il en était ainsi aux origines.

Carolinus s'éclaircit la gorge. Il s'adressait à Jim mais aussi à la petite clairière, à l'Eau qui Tintinnabule et au ciel. Il prenait le monde entier à témoin de sa science.

– Vois-tu, James, en ces temps, tout était magie. La pluie, l'éclair, le tonnerre. La magie régnait partout. Parmi les animaux comme chez les autres humains. Le cours des événements lui-même était influencé par la magie. Tu me suis ?

– Euh... je crois que oui. Vous voulez dire qu'aux origines la magie était l'explication de tout...

– Pas l'explication ! (Carolinus fronça les sourcils.) TOUT était magique. Et puis, le temps passant, il arriva un moment où ces pratiques qui étaient le bien commun et qui ne recelaient aucun secret commencèrent à perdre leur aura de magie. On en vint à penser qu'il y avait des choses magiques et d'autres qui ne l'étaient pas, les premières glissant insensiblement dans l'autre catégorie. Mets-toi dans la tête, James, qu'en ce qui nous concerne, nous les mages, tout est *encore* magie à la base.

– Je... oui.

– Parfait. Imaginons donc quelqu'un jusque-là habitué à simplement se vêtir de peaux de bêtes qui tombe par hasard sur un vêtement fait de deux peaux cousues ensemble. Tout content, il le porte quelque temps jusqu'au jour où, pour une raison ou une autre, la couture lâche. Il se rend alors chez la personne qui est censée avoir assemblé les différentes pièces. Et il s'avère qu'il a affaire à la vieille sorcière de la tribu. (Carolinus lança un regard sévère à Jim.) En ces temps-là, toutes les tribus avaient leur sorcière. C'était obligatoire. Que se passe-t-il ? Elle prend les peaux et s'entoure de quelques précautions : « Oui, dit-elle, je peux les réassembler, mais c'est une magie très secrète. Je vais les emporter dans ma caverne et tu ne devras en aucun cas essayer de me suivre ou de me regarder faire sinon, lors du prochain orage, un éclair t'arrachera la peau des os. »

Jim se rappela brusquement ses chausses : elles s'étaient élargies mais étaient encore mettables. Il les enfila, puis se mit en devoir d'ajuster tant bien que mal ce qui restait de sa chemise et de son pourpoint en lambeaux. C'était une piètre protection, mais avec ces haillons sur le dos, le froid était néanmoins un peu plus supportable.

– Continuez, dit Jim en regardant ses bottes.

Elles avaient, hélas, beaucoup souffert. Il pouvait les chausser, d'accord, mais il ne faisait aucun doute qu'elles le lâcheraient dès qu'il tenterait de marcher.

– Alors, poursuivit Carolinus sans se soucier des gestes désordonnés de Jim, plongé qu'il était dans son cours magistral, la sorcière disparut dans sa caverne avec les peaux de bêtes. Au bout d'un moment, elle les rapporta à son visiteur. Les deux peaux ne faisaient plus qu'une ! Il la paya et tout le monde fut très content. Que s'était-il passé, à ton avis ?

Jim sursauta : Carolinus lui avait hurlé la question à l'oreille.

– Eh bien, je... euh... elle les avait recousues.

– Exactement ! Mais en ces temps-là, coudre était un acte de magie. Elle avait percé des trous dans lesquels elle avait passé un tendon, ce qui avait créé la condition magique requise pour faire tenir les deux peaux ensemble. *Est-ce que tu comprends ?*

– Oui.

Du coup, Jim était à nouveau tout ouïe.

– Voyons maintenant en quoi cela s'applique à ta situation. Oui, il y a dans l'*Encyclopœdia Necromantick* l'information qui te permettrait de réparer tes vêtements par la magie – ou qui m'amènerait à te montrer comment t'y prendre. Mais la formule devrait être répétée tous les jours au lever du soleil. Cela poserait problème. Le charme serait vulnérable à toute contre-influence émanant d'une autre entité magique. Bref, ce n'est pas la solution idéale. Parce que, mon cher James, la morale de cette histoire, c'est que les choses qui sont passées du domaine de la magie à celui de la pratique quotidienne sont toujours les meilleures formes de magie ! (Carolinus ménagea une pause et dévisagea sévèrement Jim.) Ce que je te dis est autrement important que ta petite séance de rhabillage ! Il ne faudra jamais oublier ce que je viens de t'apprendre : la magie qui est entrée dans le quotidien est la meilleure. C'est à elle que l'on doit faire appel en premier lieu. La magie suprême que ne connaissent pas les non-professionnels peut ouvrir la voie au malheur et à la destruction. Je vais te raconter une autre anecdote. Il s'agit cette fois d'un confrère magicien qui n'était malheureusement pas le plus habile de la corporation. Il n'était pas mauvais en soi, seulement égaré... Il existe des circonstances atténuantes, bien entendu, mais... je tairai son nom. Tu le découvriras quand tu auras accédé à un niveau supérieur dans notre hiérarchie – si jamais tu y arrives. Néanmoins même s'il n'était pas complètement responsable, le magicien en question est inexcusable. Il a jugé bon de mettre son art au service de fins terre à terre. Ne tombe jamais dans ce piège, James. Jamais !

– Oh non... soyez tranquille.

– C'est bien. Il a donc décidé, te disais-je, d'utiliser son art pour de vulgaires causes. Il voulait avoir la haute main sur le royaume et il estima que le meilleur moyen de satisfaire son ambition était d'inciter le jeune prince qui venait de succéder au roi son père à s'éprendre d'une damoiselle qui serait entièrement sous sa coupe. Une jeune personne créée de toutes pièces, éminence grise qui lui dicterait ses faits et gestes. En conséquence, celui-ci ne serait plus qu'une marionnette entre les mains dudit magicien.

Carolinus se tut et Jim devina qu'il attendait un commentaire mais, faute d'en trouver un approprié, il se borna à un claquement de langue.

– Tstt, tstt, tstt...

– Je ne te le fais pas dire ! s'exclama Carolinus. Le magicien se fit donc apporter de la neige, la plus blanche et la plus fine des neiges, ramassée sur la cime de la plus haute montagne voisine, et la façonna à l'image d'une vierge, la plus belle que l'on eût jamais vue. Il la présenta au prince qui en tomba éperdument amoureux et l'épousa, ce qui fut l'occasion de grandioses réjouissances dans tout le royaume. (Carolinus s'interrompit pour reprendre sa respiration, puis enchaîna :) Pendant tout ce temps – les présentations, les fiançailles, le mariage... –, le magicien veilla avec le plus grand soin à ce que rien de mouillé ne fût en contact avec la donzelle qui, étant constituée de neige, se serait évidemment aussitôt mise à fondre... Il mit le prince en garde : elle avait la peau si délicate qu'elle ne pouvait supporter l'humidité que sous la forme d'un élixir magique qu'il faisait venir lui -même à grands frais de l'autre bout du monde. Son époux ne devrait même pas assister à son bain.

– Mais...

– Je parle, fit Carolinus d'une voix glaciale.

– Pardonnez-moi. Continuez.

– Le jour des noces, il tomba une petite averse, mais la princesse demeura à l'abri sous une profusion de parapluies. Tout se passa pour le mieux jusqu'au moment où les jeunes mariés regagnèrent le château. Le plus naturellement du monde, le prince prit son épouse dans ses bras pour lui faire franchir le seuil. De toute façon, le magicien aurait été trop loin pour l'en dissuader, même s'il avait prévu le danger. Malheureusement, pour atteindre la poterne, il fallait passer sur un petit pont en dos-d'âne qui enjambait la douve ceinturant le château. Le prince se mit en devoir de le franchir. Mais la pluie avait rendu glissant le tablier du pont : il dérapa et le couple tomba dans le fossé. Comme tu peux t'en douter, lui seul en ressortit ! L'eau avait, bien sûr, réduit à néant la dame de ses pensées. (Jim fit de son mieux pour avoir l'air impressionné.) Quelle tragédie pour le prince ! Quant aux projets du magicien, ils étaient évidemment à l'eau – c'est le cas de le dire ! – et il se trouva ruiné, le Département des Comptes ayant été dans l'obligation de lui imposer une sévère amende pour des raisons techniques qui, pour l'heure, t'échapperaient, mon cher James. La leçon de cette histoire est la suivante : ne recours jamais à la magie suprême quand tu peux faire appel à une forme de magie courante qui existe généralement, même si elle n'est pas reconnue comme telle. Maintenant, ce que je te suggère – et je t'enseignerai à le faire –, c'est d'utiliser un charme pour recoller provisoirement les morceaux de ta vêture et de ton attirail pour l'instant quelque peu... démembrés. Mais quand tu seras rentré, il faudra que tu les répares selon des moyens très courants. Tu me suis ?

– Parfaitement ! s'écria Jim, satisfait qu'on en ait fini avec le cours magistral et ravi à l'idée qu'il allait retrouver ses vêtements : il avait eu la quasi-certitude que Gorp refuserait de le laisser monter en selle habillé comme un traîne-lattes et la perspective de retourner à pied au château n'avait rien d'enthousiasmant.

Carolinus lui fit donc suivre la procédure du tableau noir mental, répertoire et *Encyclopædia Necromantick*, et, deux heures plus tard, Jim franchissait la poterne du château. Il était plus que content de lui. Il maîtrisait maintenant à la perfection la technique grâce à laquelle il lui serait possible de passer de l'état de dragon à la forme humaine. Il ne connaîtrait plus toutes ces épreuves. A titre d'expérience et sous la tutelle de Carolinus, il s'était même à plusieurs reprises changé en dragon rien que pour être tout à fait sûr que la leçon avait porté ses fruits et qu'il possédait à fond tous les mécanismes. Somme toute, la journée commençait plutôt bien.

– Milord, sir Brian Neville-Smythe est là, lui annonça l'homme d'armes en faction devant la poterne.

– Ah oui ? C'est une bonne nouvelle.

Jim sauta à bas de sa monture et se dirigea en hâte vers la salle d'honneur où Brian devait selon toute probabilité l'attendre à moins qu'Angie l'ait fait monter dans leur chambre de la tour solaire pour qu'ils ne soient pas dérangés. Rares étaient, en effet, les pièces du château qui n'étaient pas ouvertes à tous les vents de sorte que, par la force des choses, Jim et Angie avaient fini par s'habituer à la coutume médiévale qui voulait que l'on vive sous le regard de tous. Ils en étaient arrivés, en définitive, à ne plus se soucier qu'on les observe et qu'on entende ce qu'ils disaient, sauf dans les moments où la plus stricte intimité était requise.

Comme Jim s'y attendait, sir Brian était assis à la table haute dans la salle d'honneur en compagnie d'Angie. Il s'avança à grands pas vers lui et les deux hommes s'étreignirent.

– Jim ! s'écria Angie. Mais que t'est-il arrivé ?

Il était prévisible que son apparence soulèverait des commentaires mais Jim avait déjà une explication toute prête :

– Bah ! C'est un tour de magie qui a raté. Rien de bien grave. Il faudra seulement qu'on recouse mes vêtements et qu'on redresse mon armure qui est un peu cabossée.

Jim était conscient qu'une bonne vingtaine de personnes présentes dans la salle se rapprochaient pour mieux l'entendre.

– Vous avez, en vérité, une tenue qui laisse fort à désirer, milord, fit sir Brian.

– Cela n'a guère d'importance, Brian.

Le « milord » l'avait fait tiquer. Pour dissimuler son agacement, il se hâta de prendre la cruche de vin posée sur la table entre Angie et Brian et remplit à moitié les hanaps.

Leur amitié datait de près d'un an. A cette époque, Brian avait mis à sa disposition les compagnons d'armes nécessaires pour être de force à affronter les puissances maléfiques qui occupaient la Tour Répugnante. Pour rehausser son prestige et sous le coup d'une impulsion, Jim avait alors prétendu que, dans le pays d'où il venait, il avait un titre : baron de Riveroak. Sir Brian avait accepté la chose le plus naturellement du monde, tout en continuant à l'appeler : sir James. Du jour où Jim était entré en possession de la seigneurie de Malencontri, Brian avait commencé à lui donner du « milord », ce qui déplaisait fort à l'intéressé. Ils étaient à présent de vieux amis. Des amis intimes. Jim avait maintes fois prié Brian de l'appeler tout simplement James, mais la force de l'habitude jouant, il arrivait de temps à autre à Brian d'oublier sa recommandation.

Neville-Smythe était dans sa vingt-cinquième année et il avait facilement trois ans de moins que Jim. Mais quiconque les aurait vus ensemble pour la première fois aurait sans aucun doute pensé que Brian était bien de dix ans son aîné.

Cela pour une part en raison de son visage anguleux, rasé de près et hâlé par le soleil. Mais il émanait également de lui une assurance, un sang-froid et une autorité naturelle qui faisaient totalement défaut à Jim. Sir Brian avait grandi avec la certitude qu'il serait un jour un chef, ce qu'il était incontestablement.

Comparé à Jim et à Angie, il était pauvre. Et célibataire. Il attendait que le père de Geronde Isabel de Chaney, un autre de ses voisins, revienne de Terre sainte – s'il devait un jour en revenir – pour lui demander la main de sa fille. Son château était vieux et menaçait ruine. Ses terres faisaient piètre figure à côté du domaine de Malencontri. Lorsqu'il serait l'époux d'Isabel, il pourrait, à la mort de son beau-père, ajouter l'héritage des Chaney à ses biens. Il serait, dès lors, sur un pied d'égalité avec Jim et Angie. Mais, pour l'heure, et cela depuis bien des années, il vivait plus ou moins à la limite de la pauvreté. Ce qui, pensait Jim, ne l'empêchait pas de dormir.

– Alors ? demanda Angie avec impatience. Cette visite ? Qu'en as-tu retiré ?

– Eh bien, répondit Jim, il s'agit de mon crédit magie au Département des Comptes... en résumé, il n'est pas possible de le laisser tout simplement dormir. Il faut que je commence à l'employer, sinon le Département risque de me manipuler. Carolinus m'a indiqué la marche à suivre pour que je puisse le faire travailler. Si vous n'y voyez pas d'inconvénient, je ne m'étendrai pas davantage sur ce point parce que c'est un peu complexe. Mais maintenant que j'ai les connaissances indispensables, il ne me reste plus qu'à m'entraîner. Et c'est ce que je compte faire pendant les six mois à venir sauf empêchement majeur. Je vais me plonger dans les exercices pratiques de magie. La pratique, il n'y a que ça.

– Peut-être n'en aurez-vous pas le loisir, dit sir Brian sur un ton empreint de solennité.

5

Jim dévisagea simplement Brian d'un regard interrogateur mais Angie réagit avec vivacité :

– Il n'en aura pas le loisir ? Qu'entendez-vous par là ? demanda-t-elle sur un ton belliqueux à sir Brian. Pourquoi n'en aurait-il pas le loisir ? Qu'est-ce qui l'en empêcherait ?

– C'est précisément l'objet de ma visite. Si je ne vous ai encore rien dit, c'est que je voulais attendre que Jim soit rentré car cela vous concerne tous les deux.

Brian ne souriait pas et son maintien était grave.

– Nous vous écoutons, se contenta de répondre Jim.

– Edouard, le fils aîné de Sa Majesté et premier prince du royaume, a livré grande bataille à Poitiers, en France, contre le roi Jean. Et, nouvelle qui m'a fendu le cœur comme à tout Anglais loyal, le roi Jean a fait prisonnier le prince Edouard.

Jim et Angie échangèrent un coup d'œil dont le sens était évident : ils ne savaient pas plus l'un que l'autre comment réagir. Mais Brian attendait certainement une réaction.

– Quelle ignominie ! fit Angie avec une pointe d'indignation dans la voix.

A son tour Jim renchérit.

– L'Angleterre tout entière en est sens dessus dessous, reprit Brian d'un ton lugubre. Il n'est pas un gentilhomme digne de ce nom qui ne soit à l'heure présente en train de harnacher son cheval, de ceindre son armure et de rameuter ses gens pour aller délivrer notre prince et donner à ce Français présomptueux la leçon qu'il mérite !

– Vous aussi, Brian ? demanda Angie.

– Parbleu oui, par saint Dunstan ! Les chevaliers comme vous et moi, James, n'attendront pas les ordres de notre souverain... qui est, nous le savons tous, quelque peu négligent en ce qui concerne les affaires de l'Etat...

Brian voulait dire par là, et Jim ne l'ignorait pas, que le roi, alcoolique fieffé presque perpétuellement en état d'ébriété, pouvait traîner des pieds des mois durant avant de prendre la décision qui s'imposait.

– Nous allons commencer dès maintenant à nous préparer pour cette expédition, continua-t-il. Il m'est déjà revenu que le comte-maréchal et quelques seigneurs proches du trône veilleront à ce que des troupes soient levées. Mais il faut perdre le moins de temps possible. Dès que nous le pourrons, nous rassemblerons nos forces et embarquerons dans l'un des Cinq Ports – Hastings, probablement.

La gravité de Brian avait largement fait place à ce qui était indiscutablement un sentiment de pure jubilation. Le cœur de Jim se serra. La perspective du combat éveillait chez son ami le plus proche comme chez tous les hommes de ce monde et de ce temps une intense allégresse.

– Tu n'as pas à te mêler de cela, Jim, protesta alors Angie non sans anxiété.

– Angela, dit Brian, cette inquiétude d'épouse est tout à votre honneur. Mais rappelez-vous que Jim est maintenant inconditionnellement attaché au service de Sa Majesté qui a fait de lui le seigneur de Malencontri. Son devoir de vassal ne lui laisse d'autre choix que de se soumettre au bon plaisir du roi pendant cent vingt jours en temps de guerre.

– Oui, mais...

Angie n'alla pas plus loin. Jim n'osait croiser son regard suppliant. Ils savaient tous deux que plus d'un chevalier trouverait une bonne excuse pour rester chez lui. Mais Brian et la plupart des nobles seigneurs de cette région rurale de l'Angleterre médiévale étaient d'une autre trempe. Si lui, Jim, demeurait devant son feu à se chauffer les pieds alors que tous ses voisins, répondant à l'appel, s'embarquaient pour aller délivrer le prince héritier, il serait, et Angie avec lui, à jamais mis au ban de la société et considéré comme un réprouvé.

– Je dois y aller, dit-il d'une voix lente et, se tournant vers Brian, il ajouta : Pardonnez-moi si je parais moins heureux que vous, Brian, mais ce n'est que l'année dernière, rappelez-vous, que j'ai appris à me servir d'une épée et d'un bouclier. Gorp n'est pas vraiment un cheval de combat. Mon armure ne me va pas très bien. Et j'ignore ce qu'il conviendrait de faire pour lever une troupe comme mon devoir de vassal m'en fait obligation. Avez-vous une idée du nombre d'hommes que je devrais rassembler ?

– Outre vous-même, Malencontri peut fournir au moins cinquante cavaliers. Mais ce que vous dites est vrai, James. Je sais ce que vous craignez : que votre contribution à cette entreprise ne puisse paraître trop modeste à vos yeux. Et aussi que, faute d'habitude, milady ici présente n'ait pas les compétences voulues pour assurer la protection du château en votre absence.

– Oui, c'est exact, s'empressa d'approuver Angie. Jim a peut-être beaucoup appris cet hiver mais pour ce qui est de défendre le château, je n'y connais strictement rien.

– Pardonnez-moi, milady, c'est là le moins délicat des problèmes qui se posent. Vous avez, souvenez-vous-en, une amie fidèle en la personne de lady Geronde Isabel de Chaney qui est loin d'être novice en la matière. Elle sera heureuse de venir passer une semaine auprès de vous pour vous enseigner la meilleure manière de repousser une éventuelle attaque ou incursion. Venons-en à vous, James. Vous n'êtes pas assez vaniteux pour l'admettre mais, en vérité, vous êtes désormais passé maître dans le maniement de l'épée, de la hache d'armes et de la dague. Certes, pour être franc, je n'aimerais pas vous voir charger à la lance un chevalier aguerri. Néanmoins, j'ai vu partir en guerre bien des hommes moins habiles que vous dans l'art des armes. En outre, vous êtes en possession de ce crédit magie qui constituera un précieux atout quand sonnera l'heure de délivrer le fils de Sa Majesté.

– Mais lever des hommes en état de combattre, choisir lesquels emmener, les instruire dans leur métier et prendre le commandement... c'est là une tâche qui me dépasse complètement.

– Ne vous mettez pas martel en tête, James. Je vous propose d'unir nos forces. Nous pourrions même solliciter l'assistance de quelques-uns des compagnons de Giles des Hautes-Plaines. Ce sont peut-être des hors-la-loi mais, dans les circonstances présentes, nul ne se montrera trop sourcilleux en la matière. Le maître archer Dafydd ap Hywel pourrait aussi être une recrue de choix. Hélas, ces Gallois ne portent pas les Anglais dans leur cœur et il est peu probable qu'il accepte de nous aider à délivrer notre prince, même si Danielle des Hautes-Plaines, maintenant son épouse, est d'accord pour qu'il participe à l'expédition. Pourtant, ce serait fabuleux d'avoir un archer de cette envergure dans nos rangs !

– Il a toujours dit, intervint Angie, et Danielle aussi, qu'il prêterait son concours si le besoin s'en faisait sentir. La réciproque est vraie.

Un bref instant chacun eut en tête l'affaire de la Tour Répugnante au cours de laquelle ils s'étaient tous ligués contre les Noires Puissances.

– Venir à l'aide d'un ami est une chose, répliqua Jim. Voler au secours du roi d'un pays contre lequel son peuple est en guerre depuis des siècles en est une autre. Qui plus est, rappelle-toi que Dafydd n'est pas homme à courtiser le danger rien que pour le plaisir de l'aventure. C'est seulement pour l'amour de Danielle qu'il nous a accompagnés à la Tour Répugnante.

– Vous avez raison, James, dit Brian. Mais que risquons-nous à le lui demander ? Nous n'avons, de même, rien à perdre en sollicitant les joyeux lurons de Giles des Hautes-Plaines. Qui sait ? Ils seront peut-être prêts à partir en campagne avec nous pour la gloire et le butin.

– Vous avez déjà fixé la date de votre départ ? s'enquit Angie.

– Le plus tôt sera le mieux. Néanmoins, il faudra environ trois semaines pour que certains de mes amis prennent leurs dispositions afin de me rejoindre. D'ailleurs (le chevalier se tourna vers Jim), ce laps de temps ne sera pas de trop pour familiariser si peu que ce soit les gens que vous lèverez au maniement des armes et pour les préparer à combattre en terre étrangère. Il faut faire vite, James. C'est pourquoi vous devriez commencer sans tarder à choisir les hommes que vous prendrez avec vous. C'est une des raisons de ma visite. Je ne suis pas seulement venu pour vous faire part de la nouvelle de la captivité du prince mais aussi pour vous aider. Faites quérir votre intendant.

Jim se tourna vers le chef des gardes.

– Allez chercher l'intendant John, Theoluf.

John fut là en un rien de temps. Grand, carré d'épaules, la mine sévère, il avait dépassé le cap de la quarantaine bien qu'il eût réussi à garder ses dents presque au complet. Il ne lui en manquait que deux sur le devant, ce qu'on ne pouvait pas ne pas remarquer quand il parlait ou souriait. Heureusement cela lui arrivait rarement. Les cheveux qui lui restaient étaient noirs ; il les portait longs et tirés en arrière. Coiffé d'un chapeau en forme de miche de pain, il était vêtu d'une tunique quelque peu maculée de taches de sauce.

– Votre Seigneurie m'a fait demander ?

– Oui, John. Combien d'hommes valides entre

vingt et quarante ans y a-t-il au château et sur le domaine ?

– Voyons voir, fit pensivement John en commençant à compter sur ses doigts. Il y a William qui loge près du moulin, William des douves et William...

– Avec votre permission, s'exclama sir Brian, ce rustre ne connaît manifestement pas les devoirs de sa charge ! Mieux vaut encore ne point avoir d'intendant que d'en avoir un qui est incapable de donner immédiatement le chiffre que vous lui demandez. Je vous suggère de le pendre haut et court et de nommer quelqu'un d'autre à sa place.

– Non, non, protesta John. Pardonnez-moi, milord, milady, et vous, noble seigneur. J'avais l'esprit ailleurs. Il y en a trente-huit en tout, y compris les gardes.

– Comme c'est étrange ! dit sir Brian d'une voix sèche avant que Jim ait pu placer un mot. La dernière fois que j'ai entendu parler de Malencontri, la baronnie était forte de plus de deux cents hommes valides. Et ils ne seraient plus à présent que trente-huit y compris vos gens d'armes ! Que voilà un fief dans une situation alarmante, en vérité ! (Il fixa Jim.) Milord, m'autorisez-vous à continuer d'interroger l'intendant John ?

– Mais certainement, répondit Jim avec soulagement. Faites donc.

Brian vrilla ses yeux sur John qui paraissait s'être soudain recroquevillé.

– Vous êtes maintenant au courant de la situation, mon brave. Ses devoirs envers son suzerain exigent que votre seigneur et maître lève une troupe. Des hommes valides en âge de porter les armes. Cent vingt personnes, et vous avez deux heures pour les rassembler.

– Mais, Brian, dit Jim sur un ton qui manquait quelque peu d'assurance, s'ils ne sont que trente-huit...

– J'ai le sentiment que messire l'intendant s'est

peut-être trompé sur le nombre d'hommes susceptibles d'être recrutés dans la baronnie. Une petite erreur dont il se rend à présent compte car on lui passera la corde au cou s'il ne parvient pas à trouver les effectifs requis. Est-ce bien compris, maître John ? Vous avez une heure pour les réunir dans la cour du château afin que votre seigneur et moi-même puissions les passer en revue et vérifier s'ils sont aptes au service. Vous pouvez disposer.

– Mais... mais... mais... (L'intendant regarda Jim d'un air implorant.) Ce que demande le chevalier n'est pas possible, milord. Même si nous disposions des cent vingt hommes qu'il réclame, tous seraient indispensables ici et on ne saurait en distraire un seul de ses tâches. Il y a les terres en jachère qu'il faut labourer. Le château a besoin de réparations qui n'ont que trop attendu puisque nous arrivons au printemps. Mille et une besognes s'imposent d'urgence et nous manquons déjà de bras...

Brian coupa court aux protestations de l'intendant :

– James, pourrais-je vous parler en privé ?

– Bien sûr. Que tout le monde – y compris vous, John –, se retire. Mais que personne ne s'éloigne du château afin que je puisse vous rappeler si besoin est.

Sir Brian attendit que tous les membres du personnel se soient éclipsés. Il allait prendre la parole mais Angie ne lui en laissa pas le temps.

– Brian, fit-elle, n'avez-vous pas été un peu trop dur avec lui ? Il est à notre service depuis que nous nous sommes installés ici. C'est un brave et honnête homme. Il n'a jamais abusé de la confiance que nous avons placée en lui et nous a toujours donné le meilleur de lui-même. S'il dit qu'il ne dispose que de trente-huit hommes, c'est probablement la vérité.

– N'en croyez rien, milady. Je ne doute pas de la véracité du portrait que vous avez tracé de lui. C'est un bon intendant doublé d'un homme de confiance. Et c'est justement pour cela qu'il rechigne à se séparer de la totalité des serfs qu'il vous faut lever. Son devoir est de protéger et d'entretenir le domaine et le château. Aussi se considère-t-il comme obligé de garder les meilleurs des tâcherons qu'il a sous ses ordres. Il se livre à un marchandage, c'est tout. Vous n'êtes pas tenu de recruter cent hommes, je vous l'accorde, James. Mais trente-huit, c'est ridicule. Nous arriverons à un compromis entre mon chiffre et le sien. Il se fera tirer l'oreille mais, au bout du compte, nous aurons les effectifs qui nous sont nécessaires. Maintenant, m'accorderez-vous la permission de continuer ?

– Faites à votre guise, Brian. Je suis à nouveau votre élève comme lorsque vous étiez mon maître d'armes. J'essaierai d'apprendre à votre exemple.

– Fort bien. Le mieux est de laisser votre intendant se morfondre un peu, se dire que je ne parlais peut-être pas sérieusement en exigeant cent vingt hommes et soupeser les chances qu'il a d'être pendu s'il ne les fournit pas. Pendant qu'il réfléchit, je souhaiterais que vous fassiez revenir le chef de la garde.

– Theoluf ! appela Jim à pleins poumons.

Celui-ci, qui se tenait derrière la porte donnant sur l'escalier, surgit immédiatement. Il s'approcha de la table.

– Milord ?

Il avait dans les trente-cinq ans mais, à l'instar de Brian, il paraissait plus âgé du fait de la vie au grand air qu'il menait. Il a beaucoup de points communs avec John, songea Jim en le regardant. Tous deux avaient de l'autorité et cela se voyait dans leur maintien. Tous deux étaient des braves et le savaient. En fait, Theoluf était plus petit que l'intendant, moins large d'épaules et plus nerveux que bien charpenté. Il portait un haubert renforcé de plaques d'acier, et l'épée et la dague qui pendaient de part et d'autre de son ceinturon semblaient faire partie de son corps. Comme John, il était brun mais ses cheveux étaient coupés plus court. En signe de respect, il ôta le casque dépourvu de nasal qui le coiffait.

– Je veux, Theoluf, que vous écoutiez avec attention ce que va vous dire le chevalier et que vous lui répondiez avec franchise et sincérité.

– A vos ordres, milord. Je vous écoute, messire Brian.

– Nous nous connaissons tous les deux, Theoluf.

– Certes, messire Brian. (Un imperceptible sourire étira les lèvres de l'homme d'armes.) Nous nous sommes même retrouvés de part et d'autre de ces parapets du temps où sir Hugh était baron de Malencontri.

– Il est vrai, mais bien qu'il nous soit arrivé de nous rencontrer à la pointe de l'épée, je vous tiens pour un homme de bien, fidèle à votre seigneur, c'est-à-dire, à présent, à sir James. Est-ce que je me trompe ?

– Non, messire. Celui que Theoluf sert, il le sert sans réserve. Je me battrai maintenant pour sir James et je suis prêt à mourir pour lui s'il le faut.

– Il ne vous sera pas demandé de mourir aujourd'hui mais de répondre en votre âme et conscience et avec exactitude à quelques questions. Vous êtes maintenant au courant, comme tout le monde dans ce château, de ce qui s'est passé en France et du projet que nous avons formé, sir James et moi, de nous rendre sur le continent. Nous avons l'intention de réunir nos forces. Sir James vous a fait part de son dessein de lever une troupe afin de satisfaire à ses obligations envers son suzerain. Alors, répondez-moi : en dehors des gardes, y a-t-il dans la baronnie des hommes ayant bon pied bon œil et qui soient aptes à subir l'entraînement que requiert pareille entreprise ?

– Bon pied bon œil, je pourrais dire qu'il y en a, mais ces gourdiflots emplâtrés de la cervelle ne connaissent rien aux armes et ils savent encore moins ce que c'est que de se battre. Ils n'ont pas la moindre idée de ce à quoi ressemble la guerre.

– Je vous crois, Theoluf, mais je pense que vous avez une vision trop sombre des choses. Nous ne partirons pas avant deux ou trois semaines et nous aurons ensuite une longue route devant nous. Il vous appartiendra de faire en sorte que ceux que nous aurons sélectionnés soient prêts à en découdre le moment venu. Des batailles ont été gagnées par des gens qui n'avaient jamais tenu une arme de leur vie. Mais le fait est là : quelques-uns de vos guerriers parmi les meilleurs devront rester pour assurer la défense de Malencontri et de dame Angela.

L'expression de Theoluf s'assombrit.

– C'est vrai, dit-il au bout d'un moment avant de se tourner vers Jim. Mais moi, je vous accompagnerai, milord ?

– S'il n'y avait qu'un seul homme pour m'accompagner, ce serait vous.

Le visage de Theoluf s'éclaira.

– Alors, nous ferons de notre mieux, messire Brian. Nous instruirons nos recrues. (Son front se plissa à nouveau.) Mais ce diable de Gallois que vous aviez enrôlé lors de l'affaire de la Tour Répugnante, seigneur chevalier, milord et milady, nous a coûté quelques fins archers. Et des archers, nous en aurons grand besoin...

– Ah ! cette mémoire qui ne cesse de me jouer des tours ! s'exclama Brian. J'avais un message à vous transmettre : vous allez avoir la visite de Dafydd et de Danielle, son épouse. Ils sont en chemin. Je vous supplie de me pardonner mais avec l'histoire du prince, cela m'était complètement sorti de la tête.

– Dafydd et Danielle ? répéta Jim. Pourquoi Dafydd aurait-il l'idée de venir ici ?

– D'après ce que j'ai compris, ce serait plutôt Danielle qui désirerait voir dame Angela. Toujours est-il que j'ai appris il y a tantôt une semaine qu'ils avaient pris la route. Ils devraient maintenant être là d'un jour à l'autre.

– Tiens ! murmura rêveusement Angie.

– Eh bien, fit Jim, je serai heureux de les recevoir...

Un assourdissant vacarme lui coupa la parole et un homme en qui il reconnut l'un des compagnons d'armes de sir Brian surgit dans la salle en trébuchant, encadré par deux de ses propres gardes. Sans prêter attention au maître de céans, il s'adressa aussitôt au chevalier :

– Milord ! balbutia-t-il en se retenant au bas bout de la table pour ne pas s'écrouler. On a attaqué le château de Smythe. J'ai presque crevé un de vos chevaux sous moi pour vous apporter la nouvelle aussi vite que possible.

6

Jim bondit sur ses pieds.

– Theoluf ! Réunissez tous les hommes que vous pourrez ! Et qu'on m'apporte des vêtements propres et mon armure ! Brian...

Mais Brian s'était déjà levé et avait coiffé son casque.

– Suivez-moi de votre mieux, James, lança-t-il par-dessus son épaule. Je ne peux pas attendre. (Il empoigna le messager par le bras et le fit pivoter sur lui-même.) Es-tu encore en état de monter ?

– Oui-da, messire. Il faudrait seulement qu'on me donne un cheval frais.

– Prenez celui que vous voudrez à l'écurie ! cria Jim tandis que Brian, soutenant l'homme à moitié, le poussait vers la porte.

Jim et Angie les accompagnèrent jusqu'à la poterne devant laquelle on avait déjà amené le palefroi de Brian et le coursier qu'avait réclamé le messager. Ils arrivèrent juste à temps pour voir le chevalier sauter en selle et éperonner sa monture. Quand il eut disparu, le couple revint sur ses pas.

Il fallut un bon quart d'heure pour que Jim s'habille et enfile son armure. Il s'était à moitié attendu qu'Angie proteste, mais à son exemple, elle était apparemment devenue une citoyenne à part entière de cet univers. Elle lui donna un baiser d'adieu, se bornant à lui dire :

– Prends garde à toi.

Jim enfourcha Gorp et donna le signal du départ à la maigre escorte de seize hommes d'armes hâtivement rameutés. Prenant leur tête, il partit au grand galop sur le chemin qui conduisait au château de Smythe.

– Milord, fit Theoluf en se portant à sa hauteur, il nous faut ménager nos chevaux.

– C'est vrai.

Ce fut à contrecœur que Jim ralentit l'allure. Son intention première avait été de rejoindre sir Brian pour que son messager lui en apprenne plus long sur les événements dont le château de Smythe était le théâtre, mais la raison lui soufflait maintenant qu'il n'avait aucune chance de les rattraper. Les deux hommes devaient filer à un train d'enfer et le conseil de Theoluf était judicieux : il était préférable de ne pas forcer les chevaux afin d'être dans les meilleures conditions possibles au moment du combat.

Jim tira encore sur les rênes pour que Gorp prenne le pas. Si rien ne les arrêtait, ils seraient rendus dans une heure et demie.

– Qu'en pensez-vous ? demanda-t-il à Theoluf. Qui peut bien donner l'assaut au château de Smythe ? C'est loin d'être le plus riche des domaines de la région.

– Mais des étrangers pourraient penser que c'est aussi un des plus vulnérables.

– Je vois ce que vous voulez dire. Dans ce cas, les assaillants ne devraient pas être trop nombreux. Il ne saurait s'agir de voisins. Brian est en bons termes avec tous et d'ailleurs la loi normande nous interdit de nous battre entre nous.

– La loi est une chose, son application une autre, répliqua Theoluf d'un ton sceptique. Je crois néanmoins que milord est dans le vrai. Ce ne sont pas des voisins. Il n'y a pas, non plus, dans les parages de bandes de hors-la-loi suffisamment fournies pour tenter une opération pareille et nous sommes trop au sud pour redouter un coup de main des Ecossais. Il est possible qu'il s'agisse de pirates venus de la mer dans l'intention de piller et de décrocher très vite avec leur butin avant qu'on ait eu le temps de prendre les armes pour leur faire rendre gorge.

Jim acquiesça. C'était l'hypothèse la plus vraisemblable.

La faim le tenailla soudain et il prit conscience qu'il n'avait rien mangé depuis son retour de chez Carolinus.

– Theoluf, fit-il, les hommes ont-ils pris quelque nourriture depuis le lever du jour ?

– Ne vous faites pas de souci, milord, répondit Theoluf avec une ébauche de sourire. Un homme d'armes veille à avoir tout le temps la panse bien remplie en prévision d'une éventuelle urgence comme c'est présentement le cas. (Il dévisagea Jim.) Et Milord a-t-il mangé, lui ?

– Eh bien, non, justement. Pas depuis le petit déjeuner, en tout cas. Je n'y ai pas pensé.

– Milord devrait regarder dans ses portemanteaux. C'est bien le diable si on n'y a pas mis des provisions quand on a sellé son cheval.

Theoluf avait vu juste : Jim trouva dans la sacoche de gauche du pain, du fromage et un gros cruchon de vin. Maintenant, il était paré. Quand il eut le ventre plein, une grande partie de son optimisme lui revint.

A l'approche du château de Smythe, la petite troupe ralentit encore l'allure et, quittant le chemin, s'enfonça dans les profondeurs des bois où elle se dispersa pour le cas où les attaquants auraient établi leur camp à proximité ou installé des guetteurs. Mais cette précaution s'avéra inutile. On parvint sans difficulté jusqu'à la limite de l'espace dégagé au centre duquel se dressait le château. Dissimulé derrière un rideau de feuillage faisant écran, Jim observa les lieux. Une centaine d'hommes dépenaillés – peut-être un peu moins – étaient groupés en désordre devant la poterne principale. Ils étaient visiblement sous le commandement d'un personnage de haute stature nanti d'une barbe noire.

Jim nota que le fossé d'enceinte était à moitié sec. On n'avait manifestement pas eu le temps de relever la herse – à moins que son mécanisme, grippé par la rouille, n'ait pas fonctionné. Les battants du portail, toutefois, étaient hermétiquement fermés et ils étaient suffisamment massifs pour offrir une résistance considérable. C'est à ce moment que Jim comprit le pourquoi de l'apparente passivité des agresseurs : ils avaient abattu un gros arbre qu'ils avaient halé jusqu'à la poterne et ils étaient occupés à l'élaguer de ses dernières branches pour en faire un bélier improvisé.

– Où pensez-vous que peuvent être sir Brian et son compagnon, Theoluf ? demanda-t-il en baissant instinctivement la voix bien qu'ils fussent assez loin pour ne pas être entendus des assiégeants. Pourvu que cette racaille ne les ait pas faits prisonniers !

Une voix rauque retentit juste derrière lui :

– N'ayez aucune crainte, James. Ils sont eux aussi aux aguets dans la forêt de l'autre côté du château.

Jim se retourna. C'était Aragh, le loup anglais, qui, selon son habitude, avait surgi sans le moindre bruit malgré sa taille.

– Aragh ! Comme je suis content de te voir !

– Pourquoi ? Vous espériez que je viendrais à votre aide ? Eh bien, vous vous trompiez. Si je suis ici, c'est pour le chevalier Brian. Lui aussi est un ami. Croyez-vous que j'aurais abandonné un ami ?

– Bien sûr que non. Ecoute, Aragh... tu te déplaces

plus vite et plus silencieusement qu'aucun de nous. De plus, tu sais où se trouve sir Brian. Voudrais-tu aller le chercher pour que nous puissions ensemble établir un plan de bataille ?

– Pas la peine. Il arrive. Je l'ai prévenu de votre arrivée. Il n'y a qu'un humain pour ne pas entendre le vacarme que vous faisiez avec vos grands chevaux au milieu de la futaie ! Sir Brian et son compagnon devraient être là d'un moment à l'autre.

Et, de fait, tous deux apparurent quelques instants plus tard, l'homme d'armes tenant son cheval et celui de son maître par la bride.

– James ! s'exclama sir Brian. Je suis heureux que vous soyez là. Combien d'hommes avez-vous amenés avec vous ?

– Seize... n'est-ce pas, Theoluf ? (L'interpellé confirma d'un hochement de tête.) J'ai donné ordre qu'on nous en envoie d'autres en renfort mais je crains que l'on ne puisse en rassembler plus d'une douzaine – et pas avant ce soir au plus tôt. A supposer qu'ils soient au rendez-vous, nous serons à peine une trentaine, nous deux compris. Bien sûr, il y a aussi Aragh.

– Bien sûr, répéta railleusement le loup. Vous devriez savoir, James, que je vaux à moi tout seul une douzaine de vos cagnards.

– Ce dont nous aurions vraiment besoin, reprit Brian, ce serait de quelques archers ou arbalétriers. Nous pourrions alors faire parvenir un message à mes gens dans le château. Pour l'heure, ils ne savent pas que nous sommes là.

– Combien sont-ils ? s'enquit Jim. Je veux dire combien d'entre eux sont-ils capables de se battre ?

– Il n'y a que onze hommes d'armes et peut-être quatre ou cinq domestiques qui pourraient se servir d'une épée ou d'autre chose s'il le fallait.

– Seize autres personnes en tout, quoi ?

– Disons dix-sept – encore que mon écuyer soit presque un enfant. (Brian regarda Jim d'un air sombre.) En tout, nous serions donc tout au plus trente-sept pour attaquer une troupe deux fois plus nombreuse car je crains que nous n'ayons pas le temps d'attendre l'arrivée de vos renforts. D'ici un quart d'heure, ces canailles vont commencer à enfoncer la poterne avec leur bélier. Elle est solide, certes, mais c'est maintenant la dernière défense du château. Une fois qu'ils l'auront démantelée, ils y entreront et nous serons contraints, j'en ai peur, de passer à l'action sans délai avec les seules forces dont nous disposons pour l'instant. La poterne est solide, je vous le répète, mais il ne leur faudra pas plus d'une demi-heure pour la réduire en miettes.

– Ah ! fit Aragh en penchant la tête de côté. En voilà deux autres qui arrivent – et qui sont plus habitués que vous à avancer discrètement à travers bois. Ha ! (Il y avait une note de surprise amusée dans la voix d'Aragh, ce qui était chose peu coutumière.) C'est Danielle et ce grand échalas de lanceur de flèches gallois qu'elle appelle maintenant son mari.

Jim et sir Brian échangèrent un coup d'œil interloqué.

– Je vous ai averti qu'elle, ou plutôt qu'ils venaient vous rendre visite, fit le second. Si l'on y réfléchit, le château de Smythe est à peu près sur le même chemin que Malencontri. Mais quand même... comment peuvent-ils savoir que nous sommes ici ?

– Pour peu qu'ils aient des oreilles, ils n'ont sûrement pas manqué d'entendre le boucan que vous faisiez, dit Aragh sur un ton acerbe. Toujours est-il qu'ils sont là maintenant.

Peu après, Danielle, la fille de Giles des Hautes-Plaines, et Dafydd ap Hywel, maître archer – *le* maître archer de tous les archers du monde s'il y a une justice, songea Jim –, émergèrent des taillis. Dafydd, son arc passé derrière le dos, avait le bras gauche en écharpe.

– Père est en route avec ses hommes, annonça aussitôt Danielle sans autre préambule. Il a été prévenu qu'une bande de pillards rôdait dans le secteur et il a pensé que le château de Smythe pourrait bien avoir besoin d'aide. Mais comme il lui faudra un certain délai pour rassembler une troupe, nous sommes partis en éclaireurs, Dafydd et moi. Ah, Aragh !

Elle s'interrompit pour caresser le loup qui, couché sur le dos, les pattes en l'air, essayait de lui lécher la figure.

– Qu'est-il arrivé à votre bras, l'ami ? demanda Brian.

– Bah ! Juste une petite foulure...

Mais Danielle coupa sèchement Dafydd :

– Une fracture de la clavicule, tu veux dire. Il s'est battu avec deux des hommes de père en même temps. Pour épater la galerie, comme d'habitude.

– Peut-être bien, admit Dafydd de sa voix douce et mélodieuse qui contrastait avec sa stature herculéenne. Personnellement, je n'y aurais guère attaché d'importance ; néanmoins, et vous m'en voyez désolé, sir Brian, c'est fort malencontreux car mon arc et moi ne vous serons pas d'une grande utilité.

– Ce qui est fait est fait mais c'est bien regrettable, dit Jim. Nous espérions, sir Brian et moi, trouver un moyen d'envoyer un message à ses gens par-dessus la muraille pour leur faire savoir que nous sommes là. Ils pourraient ainsi tenter une sortie dès qu'ils entendront un signal les prévenant que nous passons à l'attaque. Comme vous pouvez le voir, ces gredins se préparent à enfoncer la poterne à coups de bélier. Une fois cette racaille dans la place, les défenseurs seront submergés sous le nombre.

– Sans doute vous ferai-je défaut mais vous aurez quand même un arc à votre disposition.

Et Dafydd se tourna vers sa femme.

– Si j'ai bien compris, dit alors Danielle, votre idée était de lancer par-dessus le rempart une flèche à laquelle serait attaché un message ? Y a-t-il quelqu'un qui sache lire dans le château ?

– Oui, une personne – peut-être deux – serait capable de comprendre les mots que je serais moi-même en mesure de griffonner, répondit Brian. Mais je peux libeller ce message de meilleure façon. Grand merci à vous, dame Danielle.

– Eh bien, rédigez-le. Il suffira de l'attacher à la tige d'une de mes flèches avec du fil. J'en ai. Et vous ? Avez-vous de quoi écrire ?

Jim était déjà en train de fouiller dans le portemanteau de sa selle.

– J'ai ce qu'il faut, annonça-t-il.

Il brandissait le petit bâtonnet charbonneux et le fin linge blanc dont il avait eu la prévoyance de se munir avant d'aller rendre visite à Carolinus au cas où il n'aurait pas pu se fier à sa seule mémoire pour se rappeler toutes les instructions du magicien. Sir Brian, il ne l'ignorait pas – encore que le vaillant chevalier aurait été gêné de l'admettre –, savait à peine écrire.

– Que voulez-vous que je mette ? lui demanda-t-il.

– Laissez-moi faire.

Brian s'empara de cette espèce de fusain, posa le bout de tissu sur sa selle et se mit en devoir d'y dessiner dans un coin une série de pictogrammes :

Jim identifia le dessin qui se trouvait sous les trois trompes : c'étaient, grossièrement figurées, les armoiries de Brian.

– Ils comprendront tout de suite, dit ce dernier.

Quand j'aurai joué de la trompe, ils sortiront et chargeront les assiégeants.

– Et comment sauront-ils que ce message vient bien de vous et n'est pas une ruse ? lui demanda Danielle.

– Vous voyez bien que j'ai pris soin d'y reproduire mes armes.

– Quiconque les connaît aurait pu les imiter, rétorqua Jim. Ceux qui ramasseront la flèche tombée dans la cour et liront le message seront en droit de se demander si c'est bien vous qui en êtes l'auteur. N'y a-t-il pas quelque chose que vous pourriez y joindre qui serait la preuve irréfutable que c'est vous et personne d'autre qui l'avez envoyé ?

– Jadis, j'aurais pu glisser autour de la tige de la flèche l'anneau de mon père qui ne me quittait jamais, répondit sir Brian d'un air chagrin en tendant ses deux mains pour montrer que ses doigts étaient nus. Hélas, je l'ai remis à... euh... à ce marchand de Coventry il y aura tantôt trois ans.

La pratique du prêt sur gages était illégale en raison de l'interdiction de l'usure prononcée par l'Eglise, mais elle n'en prospérait pas moins et Jim se promit de s'arranger pour que l'anneau soit restitué à son ami. Cela ne devrait pas être difficile à condition qu'il n'ait pas été déjà revendu. Le vrai problème serait de le rendre à Brian sans l'offenser en ayant l'air de lui faire l'aumône.

– J'ai trouvé une solution ! s'exclama soudain Jim. Le mouchoir que lady Geronde vous a donné, Brian ! Vos gens le reconnaîtront au premier coup d'œil. Il aura valeur de signature.

Sir Brian pâlit.

– Jamais ! s'écria-t-il avec véhémence. Tant que je serai vivant, il ne me quittera pas !

– Mais ce ne sera que pour très peu de temps, sir Brian, fit Dafydd. Vos hommes le mettront précieusement à l'abri en attendant que vous sonniez de la trompe. Il sera en sécurité comme si vous l'aviez toujours sur vous.

– Jamais ! répéta sir Brian. Je préférerais plutôt voir le château réduit en cendres ! C'est tout ce que je possède d'elle, ne comprenez-vous pas ?

– Nous le savons, dit alors Danielle avec une douceur qui ne lui était pas coutumière, mais pensez-vous que lady Isabel souhaiterait que vous perdiez votre patrimoine parce que vous auriez refusé de vous dessaisir de sa faveur pendant une heure tout au plus ? Si elle était là, ne vous ordonnerait-elle pas de la nouer à ma flèche afin de convaincre vos gens ?

Elle se tut. Le silence se prolongea. Sir Brian finit par pousser un soupir de désolation avant de se résigner à sortir de sous son haubert un léger carré de tissu safran brodé dans un coin des initiales de sa belle. Il le porta à ses lèvres et, sans un mot, le tendit à Danielle.

– Voilà une décision qui vous honore, sir Brian. Votre dame sera fière de vous.

Le chevalier secoua la tête et se redressa. L'effort de volonté qu'il s'imposait pour recouvrer son impassibilité était visible.

– Nous ferons notre devoir, laissa-t-il tomber. Mais je vous promets une chose. Même s'ils étaient deux fois plus nombreux, les ennemis ne pourront m'empêcher de pénétrer dans la cour de mon propre château dans l'heure.

Pendant qu'il parlait, Danielle, sans perdre de temps, avait solidement attaché le message et le mouchoir à une flèche. Quand elle en eut terminé, elle coupa le fil d'un coup de dents.

– Je suis prête, annonça-t-elle aux autres. Voulez-vous que je tire ma flèche tout de suite ou avez-vous d'abord des dispositions à prendre ?

– La seule chose que nous avons à faire est de monter en selle. Nous nous mettrons en ligne dans le sous-bois et dès que la flèche sera retombée derrière les remparts, nous chargerons. Point n'est besoin d'autre signal. Il nous faut non seulement les attaquer par surprise mais leur donner aussi l'impression que nous ne sommes qu'une avant-garde précédant le gros d'une troupe.

Jim, qui avait enfourché Gorp, entendit le claquement de la corde de l'arc de Danielle. La flèche s'éleva dans les airs en décrivant une courbe et, une fraction de seconde plus tard, disparut derrière le parapet du château. Ils piquèrent alors des deux et s'élancèrent au galop en direction de la clairière et des assaillants qui commençaient à enfoncer la poterne avec leur bélier.

Les trois notes de la trompe de sir Brian retentirent haut et clair.

7

Quand Jim se retrouva en train de galoper furieusement dans la clairière au milieu des autres, il éprouva un instant de griserie. En même temps, il s'étonnait que personne ne lui ait suggéré de se transformer à nouveau en dragon pour l'attaque. Mais ne fallait-il pas qu'il s'exerce à cette méthode de combat nouvelle pour lui ? Son excitation n'avait rien à voir avec la bouffée de joie féroce qu'il avait éprouvée quand, sous la forme de Gorbash, il avait fondu sur les hommes qui ravageaient le village voisin du château de Chaney. A tout le moins, il n'avait pas peur – et c'était déjà une bonne chose.

Cette cavalcade n'allait pas sans bruit. Outre le tonnerre déclenché par les sabots des chevaux martelant le sol, les hommes d'armes, et sir Brian le premier, hurlaient des cris de guerre divers et variés. Jim eut un bref aperçu de l'expression de stupeur qui figea le visage des pillards quand ils se retournèrent.

Ceux qui maniaient le bélier l'abandonnèrent pour se jeter sur leurs armes.

Et les deux groupes se heurtèrent. Etre à cheval était un avantage indiscutable. Jim eut l'impression d'avoir renversé au moins trois ou quatre adversaires avant que Gorp s'arrête si brutalement qu'il le désarçonna.

Son instinct appuyé par sa formation d'athlète joua de telle sorte que Jim retomba sur ses pieds. Les leçons de Brian ayant porté leurs fruits, il se retrouva immédiatement en position de combat, le bouclier levé et l'arme au clair. Ses arrières momentanément protégés par son cheval, il avança vers les deux reîtres qui, l'épée à la main, se dressaient devant lui.

Il était évident qu'ils savaient se servir de leur rapière, mais ils n'avaient pas eu Brian pour instructeur. Par ailleurs aucun des deux n'avait d'écu. Ils se contentaient d'exécuter des moulinets. Jim repoussa celui qui était du côté de son bouclier et, se fendant à droite, porta un coup d'estoc à l'autre. Il fut presque surpris de le voir s'écrouler. Aussitôt, il se tourna vers le premier qui avait déjà décampé. A sa place, un troisième larron faisait tournoyer une hache au-dessus de sa tête.

Jim se jeta de côté et la hache le manqua. Il frappa, ignorant s'il avait fait mouche : la mêlée devenait si confuse qu'il n'avait plus que ses automatismes pour le guider. Il entr'aperçut Aragh. Sans perdre de temps à choisir ses adversaires, le loup se faufilait entre eux et mordait tout ce qui passait à sa portée. La puissance de ses mâchoires était quelque chose d'effrayant : on aurait dit que sa gueule se refermait complètement sur les bras et les jambes qu'elle happait, ce qui signifiait que ses crocs meurtriers s'enfonçaient jusqu'aux os qu'ils broyaient.

Soudain, Jim se retrouva curieusement isolé de la mêlée générale. Ses amis et les gardes de son escorte, plus un certain nombre d'hommes revêtus d'armures et qu'il ne reconnaissait pas – probablement des occupants du château qui avaient effectué leur sortie – se battaient autour de lui contre les pillards. Mais, pour l'heure, il ne restait plus personne pour lui tenir tête. C'en était presque ridicule...

Un caverneux grondement de fureur mit brusquement fin à cette courte pause. Il se retourna juste à temps pour se protéger à l'aide de son bouclier. L'énorme hache que brandissait l'homme à la barbe noire, le chef de la bande en personne, s'abattit sur l'écu.

Le métal fit son office mais le coup avait été porté avec une force telle qu'il s'en fallut de peu que Jim ne tombât à genoux. Il réussit néanmoins à se dégager mais, bien que sain et sauf, il avait maintenant le bras gauche engourdi depuis l'épaule jusqu'au bout des doigts.

Son adversaire – il était aussi grand que lui et devait bien peser cinquante livres de plus – joua à nouveau de la hache, visant apparemment la tête. Heureusement, au dernier moment, le fer dévia de sa trajectoire : Barbe Noire avait en réalité l'intention de lui trancher la jambe. Jim réagit instinctivement : il sauta et la cognée passa en sifflant largement en dessous de ses pieds. Le barbu ne se laissa pas décourager pour autant. Il était évident que le maniement de cet instrument de guerre n'avait pas de secret pour lui mais il était tout aussi évident qu'il n'avait jamais rencontré un homme en armure qui faisait des bonds de cabri.

Jim esquivait, rompait, sautait en l'air tandis que l'autre continuait à frapper en pure perte. Il cherchait une ouverture pour faire usage de son épée mais Barbe Noire était trop rompu à ce combat pour se découvrir et le plus gros souci de Jim était qu'un de ses séides surgisse et lui enfonce sa lame dans le dos.

Brusquement, une inspiration lui vint tandis qu'il sautait une fois de plus : pliant les jambes en équerre, il les lança vigoureusement dans la figure de son adversaire. Ses talons percutèrent la mâchoire de celui-ci ; Jim, quant à lui, retomba en douceur.

Barbe Noire aurait eu une constitution hors du commun si un coup pareil ne l'avait pas déstabilisé. Toujours debout, la hache en main, il semblait ne plus rien voir, détail qui n'impressionnait pas Jim. Celui-ci n'avait qu'une idée en tête : il se battait pour sa vie. Et d'un seul coup de hache, l'autre pouvait lui régler définitivement son compte. Sans s'accorder le temps de réfléchir, il se fendit et la pointe de sa rapière s'enfonça avec une facilité déconcertante dans l'épais pourpoint de cuir constituant la seule protection de Barbe Noire qui flageola sur ses jambes et s'effondra.

Jim contempla le chef des pillards gisant à ses pieds. Il avait tué quand il habitait le corps de Gorbash, le dragon, mais c'était la première fois en tant qu'humain qu'il trucidait quelqu'un de sa condition et le fait était indéniable : Barbe Noire était bel et bien mort.

La bataille se poursuivait toujours mais ses amis étaient en difficulté. Il ne voyait ni sir Brian ni Aragh mais ceux qu'il supposait être les défenseurs du château ne chômaient pas. Certains avaient affaire à deux soudards en même temps et parfois davantage.

Il ramassa son bouclier, cabossé mais toujours utilisable, et se rua sur l'un des deux hommes qui, un peu plus loin, s'en prenaient à ses propres gardes. Le reître détala presque immédiatement pour tenter de se perdre dans la bousculade. Jim était tombé sur quelqu'un d'aussi agile que lui. Maintenant grisé par l'ivresse de la bataille, il se lança à sa poursuite avec une seule pensée en tête : le mettre hors de combat.

Mais l'autre, qui avait réussi jusque-là à esquiver les coups qu'il lui portait, s'arrêta, fit volte-face, fonça droit sur lui et lui enfonça un genou dans le bas-ventre. Cela fit atrocement mal et Jim s'écroula au sol. Son adversaire se jeta sur lui.

– Rends-toi ! hurla-t-il, la pointe de son épée à quelques pouces de son cou. Rends-toi si tu ne veux pas que je te tranche la gorge !

Malgré la douleur qui obscurcissait ses pensées, Jim comprit alors que, revêtu comme il l'était d'une armure, il donnait évidemment l'impression d'être une bonne prise et de valoir une solide rançon. Ce qui, somme toute, s'agissant du seigneur de Malencontri, n'était sans doute pas faux. Cependant, la question se trouva réglée avant même qu'il ait pris une décision : il y eut un bruit sourd et une pointe de flèche émergea soudain de la poitrine de son agresseur qui émit un son étranglé, glissa de côté et ne bougea plus.

Jim prit alors conscience de deux choses. D'abord que les assaillants battaient maintenant précipitamment en retraite pour se réfugier dans la forêt ; ensuite, que ses deux amis, Aragh et sir Brian, n'étaient pas blessés. Une troupe d'archers les appuyaient ; ils avançaient au pas de course, s'arrêtaient pour tirer une volée de flèches, repartaient et recommençaient.

Soudain, Brian surgit à ses côtés, lui prit la main et l'aida à se remettre sur ses pieds.

– Etes-vous blessé, James ? lui demanda-t-il.

– Non... pas à proprement parler. (Jim était cependant encore plié en deux comme un vieillard.) Nous aurions des secours ?

– Je crois bien que c'est Giles des Hautes-Plaines.

Dafydd, le bras toujours en écharpe, et Danielle, une flèche encore encochée à l'arc qu'elle tenait à la main, se dirigeaient vers eux, accompagnés du père de la jeune femme en personne.

– Bienvenue à vous, amis, leur lança sir Brian. Bienvenue et merci. Sans votre aide, je ne sais comment on aurait pu sauver le château de Smythe !

– Il ne l'aurait pas été, dit Aragh qui les avait rejoints.

– Il est vrai, messire Loup, mais il n'y a plus de crainte à avoir maintenant et nous ferons festin ainsi qu'il se doit en cet honneur. Je vous convie à entrer et à vous rafraîchir...

Sir Brian fut interrompu par un personnage grassouillet aux vêtements constellés de taches de graisse qui faisait manifestement partie du petit personnel.

Il ne put contenir son irritation quand le nouveau venu le tira par la manche et lui dit quelque chose à l'oreille. Visiblement celui-ci voulait lui parler sans témoins. Une fois à l'écart, tous deux se mirent à se quereller violemment à voix basse.

– Gagner une bataille est une chose, grommela Aragh, régaler ses hôtes en est une autre !

A ces mots, Jim eut une illumination. Inviter ceux qui venaient de lui prêter main-forte pour chasser une bande de pillards était affaire d'honneur pour Brian. Hélas ! Ce dernier n'avait pas les moyens d'offrir à ses alliés la petite fête dont il rêvait. D'ordinaire, sa pauvreté le laissait indifférent. Mais s'il devait accueillir ses hôtes dans une salle délabrée et ne rien avoir d'autre à leur proposer que la maigre pitance qui était la sienne quotidiennement, ce serait la honte. L'honneur de son nom était en jeu.

– Sir Brian, dit-il, pris d'une soudaine inspiration, si je pouvais me permettre d'interrompre rien qu'un instant votre conversation...

La mine chagrine, l'interpellé se retourna, fit signe au serviteur de l'attendre et revint vers le petit groupe en se forçant à sourire.

– Après votre départ en catastrophe, Brian, lady Angela m'a fait promettre de ramener Danielle à Malencontri aussitôt que je les aurais rencontrés, elle et Dafydd. « Sans délai », a-t-elle bien précisé. Si j'étais seul en cause, rien au monde ne saurait me faire décliner votre invitation, mais comment pourrais-je désobéir à ma gente dame ? Or, une idée vient de me venir. Pourquoi n'organiseriez-vous pas le festin de la victoire en mon château ? Vous n'aurez qu'à puiser dans nos réserves – vous me rendrez plus tard et à votre convenance ce que vous m'aurez emprunté pour garnir la table, voilà tout. Et, de la sorte, Angie pourra, qui plus est, être des nôtres. Si, par malheur, elle ne participait pas à la fête, elle ne me le pardonnerait jamais. Je sais que j'abuse et pèche par impolitesse en vous demandant d'ordonner ces réjouissances ailleurs que chez vous, mais si vous pouviez faire pour une fois une exception...

– Je ne sais que vous dire, James, fit Brian dont l'expression lugubre s'était lentement dissipée et qui paraissait maintenant tout joyeux. Mais... j'accepte votre proposition et vous en remercie du fond du cœur.

– Alors, il ne nous reste plus qu'à prendre la route de Malencontri.

8

Jim, Angie et sir Brian étaient assis – dans cet ordre – au haut bout de la table. Dafydd, Danielle et Giles des Hautes-Plaines étaient installés en face d'eux. Aragh avait droit à un banc qui lui permettait de s'allonger tout en ayant la tête à hauteur de la table.

Les hommes d'armes de Malencontri et du château de Smythe ainsi que les compagnons de Giles qui participaient au festin de la victoire étaient groupés de part et d'autre d'une seconde table, perpendiculaire à la première comme la barre d'un T, et qui allait jusqu'au bout de la salle.

Depuis deux bonnes heures on festoyait et les convives étaient plus que gavés de nourriture. De son côté, Aragh avait avalé quelque douze livres de viande désossée en l'espace d'une demi-minute. Il faisait sa digestion, indolemment étendu sur son banc.

Les hommes ayant débouclé leur ceinture et les femmes dégrafé leur casaquin, Brian jugea le moment venu d'aborder le sujet qui lui tenait à cœur : l'expédition projetée en France.

– ... Lord James et moi-même, disait-il à ses vis-à-vis, avons décidé d'unir nos forces. Nous voyagerons et combattrons ensemble. Il nous faut seulement attendre quelques semaines l'arrivée des braves qui m'ont naguère promis de se mettre à mon service au cas où se présenterait une éventualité comme celle à laquelle nous avons à faire face. Mais ce ne sera pas du temps perdu. Nous utiliserons ce délai forcé pour entraîner au combat quelques jeunes serviteurs de la maison de James qui sont novices dans le métier des armes. James lèvera les effectifs requis. Tous mes hommes d'armes me suivront, bien entendu, sans compter ceux de mes gens qui souhaiteront venir. Mais il ne faut pas se leurrer : nous aurons aussi besoin de quelques bons archers. (Sir Brian dévisagea Dafydd.) Ce serait merveilleux si vous pouviez vous joindre à nous, Dafydd. (Ses yeux se posèrent sur Giles.) Ainsi que vous et tous ceux de vos amis qui désireraient en faire autant.

L'expression de Giles se rembrunit.

– Non, laissa-t-il sèchement tomber. Il faudrait être fou pour renoncer à la tranquillité que nous assure notre mode de vie et partir en quête d'un improbable butin dans une France ravagée par la guerre.

– Pour ce qui est de nous, dit Dafydd d'une voix douce, nous ne sommes pas assez attachés aux rois et aux princes d'Angleterre pour aller au secours de l'un d'eux. Quant à faire la guerre pour le plaisir, vous connaissez mon sentiment là-dessus. Aussi n'est-il pas question pour moi de partir pour la France, même si j'envisageais de quitter mon épouse pour autre chose que notre bien à tous deux.

– Tu as raison, l'approuva Danielle. Je ne veux pas que tu t'embarques dans une affaire de ce genre.

– Ce serait certainement inconsidéré, murmura Angie.

Jim la regarda avec curiosité car elle avait parlé d'une voix bizarre.

– Vous vous gardez bien de me poser cette question à moi, grommela Aragh.

– Je n'en avais pas l'intention, messire Loup. D'ailleurs, c'est d'archers que nous avons besoin, pas de loups.

– Si ce monde était un monde de loups, il n'y aurait pas de guerres.

– Parce que vous commenceriez par vous entretuer.

– Non, reprit Aragh, parce que des combats de ce genre ne rapportent rien. Si votre prince ne peut pas gagner une bataille, à quoi sert-il ? Que les Français le gardent donc et qu'on n'en parle plus !

– Ce n'est pas là notre façon de penser. Je ne reproche pas à ceux qui ne sont pas directement concernés de ne pas venir, mais c'est naturellement un devoir pour James et moi. Dès que nous aurons posé le pied sur le sol de France, nous n'aurons aucun mal à trouver des archers. Notre troupe attirera de nombreux preux. Les chevaliers les plus valeureux – porteurs de lance, arbalétriers et archers aussi bien qu'hommes à pied – ne voudront à aucun prix manquer l'occasion d'être parmi leurs pairs en talent et en rang. Nous aurons les meilleurs.

– Vous dites que des archers et des arbalétriers de grande valeur et de grande adresse vous rallieront ? demanda Dafydd tout en jouant avec le couteau posé à côté de son assiette.

– Tu es en train de te laisser duper ! s'écria Danielle avec colère. Il cherche simplement à te tenter avec ces histoires de grands archers. Tu es incapable de résister à l'idée de te mesurer avec quelqu'un qui serait meilleur que toi.

Dafydd sourit.

– Comme tu connais bien mes faiblesses, mon oiseau d'or ! Mais tu n'as rien à craindre : pour toi, je saurai vaincre la tentation.

Cette petite querelle mit un terme à la conversation. Peu après, alourdis par le souper et épuisés par une aussi rude journée, les convives quittèrent la table et se séparèrent pour se mettre au lit.

Jim et Angie avaient à peine regagné leur chambre que cette dernière lâcha ce qu'elle considérait comme une nouvelle d'importance.

– Elle est enceinte, tu sais, dit-elle en ménageant un effet de surprise.

Jim, qui était en train d'enlever sa chemise, s'immobilisa.

– Quoi ?

– Je te dis que Danielle est enceinte, répéta Angie en détachant chaque syllabe.

– N'importe comment, je ne pensais pas que Brian ait vraiment une chance de recruter Dafydd. Dans ces conditions, il ne saurait être question pour lui, évidemment, d'abandonner sa femme alors qu'elle attend un bébé.

– Il ne le sait pas, rétorqua Angie, ravie de l'étonnement de son époux.

Jim la regarda un instant d'un air incrédule.

– Il ne sait pas qu'elle est enceinte ?

– Comme je viens de te le dire !

– J'aurais pourtant cru que la première chose que fait une femme dans ce cas-là est d'apprendre à son mari qu'il va être père. C'est naturel, non ?

– Habituellement.

Jim termina de se déshabiller et se glissa sous l'amoncellement de fourrures sans cesser de surveiller Angie avec circonspection. Il la connaissait bien et savait que, présentement, elle était dans une rage folle – ou, du moins, que quelque chose la perturbait.

Elle ne semblait pas pressée de se coucher. Brusquement, elle avait décidé de se brosser les cheveux. L'un des quelques objets de luxe qu'ils avaient hérités du précédent baron de Malencontri était un miroir. Elle s'assit sur la chaise posée devant et commença à démêler nerveusement sa chevelure.

Jim reprit la parole :

– Mais pourquoi ne le lui a-t-elle pas dit, enfin ?

– Il me semble que cela devrait pourtant sauter aux yeux.

– Néanmoins, si je comprends bien, elle te l'a dit à toi ?

– A qui d'autre aurait-elle pu le dire ? Elle n'a pas d'amies avec qui elle soit assez intime. Et moi, je suis une vieille dame. Une femme d'expérience et en puissance d'époux, qui plus est.

– Une vieille dame ? Toi ?

L'ahurissement de Jim n'était pas feint.

– Dans ce monde et pour quelqu'un de l'âge de Danielle, oui.

– Je vois, murmura Jim, qui, en fait, ne voyait rien du tout. Mais j'en reviens à ma question : pourquoi ne l'a-t-elle pas dit à Dafydd ?

– Parce qu'elle a peur qu'il ne cesse de l'aimer, répondit Angie sur un ton cassant.

– Pourquoi donc ?

– Son corps va se déformer et s'enlaidir, non ? C'est aussi simple que ça.

– Dafydd ? (Jim était complètement dépassé.) Il n'est pas homme à changer ainsi, tu peux me croire. Comment peut-elle savoir qu'il cessera brusquement de l'aimer sous prétexte qu'elle porte un bébé ?

– Parce qu'elle pense que c'est de son apparence, et de son apparence seule, qu'il est amoureux. Elle est persuadée qu'elle perdra Dafydd quand la grossesse aura alourdi son corps.

– Mais c'est ridicule !

– Et pourquoi donc ? répliqua Angie. Tu étais présent quand il s'est déclaré. On est tous entrés dans l'auberge, il l'a regardée et il a dit : « Je vais vous épouser. »

– Cela n'a pas été aussi rapide, protesta Jim.

– Non ? (Le ton d'Angie était sarcastique.) La

première chose qu'il a faite a été d'ordonner à l'aubergiste d'apporter une lanterne pour qu'il puisse mieux la voir.

– Non, les choses ne se sont pas passées de cette façon. Si je me rappelle bien, ce n'est que le lendemain qu'il s'est trahi par quelques signes...

– Quelle différence cela fait-il ? Elle sait qu'elle est belle. Elle est belle et séduisante, non ?

– Oui, sans doute.

– Eh bien, sachant que les hommes la trouvent attirante et Dafydd s'étant épris d'elle au premier regard, que pouvait-elle penser sinon que c'était de son apparence physique qu'il était tombé amoureux ?

– Mais pourquoi persiste-t-elle à croire cela ? Après tout, il y a près d'un an qu'ils sont mariés. Après tout ce temps, elle doit avoir appris à mieux le connaître.

– Bien sûr, mais elle ne peut faire autrement que d'éprouver une telle crainte.

– Et qu'attend-elle de toi ?

– Que je la conseille. Elle n'ignore pas que Dafydd voudrait prendre part à cette expédition uniquement dans le but de se mesurer à un adversaire. Aussi Danielle est-elle déchirée entre deux désirs contradictoires : elle ne veut pas qu'il parte et ne souhaite pas davantage qu'il reste auprès d'elle et cesse de l'aimer en la voyant se déformer. Elle espérait que je lui donnerais une réponse.

– Tu en as une, toi ?

– Euh... non.

Jim fut tenté d'ajouter que, n'étant pas femme, ce n'était pas là son terrain mais il jugea plus prudent de garder cette pensée pour lui.

– Personne ne peut résoudre ce problème, hormis elle !

Angie reposa la brosse et souffla la chandelle, plongeant la chambre dans l'obscurité. Elle se coucha mais prit soin de rester éloignée de Jim.

Ils n'échangèrent plus aucune parole bien que Jim

fût très curieux de connaître l'opinion d'Angie sur les sentiments de Dafydd à l'égard de Danielle. Ne l'aimait-il vraiment que pour son apparence physique ? Lui n'en croyait rien.

9

Les trois semaines qui suivirent s'écoulèrent dans une effervescence de bon aloi. Dafydd et Danielle prirent congé ainsi que Giles des Hautes-Plaines et ses compagnons. Brian, quant à lui, s'installa provisoirement à Malencontri avec ses gens pour entraîner les soixante hommes que Jim avait sélectionnés parmi ses serfs et le personnel du château. Sur ce nombre, seuls vingt-deux, les plus prometteurs, seraient finalement promus hommes d'armes. Les autres s'occuperaient des chevaux et seraient au service personnel de Jim, de Brian, de son écuyer – un aimable blondinet de seize ans répondant au nom de John Chester – et, plus généralement, des hommes de guerre présents et à venir. Jim aurait ainsi rempli son devoir de vassal. Brian fournit de son côté vingt-six hommes à la troupe en voie de constitution – cinq recrutés parmi ses gens d'armes, cinq membres de sa domesticité et seize combattants expérimentés venus de leur plein gré se mettre sous ses ordres.

Pendant les deux premières semaines, tout se passa à peu près comme prévu mais la troisième fut marquée par l'arrivée de deux visiteurs qui avaient l'un et l'autre des choses d'importance à communiquer à Jim.

Le premier était Secoh, le dragon des marais, appartenant à la branche infortunée des dragons locaux victimes de la domination des Noires Puissances ayant élu domicile dans la Tour Répugnante où Bryagh, le dragon renégat, avait retenu captive Angie après qu'elle et Jim s'étaient matérialisés dans ce monde. Ainsi tyrannisée, la tribu s'était affaiblie, allant même jusqu'à perdre toute hardiesse. Secoh n'avait pas fait exception à la règle. Il avait cependant changé quand Smrgol, le grand-oncle de Gorbash – avatar de Jim – lui avait fait honte et l'avait forcé à se comporter comme un dragon digne de ce nom, même s'il était originaire des marécages. Secoh avait, au bout du compte, aidé le vieux Smrgol, alors handicapé par une congestion cérébrale, à abattre le fourbe Bryagh lors de l'ultime bataille de la Tour Répugnante. Durant cet épisode, Jim, toujours sous la forme de Gorbash, avait pourfendu un ogre, sir Brian tué un ver, les flèches de Dafydd ayant eu raison de toutes les harpies de la Tour qui descendaient en piqué pour les attaquer. Aragh, lui, avait tenu les sandmirks en respect et Carolinus s'était interposé entre eux et les Noires Puissances. De la sorte Secoh avait été admis parmi les compagnons de Jim qui avaient contribué à délivrer Angie.

Un après-midi, donc, Secoh se posa dans la cour du château et, sans rien demander à personne, entra dans la salle d'honneur, mettant en fuite tous ceux qui s'y trouvaient. Déçu de ne pas voir Jim, il lança d'une voix tonitruante :

– Sir James ! Enfin, je veux dire lord Jim ! Où êtes-vous ? C'est moi, Secoh. J'ai à vous parler !

Sur ce, plus ou moins assuré que son appel serait entendu, il sombra dans une semi-torpeur agréable, plaisir suprême des dragons quand rien ne les occupe.

Cinq minutes plus tard, Jim et sir Brian, prévenus en hâte sur le terrain d'exercice où ils procédaient à l'entraînement des nouvelles recrues, surgirent en courant.

Secoh se redressa vivement.

– Lord..., rugit-il. (Puis, se rappelant que, sous sa forme humaine, Jim avait l'oreille trop sensible pour supporter les vociférations afférentes à sa condition de dragon, il fit un effort pour baisser le niveau de sa voix et poursuivit dans un grondement feutré :) Je suis venu pour vous parler d'une question de la plus haute importance, milord.

– Vous vous souvenez de Secoh ? dit Jim en s'approchant du dragon.

Il était conscient que sir Brian le regardait avec une certaine admiration non sans serrer fermement le pommeau de son épée. Jim se sentait un peu mauvaise conscience. Sir Brian, à l'évidence, ne se rappelait pas que son ami pouvait à tout instant se métamorphoser en un dragon encore plus impressionnant. Mais Secoh reprenait son récit :

– Il est une chose dont vous devez être averti sur-le-champ, fit-il.

– Asseyez-vous, Brian. (Jim avança une chaise sur laquelle il s'installa, imité par le chevalier, tandis que Secoh s'accroupissait.) Je t'écoute, Secoh.

– Il m'est revenu que vous alliez guerroyer en France, sir James. Or, il y a une formalité dont il faut que vous vous occupiez tout de suite.

– Quoi donc ? Pour autant que je sache... (Jim laissa sa phrase en suspens.) Angela ! Regarde qui est venu nous rendre visite !

Angela avait revêtu sa robe bleu roi, une de ses plus belles. Visiblement, la nouvelle de l'arrivée de Secoh était parvenue à ses oreilles. Elle s'avança vers le dragon qui se dressa sur ses pattes arrière.

– Madame...

Secoh essaya de faire une courbette qui, vu sa morphologie, fut loin d'être une réussite. Quand sa redoutable tête en forme de dard s'inclina vers Angela, on eût dit qu'il se préparait à la couper en deux d'un coup de mâchoires. Mais Secoh était une vieille connaissance et Angie ne se laissa pas démonter pour si peu. Devinant le plaisir immense que cela lui ferait, elle répondit par une révérence et dit avec gravité :

– Soyez le bienvenu en cette demeure.

– Secoh est venu pour me communiquer quelque

chose d'important, fit Jim en approchant un siège à l'intention de la jeune femme.

– L'idée que James pouvait ne pas être au courant vient seulement de m'effleurer, commença le dragon après s'être à nouveau accroupi en veillant toujours à contrôler le volume de sa voix. Alors, je suis venu immédiatement. Si j'ai bien compris, James, vous allez participer à cette guerre des humains en France ?

– En effet. Nous sommes précisément en train de nous y préparer, sir Brian et moi, comme tu as sans doute pu t'en rendre compte du haut des airs.

– C'était donc la raison de toute cette agitation à l'extérieur des remparts ? J'aurais dû m'en douter. Mais la question que j'ai à vous poser est la suivante, James : quand vous serez en France, avez-vous l'intention de redevenir dragon pendant une certaine période puisque les pouvoirs magiques dont vous disposez vous permettent de le faire à tout moment ?

– Je n'ai rien décidé à ce sujet, répondit lentement Jim, mais ce n'est pas exclu. Pourquoi cette question, Secoh ?

– Eh bien, c'est qu'il existe diverses règles et prescriptions en ce domaine. Je sais que la plupart des gens pensent que l'ordre et la discipline ne sont pas notre fort, à nous autres dragons, mais il y a néanmoins un certain nombre de points avec lesquels nous ne badinons pas. Pour commencer, si vous envisagez de vous changer en dragon là-bas, même pour un bref instant, cela implique quelques obligations. En premier lieu, vous ne pouvez pas être un dragon sans attaches. Ce ne serait pas représentatif. Il faut donc que vous soyez affilié à l'une de nos communautés. Vous n'avez pas d'autre choix, c'est impératif.

Au fur et à mesure qu'il parlait, la stupeur se peignait sur le visage de Jim.

– Comme vous êtes sur le territoire des dragons des falaises, reprit Secoh, imperturbable, vous êtes bon gré mal gré un membre de cette communauté dès l'instant de votre métamorphose. Naturellement, je...

nous aimerions que vous soyez l'un des nôtres, issu des marécages. Mais outre le fait que vous êtes vraiment... euh... trop gros, les règles ne le permettent pas. Au départ, vous avez été un dragon des falaises : dragon des falaises vous serez toujours. Il en est ainsi depuis quarante mille ans. Or, être un membre de cette communauté aura une grande importance quand vous serez en France parce que cela vous donnera une identité, une patrie. Dès lors, vous ne serez pas un vulgaire dragon isolé, un hors-la-loi, mais le membre respectable d'une famille. Là-bas, votre sécurité exige le consentement des vôtres. Bref, vous avez besoin d'un passeport.

– Un passeport ? Mais que diable est-ce là ? demanda sir Brian.

– L'autorisation de voyager, répondit Secoh. De la sorte, la communauté dont relève James se porte garante de sa bonne conduite en tant que dragon pendant son séjour en France.

– Je vois, dit Jim. Et ce passeport, en quoi consiste-t-il ?

– Eh bien, justement. Ce sera le plus beau joyau du trésor de chacun des dragons de la communauté.

– Et tous seront disposés à me remettre leur plus beau bijou avant mon départ pour la France ?

– C'est beaucoup leur demander, certes. Mais je pense qu'à nous deux nous pourrons les convaincre... à condition de partir tout de suite.

– Vous voulez dire dans l'instant ? fit sèchement Angie.

– J'en ai bien peur, madame. Je pense sincèrement que Jim réussira à les persuader mais ils voudront peut-être en discuter entre eux, y réfléchir et retarder le moment de prendre une décision définitive. Cela pourrait durer près d'un mois. Aussi, plus vite nous partirons, mieux cela vaudra.

Jim et Angie se regardèrent.

– Je pense qu'il faut que j'y aille... dit ce dernier.

Le temps de se transformer à nouveau et il se retrouva volant à tire-d'aile avec Secoh en direction de la falaise. Il y avait si longtemps qu'il n'avait plus pratiqué ce sport qu'il avait oublié la joie pure de s'élever dans les airs. Il songea que, plus tard, il recommencerait pour son seul plaisir. Peut-être même finirait-il par devenir assez bon magicien pour pouvoir aussi transformer Angie en dragon. Alors, ils planeraient ensemble.

– C'est là... nous y sommes.

La voix de Secoh ramena Jim à la réalité.

La paroi de la falaise et l'immense entrée d'une des cavernes leur faisaient face. Secoh, qui précédait Jim d'un rien, se posa avec précision juste devant l'ouverture et entra.

Jim connut un instant de panique : il ne se rappelait plus très bien comment atterrir dans ces conditions. Mais les réflexes lui revinrent. Ses pattes arrière s'accrochèrent au rebord de l'entrée. Ses ailes se replièrent au même moment ou presque et il s'enfonça dans l'excavation.

Il était dans une petite grotte vide qui lui rappela celle où il s'était réveillé dans le corps de Gorbash quand il était arrivé dans ce monde.

– Il n'y a personne ici, commenta Secoh. Ils doivent être en bas dans la caverne principale. Est-ce que vous vous souvenez du chemin ?

– Je ne sais pas, répondit Jim d'une voix hésitante. Je ne crois pas.

– Ça ne fait rien, je trouverai.

Et Secoh se dirigea vers un boyau percé dans le roc qui s'enfonçait dans les entrailles de la falaise.

Ce fut laborieux mais Secoh paraissait tout à fait sûr de lui. Jim finit par détecter une odeur symptomatique qui se fit de plus en plus forte à mesure qu'ils avançaient et il commença à percevoir des voix dont le volume allait, lui aussi, en s'amplifiant. Bientôt, il fut clair qu'une foule de dragons discutaient tous en même temps. Un joli chahut !

Enfin, ils émergèrent dans la grande caverne – une grotte aux dimensions colossales, en vérité. Elle était remplie de dragons qui donnaient l'impression de se disputer mais qui, Jim ne l'ignorait pas, ne faisaient que bavarder à bâtons rompus.

Le vacarme était assourdissant – il l'aurait tout du moins été pour des oreilles humaines mais en tant que dragon, Jim appréciait ces rugissements.

Tandis que Secoh et lui attendaient, les dragons prirent peu à peu conscience de leur présence les uns après les autres et, finalement, un silence insolite succéda au tumulte. Ils regardaient tout particulièrement Jim sans prêter une attention particulière à Secoh. Visiblement, ils ne le reconnaissaient pas et c'était avec stupéfaction qu'ils le contemplaient.

Au moment où Jim crut bon de se présenter, une voix tonitruante retentit :

– Jim !

Le dragon qui avait prononcé son nom était aussi gros que Jim lui-même.

10

C'était Gorbash qui avait parlé, le seul qui, dans ce monde médiéval, avait toujours appelé Jim par le diminutif que lui donnaient naguère au XXe siècle ses amis. Pourquoi préférait-il Jim à James ? L'intéressé ne l'avait jamais vraiment su mais Gorbash avait une bonne excuse. N'avaient-ils pas partagé tous les deux le même corps et le même esprit ? Comment imaginer plus grande intimité ?

C'était maintenant sur Gorbash que les autres dragons fixaient leurs regards incrédules.

– Eh bien, qu'est-ce que vous avez tous ? rugit-il. C'est le *georges-mage* qui était dans mon corps quand nous avons triomphé du renégat Bryagh et des Noires

Puissances de la Tour ! Je vous ai parlé bien des fois de ma... de notre victoire !

D'un même mouvement, tous les dragons tendirent le cou vers Jim.

– Quel plaisir de te revoir, Jim ! reprit Gorbash d'une voix tonitruante. Les dragons de la falaise saluent ton retour ! Mais ne reste pas là ! Descends !

Comprenant qu'il était invité à tenir la vedette, Jim, suivi de Secoh, gagna le centre de cette espèce d'amphithéâtre où l'assemblée des dragons pourrait l'examiner confortablement sous toutes les encolures. Estimant que quelques mots de salutation s'imposaient, il gronda à son tour :

– J'ai tout autant de plaisir à te retrouver, Gorbash, et je suis heureux d'être en votre compagnie.

– C'est un honneur pour tous les dragons de la falaise de compter parmi les leurs un dragon de ma valeur mais aussi un dragon qui est un mage chez les georges et un de leurs chefs respectés.

Jim n'en revenait pas. Après l'affaire de la Tour, Secoh avait prédit que Gorbash saurait tirer parti du fait que Jim avait habité son corps et s'arrangerait pour que la gloire en rejaillisse sur lui. Se fiant aux propos de Smrgol, son grand-oncle, décédé depuis, Jim avait toujours pensé que Gorbash n'était pas tenu en très haute estime par les dragons de la falaise.

Eh bien, force était de constater qu'il avait retourné la situation en sa faveur. S'il avait été jusque-là – et à juste titre – considéré comme un tantinet faible d'esprit, ce n'était plus le cas. Jim s'était attendu, certes, que sa position se soit améliorée aux yeux de ses congénères, mais certainement pas qu'il soit aussi respecté et écouté. Gorbash avait, à l'évidence, réussi à convaincre la plupart des dragons ici présents qu'il était à tout le moins l'un des plus grands, sinon le plus grand des héros qui avaient pris part à la bataille de la Tour Répugnante.

Secoh, toutefois, se chargea de rabattre sa superbe.

– Holà ! Gorbash, laissons de côté ta valeur. Il s'agissait certes de ton corps mais c'est James qui l'animait, t'incitant à te battre et à gagner ! Je le sais. Tu te rappelles ? J'y étais. Et j'ai combattu ! (Son regard enflammé fit le tour de l'auditoire.) Vous me connaissez. Je suis Secoh. Un simple dragon des marécages – et fier de l'être ! Je vais maintenant vous dire pourquoi James est là. Il va partir pour la France et il a besoin d'un passeport. De votre caution à tous.

Du coup, cris, questions et commentaires fusèrent de toutes parts : « Attendez ! », « Eh ! Une minute ! », « Pour qui se prend-il ? », « Pourquoi veut-il aller en France ? »

Le tumulte se prolongea quatre ou cinq minutes. Enfin, le timbre puissant de Gorbash domina le charivari et, les uns après les autres, les dragons firent silence.

– Du calme ! cria Gorbash. Que l'on se taise ! Secoh a le droit de parler. Après tout, comme il l'a dit, il était présent lors de la bataille de la Tour. Je l'ai vu de mes yeux aider mon grand-oncle, l'illustre Smrgol – que révérée soit sa mémoire –, à occire le traître Bryagh. N'oubliez pas le bénéfice que tous autant que nous sommes, dragons ou georges, avons retiré de ce combat. Si nous l'avions perdu, les Noires Puissances auraient encore élargi leur domination. Peut-être l'auraient-elles même étendue à la falaise et nous aurions alors risqué de connaître le même sort que le peuple de Secoh. En conséquence, Jim et lui ont le droit d'être entendus. Ce que nous déciderons, c'est, bien sûr, une autre affaire. Mais nous devons d'abord tous l'écouter. Peut-être que les Noires Puissances essaient de lancer une offensive contre nous depuis la France. Avez-vous pensé à cela ?

– Absolument ! intervint Secoh. Et nous savons tous que nous sommes sans défense contre celles-ci. Seuls les georges et leurs magiciens ont eu l'occasion de les attaquer de front. Mais nous avons la chance d'avoir parmi nous quelqu'un qui est à la fois un dragon et un georges, et pas seulement un georges mais aussi un mage. Montrez ce dont vous êtes capable, James. Transformez-vous en georges et reprenez ensuite votre forme de dragon.

Jim rendit grâce à sa bonne étoile : Secoh lui demandait de faire la seule chose qu'il avait pratiquée dans son apprentissage de la magie. Il n'osait songer à ce qui se serait passé si celui-ci avait suggéré qu'il produise une tonne d'or ou quelque chose d'aussi impossible.

– Très bien, dit-il de sa voix de dragon la plus lente et la plus solennelle.

Et, après avoir ménagé une pause pour rendre sa démonstration plus spectaculaire encore, il reprit son apparence normale. Il attendit quelques instants en silence avant de se changer à nouveau en dragon.

Il y eut une rumeur caverneuse de commentaires excités. Aucun doute : il avait fait une forte impression. Puis le silence revint. Un silence que rompit une voix empreinte de respect :

– Mage, comment avez-vous découvert que les Noires Puissances allaient tenter de lancer l'assaut contre nous depuis la France ?

– Oui, fit une autre voix avant que Jim ait pu répondre, y a-t-il une raison pour qu'elles nous attaquent directement, nous, les dragons de la falaise ?

– Bien sûr, imbécile ! s'exclama un troisième dragon. Tu oublies nos trésors...

– Nos trésors, les Noires Puissances s'en moquent bien ! rétorqua un autre de ses congénères.

Le brouhaha recommença alors de plus belle, la question étant maintenant de savoir si, oui ou non, les Noires Puissances s'intéressaient à l'or ou aux bijoux. Mais la voix respectueuse se fit à nouveau entendre :

– Demandons-le au mage.

Le silence retomba.

Jim comprit tout l'avantage qu'il pouvait retirer de

la situation. S'il répondait par l'affirmative, cela rendrait les choses infiniment plus faciles. Mais, à la vérité, il ne savait rien, de plus il soupçonnait fort – en fait, il en avait la quasi-certitude – que les Noires Puissances se moquaient comme d'une guigne d'un butin de cette nature.

– Non, je ne pense pas que cela les intéresse, dit-il enfin.

Le vacarme repartit d'emblée. Cette fois, c'étaient ceux qui n'avaient jamais cru que les Noires Puissances en voulaient aux trésors des dragons qui triomphaient. La voix grondante de Gorbash ramena le calme.

– James ! rugit-il. Il vaudrait peut-être mieux, dans ce cas, que vous nous expliquiez exactement pourquoi vous voulez aller en France.

– Eh bien... Pour délivrer un prince. Un prince anglais... un prince des georges.

– On n'en a rien à faire ! gronda un dragon.

Gorbash se fit à nouveau l'interprète de tous :

– Vous voulez dire, James, que nous allons nous départir de nos joyaux les plus précieux pour que vous puissiez aller délivrer un prince georges ?

– Absolument ! s'exclama Secoh. Etes-vous donc incapables d'apprendre ? Ce qui affecte les georges nous concerne, nous aussi. Smrgol l'avait bien compris, lui ! Juste avant sa dernière bataille, il a parlé avec un georges qui habite tout près d'ici, un certain sir Brian, qui avait en son temps chassé nombre d'entre nous, dragons des marécages. Smrgol pensait que les georges et les dragons devraient coopérer.

– Mais donner mes plus beaux bijoux à Jim...

Pareille perspective sidérait Gorbash.

– Il ne s'agirait nullement d'un don ! Vous ne feriez que les lui prêter. Juste pour qu'il les remette en gage aux dragons français comme preuve qu'il ne fera rien qui soit de nature à leur porter préjudice. (D'un geste plein de panache, Secoh sortit d'entre ses écailles une perle de la taille d'un œuf de coucou et la tendit à Jim.) Tenez, James ! fit-il avec superbe. Voici le plus précieux de mes trésors !... Juste pour donner l'exemple aux autres !

Jim en resta stupéfait. Il avait toujours eu l'impression que Secoh était pauvre au point même de ne pouvoir assurer sa subsistance.

Les dragons étaient impressionnés, mais, Jim le nota, leur réaction était plus horrifiée qu'admirative et en écoutant les commentaires houleux déclenchés par le geste de Secoh, il sentit son cœur se serrer. La plupart d'entre eux, pour ne pas dire tous, étaient opposés à l'idée de se défaire de leurs bijoux, fût-ce à titre temporaire. Et, en tant que dragon, Jim pouvait comprendre jusqu'à un certain point la raison de leur hostilité. Les plus précieux des joyaux qu'ils possédaient remontaient à des centaines d'années. Mettre un tel héritage en danger était quasiment impensable. Dans cet univers médiéval qu'ils partageaient avec les georges, les Noires Puissances et bien d'autres entités encore, l'imprévisible n'avait que trop de chances de se produire. Et c'était l'imprévisible, l'inattendu qu'ils redoutaient. Ils avaient beau avoir confiance en Jim et en ses capacités, ils ne pouvaient s'empêcher de craindre quelque coup du sort. Qu'aviendrait-il alors de leur précieux patrimoine ?

D'un autre côté, ils savaient aussi qu'il était parfois nécessaire dans le monde incertain qui était le leur de prendre un risque désespéré. S'il y avait seulement un moyen de les convaincre que la remise de ce passeport faisait partie de ces risques aussi indispensables qu'inévitables...

La discussion commençait à tourner au vinaigre. Certains dragons de la tendance hostile s'en prenaient moins à l'objectif de l'expédition qu'à Jim lui-même, qui mêlait les dragons à une affaire qui ne les regardait en rien.

– N'importe comment, il n'a jamais rien eu de commun avec nous, tonnait un des contestataires. D'accord, Bryagh était un dragon de la falaise avant de devenir un renégat et d'enlever la femelle georges. D'accord, le mage ici présent s'est approprié le corps de Gorbash à son insu. C'est de la magie et personne ne peut rien contre la magie, même un dragon. Mais a-t-on sollicité notre avis ? A-t-on demandé à la communauté de la falaise si elle voulait s'en prendre aux Noires Puissances de la Tour Répugnante ? Non ! Nous avons été placés devant le fait accompli. En réalité, il s'agit depuis le début d'une histoire de georges. Le mage a investi le corps de Gorbash sans son autorisation. Si, pour commencer, il n'y avait pas eu cette femelle georges puante et bonne à rien...

A ces paroles, Jim vit rouge.

– Pas un mot de plus ! vociféra-t-il. C'est de ma compagne que tu parles ! (S'il avait pu cracher des flammes, il l'aurait fait.) Personne, pas plus un dragon que qui que ce soit d'autre, n'insultera Angie. Essayez et vous verrez ce qui vous arrivera ! Autre chose : je me suis montré patient. Je vous ai écoutés argumenter, vous chercher des excuses pour ne pas avoir à me donner le passeport dont j'ai besoin pour mener à bien une entreprise qui, à terme, sera aussi bénéfique pour vous que pour n'importe qui d'autre. Nous sommes en Angleterre et ce qui arrive à l'un peut, un jour, nous affecter tous, georges, dragons et autres. Eh bien, j'en ai assez d'attendre ! Vous demeurez sourds à la raison. Secoh vous l'a dit et je vais vous le prouver. Je suis un magicien. Un apprenti mage. Je ne voulais pas avoir recours à ces moyens mais vous ne me laissez pas le choix.

Brusquement, Jim s'était rappelé les propos que, moins d'un an auparavant, Carolinus avait tenus à un scarabée pour qu'il lui dise où Bryagh gardait Angie prisonnière. Et, fort à propos, les paroles du mage, à peine déformées, lui revenaient à l'esprit.

– Vous vous refusez donc à être d'honnêtes et vaillants dragons ? Eh bien, soit ! Il n'y a pas que des dragons au monde. Il y a aussi des scarabées !

A ces mots, les dragons se figèrent sur place,

comme statufiés. Un silence de mort régnait à présent dans la caverne. Jim avait parlé sous l'effet de la passion et, sa colère se dissipant, il commençait maintenant à mesurer tout l'impact de la menace qu'il venait d'agiter. Comment transformer des dragons en scarabées ? Il n'en avait pas la moindre idée. S'ils le mettaient au défi de passer à l'acte, il ne ferait que leur apporter la preuve de son incompétence. Comment avait-il pu être stupide au point de proférer pareille bravade ? Ce faisant, il avait réduit tous ses projets à néant.

Mais comme les dragons frappés de mutisme continuaient de le fixer avec fascination, la situation lui apparut soudain sous un autre jour. Après tout, il n'avait peut-être pas encore perdu la partie.

Comment, en effet, pouvaient-ils savoir que ces paroles prononcées à la légère n'étaient que de la poudre aux yeux ? Ils ne doutaient pas un instant qu'il fût magicien. Ils l'avaient vu prendre forme humaine et redevenir ensuite dragon. S'il était en mesure d'opérer une telle métamorphose, que n'était-il capable de faire ? En regard d'un tel pouvoir, les transformer tous en scarabées ne devait être qu'un jeu d'enfant.

Jim prit soudain conscience de tout ce que représentait la menace qu'il avait imprudemment brandie. Les dragons n'étaient pas une race comme les autres. Ils n'étaient ni des oiseaux, ni des quadrupèdes, ni des mammifères volants à l'instar des chauves-souris. C'était un peuple à part, puissant et orgueilleux.

Pour commencer, ils étaient fiers de leur taille. Ils étaient plus gros que la plupart des autres créatures à quelques exceptions près, les serpents de mer, notamment, ce qui n'avait pas empêché leur ancêtre Gleingul d'en tuer un. Les ogres étaient à la fois plus grands et plus dangereux mais Smrgol lui-même en avait trucidé un dans sa jeunesse, comme Jim d'ailleurs, quand celui-ci occupait le corps de Gorbash lors de la bataille de la Tour Répugnante. Un dragon ne pouvait s'imaginer autre. Devenir scarabée aurait été perdre tout prestige, quelque chose d'infiniment plus précieux encore que tous leurs trésors.

– Alors ?

La voix de Jim rompit le charme qui paralysait les dragons. L'un après l'autre, lentement et sans mot dire, ils quittèrent la caverne. Quand ils réapparurent, chacun laissa tomber dans un sac déposé devant Jim le bijou – son bijou préféré – qu'il était allé chercher. Quand le sac fut rempli, Secoh reprit sa perle, la glissa dedans et le noua solidement. Jim sentit qu'il devait intervenir.

– Eh bien, merci à vous, dragons de la falaise, fit-il. Merci à vous tous. Je prendrai grand soin de ces joyaux et ils vous seront restitués, soyez sans crainte.

La seule réponse de l'assemblée fut un bruyant soupir collectif. Sous la conduite de Secoh, Jim quitta la caverne comme il y était entré. Un moment plus tard, il avait pris son vol en direction de Malencontri, une patte griffue serrant le sac contre sa poitrine écailleuse.

– Jim !

Celui-ci tourna la tête vers Secoh.

– Maintenant, je vous laisse. Vous avez votre passeport. Je savais d'avance que ça marcherait. Vous avez été parfait. Ah ! Quand vous avez menacé de les transformer en scarabées !... Entre nous, c'eût été bien fait pour eux ! Je vous souhaite bonne chance, James.

Le dragon des marécages fit alors un virage sur l'aile et plongea en piqué, laissant Jim poursuivre seul son vol.

Quelques minutes plus tard, celui-ci atterrissait au sommet de la tour qui se dressait juste au-dessus de la salle d'honneur du château.

– Vous pouvez disposer, ordonna-t-il à l'homme de guet qui lui présentait les armes, à peine étonné de voir cet énorme monstre à la gueule bardée de crocs se poser à quelques pieds de lui.

Le factionnaire s'éclipsa sur-le-champ. La raison pour laquelle son seigneur lui donnait ainsi congé aurait sans doute échappé à son entendement. En fait, Jim ne s'était pas encore habitué à se montrer nu devant ses serviteurs. La nudité laissait, en effet, ces médiévaux totalement indifférents. Les vêtements étaient à leurs yeux de simples parures et servaient à tenir chaud, rien de plus. La notion de pudeur leur était inconnue.

Après avoir repris forme humaine, Jim gagna sa chambre où il rangea le sac de bijoux, se contentant de le dissimuler sous quelques fourrures. Il serait là en parfaite sécurité. Personne n'aurait l'audace de toucher à ses affaires. Après quoi, il enfila ses chausses, une chemise, un pourpoint et une paire de bottes, et dévala l'escalier en colimaçon pour gagner la salle d'honneur.

C'est là qu'il eut la surprise de se trouver face à un second visiteur inattendu.

Celui-ci, assis à la haute table en compagnie d'Angie, n'était autre que Carolinus.

– Mage ! s'exclama Jim, ravi, en prenant un siège. Vous êtes précisément la personne que je désire voir !

– C'est ce qu'ils me racontent tous, grommela le magicien. En fait, si je suis venu, c'est que j'avais quelque chose à te communiquer mais je suis pour le moment incapable de me rappeler quoi.

– Prendrez-vous un peu de lait ? demanda gracieusement Angie au mage, vêtu comme à l'ordinaire d'une longue robe rouge défraîchie et coiffé d'une calotte noire qui tranchait avec sa barbe en pointe, broussailleuse et blanche.

– Non, il semble que le charme-lait de Jim ait finalement exorcisé le démon-ulcère. (Carolinus saisit le flacon de vin, remplit à moitié la coupe posée devant lui et but une gorgée.) Mais qu'est-ce que j'étais donc venu te dire ? C'est à propos de ton voyage en France.

– Oh ! Vous en avez entendu parler ?

– Qui n'en a pas entendu parler à cinquante lieues à la ronde ? Encore que je n'aie nul besoin des ragots qui courent pour me tenir informé. Je l'ai su aussitôt que tu as pris la décision d'aller là-bas. C'est à ce moment que j'ai pensé que si tu devais faire une sottise pareille, il fallait te mettre en garde... (Carolinus s'interrompit et se mit à pianoter du bout des doigts sur la table avec irritation.) Mais contre quoi ?

Courtoisement, Jim et Angie ne soufflèrent mot, le laissant fouiller sa mémoire, mais comme il paraissait complètement perdu dans ses pensées, la jeune femme se résolut à briser le silence :

– Si je comprends bien, mage, vous n'approuvez pas à proprement parler le projet de Jim ?

– Oh ! (Carolinus sursauta et revint sur terre.) Oh ! Je ne sais pas. Ce sera une expérience intéressante. Surtout pour un jeune magicien qui a des foules de choses à apprendre dans tous les domaines. (Il vrilla ses yeux à ceux de Jim.) Mais prends garde à toi. Tous ces gens qui se font trucider de droite et de gauche sans raison valable, c'est un vrai gâchis ! Le combat que nous avons mené à la Tour Répugnante, ça, au moins, cela avait un sens. Mais cette histoire... aller en France pour ramener un blanc-bec qui n'aurait jamais dû y mettre les pieds... c'est ridicule !

– Je ferai de mon mieux pour ne pas y laisser ma peau, dit Jim – et c'était une promesse qui venait du fond du cœur. Mais à propos de cette expédition, votre présence ici me comble de joie. Vous n'auriez pas pu mieux choisir votre moment. J'ai une question d'une importance extrême à vous poser...

– Je suis sûr que ça me reviendrait si seulement je cessais de faire des efforts pour essayer de me souvenir, bougonna Carolinus sans s'adresser à personne en particulier. Je l'ai sur le bout de la langue !

Jim s'éclaircit la gorge.

– J'ai un petit problème, voyez-vous ? J'ai en haut un gros sac rempli de bijoux superbes...

– Ah ? Tu aimes les bijoux ? fit Carolinus, l'esprit toujours ailleurs. Moi, je dois dire que je n'en ai jamais fait grand cas. Ça y est ! Cela m'était presque revenu ! Par Belzébuth et les Cloches du Tonnerre Noir !

– Des bijoux ? répéta Angie en dévisageant Jim. Tu as bien dit « bijoux » ?

– Oui, oui, je t'expliquerai plus tard. Chacun des dragons de la falaise m'a confié le plus beau de sa collection, comprenez-vous, Carolinus ?

– Ah oui... le passeport. Bien sûr. J'aurais dû y songer moi-même mais je ne peux pas penser à tout et c'est loin d'être aussi important que ce que j'essaie en vain de me rappeler.

– Jim ! Tu as les bijoux pour le passeport ? fit Angie. Où sont-ils ? J'aimerais les voir.

– Dans la chambre. Vous comprenez, mage, cela fait un paquet joliment gros. Alors, j'ai pensé que si vous pouviez m'initier au sortilège que vous avez utilisé pour miniaturiser l'*Encyclopœdia Necromantick*...

– Impossible ! coupa sèchement Carolinus. Rappelle-toi que tu n'es qu'un magicien de classe D, James ! Et rudement ignare, par-dessus le marché. La formule de réduction est pour le moins un charme de classe C. Sauf, naturellement, si tu es assez doué pour la trouver toi-même dans la *Necromantick* et apprendre tout seul à t'en servir. Non, non, c'est hors de question. Avancer pas à pas, James : c'est la seule façon de progresser. On doit savoir marcher avant d'essayer de courir.

– Il faut que vous m'aidiez, mage. Je suis responsable de ces joyaux qui doivent dépasser en valeur la totalité du trésor de la Couronne d'Angleterre. A peu près n'importe quel voleur serait prêt à risquer la corde pour en dérober ne serait-ce qu'un seul. Imaginez que j'en perde seulement un !

– Oui, bien sûr. Il va peut-être falloir que je t'aide,

après tout. C'est d'accord, je vais les réduire, tes bijoux.

– Je monte les chercher.

– Ne te dérange pas, ce n'est pas la peine.

Carolinus agita la main et le sac se matérialisa sur la table entre les deux hommes. Dans l'instant qui suivit, il fondit littéralement au point d'avoir la taille d'un confetti que le mage tendit à Jim.

– Et voilà. Eh bien, qu'est-ce que tu attends ? ajouta-t-il sur un ton acerbe. Avale-le.

– Parce que je dois l'avaler aussi ? Comme pour la *Necromantick* ?

– Dame ! Tu veux qu'il soit à l'abri, non ? Eh bien, le garder dans ton estomac est le moyen le plus sûr de le transporter.

Jim mit le minuscule objet sur sa langue, déglutit et but un peu de vin.

– Mais, reprit Carolinus, c'est la dernière fois que je miniaturise quelque chose pour toi. Tu dois apprendre à te débrouiller tout seul. Par l'étude et la pratique. L'étude et la pratique ! (Il se leva brusquement.) Il me faut partir. Oh ! A propos, James... Si tu veux présenter ces bijoux, c'est tout simple. Tu tousses deux fois, tu éternues deux fois et tu retousses. Pour les reminiaturiser, tu tousses une fois. Et si jamais tu as besoin d'étudier la *Necromantick*, c'est trois toux pour commencer, deux éternuements à la file suivis d'un troisième. (Jim sortit de la poche de son pourpoint un bâtonnet charbonneux et nota hâtivement le mode d'emploi sur le dessus de la table.) Allez... adieu.

Carolinus pivota sur lui-même et se dirigea à grands pas vers la porte. Jim et Angie se précipitèrent derrière lui pour l'accompagner. Tous trois passèrent le portail et sortirent dans la cour.

– Eh bien, merci pour votre hospitalité, dit Carolinus quand ils eurent franchi le pont-levis. Je crois que je vais me dématérialiser pour rentrer... c'est le plus rapide. Adieu !

Il écarta les bras et se mit à tournoyer comme un toton. Les contours de sa silhouette commencèrent à s'estomper.

– Ah !

Jim le vit alors cesser de faire la toupie et rabaisser ses bras le long de son corps. Il fut soudain plus net.

– Je viens de me rappeler à l'instant la raison pour laquelle j'étais passé te voir, James, fit-il, sans transition. Le roi de France a un ministre très puissant. Il se nomme Malvinne.

– Ah bon ? Et c'est important ?

– Ce pourrait l'être. Malvinne est un mage. Triple A. Mais il n'a naturellement pas le « plus » comme moi. Il possède un vaste domaine sur la Loire au-dessous d'Orléans. Tu serais bien avisé de te tenir à l'écart de lui. C'est un remarquable maître ès arts. Très fort en thaumaturgie. Brillant. Un odieux coquin. Jamais pu le sentir. Méfie-toi de lui.

Sur ces mots, Carolinus écarta à nouveau les bras, se remit à tourner rapidement sur lui-même et disparut comme un brouillard qui s'évapore.

11

Cinq jours plus tard, Jim et Brian prenaient la route de Hastings à la tête de leurs hommes.

Jusque-là, Angie avait semblé s'être habituée à l'idée du départ de Jim, mais, la veille au soir, alors qu'ils étaient tous deux au lit, elle craqua et fondit soudain en larmes.

– Ne t'en va pas ! sanglota-t-elle en l'enlaçant étroitement.

Jim s'efforça de la réconforter, non sans lui faire toutefois remarquer qu'il était désormais trop tard pour changer d'avis. Il aurait, certes, pu déclarer forfait tout au début, mais c'était encourir le mépris de tout le monde, y compris, très probablement, de Brian lui-même...

– A présent, conclut-il, je suis obligé de partir.

– Mais il y a ce Malvinne. Carolinus t'a mis en garde contre lui, protesta Angie.

Jim lui caressa les cheveux.

– Ne sois pas sotte. Je serai à je ne sais combien de kilomètres de lui. Pourquoi l'approcherais-je ?

– Je l'ignore. Tout ce que je sais, c'est que j'ai peur.

Que répondre ? Jim se contenta de continuer de la serrer dans ses bras et ils finirent par s'endormir.

Le lendemain, Angie avait recouvré sa bonne humeur habituelle. Sa gaieté était-elle réelle ou jouait-elle la comédie à son intention ? Jim était incapable de le dire, encore qu'il penchât pour la seconde hypothèse. Toutefois ce qu'il avait déclaré au cours de la nuit était pure vérité : il ne pouvait plus faire marche arrière.

La petite troupe s'ébranla donc en direction de Hastings.

Le port se trouvait à cheval sur deux vallées convergeant vers les falaises blanches du littoral. C'était le long du rivage que se pelotonnaient les édifices les plus importants, dont l'auberge à l'enseigne de *L'Ancre brisée* où, deux semaines et demie plus tôt, Brian avait dépêché deux éclaireurs chargés de préparer leurs quartiers. C'était là qu'il descendait – et son père avant lui – quand ses affaires l'appelaient à Hastings.

Il n'y avait place que pour lui, Jim et leurs écuyers. Les hommes d'armes logeraient dans les écuries de l'établissement ou, si elles s'avéraient trop petites, dans des écuries voisines. Il fallait s'attendre, avait dit Brian, que la ville grouille de gentilshommes et de soldats prêts à s'embarquer pour la France.

L'aubergiste qui les accueillit, un homme puissamment charpenté de quarante-cinq ans environ, était un personnage jovial au regard pénétrant. Ses cheveux commençaient à s'éclaircir mais les muscles saillaient sur ses avant-bras que découvraient ses manches retroussées.

– Je suis fort aise que vous ayez de la place pour nous, maître Sel, lui dit Brian. Comme nous l'avions pensé, la ville fourmille de visiteurs.

– Certes, sir Brian, répondit l'aubergiste, mais il y aura toujours ici de la place pour vous, ne serait-ce qu'en mémoire de votre digne père pour lequel le mien avait le plus grand respect. (Il se tourna vers Jim en inclinant la tête.) Ce gentilhomme est sans doute lord James de Malencontri ? Soyez le bienvenu, milord. Si Vos Seigneuries veulent bien me suivre, je leur montrerai leurs appartements. Ils sont à l'étage.

Lesdits « appartements » n'avaient rien de particulièrement attrayant, se dit Jim une fois qu'il y eut pénétré. Ils se réduisaient à une assez vaste pièce quasiment vide à l'exception d'un lit réduit à sa plus simple expression, installé dans un coin. Elle comportait toutefois deux fenêtres à double battant donnant sur la rue.

– Ici, Vos Seigneuries ne seront point dérangées, déclara le maître des lieux. Le lit leur est naturellement réservé. Il y a par terre toute la place voulue pour leurs écuyers et les affaires qu'elles souhaiteront faire monter. Quant à leurs hommes, je puis en loger une bonne moitié dans les écuries et je me suis arrangé avec quelques-uns de mes voisins qui mettront les leurs à votre disposition.

Ayant ainsi parlé, l'aubergiste salua ses hôtes et s'en fut.

La porte, nota Jim, ne comportait ni serrure ni verrou. Peu importe. Quelqu'un monterait la garde en permanence pour peu qu'il fasse état d'objets de valeur.

– Restez ici pour le moment, lui dit Brian. Pour ma part, je vais prendre contact avec les représentants du roi en cette ville pour savoir si nous pourrons mettre bientôt les voiles. En attendant, si vous désirez vous étendre, le lit est à vous.

Jim déclina poliment la proposition en prétextant qu'il avait fait vœu de dormir par terre tant qu'il n'aurait pas entrepris quelque action en vue de délivrer le prince, mais la véritable raison de son refus était qu'il savait sans même avoir besoin de le vérifier que le lit grouillait de puces et de punaises. Sir Brian pourrait y dormir toute la nuit du sommeil du juste sans se soucier des piqûres et des démangeaisons. Mais Jim n'avait jamais pu s'y faire et il en serait vraisemblablement toujours ainsi.

Brian partit donc en emmenant avec lui John Chester, son écuyer, pour le cas où il lui faudrait envoyer un message à Jim. Ce dernier avait de la sympathie pour le jeune garçon. A l'évidence, John Chester ne brillait pas par une intelligence hors du commun, à en juger par ses grands yeux gris au regard innocent, sa chevelure d'un blond pâle et son expression qui était davantage celle d'un gamin de douze ans que d'un adolescent de seize. Cela dit, il était loyal, d'une honnêteté à toute épreuve et visiblement en adoration devant sir Brian.

Jim demeura donc seul en compagnie de Theoluf qu'il avait élevé au rang d'écuyer. Un dénommé Yves Mortain avait pris la place de celui-ci à la tête des hommes d'armes.

– Theoluf, allez chercher dans les housses de mon cheval les objets de valeur et tout mon nécessaire, notamment les vêtements légers que lady Angela m'a préparés. Vous les monterez dans la chambre.

– A vos ordres, milord.

Le plancher de la pièce était si mince que, quelques instants à peine après que Theoluf se fut éclipsé, l'attention de Jim fut attirée par un soudain vacarme venant d'en bas. Il entendait suffisamment la voix de l'aubergiste et celle de son interlocuteur pour que, même s'il ne comprenait pas tous les mots, il puisse saisir l'essentiel de la discussion. L'inconnu exigeait de maître Sel qu'il mette à sa disposition la chambre même qui leur avait été attribuée, à Brian et à lui.

Bien que près d'une année d'expérience lui eût enseigné la prudence et appris à se tenir à l'écart de tout ce qui pouvait être susceptible de susciter des désagréments, Jim considéra que la situation engageait jusqu'à un certain point sa responsabilité. Il reboucla son ceinturon qu'il venait à peine de dégrafer, non point qu'il eût la moindre intention de dégainer – au contraire, il espérait ardemment que l'occasion de sortir sa lame du fourreau ne se présenterait pas – mais un gentilhomme qui se respectait ne se montrait pas en public sans épée. Cela fait, il descendit.

Sur le seuil de la salle commune qui occupait presque tout le rez-de-chaussée, l'aubergiste était en train de s'expliquer avec un solide gaillard au nez en bec d'aigle de quelques années plus jeune que Jim.

– Votre arrière-grand-père tenait-il oui ou non cette hostellerie ? demandait-il sur un ton belliqueux.

Les pointes de ses épaisses moustaches d'un blond plus clair que sa chevelure se hérissaient férocement au-dessus d'une bouche généreuse et d'un menton volontaire. Bien qu'il eût peut-être une demi-tête de moins que Jim, ce dernier comprit instantanément que ce ne devait pas être un client commode.

– Certes, sir Giles, répondit l'aubergiste, mais cela remonte à quatre-vingts ans et votre famille ne s'est jamais manifestée depuis.

– Peu importe ! Votre bisaïeul avait-il oui ou non promis au mien qu'il y aurait toujours une chambre pour lui sous son toit ?

– Le fait est, sir Giles, mais l'idée ne lui est jamais venue à l'esprit que votre aïeul respecté ou quelque autre membre de sa famille se présenterait pour y séjourner sans prévenir. Or, il se trouve que j'ai donné la dernière chambre qui me restait à un noble chevalier et à un noble lord de passage.

– Quelle a été la première des promesses ? gronda l'autre. Celle faite à mon arrière-grand-père ou celle, toute récente, contractée auprès de ces deux gentilshommes, quels qu'ils puissent être ?

– Votre aïeul a, bien évidemment, le bénéfice de l'antériorité, répondit l'aubergiste. Mais comme je vous l'ai expliqué, sir Giles, je n'ai pas été averti de votre venue alors que ces seigneurs m'avaient, eux, fait parvenir un message. De plus, vous n'avez pas été sans remarquer que se pressent en ville des gentilshommes de haut rang venus de toute l'Angleterre, tous désireux de se loger, eux et leur suite, jusqu'au moment où ils s'embarqueront pour la France. Que pouvais-je faire, ignorant que se présenterait quelqu'un de la famille de M. votre arrière-grand-père, sinon louer cette chambre qui, autrement, serait restée vide ?

– Je veux voir ces gentilshommes ! rugit sir Giles. S'ils acceptent de renoncer pacifiquement à ce qui me revient en toute légitimité, ils pourront passer leur chemin. Et, dans le cas contraire...

L'homme eut un geste menaçant et retroussa sauvagement sa moustache.

– J'aurais grand chagrin d'être cause d'une querelle entre gentilshommes pour une de mes chambres, rétorqua l'aubergiste. En outre et avec tout le respect que je vous dois, sir Giles, force m'est de vous dire que ces deux chevaliers ont meilleur droit à l'occuper que vous-même compte tenu des circonstances... (Maître Sel s'interrompit brusquement à la vue de Jim qui s'approchait.) Milord, je suis consterné...

– Je n'ai pas l'honneur de connaître ce gentilhomme ! fit sèchement sir Giles en adressant un regard de défi à Jim.

– Milord, balbutia l'hôtelier, puis-je vous présenter sir Giles de Mer ? Sir Giles, ce seigneur est le noble lord James, baron de Malencontri et de Riveroak.

– Ah ! (Sir Giles retroussa à nouveau sa moustache.) Monsieur, vous occupez ma chambre !

– Comme je ne cesse de vous le répéter, sir Giles, insista maître Sel, ce n'est pas votre chambre. Elle a déjà été louée à sir James et à sir Brian Neville-Smythe, son compagnon d'armes.

– Et où est ce sir Brian ?

– Il s'est momentanément absenté.

Sir Giles fit un pas en avant, posa le poing sur sa hanche et, tendant un menton belliqueux, riva ses yeux à ceux de Jim.

– Sir James, je conteste votre droit à occuper la chambre qui est mienne ! Aussi, je vous mets en demeure de défendre les armes à la main votre prétention à la faire vôtre. Allons régler ce différend dans la cour.

Décidément, les choses prenaient mauvaise tournure. Joignant le geste à la parole, sir Giles sortit. Une fois dehors, il se retourna et attendit Jim qui le suivit, pris de court.

– Dieu me damne ! vociféra sir Giles. Avez-vous donc perdu la voix ? Répondez-moi ! Demandez-vous grâce et renoncez-vous à la chambre ou voulez-vous m'affronter d'homme à homme avec les armes de votre choix ?

Jim savait quelle aurait été la réaction de sir Brian s'il avait été à sa place : il aurait accepté avec enthousiasme de se battre en duel. En même temps, il se rappelait sans joie que son ami lui avait laissé entendre avec tact qu'il était loin d'être habile dans le maniement des armes et ce, même après une année de pratique. Pouvait-il tenter sa chance contre un homme aussi plein de fougue qui avait été probablement élevé dans l'art de la guerre depuis qu'il savait marcher ? Sûrement pas ! Mais il fallait qu'il trouve une solution – ou qu'il se résigne à se battre. Il réfléchit fébrilement.

– Si j'ai quelque peu tardé à vous répondre, sir Giles, dit-il enfin d'une voix lente, c'est que je cherchais une façon de vous expliquer les choses sans porter offense à un chevalier tel que vous. En vérité, j'ai fait vœu de ne point mettre ma lame à nu tant que je n'aurai pas croisé le fer avec un gentilhomme français.

A peine eut-il fini de prononcer ces mots que Jim pressentit combien pareille excuse devait paraître niaise et pitoyable, surtout à un personnage aussi agressif que ce sieur Giles. Mais, pris au dépourvu, c'était la seule qui lui était venue à l'esprit. Il allait donc lui falloir s'exécuter. Or, comme il s'apprêtait avec répugnance à sortir son épée du fourreau, l'attitude de son adversaire changea du tout au tout. D'un seul coup, la rage et la fureur ardentes qui habitaient sir Giles un instant auparavant s'évanouirent. Il n'était plus que compréhension et cordialité et ses yeux se mouillaient de larmes.

– Que voilà un vœu d'une noblesse admirable, par tous les saints ! s'exclama-t-il. Donnez-moi votre main, messire. Un gentilhomme capable d'accepter sans broncher toutes les provocations, les humiliations les plus abjectes et les pires avanies pour garder les yeux fermement fixés sur le but qui est désormais celui de tout Anglais digne de ce nom est un brave, en vérité ! (Il saisit et serra avec chaleur la main que Jim lui avait machinalement tendue.) Comment pourrais-je être offensé par un tel vœu, sir James ? Je donnerais ma main droite pour l'avoir personnellement prononcé et avoir en moi une foi suffisante pour le respecter – même en sachant que le trahir serait puni par la damnation éternelle.

Jim n'en revenait pas. Il avait oublié qu'en ce monde les hommes appartenant à la classe de Brian et de sir Giles idolâtraient littéralement le courage sous toutes ses formes. C'était presque un réflexe chez la plupart d'entre eux. Le soulagement qu'il éprouvait le laissait tout étourdi mais pas assez, cependant, pour qu'il ne saisisse pas au vol l'occasion qui s'offrait.

– Alors, sir Giles, peut-être vous sera-t-il agréable de résoudre notre différend en partageant cette chambre avec sir Brian et moi-même ? Vous pourriez même occuper le lit avec sir Brian si vous le souhaitez car j'ai fait un autre vœu qui m'interdit de dormir autrement qu'à même le plancher.

– Dieu me damne ! Quelle noblesse ! Quelle générosité ! Voilà quel devrait toujours être le comportement d'un chevalier. Je serai honoré, milord, honoré et heureux de partager cette chambre avec vous deux comme vous me le proposez.

– En ce cas, il faudra que l'on fasse monter vos affaires. Maître aubergiste... Je présume que vous n'y voyez pas d'objection ?

– Aucune, milord, aucune, assurément. Je vais envoyer quelqu'un chercher ses bagages.

– Eh bien, permettez-moi de vous conduire à nos appartements. Et peut-être que le maître aubergiste aura l'obligeance de nous faire porter un peu de vin ?

L'un suivant l'autre, les deux hommes gravirent l'escalier. On leur apporta le vin presque aussitôt. Evitant adroitement le lit, Jim s'assit sur l'un des tas de vêtements et de tapis de selle posés par terre et sir Giles, en déduisant que son vœu le contraignait à demeurer au niveau du sol, s'installa sur une pile voisine.

– Vous me pardonnerez, milord..., commença-t-il en remplissant à ras bord deux coupes de l'âpre vin rouge (il s'interrompit le temps de vider d'une seule gorgée presque tout le contenu de la sienne), mais j'ignore, je le crains, et j'en ai honte, où se trouve la demeure de votre famille.

– Le domaine de Malencontri est situé dans les collines de Malvern, pas très loin de Worcester. Je le tiens de la bonté du roi qui m'en a fait don.

– Je suis, quant à moi, du Northumberland. Et votre compagnon, sir Brian Neville-Smythe ? Je ne sais pas non plus d'où il est originaire.

Jim observait sir Giles qui était en train de remplir sa coupe pour la troisième fois.

– En vérité, le château de Smythe est tout près du mien. Nous nous sommes tous deux pris d'amitié à l'occasion d'une petite affaire relative à une forteresse des Noires Puissances, la Tour Répugnante.

– Par saint Dunstan ! Mais alors, ne seriez-vous pas l'illustre chevalier dragon dont on dit qu'il a tué un ogre en combat singulier lors de la bataille de la Tour ?

– Le fait est, répondit Jim. Mais j'occupais évidemment à ce moment le corps d'un dragon, comme vous le savez si vous avez entendu conter cette histoire.

– Si je l'ai entendue, milord ? Toute l'Angleterre et toute l'Ecosse en ont eu vent ! Un exploit hautement valeureux !

– Vous êtes trop bon. A dire vrai, nécessité a fait loi. Mon épouse, lady Angela... (Jim s'interrompit en entendant une voix familière que n'arrêtait pas le mince plancher de la chambre.) Si je ne me trompe, sir Brian ne va pas tarder à nous rejoindre. (Il se releva précipitamment.) Vous voudrez bien m'excuser quelques instants... il faut que je lui parle seul à seul. Cela ne me prendra qu'une minute ou deux. Il remontera avec moi et je suis sûr qu'il sera enchanté de votre présence ici.

– Faites, milord, faites donc ! Je vous attendrai.

Jim se trouva nez à nez avec Brian dans l'escalier. Il lui expliqua les faits aussi succinctement qu'il le put et pourquoi quelqu'un d'autre partageait leur chambre. Quand il en eut terminé, Brian le considéra d'un air quelque peu dubitatif.

– Avez-vous vraiment fait vœu de ne pas sortir votre épée du fourreau, James ? Vous ne m'en aviez rien dit.

– Pardonnez-moi, Brian. Il y a certaines choses... vous comprenez... mon vœu concernait seulement ma colichemarde, ajouta-t-il sur un ton de conspirateur.

Un large sourire fendit le visage de Brian.

– Pas un mot de plus, James. Il s'agit d'une question de magie ou de quelque affaire entre vous et votre dame, je n'en doute pas. Pardonnez-moi si je vous ai paru indiscret.

– Du tout, sir Brian, du tout, répondit Jim qui se sentait quand même un poids sur la conscience. Montons afin que vous fassiez la connaissance de sir Giles de Mer. Il est un peu soupe au lait mais il se calme aussi vite qu'il s'échauffe. Je crois que vous vous entendrez bien avec lui.

C'était plus un souhait qu'autre chose. Jim avait déjà en tête l'image inconfortable des étincelles que risquait de produire immédiatement le choc de ces deux personnalités. Mais, à sa grande surprise, Brian semblait déjà connaître le nom du chevalier.

– Sir Giles de Mer, répéta-t-il d'une voix rêveuse. Mais c'est inespéré ! J'ai quelque chose à vous dire, James, et, curieusement, cela vise aussi sir Giles. Je vous en prie, conduisez-moi auprès de ce gentilhomme.

12

– Sir Giles, annonça Jim en entrant, je vous présente mon vieil ami sir Brian Neville-Smythe. Sir Brian, voici le vaillant chevalier sir Giles que je viens d'inviter à partager nos quartiers. Il avait, en effet, l'intention de descendre ici mais il se trouve qu'il n'y a plus de place dans l'auberge.

– C'est un honneur et un plaisir de faire votre connaissance, sir Brian.

– Tout l'honneur et le plaisir sont pour moi, sir Giles. J'étais chargé de transmettre un message d'importance à sir James, or, si curieux que cela paraisse, j'en ai également un à vous communiquer à vous, sir Giles.

– A moi ? fit sir Giles avec étonnement. Voilà qui

est plus qu'étrange. Personne ne devrait, que je sache, être au courant de ma présence à Hastings.

– La chose vous semblera peut-être moins étrange quand je vous aurai dit qui m'a confié cette mission. Il s'agit du noble chevalier sir John Chandos.

Sir Giles ne fut pas le seul à accuser le coup en entendant ce nom : Jim eut une réaction similaire. Il savait, pour avoir étudié l'histoire du XIVe siècle dans son monde natal, que John Chandos avait été un brillant capitaine et un proche du Prince Noir ainsi qu'avait été surnommé l'héritier du trône d'Angleterre. Il avait été l'un des fondateurs de l'ordre de la Jarretière et on l'avait appelé « la Fleur de la chevalerie ».

– Sir John, poursuivit Brian, désire que vous vous rendiez l'un et l'autre auprès de lui dans les plus brefs délais.

– Il n'y a donc pas un instant à perdre, dit sir Giles, encore sous le choc. Où sir James et moi devons-nous nous rendre pour répondre à la convocation du gracieux sir John ?

– Je vais vous mener à lui, répondit sir Brian.

En définitive, ce fut à une autre hôtellerie située à quelque distance du front de mer qu'il les conduisit. Plus imposante que l'auberge où ils avaient établi leurs quartiers, elle semblait avoir été réquisitionnée par un personnage d'importance. Une demi-douzaine d'étendards frappés d'armoiries que Jim était incapable d'identifier flottaient devant l'entrée et il songea qu'il devenait urgent pour lui d'étudier l'héraldique. Il était essentiel qu'il puisse reconnaître un chevalier de haut rang au moins par son blason. Faute de quoi, il risquait de se mettre dans une situation délicate.

Quand, sur les pas de Brian, il eut franchi la porte de l'hôtellerie, ce fut pour constater que la vaste salle commune était pleine à craquer d'hommes pour la plupart si somptueusement vêtus qu'à côté d'eux Brian, sir Giles et lui-même faisaient bien piètre figure.

Rasant les murs, Brian guida ses compagnons vers l'escalier qui se trouvait tout au fond de la salle. Soudain, l'un de ces fastueux personnages l'empoigna par la manche.

– Holà ! Pas si vite, l'ami ! Restez à votre place. Attendez que vienne l'huissier. Si quelque affaire vous amène ici, vous lui en ferez part.

– Vous avez dit : « l'ami » ? explosa Brian. Otez donc votre main de mon bras. Et, sacrebleu, expliquez-moi à qui j'ai le déshonneur de m'adresser ?

L'autre le lâcha.

– Je suis le vicomte Mortimer Verweather... (Il faillit ajouter « l'ami » mais se retint juste à temps.) Et je n'ai pas l'habitude qu'un nobliau de bas étage me parle sur ce ton, moi dont la lignée remonte au roi Arthur !

Sir Brian lui exprima son courroux en termes bien sentis.

– Quant à moi, conclut-il, je suis un Neville de Raby et ne baisse les yeux en présence de personne. Vous m'en rendrez raison !

Les deux hommes étreignaient déjà le pommeau de leur épée.

– A votre entière disposition..., commença le vicomte quand un homme corpulent et richement vêtu, le cou ceint d'une lourde chaîne d'argent à laquelle pendait une sorte de médaillon, s'interposa entre eux.

– Cessez immédiatement, messieurs ! ordonna-t-il sur un ton véhément. Qu'est-ce à dire ? Une querelle céans... (Il n'alla pas plus loin : ses yeux s'étaient posés sur Brian.) Sir Brian ! Cela fait une demi-heure que vous avez pris congé. Je ne m'attendais pas à vous revoir de sitôt...

– J'ai déjà trouvé les deux gentilshommes en question, sir William, et je les ai ramenés avec moi, répondit Brian sur un ton plus posé en lâchant son épée.

Sir William sourit.

– Voilà qui est parfait ! Sir John va vous recevoir

immédiatement. Suivez-moi. (Avant de se mettre en marche, il se tourna vers sir Mortimer et dit d'un ton sévère :) Quant à vous, milord, il serait séant que vous n'oubliiez pas les règles de la civilité en ces lieux. Sir John vous verra quand il le jugera bon. Venez, messieurs, ajouta-t-il à l'adresse de Brian et de ses amis.

Tous les yeux étaient braqués sur les quatre hommes tandis qu'ils gravissaient l'escalier.

La pièce du premier étage dans laquelle Jim, sir Brian et sir Giles furent introduits n'était guère plus grande que la chambre qu'ils occupaient eux-mêmes à *L'Ancre brisée.* Son mobilier, assez semblable, se réduisait à un lit tout aussi étroit poussé dans un coin. Un individu d'âge mûr, maigre et quasiment chauve, debout devant une sorte de haut lutrin, était en train d'écrire avec une plume d'oie sur ce que Jim pensa être un parchemin. Un autre homme portant un pourpoint bleu foncé était assis, très droit, sur une chaise dépourvue de coussin face à une petite table de bois sur laquelle étaient disposés des papiers ainsi que l'inévitable flacon de vin accompagné de quelques coupes. Un tabouret métallique était posé à côté de la table et quatre autres s'alignaient le long des murs.

– Sir John, dit sir William en s'arrêtant devant l'homme assis, sir Brian Neville-Smythe est de retour avec les deux seigneurs en question.

L'interpellé – qui ne pouvait être que sir John Chandos en personne, pensa Jim – s'accouda sur la table et se pencha en avant.

– Fort bien, William, laissez-nous, maintenant, je vous prie.

Il se tourna vers le copiste qui reposa aussitôt sa plume avec soin et sortit sur les traces de sir William. Quand la porte se fut refermée, le regard de sir John s'attarda sur les trois hommes debout devant lui. Il avait la sveltesse d'un adolescent en bonne condition physique bien que Jim lui donnât au moins trente-cinq ans, sinon quarante. Il émanait de lui comme une grâce languide qui n'avait aucun rapport avec l'attitude prétentieuse et infatuée de sir Mortimer Verweather. Son maintien évoquait plutôt la décontraction inquiétante d'un grand félin.

Jim le contemplait avec fascination. Aucun des portraits de sir John Chandos qu'il avait eu l'occasion d'examiner quand il était étudiant en histoire ne concordait avec le personnage qui était maintenant devant lui. Que cet homme fût non seulement intelligent et capable mais qu'il eût aussi l'habitude de commander sautait aux yeux. Il irradiait l'autorité comme une cheminée la chaleur.

Il n'invita pas ses visiteurs à s'asseoir.

– Messieurs, attaqua-t-il directement d'une voix douce et posée, les guerres ne se gagnent pas seulement par le combat. C'est particulièrement vrai de celle-ci dont le principal objet est de libérer notre prince souverain – que Dieu le protège ! C'est d'ailleurs dans ce but que j'ai besoin de vos services à tous trois. Ce que je vous demanderai, sir Brian, vous semblera plus proche du combat que ce qui sera requis de ces deux autres chevaliers. (Sir John les dévisagea tous tour à tour comme pour les jauger.) Si nous voulons ramener notre prince sain et sauf, nous devrons, c'est indiscutable, affronter les forces du roi Jean de France. Il y aura bataille. Une bataille que nous remporterons ou que nous perdrons selon ce que Dieu en décidera. Cela dit, la délivrance du prince incombera dans une large mesure à vous trois ainsi qu'à quelques autres gentilshommes. (Il ménagea une pause pour laisser à ses interlocuteurs le temps d'assimiler ses propos.) Aucun d'entre vous, je le crains, n'a l'expérience de ce qui lui sera demandé. Mais retenez ceci : charger au grand galop à l'épée ou à la lance le premier ennemi en vue ne suffit pas à assurer la pérennité du royaume. Sa stabilité repose sur nombre de choses qui réclament la discrétion et, parfois, le secret. Il en découle que, si vous vous engagez dans de telles actions, vous ne devez en parler à personne, ni pendant ni après. C'est ce silence que j'exigerai de vous. En particulier, ni moi ni la Couronne d'Angleterre ne sauraient être mêlés aux entreprises que vous aurez à mener. Me suis-je bien fait comprendre, messieurs ?

Ils répondirent tous trois par l'affirmative et Jim éprouva quelque surprise en s'apercevant qu'il y avait dans sa voix tout autant de respect que dans celle de ses compagnons.

– Fort bien. (Sir John posa les yeux sur l'un des papiers empilés à la diable sur la table.) Rien de ce que je vais vous dire maintenant ne doit jamais transpirer. Nous avons en France un certain nombre de conseillers capables de nous fournir les informations dont vous aurez besoin pour mener votre tâche à bien. On croit outre-Manche que nos amis sont de tout cœur au service de la Couronne de France. D'aucuns prétendront que la besogne qu'ils effectuent est indigne de gentilshommes et il pourrait en être de même de celle dont je vous chargerai. En réalité, il n'en est rien. C'est au contraire une entreprise qui ne peut être engagée que par d'authentiques gentilshommes car il ne s'agira pas d'une lutte aisée et au grand jour mais d'un combat difficile à conduire dans l'ombre. Vous devrez, sir Giles, et vous, sir James, faire évader notre prince du lieu où il est actuellement détenu par le roi de France. La vôtre, sir Brian, consistera à venir en aide à ces messieurs avec la petite troupe que vous allez réunir quand le besoin s'en fera sentir. Vous les suivrez donc à une journée de distance en vous fiant aux indications qu'ils vous donneront quant à leur itinéraire et aux repères qu'ils laisseront à votre intention. Votre point de chute sera Amboise. Quand vous les aurez rejoints, vous mettrez sur pied le plan que vous jugerez nécessaire pour délivrer le prince. Est-ce bien compris ?

– Parfaitement, sir John, dit sir Brian.

– Pour ce qui est de vous, sir Giles et sir James,

vous avez été choisis en raison de certains talents... particuliers que vous possédez l'un et l'autre. Comme chacun de vous sait à quoi je fais allusion en ce qui le concerne, il m'est inutile d'en préciser la nature. Vous partirez tous les trois demain matin à la première marée à destination de Brest. Savez-vous lire et écrire ?

– J'ai appris l'alphabet, répondit sir Giles en retroussant sa moustache avec une certaine fierté, et j'ai quelque connaissance du latin. Et je suis aussi capable d'écrire un tant soit peu en anglais en me servant des mêmes lettres.

Sir John eut un hochement de tête satisfait et se tourna vers Jim qui se borna à acquiescer.

Sir John haussa les sourcils.

– Vous paraissez étrangement sûr de vous, sir James. Dois-je en conclure que vous êtes très doué dans ce domaine ?

– J'écris à la fois le latin et l'anglais. Et également le français, je n'y pensais pas.

Sir John prit un des feuillets posés devant lui et le retourna. Le verso en était vierge.

– Allez chercher, si vous le voulez bien, sir James, la plume de Cedric, mon copiste, et vous écrirez là ce que je vous dicterai.

Jim s'exécuta, s'assit devant sir John et trempa la plume dans l'encre. Une pensée lui vint soudain à l'esprit.

– Pardonnez-moi, sir John, mais j'avais oublié que mon écriture et mon orthographe risquent peut-être de ne pas vous être familières. Si vous le désirez, je peux écrire en caractères d'imprimerie, mais ce sera plus lent que si c'est en cursive.

Sir John sourit et Jim eut l'impression que le chevalier pensait qu'il s'était trop avancé et essayait maintenant de faire marche arrière. Toutefois, Chandos ne fit pas de commentaires. Il se laissa aller contre le dossier de sa chaise.

– Ecrivez. *Cinq vaisseaux français qui ont pris la mer...*

Quand Jim leva la tête pour prendre la suite de la dictée après avoir soigneusement moulé chaque lettre en capitales, sir John le regardait en haussant à nouveau les sourcils.

– Il est certain que vous avez la plume rapide, sir James, dit-il. J'ai rarement vu un clerc la manier aussi vite. (Il tourna la feuille de parchemin pour examiner le texte.) Vous écrivez en effet d'étrange façon mais il faut reconnaître que cela se lit avec aisance. Mais vous avez parlé de deux formes d'écriture ? Vous appeliez l'autre...

– *Cursive*, monseigneur. Avec votre permission, je vais réécrire la phrase de cette manière pour que vous vous rendiez compte de la différence.

– Je vous en prie.

Quand il en eut terminé, Jim tendit le parchemin à sir John qui se pencha sur celui-ci.

– C'est, en vérité, difficile, sinon impossible à lire, encore que je ne doute guère que nous ayons des scribes qui pourraient déchiffrer ce texte. Mais il me faut être sincère avec vous, sir James, et je vous avouerai que la rapidité de cette écriture cursive, comme vous la qualifiez, me laisse pantois. Toutefois, en l'occurrence, elle ne saurait convenir. Il sera préférable que vous utilisiez la première manière. Cela sera parfait pour cette mission qui nécessitera des échanges de messages écrits. Je suppose que l'aptitude calligraphique dont vous venez de me faire la démonstration n'est pas sans rapport avec le talent particulier qui est le vôtre et auquel j'ai fait allusion tout à l'heure ?

Jim fut tenté de répondre que dans le monde moderne des multitudes de gens étaient capables d'écrire avec tout autant de facilité mais la prudence le retint.

– Pardonnez-moi, sir John, mais c'est là une question à laquelle il m'est interdit de répondre.

Chandos hocha gravement le menton.

– Oui, bien sûr. Cela a trait à votre *talent*, je comprends. N'en parlons plus. Il ne reste plus que deux sujets à aborder. (Sir John retira un des anneaux qu'il portait au doigt et le tendit à Jim.) En tant que gentilhomme de rang le plus élevé, sir James, vous mettrez cet anneau. Une fois à Brest, sir Giles et vous vous installerez à l'auberge dite de *La Porte verte*. Votre chambre y est retenue. Vous y attendrez d'être contactés par quelqu'un qui possède le même anneau. La personne en question vous donnera vos consignes. Il n'y a plus, maintenant, qu'une dernière question à régler : celle de vos armes.

– Mes armes ? répéta Jim, dérouté.

Mais sir John s'était déjà tourné vers la porte.

– Cedric ! appela-t-il.

La porte s'ouvrit presque aussitôt et le petit bonhomme frêle au crâne dégarni surgit.

– Sir John ?

– Allez chercher l'écu de sir James et faites venir l'artiste.

Cedric s'éclipsa et sir John revint à Jim.

– Lors d'une audience qu'Elle lui a accordée, le comte de Northumberland a appris avec joie que Sa Majesté vous avait octroyé des armoiries. Vous avez sans nul doute les vôtres dans le pays d'où vous venez. Néanmoins, on a estimé qu'étant pour l'heure l'un des nôtres vous deviez arborer des armes anglaises. Un héraldiste venu spécialement de Londres avec les instructions voulues vient de les peindre sur votre bouclier.

– J'ai envoyé Chester le chercher après mon premier entretien avec sir John, expliqua sir Brian. Theoluf le lui a remis et il l'a rapporté.

– Ah bon, murmura Jim.

A la vérité, il n'avait jamais décoré son écu du moindre blason, ce qui n'avait pas manqué d'étonner quelque peu sir Brian, qui le croyait seigneur de Riveroak. En fait, la nudité de son bouclier tenait à ce que Jim se sentait mauvaise conscience : il se repentait de s'être paré d'un titre et d'un rang imaginaires sous l'inspiration du moment lorsqu'il avait fait la connaissance de sir Brian.

La porte se rouvrit et Cedric réapparut, portant le bouclier et suivi d'un petit bout d'homme qui avait l'apparence d'un vieillard au dos cassé par l'arthrite. Il posa l'écu à l'envers debout sur la pointe et se retira après avoir salué la compagnie.

– Eh bien, maître héraldiste, avez-vous terminé ? s'enquit sir John.

– Oui, monseigneur, répondit l'artiste d'une voix de crécelle, mais la peinture n'est pas encore sèche et il ne faudra pas y toucher avant une bonne heure. Dois-je vous montrer ces armes ?

– C'est pour cela que je vous ai fait mander.

L'héraldiste fit pivoter le bouclier.

Sur la surface métallique était figuré un dragon rampant sur un fond uniformément rouge foncé entouré d'une très fine bordure d'or.

– La loi d'Angleterre et de tous les pays chrétiens, dit sir John, fait obligation à quiconque possède votre... euh... talent d'avoir toujours du rouge sur ses armes. Ainsi, tout noble chevalier se prenant de querelle avec vous sera dûment averti de l'avantage que pourra vous conférer ce talent.

C'était d'une parfaite logique. Jim était loin, pour l'instant, d'être assez versé dans la magie pour représenter un danger en cas de conflit – mis à part le fait qu'il pouvait à volonté se transformer en dragon – mais il n'était pas surprenant que l'on considère qu'il possédait, dans ce domaine, un avantage abusif sur un profane...

– Je suis reconnaissant à Sa Majesté et au comte de Northumberland ainsi qu'à vous, monseigneur, d'être gratifié de ce blason. Je serai honoré d'arborer ces armes. Je vous prierai, sir John, de vous faire mon porte-parole auprès du roi si l'occasion vous en est donnée pour lui exprimer toute ma gratitude.

– Ce sera avec joie, sir James, et je suis sûr que Sa Majesté appréciera. Mais le temps presse. Il me faut effectuer les préparatifs et faire embarquer le maximum de troupes. Aussi, vous pouvez vous retirer, messieurs. Avec l'aide de Dieu, nous nous retrouverons en France.

Jim, Brian et sir Giles s'inclinèrent et quittèrent la pièce.

13

L'aurore perçait à peine.

Jim se tenait debout devant la rambarde bâbord de la coquille de noix à bord de laquelle ils avaient nuitamment traversé la Manche. On était maintenant au large des côtes françaises. Contrairement à ce qu'avait annoncé sir John Chandos, ils avaient levé l'ancre à la marée du soir sans attendre celle du lendemain matin. Et cela pour d'excellentes raisons : des deux côtés de la Manche, armateurs et patrons de pêche n'étaient pas sans savoir que l'Angleterre et la France allaient recommencer à se faire la guerre. Cela signifiait beaucoup de trafic sur les routes maritimes. Désormais tout bâtiment susceptible d'en arraisonner un autre s'adonnerait *ipso facto* à des actes de piraterie. Or, le bosco, comme la plupart de ses pareils, était seul et unique propriétaire de son bateau. Pour lui, le perdre équivaudrait à perdre la vie.

Aussi, prenant tous les saints à témoin de sa sincérité, il avait affirmé avec insistance que si des passagers comme ces nobles seigneurs voulaient gagner Brest en toute sécurité, le bon sens exigeait que le voyage eût lieu de nuit. Ah ! S'il faisait gros temps, il en irait autrement, certes. Mais les vents favorables et la lune presque à son plein étaient propices à une traversée nocturne.

Et, de fait, les eaux étaient restées calmes, confirmant les prévisions – presque trop belles pour être vraies – du patron. Après avoir doublé les îles Anglo-Normandes, celui-ci avait pris soin de rester au large mais à présent que le ciel s'éclairait, il avait mis le cap sur une ligne sombre qui barrait l'horizon et que Jim identifia finalement comme étant, non point un banc de nuages bas, mais bel et bien la terre.

Il s'approcha du capitaine qui, bien campé à la proue sur ses jambes écartées, regardait droit devant.

– Où sommes-nous ? demanda Jim.

– A l'entrée de la rade de Brest, répondit l'autre sans tourner la tête. Que Dieu soit avec nous maintenant (il se signa), parce qu'il y a de nombreux récifs...

Au même instant, un choc soudain, accompagné d'un grincement, parcourut de bout en bout le bateau qui s'immobilisa brutalement.

– Qu'est-ce que c'est ?

– Que les saints nous protègent ! s'écria le capitaine en se tordant les mains. On a talonné, comme je le craignais ! Nous sommes bel et bien coincés !

Il y eut un bruit de galopade et la demi-douzaine d'hommes composant l'équipage arriva au pas de course pour se masser à l'avant à côté du patron dont les yeux ruisselaient de larmes. De fait, la voile tendue à craquer ne propulsait plus le bateau.

– Que se passe-t-il ? demanda à nouveau Jim au bosco. Pourquoi ce désarroi ?

– Nous sommes perdus, sire chevalier. Ces rochers sont comme du fer. Il n'y a pas moyen de bouger et nous resterons là jusqu'à ce que mort s'ensuive à moins qu'un coup de vent nous dégage et alors nous coulerons car, on peut en être sûr, il y a maintenant un trou dans la carène.

– Mais la chaloupe qui est sur le pont ? Pourquoi ne pas la mettre à l'eau, l'amarrer au bateau et essayer de le dégager à la rame ?

Mais le capitaine se contenta de secouer la tête sans mot dire. Les pleurs baignaient son visage.

La voix de sir Brian retentit à l'oreille de Jim :

– Qu'est-il arrivé ?

Jim se retourna.

– Apparemment, nous avons heurté un récif. J'ai tenté de secouer le capitaine pour qu'il prenne une décision, mais il a déclaré forfait.

– Nous ne sommes pas à plus de deux ou trois milles de la terre et il pense qu'il n'y a rien à faire ? En voilà un poltron ! Eh, vous...

Le poing de sir Brian s'abattit sur l'épaule du bosco qui demeura sans réaction. Désespéré et comme ivre de consternation, il restait sourd aux objurgations de Brian.

– Où est sir Giles ? demanda Jim.

– Je veux bien être damné si je le sais ! grommela sir Brian qui se remit à cogner. Toi, écoute-moi un peu ! Tu es un homme ou un foutu momignard à chialer comme ça sans rien faire ?

Mais il aurait aussi bien pu s'adresser à un hystérique en pleine transe. Jim les abandonna tous deux pour se mettre à la recherche de Giles. Il était intrigué. Il était impossible qu'avec tout ce remue-ménage celui-ci ne les ait pas encore rejoints.

Il se fraya tant bien que mal un passage entre les piles de caisses et les ballots de marchandises qui encombraient le pont et ce ne fut qu'une fois arrivé à l'arrière qu'il finit par tomber sur le chevalier. A sa grande stupéfaction, Giles, à moitié nu, ôtait ses derniers vêtements. Il était rose et rondouillard, ressemblant à un chérubin moustachu.

– Mais qu'est-ce que vous faites, Giles ? s'exclama Jim, interloqué.

Sir Giles lui décocha un regard aigu.

– Bon... Eh bien, regardez-moi si ça vous chante ! C'est un don qui se transmet dans ma famille depuis des générations. Et je n'en ai aucune honte. La seule chose, c'est que je ne tiens pas à ce que vous en parliez à n'importe qui. Voilà, je vais jeter un coup d'œil sous la coque pour examiner ce qui immobilise le bateau.

Maintenant nu comme un ver, Giles courut jusqu'à la rambarde, l'escalada et se laissa tomber à l'eau dans un plouf retentissant. Jim, qui l'avait suivi machinalement, arriva juste à temps pour le voir se métamorphoser en phoque à peau grise et luisante qui s'enfonça dans les flots.

C'était donc là le talent spécial de sir Giles : il était ondin, « homme sur terre, phoque en mer » selon l'antique définition.

Jim fit demi-tour et regagna l'avant où Brian était en train de secouer le malheureux capitaine. L'équipage, un peu en retrait, ne manifestait pas, si peu que ce fût, l'intention d'intervenir. Les six hommes avaient tous un long couteau à la ceinture mais, peut-être à cause de l'épée de Brian ou du fait de son titre de chevalier, ils n'osaient porter la main sur lui. A moins qu'ils n'estiment que le bosco méritait une bonne leçon pour avoir fait échouer le bâtiment.

Brian était par certains côtés le plus doux et le meilleur des hommes. Néanmoins, son comportement obéissait à un ensemble de règles rigoureuses auxquelles Jim et Angie avaient eu le plus grand mal à s'adapter. Jim l'empoigna par le bras.

– Brian ! Mais qu'est-ce qui vous prend ?

L'interpellé tourna la tête et ses traits férocement crispés s'adoucirent quand il reconnut Jim.

– Ce bougre a perdu l'esprit, mon bon James. J'essaie simplement de lui faire entendre raison par la manière forte.

– Cela ne servira à rien. Il a subi un profond traumatisme émotionnel.

– Un profond... quoi ? (Brian dévisagea fixement Jim.) Euh... vous voulez dire que c'est quelque chose qui touche à la magie, James ?

Cette expression était venue tout naturellement à la bouche de Jim qui n'avait pas réfléchi au sens qu'elle pourrait revêtir pour un homme de ce siècle. Un instant, il fut tenté d'expliquer à Brian ce qu'il avait voulu dire. Mais se rappelant qu'il n'était jamais parvenu malgré ses efforts à combler le fossé séparant ce monde médiéval de la société technologique du XXe siècle, il jugea préférable de ne pas insister. D'ailleurs, des questions plus graves se posaient dans l'immédiat. Le plus sage était encore de mentir.

– Si vous voulez, Brian. Mais il y a des choses plus urgentes pour le moment. Il faut que nous en discutions seul à seul.

– Soit. Nous allons chercher un coin tranquille pour parler. ATTENTION, VOUS AUTRES ! Le premier d'entre vous qui touchera à cette chaloupe sans que sir James ou moi-même lui en ait donné l'ordre pourra faire le deuil d'un de ses bras !

Les quatre hommes d'équipage qui commençaient déjà à s'approcher de la petite embarcation se figèrent sur place.

– Allons, Brian... venez.

Tandis qu'il se dirigeait vers la poupe avec Jim, Brian se retourna une ou deux fois pour s'assurer que les marins ne bougeaient pas.

– Mais qu'est-ce que cela ? fit-il à la vue des vêtements de sir Giles. (Il se baissa et ramassa le pourpoint abandonné.) Où est Giles ? Et que font ses affaires ici ?

– Il a plongé pour examiner la coque et voir ce qui retient le bateau.

– Vraiment ? (Brian se pencha au-dessus de la lisse.) J'ignorais qu'il était capable de nager aussi profond.

– C'est justement ce dont je veux vous parler, ami Brian. En temps normal, j'aurais respecté le secret que m'a confié Giles. Toutefois, je pense que...

Brian, qui avait passé la tête derrière une pile de ballots, l'interrompit brutalement :

– ET ALORS ? cria-t-il aux matelots.

Se retournant vers Jim, il s'expliqua :

– Il y en avait un qui avait l'air de vouloir se glisser jusqu'à la chaloupe. Cela risque d'être le sauve-qui-peut général. Et quand ils auront gagné la côte à force de rames, il y a peu de chances qu'ils reviennent nous chercher. Mais qu'étiez-vous en train de me dire, James ?

– Je m'apprêtais à vous révéler... C'est un secret de famille et, normalement, je vous le répète, je ne trahirais pas la confiance de Giles qui m'a mis dans la confidence ; mais nous ne serons pas trop de deux pour lui jeter une corde et le haler à bord quand il refera surface. Dès lors vous ne pourrez faire autrement que de constater qu'il se transforme en phoque quand il plonge.

– Ah ! C'est un ondin, fit pensivement sir Brian. (A nouveau, il avait passé la tête derrière la pile de marchandises.) Si on les quitte des yeux un instant, ces pendards vont finir par mettre la barque à l'eau pour filer en profitant de ce que nous serons occupés à aider Giles. Et il se peut que nous ayons besoin de cette chaloupe. Mais il y a peut-être une solution : que vous leur fassiez tellement peur qu'ils n'osent pas bouger même si on ne les surveille pas.

– Mais comment ?

– Il suffira que vous leur montriez votre écu. Vous leur direz que vous êtes sorcier et que vous leur jetterez un sort qui les transformera en crapauds ou tout ce que vous voudrez s'ils ont le malheur de faire un mouvement. Alors, il ne sera plus nécessaire de les avoir à l'œil en permanence. Pas un seul ne se risquera à bouger.

Jim n'avait pas la moindre idée de la façon dont il fallait s'y prendre pour changer les gens en crapauds mais, dans sa naïveté, Brian ne doutait pas un instant que ce soit pour lui un jeu d'enfant : on est magicien ou on ne l'est pas, il ne voyait pas plus loin, bien qu'il sût par le Département des Comptes que son frère d'armes n'était qu'un modeste magicien de classe D alors que Carolinus était, lui, un des trois seuls magiciens AAA+ au monde.

Mais s'il le croyait, les hommes d'équipage le croiraient probablement aussi.

– C'est une excellente idée, Brian ! s'exclama Jim. J'y vais de ce pas.

Il se mit à la recherche de ses affaires qu'il avait posées sur le pont, s'empara de son écu et s'avança vers le groupe des marins. Le capitaine était toujours en larmes – et en état de choc.

– Regardez cet écu, fit Jim en arborant sa mine la plus féroce. (Les matelots fixèrent le bouclier.) Savez-vous ce que signifie sa couleur rouge ? Que l'un d'entre vous réponde !

– Que vous... que vous êtes magicien, milord ? se décida à dire l'un des hommes après un long silence.

– Très bien ! Bonne réponse ! (De sa main libre, Jim effectua quelques passes emberlificotées et psalmodia sur un ton solennel :) *Pic et pic et colegram, am stram gram !* Maintenant, le premier d'entre vous qui bougera ne serait-ce qu'un pied sera transformé en crapaud. Ainsi en sera-t-il jusqu'à ce que je lève l'enchantement.

Les matelots, plus étroitement que jamais collés les uns aux autres, étaient manifestement terrorisés. Jim revint sur ses pas. Comme il remettait son bouclier à sa place, la voix de Brian lui parvint et il se hâta de le rejoindre près de la poupe. Il vit le phoque qui nageait en rond dans la mer.

– Attendez un instant, lui criait sir Brian, penché au-dessus du bastingage. Vous auriez pu réfléchir au moyen de remonter à bord avant de vous précipiter à l'eau comme ça. Ah ! Vous voilà, James ! Giles est là. Avez-vous apporté un cordage ?

– Ah non ! J'ai jeté un sort à l'équipage pour qu'il ne bouge pas et cela m'est complètement sorti de la tête.

– Je vais en chercher un. Ce n'est pas ce qui manque ici !

Sir Brian disparut. Un instant plus tard il était à nouveau là, traînant un filin de près d'un demi-pouce de diamètre. Les deux hommes le lancèrent par-dessus la rambarde et le phoque se dressa en partie hors de l'eau. Il retrouva ses bras et put saisir l'amarre qui pendait le long de la coque. A mesure qu'il se hissait à l'air libre, il redevenait sir Giles, un sir Giles nu mais au grand complet qui, non sans efforts et avec force jurons, finit, à moitié tiré par Jim et Brian, par escalader le plat-bord et rouler sur le pont.

– Morbleu, ce qu'il fait froid ici ! s'exclama-t-il en frissonnant. D'un seul coup, je me sens glacé jusqu'aux os. Apportez-moi quelque chose, que je m'essuie !

– J'y ai pensé, dit sir Brian. Avec mon épée, j'ai découpé l'enveloppe d'une balle.

Giles lui arracha le morceau de toile de jute qu'il tenait à la main et commença à s'étriller. Il claquait des dents.

– Si vous avez froid ici, dit Jim, vous avez rudement dû geler dans l'eau !

– Pas du tout, j'avais mon corps de phoque.

– Qu'avez-vous découvert ? demanda vivement Brian.

– Un instant, l'interrompit Jim. Giles, Brian est maintenant évidemment au courant de votre secret... du talent qui se transmet de père en fils dans votre famille et auquel sir John Chandos faisait allusion. Et vous connaissez à présent tous les deux le mien. Je suis magicien.

– A dire vrai, fit humblement Giles, je l'ai compris à l'hostellerie. Si l'ignorance où j'étais de votre rang véritable, seigneur mage, vous a offensé, je vous supplie du fond du cœur de me pardonner...

– Balivernes ! coupa Jim qui avait cru que Giles, étant ondin, ne prendrait pas ces histoires de magie aussi au sérieux que Brian et les autres. Je suis seulement de classe D, ce qui fait de moi un magicien des plus novices.

– Il n'empêche qu'il a jeté un sort aux marins pour qu'ils ne prennent pas le large avec la chaloupe pendant que nous aurions le dos tourné.

– Vraiment ? Voilà qui est bien. Si vous aviez l'obligeance de me passer mes vêtements, milord... (Jim les lui tendit et Giles se mit en devoir de se rhabiller.) Revenons-en au bateau. Nous sommes échoués mais, en fait, ce n'est pas très grave. La coque est intacte.

– Le capitaine sera fou de joie quand il le saura, l'interrompit Jim. Mais continuez. Comment la situation se présente-t-elle au juste ?

– Eh bien, l'étrave a simplement heurté un éperon rocheux qui nous coince, mais les œuvres vives n'ont pas plus souffert que si nous avions touché un banc de sable. Toutefois, la marée montante ne suffira pas à nous dégager. Le seul moyen de s'en sortir est de haler le bateau pour le faire reculer. C'est tout à fait faisable pour peu que nous ayons suffisamment de bras. Si on me donne une haussière plus longue, je l'attacherai du côté de la poupe à un autre rocher peu éloigné et les hommes s'atteleront au cabestan qui sert à hisser les fardeaux.

– Mettons-nous immédiatement à l'ouvrage, dit sir Brian.

On expliqua la manœuvre au bosco qui revint à la vie en apprenant que tout espoir de sauver son bâtiment n'était pas perdu, puis l'équipage gagna le gaillard d'arrière. Les trois chevaliers prirent la haussière et s'éloignèrent pour que Giles puisse plonger et se transformer à nouveau en phoque sans témoins.

– Mais comment allez-vous attacher ce filin au récif sans mains ? lui demanda Jim tandis qu'il se déshabillait une nouvelle fois.

– Facile. J'en tiendrai l'extrémité entre mes dents et l'enroulerai tout autour du rocher. L'équipage n'aura plus ensuite qu'à tirer dessus.

– Eh bien, à vous de jouer, dit Brian. Lorsque vous

serez remonté, séché et rhabillé, nous donnerons ses instructions au capitaine.

Les choses se passèrent comme prévu. Tandis que l'équipage fixait la haussière au filin enroulé autour du tambour du treuil, le propriétaire du bateau harcelait sir Giles de questions.

– Et comment dites-vous que l'étrave repose sur ce roc ?

– Ce dernier fait comme une petite cuvette et c'est dans ce renfoncement qu'elle est prise. Mais ce n'est qu'une affaire de quelques pouces. Il suffira de tirer un bon coup pour la dégager.

– Vous avez entendu, les gars ? Juste un effort et on sera remis à flot. Allez ! Au travail !

Les hommes crachèrent dans leurs mains, empoignèrent le cordage et, bandant leurs muscles, firent tous ensemble un demi-pas en arrière. Le tambour pivota d'un quart de tour. Ils recommencèrent la même manœuvre à deux reprises. Mais le bateau ne bougeait pas pour autant.

– Du cœur au ventre, les enfants ! encouragea le capitaine.

Ils s'arc-boutèrent, gagnèrent encore quelques pouces, mais sans plus de succès.

– Allez, mes garçons ! Allez ! Ho ! hisse... Ho ! hisse...

Et l'équipage de reprendre en chœur :

Et hisse et ho ! Et hisse et ho !
Et tire la corde, et hisse et ho !
Longue est la corde, et hisse et ho !
Et hisse et ho, et tire encore !
Tire plus fort, et hisse et ho !
Longue est la corde et tire encore !

Brusquement, un frémissement secoua le navire et il fut comme tiré en arrière. Une seconde plus tard, il se balançait au gré des vagues.

Les hommes, exténués et ruisselants de sueur, lâchèrent alors le filin et firent silence.

– On est renfloués ! hurla le capitaine d'une voix vibrante.

Il tomba à genoux, joignit les mains et leva les yeux au ciel tandis que ses lèvres remuaient, formant les mots d'une muette prière. Les uns après les autres, les six marins suivirent son exemple.

Deux heures plus tard, le bateau mouillait dans le port de Brest. On jeta la passerelle. Jim, Brian et Giles, suivis de trois hommes d'équipage chargés de porter leurs bagages, se mirent en route en direction de l'auberge de *La Porte verte* dont le capitaine leur avait indiqué le chemin.

14

La matinée était déjà bien avancée et le soleil brillait dans un ciel sans nuages. Il faisait chaud, ce qui rendait plus fétide encore la puanteur qui montait du sol. Il avait fallu du temps à Angie et à Jim pour s'habituer à ces rues du Moyen Age. Et, à bien y réfléchir, ce dernier se disait qu'il ne s'y était pas encore vraiment fait. Puis ses pensées prirent un autre cours.

A nouveau ses craintes l'assaillirent. Tandis qu'il se trouvait encore à Hastings, il avait dû prendre ses dispositions par rapport à ses hommes. Il aurait bien voulu qu'une fois en France Theoluf fût à ses côtés. Mais il s'était avéré impossible que son nouvel écuyer soit du voyage. Son escorte et celle de sir Brian – quatre-vingts hommes au total – devaient attendre l'arrivée d'un bateau plus important pour pouvoir embarquer. D'ici là, quelqu'un aurait à prendre leur commandement et, vraisemblablement, celui-ci serait confié à celui qui occupait le rang social le plus élevé ou, à égalité de rang, à un homme qui bénéficiait du privilège de l'âge.

Hélas, la seule personne répondant au premier critère était l'écuyer de Brian, John Chester, et il avait fallu le laisser, lui aussi, à Hastings – mission oblige. Chester était un gentilhomme. Très jeune – il n'avait que seize ans – et très inexpérimenté, mais néanmoins un gentilhomme. Il était hors de question de le placer sous l'autorité d'un simple homme d'armes, si aguerri soit-il. *Ergo*, John Chester devrait apprendre à être un chef, qu'il en ait ou non la capacité. Jim n'avait pu que s'incliner devant les us et coutumes en vigueur.

Attablé à l'écart dans la salle d'auberge de Hastings, Jim avait longuement médité sur cette situation quand la solution lui était venue en apercevant Brian parlant à voix basse avec son chef d'escorte. Il avait alors cherché des yeux Theoluf et, ne le voyant nulle part, était monté dans la chambre qu'il partageait avec Giles et sir Brian. Son ancien chef d'escorte y était et se leva à son entrée.

– Si je comprends bien, Theoluf, lui avait alors dit Jim, vous allez être l'adjoint du jeune John Chester ?

– Le fait est, milord. Maintenant que je suis écuyer, j'ai le pas sur les simples hommes d'armes comme Tom Seiver qui commande la garnison du château de Smythe.

– Tel que je vous connais, vous saurez tenir des garçons comme ceux-là en main.

– Milord craindrait-il qu'ils ne se trouvent pas là où ils sont requis avec armes et bagages ?

– Ce n'est pas exactement ce que je voulais dire, Theoluf. J'aime bien John Chester, vous ne l'ignorez sans doute pas, mais il est bien novice comparé à la plupart des hommes que Tom et vous ferez débarquer de l'autre côté de la Manche. Il aura à prendre des décisions qui seront peut-être un peu... délicates.

– Je comprends vos craintes, milord. Messire John Chester est un jeune gentilhomme de bon cru. Que

Milord ne se fasse aucun souci. Lui et les autres seront, le moment venu, là où ils devront être, vous pouvez compter sur Tom et moi.

– Merci, Theoluf.

Jim avait un poids de moins sur la poitrine quand il était redescendu dans la salle commune.

Maintenant qu'il avait touché le continent, pataugeant dans les rues de Brest avec ses compagnons, il repensait à cette conversation. Sa situation n'était-elle pas jusqu'à un certain point comparable à celle dans laquelle se trouvait John Chester vis-à-vis des hommes placés sous son commandement ? Il avait au doigt l'anneau qui servirait de signe de reconnaissance à l'espion chargé de prendre contact avec eux. Et pour quelle raison ? Uniquement parce que le titre de baron était accolé à son nom.

Son incapacité de se comporter comme un noble du XIVe siècle – sans parler de son incapacité de combattre en tant que chevalier – n'avait pas échappé à sir Brian et sans doute pas davantage à sir Giles. Pourtant, tous deux l'avaient admise et ne s'en étaient pas offusqués. Il y avait là une dualité dans la façon de penser de Brian qui n'avait pas manqué de frapper Jim. A propos de son souverain notamment. D'une part, il voyait en lui un ivrogne incapable de prendre des décisions et, d'autre part, il le parait de toutes les vertus qui sont traditionnellement celles d'un monarque.

Comment expliquer cela ? En fait c'était relativement simple. Le roi d'Angleterre était *son* suzerain et à ce titre se détachait de l'ordre commun. On ne pouvait en user avec lui comme avec l'un de ses propres sujets. De même pour sir James. Le fait qu'il soit l'ami de Brian autorisait celui-ci à se montrer indulgent.

Finalement, le petit groupe arriva à sa destination, l'auberge de *La Porte verte*, et pénétra dans une vaste salle meublée de longues tables en bois brut et de bancs. Si la demi-pénombre dans laquelle elle baignait contrastait agréablement avec la touffeur de plus en plus oppressante qui envahissait la ville, l'odeur qui y stagnait, bien que différente, empestait presque autant que les remugles du port.

Le tavernier qui vint les accueillir n'avait rien de commun avec le propriétaire de *L'Ancre brisée*, à Hastings. Le menton râpeux, René Péran – c'était son nom – était jeune et grassouillet. Ses yeux sombres étaient soupçonneux et il donna l'impression d'éprouver une méfiance immédiate à la vue des nouveaux arrivants. Peut-être ne portait-il pas les Anglais dans son cœur ?

Il leur souhaita néanmoins la bienvenue conformément aux exigences de la profession, mais la cordialité dont il faisait preuve était manifestement forcée. Tout, dans son attitude, prouvait qu'ils étaient des indésirables et qu'il avait hâte de se débarrasser d'eux pour en revenir à ses occupations.

Loin d'être aussi grande que celle de *L'Ancre brisée*, la chambre du premier étage où il les conduisit était néanmoins propre. Le lit, placé dans un coin selon l'usage, méritait à peine ce nom : c'était tout juste une étroite plate-forme qui ne différait guère des couches moyenâgeuses dont Jim avait maintenant une solide expérience. Le reste du mobilier se limitait à une table et à quelques tabourets. Quand les marins furent repartis après avoir déposé les bagages, Jim demanda qu'on fasse monter du vin.

Les gobelets accompagnant le cruchon étaient à ses yeux d'une propreté plus que douteuse, aussi en rinça-t-il un qu'il essuya ensuite à l'aide d'un linge qu'il sortit de ses affaires. C'était quasiment une habitude qu'il avait prise depuis qu'il était arrivé dans ce monde et sir Brian, comme sir Giles, pensaient à l'évidence que ce rite avait quelque rapport avec la magie.

– Qu'allons-nous faire maintenant que nous sommes à pied d'œuvre ? questionna sir Giles après avoir avalé une généreuse rasade.

– Attendre, je suppose, répondit Brian.

Tous deux dévisagèrent Jim.

– Je vois mal ce que nous pourrions faire d'autre, dit ce dernier qui s'était déjà posé la même question. (Il abaissa les yeux sur l'anneau passé à son médius droit et qui flottait un peu.) Je ne quitterai pas l'auberge pour bien me montrer avec cette chevalière au doigt et on verra ce qui arrivera.

– La peste l'emporte ! grommela sir Brian. J'ai horreur de me languir à attendre.

– Nous ne pouvons pourtant agir autrement. N'oubliez pas que nous devons éviter dans toute la mesure du possible d'attirer l'attention – sauf celle de la personne qui doit prendre contact avec nous.

– C'est vrai, bougonna Brian. Mais il n'empêche que faire le pied de grue n'est pas chose facile pour moi. Ce n'est pas dans ma nature !

– Ni dans la mienne ! renchérit sir Giles.

Et, à l'appui de cette déclaration, les deux hommes trinquèrent cérémonieusement.

Dans les jours qui suivirent, les récriminations de Brian ne furent pas sans motif mais comment Jim aurait-il pu lui en tenir rigueur ? Travailler dans l'ombre n'était pas son fort. Son domaine était le champ de bataille à ciel ouvert où l'on court sus à l'ennemi. Néanmoins, leur conduite était au-dessus de tout reproche, hormis un penchant à boire et à visiter un peu trop assidûment les estaminets de Brest.

Au bout de trois jours de ce régime, ils déclarèrent forfait et, en définitive, Jim se félicita qu'ils aient ainsi couru les tavernes, ce qui leur avait permis de glaner à partir des dernières rumeurs une remarquable somme d'informations, tant sur leurs compatriotes stationnés à Brest que sur la situation de la ville elle-même, voire, plus généralement, du royaume de France.

A l'instar de Brian et de Giles, la quasi-totalité des

membres de l'armée anglaise, rongée par le désœuvrement, s'ennuyait ferme. Entre deux cruchons de vin, il n'était question que de raids et de coups de main, et d'aucuns caressaient même l'idée de marcher contre les Français sans attendre l'arrivée du reste des troupes. Le comte de Cumberland, commandant en chef des forces britanniques, avait le plus grand mal à empêcher ses hommes de passer à l'attaque – et ce d'autant qu'il était secrètement en faveur d'opérations de ce genre.

– Je suppose que l'homme que nous devons rencontrer ne vous a toujours pas donné signe de vie ? demanda Brian à Jim le matin du quatrième jour, alors qu'ils prenaient tous les trois le petit déjeuner dans leur chambre – un petit déjeuner composé de poisson fumé et de mouton bouilli... le tout accompagné d'excellent pain français.

– Non, pas le moindre.

– Cela pourra fort bien prendre encore une semaine ou davantage, dit sir Giles en mâchonnant une bouchée de viande. Il a sans doute été retardé.

Sir Brian porta sa coupe à ses lèvres et la reposa bruyamment sur la table.

– Quoi qu'il en soit, il serait peut-être grand temps que nous nous mettions en quête de chevaux, sans parler des équipements qui nous seront nécessaires pour nous rendre là où nous devrons aller.

– Vous ne pensez pas que sir John a pris les dispositions voulues pour notre voyage ? fit Jim. Après tout, il s'est chargé d'assurer notre logement dans cette auberge.

– Nous loger, c'est simple, rétorqua sir Brian, la bouche pleine. (Il déglutit.) Mais pour ce qui est des moyens de transport, je suppose qu'il s'en remet à nous. (Il regarda Jim d'un air pensif.) Ce qui veut dire que nous devons nous procurer trois chevaux. Six serait préférable, car nous en aurions trois pour porter nos bagages mais le coût des bêtes risque d'être prohibitif.

Jim reçut le message haut et clair. Il était le seul à avoir de l'argent. Il possédait quelques pièces d'or cousues à l'intérieur de ses vêtements, d'autres de moindre valeur dans la doublure de ses rechanges ou dissimulées dans le fourreau de son épée – largement plus qu'il n'en fallait pour leur permettre à tous les trois d'entreprendre ce voyage en France et de rentrer chez eux. Certes, en tant qu'exploitant agricole, il n'était pas très doué dans l'art et la manière de faire fructifier ses terres. Mais sir Hugh, qui s'était enfui en France, laissant à Jim la baronnie de Malencontri, avait su rançonner les siens comme ses ennemis. Le château abritait bon nombre d'objets de valeur dont certains ressemblaient étrangement aux précieux vases sacrés servant à la célébration du culte. En prévision de cette expédition, Jim avait pris soin d'en troquer quelques-uns à Worcester contre espèces sonnantes et trébuchantes.

Ce que Brian avait laissé entendre à mots couverts, sans délicatesse excessive d'ailleurs, c'était que Jim devait fournir les fonds nécessaires aux dépenses qu'il suggérait. Il n'y avait là aucune avarice ou calcul intéressé de sa part. Si lui-même avait eu de l'argent, il aurait sans doute dépensé jusqu'à son dernier sol. Après quoi, il aurait sollicité ses compagnons qui, s'ils étaient d'authentiques gentilshommes, auraient admis sans l'ombre d'une hésitation qu'il leur appartenait de faire l'effort financier demandé.

C'était ainsi que se comportaient ses pairs. De même qu'un chevalier qui rendait visite à un autre pouvait demeurer six mois chez lui en menant grande vie sans penser une seconde aux frais que cela occasionnait à son hôte...

Dans la foulée, les trois hommes se mirent à étudier la question des chevaux. Les choses ne se présentaient pas de façon très favorable. Il y avait deux marchés possibles. Le premier était constitué par leurs compatriotes qui avaient débarqué à Brest avec leurs propres coursiers – de bons chevaux. L'autre était le marché local.

Les chevaux anglais appartenaient à des chevaliers ou assimilés qui répugneraient fort à se défaire de leurs montures dans la mesure où elles ne pourraient être remplacées. En conséquence, le prix de ces bêtes serait très élevé. Quant au marché local, sir Brian et sir Giles estimaient l'un comme l'autre que l'on ne trouverait que des animaux de qualité médiocre, tout juste susceptibles, et encore, de servir de bêtes de somme.

Au terme de la discussion, on en arriva tout naturellement à la conclusion que l'on achèterait trois chevaux de selle si l'on pouvait s'en procurer auprès d'autres Anglais et trois chevaux de seconde main qui porteraient les bagages.

Il s'avéra que Brian et Giles avaient tâté le terrain par avance et quand ils lui firent part de l'estimation chiffrée à laquelle ils étaient parvenus, Jim sursauta : même dans ses hypothèses les plus pessimistes, il n'avait pas imaginé que des chevaux coûteraient pareille somme. Certes, il n'était pas pécuniairement à court et pouvait se permettre cette dépense, mais il était bien incapable de deviner les autres frais auxquels ils auraient à faire face. Néanmoins, il sortit sa bourse et en remit le contenu à Brian qui se leva et, suivi de Giles, prit la porte, le laissant seul en compagnie des punaises, des puces et de la tentation de se rabattre sur le vin pour cesser de prêter attention à cette vermine.

Cependant, il n'y céda pas. D'abord il était habitué à la sobriété, ensuite la matinée était à peine entamée. Bien que ses deux amis ne puissent le deviner, cette attente lui pesait encore plus qu'à eux. A cela deux raisons. Il ne pouvait chercher comme Brian et Giles une consolation dans le vin, enfin il était cloué dans cette auberge tenue par un tavernier qu'il trouvait chaque jour un peu plus antipathique et plus odieux.

Il descendit néanmoins dans la salle commune, où quiconque serait à la recherche d'une personne portant certain anneau au doigt ne saurait manquer de le remarquer, et prit place à une table libre. Quand on lui apporta le cruchon qu'il avait commandé, il demanda qu'on mette leur chambre en ordre.

Ce faisant, il prenait un risque calculé : leurs affaires n'étaient pas enfermées à l'abri et indépendamment des domestiques n'importe qui pouvait commettre un larcin. Toutefois, Jim avait choisi une position stratégique lui permettant de surveiller l'escalier, et si un étranger montait, il le verrait. Par ailleurs, il avait fait en sorte que le personnel sache qu'il était magicien et avait laissé traîner son écu afin que ses armoiries et ses couleurs soient bien visibles. La seule vue de ces pièces honorables sur fond de gueules indiquant sa qualité de mage suffirait à dissuader tout intrus tenté de les dépouiller.

Jim se prépara donc à passer une nouvelle journée à faire semblant de boire afin de ne pas manquer l'espion annoncé par sir John quand il se présenterait. Pour meubler ces interminables heures d'attente, il avait pris l'habitude de s'exercer à développer ses dons en se limitant, toutefois, à de petits tours de magie qui passaient inaperçus, comme déplacer insensiblement un banc à l'autre bout de la salle ou modifier légèrement la teinte d'un morceau de bois. Il avait aussi réussi, à force d'entraînement, à faire disparaître par petites quantités le contenu de son cruchon. Une précaution indispensable sinon il aurait été ivre à ne plus pouvoir tenir debout avant la fin de la journée.

Le problème n'était pas simplement de faire disparaître le vin : il fallait aussi l'envoyer quelque part. Aussi expédiait-il de temps en temps l'équivalent d'une coupe dans les eaux du port à quelque trois cents mètres de là. Il pouvait alors demander que l'on renouvelle son cruchon, faute de quoi le tavernier et les serveurs auraient pu se douter que ce client qui passait ses journées complètement désœuvré attendait en fait quelque chose ou quelqu'un.

La formation qu'il avait acquise à l'université poussait immanquablement Jim à s'interroger sur les principes qui étaient à la base des tours de magie qu'il s'exerçait à effectuer. Quand il lui avait appris à se transformer d'homme en dragon et inversement, Carolinus lui avait donné très peu d'informations sur ces principes – aussi peu que sur la manière d'utiliser des pouvoirs contenus dans l'énorme *Encyclopædia* qu'il lui avait fait avaler après l'avoir réduite à la taille d'une capsule.

Jim commençait à soupçonner que c'était délibérément que le mage s'était montré aussi peu loquace. Carolinus avait voulu que, pour des raisons qui restaient à déterminer, il apprenne par lui-même à se servir de l'*Encyclopædia*, ce qui laissait supposer que la magie était non pas une science mais un art propre à chaque mage. Il lui avait fourni en quelque sorte le sous-produit d'une opération magique, non l'opération magique elle-même. En conséquence, c'était à lui qu'il appartenait de trouver le *modus operandi*.

Un autre indice lui donna à penser que c'était précisément le souhait de Carolinus. Tout d'abord, le simple fait d'inscrire un ordre derrière son front comme le mage lui avait conseillé convenait parfaitement pour certaines choses et non pour d'autres. Il pouvait, par exemple, déplacer un banc dans la taverne quand il le regardait mais dès l'instant où il cessait de le fixer, cela devenait impossible. De même ne réussissait-il à faire disparaître le vin contenu dans son cruchon qu'à condition de visualiser le port tel qu'il l'avait vu du haut du pont à l'instant où le bateau avait accosté.

Il se demanda s'il parviendrait à visualiser dans son esprit un objet imaginaire qu'il souhaitait changer de place. Au bout de vingt ou trente minutes, ses efforts furent récompensés : il réussit à faire bouger un banc sans avoir à le regarder.

Il était tellement absorbé qu'il remarqua à peine l'entrée d'un homme dans la salle presque vide à cette heure – il n'y avait que deux autres consommateurs isolés installés à bonne distance.

Le nouveau venu attira et retint l'attention de Jim avant tout parce qu'il ne donnait pas l'impression d'être à sa place dans cette taverne. Il ménagea une pause après en avoir franchi le seuil pour que ses yeux s'accoutument à la pénombre dans laquelle était plongée la salle. Cela, en soi, n'avait rien d'anormal mais ce temps d'arrêt se prolongea plus longtemps qu'il ne l'aurait dû : l'homme examinait avec attention les clients qui se trouvaient là.

Jim posait ostensiblement la main sur la table de façon que l'anneau qu'il portait à son majeur soit bien en vue, la pierre rouge à facettes qui l'ornait accrochant le peu de lumière tombant de la fenêtre la plus proche.

Les yeux de l'inconnu se fixèrent sur le cabochon scintillant avant de se poser sur Jim, puis il avança dans sa direction d'une allure presque désinvolte.

Mince et de haute taille, il devait avoir dans les trente-cinq ans mais le cuir tanné de son visage lui donnait l'air plus âgé. Une cicatrice longue de plusieurs centimètres lui couturait la joue gauche. Il aurait été remarquablement beau si son nez n'avait pas été aussi busqué que celui de sir Giles. En fait, toute l'ossature de son visage faisait l'effet d'être sèche et acérée. Il émanait de lui une autorité indéniable à peine masquée par le costume ordinaire qu'il portait. Sa décontraction et son aisance trahissaient son excellente condition physique. Il était large d'épaules et se tenait très droit.

Arrivé à la hauteur de la table, le nouvel arrivant se laissa tomber sur le banc qui se trouvait en face de Jim sans que ce dernier l'ait invité à s'asseoir. En silence, il tendit le bras gauche et ouvrit le poing. Sur sa paume reposait un mince anneau d'or orné de la même pierre ciselée que celle de la chevalière de Jim. Un instant plus tard, il refermait son poing.

– Vous devez être le chevalier dragon envoyé par sir John Chandos ? demanda-t-il d'une voix de baryton.

– Parfaitement, répondit Jim. Mais je crains de ne pas avoir saisi votre nom, messire.

– Mon nom importe peu. Y a-t-il un endroit discret où nous pourrions parler ?

– A l'étage.

Jim avait fait mine de se lever mais l'autre eut un bref hochement de tête et il se rassit.

– Pas maintenant. C'est une chambre privée, je présume ? (Il jeta un coup d'œil en direction de l'escalier et Jim fit un signe d'assentiment.) Je reviendrai ce soir quand il y aura davantage de monde. De la sorte, je risquerai moins d'attirer l'attention. Attendez-moi donc là-haut.

Sans perdre de temps, il se leva, se dirigea vers la porte et sortit. Un instant, sa silhouette se découpa en ombre chinoise dans l'encadrement, puis elle s'évanouit.

15

Brian et Giles ne revinrent qu'en fin de journée. Ils avaient trouvé des chevaux et étaient visiblement enchantés de leur acquisition. Ils tinrent à ce que Jim vienne les admirer dans la cour avant qu'on les conduise à l'écurie. Non pas tant qu'ils se sentaient responsables de l'argent qu'il leur avait confié mais ils désiraient surtout lui prouver que les bêtes étaient utilisables.

Il y en avait six. Jim n'habitait pas ce monde depuis assez longtemps pour être vraiment averti en matière équestre mais il en savait suffisamment pour se rendre compte des différences majeures qui existaient d'un animal à l'autre. Impossible de confondre les chevaux de selle avec les chevaux de bât. Les seconds étaient plus trapus, leur robe moins lisse et ils avaient l'air d'être mal nourris. Quant aux premiers, rien à dire. Deux d'entre eux étaient des bêtes saines. Le troisième semblait de toute beauté. Brian et Giles avaient en même temps acheté selles, rênes et tout l'équipement. Les montures étaient déjà harnachées.

Malheureusement, si deux des chevaux de selle ne paraissaient avoir été ni sous-alimentés ni maltraités, ils restaient néanmoins très ordinaires. Pour autant que Jim pût en juger, ils étaient loin d'avoir les qualités requises par un gentilhomme ou une gente dame pour leurs palefrois. Ces montures convenaient davantage à des hommes d'armes.

– Prenez celui-ci, milord, dit Brian en tapotant la selle du plus beau destrier.

Cette appellation honorifique ne laissa pas de surprendre Jim. En fait, ce n'était pas à cause de son argent que le meilleur cheval lui était attribué. Et pas davantage parce qu'il était chef de l'expédition. Une fois encore, il s'agissait d'une question de rang. Il avait le pas sur les autres. Le superbe destrier lui revenait de droit.

Néanmoins, cette marque de déférence était tout à fait inconsidérée. Durant l'hiver, Brian lui avait appris comment se servir de ses armes de chevalier pour combattre à pied mais Jim ignorait encore à peu près tout de la technique du combat à cheval. S'ils devaient se trouver dans une situation délicate, et il était plus que vraisemblable que cela leur arriverait à un moment ou à un autre, ses amis sauraient tirer un bien meilleur parti de ce cheval.

Mais Jim soupçonnait qu'il était vain de faire partager son point de vue à ses compagnons. D'ailleurs, il avait dans l'immédiat à leur parler de choses plus importantes – leur annoncer, par exemple, que leur mystérieux correspondant avait finalement pris contact avec lui. Aussi estima-t-il préférable de s'accorder un délai avant d'aborder ce point épineux. Peut-être parviendrait-il à trouver une façon courtoise de convaincre l'un des deux chevaliers de monter le destrier. Quoi qu'il en soit, ils l'avaient appelé pour lui montrer les bêtes et ils attendaient maintenant une réaction de sa part. Jim se devait de faire les commentaires appropriés.

– Voilà un excellent choix, s'exclama-t-il, et qui dépasse mes souhaits ! Surtout celui-là !

Les deux chevaliers paraissaient enchantés de son appréciation. Brian appela les palefreniers pour qu'ils rentrent les chevaux à l'écurie.

– C'est Brian et lui seul qui mérite des félicitations, fit Giles. Je n'ai jamais vu personne se débrouiller mieux. Mais montons, nous deviserons là-haut. Je crois qu'un pichet de vin s'impose, ce n'est pas votre avis, Brian ?

– Absolument !

Les valets d'écurie arrivaient au pas de course. Quand Brian leur eut confié les rênes et donné ses instructions, tous trois rentrèrent dans la taverne et regagnèrent leur chambre. Brian et Giles étaient manifestement fort réjouis mais le premier tenait une surprise en réserve pour Jim : il plongea les deux mains dans la bourse qui pendait à sa ceinture et, quand il les en ressortit, ce fut pour faire tomber sur la table une véritable cascade de pièces de monnaie que Jim contempla avec ahurissement.

– Mais voilà plus d'argent que je ne vous en avais donné ! s'exclama-t-il, interloqué.

Devant sa stupéfaction, les deux autres se mirent à hurler de rire en s'envoyant force claques dans le dos. Au même moment, on frappa à la porte. C'était la servante qui apportait le vin. Elle entra d'autorité : ainsi le voulait apparemment la coutume de ce côté de la Manche comme de l'autre. Brian lui tourna précipitamment le dos et, faisant écran de son corps pour qu'elle ne voie rien, rafla tout l'argent qui était sur la table et le remit dans sa bourse.

La servante les regarda d'un air étrange en posant son plateau mais son visage s'éclaira quand Brian lui glissa un pourboire qui dépassait visiblement ses espérances. Elle remercia d'une révérence et s'éclipsa.

Les trois hommes s'assirent et on remplit les coupes.

– Racontez-moi ce qui s'est passé, demanda Jim.

– Comme je vous l'ai dit en bas, c'est lui qui a tout concocté, répondit Giles. Expliquez-lui, Brian.

– Eh bien, aucun des Anglais que nous avons pressentis n'a accepté de nous vendre le moindre cheval. Ce qui n'est pas étonnant puisqu'il n'y a pas moyen de remplacer ces bêtes-là sauf à les faire venir de chez nous par bateau. On a essayé un peu partout mais sans trouver personne avec qui négocier. Et c'est alors que la chance nous a souri. Nous sommes tombés sur le plus jeune fils de lord Belmont, sir Percy. Il venait de débarquer avec toute une écurie destinée à son père, qui a pris ses quartiers à quelque cinq miles de Brest, ainsi que les gens de sa suite. Or, figurez-vous que sir Percy a des dettes et que lord Belmont serait en grand courroux s'il en avait vent. Bref, en un mot comme en cent, il avait besoin d'argent.

– C'est donc à lui que vous avez acheté ces chevaux ? s'enquit Jim.

– C'était l'idée qui m'était tout de suite venue, dit Giles, mais Brian en a eu une bien meilleure. Les dettes de sir Percy étaient des dettes de jeu.

– Tiens donc ! s'exclama Jim.

– Il n'y a pas au monde joueur plus enragé que lui ! reprit Brian. Il suffit qu'il ait un dé dans la main pour que ses yeux se mettent à flamboyer. Mais je n'en ai pris conscience qu'après lui avoir proposé de jouer ses chevaux aux dés.

Jim sursauta. Il avait soudain la gorge sèche en comprenant que Brian s'était apprêté à perdre allégrement aux dés la somme relativement importante qu'il lui avait confiée, dans l'espoir de gagner les chevaux dont ils avaient besoin.

– Au début, je perdais à tous les coups, poursuivit Brian. Percy nageait dans la joie. Finalement, les fonds qui me restaient étaient tombés si bas que j'ai dit à Percy que j'allais arrêter à moins qu'il accepte de doubler la mise pour que cela me donne une chance de rattraper ce que j'avais perdu.

– Brian ! C'était là un risque énorme ! Il lui suffisait de refuser et non seulement vous n'auriez pas eu les chevaux mais il ne vous serait plus resté assez d'argent pour en financer d'autres.

– Pas du tout, James. J'avais pris la mesure de l'homme. Il ne pouvait s'arrêter en pleine partie, c'était plus fort que lui. Oh ! il s'est montré réticent, disant que c'était contraire aux règles, mais je lui ai fait valoir qu'il n'avait pas le choix et il a ravalé ses protestations.

– Et vous vous êtes alors mis à gagner ?

– Eh non. J'ai continué à perdre.

– Le fait est, intervint Giles, que je commençais à me faire du souci. Mais... ha ha ! J'avais confiance en Brian. Et ma confiance...

– ... était justifiée, acheva Brian. La chance a fini par tourner, James. Percy était en eau. J'ai continué. Je savais à quel adversaire j'avais affaire, maintenant. Un homme animé par le besoin farouche de gagner ne gagne jamais. Et il perdait, perdait, perdait... Tant et si bien que, finalement, non seulement je suis rentré dans mes fonds mais en outre, j'ai empoché sa mise.

– Sur quoi, fit Giles, après lui avoir exprimé nos regrets et compati sur sa malchance, nous avons pris congé et nous sommes partis. Avec nos gains !

– Et il vous a laissé les chevaux ?

– Un gentilhomme ne pouvait faire autrement, répondit Brian. J'ai toutefois eu l'obligeance de lui acheter les selles, les rênes et les brides en bel et bon argent.

Jim se sentait plein de compassion pour l'infortuné sir Percy qui allait devoir affronter l'ire paternelle sans chevaux et les poches vides, et sa conscience n'était pas sans le chatouiller quelque peu. Toutefois, ses compagnons étaient de toute évidence bien loin de partager ses sentiments.

– Evidemment pour lui, ce jour ne sera pas à marquer d'une pierre blanche, conclut Brian avec un sourire épanoui. Je trouve que nous devrions faire monter encore un peu de vin. Mais d'abord... (Une fois encore, il fouilla dans sa bourse, en vida le contenu sur la table et fit glisser le tas de pièces vers Jim.) Milord, reprit-il pompeusement, voici l'argent dont j'étais dépositaire plus un petit supplément. Votre fidèle et loyal serviteur a accompli son devoir.

C'est presque avec consternation que Jim considérait le tas de pièces. Comment faire bénéficier Brian de cette manne ? Et il eut une subite inspiration.

– L'affaire a été si bien menée, dit-il avec une emphase comparable à celle de Brian, que je ne trouverai pas meilleur emploi pour cet argent que de le laisser entre des mains aussi capables. (Il allongea le bras et divisa la pile de pièces en deux parts à peu près égales.) Que chacun de vous en prenne la moitié et la garde pour lui ou s'en serve si cela s'avère nécessaire à la poursuite de notre commune entreprise.

Il était content de lui. Pour une fois, il avait réussi à adopter une coutume en usage dans les classes supérieures de ce monde et à en tirer parti à son bénéfice personnel. La générosité du supérieur envers ses subalternes était l'un des fondements les plus solidement enracinés de cette société. Non seulement les intéressés auraient tendance à se montrer reconnaissants, mais ils tiendraient pour une insulte de refuser un tel don.

Jim avait vu juste.

Avec une satisfaction assortie des remerciements appropriés, Brian et Giles s'emparèrent chacun du tas de pièces qui lui revenait sans prendre la peine de les compter ni de s'assurer que les deux parts étaient bien égales, et remplirent leur bourse. Jim se félicitait de son initiative ; il était parvenu à offrir à ses compagnons l'argent dont ils avaient besoin en terre étrangère.

– Et maintenant, buvons ! s'écria Brian.

Il était clair que, pour Giles et lui, arroser l'événement s'imposait. Mais Jim n'avait nulle envie que ses compagnons soient à moitié ivres quand l'espion arriverait. L'agent de sir John Chandos avait à leur donner des informations qu'ils devraient tous garder en mémoire.

– Excellente idée, dit-il. Mais il nous faudra boire modérément. La soirée qui s'annonce sera importante. L'homme que nous attendions a enfin pris contact avec moi au cours de l'après-midi. Il doit revenir ce soir pour nous fournir les renseignements dont nous avons besoin.

La nouvelle eut sur ses amis l'effet escompté, et l'idée de s'enivrer les abandonna sur-le-champ. Ils étaient maintenant dévorés d'impatience et la discussion ne tourna plus que sur la mission qui leur était impartie : délivrer le prince.

Tous convinrent finalement qu'Edouard devait être enfermé secrètement et sous bonne garde quelque part. Prisonnier, il constituait en effet pour le roi Jean une carte maîtresse à abattre au moment le plus favorable. Si les forces britanniques l'emportaient et envahissaient le territoire, elles l'évacueraient en échange de sa libération. Et si elles essuyaient une seconde défaite, décisive cette fois, une rançon très élevée pourrait alors être exigée, comportant en particulier la renonciation aux droits que la Couronne d'Angleterre revendiquait sur une grande partie du territoire de France, notamment le vieux royaume d'Aquitaine et les villes de Calais et de Guines.

Mais où le prince était-il détenu et quelle était l'importance de la garnison affectée à sa garde ? Sur ce point, les trois amis en étaient réduits aux conjectures. Seul l'émissaire de sir John pouvait leur fournir des informations à ce sujet.

Il arriva sur le coup de 8 heures. Jim fit les présentations et donna l'ordre que l'on apporte du vin en suffisance, ajoutant qu'il ne voulait pas qu'on les dérange. Pour plus de sécurité, il posa son bouclier à l'extérieur devant la porte afin de parer à toute intrusion indésirable.

L'homme le regarda faire avec un sourire railleur mal déguisé.

– Pourquoi cet écu, messire ? demanda-t-il. Il ne peut qu'attirer l'attention sur nous et notre réunion.

– Parce que j'estime que c'est nécessaire, messire, répliqua Jim.

On prit place autour de la table et on remplit les coupes dans un silence tendu. L'homme étudiait Brian et Giles d'un œil visiblement critique et, de leur côté, les deux chevaliers l'examinaient avec une hostilité ouverte.

Ce fut Brian qui rompit ce pesant silence avant que Jim ait pu engager la conversation sur un mode plus convivial :

– Il ne me sied pas, déclara-t-il, d'être assis en compagnie d'un personnage qui ne nous dit ni son nom ni son rang. Comment, en vérité, puis-je savoir que vous êtes un gentilhomme ?

L'étranger désigna Jim du menton.

– Je me suis identifié dans l'après-midi auprès de messire. Messire est-il convaincu que je suis celui que vous attendez et gentilhomme puisque, en cette affaire, sir John ne ferait certes pas appel à quelqu'un qui ne soit pas digne de cette mission ?

– Oui, répondit Jim. Certainement. Je suis sûr, Brian, que notre visiteur est un homme de parole et notre messager. Il ne nous reste plus qu'à entendre ce qu'il a à nous dire.

L'inconnu dévisagea Brian.
– Satisfait, messire ?
– Il le faut bien, répliqua Brian avec raideur, mais compte tenu des activités qui sont les vôtres, il vous est loisible de comprendre que l'on puisse nourrir des doutes.
L'autre se leva d'un bond et, portant la main à son épée, brava ses interlocuteurs.
– Par Dieu, gronda-t-il, je suis homme d'honneur et serai traité comme tel ! Si les circonstances étaient autres, je ne serais pas ici. Je suis un loyal serviteur du roi Jean et j'aurais aimé vous voir tous noyés, vous autres Anglais, avant d'avoir posé un pied sur le sol de France. C'est ce serpent, Malvinne le magicien, qui m'a contraint à faire fâcheusement alliance avec vous. Il est à lui seul pire que tous les Anglais réunis. Il a détruit ma famille et causé la mort de mon père. Puissé-je le tuer pour venger les miens ! C'est la raison pour laquelle je me mets à votre service, à vous, les Anglais. Mais cela ne va pas plus loin. Je ne vous aime point et n'aime pas davantage ce jouvenceau de peu que vous appelez prince et que vous avez l'intention de ramener à son berceau.
Ce fut au tour de sir Giles et de sir Brian de sauter sur leurs pieds.
– Nul ne parlera ainsi devant moi du prince héritier ! vociféra le second, la main déjà posée sur le pommeau de son épée. Vous allez sur-le-champ, que le Ciel m'en soit témoin, faire amende honorable et retirer ces paroles !

16

– ASSEYEZ-VOUS TOUS LES TROIS !

Jim fut surpris par le son de sa propre voix. Elle trahissait une autorité qu'il n'avait jamais cru posséder. Ses interlocuteurs comprirent qu'ils devaient s'exécuter.

Quelques instants s'écoulèrent avant qu'ils obéissent sans toutefois parler ni se quitter des yeux.

– Nous sommes réunis afin d'établir des plans dans un domaine précis, reprit alors Jim. Sachez, vous, Giles, et vous, Brian, que nous avons besoin de la présence de ce gentilhomme. Et vous, messire... (il s'adressa directement à son visiteur), vous ne pourrez rien faire sans nous. Autrement, vous vous seriez abstenu de traiter avec les Anglais que nous sommes. Les obligations qui sont les nôtres n'exigent pas que nous débordions de sympathie mutuelle. Elles requièrent seulement que nous échangions des informations ! (Il frappa la table de la paume de la main.) Ce qui vous plaît et vous déplaît, de même que les raisons pour lesquelles vous vous êtes joint à nous ce soir, vous regardent et ne regardent que vous, messire. Il en va de même pour nous. Ce n'est pas notre propos. Nous sommes là pour délivrer notre prince et, si possible, le ramener sain et sauf en Angleterre. Vous vous êtes engagé à nous fournir tous les renseignements propres à nous aider dans cette entreprise. Alors, exécutez-vous.

Le Français resta un long moment raide sur son tabouret, ses yeux sombres braqués sur Jim, puis il se détendit. Il prit sa coupe qu'il n'avait pas encore touchée, en vida une bonne partie et la reposa devant lui.

– Soit, laissa-t-il tomber d'une voix monocorde. Je ne ferai plus d'embarras, si ces gentilshommes s'abstiennent à l'avenir de tenir des propos offensants sur mon compte.

Il porta à nouveau sa coupe à ses lèvres et, cette fois, Giles, Brian et Jim – ce dernier avec un temps de retard – l'imitèrent, scellant de la sorte un pacte tacite.

– Vous pouvez m'appeler sire Raoul si cela doit faciliter les échanges. (L'air pensif, il s'accouda sur la table.) Eh bien, sachez que j'ai retrouvé la trace de votre prince. Chose en soi facile puisqu'il est précisément à l'endroit auquel je m'attendais. C'est après que les choses se compliquent. Il n'est pas aisé de vous guider jusqu'à lui, pas plus qu'il ne sera simple de le faire évader et de battre ensuite en retraite.

Sire Raoul glissa la main sous son pourpoint pour en sortir un petit morceau d'étoffe blanche.

– J'ai apporté la carte que voici, fit-il.

Il déplia le bout de tissu sur la table tandis que les autres tendaient le cou.

Pour Jim, ce n'était guère plus que le genre de carte qu'aurait pu gribouiller un écolier du cours élémentaire dans son monde d'origine. Ce griffonnage représentait visiblement la côte dont la moitié supérieure faisait vaguement penser à un poisson sortant la tête de l'eau. En dessous, surplombant une découpe en forme de V qui devait être l'estuaire qu'ils avaient remonté, figurait le nom de la ville, BREST, écrit en lettres qui, pour être curieusement formées, n'en étaient pas moins lisibles.

Du point tracé à l'encre sous le nom de Brest partait une ligne rouge contournant la plaine méridionale de la Bretagne pour s'enfoncer à l'intérieur jusqu'à un autre point marqué Angers. Ensuite, elle suivait la Loire jusqu'à Tours. De là, toujours vers l'est mais obliquant au nord, elle passait par Blois pour rejoindre Orléans un peu plus haut. Aux trois quarts de la distance séparant Blois d'Orléans, il y avait un signe coiffé d'un M majuscule accompagné d'un arbre grossièrement dessiné. A l'écart, au bord du fleuve, était esquissé un édifice carré surmonté de tours à pinacles.

De son doigt effilé, sire Raoul désigna la lettre M.

– C'est le château de Malvinne, le sorcier. L'endroit, vous verrez, est des plus plaisants, tapi au milieu de la verdure. Le château lui-même est une forteresse solidement bâtie, capable de tenir une armée en échec. Il abonde en vastes salles richement décorées, mais il possède aussi des oubliettes dont l'horreur défie toute description et d'autres installations que nul homme ne connaît. Une chose est sûre : vous aurez de la chance si vous atteignez le parc. Il vous faudra d'abord vous enfoncer dans les bois que Malvinne a fait planter tout autour de sa citadelle, une forêt d'arbres enchevêtrés dont les branches constituent, si vous ne prenez pas les précautions qui s'imposent, un piège, vous condamnant à rester prisonniers jusqu'à ce que mort s'ensuive – j'entends la mort par inanition. En outre, ces bois sont parcourus en permanence par des centaines de serviteurs armés, des créatures de Malvinne, êtres mi-animaux, mi-humains, jadis hommes et femmes...

– Dieu du ciel ! s'exclama Jim qui, oubliant sa prudence coutumière, lança à la cantonade : Département des Comptes ! Cette sorte de magie est-elle autorisée ?

– Elle n'est pas interdite, encore qu'elle ne soit pas approuvée, pour les magiciens de classe AA et des catégories supérieures, répondit l'invisible voix de basse trois pieds au-dessus du plancher.

– Que les saints nous protègent !

Les yeux exorbités, Raoul dévisagea Jim et se signa précipitamment.

– Je me suis donc moi-même placé entre les mains de Malvinne ! murmura le malheureux d'un ton piteux.

Jim considéra ses deux amis d'un air coupable. Sir Brian, qui avait déjà entendu à plusieurs reprises cette même voix alors qu'il était en compagnie de Jim ou de Carolinus, n'avait pas bronché mais Giles était presque aussi bouleversé que Raoul. Ce fut toutefois ce dernier que Jim se hâta de rassurer en premier lieu.

– C'était seulement la voix du service comptable auquel tous les magiciens doivent se référer et qu'ils peuvent interroger, lui expliqua-t-il. Malvinne l'utilise aussi, sans aucun doute, mais il ne peut pas plus faire appel au Département pour nous localiser que nous ne pouvons le faire pour le trouver, lui. Cette administration comptabilise le capital magie dont dispose chacun de nous. D'ailleurs, comme je vous l'ai dit, je ne suis qu'un apprenti magicien.

– Puissent tous les anges me protéger d'un tel apprenti ! (La couleur revenait sur le visage de Raoul ; il remplit sa coupe d'une main qui manquait encore quelque peu d'assurance et la vida d'un trait.) Je souhaite ne plus jamais entendre cette voix. Et votre explication ne me satisfait pas. Elle ne fait que prouver une fois de plus que les magiciens sont tous du même bois que Malvinne. Ils sont aussi malfaisants.

– Du tout, du tout, sire Raoul ! protesta vivement Jim. L'aura d'un magicien dépend de son caractère personnel. J'en connais un, de rang très élevé, qui m'a dit combien ce Malvinne et ses maléfices lui faisaient horreur.

Jim brodait un peu, certes, mais c'était pour la bonne cause qu'il enjolivait les propos tenus par Carolinus, propos que celui-ci n'aurait certes pas démentis.

– Je ne vous crois pas, rétorqua sire Raoul. Tous les magiciens sont des créatures maléfiques.

– Allons donc ! Il en existe aussi de bons.

– Absolument ! (C'était Brian qui venait à la rescousse.) N'y a-t-il pas eu Merlin l'Enchanteur ? Et Carolinus ? Ils ont toujours aidé ceux qui étaient au service du bon droit.

– Bien sûr ! Mais ce ne sont là que fables et légendes !

– Carolinus n'est pas une fable, répliqua Jim. En vérité, il est mon maître. Il demeure à moins de sept lieues de mon propre château.

Raoul regarda Jim dans le blanc des yeux.

– Si, c'est une fable comme le savent tous ceux qui vivent dans ce pays. Et quelles raisons aurais-je de vous faire confiance ? J'ai appris à ne jamais tenir pour vrai ce que peuvent dire les magiciens – or, vous en êtes un vous-même !

– Sir James dit la vérité, intervint Brian. Ce mage demeure tout près de chez moi et je l'ai souvent rencontré.

– Alors, d'après vous, ce Carolinus dont, en France, tout le monde sait qu'il n'est qu'une figure légendaire, est vivant mais en outre il sévirait en Angleterre ? Comment pourrais-je croire une chose pareille ?

– Ceci est votre affaire, répondit Jim, mais venez donc un jour en Angleterre et soyez mon hôte. Je vous présenterai moi-même à Carolinus.

– Eh bien, soit ! Ecoutez-moi. Si vous réussissez à vous introduire vivant dans le château de Malvinne, à délivrer votre prince et à le ramener sain et sauf en Angleterre, je n'aurai tâche plus urgente que de vous rendre visite ainsi que vous me le proposez pour voir votre Carolinus de mes yeux. (Le Français leva le doigt.) Je serai heureux de rencontrer un magicien digne de ce nom qui prouvera qu'il est aussi bon que Malvinne est mauvais, aussi bon que le prétendent les légendes qui courent sur son compte. Tel est l'engagement que je prends.

– Venez quand il vous plaira, vous serez toujours le bienvenu. Mais revenons-en à notre propos. Vous vous prépariez à nous dire comment nous pourrions traverser cette forêt peuplée de créatures armées et pénétrer dans le château pour délivrer notre prince.

Raoul se pencha sur la table.

– Regardez bien. (Du bout du doigt, il désigna le M inscrit sur la carte.) Comme je vous le disais, j'étais sûr que votre prince était prisonnier de Malvinne. Celui-ci guide le roi en toutes choses et il a certes préféré être lui-même le geôlier de votre prince plutôt que de le savoir entre les mains de Jean de France qui risquait d'être moins vigilant. Par ailleurs, notre souverain ne pouvait que voir l'avantage qu'il y aurait à ce que le prince – Edouard, c'est bien son nom, n'est-ce pas ? – soit sous la garde de son conseiller car celui-ci dispose de moyens supérieurs pour empêcher une évasion. Mais, si j'avais la conviction que le prince Edouard était effectivement entre les mains de Malvinne, je ne pouvais en avoir la certitude absolue. Il ne m'était pas possible de m'introduire dans son antre. Comme je vous l'ai dit, il a massacré ma famille et si jamais quelqu'un de mon sang pose le pied sur son domaine, il en sera aussitôt averti grâce à ses pouvoirs magiques. Il n'aura dès lors qu'un seul impératif : exterminer ma race. Je n'avais qu'un seul espoir. Cet espoir résidait dans l'un des malheureux sur qui il avait jeté un sort, Bernard, l'ancien chef des gens d'armes de mon père, transformé en un être, mi-homme, mi-crapaud. Pénétrer dans le château de Malvinne équivaudrait à signer mon arrêt de mort. Mais la forêt n'offre pas plus de dangers pour moi que pour quiconque s'y risquerait sans sa permission. Aussi l'ai-je hantée durant des semaines, me dissimulant à l'approche des créatures armées qui la parcourent, pour trouver celui que je cherchais. Je savais que je le reconnaîtrais à la cicatrice du coup d'épée qui balafrait son visage, marque conservée par sa figure de crapaud.

– Et vous avez fini par le rencontrer ? demanda Jim.

– Oui. Il m'a reconnu et s'est déclaré tout disposé à m'aider, fût-ce au péril de sa vie, rien que pour avoir la satisfaction de tirer vengeance de Malvinne. Aussi, si vous vous rendez toutes les nuits à une certaine heure à un certain endroit de la forêt que je vous indiquerai et où vous l'attendrez, Bernard vous y rejoindra lorsqu'il le pourra et il vous conduira jusqu'au château en empruntant des chemins sûrs. Ensuite, il vous faussera compagnie. Il n'osera pas, en effet, aller plus loin car il y a des gardes à l'intérieur comme à l'extérieur et il ne pourrait donner de raison valable à sa présence dans la tour. A partir de ce moment, vous ne pourrez plus, messires, compter que sur vous-mêmes.

Tandis que les autres méditaient sur ces derniers mots, sire Raoul remplit pensivement sa coupe et la porta à ses lèvres.

– Devons-nous comprendre que ce Bernard nous dira comment parvenir à la chambre où est détenu le prince ? demanda enfin Brian. Nous donnera-t-il une idée sur les moyens d'en sortir et sur la route à suivre pour repartir ?

– Ce sera pour une grande part à vous, je le crains, qu'il appartiendra de résoudre ce problème. Bernard vous attendra à un endroit donné. Il vous guidera pour quitter la forêt avec votre prince.

Sir Giles retroussa sa moustache avant de s'enquérir :

– Et ce sera le seul secours dont nous disposerons ?

– Si je pouvais vous fournir davantage d'assistance, je le ferais bien volontiers. Malheureusement mes compétences s'arrêtent là.

– A l'impossible nul n'est tenu, conclut Jim. (Il posa la main sur la carte.) Il y a cependant différentes choses en vue desquelles votre concours nous sera nécessaire. Déjà, vous pourriez nous procurer quelques informations sur la région que nous aurons à traverser et sur les délais de transport ; également sur les difficultés auxquelles nous risquons d'être confrontés en chemin.

– Pour cela, je suis tout à votre disposition.

Et sire Raoul commença à parler.

Sa connaissance du terrain et du pays que les trois amis auraient à parcourir était aussi encyclopédique

que sa carte était sommaire. Jim fit de son mieux pour retenir ce qu'il disait mais il se rendait compte qu'il lui faudrait dans une très large mesure se reposer sur Brian et sur Giles qui, en cette époque d'analphabétisme, étaient entraînés à mémoriser les longues communications que se transmettaient les seigneurs par le truchement de messagers et à les répéter mot pour mot à leurs destinataires des jours, des semaines, voire des mois plus tard.

Raoul parla plusieurs heures d'affilée. Les deux chevaliers lui posèrent des questions capitales, concernant notamment l'environnement, les éventuels adversaires qu'ils pourraient rencontrer et leur armement, la présence de bêtes féroces, les possibilités de ravitaillement et bien d'autres choses encore. Quand la conversation arriva à son terme, l'ambiance était devenue parfaitement amicale.

– Il va falloir acheter des provisions et peut-être aussi engager quelques valets pour soigner les chevaux, dit sir Brian avec alacrité quand le Français se fut finalement retiré. Je réussirai peut-être à convaincre un des Anglais de la ville de me prêter un homme ou deux. C'est une chance à courir, quoi qu'elle soit bien mince.

– Dès que nous aurons dressé l'inventaire de ce dont nous avons besoin, je m'occuperai des achats, fit sir Giles. Vous, Brian, vous vous chargerez, si possible, de trouver des domestiques dignes de confiance.

Ainsi prit fin la soirée. Le lendemain à l'aube, Giles et Brian descendirent après un déjeuner hâtif encore que gargantuesque. Après leur départ, Jim sortit à son tour dans l'intention de se procurer de quoi écrire afin de noter noir sur blanc l'essentiel des propos de sire Raoul. De retour à la taverne, il consacra le reste de la matinée à cette tâche. Il dessina aussi tant bien que mal une carte rudimentaire mais un peu plus précise – la cartographie était loin d'être son fort – que celle de sire Raoul. Il fit trois copies du tout.

Ses compagnons et lui mirent la dernière main à leurs plans pendant le souper. Giles et lui partiraient immédiatement. Quant à Brian, en application des directives de sir John Chandos, il attendrait à Brest l'arrivée de leurs hommes avant de se mettre en route. Il fut entendu que les deux premiers laisseraient derrière eux des signes convenus de leur passage afin qu'il puisse s'assurer qu'il était sur la bonne voie. Il avait été impossible de recruter des valets. Certes, ce n'étaient pas les bras à embaucher qui manquaient mais il s'agissait exclusivement de gens du pays et aucun n'avait inspiré confiance aux deux chevaliers.

Néanmoins, Giles et Brian débordaient de bonne humeur. C'étaient l'un et l'autre des hommes d'action et après être restés désœuvrés des jours durant, ils n'allaient pas tarder, maintenant – du moins, l'espéraient-ils tous les trois –, à se mettre à l'œuvre.

Comme, le repas terminé, ils vidaient joyeusement coupe sur coupe, Brian dit :

– Je ne doute pas que sir John fera en sorte que notre escorte appareille aussi vite que possible. Il est clair qu'il attache la plus haute importance à la délivrance du prince. Je vous aurai bientôt rejoints tous les deux, soyez sans crainte.

Pour la première fois, cette aventure un peu irréelle prit figure de dure réalité dans l'esprit de Jim. Sans savoir pourquoi, il eut soudain très froid.

17

La route que Jim et sir Giles avaient prise en se fiant à la version améliorée de la carte de Raoul suivait l'Aulne au sud-est jusqu'à Quimper, puis longeait le sud du littoral en passant par Lorient, Hennebon et Vannes pour remonter ensuite sur Redon.

La région côtière offrait beaucoup d'agrément mais Jim eut un coup au cœur quand ils commencèrent à s'enfoncer dans l'intérieur des terres. Les ravages de la guerre étaient trop visibles pour le laisser indifférent.

Les deux hommes passèrent devant plus de ruines qu'ils n'auraient souhaité en voir. Le plus souvent, la population des campagnes se cachait à leur approche et les habitants des villes où ils faisaient halte tendaient à se montrer froids et distants. Il continua d'en être ainsi jusqu'à ce qu'ils se dirigent vers Angers et atteignent enfin la Loire.

Il y avait maintenant deux semaines qu'ils étaient entièrement livrés à eux-mêmes. Giles semblait parfaitement à l'aise. Tout comme Brian, il considérait à l'évidence le monde comme un immense théâtre d'aventures ininterrompues. Jim, lui, s'inquiétait de savoir si leur escorte avait débarqué et les suivait sous les ordres de Brian en application des consignes de sir John. Mais ce n'était pas là son seul souci : un autre, plus grave, le rongeait secrètement. Depuis qu'il avait pris la route, il n'avait ni vu ni senti la présence du moindre dragon français, ce qui ne laissait pas de le troubler.

En Angleterre, chaque fois qu'il se transformait en dragon, il pressentait ses semblables dans les environs. Comment ? Pourquoi ? Il n'en avait aucune idée mais c'était une sensation bien réelle. Secoh lui avait assuré qu'il en irait de même en France. Toutes les nuits, laissant sir Giles au campement, il s'enfonçait dans les bois pour se métamorphoser dans la solitude et faisait alors de son mieux pour détecter l'existence d'éventuels dragons dans les parages. En pure perte.

Il ne voyait là que deux explications possibles. Ou les dragons avaient émigré – les combats continuels qui dévastaient la région avaient fort bien pu les inciter à déménager –, ou ils se dissimulaient de telle façon que Jim ne parvenait même pas à flairer le plus petit d'entre eux. Mais cette dernière hypothèse le laissait sceptique.

Tandis qu'ils se dirigeaient vers Orléans et le château de Malvinne via Amboise, laissant Tours derrière eux, Jim s'était à nouveau métamorphosé sous le couvert de l'obscurité. Cette fois-ci, il ressentit très nettement la présence de dragons au nord de l'endroit où ils avaient dressé leur bivouac. Il reprit aussitôt son apparence humaine, se rhabilla et rejoignit sir Giles auprès du feu.

– Giles, lui dit-il, il y a une chose que je n'ai pas encore mentionnée et qu'il me faut garder secrète. Je vais devoir vous quitter pour quelque temps. Pourquoi ne vous rendriez-vous pas à Amboise ? Vous prendriez une chambre pour nous deux dans la meilleure auberge de la ville. Mon absence ne devrait guère se prolonger mais si je ne vous ai pas rejoint sous trois jours, continuez jusqu'à Blois et attendez-moi là. Je suis désolé de ne pouvoir vous mettre dans la confidence, mais le rôle qui est le mien dans cette affaire m'en fait l'obligation.

– Ha ! Vraiment ?

Jim était soulagé : sir Giles ne paraissait pas offensé d'être ainsi tenu à l'écart.

– A Blois, faites la même chose. Installez-vous et patientez. Si vous ne me voyez pas venir, établissez le contact avec Brian. Il vous appartiendra alors de délivrer le prince. Essayez de retrouver Bernard, l'homme-crapaud dont nous a parlé Raoul.

Sir Giles tordit la pointe de sa moustache.

– Est-ce à dire que Brian et moi ne devrons pas partir à votre recherche ?

– La délivrance de notre prince a plus d'importance que mon sort.

– Vous avez sans doute raison. Mais l'idée que nous pourrions vous perdre me chagrine fort, James. J'avais pensé que vous viendriez peut-être un jour me rendre visite sur mes terres.

Ces paroles touchèrent profondément James. Brian

lui avait déjà procuré le même genre d'émotion. Ces chevaliers étaient aussi prompts à se muer en amis indéfectibles qu'en ennemis mortels. Et une lueur humide brillait dans les yeux de Giles. Jim ne s'était jamais habitué à la façon qu'avaient ces hommes du XIVe siècle de fondre en larmes sans complexes.

– Je... (Il dut s'interrompre pour s'éclaircir la gorge.) Je ne pense pas qu'il y ait de danger. Simplement, il se peut que je sois retardé par des imprévus, auquel cas il serait préférable que Brian et vous continuiez sans moi. Je compte bien vous retrouver tous les deux à Amboise ou, à la rigueur, un ou deux jours plus tard à Blois.

– Voilà un discours qui me rassure fort, en vérité, dit Giles. J'en suis venu à éprouver amitié et admiration pour le gentilhomme que vous êtes, James.

– Il en va de même pour moi. (Et Jim, pour couper court à l'émotion, se réfugia dans ce qui était l'échappatoire universelle en ce monde :) Venez ! fit-il, c'est l'occasion ou jamais de nous rincer la gorge !

– Volontiers !

Ils remplirent leurs coupes et quand ils les eurent vidées, il n'y avait plus le moindre attendrissement dans leurs propos.

– Je vous laisserai mes chevaux et mes pièces d'équipement, Giles. Je n'emporterai que mon épée et ma dague. Plus une petite corde dont j'aurai l'usage.

– Tiens donc ? Une corde ? Oh ! pardonnez-moi, James. Cela doit sans doute être en rapport avec votre secret et j'aurais mauvaise grâce à manifester une curiosité déplacée. N'aurez-vous pas aussi besoin de quelques provisions ?

– J'avoue que je n'y avais pas pensé et je vous remercie de me le rappeler. Oui, des vivres faciles à emporter – de la viande, du pain et du vin. Mais en petite quantité. L'équivalent de la ration d'urgence dont un chevalier se munirait pour une partie de chasse.

– Seulement ? Enfin, comme vous voudrez. Eh bien, je pense que le mieux serait que nous nous couchions tôt. J'imagine que vous partirez de bonne heure demain ?

– Oui. Au lever du jour.

Les deux hommes s'allongèrent de part et d'autre du feu et ne tardèrent pas à s'endormir.

Ils se réveillèrent à l'aube. Après le déjeuner, Jim accepta que Giles l'accompagne jusqu'à l'endroit qu'il s'était fixé comme point de départ.

Cela se révéla une heureuse initiative pour régler un problème auquel il n'avait pas encore eu l'occasion de songer. Jusque-là, il lui avait suffi de s'éloigner du feu pour se déshabiller et se transformer en dragon dans l'obscurité chaque fois qu'il le souhaitait. Mais il faisait à présent grand jour et il n'y avait pas le moindre bois où il aurait pu effectuer sa métamorphose. Il pouvait, évidemment, abandonner Giles et s'éloigner avec son balluchon jusqu'à ce qu'il trouve un creux de terrain qui le dissimulerait aux yeux de son compagnon.

Seulement, cheminer en rase campagne sans autres moyens de protection que son épée et sa dague – il laisserait même son bouclier à Giles – serait imprudent. La guerre durait depuis des années et les manants du cru étaient aussi prompts que n'importe qui à sauter à la gorge des voyageurs sans défense. Un homme seul et à pied était une proie toute désignée. Or rien n'empêchait Giles de l'accompagner jusqu'à un endroit discret à l'écart de la route où Jim pourrait se changer en dragon.

Il en était là de ses réflexions quand une idée lui vint à l'esprit. Il avait assisté à la transformation de Giles en ondin. Ils étaient frères d'armes. Qui plus est, Giles savait non seulement qu'il était magicien mais aussi qu'il était connu sous le nom de chevalier dragon. Par ailleurs il avait eu vent des récits de la bataille de la Tour Répugnante. Il n'y avait donc aucune raison pour qu'il se défie de son compagnon.

– Pour remplir ma mission, dit-il alors, j'ai besoin de me métamorphoser en dragon, ce qui risque d'effrayer les chevaux. Aussi vaudrait-il mieux que nous allions plus loin.

– Vous avez raison, rétorqua Giles. On pourrait peut-être attacher les bêtes à cet arbre mort, là-bas. De la sorte elles ne s'échapperaient pas.

– C'est une excellente idée.

L'arbre en question, qui semblait avoir été frappé par la foudre, se dressait à moins de dix mètres de la route. Quand ils y eurent solidement fixé les chevaux, les deux hommes se mirent en marche à travers champs. Lorsqu'ils furent à bonne distance des bêtes, Jim s'arrêta. Il entreprit de se déshabiller, après quoi il tendit ses vêtements à Giles.

– Vous n'aurez qu'à en faire un paquet, dit-il, que vous arrimerez avec les provisions à mon cou à l'aide de la corde.

Giles acquiesça.

Jim inscrivit alors la formule magique sur le tableau noir de son front. Instantanément, il redevint dragon.

Giles ouvrit de grands yeux.

– Palsambleu ! J'avais beau être prévenu, je ne m'attendais pas que vous soyez un aussi gros dragon !

Quand il eut noué le ballot autour du cou squameux de Jim, il fit un pas en arrière.

– C'est assez serré ?

– C'est parfait. Merci, Giles. A présent, je vais vous dire adieu. J'espère que nous nous reverrons bientôt.

– Moi aussi, James. Adieu, donc, et bonne chance !

Jim bondit en battant des ailes et prit presque aussitôt son essor avec cette vitesse qui l'avait stupéfié la première fois que, dans son corps de dragon, il s'était essayé à voler. Arrivé à une certaine hauteur, il se laissa porter par un courant ascendant et, ailes déployées, s'éleva en flèche. Il tourna un moment en rond, utilisant sa vision maintenant télescopique pour tenter de repérer la silhouette minuscule de Giles. Celui-ci agitait le bras et Jim lui adressa un battement d'ailes en retour.

Il dut monter jusqu'à une certaine altitude pour trouver un courant thermique propice. Puis il se dirigea en vol plané vers le point où il pressentait que des dragons avaient leur repaire.

Il éprouvait la même jubilation que lorsque Secoh l'avait conduit à la falaise par la voie des airs. C'était, en vérité, la manière de voyager la plus exaltante qui existât. Il n'y avait pas un nuage dans le ciel et la journée s'annonçait belle. Elle serait même d'une chaleur anormale pour la saison.

S'abandonnant à la pure ivresse du vol, il laissa ses pensées divaguer, songeant à tout et à rien, à Angie, à Brian, à Giles, à Carolinus.

Il était en train de méditer sur la magie (était-ce un art ? une science ?) quand il prit soudain conscience qu'il était maintenant tout près de l'endroit dont il avait ressenti les émanations.

Il y avait à deux ou trois kilomètres un boqueteau qui méritait à peine ce nom. Quelques arbres épars délimitaient un espace dégagé au centre duquel se dressait ce qui pouvait passer pour un château.

C'est à peine si Jim, même avec sa vision de dragon, le distinguait mais il n'y avait pas d'erreur possible : c'était bien un château. Cela dit, il tombait en ruine. Le fossé qui le ceinturait était à sec et si, vu à cette distance, son toit paraissait à peu près intact, son enceinte extérieure, elle, s'était effondrée en plusieurs points.

Jim entama sa descente. Il atterrit juste devant les douves à sec. Le pont-levis, dont le bon état contrastait étrangement avec le délabrement du reste du château, aboutissait à une poterne dont l'un des larges vantaux était entrouvert.

Jim le franchit en clopinant – l'allure d'un dragon marchant sur ses pattes postérieures ne pouvait être que clopinante – et le bruit de ses pas résonna bruyamment dans le lourd silence. Arrivé à la poterne, il frappa. Et attendit.

Au bout d'un moment, il refrappa.

Toujours pas de réponse.

Il poussa alors complètement le battant entrebâillé et entra.

L'immense salle dans laquelle il pénétra n'était pas entièrement enténébrée. La lumière filtrée par les deux étroites meurtrières qui flanquaient le portail l'éclairait parcimonieusement.

– Il y a quelqu'un ? cria-t-il bien qu'il sentît fort bien une présence.

Mais comme personne ne se manifestait, l'impatience le gagna et il réitéra son appel :

– Je sais que vous êtes là. Vous n'espérez pas abuser un autre dragon, quand même ! Allez ! Où que vous soyez, montrez-vous !

Le silence se prolongea encore quelques secondes, puis une longue étoffe blanche – suspendue au plafond, elle devait bien faire quinze mètres ou peu s'en fallait – tomba devant Jim et se mit à onduler.

– Va-t'en ! tonitrua, caverneuse, la voix d'un dragon. Si tu tiens à la vie, VAAA-T'EN !

– Ne sois pas ridicule ! répliqua Jim. Il n'est pas question que je m'en aille.

Il avait haussé le ton et si sa voix n'avait pas la puissance de l'autre, il s'en fallait de peu.

– Tu es un dragon anglais ! Tu n'as rien à faire ici. VAAA-T'EN !

– Oui, je suis un dragon anglais, brailla Jim, mais j'ai un passeport que je dois remettre à un dragon français responsable !

Il y eut une pause.

– Un passeport ? (La voix avait maintenant un autre timbre.) Reste où tu es.

L'espèce de tenture se releva et des grincements se firent entendre, d'abord en haut, puis de plus en plus près. Jim attendit. Des pas lourds s'approchèrent et ce ne fut pas un mais deux dragons, dont l'un nettement plus petit que l'autre, qui émergèrent de l'ombre. Ils avaient l'air sous-alimentés. Le plus grand avait jadis dû être aussi gros que Jim mais il montrait maintenant des signes de vieillissement et ses os perçaient sous sa peau.

– Comment t'appelles-tu ? gronda-t-il.

– James, répondit laconiquement Jim.

Le grand dragon se tourna vers son congénère.

– Un ridicule nom anglais.

L'autre hocha réprobativement sa tête filiforme.

Jim se rendit alors compte que c'était une femelle et qu'il était tombé sur ce qui constituait une anomalie chez les dragons anglais : un couple qui vivait isolé de toute communauté.

– Et où est-il, ce passeport ? s'enquit le mâle.

La lueur de cupidité qui s'était allumée dans ses yeux incita Jim à la prudence.

– Je l'ai laissé dehors. Je vais aller le chercher mais, vous deux, ne bougez pas d'ici.

Le grand dragon émit un grondement peu amène mais ni lui ni sa compagne n'esquissèrent un mouvement quand Jim ressortit.

Une fois passé le pont-levis, il fit quelques pas en tournant le dos à la poterne, essayant désespérément de se rappeler exactement les instructions que lui avait données Carolinus pour éjecter le passeport qu'il lui avait fait avaler et lui rendre son volume normal. Si seulement le mage n'avait pas compliqué les choses à plaisir en lui expliquant sur sa lancée la façon de s'y prendre pour en faire autant avec l'*Encyclopœdia Necromantick* !

A force de se creuser la tête, il réussit enfin à retrouver la formule.

Pour présenter le sac de joyaux faisant office de passeport, il fallait tousser deux fois, éternuer une fois et tousser encore une fois. Mais Jim n'avait pas pensé que quand il se livrerait à cet exercice, il pourrait être dans son corps de dragon. Evidemment, il avait toujours la possibilité de reprendre sa forme humaine mais après avoir vu les habitants du château, il n'était pas chaud à l'idée d'abandonner, même temporairement, la protection que lui conférait ce corps de jeune et vigoureux dragon.

Enfin... il n'avait qu'à essayer : qu'avait-il à perdre ?

Quand il tenta de tousser, il constata avec un vif soulagement que les dragons étaient capables de tousser. Il toussait même très bien. Ayant réussi une fois, il recommença. Bien. Et ensuite ? Ah oui ! Eternuer.

Seulement, éternuer sur commande n'était pas évident et une certaine inquiétude commença à se faire jour en Jim. Bien que les deux dragons n'aient pas bougé, il avait la quasi-certitude qu'ils ne le quittaient pas des yeux puisque la poterne était restée entrouverte – en fait, elle s'était obstinément refusée à se refermer complètement quand il était sorti.

– *Atchoum !* fit-il avec ferveur.

Rien ne se produisit. Un début d'affolement s'empara de Jim. Et si Carolinus avait eu une de ces absences dont il était coutumier et avait tout simplement omis de faire entrer en ligne de compte un petit détail, à savoir que les dragons étaient incapables d'éternuer ?

En désespoir de cause, il arracha un brin d'herbe avec lequel il essaya de se chatouiller l'intérieur du museau mais ses narines étaient d'une ampleur si démesurée qu'il n'éprouvait aucune sensation.

Peut-être qu'avec quelque chose de plus long et de plus rigide... Il examina le sol et finit par repérer un peu plus loin une brindille sèche qui devait facilement mesurer une trentaine de centimètres.

Tournant toujours le dos à la poterne entrebâillée, il s'en approcha avec une désinvolture étudiée, se baissa de l'air le plus détaché possible, la ramassa et se mit derechef en devoir de se chatouiller les naseaux.

Cette fois, il sentait bien la brindille mais il n'eut

pas davantage de succès. Simplement, les vestiges des bourgeons qui saillaient sur le bois mort le grattaient et il avait les larmes aux yeux, sans éternuer pour autant.

Voyons... Le museau d'un dragon était long. Par conséquent, ses narines étaient étirées. La brindille avait encore du chemin à parcourir. Jim l'enfonça aussi loin qu'il le put. Il éprouva alors une douleur aiguë qui se mua en un épouvantable chatouillement, suivi d'un colossal éternuement qui fit s'envoler la branchette Dieu seul sait où. Il se hâta alors de tousser.

Quand il eut battu des paupières à plusieurs reprises pour chasser les larmes qui lui brouillaient la vue, le sac de joyaux était devant lui. Il s'en saisit, fit demi-tour, revint sur ses pas et franchit la poterne.

Les deux dragons étaient exactement là où ils se trouvaient quand il était sorti mais leurs yeux étaient fixés sur le sac qu'il portait. Ils étaient comme hypnotisés.

– Regarde ! s'exclama le plus petit.

Sa voix était aussi éraillée que celle de l'autre – ils devaient avoir tous les deux à peu près le même âge – mais sa sonorité n'avait pas une amplitude aussi redoutablement caverneuse.

– Eh bien, tu me le donnes, ce passeport ? ordonna le mâle.

– Une minute ! Comment vous appelez-vous ?

– Moi, c'est Sorpil, grommela le gros dragon au bout d'un moment. Elle, c'est Maïgra, mon épouse. Maintenant, donne-moi le passeport.

– Donne-*nous* le passeport ! glapit la dénommée Maïgra.

– Attendez un peu. (Jim éprouva un soudain mouvement de gratitude envers Secoh qui, après la visite qu'ils avaient rendue aux dragons de la falaise, l'avait mis au courant de ses obligations envers les dragons français et de celles que ces derniers seraient censés avoir en échange envers lui.) Pouvez-vous me garantir que vous êtes tous les deux tenus en estime par les dragons, vos frères, et que vous avez qualité pour recevoir ce passeport en leur nom ?

– Mais bien sûr, bien sûr, grognonna Sorpil. Maintenant, donne-le-moi.

– Tu fais preuve d'une bien sulfureuse précipitation ! dit Jim, empruntant cette expression au répertoire des jurons favoris du grand-oncle de Gorbash. Nous respecterons, si tu veux bien, le rituel prescrit pour ce transfert. Tu y consens, n'est-ce pas ?

Cette suggestion ne semblait pas soulever Sorpil et Maïgra d'enthousiasme mais Jim savait qu'ils n'avaient pas le choix. S'ils voulaient mettre la patte sur son passeport, force leur était de lui donner non seulement les réponses exigées mais aussi de lui offrir avec au moins un semblant d'attitude amicale le vivre et le couvert pour la nuit. C'était la manière de conclure le marché.

– Tu m'as assuré, reprit-il, que les dragons, vos frères, vous ont en haute estime. Il va de soi que je vérifierai le bien-fondé de ces dires auprès du prochain dragon français que je rencontrerai. Tu comprends ?

– Oui, oui ! piailla la compagne de Sorpil d'une voix stridente – stridente, tout au moins, aux oreilles d'un dragon.

Son excitation était telle qu'elle ne tenait pas en place et elle ne quittait pas le passeport des yeux.

– Je comprends, maugréa Sorpil. Nous comprenons tous les deux.

– Oui ! Oui ! confirma Maïgra.

Jim continua de dérouler le rituel qu'il avait maintenant bien en tête.

– Pour ma part, je vous donne ma parole que je ne ferai rien qui serait susceptible de causer quelque difficulté aux dragons français. Et si je devais par accident les mettre néanmoins dans l'embarras, je m'emploierais à résoudre le problème ainsi posé avant de quitter la France, et ce par mes propres moyens et sans faire appel au concours des dragons français. M'avez-vous entendu et avez-vous enregistré mes engagements ?

– Oui, nous t'avons entendu et nous avons pris note, répondit Sorpil à contrecœur.

– Par ailleurs, si l'attitude ou les actions de georges français ou d'autres aborigènes devaient jamais me porter tort, je serais en droit de solliciter l'aide de tous les dragons français avec la certitude qu'ils auront la courtoisie de me l'accorder.

Cette fois, la réponse se fit attendre. Sorpil et Maïgra se regardèrent, regardèrent le passeport, s'entre-regardèrent de nouveau.

– Alors ? fit Jim comme le silence se prolongeait. C'est oui ou c'est non ? Je pourrais peut-être simplement retourner en Angleterre.

– Non, non ! s'écria Maïgra.

– C'est toi, maintenant, qui fais preuve de sulfureuse précipitation, maugréa Sorpil. (Il se tourna vers sa compagne.) Est-ce que tu penses que les autres...

– Il nous faudra payer, évidemment...

Ils recommencèrent la même mimique – échange de coups d'œil, regards en coulisse en direction du passeport. Enfin, tous deux dévisagèrent Jim.

– C'est entendu, laissa tomber Sorpil. Nous acceptons.

– Fort bien.

– Mais qu'envisages-tu au juste de faire ici ?

– Ça, je ne suis pas tenu de te le dire.

– Je pensais que nous pourrions t'être utiles, c'est tout, grommela Sorpil, visiblement contrarié.

– Eh bien, je te remercie mais ma mission en France est affaire personnelle et il n'est pas question que je sois suivi ou épié par des dragons français. Est-ce que je me fais bien comprendre ?

– Oui ! piailla Maïgra.

– Je vous remets donc ce passeport que vous garderez par-devers vous jusqu'à mon départ. A ce moment, et à condition que je n'aie pas violé les termes de notre accord, vous me le restituerez en l'état. Il va sans dire que ce n'est rien de plus qu'une caution garantissant la correction de mon comportement durant mon séjour en France.

– Naturellement, dit Sorpil. Tu nous le remets et, nous, nous t'abritons et te donnons de quoi te restaurer. C'est ce que tu veux ?

– Pour autant que je sache, c'est l'usage, dit Jim en lui tendant le sac de joyaux.

– Tout à fait, reconnut Maïgra sur un ton qui n'avait rien de particulièrement convivial. Alors, viens.

Jim suivit les deux dragons dans les profondeurs obscures du château.

18

Pendant le souper, Sorpil et Maïgra s'essayèrent, à retardement, à jouer les hôtes accueillants, mais sans grand succès car ils étaient aussi hargneux l'un envers l'autre qu'ils avaient été agressifs au début avec leur convive. Ils avaient tendance à se lancer des piques alors même qu'ils s'efforçaient de mettre du liant dans la conversation ainsi que l'exigent les convenances quand on a un invité. En outre, il sautait aux yeux qu'ils cherchaient à inciter celui-ci, ouvertement ou par la ruse, à leur révéler la raison de sa présence en France et la nature de ses projets.

Cependant, ils étaient d'une maladresse insigne à ce petit jeu, sans doute par manque de pratique. En fait, Jim les soupçonnait d'avoir depuis longtemps coupé toute espèce de contact avec qui que ce soit, y compris les autres dragons.

Maïgra, plus volubile que son époux, ne se gênait pas pour interrompre ce dernier au milieu d'une phrase, ce qui lui valait de se faire vertement rabrouer. Comme ils étaient incapables de travailler en équipe, leurs efforts en vue de tirer les vers du nez à leur hôte ne donnaient pas grand-chose. Loin de se conjuguer, ceux-ci se contrariaient plutôt.

Ils apportaient, en revanche, des éléments d'information à Jim.

– Le château ? répondit Sorpil à l'une de ses questions. A l'origine, il appartenait aux georges. Je m'en suis emparé il y a cent vingt ans. J'en ai eu assez de les voir écorcher vifs les paysans sans rien laisser pour subsister à un ménage de dragons hormis quelques chèvres qui n'avaient que la peau sur les os. Alors...

– A vrai dire, l'interrompit Maïgra, quand il leur est tombé dessus, ils s'étaient déjà fait sérieusement rosser par un groupe de vos georges anglais. C'est la raison pour laquelle le château était tellement endommagé...

Sorpil la rappela à l'ordre :

– C'est moi qui parle, Maïgra, si tu n'y vois pas d'inconvénient. Comme je disais, quand les georges dont elle cause sont repartis, j'ai attendu que les habitants du château soient endormis et je m'y suis introduit par une brèche, moi tout seul...

– J'étais avec lui mais ça, il n'en tient pas compte, naturellement. En vérité...

– C'était la nuit, reprit Sorpil, et toutes leurs petites lumières – comment est-ce qu'ils les appellent, déjà...

– Des chandelles !

– Toutes leurs chandelles étaient éteintes et, bien sûr, ils sont pratiquement aveugles quand il fait noir.

L'immense salle à manger n'avait pour tout éclairage que le clair de lune que laissaient passer les hautes fenêtres dont était percé l'un des murs. Cela ne gênait en rien Jim dans son corps de dragon, tout au contraire : les dragons, en effet, étaient parfaitement à leur aise dans la semi-pénombre. Même l'obscurité complète n'était pas pour eux un sérieux handicap.

– Aussi, continua Sorpil, je n'ai pas eu grand mal à les tuer tous autant qu'ils étaient. Il y en a bien eu un ou deux qui m'ont donné un peu de fil à retordre mais, naturellement, ils étaient à pied et ils ne portaient pas leurs coquilles, de sorte que nous avons pu nous emparer du château presque sans coup férir. Cela fait maintenant plus d'un siècle que nous l'occupons et que nous touchons la dîme que les paysans versaient auparavant aux georges. Voilà pourquoi tu peux faire bonne chère ce soir avec toutes ces victuailles arrosées de vin délicieux.

Là, il exagère quand même un peu, se dit Jim. Certes, les trois moutons fraîchement égorgés qu'avait apportés Maïgra étaient relativement gras et des plus savoureux du point de vue d'un dragon. Quant au vin, il n'était pas mauvais et Jim n'aurait pas eu l'idée de faire la moindre réserve à son sujet quelques semaines plus tôt quand il ne savait pas encore de quoi la France pouvait s'enorgueillir.

Celui que contenait la barrique ventrue que Sorpil avait cérémonieusement mise en perce afin que tous trois puissent y remplir les cruchons qu'ils utilisaient en guise de coupes était à peine supérieur aux plus médiocres piquettes que Jim avait eu l'occasion de goûter quand il avait débarqué à Brest. Cela dit, il était loin d'être le meilleur qu'il eût savouré depuis. Et il soupçonnait ses hôtes de lui avoir servi du vin ordinaire au lieu du breuvage que l'on sort dans les grandes occasions. Un dragon anglais n'y verrait que du feu ! Jim considérait cela quasi comme un affront.

Interrompant le récit, sans nul doute largement enjolivé, de la conquête du château, Maïgra demanda soudain de sa voix aigre à leur commensal :

– Où iras-tu quand tu repartiras ?

– Vers l'est, répondit Jim, restant délibérément dans le vague.

Ils avaient fini de manger et il avait bu suffisamment de vin, même pour un dragon, pour commencer à se détendre et à se sentir à l'aise. Le tonnelet de Sorpil devait être à moitié vide.

– Par quelle route, je veux dire... insista Maïgra.

– Oh ! Je compte prendre en gros la direction de l'est. Pour ce qui est de l'itinéraire, je n'ai pas d'idée précise.

– C'est pourtant ce qu'il faudrait ! Il y a plus de cent ans que les manants n'ont plus de maîtres en dehors de nous à des lieues à la ronde et ils sont maintenant devenus d'une audace pas croyable. Sorpil et moi ne nous posons jamais au sol quand nous sommes seuls. Le risque de se faire attaquer par une bande de vingt ou trente paysans armés de fourches, de faux et autres instruments de ce genre est sérieux – surtout quand on n'est qu'un petit dragon comme moi.

– Eh bien, si vous m'indiquez les limites de votre territoire, je le survolerai sans toucher terre jusqu'à ce que je sois hors de leur atteinte. Encore que je pense être capable de régler leur compte à une vingtaine et même à une trentaine de manants armés s'il le fallait.

Tout le vin que Jim avait ingurgité réveillait malgré lui son orgueil instinctif de dragon, fier de sa taille et de sa puissance. Et, à dire vrai, dans l'état d'euphorie où l'avaient mis ces libations, l'idée de se mesurer à vingt ou trente croquants armés ne manquait pas d'un certain attrait. Il ne doutait guère qu'il en tuerait un bon nombre et mettrait le reste en fuite.

Il se remémora la première fois qu'il avait fondu sur un groupe de cavaliers en armes au service de son ennemi d'alors, Hugh de Bois, l'ancien seigneur du château de Malencontri... il les avait dispersés comme autant de quilles. Bien sûr, c'était avant que sir Hugh, à cheval, revêtu de son armure et la lance au poing, lui ait appris qu'il y avait des situations où même un dragon pouvait n'avoir qu'une envie : tourner les talons devant un simple georges, c'est-à-dire un humain. Le souvenir de la lance qui l'avait transpercé de part en part, manquant de peu de lui ravir la vie en même temps que celle de Gorbash dont il occupait à ce moment le corps, eut pour effet de le dégriser.

– Que me suggères-tu ? demanda-t-il à Maïgra.

– Eh bien, tu devrais, pour commencer, me laisser t'indiquer la route la meilleure et la plus sûre. Ensuite, le mieux serait que tu partes à pied. Comme ça, quantité de paysans pourront te voir. Ils se rassembleront et s'embusqueront pour t'attendre. En quittant le château, je te conseille de te diriger à travers bois vers le nord-ouest, puis tu obliqueras à l'ouest jusqu'à un grand lac que tu n'auras qu'à contourner. Si tu restes près de la berge, tu auras peu de risques de te faire attaquer. Les paysans d'ici ne savent pas nager et ils ignorent qu'il en est de même pour nous autres dragons, plus lourds que l'eau. Aussi, au cas improbable où tu serais agressé, il te suffirait de sauter dans le lac – il n'est guère profond près du bord pour les créatures que nous sommes – et tu n'aurais rien à craindre en dehors des projectiles qu'ils pourraient te lancer.

Jim sourit intérieurement. Il était – mais Maïgra n'en avait pas connaissance – un être d'exception, susceptible d'évoluer dans l'eau. Il l'avait découvert en traversant les marécages pour se rendre à la Tour Répugnante alors qu'il passait d'un îlot à l'autre. Comme il n'était pas encore, à l'époque, en pleine possession de ses moyens, il avait tenté de franchir un fossé à la nage sans réfléchir plus avant. Le premier moment de panique passé, il s'était aperçu qu'à condition de remuer simplement ses pattes et sa queue avec assez de vigueur il pouvait non seulement flotter mais même avancer. C'était fatigant, mais possible. A sa connaissance, aucun autre dragon ne s'y était jamais essayé, et tous croyaient dur comme fer qu'ils couleraient comme des pierres s'ils avaient le malheur de s'aventurer en eau profonde.

Néanmoins, c'était un bon conseil que lui donnait Maïgra et Jim s'en voulait d'avoir suspecté leurs intentions. Il était normal, les dragons étant par nature méfiants, qu'il se soit méfié, sachant que si jamais il lui arrivait quelque chose, le passeport resterait en possession du couple. D'un autre côté, Maïgra avait fait, elle aussi, largement honneur au contenu du tonneau et peut-être le vin avait-il eu des effets heureux sur son caractère.

Elle avait dû avoir un côté séduisant et aimable quand elle était plus jeune. Sinon, il était impensable que le vigoureux dragon qu'était alors Sorpil l'ait épousée.

– Merci, Maïgra. (Jim se rendit compte qu'il avait la langue sérieusement embarrassée. Les ripailles avaient duré des heures comme il en allait habituellement chez les dragons et il n'avait pas vu le temps passer. Toujours est-il que, maintenant, il tombait de sommeil.) Y a-t-il un endroit où je pourrais dormir ?

– Je vais te conduire, dit Maïgra en se levant.

Sorpil, lui, ne bougea pas, se contentant d'émettre une sonorité grondante, quelque chose entre « bonne nuit » et un rot d'une ampleur digne d'un dragon. Jim suivit Maïgra qui le guida à travers un dédale de corridors et d'escaliers plongés dans une obscurité presque totale jusqu'à une chambre au mobilier spartiate et délabré qui avait vraisemblablement été autrefois celle d'un habitant du château. Une fois seul, il se pelotonna dans un coin et s'endormit aussitôt.

Quand il se réveilla, il faisait grand jour. Il bâilla, se déplia, s'étira – sans toutefois déployer ses ailes faute de place – et, se fiant à son odorat et à sa mémoire, refit en sens inverse le chemin qu'il avait suivi quelques heures plus tôt avec Maïgra.

Il n'y avait personne dans la salle où s'étaient tenues les agapes de la veille. Il ne restait plus rien des moutons sinon quelques os concassés et poisseux de moelle. Le tonneau était plus qu'aux trois quarts vide. Jim remplit un cruchon auquel il fit un sort d'une seule lampée et, du coup, se sentit pleinement ragaillardi. Il remit cela, rien que pour le principe.

L'heure était venue de se mettre en route. Il n'avait plus rien à attendre de ses amphitryons. Sous l'influence du vin qui lui avait délié la langue, Maïgra lui avait de toute évidence donné le meilleur conseil qu'il pouvait espérer recevoir d'eux.

Au moment de franchir la poterne, il se retourna pour dire quand même adieu à ses hôtes puisqu'ils n'avaient pas pris la peine de se déranger pour assister à son départ.

– C'est moi... James ! lança-t-il à pleins poumons. Je m'en vais. Merci pour votre hospitalité. Je repasserai avant peu pour récupérer le passeport. Au revoir !

L'écho de sa voix se répercuta d'un bout à l'autre du château. Il n'y eut pas de réponse.

Il sortit.

Il faisait aussi chaud que la veille et le ciel était sans nuages. Jim prit la direction que lui avait indiquée Maïgra.

Deux heures plus tard, il distingua une étendue bleue qui ne pouvait être que le lac dont elle lui avait parlé. Il s'arrêta, se demandant pourquoi il haletait tellement. Il soufflait si fort qu'à cinquante mètres on aurait pu confondre le bruit qu'il faisait avec celui d'une locomotive à vapeur grimpant une côte. Il avait la gueule grande ouverte et sa langue rouge pendait mollement sur ses crocs comme un drapeau flasque et avachi.

Un petit détail lui était tout simplement sorti de la tête, à savoir que la marche ne convenait pas aux dragons. Ils avaient pour habitude de voler et non pas de se déplacer à pied. Et, qui plus est, la chaleur était écrasante. Avec leur cuir quasi impénétrable, contrairement aux humains et à certains animaux, ils n'avaient pas de glandes sudoripares et pour que se dissipe l'excès de chaleur interne, ils haletaient comme les chiens. Malheureusement, leur taille et, par conséquent, leur masse, étaient sans comparaison avec celles d'un chien.

C'était tout simplement là un problème qui ne s'était encore jamais posé à Jim. Il avait déjà eu à deux reprises l'occasion de marcher à pied sous la forme d'un dragon. Mais, d'une part, la température était alors plus fraîche et, d'autre part, il était dans un état de perturbation émotionnelle tel qu'il n'avait prêté que fort peu d'attention à la dépense physique que lui avait coûtée cet effort. La première fois, il se faisait un sang d'encre pour Angie, enlevée et retenue captive dans la Tour Répugnante. La seconde avait été l'expédition avortée en vue de reprendre le château de Malencontri à sir Hugh et il était alors habité par la fureur. Cette marche forcée s'était d'ailleurs terminée sous une pluie battante qui, de toute façon, l'aurait empêché d'avoir trop chaud.

Mais dans le cas présent, il n'y avait rien pour le distraire de la chaleur écrasante, si insupportable qu'il se sentait incapable de continuer à mettre une patte devant l'autre.

Maïgra avait naturellement supposé qu'il n'avait que deux solutions : voler ou aller à pied – sur ses pattes postérieures, plus précisément. Elle ignorait, bien sûr, qu'elle avait affaire à un magicien qui n'habitait que temporairement un corps de dragon et avait donc une troisième option : reprendre sa forme humaine.

En conséquence de quoi, Jim inscrivit l'équation magique derrière son front. Une seconde plus tard, ô merveille : il était nu et tout son épiderme dégageait l'excès de chaleur accumulé dans son corps. Il détacha le paquet d'effets suspendu à son cou et qui se balançait maintenant sur sa poitrine, se rhabilla et passa autour de son épaule la corde nouée autour du ballot contenant ses provisions de bouche.

Redevenu humain, il n'était peut-être plus en mesure d'affronter une bande d'une douzaine – ou plus – de manants qui lui seraient tombés dessus mais, d'un autre côté, il attirerait moins les regards qu'un dragon. D'ailleurs, si jamais il se faisait attaquer, il n'aurait qu'à reprendre sa forme initiale : si les gens du cru avaient la même foi en la magie que tous ceux qu'il avait rencontrés jusqu'ici dans ce monde, le seul fait de le voir se métamorphoser ainsi sous leurs yeux serait suffisant pour qu'ils décampent sans demander leur reste.

Jim se sentait maintenant en bien meilleure forme, abstraction faite de la soif qui le torturait, soif due non seulement à ses abondantes libations de la veille mais aussi aux deux cruchons qu'il avait sifflés le matin même. Aussi prit-il la direction du lac dans l'espoir de se désaltérer.

Il imaginait la pureté, la saveur, la fraîcheur de son eau avec une précision déchirante au point qu'il avait toutes les peines du monde à ne pas se mettre à courir. Seul son amour-propre le retenait. Somme toute, il n'était pas à quelques secondes près. Ce n'était pas comme s'il était en train de mourir de soif. Il avait seulement la gueule de bois.

Enfin, il atteignit la berge.

L'eau bleue était aussi pure et fraîche qu'il l'avait imaginée et les premières gorgées qu'il avala après s'être agenouillé furent un tel délice que, n'y tenant plus, il se mit purement et simplement à la laper.

Quand il s'interrompit pour respirer, il eut le temps de voir son reflet qui le regardait. Soudain, il se rendit compte avec stupéfaction que ce visage qui semblait le fixer n'était pas le sien : c'était celui d'une ravissante jeune femme à la chevelure d'or qui paraissait se trouver quelques centimètres seulement sous la surface du lac. Elle lui souriait. C'était une image beaucoup trop précise pour être une hallucination.

Le visage sortit de l'eau. C'était bien une jeune femme, ravissante. Et souriante.

– Tu es là, mon amour, murmura-t-elle. Enfin, tu es là ! Viens avec moi.

Sa voix avait une sonorité argentine. Elle allongea le bras et une main minuscule emprisonna celle de Jim qui, avant même de se rendre compte de ce qui lui arrivait, se sentit entraîné dans le lac.

Il eut le temps de remarquer que, contrairement aux allégations de Maïgra, la berge était abrupte : elle descendait à pic et le lac était si profond qu'on n'en voyait pas le fond. Un dragon ne sachant pas nager qui serait tombé ou qu'on aurait poussé aurait coulé sur-le-champ et se serait irrémédiablement noyé.

Mais Jim n'eut pas le temps de méditer sur la perfidie de Maïgra et sur la triste fin qui aurait été la sienne si la chaleur ne l'avait pas incité à reprendre sa forme humaine. Il était fermement entraîné dans les profondeurs du lac.

Auparavant, il était assez bon nageur, certes. Il avait même fait un peu de plongée sous-marine, mais il n'avait ni masque ni tuba, et pour cause. Or la force avec laquelle la fille aux cheveux d'or le tirait était absolument irrésistible. Il avait le sentiment que même s'il avait essayé de lutter, ses efforts n'auraient servi à rien, d'ailleurs il n'en avait pas la volonté.

Il allait se noyer...

A peine fut-il effleuré par cette pensée qu'il prit conscience de respirer le plus normalement du monde.

C'était aberrant ! Ou il était à l'intérieur d'une sorte de bulle d'air, mais c'était impossible, ou il respirait dans l'eau aussi bien que dans l'air, ce qui était encore plus invraisemblable.

– Quelle merveille que tu te sois ainsi transformé, dit alors la fille aux cheveux d'or sans même tourner la tête. C'est bien la dernière chose à laquelle je me serais attendue. Un affreux dragon s'avançait vers moi et, soudain, il s'est évanoui. Je ne comprends pas. (Sa voix était devenue songeuse comme si elle s'interrogeait elle-même.) Je n'avais encore jamais vu de dragon investi de tels pouvoirs. Et il se dirigeait droit vers le lac. J'aurais pu le noyer si facilement !

Jim, interloqué, demanda :

– Mais pourquoi... pourquoi vouloir noyer un dragon ?

– Mais parce que ce sont des créatures immondes et malfaisantes ! Je déteste ces êtres pleins d'écailles aux ailes de chauve-souris ! Pouah ! Faute de connaître le moyen de les faire tous disparaître, je me contente d'attirer tous ceux qui s'approchent. Une fois que je les ai ensorcelés, ils ne peuvent pas m'échapper. Je n'ai plus qu'à les précipiter dans le lac. Comme mes poissons sont alors heureux ! Avec un seul dragon, ils ont de quoi se régaler, crois-moi ! C'est une des raisons pour lesquelles ils m'aiment tellement.

Ils avaient maintenant atteint le fond du lac et pénétraient dans une espèce de palais sous-marin plus large que haut. Ses murs semblaient faits de coquillages, de cailloux qui scintillaient comme des pierres précieuses et d'une multitude de panneaux iridescents. Un banc de petits poissons bleus se précipita. Ils commencèrent à virevolter en dessinant une sarabande compliquée autour de la fille aux cheveux d'or.

– Ah ! Petits coquins, vous saviez que je ne tarderais pas à revenir ! leur dit-elle sur un ton enjoué. Et je reviens en compagnie du plus bel homme que j'aie jamais vu. Il restera avec nous pour toujours. N'est-ce pas merveilleux ?

Si on lui avait demandé son avis, Jim n'aurait pas abondé dans ce sens. Mais cette créature était si belle qu'il se sentait incapable de se soustraire à l'attirance de sa beauté radieuse quand bien même il l'aurait pu.

Elle parlait toujours à ses petits poissons :

– Je ne vous quitte jamais très longtemps. Il ne saurait être question de vous abandonner, mes petits chéris ! Je vous aime trop, j'aime trop mon lac et tout ce qui l'habite. Je n'ai simplement pas pu résister à cet homme superbe quand je l'ai vu sur le rivage. Vous ne pouvez me le reprocher, n'est-il pas vrai ?

Ils étaient à présent entrés dans une pièce du palais garnie de tentures arachnéennes de toutes les nuances du vert et du bleu qui chatoyaient à la lumière sous-marine. De larges divans multicolores et moelleux s'étalaient autour d'un vaste lit circulaire sur lequel s'amoncelaient des piles de coussins duveteux vers lesquels la fille aux cheveux d'or entraînait Jim. Et celui-ci ne savait plus s'il marchait, flottait, nageait ou simplement glissait dans cette étrange atmosphère océane. Alors, elle le lâcha et il s'enfonça dans le duvet qui épousa les formes de son corps. Quant à elle, elle s'assit, les jambes croisées, en face de lui.

– Par quoi mon très tendre amour désire-t-il commencer ? lui demanda-t-elle.

– Si vous n'y voyez pas d'inconvénient, bredouilla Jim, j'aimerais avoir quelques explications.

Sous l'effet de la surprise, elle ouvrit la bouche toute grande. Un O parfait !

– Des explications ?

– Oui. Enfin... c'est bien aimable de votre part de dire que je suis le plus bel homme que vous ayez jamais vu mais il n'en est rien, ce n'est un secret pour personne. Je suis même très quelconque...

– C'est tout à fait faux ! Mais à supposer que ce soit vrai, cela ne m'empêcherait pas de vous aimer avec la même passion. Je suis un être de grande passion, comprenez-vous ? Nous autres, esprits élémentaires, sommes tous des créatures de grande, de très grande passion.

– Oh ! Je n'en doute pas.

– Oui, reprit-elle en poussant un léger soupir. Les sots nous prennent pour des fées mais c'est seulement parce qu'ils ne voient pas la différence entre une simple naïade et un esprit des eaux, tellement plus raffiné. Les ondines ont quelques pouvoirs magiques, c'est vrai. Elles sont immortelles, mais elles n'ont que des capacités réduites, inaptes aux grandes passions comme nous le sommes nous-mêmes. Et j'ajouterai que je suis, de tous les esprits élémentaires, celui qui a la plus grande aptitude à la passion. (Elle considéra Jim avec curiosité.) Quel est ton nom, mon bien-aimé ?

– Euh... James.

– James... Un nom étrange, en vérité, mais il a son charme. James ! Il ne sonne pas comme les autres mais c'est quand même bien joli. James !

– Si vous permettez, j'aimerais connaître le vôtre.

– Mon nom à moi ? (Elle paraissait stupéfaite.) Je pensais qu'il était connu de tous. Je suis Mélusine. Comment peux-tu l'ignorer ? Après tout, je suis unique. Il n'y a pas d'autre Mélusine !

– C'est que, voyez-vous, je suis anglais.

– Ah ! Tu es anglais ! J'ai entendu parler de l'Angleterre et des Anglais. Tu es donc de là-bas. Tu n'as pourtant pas l'air trop différent – sauf pour ce qui est de ce nom bizarre. (Ses yeux d'un bleu profond plongèrent dans ceux de Jim, qui fut confondu par ce regard.) Passons à des choses plus immédiates, fit-elle encore. (On aurait dit le ronronnement d'un chat.) Que désires-tu le plus au monde en cet instant, ô mon bien-aimé ?

Jim était sur des charbons ardents.

Non ! gémit-il dans son for intérieur. Non, il ne faut pas ! Je ne veux pas rester ici pour l'éternité et courtiser un esprit des eaux. Je veux rentrer chez moi, retrouver mon château, revoir Angie, tuer un ogre de temps à autre, sauver un prince à l'occasion ou n'importe quoi... mais qu'est-ce que je raconte ? Enfin, je ne dois pas ! Si je cède une fois, je céderai encore après et qui sait si je ne finirais pas par y prendre goût ? Alors, peut-être que je voudrai demeurer pour toujours au fond du lac. Et ensuite ? Que se passera-t-il si elle se lasse de moi comme elle doit le faire de tous les hommes dont elle tombe amoureuse ?

Elle ne peut être qu'enchanteresse et diabolique. Il faut que je parte d'ici. Aide-moi, Angie !

– J'ai mal à la tête ! balbutia alors Jim d'une voix mourante.

19

Il n'avait pas pensé un seul instant qu'elle serait dupe. Pourtant, dès qu'il avait prétendu avoir mal à la tête, Mélusine n'avait plus été que sollicitude ; elle avait insisté pour qu'il se repose et qu'il dorme, repoussant à plus tard ses projets.

Peut-être que ses sortilèges agissaient aussi sur elle-même, pensa Jim. Se croyant amoureuse, elle le devenait réellement, disposée à se sacrifier pour le bien de l'être aimé. Dans ce monde où, comme il l'avait découvert, un individu pouvait se montrer follement gentil et attentionné et, l'instant d'après, tout aussi odieux sans que personne s'en étonne, Jim était prêt à admettre tout et n'importe quoi.

Mélusine l'avait donc laissé dormir et, à son réveil, elle n'était toujours pas revenue. Néanmoins, quelques-uns des petits poissons qui avaient tressé d'acrobatiques sarabandes autour d'elle firent leur apparition, chargés de présents. Ils tenaient dans leur bouche des pierres précieuses, grossièrement travaillées certes, mais de belle taille. L'un d'eux apportait une grappe de raisin si lourde qu'il lui fallut s'escrimer des nageoires pour nager jusqu'à Jim.

– Je n'aime pas le raisin, grommela ce dernier.

Ce qui était la pure vérité. Il n'avait jamais vraiment apprécié ce fruit, de même qu'il n'était guère amateur de vin : hormis lorsqu'il se transformait en dragon !

Le poisson laissa choir son fardeau sur le lit comme s'il était à bout de forces et repartit, mais ce fut pour revenir quelques minutes plus tard avec une nouvelle grappe.

Ses congénères montraient une égale obstination, ne tenant aucun compte de la remarque de Jim. Ils n'arrêtaient pas de le combler de cadeaux dont il n'avait que faire. Tout un banc surgit même, toutes nageoires battantes, chargé de vêtements d'un vert nacré et d'un couvre-chef ridicule qui donnait l'impression d'être le produit de l'union contre nature d'une toque de cuisinier et d'un gibus anguleux !

Tandis que ces présents s'entassaient autour de lui, Jim songeait que l'absence de Mélusine était une bénédiction : il pouvait ainsi réfléchir à l'abri de l'aura de séduction magique qu'elle dégageait avec l'intensité d'une lampe à ultraviolets surpuissante.

La réaction qu'il avait eue quand elle cherchait à l'affrioler était purement instinctive mais maintenant, la tête froide, il voyait combien il avait eu raison de résister à ses avances. Même si elle voulait le garder pour toujours avec elle, ce qu'il ne croyait pas une seule seconde, une créature de cette nature ne pouvait être que volage. Et à supposer même qu'elle eût réellement l'intention de ne jamais se séparer de lui, Jim, pour sa part, s'y refusait énergiquement. Et cela pour de multiples raisons.

La principale était Angie. Il y avait une différence essentielle entre l'attirance physique qu'il éprouvait pour Mélusine et le sentiment profond qu'il nourrissait à l'égard d'Angie.

Il ne pouvait imaginer de vivre sans elle. Il aurait eu l'impression d'être amputé d'une partie de lui-même. Angie avait quelque chose que Mélusine n'aurait jamais. Jim n'aurait su dire quoi mais cela donnait un sens à sa vie. Même quand il était loin d'elle, en France comme c'était présentement le cas, savoir qu'elle l'attendait à Malencontri et qu'il finirait par la retrouver, ce dont il avait la certitude, le comblait d'aise.

Il fallait qu'il parte. Qu'il quitte le lac et Mélusine.

Il chercha frénétiquement quelles raisons il pourrait donner à la fée pour la convaincre de le ramener sur la berge.

Elle avait usé de ses pouvoirs magiques pour l'attirer, c'était vrai. Mais il ne s'était jamais senti aussi fort que maintenant au fond de ce lac et il avait la certitude qu'une fois de retour sur la terre ferme il serait parfaitement capable de s'arracher au charme et aux sortilèges de la belle Mélusine. Une fois sorti du milieu aquatique, il ne craignait plus qu'elle le suive, mais même dans ce cas, elle n'aurait vraisemblablement plus l'ascendant qui était le sien dans ce qui était son domaine – le lac.

Il en était arrivé à ce point de ses réflexions quand il se rappela brusquement – ce fut comme une illumination – qu'il était lui-même magicien. Apprenti magicien, certes, mais investi de pouvoirs néanmoins. Le tout était de savoir quel enchantement utiliser et de quelle façon.

Problème délicat à résoudre ! L'information dont il avait besoin se trouvait sans aucun doute enfouie quelque part dans l'*Encyclopœdia Necromantick* mais il était hors de question pour lui d'aller à la pêche et de se l'approprier simplement parce que l'envie lui en prenait.

Il fallait tout d'abord qu'il ait une idée claire de ce qu'il voulait et, ensuite, qu'il applique sa propre technique pour parvenir à ses fins. Pour autant qu'il le sût, chaque magicien avait la sienne. La méthode qui lui convenait personnellement était celle qu'il avait développée et qui reposait sur trois bases : imagination, conceptualisation et visualisation.

Eh bien, allons-y, se dit-il. Il s'assit en tailleur sur le lit et se mit au travail.

Première question : de quel charme avait-il besoin pour partir d'ici ?

Non... c'était le second point. Le premier se formulait autrement : quel était le charme qui le maintenait captif ?

Il lui vint alors à l'esprit – il n'y avait encore jamais songé – qu'il s'agissait peut-être d'une forme de magie différente de celle qu'il pratiquait lui-même. Mélusine se définissait comme un esprit élémentaire. Peut-être avait-elle des pouvoirs analogues à ceux de Giles, l'ondin : dès lors, il s'agissait d'un don inné. En quoi consistait-il ?

Il semblait couvrir deux domaines : d'une part, l'ascendant que Mélusine avait sur tout être dans l'eau ou près de l'eau ; d'autre part, sa capacité de rendre interchangeables l'eau et l'air.

Et soudain il comprit.

L'empire que Mélusine exerçait sur les gens tenait au fait qu'elle pouvait les rendre ou non capables de respirer sous l'eau. De toute évidence, elle ne portait pas les dragons dans son cœur et faisait en sorte qu'ils ne puissent vivre une fois qu'ils avaient plongé. En ce qui le concernait, en revanche, elle avait favorisé son adaptation à un milieu hostile.

Jim reçut alors une secousse et se frotta le crâne. Une douzaine de petits poissons venaient de lui laisser tomber sur la tête le lingot d'or qu'ils transportaient à grand-peine. Leur décochant un regard furibond, il leur cria :

– Je ne veux pas de ça ! Je ne veux pas d'or, pas de pierres précieuses, pas de raisin ni rien d'autre. Je n'en veux pas, vous comprenez ? Je ne veux rien ! Rien du tout !

Les poissons repartirent, vraisemblablement prêts à lui apporter de nouveaux présents. Tout en se massant le front, il s'efforça de renouer le fil de ses pensées malencontreusement interrompues par la chute de cette brique en or massif.

Il avait fait un premier pas. Il avait quelque chose à imaginer : à savoir qu'il existait probablement un moyen de sortir du lac où il évoluait comme un poisson dans l'eau, d'émerger à l'air libre et de respirer dans des conditions normales.

Il se concentra sur l'image de lui-même en train

d'accomplir cet exploit. Je marche au fond du lac, songeait-il, sans être le moins du monde gêné. Je remplis à fond mes poumons. Je pourrais même courir à toute vitesse sans manquer d'oxygène. Ça y est, j'accélère, je commence à me hisser sur la berge, je respire parfaitement...

Mais que dois-je écrire derrière mon front pour être capable de réaliser ce tour de magie ? Je sais que la réponse est là, à l'intérieur de mon corps, quelque part dans l'*Encyclopœdia Necromantick*, seulement j'ignore comment opérer pour que le passage qui m'intéresse me vienne à l'esprit...

– Ah ! Tu es réveillé ? (La voix qui retentissait derrière Jim était celle de Mélusine. La fée bondit à genoux sur le lit à côté de lui.) Filez, vous autres !

Ces derniers mots s'adressaient à une petite colonie de poissons qui peinaient sous le poids de l'objet dont ils étaient chargés : quelque chose qui ressemblait à une couronne de nacre. Ils firent demi-tour et repartirent avec leur fardeau.

– Comme je suis contente que tu sois réveillé, mon très cher, susurra Mélusine. Te sens-tu mieux, à présent ?

– Oui. Oui, beaucoup mieux, ajouta Jim, considérant qu'il serait bon de mettre un peu d'enthousiasme dans sa réponse. Admirablement, en vérité.

– C'est une excellente nouvelle. Alors, peut-être pourrions-nous...

– Et comment avez-vous passé votre journée ?

Mélusine le dévisagea, l'air interloqué.

– Ma journée ?

– La journée ou la nuit... enfin, pendant que je dormais.

– Tu veux savoir ce que j'ai fait depuis le moment où tu t'es endormi ? Mais jamais on ne m'a... je veux dire que, d'habitude, personne ne me pose jamais ce genre de question.

– Eh bien, voyez-vous, quand il y a une attirance réciproque entre deux êtres comme c'est le cas pour vous et moi, l'intérêt que chacun porte aux faits et gestes de l'autre, même lorsqu'ils ne sont pas ensemble, fortifie et embellit leur amour.

Mélusine considéra Jim avec tous les signes d'une stupéfaction extrême et secoua la tête.

– Comme ce que tu dis est étrange, James ! Est-ce parce que tu es anglais que tu parles ainsi ?

– Absolument ! Nous pensons tous de cette manière en Angleterre. C'est pour cela que les gens s'aiment tellement les uns les autres, là-bas.

– D'affreuses brutes sauvages... des dragons partout... et ils s'aiment donc à ce point en Angleterre ?

– Oh oui ! Ils s'aiment terriblement, croyez-en ma parole.

– L'idée de la mettre en doute ne me viendrait pas, mon très cher cœur. Mais la chose est un peu difficile à accepter, c'est tout... Pourquoi ces sauvages croiraient-ils que la connaissance mutuelle de leurs actes quand ils ne sont pas ensemble fortifie leur amour ?

– Et davantage encore ! Cela lui ajoute une dimension totalement nouvelle. Qui n'en a pas eu l'expérience est incapable d'imaginer la différence qui en découle. Mais pour répondre à votre question, leur amour en sort grandi car cela prouve que chacun pense à l'autre et que tous deux sont impatients de se retrouver.

– C'est là une idée bien curieuse, James ! Mais je commence à me persuader qu'elle n'est peut-être pas dénuée de fondement. Je suis seulement fort surprise que cela ne me soit jamais venu à l'esprit.

– C'est parce que votre capacité d'amour est immense. A tel point que vous n'avez jamais songé à chercher ce qui pourrait l'élargir encore.

– C'est bien vrai. En ce qui concerne, tout au moins, la force de mon amour. En tout cas il m'est facile de deviner ce que tu as fait, toi, depuis que je ne t'ai vu. Tu as dormi et il n'y a pas très longtemps que tu es réveillé, n'est-ce pas ?

– En effet. Mais comment le savez-vous ?

D'un geste négligent de la main, Mélusine désigna le lingot d'or, les vêtements, les bijoux et autres objets épars sur le lit.

– Oh ! Il y aurait davantage de babioles de ce genre autour de toi. J'avais recommandé à mes poissons de se tenir aux aguets et de commencer à t'apporter des présents dès que tu serais frais et dispos.

– Je comprends. Mais assez parlé de moi. Ce que vous avez fait de votre temps est beaucoup plus intéressant... Racontez-moi.

– Ce que j'ai fait ? Eh bien... c'est vraiment un très grand lac, tu sais, beaucoup plus profond qu'il n'en a l'air vu d'en haut et il me donne un maximum de travail. Mes chers petits – je parle de mes poissons et des autres créatures aquatiques qui l'habitent – sont tous bien mignons mais ils ne l'entretiendraient pas comme il faut si je ne mettais pas moi-même la main à la pâte. (Jim opina pour lui montrer qu'il comprenait parfaitement.) Ainsi, aujourd'hui – ou, plutôt, pendant une partie de la journée d'hier, cette nuit et ce matin alors que tu dormais –, je n'ai pas arrêté de vaquer à mes occupations. J'ai tout passé en revue. Les plantes d'eau profonde se portent à merveille mais celles qui poussent près de la surface paraissent s'étioler un peu. Le lac est alimenté par trois petits ruisseaux, plus quelques sources naturelles qui sourdent du sous-sol même. Mais l'hiver a été assez sec. Il n'a guère neigé, de sorte que le niveau a légèrement baissé. Suffisamment pour que mes roseaux et mes nymphéas aient un peu souffert, surtout ceux qui ont déjà atteint leur taille normale.

Mélusine poussa un soupir avant d'enchaîner :

– Il y a toujours quelque chose ! Bien sûr, pour ce qui est des ruisseaux, je ne pouvais pas faire grand-chose à moins de remonter jusqu'à la source de chacun d'eux. Mais j'ai fait donner davantage d'eaux souterraines et je pense que d'ici quatre ou cinq jours, les nymphéas seront à nouveau en pleine santé. Et puis, il m'a fallu débarrasser mon lac des ossements du dernier dragon que j'y avais noyé. (Elle s'interrompit derechef et fit la moue.) La vue de leur affreux squelette me fait horreur et mes poissons le savent bien. Ils sont censés agiter la boue et la vase du fond pour les recouvrir afin qu'on ne les voie plus mais ils n'avaient pas mis assez de cœur à l'ouvrage. Je déteste me montrer dure avec eux mais je leur ai parlé très sévèrement. Cela dit, après les avoir sermonnés, j'ai eu pour une fois recours à mes pouvoirs afin qu'un lit de limon se dépose sur ces ossements. Je suis certaine que mes petits amis travailleront mieux la prochaine fois.

– Cela ne fait pas l'ombre d'un doute, assura Jim. Après avoir été tancés de la sorte, comment ne fourniraient-ils pas un effort supplémentaire ?

– Absolument ! Ils m'ont promis qu'ils seraient plus consciencieux à l'avenir et ils tiendront promesse, j'en suis sûre. Le problème, c'est que nous avions hérité de plusieurs dragons à la fois il y a environ un mois. Tu imagines tout ce qu'il y avait à manger. Ils n'ont pas pu effectuer tout le nettoyage plus tôt. Ce n'est donc pas entièrement leur faute. Toujours est-il que la question est maintenant réglée. Qu'ai-je fait ensuite ? Ah oui ! J'ai jeté un coup d'œil à ma pépinière de perles. Elles se développent à merveille. Je préfère les perles d'eau douce à ces hideuses perles d'eau de mer dont les georges semblent être tellement friands – oh ! je ne parle pas des georges tels que toi, James, mais du tout-venant. Quelques-uns ne valent guère mieux que les dragons.

– Je sais, dit Jim. Certains d'entre nous... mais ce n'est pas au georges que je suis de dire cela. J'aimerais vraiment beaucoup l'admirer, votre superbe lac. Vous le dépeignez d'une manière si réelle que je l'imagine presque.

– Tu aimerais, James ? Quel homme étrange tu es ! Mais je serais ravie de te le montrer ! Je l'adore, mon petit lac, et, à vrai dire, je n'ai jamais eu l'occasion de le faire visiter à personne. Nous pouvons y aller tout de suite si tu veux. Enfin... si tu es reposé et si ton mal de tête est passé ?

– Je suis tout à fait en forme et je meurs d'impatience à l'idée de le voir.

– Alors, viens ! pépia Mélusine en lévitant au-dessus du lit.

Jim s'aperçut qu'il flottait à côté d'elle. Elle lui avait à nouveau saisi le poignet.

– Il est inutile de me tenir par la main, lui dit-il tandis qu'elle l'entraînait vers la sortie du palais. Je ne vous quitterai pas.

– Comme tu voudras. (Elle le lâcha.) Concentre-toi seulement sur l'idée de rester avec moi et tu n'auras pas à te donner la peine de marcher.

Jim s'exécuta et il constata qu'elle disait vrai. Tous deux franchirent une bande de hautes herbes aquatiques surmontées d'aigrettes au-delà de laquelle s'étendait un espace nu, noir et plat, qui s'étirait à perte de vue pour finir comme avalé par le miroitement de l'eau.

– Ce sont les bas-fonds limoneux de mon lac, lui expliqua Mélusine. N'est-ce pas ravissant ?

– Euh... si. Ils sont tellement... tellement...

– Epais et nets, acheva-t-elle à sa place. Je sais à quoi tu penses. Il faut continuellement veiller à ce que tout ce qui s'y dépose soit recouvert ou enterré. A l'extrémité du lac, la profondeur est moindre, poursuivit Mélusine tandis qu'ils continuaient d'avancer. C'est là que sont les parcs à huîtres et la végétation y est beaucoup plus fournie. C'est là aussi qu'étaient éparpillés ces ossements de dragon qui m'ont obligée à réprimander mes poissons. En général, j'essaie de faire en sorte que leurs os s'échouent sur les bas-fonds. Ils disparaissent alors entièrement sous la vase au bout d'un jour ou deux. C'est d'ailleurs là l'ennui, en un sens : la rapidité avec laquelle le limon aspire à peu près n'importe quoi. Or, je tiens à ce que mes poissons aient pu faire un festin avant que les débris des carcasses ne soient engloutis. (Mélusine éclata soudain d'un rire aigu de fillette.) Imagine un peu un dragon de taille normale qui tombe directement dans les bas-fonds ! Cela n'arrive presque jamais, mais imagine quand même. Si tu voyais l'expression qui se peint alors sur son visage, si on peut parler de visage...

– A propos, je ne vous ai jamais demandé pourquoi vous détestez à ce point les dragons...

– D'abord, ils sont très éloignés du monde aquatique. La plupart du temps, ils ne sont même pas sur la terre : ils volent dans ce milieu affreux appelé l'air.

Ils étaient arrivés à la limite des bas-fonds limoneux et pénétraient maintenant dans un nouveau territoire creusé de sortes de sillons peu profonds et parsemé de petits monticules. C'était le parc à huîtres de Mélusine qui en fit les honneurs à Jim. Les huîtres bâillaient avec obéissance quand elle leur en donnait l'ordre afin de mettre la perle qu'elles abritaient bien en évidence. Jim s'extasiait comme il convenait et examinait consciencieusement les diverses plantes sous-marines que la fée lui faisait admirer.

Au début, ils avaient été escortés par la troupe de petits poissons qui virevoltaient habituellement autour d'elle mais ils avaient renoncé à les suivre à partir du moment où le couple s'était aventuré au-delà des bas-fonds limoneux. Maintenant, les seuls poissons qui se hasardaient à les accompagner étaient de plus grande taille. Il y avait même quelques brochets atteignant des dimensions proprement monstrueuses. L'un d'entre eux – il ne devait pas faire moins d'un mètre trente-cinq, estima Jim – s'approcha de Mélusine, fit une sorte de courbette en signe de déférence et s'éloigna après qu'elle l'eut caressé en lui adressant quelques mots gentils.

– Tout cela n'est-il pas merveilleux, James ? lui demanda-t-elle dans un soupir quand ils rebroussèrent finalement chemin.

– Absolument, répondit l'intéressé avec conviction.

Une conviction qui n'était pas feinte : cette visite

guidée lui avait permis, en effet, de constater que la paroi extrême du lac serait beaucoup plus facile à escalader que celle, presque verticale, où la fée l'avait attiré. Une fois revenu sur la terre ferme, il prendrait le risque de s'éloigner. Lorsqu'il aurait franchi une certaine distance et serait arrivé au-delà du point où Mélusine pouvait sentir la présence d'un dragon, il n'aurait plus qu'à se métamorphoser et à s'enfuir à tire-d'aile pour se mettre hors de sa portée.

Comme ils regagnaient le palais, il commença à tourner et retourner dans sa tête ce qui lui paraissait être l'ébauche de l'ordre magique – le mot *charme* lui semblait maintenant totalement erroné – qui maintiendrait un fluide gazeux autour de lui quand il tirerait sa révérence. Il s'était discrètement livré à quelques petites expériences tandis que Mélusine lui faisait faire avec enthousiasme le tour du propriétaire : il lui avait délibérément laissé prendre un peu d'avance pour voir jusqu'où il pouvait aller avant de crever la bulle d'air qu'elle créait à son intention. La distance critique, avait-il conclu, n'était guère supérieure à trois mètres.

Par ailleurs, dans le palais même, il était resté environné d'une atmosphère respirable, même après que la fée s'était éclipsée. Et il y avait aussi ce curieux phénomène : les poissons nageaient sans difficulté exactement comme s'ils étaient dans l'eau.

Mais c'était là une question accessoire. La solution du problème venait de lui apparaître.

Ce dont il avait besoin, c'était de notions de base ayant trait à son expérience personnelle. Or quoi de plus naturel que de se référer à ses cours de chimie à l'université ? Il se rappelait un exercice de travaux pratiques des plus banals. On plongeait un conducteur dans l'eau et quand le courant passait, il se formait des bulles à ses deux extrémités : l'eau se dissociait en ses deux gaz constituants, l'hydrogène et l'oxygène.

La formule était la simplicité même :

$$2H_2O \rightarrow 2H_2 + O_2$$

Du coup, une ridicule petite comptine naquit dans la tête de Jim :

Il y a de l'O
Tout plein dans l'eau.
Ça fait des bulles
Qui se bousculent.

Sur le plan de l'art poétique, cela ne valait pas tripette mais ce mauvais couplet permit à Jim de visualiser ce dont il avait besoin. A la dérobée, il étendit un bras – celui qui était du côté de Mélusine, d'ailleurs trop occupée à jacasser pour s'apercevoir de quoi que ce soit – et inscrivit derrière son front :

MOI → O_2 CONDUCTEUR

Aussitôt, des bulles commencèrent à jaillir du bout de ses doigts. En toute hâte, il récrivit la formule en l'inversant.

Les bulles cessèrent instantanément de fuser.

Jim poussa un soupir de soulagement. Cette question était réglée !

Maintenant, il lui fallait trouver la réponse à l'autre problème : comment quitter le lac à l'insu de Mélusine ?

Dans l'immédiat, l'impératif prioritaire semblait toutefois de se soustraire à la concupiscence dont il était visiblement l'objet au fur et à mesure qu'ils se rapprochaient de la chambre. Jim ne pouvait refaire à Mélusine le coup de la migraine. Même si elle feignait de le croire une seconde fois, elle commencerait immanquablement à avoir des soupçons. Quel dommage qu'il ne puisse pas la plonger dans un profond sommeil – ou, au moins, dans un état d'engourdissement suffisamment prononcé pour lui ôter toute envie amoureuse pour le moment !

Comment faire ? Il se creusa désespérément la tête et il lui revint alors à l'esprit qu'il avait déjà maîtrisé la procédure que lui avait enseignée Carolinus lorsqu'il avait changé du vin en lait pour soigner son ulcère de l'estomac. Une des premières expériences magiques auxquelles Jim s'était essayé après avoir rendu visite au magicien avait été de transformer, lui aussi, le vin en lait.

Autant il avait peu de goût pour le raisin, autant, en revanche, il adorait le lait mais celui-ci avait la part congrue dans l'ordinaire de Malencontri. En fait, personne à sa connaissance, pas même les domestiques, n'en buvait, tant et si bien qu'il n'avait jamais réussi à s'en faire servir. En désespoir de cause, il s'était résigné à utiliser la « méthode » Carolinus.

Et le succès avait couronné ses efforts.

Finalement, l'opération s'était révélée assez aisée et, maintenant, Jim comprenait mieux pourquoi. Connaissant déjà le goût qu'avait le lait, il pouvait en imaginer la saveur sur sa langue, de même que celle du vin. Rien de plus simple, alors, que d'écrire sur son tableau noir :

VIN → LAIT

Aussitôt, le contenu du gobelet qu'il avait dans la main devenait blanc et s'avérait être purement et simplement du lait.

Jim savait maintenant pourquoi il lui avait été si facile de réaliser cette substitution : c'était parce qu'il pouvait clairement visualiser le vin et le lait. Pour peu que Mélusine boive du lait, il n'aurait qu'à le transformer en vin dans son estomac et peut-être serait-elle enivrée... Suffisamment, en tout cas, pour que la perspective d'ébats amoureux cesse d'avoir le moindre attrait pour elle.

L'ennui, c'était que Jim était convaincu qu'elle ne buvait pas de lait. Essayez donc de trouver une vache au fond d'un lac ! Une vache ou n'importe quelle bête laitière. Il existait bien des mammifères marins qui produisaient du lait, mais il s'agissait là d'eau douce.

Ils étaient maintenant rentrés dans le palais et se dirigeaient droit vers la chambre.

– Tu as entièrement raison, mon amour, gazouillait Mélusine en enveloppant Jim d'un regard languide. Que tu t'intéresses à mon lac m'amène à t'aimer encore davantage.

– Vous m'en voyez ravi parce que c'est exactement la même chose pour moi.

– C'est vrai ?

Mélusine gagna encore en attraits...

Jim se demanda avec angoisse comment il allait bien pouvoir se tirer de ce mauvais pas. Cette petite promenade sublacustre n'avait fait qu'affermir la certitude instinctive qui l'habitait depuis le début : si jamais il se laissait subjuguer par la sensualité de Mélusine, c'en serait fait. Il en serait définitivement l'esclave et n'aurait jamais le courage ni la force de volonté nécessaires pour s'enfuir.

L'urgence de la situation était telle qu'une inspiration finit par lui venir.

– Et si nous buvions un peu de vin pour commencer ? fit-il. En l'honneur de notre rencontre, de notre promenade dans le lac, du lac lui-même. Je trouve que ce serait une bonne idée. Pas vous ?

– Eh bien... Pourquoi pas ? répondit Mélusine, à nouveau agenouillée à côté de lui sur le lit. Tu es vraiment quelqu'un de peu ordinaire, James. Et tu as des idées merveilleuses ! (Elle se tourna vers la petite troupe de poissons qui, comme à l'accoutumée, virevoltaient autour d'elle.) Du vin, leur ordonna-t-elle. Et deux coupes de cristal. Les plus belles.

Et de décocher à Jim un regard rayonnant.

Les poissons revinrent, apportant non sans peine une bouteille qu'ils déposèrent sur le lit en compagnie de deux coupes très travaillées. Jim n'en avait encore jamais vu de semblables dans ce monde.

– Je pense qu'il serait préférable de prévoir deux bouteilles, vous ne croyez pas ? suggéra-t-il.

Mélusine émit un petit gloussement.

– Pourquoi pas ? (Elle frappa dans ses mains.) Une autre bouteille !

– Et quelque chose pour les ouvrir, ajouta Jim.

– Peuh ! fit Mélusine avec un geste détaché, rien de plus facile.

Elle s'empara d'une des coupes et la tendit à Jim, puis saisit la seconde dans la main gauche, la bouteille dans l'autre. Elle fixa alors le bouchon des yeux en fronçant les sourcils.

– Sors, bouchon ! dit-elle.

Docilement, le bouchon s'éjecta. Mélusine remplit sa coupe, puis celle de Jim, qui constata qu'elle avait un faible pour le vin champagnisé.

– Reste debout, bouteille ! déclara-t-elle avant de poser celle-ci sur le lit.

Se tournant alors vers Jim, elle leva sa coupe.

– A nous, mon bien-aimé !

Ils burent de conserve. Il ne s'était pas trompé : c'était bien du champagne. Un champagne plutôt doux mais tout à fait délectable. Même lui était capable de l'apprécier.

Leurs coupes à moitié vidées, ils se regardèrent intensément.

– Oh ! Quel bonheur ! (Une flamme dansante commençait à scintiller dans les yeux de Mélusine.) J'ai mon joli lac, je t'ai, toi, mon charmant, et tout sera parfait, toujours et à jamais !

Un instant, Jim se sentit inexplicablement mauvaise conscience. Un peu plus tôt, elle lui avait allégrement expliqué comment elle tuait les dragons et veillait à faire disparaître leurs restes sous la vase. En même temps, elle paraissait si sincèrement heureuse, si amoureuse de son lac et de lui qu'il s'en voulut d'essayer de lui fausser compagnie.

Il se hâta de chasser cette pensée de son esprit : tomber dans la sensiblerie était bien la dernière chose à faire s'il tenait à recouvrer sa liberté. Il remplit à nouveau deux coupes (cette fois, quand il la lâcha, la bouteille se mit toute droite sans qu'il soit besoin de lui en donner l'ordre) et y alla à son tour d'un toast :

– A votre superbe lac, aux plantes et aux créatures splendides qui l'habitent !

Ils avaient déjà à leur actif une quantité de liquide non négligeable.

Les poissons apportèrent la seconde bouteille qu'ils posèrent à côté de sa petite sœur, puis se mirent à tournoyer au-dessus de la tête de Mélusine et de Jim.

– C'est merveilleux, il n'y a pas d'autre mot, dit la fée quand la première bouteille fut vide. (Jim avait vu juste : comme tous les médiévaux de sa connaissance, elle était assez portée sur l'alcool.) Je n'ai jamais vécu journée plus délicieuse. Reprenons encore un peu de vin.

Joignant le geste à la parole, elle se resservit et fit de même pour Jim dont la coupe était encore aux trois quarts pleine.

– Vois-tu, toute la différence est là, dit-elle en se penchant sur lui au risque de renverser le délicat breuvage. Personne n'a encore jamais compris ce qu'était Mélusine... Si peu que ce soit... Pauvre Mélusine !

– Oui, ce doit être dur... fit un peu distraitement Jim. Très dur pour vous.

Il avait l'esprit ailleurs, essayant de se remémorer comment Carolinus avait opéré pour convertir le vin en lait. Ses souvenirs étaient des plus flous. Espérant donner le change, il avait lui-même bu à peu près une coupe et demie de champagne mais le récipient était trompeur. Il avait une contenance d'au moins une pinte.

Jim se concentra. Ce qu'il fallait, c'était transformer une substance peu enivrante en un liquide qui le serait davantage.

– ... Des siècles et des siècles, marmonnait Mélusine, et ce n'est pas vraiment ma faute. Après tout, quelqu'un comme moi, quelqu'un qui est de sang royal... car j'ai du sang royal dans les veines, tu sais ?

Elle tira sur la manche de Jim pour attirer son attention.

– Du sang royal ? répéta-t-il. Oh ! J'en étais sûr ! Rien qu'à votre allure.

– Absolument. Du sang royal. Je suis la fille d'Elinas, roi d'Albanie. Ma mère était la fée Pressine. Mais il était si cruel... mon père. Tu ne saurais imaginer à quel point. Aussi, j'ai dû l'emprisonner sur une montagne. Enfin quoi ? Qu'aurais-tu fait à ma place ? Je suis sûre que tu l'aurais aussi empêché de nuire. (Elle tirailla à nouveau la manche de Jim.) Tu n'es pas d'accord avec moi ?

Cognac ! songea brutalement celui-ci. Ce fut comme si quelque chose explosait dans son cerveau. Oui ! Transformer le vin en cognac... cela allait de soi. Le cognac n'était-il pas fait à partir du raisin ?

Mélusine s'abandonnait maintenant dans les coussins, plus langoureuse que jamais.

– Tu ne crois pas que nous avons assez bu de vin ? demanda-t-elle.

Elle reposa sa coupe et agita la main. Les petits poissons se rassemblèrent, effaçant toute trace de leurs agapes.

La séduction de Mélusine était alors à son apogée. Jim se rendit à l'évidence : ce serait maintenant ou jamais.

En hâte, il inscrivit la formule derrière son front :

MÉLUSINE/VIN → MÉLUSINE/COGNAC

Mélusine se précipitait dans ses bras...

– Oh ! Je suis tellement seule ! gémit-elle.

Désespéré, Jim ferma les yeux. Trop tard ! Il ne

s'en était pas fallu de beaucoup mais il s'y était quand même pris trop tard. Il avait l'esprit vide. Il ne voyait pas ce qu'il pourrait faire, à présent, pour échapper à son sort. Il resta une interminable minute immobile, attendant stoïquement que Mélusine passe à l'offensive, mais elle ne bougeait pas.

Il ouvrit précautionneusement les yeux.

Elle avait les paupières closes et ses longs cils lui ombraient les joues. On aurait dit une enfant endormie. Quand il lui parla, elle ne réagit pas, ne répondit pas.

Fée ou pas, la transformation en cognac des deux pintes et demie de vin qu'elle avait dans l'estomac avait eu l'effet désiré. Elle était ivre morte...

20

Les poissons s'agglutinèrent anxieusement autour de Mélusine tandis que Jim l'allongeait sur le lit. Ils ne lui prêtaient pas attention – et c'était aussi bien. Il se hâta de prendre la tangente.

A peine avait-il quitté l'enceinte du palais que l'air (ou le pseudo-air) qu'il respirait se mua soudain en quelque chose de différent. C'était maintenant un autre milieu, moitié air et moitié eau. Précipitamment, il inscrivit derrière son front la formule qui ferait de lui une électrode productrice d'oxygène. Aussitôt, l'atmosphère au sein de laquelle il se mouvait devint transparente et des bulles se mirent à jaillir de ses doigts. Il se rendit alors compte que tout son corps le picotait : son épiderme exsudait de l'oxygène depuis la plante des pieds jusqu'au cuir chevelu.

Maintenant qu'il n'était plus en compagnie de Mélusine, il ne lévitait plus mais devait avancer péniblement comme s'il marchait sur un vulgaire sol. Il songea avec appréhension aux bas-fonds limoneux avant de se rappeler non sans soulagement qu'ils n'allaient pas jusqu'au bout du lac. Il obliqua donc pour se diriger vers la rive la plus proche – celle, précisément, d'où Mélusine l'avait fait dégringoler. Là, le fond offrait une surface suffisamment rocheuse, même si la paroi, presque verticale, était inaccessible, pour qu'il puisse poursuivre sa randonnée pédestre jusqu'à l'extrémité du lac où il lui serait enfin possible de sortir à l'air libre.

Ce ne fut qu'une fois parvenu à la zone ravinée hérissée de petites bosses qu'il commença à prendre conscience de la difficulté des choses. Il s'apercevait, en effet, que l'escorte qui l'accompagnait constituait maintenant une menace en puissance.

De petits poissons semblables à ceux qui tenaient le rôle de serviteurs dans le palais de Mélusine avaient commencé à se regrouper autour de lui. Apparemment, seule la bulle d'oxygène qui l'entourait les maintenait à distance. Mais bien qu'ils ne fussent que du menu fretin, ils étaient rien moins que cordiaux. Jim, néanmoins, ne leur prêta guère attention jusqu'au moment où d'autres, bien plus grands, ceux-là, vinrent grossir leurs rangs. Quand il ne fut plus qu'à cinq ou six mètres de la surface, il se trouva cerné, non seulement par la horde de petits poissons mais aussi par des brochets de la taille de celui qu'il avait vu faire des révérences à Mélusine en signe d'allégeance, politesses auxquelles la fée avait répondu par des mamours.

S'il y avait une chose qui ne prêtait pas au doute, c'était leur hostilité. Ils jouaient des mâchoires de l'autre côté de la bulle d'oxygène mais sans pouvoir pénétrer à l'intérieur.

Jim touchait maintenant presque la surface. Bientôt sa tête sortit de l'eau et il constata qu'il n'était qu'à une vingtaine de mètres du bord. Comme il avançait en pataugeant, il rencontra soudain un haut-fond rocheux qu'il n'eut qu'à escalader pour émerger entièrement à l'air libre. En fin de compte, il se retrouva sur la terre ferme, étrangement – et ridiculement – sec de la tête aux pieds tandis que, derrière lui, tout un banc de brochets déçus tournicotaient rageusement le long de la berge.

Dans un premier temps, il éprouva un immense soulagement. Puis l'appréhension s'empara de lui. Après tout, Mélusine n'était pas la première femme venue, ce n'était pas une simple humaine mais un esprit élémentaire. Un être hybride, à tout le moins, si elle avait bien le roi d'Albanie pour père comme elle le prétendait.

Quoi qu'il en soit, il était impossible de dire combien de temps il lui faudrait pour récupérer après avoir ingurgité une telle quantité de cognac. Ni ce que serait sa réaction. Une chose, en tout cas, était sûre : elle aurait une dent sérieuse contre Jim à qui elle ne pardonnerait pas de l'avoir bernée et de lui avoir brûlé la politesse de la sorte. Que ferait-elle ? Toute la question était là.

Resterait-elle simplement au fond de son lac à se morfondre et à ressasser sa rancune en espérant lui rendre un jour la monnaie de sa pièce ? Ou essaierait-elle de se lancer à sa poursuite pour le capturer à nouveau ? Devant ces inconnues, la seule chose intelligente était de déguerpir au plus vite.

L'intention première de Jim avait été de faire un bout de chemin à pied pour se mettre hors de portée de Mélusine, de telle sorte qu'elle ne puisse détecter le dragon qu'il allait redevenir. Mais si elle dormait toujours du sommeil du juste, imbibée de cognac comme elle l'était, il n'y avait pas de raison de retarder le moment de prendre son envol. Aussi se déshabilla-t-il promptement. Il refit son balluchon qu'il suspendit à son cou au moyen d'une boucle assez lâche pour qu'elle ne l'étrangle pas et permuta de corps.

Se retrouver sous la forme d'un dragon lui apporta un sentiment d'euphorie. Il n'y avait pas que l'apparence : il s'identifiait complètement au fabuleux animal. Et si, en tant qu'humain, il avait trop d'imagination pour son propre bien, là, dans sa nouvelle peau, il sentait cette faculté amoindrie. Aussi, le souci qu'il se faisait quant à l'éventuelle réaction de Mélusine s'amenuisait-il considérablement en même temps que l'assurance que lui donnaient sa taille, sa force et sa capacité d'affronter l'imprévu grandissait en proportion.

Au fond, dans son corps de dragon, il était beaucoup plus proche des médiévaux que sous sa forme humaine. Et pour cause !

Mais trêve de réflexions : il était temps de partir. Jim s'élança, déploya ses ailes et s'éleva dans les airs.

Il rencontra des courants ascendants vers six cents mètres et prit alors son essor dans la direction d'Amboise, vers la route d'Orléans à proximité de laquelle se trouvait le château de Malvinne.

L'après-midi était bien avancé. Rien d'étonnant à cela. Le temps avait filé vite en compagnie de Mélusine. Néanmoins, qu'il soit aussi tard n'allait pas sans le désorienter quelque peu. Quel repère avait-il ? En fait, il fallait tenir compte des deux nuits qu'il avait perdues, l'une avec Mélusine et la première chez Sorpil et Maïgra. La distance qu'avait dû parcourir Giles pour arriver à Amboise n'était pas tellement longue. Il était sans aucun doute arrivé à destination et s'était installé dans une auberge. Mais cette heure tardive n'était pas sans conséquence.

Sire Raoul leur avait donné différentes informations sur Amboise et Jim savait que la ville était entourée de remparts comme presque toutes les cités médiévales. Habituellement, cette enceinte n'était rien de plus qu'une haute palissade autour du cœur de la ville avec quelques habitations disséminées hors les murs à leurs risques et périls.

Mais ces fortifications n'étaient pas exclusivement destinées à la défense. Elles servaient aussi à enfermer la population et à contrôler les entrées. Les portes étaient fermées au coucher du soleil, ce qui signifiait que quiconque, homme ou femme, désireux de s'esquiver sans se faire repérer par les sentinelles, était bouclé jusqu'au lever du jour.

De même, ceux qui voulaient pénétrer dans la ville et paraissaient suspects ou dangereux pouvaient être arrêtés aux poternes par les gardes, désarmés et conduits devant les juges qui se prononçaient sur leur sort. De plus, ce système permettait de prélever sur les marchandises qui entraient ou sortaient les taxes dont se repaissait le Trésor public.

Filant à tire-d'aile, Jim allait forcément beaucoup plus vite que Giles, même à cheval. Néanmoins, le soleil ne tarderait plus à se coucher et, une fois les portes fermées, il serait malavisé d'essayer de franchir l'enceinte de la ville. N'importe qui pourrait repérer un dragon volant.

S'il ne pouvait arriver avant la fermeture des portes, le plus sage serait de passer la nuit en rase campagne. Quand il ferait jour, il reprendrait son apparence humaine et n'aurait plus qu'à se mêler à ceux qui entraient dans la ville et en sortaient. Il avait déjà mis au point une histoire en vue d'une éventualité de ce genre. Ses vêtements étaient trop luxueux pour un simple homme d'armes mais il pouvait prétendre être un chevalier dont le cheval avait été blessé ou était mort d'une façon ou d'une autre. Ses gens l'avaient devancé d'une journée, ajouterait-il. Il pourrait même donner le nom de sir Giles mais ce ne serait probablement pas nécessaire. Avec cette explication, plus l'indispensable pot-de-vin, il ne devrait pas rencontrer de difficultés. Pour franchir les portes d'une ville, on payait une taxe ou on soudoyait les gardes qui ne tardaient pas à vous oublier. Une fois dans la place, Jim n'aurait plus qu'à se mettre en quête de Giles, ce qui ne poserait pas de problème insurmontable.

Jim en était à ce point de ses réflexions quand il songea brusquement que la circonspection s'imposait. Cela faisait un moment qu'il survolait la route d'Amboise en toute confiance, assuré qu'à l'altitude à laquelle il se trouvait il passerait inaperçu. Tout au plus le prendrait-on pour un oiseau. En revanche, si jamais quelqu'un l'observait avec attention, il ne manquerait pas de constater qu'il avait bel et bien affaire à un dragon. Puisque, en tout état de cause, ses chances de franchir les portes de la ville avant le coucher du soleil étaient on ne peut plus réduites, le plus sage serait peut-être de se poser, de reprendre forme humaine, de se rhabiller et de poursuivre son chemin à pied jusqu'à ce que la nuit tombe. Alors, sous le couvert de l'obscurité, il pourrait se remétamorphoser en dragon. Ces derniers se moquaient comme d'une guigne de ces détails insignifiants qu'étaient la baisse de la température ou une averse inopinée. Ils pouvaient dormir douillettement en plein air. Jim passerait ainsi une bonne nuit de sommeil et, à l'aube, il revêtirait son apparence humaine pour reprendre la route et se fondre dans la foule qui se presserait aux portes d'Amboise.

D'ailleurs, être parmi les premiers arrivants ne serait peut-être pas une mauvaise idée. A cette heure matinale, les gardes auraient quantité de gens à contrôler et voudraient se débarrasser d'eux le plus vite possible après les avoir allégés de tout ce qu'ils pouvaient leur extorquer sous forme de droits de péage.

Jim devait avoir maintenant une barbe de deux jours : cela confirmerait ses dires. Il se faisait fort d'enjoliver son récit... Ayant au cours de son périple aperçu une bête sauvage, il avait pensé pouvoir l'abattre à l'épée ou à la lance. Il avait alors chargé, mais son cheval s'était rompu une jambe et force lui avait été de l'achever...

Sa décision prise, Jim chercha un bouquet d'arbres à l'abri duquel il opéra sa métamorphose et, redevenu sir James Eckert, chevalier dragon, il reprit à pied la route de la ville qui, d'après ce qu'il avait pu voir du haut des airs, devait être distante d'environ cinq miles.

Une route qui ne méritait pas qu'on se relève la nuit. En cette période de l'année, elle était sèche et poussiéreuse mais aussi creusée de profondes ornières et semée de nids-de-poule. Jim n'avait pas de mal à les contourner et il aurait même été possible à un cheval de les éviter mais un attelage n'aurait pas été à la noce. Et pourtant, des attelages devaient sans aucun doute emprunter régulièrement cette voie qui allait jusqu'à Paris.

Jim n'avançait pas aussi vite qu'il l'avait escompté et il dut se rendre à la raison : il ne lui fallait pas espérer atteindre Amboise avant la fin du jour. Aussi se mit-il en devoir de chercher un coin où il pourrait passer la nuit roulé en boule après avoir repris sa défroque de dragon. Un peu plus loin, la route s'incurvait pour s'enfoncer dans les profondeurs d'un bois touffu. Il constata non sans une certaine surprise que sa surface s'aplanissait brusquement. Ce tronçon était parfaitement entretenu.

Il avait pénétré dans le bois, trouvant l'endroit idéal pour s'arrêter quand un tintement de cloche parvint à ses oreilles. Il était encore trop loin d'Amboise pour que ce carillon provienne du beffroi d'une des églises de la ville. Intrigué, il pressa le pas. La cloche continuait de sonner, toute proche. Quelques instants plus tard, Jim émergea du sous-bois, maintenant plus clairsemé. Devant lui, baignée dans la lumière rougeoyante du soleil à son déclin, s'étendait une clairière sur laquelle se dressait un ensemble massif de constructions en pierre. Devant l'une de ces bâtisses surmontée d'un toit pentu s'avançait une file d'hommes en robe brune, les mains cachées dans leurs manches.

A leur tête marchait un personnage corpulent coiffé de son capuce, une crosse dans la main droite. Un homme filiforme et de plus petite taille le précédait, portant un crucifix qui devait sûrement être en or car il réfléchissait les derniers feux du soleil et brillait d'un éclat éblouissant sur l'arrière-plan sombre du mur.

Jim s'immobilisa. Ce qu'il avait devant les yeux n'était autre qu'un monastère. C'était l'heure de la prière et les moines allaient chanter vêpres.

Le couchant, ces bâtiments solides, le rectangle obscur de la porte béante, la lente procession des religieux et le tintement lent et régulier de la cloche faisaient inopinément vibrer une corde en lui. La route qu'il avait suivie menait à cette abbaye pour s'en éloigner ensuite. C'était comme si cet instant et cette vision étaient l'image de la retraite loin du monde sanglant que l'Eglise médiévale était seule à offrir à cette époque.

Jim se sentit fugitivement fasciné par ces silhouettes en robe de bure. Il ne s'était jamais senti de vocation pour être moine mais il comprenait profondément, et pour la première fois, comment un homme de ce temps pouvait désirer tourner le dos au reste du monde et se cloîtrer dans ce sanctuaire retiré dont l'entrée était refusée aux porteurs de guerre et aux Noires Puissances.

Subjugué, il resta immobile à contempler ce spectacle jusqu'à ce que le dernier moine eût disparu derrière la porte refermée. A sa gauche, le soleil basculait derrière l'horizon. Revenant sur ses pas, il reprit la route qui le reliait au monde. Bientôt, ce fut la fin du tronçon bien entretenu et Jim retrouva la chaussée défoncée, ses ornières et ses nids-de-poule.

21

Quelques minutes après avoir quitté le monastère et repris la route, Jim arriva à un boqueteau en bordure d'un vaste espace dégagé comme il en existait pour des raisons d'ordre stratégique autour de tous les châteaux et demeures de quelque importance. De là, on apercevait Amboise.

Les portes de la ville étaient fermées.

Jim avait beau s'y être attendu, il n'en éprouva pas moins de l'irritation à l'idée qu'il allait lui falloir perdre encore une nuit. Mais comme il n'y avait aucune solution, il quitta la route en quête d'un coin où il pourrait dormir tranquille.

Les taillis s'avéraient trop clairsemés pour lui assurer une cachette et une protection suffisantes, aussi revint-il sur ses pas pour regagner le bois jouxtant le monastère. Là, les arbres étaient assez denses pour qu'il soit à l'abri et il jugea inutile d'attendre plus longtemps pour se métamorphoser.

Une fois redevenu dragon, Jim se sentit à l'aise. L'obscurité n'était plus un handicap. En outre, ses sens étaient aiguisés et ses pattes, plus adaptées au sol, ce qui lui permettait de pénétrer facilement dans la profondeur de la futaie. Enfin grâce à son épaisse peau écailleuse, il pouvait maintenant traiter par le mépris les branches qui le fouettaient au passage.

Quand il eut ainsi parcouru une certaine distance, il tomba en arrêt devant une sorte d'éperon rocheux haut d'une trentaine de mètres. Il recula un peu afin d'avoir suffisamment d'espace pour déployer ses ailes et prit son essor. Un instant plus tard, il se posait au sommet. La cime du rocher, qui surplombait les arbres environnants, était relativement horizontale. Le temps et les intempéries l'avaient usée, y creusant une espèce de cuvette naturelle où Jim pourrait se pelotonner, ce qu'il se mit en devoir de faire sans plus tarder.

Confortablement installé en dépit de la dureté de la pierre dont se riait son épiderme squameux, il ajusta sa vision télescopique de dragon pour promener un regard somnolent sur Amboise dont les lumières commençaient à scintiller. La ville lui sembla plus proche qu'elle ne l'était en réalité. Il avait l'impression qu'elle se trouvait tout près du pied de l'aiguille rocheuse en haut de laquelle il était perché. C'est alors qu'une voix retentit soudain :

– Qu'est-ce que tu fais là ?

C'était la voix d'un dragon.

Jim, qui commençait à s'assoupir, sursauta. Il regarda en bas. Malgré l'obscurité, il distingua la silhouette ailée qui s'accrochait au piton rocheux une quinzaine de pieds au-dessous de lui. On aurait presque dit une chauve-souris collée à la paroi d'une grotte.

– Et toi-même ? rétorqua Jim du tac au tac.

– J'ai le droit d'être ici, riposta l'autre. Je suis un dragon français. Et tu es sur mon territoire.

La mauvaise humeur de Jim, toujours prompt à relever un défi, monta de quelques crans.

– Je suis hôte de ton pays. J'ai laissé mon passeport à deux dragons français du nom de Sorpil et de Maïgra qui l'ont accepté...

– Nous sommes au courant...

Jim l'interrompit, agacé :

– Donc, tu sais que cela me donne la liberté d'aller et venir à mon gré dans ton pays. Je n'ai pas à t'entretenir de mon objectif. C'est mon affaire. Et d'abord, qui es-tu pour me questionner de la sorte ?

– Peu importe. (La voix de son interlocuteur était indéniablement plus aiguë que celle de Jim et, pour autant que ce dernier pût s'en rendre compte, il était considérablement plus petit.) Quoi de plus naturel pour un dragon français que de vouloir connaître tes intentions ?

– C'est peut-être naturel mais je crains fort que tu ne sois déçu. C'est mon affaire, je te le répète, et cela ne regarde personne d'autre, à commencer par toi.

Il y eut un long silence. Jim attendait que le dragon ajoute quelque chose... Une question de plus et il fondrait sur l'indiscret, il n'en demandait pas davantage. Mais la réaction de l'autre ne fut pas celle qu'il espérait et il resta sur sa faim.

– Tu regretteras d'avoir adopté cette attitude inamicale et refusé de me répondre, laissa en effet tomber le dragon. Attends seulement un peu et tu verras !

Sur quoi, il battit des ailes et disparut dans la nuit.

Il fallut plusieurs minutes à Jim pour recouvrer son calme. Ses émotions, une fois stimulées, ne s'apaisaient pas aussi aisément que sous sa condition humaine. Il reporta son attention sur Amboise pour cesser de penser à cette conversation mais l'adrénaline qu'elle avait fait gicler dans ses veines l'aiguilla dans une mauvaise direction.

Ce piton au faîte duquel il avait élu domicile, se prit-il à songer, n'était pas l'endroit idéal pour se reposer en toute sécurité. En revanche, c'était un excellent point stratégique. De là, il pouvait plonger droit sur la ville et s'emparer d'un appétissant petit morceau de georges qu'il ramènerait pour s'en repaître tout à loisir.

Se rendant brusquement compte de ce que cette pensée avait d'odieux, il se hâta de la repousser. Il n'avait jamais considéré les georges comme des denrées alimentaires à l'usage des dragons ; d'ailleurs, il était convaincu qu'il ne pourrait jamais se faire à l'idée de se nourrir d'un être humain. Toutefois, sous sa forme de dragon, il avait dévoré tout cru des bêtes fraîchement massacrées, n'en laissant que les os et les sabots. Il s'en était régalé. Et il avait la désagréable certitude qu'un dragon normal pouvait trouver la chair d'un être humain non moins savoureuse. La seule raison pour laquelle les dragons ne chassaient plus les georges restait leurs craintes devant les ennuis engendrés par cette chasse à l'homme.

Ils préféraient par-dessus tout mener une vie aussi facile que possible. Si, le cas échéant, une bonne bataille n'était pas pour leur déplaire, chercher la bagarre leur rapportait généralement trop de désagréments. De plus, la plupart d'entre eux avaient acquis au cours des siècles un respect salutaire à l'endroit des georges et de ce qu'ils étaient capables de faire, même quand il n'y avait pas encore de chevaliers armés de lances. D'abord, le nombre des georges était trop élevé.

L'assoupissement commençait à nouveau à gagner Jim, ce qui n'avait rien d'extraordinaire pour un dragon. Ce dernier aimait boire, manger et dormir... un comportement normal. Les yeux de Jim se fermèrent alors et il sombra dans un profond sommeil.

Les premières lueurs annonciatrices de l'aube le réveillèrent. Rien de surprenant à cela. En haut du promontoire sur lequel il avait jeté son dévolu, il avait une vue imprenable sur l'horizon. A l'est, audelà de la ville, le ciel commençait à s'éclaircir. Et comme tous les dragons robustes et vaillants, il s'ébroua aussitôt, parfaitement frais et dispos, sans éprouver la moindre lourdeur ni la moindre ankylose bien qu'il eût passé toute la nuit roulé en boule.

Il avait faim et soif mais c'était sans importance pour un dragon habitué à passer parfois de longues périodes sans manger et sans boire faute d'avoir quelque chose à se mettre sous la dent.

Jim regagna le sol, reprit son apparence humaine, s'habilla et se remit en marche, direction Amboise. Une vingtaine de minutes plus tard, il était aux aguets derrière un rideau d'arbres un peu à l'écart de la route, les yeux fixés sur les portes de la ville. Trente ou quarante personnes et une ribambelle de charrettes et d'animaux de trait faisaient déjà la queue.

Le soleil poursuivait son ascension dans le ciel mais les portes demeuraient obstinément closes. C'était prévisible. Les gardes les ouvriraient quand ils le jugeraient bon, c'est-à-dire lorsque les commerçants locaux et certains notables risqueraient de protester sous prétexte que des clients ou des fournisseurs potentiels étaient retenus derrière les remparts. Passé un certain stade, le désir de ne pas provoquer la colère de personnalités aurait raison de leur indolence naturelle.

Une demi-heure plus tard, alors que le soleil était déjà haut sur l'horizon, les battants de l'une des portes commencèrent à pivoter. Quittant le rideau d'arbres qui le dissimulait, Jim regagna la route et s'approcha d'un bon pas. Les gardes commençaient à filtrer les premiers arrivants. Jim avait eu le temps de réfléchir à l'attitude qu'il conviendrait d'adopter et il avait fait son choix : il s'en tiendrait au rôle du chevalier privé de cheval dont les pieds se ressentaient douloureusement de la marche forcée qui leur avait été imposée.

On s'entassait ferme devant la porte et une bande de manants comme celle-là était sans commune mesure avec une foule telle qu'on pouvait la concevoir au XXe siècle. Foin de politesses ! Profitant de sa taille et de son poids, Jim se rua là où la cohue lui semblait le moins dense avec l'élan d'un demi d'ouverture.

– Place, croquants ! braillait-il tout en fonçant dans le tas, l'épaule en avant. (Pas un seul de tous ces gaillards n'atteignait sa taille mais devant quelques-uns, plus solidement bâtis, il ne faisait pas le poids. Et, dans le cas présent, le poids, justement, avait son importance !) Eh toi, mon brave ! Viens voir un peu ! fit-il au garde.

Ceux qu'il avait bousculés se retournèrent vivement mais s'effacèrent en s'entendant traiter de « croquants ». Le garde, qui attendait qu'un individu aux vêtements blancs de farine tenant par le licol une mule attelée à une charrette s'acquitte de son dû, pivota sur lui-même, l'air indigné. Mais l'allure de celui qui l'interpellait, ajoutée au caractère dissuasif de son épée et de sa dague, le ramena à de meilleures intentions.

– Laisse-moi passer, et vite ! fit Jim d'une voix sèche en se précipitant sur le factionnaire qui s'écarta, obséquieux, devant lui. Avec vos foutues routes et vos foutus champs, mon cheval, une bête de toute beauté, s'est brisé la jambe et j'ai passé cette foutue nuit dans vos foutus bois ! Tiens, mon brave – laisse-moi entrer !

En même temps, il lança à l'homme un écu d'argent – libéralité outrancièrement exagérée dans ces circonstances mais il n'avait pas sur lui de pièces de moindre valeur et espérait que le garde verrait dans une pareille prodigalité la preuve que ce gentilhomme, ayant perdu un cheval et passé la nuit à la belle étoile, n'avait plus sa tête à lui.

– Merci, monseigneur, grandement merci à vous, dit la sentinelle en faisant immédiatement disparaître la pièce dans son poing fermé.

Rien ne lui permettait de deviner si Jim avait ou non ses quartiers de noblesse, mais lui donner ce titre ne pouvait faire aucun mal, alors que l'offenser en ne le traitant pas comme son rang l'exigeait peut-être aurait, au contraire, risqué de lui causer grand dommage. Jim l'écarta d'un coup d'épaule et, dans la seconde qui suivit, franchit la porte.

Une demi-minute plus tard, il tourna dans une rue et fut définitivement hors de vue.

C'était une rue si étroite que s'il avait écarté les bras, il aurait pu toucher des deux mains les hauts murs lépreux qui la bordaient. Le sol disparaissait sous une couche d'immondices de toutes sortes qui le recouvraient. Au bout de quelque temps, Jim finit par arriver au coin d'une ruelle dans laquelle il s'engagea, pensant qu'elle le mènerait jusqu'au cœur de la ville. Mais elle faisait tant de tours et de détours que, lorsqu'il prit une nouvelle fois à gauche, il retomba dans une autre ruelle, tout en longueur, celle-là, et il lui fallut errer un bon moment avant de trouver une voie relativement large et correctement entretenue. De toute évidence, il avait tourné en rond : c'était la grand-rue qui partait de la porte par laquelle il était entré mais, heureusement, personne ne pouvait plus le voir maintenant.

Il avait besoin de renseignements pour mettre la main sur Giles. Le mieux serait de dénicher une boutique quelconque et de voir si son propriétaire pourrait lui indiquer un guide qui le conduirait dans les diverses auberges de la ville.

Jim poursuivit donc son chemin. Il finit par entrer dans une cordonnerie et engagea des pourparlers avec le propriétaire pour le convaincre de lui prêter un de ses commis moyennant finance. L'expérience lui avait appris qu'il était préférable d'avoir pour cicérone un employé pltôt que quelqu'un qu'on siffle dans la rue. Le plus souvent, en effet, ce genre d'individus était en cheville avec le commerçant et il s'agissait d'un traquenard destiné à dépouiller, voire à assassiner, le naïf sans méfiance. Mais un commis représentait généralement une certaine valeur pour le boutiquier et, en agissant de cette manière, il y avait moins de risques de tomber dans une embuscade.

Là encore, il convenait de le prendre de haut. Jim proféra donc force jurons, martela le comptoir du poing, bref, fit l'impossible pour se comporter en butor afin de donner au cordonnier l'impression qu'il se trouvait en présence d'un personnage de haut rang et de fort méchante humeur. Il jugea sa prestation tout à fait réussie.

Il savait que l'autre tirerait deux conclusions de cette attitude. Premièrement, qu'au moindre soupçon de provocation son interlocuteur tirerait l'épée du fourreau. En second lieu, qu'il avait peut-être bien sur place des amis influents susceptibles de lui causer, à lui, un tort considérable.

La petite comédie marcha à merveille. Toute la ville savait, semblait-il, que des Anglais venaient d'arriver, dont un de petite taille arborant une luxuriante moustache aux crocs retroussés, ornement qui, à cette époque où les chevaliers étaient glabres, valait à lui seul toutes les pièces d'identité. Ces Anglais étaient descendus dans la plus grande auberge qui affichait maintenant complet parce qu'ils étaient accompagnés de « serviteurs de mine féroce » (*dixit* le maître bottier), si nombreux, d'ailleurs, qu'il avait fallu loger la plupart d'entre eux dans des granges, voire chez l'habitant. Le cordonnier ne connaissait pas leur nom mais il savait que l'un de ces Anglais avait un chien, très gros et très sauvage, qu'il avait manifestement amené avec lui pour que cet animal garde sa chambre et ses biens. Encore qu'une telle précaution, ajouta l'artisan, était superfétatoire à Amboise. C'était presque une insulte pour la ville. Mais, d'un autre côté, que pouvait-on attendre de seigneurs de haut rang ? Particulièrement quand lesdits seigneurs venaient de... c'est-à-dire...

Le cordonnier parut se rappeler brusquement que ce n'était pas à un compatriote mais à un autre de ces Anglais, justement, qu'il s'adressait. Laissant sa phrase inachevée, il se mit à tempêter contre son apprenti qui faisait attendre le gentilhomme au lieu de lui montrer le chemin toutes affaires cessantes. Le jeune garçon sortit alors en hâte et conduisit Jim à l'auberge en question.

Extérieurement, celle-ci ne différait en rien des échoppes devant lesquelles, l'un suivant l'autre, tous deux étaient passés et que l'on ne remarquait qu'en raison de leur porte entrebâillée, destinée à signaler qu'elles étaient ouvertes.

La porte de l'auberge était à moitié ouverte, elle aussi. Jim la poussa et entra sans glisser de pourboire à l'apprenti et sans lui donner congé : il tenait d'abord à s'assurer que c'était effectivement la bonne auberge, ce que lui confirma le tenancier qui se précipita pour l'accueillir – un homme aussi grand que Jim mais très maigre et qui portait la moustache. Pas une fière moustache en guidon de vélo comme celle qu'arborait Giles : une moustache noire, tout en longueur et peu fournie, dont les pointes retombaient de part et d'autre de sa bouche, qu'il avait large. Non seulement sir Giles était bien ici, déclara le tavernier, mais l'autre chevalier aussi.

– Et quel est le nom de cet autre chevalier ? demanda Jim.

– Sir Brian Neville-Smythe, Votre Seigneurie. Il semble qu'ils soient amis et ils attendent un autre compagnon. Votre Seigneurie serait-elle le baron James de Bois de Malencontri ?

– Lui-même, répondit Jim qui oublia presque d'afficher la morgue hautaine qu'il jugeait de rigueur tant il était heureux que Brian soit bien arrivé – manifestement avec l'escorte qui devait l'accompagner – et l'attende avec Giles. Conduisez-moi immédiatement auprès d'eux.

– Certainement, dit l'aubergiste en se dirigeant vers l'escalier.

– Oh ! Donnez donc un pourboire à ce garçon. Vous le mettrez sur ma note.

L'hôtelier s'exécuta, puis montra à Jim le chemin de la chambre du premier étage où logeaient ses amis.

Les retrouvailles furent tumultueuses. Giles et Brian l'accueillirent comme un frère depuis longtemps disparu. Dans les premiers temps, les bruyantes démonstrations de joie dont les gens de cette époque se montraient prodigues après une séparation d'un jour ou deux n'avaient pas été sans étonner quelque peu Jim. Mais il avait fini par comprendre que, dans ce siècle, deux personnes que les circonstances séparaient avaient de fortes chances de ne plus jamais se revoir. La mort était une éventualité beaucoup plus proche que dans le monde moderne. Une chose aussi banale que se rendre dans une ville voisine pouvait se solder par la disparition définitive, accidentelle ou autre, du voyageur.

Il s'était finalement fait à cette coutume – aux embrassades enthousiastes et aux inéluctables réjouissances qui s'imposaient apparemment en de telles occasions. Il fut tellement accaparé par les effusions tapageuses auxquelles se livrèrent Brian et Giles pour lui souhaiter la bienvenue qu'il remarqua à peine l'énorme et noir quadrupède confortablement installé sur le paquetage ventru de Brian.

– Mais c'est Aragh ! s'exclama-t-il soudain.

Aragh ouvrit les yeux et souleva à moitié sa tête.

– Qu'est-ce que tu t'attendais à trouver, James ? grogna-t-il. Un petit loulou à sa mémère ?

– Euh... non. C'est seulement que je suis content de te voir. Mais...

– Et maintenant, tu vas me demander ce que je fais ici, c'est ça ?

– Oui, en effet, reconnut Jim.

Jim se préparait à s'expliquer plus avant mais Aragh lui coupa à nouveau la parole :

– Eh bien, abstiens-t'en.

Sur quoi, le loup referma les yeux et laissa retomber sa tête sur son poitrail.

Jim se tourna vers ses deux amis et regarda Brian qui secoua la tête avec un imperceptible haussement d'épaules. Apparemment, il n'en savait pas plus long que lui. Inutile, par conséquent, d'essayer d'en apprendre davantage pour le moment. On s'assit autour de la table – Giles avait, entre-temps, commandé l'inévitable cruchon de vin – et ses compagnons entreprirent de lui rendre compte de leurs faits et gestes respectifs.

Après l'avoir quitté, Giles avait donc pris la route d'Amboise. Le voyage, sans histoires, avait duré une journée et demie. Trois heures à peine après son installation à l'auberge, il y avait soudain eu un grand remue-ménage au-dehors et il était descendu voir ce qui se passait : c'était Brian qui arrivait à la tête de leurs hommes.

Comme de juste, l'entrée d'une pareille troupe en armes dans les murs de la bonne ville d'Amboise avait causé une agitation considérable, et ce d'autant qu'il s'agissait de soldats non pas français mais anglais. Il est vrai que les honnêtes citoyens du lieu avaient tendance à voir d'un mauvais œil tous ceux, quels qu'ils fussent, dont le métier était de faire la guerre.

– Le tumulte a commencé aux portes, dit Brian, prenant le relais de Giles. Mais il n'y avait que quatre gardes et si peu délurés qu'ils ne nous ont remarqués qu'une fois que nous fûmes arrivés sur eux.

Aussi, nous n'avons eu qu'à remonter la rue principale jusqu'à ce qu'on cravate quelqu'un pour l'obliger à nous indiquer l'auberge la plus grande et la mieux fournie de la ville.

– Je vois ça d'ici, dit Jim, d'un air entendu.

– Alors, la pagaille a recommencé de plus belle, poursuivit Brian. On était beaucoup trop nombreux : impossible de loger tout le monde dans l'auberge, même en utilisant les communs. Heureusement, l'hôtelier... vous l'avez vu ?

– Oui, il m'a dit que vous étiez là tous les deux et il m'a montré votre chambre.

– C'est un gaillard qui ne paie pas de mine mais il faut reconnaître qu'il n'a pas les deux pieds dans le même sabot. Ou je me trompe fort, ou il a porté les armes dans sa jeunesse. En tout cas, contrairement aux autres, il n'a pas perdu la tête. Il s'est débrouillé pour que le moindre d'entre nous soit hébergé et s'est organisé pour qu'il y ait du ravitaillement en suffisance. Ensuite, il m'a conduit auprès de Giles.

– Et ça m'a fait rudement plaisir de le voir, reprit ce dernier en retroussant sa moustache d'un air béat. On est maintenant un petit détachement suffisant pour flanquer une bonne tripotée à n'importe quelle bande de Français qui auraient l'idée de chercher la bagarre. Du coup, j'ai pensé que vous ne deviez pas être très loin derrière lui. Et, par saint Cuthbert, vous voilà, James !

– Oui. Et heureux d'être avec vous deux. (Jim dévisagea Brian.) Pour dire la vérité, je n'espérais pas vous retrouver si vite, vous et votre escorte, ami Brian. A propos, de combien d'hommes se compose-t-elle ?

– Trente-deux. Mais j'attends John Chester et John Seiver avec des renforts. Je n'ai emmené que des gens aguerris, y compris votre nouvel écuyer, Theoluf. Si nous vous avons rejoint aussi rapidement, c'est parce que la troupe a pu s'embarquer peu de temps après votre départ. Et pour cela, nous devons remercier...

Jim leva la main.

– Aragh, fit-il en posant les yeux sur le loup apparemment endormi. Est-ce que quelqu'un risque de nous entendre grâce à un trou percé dans le plancher, un tuyau dans le mur ou quelque chose de ce genre ?

– En dehors de vous trois, il n'y a personne de votre acabit dans un rayon de douze bonnes longueurs de loup à la ronde, répondit l'animal sans même ouvrir les yeux.

– Merci, Aragh. (Jim revint à Brian.) Néanmoins, je pense qu'à partir de maintenant il faudrait peut-être mieux éviter de prononcer à haute voix le nom de certaines personnes ou de certains lieux. Il se peut qu'il n'y ait pas d'oreilles indiscrètes mais jouer la prudence ne saurait nous faire de mal.

– Vous avez parfaitement raison, James. (Il y avait une touche d'admiration dans la voix de Giles.) Toujours est-il que nous avons pu arriver à Amboise les premiers. Maintenant, vous savez tout.

– Moi, j'étouffe dans cette boîte. (C'était Aragh qui avait parlé mais quand Jim se tourna vers lui, il était toujours couché, immobile et les yeux clos.) Quand est-ce que nous nous en allons d'ici ?

– Existe-t-il une raison qui nous empêcherait de partir demain ? demanda Jim à ses compagnons.

Giles et Brian hochèrent la tête en guise de réponse.

– Il y a quand même des points dont il nous faut nous entretenir, James, dit le second. Vous vous rappelez le conseil que nous a donné notre ami commun ? Que je couvre vos arrières avec mes hommes. Là-bas, cette recommandation lui a sans doute paru tout à fait judicieuse. Mais je suis à présent d'avis de laisser nos hommes en arrière-garde sous le commandement de leurs chefs actuels, y compris ceux que j'ai amenés avec moi – à l'exception d'un seul qui nous sera fort utile et qui ne saurait d'ailleurs en aucun cas rester derrière nous. Nous devrions donc, à mon sens, partir tous les cinq en éclaireurs. Nous en avons déjà discuté, sir Giles et moi, et nous pourrons vous fournir nos raisons lorsque nous serons à cheval et libres de parler à cœur ouvert.

– Tous les cinq, c'est-à-dire en comptant Aragh, précisa sir Giles.

– Absolument... en comptant Aragh, laissa tomber l'intéressé.

– Aragh, bien entendu, se hâta d'approuver Jim. Mais ajouta-t-il en regardant Brian d'un air intrigué, qui est le cinquième ?

– Vous êtes passé devant lui en bas quand vous avez traversé la salle commune mais il a facilement pu échapper à votre attention. Il aime rester dans son coin et c'est sous bien des rapports un homme tranquille. Il s'agit de notre ami l'archer gallois.

22

– Dafydd ? s'exclama Jim avec incrédulité.

Brian et Giles demeuraient impassibles. Jim sut que ce serait auprès de son ami gallois et de lui seul qu'il éluciderait la raison de sa présence en France. Il serait d'ailleurs inutile de le questionner. Dafydd ne parlerait que lorsqu'il en ressentirait le besoin. Pour l'instant il convenait de fêter leurs retrouvailles comme il se devait.

Ce ne fut que le lendemain, alors qu'ils faisaient route vers Blois et le château de Malvinne, que l'archer se confia à Jim.

La température s'était un peu rafraîchie mais c'était encore une chaude journée d'été. Il n'avait pas plu depuis deux semaines et la campagne s'en ressentait. Quelle poussière sur la route ! Les trois chevaliers, côte à côte, avançaient en tête, chacun suivi de son destrier dont il tenait la bride, et Dafydd, à qui l'on avait donné un cheval, fermait la marche. Il n'avait plus le bras en écharpe et portait son arc et son carquois à l'épaule. Un ballot contenant ses affaires personnelles, y compris les outils qui lui servaient à façonner ses flèches, était fixé au troussequin de sa selle. Attachés à une longe, les trois chevaux de bât lui emboîtaient le pas, chargés de bagages et de vivres.

Aragh s'était évanoui dans la nature dès l'instant où ils étaient sortis de la ville. Jim ne lui en faisait pas grief. Il savait à quel point le loup détestait être enfermé. Après les quelques nuits qu'il avait passées claquemuré au milieu du vacarme et des remugles de l'auberge, il était plus que compréhensible qu'il ait eu soif de solitude. Jim était sûr qu'il les rejoindrait, sinon ce soir au bivouac, du moins d'ici un jour ou deux. En tout état de cause, il les retrouverait une fois qu'ils auraient dépassé Blois et approcheraient du château de Malvinne.

Sentant le moment propice, Jim avait alors demandé à Giles et à Brian de l'excuser et après avoir ralenti l'allure, il avait de lui-même entamé le dialogue avec Dafydd.

– Pardonnez-moi si je n'ai pas pris le temps de vous parler plus tôt, commença-t-il quand le Gallois fut à sa hauteur. Je ne saurais vous dire combien je suis heureux que vous soyez des nôtres.

– En vérité, vous me réconfortez, répondit Dafydd de sa voix douce. Je ne peux que me féliciter du fait que l'un d'entre vous, au moins, se déclare satisfait de ma présence.

– Est-ce à dire que vous ne l'êtes pas vous-même ?

– Je me le demande. Je suis attiré, je ne le nierai point, et je l'ai toujours été, par les lieux que je ne connais pas et par les gens qui ont la réputation d'être passés maîtres dans le maniement de l'arc ou de l'arbalète. De n'importe quelle arme d'ailleurs, dès lors que son usage est considéré comme un art. De là à penser que je suis heureux d'être ici... Je suis en proie à diverses émotions, sir James, et, en vérité, incapable de définir les sentiments qui m'habitent.

– Il est en effet parfois difficile d'apprécier une situation, rétorqua Jim. Je peux vous en parler d'expérience. Mais, en général, c'est de courte durée. L'une des tendances finit par prendre le dessus et il n'y a plus contradiction.

– Je ne crois pas que ce sera le cas en ce qui me concerne. Dans la mesure où la cause de mes tourments se trouve en Angleterre, je doute fort que le problème se résoudra ici, en France. Cela dit, sir James, vous et ces deux estimables chevaliers êtes de bons amis et de vaillants compagnons. Aussi, je ne regrette pas d'être avec vous.

– Voilà qui fait plaisir à entendre ! Si jamais je suis en mesure de vous aider, n'hésitez pas à me le demander.

– Je n'y manquerai point. D'ailleurs...

Dafydd s'interrompit, songeur. Brian et Giles avaient quelque peu accru leur avance et un petit nuage de poussière s'élevait maintenant entre les deux groupes. La distance qui les séparait, ajoutée au martèlement des sabots de leurs chevaux, ne permettait pas aux deux chevaliers de percevoir leur conversation.

– Vous pouvez peut-être, en effet, me donner un conseil qui me serait profitable, reprit alors Dafydd.

– Je suis à votre entière disposition.

Dafydd décocha à Jim un coup d'œil en coulisse.

– Nous sommes, vous et moi, des hommes mariés, n'est-ce pas ? Je n'ai nullement la présomption d'oublier votre rang et votre qualité, sir James, mais c'est là un point commun entre nous, n'est-il pas vrai ?

– Bien sûr. Mais qu'il ne soit pas question de rang et de qualité entre nous, Dafydd. Nous sommes trop vieux amis pour que des détails de ce genre entrent en compte.

– J'aime vous entendre tenir ce langage et vous en sais gré. Je vais donc vous poser une question.

N'arrive-t-il pas que vous vous sentiez déconcerté devant dame Angela ?

Jim éclata de rire.

– Souvent, répondit-il.

– Danielle me plonge dans une grande perplexité. Et pas pour des raisons futiles, comprenez-moi bien. A la minute ou presque où je l'ai vue pour la première fois, je lui ai fait sans réserve don de mon cœur. Dès lors, je lui ai appartenu tout entier – cœur, corps et âme. Et j'étais prêt à jurer qu'il en allait de même pour elle et que nous ne pouvions donc être l'un et l'autre plus amoureux et plus heureux que nous l'étions. Oui, c'était le cas encore un mois ou deux avant que vous ayez quitté l'Angleterre. Et puis s'est ouverte une période étrange où, j'ignore pourquoi, j'ai eu l'impression d'être incapable de lui donner satisfaction.

Dafydd se tut. Il gardait les yeux fixés sur les oreilles de son cheval.

– Continuez, finit par lui dire Jim comme le silence s'éternisait. Enfin... si vous le voulez.

– Oui, je le veux parce que je me heurte à quelque chose qui dépasse ma compréhension. Jusqu'ici, ma vie avait toujours été une route sans obstacles s'étendant toute droite devant moi. Si j'avais besoin d'une chose ou d'une autre, qu'il s'agisse de façonner un arc, d'empenner une flèche ou de faire mouche sur une cible, j'étais capable d'assumer mes devoirs. Quand j'ai rencontré Danielle, la seule difficulté fut de lui avouer mon amour. Néanmoins j'ai eu le courage de parler. Dès lors j'aurais juré que tout serait parfait entre nous.

Jim fut tenté de l'interrompre, mais, à la réflexion, il jugea préférable de patienter. Dafydd se confierait à lui comme il l'entendait et à son propre rythme. Un bon moment s'écoula avant que le Gallois, exhalant un profond soupir, reprenne la parole :

– Je reconnais que j'ai peut-être plus ou moins laissé entendre, au début, que je souhaitais aller en

France. Je voulais voir si j'y trouverais des maîtres archers dignes de moi, car depuis un certain temps, je n'ai plus le moindre effort à fournir pour l'emporter sur tous ceux que j'affronte. Je ne me rappelle pas exactement mes propos mais je suis sûr d'avoir insisté sur le fait que Danielle passait avant tout, y compris mes activités d'archer. Et si mon départ devait lui déplaire, j'étais prêt à y renoncer. Et puis, il y a environ un mois, j'ai eu l'impression que mes faits et gestes sonnaient faux... Et qu'en conséquence je n'étais plus un soutien pour Danielle mais plutôt un handicap, vous comprenez ?

– Oui, murmura Jim pour encourager Dafydd à poursuivre.

– Nous sommes alors allés vous rendre visite à Malencontri. J'ai senti qu'elle recherchait la compagnie de dame Angela. Dès lors, elle passa le plus clair de son temps avec elle – en fait, je crois qu'elle n'aurait pas quitté la lady un instant si elle avait pu. Elle était de plus en plus maussade avec moi et a fini par me dire carrément que je n'avais qu'à partir avec vous pour la France si j'en avais envie. Elle avait besoin de paix et ma présence l'importunait. (Dafydd regarda Jim. Sa douleur était telle que son visage était décomposé.) Je ne me serais jamais attendu qu'elle me parle sur un tel ton et j'ignore toujours ce qui l'a poussée à tenir ce langage. Je ne sais qu'une chose : c'est que je suis pour elle un fâcheux. Aussi, faute d'une autre solution, j'ai pris la route de Hastings et j'ai rallié John Chester et ses hommes juste avant qu'ils embarquent.

Le Gallois se tut. Ils continuèrent de chevaucher quelque temps en silence, puis se tournant vers Jim, Dafydd demanda avec véhémence :

– Vous ne dites rien, sir James ? Vous ne pouvez pas me fournir une explication qui m'aiderait à comprendre le pourquoi de cette attitude ?

Jim connaissait le motif de ce revirement. Danielle avait confié à Angie qu'elle avait peur que son mari ne cesse de l'aimer quand il verrait son corps déformé par la grossesse. Il était intérieurement déchiré. C'était là un secret qui ne lui appartenait pas et il ne voyait pas comment réconforter Dafydd.

– Le seul encouragement ou le seul espoir qu'il m'est possible de vous apporter, fit-il enfin d'une voix lente, c'est que dans une circonstance de ce genre, il y a toujours une raison, et qu'une femme vous la donnera tôt ou tard si elle vous aime vraiment. Et n'ayez aucune crainte : je suis sincèrement convaincu que Danielle vous aime comme elle vous a toujours aimé.

– Je voudrais pouvoir vous croire.

Dafydd se referma sur lui-même et Jim comprit que, cette fois, il ne romprait plus le silence. Il éperonna sa monture pour rejoindre Giles et Brian.

– Dafydd est très malheureux, leur annonça-t-il lorsqu'il les eut rattrapés.

Brian lui décocha un regard où l'on pouvait discerner un certain étonnement. Giles, les mâchoires serrées, gardait les yeux droit devant lui.

– Chacun d'entre nous fait sa vie comme il l'entend, c'est la loi de Dieu, dit le premier. Et la vie de chacun est une maison où l'on n'entre pas à moins d'y être invité. Si je le suis, j'essaierai de lui apporter un réconfort. Nous avons tous notre vie et, pour l'heure, elle dépend de ce qui nous attend dans un proche avenir. C'est cela et rien d'autre qui importe présentement et dont il est grand temps de nous entretenir maintenant que nous n'avons plus à redouter les oreilles indiscrètes. (Brian se tourna alors vivement vers Jim.) Sauf, peut-être, si la magie... James, serait-il possible à quelqu'un de surprendre notre conversation en usant de magie ?

– Je crains de ne pas être suffisamment versé dans les arts magiques pour pouvoir vous donner une réponse catégorique, mais je ne le pense pas. Je suis même à peu près certain que non, bien que ce ne soit pas une éventualité à écarter d'office.

– Eh bien, parlons ! s'exclama sir Giles sur un ton presque farouche. Par saint Cuthbert, j'ai eu mon content de messes basses. Parlons un peu de notre tâche. Comment allons-nous procéder pour délivrer le prince héritier ?

– Rappelez-vous, enchaîna Brian, sire Raoul nous a dit que nous devions prendre contact dans la forêt avec un dénommé Bernard, jadis au service de son père. Celui-ci nous expliquera comment entrer dans ce château pour arracher notre prince des mains du magicien qui le retient prisonnier. Nous avons tous en mémoire les directives qu'il nous a données pour retrouver le lieu du rendez-vous.

– Euh... oui, fit Jim d'un air coupable.

Ces directives, il les avait, quant à lui, notées par écrit.

– Il ne faut pas se leurrer, poursuivit Brian, ces instructions seront peut-être insuffisantes. Et si, pour une raison quelconque, notre homme – ou ce qu'il en reste – est dans l'impossibilité de nous joindre, nous n'aurons aucun recours. Plus nous restons dans ces bois et plus nous courons le risque de nous faire surprendre par les gens de Malvinne. Aussi est-il de première urgence d'établir un plan de bataille.

– De quel ordre ? répliqua sir Giles. Si ce château est aussi vaste que messire Raoul nous l'a laissé entendre, il faudrait des semaines rien que pour trouver un moyen d'y pénétrer sans danger.

– Oui, c'est un sérieux obstacle, fit Jim. Pour le moment, je ne vois vraiment pas comment le surmonter.

– J'ai une solution, reprit Brian. C'est la raison pour laquelle j'ai souhaité venir avec vous. Je suis d'ailleurs enchanté qu'Aragh et Dafydd soient aussi de la partie. A nous cinq nous formons une équipe performante, capable d'évoluer dans le parc et de localiser le captif...

– Je vous écoute, déclara Jim, soudain intéressé.

– Grâce à l'archer, enchaîna Brian, nous sommes

maintenant en mesure de tuer sans bruit et à distance tous les gardiens qui se dresseront sur notre chemin. Et le loup pourra nous prévenir si quelqu'un approche sous le couvert de l'obscurité et si nécessaire, il suivra la piste d'un garde jusqu'à l'issue par laquelle ce dernier sera sorti du château. Il ne nous restera plus alors qu'à l'utiliser.

– Mais vous partez de l'hypothèse qu'il y a plus d'une entrée, objecta Giles. Peu de châteaux en possèdent plusieurs et si celui-ci en a une supplémentaire, c'est certainement une entrée dérobée à l'usage exclusif du seigneur des lieux, et sans doute puissamment gardée.

– Je présume que dans un château comme celui-là, protégé autant par la magie que par les armes, il doit, en effet, y avoir plusieurs issues. L'une pour des détachements armés à pied et à cheval, une ou plusieurs portes à usage privé comme vous le suggérez, Giles, et d'autres encore réservées à la domesticité. Ce n'est là qu'une supposition, je le répète, mais je pense qu'elle est bien fondée. Aragh pourra le vérifier. S'il estime la chose raisonnable, il nous précédera ou simplement visitera les lieux pendant que nous attendrons Bernard à l'endroit convenu. A lui de nous indiquer comment nous introduire dans la place si jamais notre contact nous fait défaut.

Jim se sentit rempli d'humilité. Quand ils avaient débarqué à Brest, il s'était dit que c'était uniquement à son rang qu'il devait d'être le chef en titre de l'expédition et que ce rôle aurait mieux convenu à Giles ou à Brian. L'analyse à laquelle venait de se livrer ce dernier ne pouvait que le conforter dans cette opinion.

Jim, c'était vrai, n'était pas expert en matière de châteaux. Il connaissait Malencontri, il avait eu l'occasion d'aller au château de Smythe et à Malvern où demeuraient les Chaney, la famille de la bien-aimée de Brian, mais sa science s'arrêtait là et force lui était de constater qu'il ne s'était jamais penché sur les moyens de défense d'aucun de ces fiefs, pas même le sien. Il ignorait tout des faiblesses qu'ils étaient susceptibles de présenter et dont un éventuel assaillant pourrait tirer avantage pour tenter de les investir.

Le soir venu, ils établirent leur bivouac à l'écart de la route. Aragh ne se montra pas. Ils arrivèrent le lendemain en fin d'après-midi à Blois où ils passèrent la nuit dans une auberge. Toujours aucun signe d'Aragh. Ce ne fut que deux jours plus tard qu'il finit naturellement par les rejoindre. Entre-temps, Jim n'avait cessé de s'interroger sur la présence du loup parmi eux. Il avait l'intuition que, seul, Carolinus pourrait le mettre sur la voie – s'il le voulait bien. Mais comment faire pour entrer en contact avec le vieux magicien ? Il devait sûrement exister un équivalent magique du téléphone. Ou, du moins, une forme quelconque de communication qui lui permettrait de jeter un pont entre son esprit et celui de Carolinus.

Ce ne fut que deux jours après leur départ de Blois que la solution apparut à Jim.

Des situations de ce genre, il y en avait à foison dans la mythologie. Et la frontière entre celle-ci et la magie était bien mince. Un des ressorts de la mythologie semblait être indéniablement le songe. On voit en rêve un événement sur le point de se produire ou déjà réalisé ailleurs ou qui survient en temps réel... Ce sont des phénomènes prémonitoires qui sont autant de signes. S'il parvenait grâce à ses pouvoirs magiques à susciter un rêve de ce type, il serait alors selon toute probabilité capable d'établir un contact avec Carolinus.

En conséquence, avant de s'endormir cette nuit-là, il s'appliqua à définir soigneusement ce qu'il souhaitait.

MOI/RÊVE → RÊVE/CAROLINUS

Plus il y réfléchissait, allongé sous les étoiles près des braises mourantes du feu de camp, et plus cette idée lui paraissait satisfaisante. Il la tournait et la retournait inlassablement dans sa tête, essayant de déterminer si une formule aussi rudimentaire était susceptible de marcher. Jusqu'au moment où, épuisé, il finit par s'assoupir.

Tout d'abord, son esprit fut assailli par ces fragments de rêves décousus qui sont normalement le lot du premier sommeil. Puis ce fut le vide complet. Et, soudain, il se trouva devant la maison de Carolinus au lieu-dit l'Eau qui Tintinnabule. L'aube pointait à peine. Carolinus et Aragh étaient tous les deux là, sur le chemin qui serpentait entre les fleurs. Seule anomalie : tout était à l'envers.

– Qu'est-ce que ça signifie ? aboya Jim à l'adresse du Département des Comptes.

Mais à peine avait-il rêvé qu'il proférait ces mots que son audace le stupéfia littéralement : il ne s'était jamais adressé de manière aussi brusque au Département des Comptes. Mais quand celui-ci lui répondit – toujours dans son rêve –, ce fut sur un ton d'excuse et sans la moindre aigreur :

– Oh ! mille pardons ! (Et tout se remit à l'endroit.) En fait, reprit l'invisible interlocuteur de sa voix de basse, c'était vous qui étiez à l'envers.

Et ce fut à nouveau le silence. Jim se demandait comment il pouvait être à l'envers puisque, à sa connaissance, il n'était même pas présent. Il lui semblait n'être rien de plus qu'une paire d'yeux désincarnés. Et une paire d'oreilles qui ne l'étaient pas moins car il prit soudain conscience qu'il entendait dialoguer Carolinus et Aragh.

– Enfin, tout va bien – ici, tout au moins, expliquait le mage. Dommage que je ne puisse en dire autant pour ce qui se passe ailleurs. Tu sais que James s'en est allé en France ?

– Oui, grogna Aragh. Je ne lui ai pas caché que c'était stupide.

– C'est une question de point de vue, loup. Ce qui est stupide pour toi peut ne pas l'être pour James, pour sir Brian, ou pour quantité d'autres personnes.

– Tous les deux-pattes, sauf votre respect, mage, ont autant de bon sens qu'un papillon, croyez-moi !

– Le simple bon sens, le sens commun, est loin d'être la chose la mieux partagée. Cette expédition en vue de délivrer le prince et de le ramener en Angleterre n'a pas l'envergure de celle que nous avons menée contre la Tour Répugnante, n'est-il pas vrai ? Le combat n'est pas clair, net et sans bavures – le Mal retranché dans une ténébreuse retraite, ses créatures grouillant à ses pieds, le Mal prêt à livrer bataille et lançant ses légions, les sandmirks, par exemple, à l'assaut de n'importe quel adversaire qui se présente. Non, c'est sans commune mesure avec l'affaire de la Tour Répugnante...

– Si vous cherchez à me dire quelque chose, eh bien, dites-le sans détour, mage ! bougonna Aragh. Moi, je n'y vais jamais par quatre chemins. Je n'ai aucun goût pour les sous-entendus obscurs et les paroles oiseuses.

– Fort bien. J'ai la conviction qu'il s'agit encore une fois d'un affrontement avec les Noires Puissances au même titre que la bataille de la Tour Répugnante à laquelle tu as participé. Mais, dans ce cas précis, les ambitions matérielles et l'imagination des hommes font écran, de sorte que ce conflit n'éclate pas au grand jour. Pourtant, c'est la même chose qui recommence. La menace est là. Or, James, Brian et même Dafydd sont, à présent, entrés en lice. Ils sont tous partis – tous sauf toi.

– Ce n'est pas mon affaire, grommela Aragh.

– Tu veux dire que tu refuses de la considérer comme telle et, pour justifier cet aveuglement, tu feins de prétendre que tes compagnons n'ont pas besoin de toi, que la force de James et des autres est égale à celle de l'ennemi contre lequel ils marchent.

– Vous employez comme d'habitude de grands mots

qui ne signifient pas grand-chose, mage. Je vous ai pourtant demandé de m'exposer clairement la façon dont se présente la situation. Expliquez-moi franchement sans vous perdre en circonlocutions pourquoi vous m'avez convoqué. Qu'attendez-vous de moi au juste ? Et pourquoi pensez-vous que j'accéderai à votre demande ?

– Ecoute, tu es un loup anglais grincheux, entêté et égoïste qui ne se laisse pas facilement convaincre. Enverrais-tu un louveteau à l'attaque d'un loup adulte ?

– Bien sûr que non ! Je n'expédierais même pas un loup de deux ans attaquer un de ses frères âgé de cinq ans. Autant le vouer à la mort.

– Alors, que penses-tu de l'idée d'exposer un jeune magicien de classe D aux maléfices d'un confrère homologué AAA ? N'est-ce pas du même ordre ?

– Si vous parlez de James, ses pouvoirs de sorcier...

– De magicien si tu n'y vois pas d'inconvénient, loup ! fit Carolinus sur un ton acerbe. « Sorcier » est un mot qui écorche mes oreilles. N'oublie pas que je suis un adepte de l'art. Tout comme James. Le terme que tu viens d'employer pourrait, en revanche, s'appliquer à celui qu'il se prépare à combattre.

– Ainsi, si je vous entends bien, James a besoin de moi en France ?

– Oui.

– Dans ce cas, j'irai, bien que je n'aime guère quitter les rivages de l'Angleterre. Et je ferai tout ce que je pourrai pour l'aider, lui et les autres – mais uniquement parce qu'ils sont mes amis. Toutefois, contre les loups, je ne leur serai d'aucun secours.

– Pourquoi donc ? Les loups français seraient-ils aussi tes amis ?

– Eux ? Mes amis ? Certes non ! Mais nous aussi, nous avons nos règles, mage. Je serai sur le territoire des loups français. En conséquence, je serai obligé de battre en retraite devant le premier loup venu, sauf à combattre tous les loups de France – et je ne m'en sens pas capable. Et vous, mage ? Pendant que nous livrerons bataille à ce sorcier, à ce magicien étranger, quel que soit le nom que vous lui donnez, quelle aide nous apporterez-vous ?

– Je suis engagé dans ce combat depuis le début, bien que tu ne t'en sois pas aperçu – et peut-être n'es-tu pas en mesure de voir à quel point je suis impliqué. De tous les royaumes existants – qu'il s'agisse de créatures humaines ou non –, le plus proche de celui régi par les Noires Puissances est sans conteste le nôtre – le royaume des magiciens, Aragh. Car notre art est une périlleuse, difficile et longue étude, une étude qui ne prend jamais fin. De même, notre mission, à savoir aider à contenir les Noires Puissances, est toujours à recommencer. Nous autres, magiciens, sommes en première ligne dans toutes les batailles lancées contre elles et leurs mercenaires – parfois des nôtres qui sont passés dans le camp opposé pour devenir des sorciers.

– Alors..., commença Aragh.

Mais Carolinus leva la main pour lui imposer silence.

– Mais ce sont là des raisons que personne n'est capable de comprendre sinon un magicien de mon niveau ou d'un niveau voisin. Pourquoi, par exemple, James doit-il actuellement s'opposer, seul, à celui qui s'appelle Malvinne, même si ce dernier le domine comme une montagne domine une taupinière, alors que moi, qui suis au bas mot l'égal de Malvinne, je suis obligé de demeurer à l'écart et de laisser faire les choses ? Je ne peux me rendre sur place. Mais toi, tu le peux, et savoir que tu iras m'apporte un vif soulagement. Car James aura besoin de toi et nul autre que toi ne sera en mesure de lui apporter cet indispensable concours.

– Je n'ai jamais mis votre honnêteté en doute, mage. Aussi est-il inutile de revenir là-dessus. James est déjà parti pour rejoindre le port et il est peut-être à l'heure qu'il est sur le bateau qui l'amène en France. Toutefois, si tel n'est pas le cas, il me sera peut-être possible de le rattraper avant qu'il ait embarqué. Cela me facilitera les choses mais, n'importe comment, je me débrouillerai pour faire la traversée. Mais je vous demanderai une chose : ne dites pas à James que je l'aide parce que je l'aime. Inutile qu'à la moindre difficulté il pense qu'Aragh va courir à son secours. Je suis un loup libre et personne d'autre que moi ne décide de mes actes.

– Je te promets d'être discret.

– Fort bien.

Aragh fit demi-tour. Un instant plus tard, il avait disparu.

Dans le rêve de Jim, Carolinus était maintenant seul sur le sentier. Il demeura un moment immobile, apparemment plongé dans ses pensées, puis il se retourna et ce fut comme s'il se dirigeait droit sur lui. Son visage grossissait et il finit par masquer presque tout le paysage.

– C'est à partir de maintenant que commence la véritable épreuve, James, dit-il. Mais n'essaie plus d'entrer en contact avec moi de cette façon. Malvinne rêve, lui aussi.

Jim se réveilla. Hormis le soupir de la brise, la nuit était silencieuse. Pendant quelques instants, il garda une vision très nette de toute cette scène, puis le souvenir de son rêve s'estompa. Il sombra à nouveau dans un sommeil profond.

23

Lorsque, près d'une année auparavant, Jim et ses compagnons d'armes avaient atteint les abords de la Tour Répugnante pour livrer leur ultime bataille aux créatures qui l'occupaient, la terre, le ciel et l'eau s'étaient ligués pour signaler par certains indices révélateurs le caractère maléfique de l'endroit. Tout était gris, terne et d'une tristesse accablante – presque sépulcrale.

Or, on ne voyait aucun de ces signes annonciateurs à l'approche du château de Malvinne. La journée touchait à son terme mais le soleil était encore éclatant. Les quelques nuages qui flottaient dans le ciel étaient regroupés à l'est, de sorte qu'ils ne voilaient en rien la luminosité. Le sol était tapissé d'une herbe verte et craquante, le feuillage des arbres était foisonnant, les fleurs de l'été s'épanouissaient de tous côtés.

Se conformant aux directives de sire Raoul, ils avaient quitté la grand-route à l'endroit indiqué. Celle conduisant au château apparaissait selon le bon vouloir de Malvinne. Son domaine et ses dépendances demeuraient hors de vue de la plupart des voyageurs qui n'en soupçonnaient même pas l'existence.

Ce fut d'une éminence relativement élevée dominant la lointaine ligne bleue de la Loire que Jim et ses amis eurent leur premier aperçu du domaine de Malvinne. L'architecture du bâtiment le faisait effectivement ressembler à un château, bien que Jim n'en eût jamais vu ni même imaginé d'une pareille étendue. Il miroitait au soleil.

Seuls les bois, ces bois obscurs et épais d'une profondeur d'un mile à un mile et demi qui le ceinturaient entièrement, étaient comme un rappel du paysage crépusculaire qu'ils avaient traversé lorsqu'ils se dirigeaient vers la Tour Répugnante.

Les arbres étaient si serrés, si touffus que toute la forêt semblait n'être qu'une seule et vaste masse broussailleuse. Ils n'étaient pas très grands. Aucun ne dépassait les cinq ou six mètres, de l'avis de Jim. Mais leur densité même et l'enchevêtrement de leur ramure suffisaient à justifier la réputation du lieu.

Pourtant, de l'avis de Jim, il devait bien y avoir

des sentiers pour que les patrouilles chargées d'interdire d'éventuelles intrusions puissent faire leurs rondes. Mais ces layons, s'ils étaient pour eux comme les allées familières d'un labyrinthe, risquaient d'être un piège pour les indésirables qui s'aventuraient dans ces ténébreuses futaies.

Tous, y compris Aragh, s'arrêtèrent instinctivement au faîte de la colline verdoyante et, muets, s'abîmèrent dans la contemplation de ce qui était l'objectif de leur voyage. Seule la rébarbative grisaille des tours de guet, des murailles et des parapets crénelés du château proprement dit paraissait inhospitalière. Les jardins plaisamment dessinés, les thuyas, les pièces d'eau et les pelouses disséminés à son pied étaient, quant à eux, aussi agréables qu'accueillants. Mais l'édifice lui-même faisait l'effet d'être la forteresse la plus hostile qui soit, à ceci près qu'elle n'avait pas de fossé.

Naguère, Jim se serait esclaffé à cette seule idée mais, maintenant, il se disait qu'il y avait peut-être des douves aussi invisibles pour eux, dans l'immédiat, que la route conduisant au domaine, route que Malvinne faisait apparaître à volonté, selon ses visiteurs.

– Nous attendrons au moins jusqu'à la tombée du jour, dit-il, surpris lui-même de l'autorité qui résonnait dans sa voix. Quand la lumière commencera à devenir incertaine, nous irons reconnaître les bois. Dans l'immédiat, il serait bon de chercher un endroit où nous serons à l'abri des regards jusqu'à ce que le soleil soit couché.

– Vous avez tout à fait raison, James, approuva Brian. Et le mieux serait de trouver un coin où nous pourrons rester cachés quelques jours si nécessaire. J'ai l'intuition qu'il sera difficile d'établir le contact avec cette créature qui était autrefois un homme.

– Regardez en bas à gauche, fit Aragh. A un quart de mile à peu près, vous voyez ? Là où les collines font un creux. Ou je me trompe fort, ou il y a là une enclave qui forme une sorte de petite vallée encaissée, à moins que ce ne soit une grotte.

Ils se tournèrent vers la direction indiquée par le loup. Faute de posséder son sens aigu de l'observation, ils n'auraient pas prêté particulièrement attention à cet accident de terrain. Mais maintenant qu'Aragh leur avait mis la puce à l'oreille, ils distinguaient en effet des ombres plus marquées qui suggéraient un endroit plus profond qu'il n'y paraissait au premier coup d'œil.

– Eh bien, allons examiner cela de près ! fit Brian.

Aragh avait raison. Cette petite dépression s'avéra être une anfractuosité s'ouvrant dans le flanc de la colline. Elle s'y enfonçait, puis s'enfilait sur la droite. Grâce à cette espèce d'écran de terre, elle était aussi invisible des bois que du château. Un mince ruisseau dégringolait le long de la paroi, passant juste au coin de la cavité, et poursuivait sa course jusqu'aux arbres en contrebas. Ce n'est pas seulement une bonne cache, songea Jim, c'est aussi un emplacement parfait pour dresser le camp.

Sauf qu'il y ferait froid. Ils seraient, en effet, trop près du château pour se risquer à allumer un feu. Heureusement, ils avaient une provision de viande cuite. Accompagnée de pain et de fromage et arrosée de vin coupé avec l'eau du ruisseau, elle constitua l'essentiel de leur souper.

Après s'être restaurés, ils bavardèrent dans le jour finissant avec cet esprit d'étroite camaraderie qui soude ceux qui se préparent à affronter le danger ensemble. Le moins loquace était Aragh, couché sur le ventre dans la position du sphinx, tête haut dressée et pattes allongées. Bien qu'on ne pût voir ni le château ni les bois, ses yeux demeuraient braqués sur l'arrondi de la colline qui les dissimulait aux regards. Le loup, c'était manifeste, montait déjà la garde. Les autres, après avoir confronté leurs cartes et leurs souvenirs, convinrent d'un commun accord qu'ils trouveraient probablement à peu de distance de la lisière du bois le chemin qui les conduirait à l'endroit du rendez-vous. Il leur faudrait sans doute s'enfoncer d'une centaine de mètres sous les arbres, mais guère plus.

Cette question réglée, ils abordèrent des problèmes plus personnels.

Sir Brian étant fils unique, il ne faisait aucun doute qu'il hériterait du château de Smythe. Mais il en allait différemment pour Giles qui, dans un de ces moments d'abandon auquel on cède parfois avant de se lancer dans une aventure lourde de risques, apprit à ses compagnons que, n'étant que le troisième fils de la famille, il n'avait aucun espoir d'héritage. De plus, chevalier de Northumbrie n'ayant ni amis ni influence dans le sud de l'Angleterre, et encore moins à la cour, il avait bien peu de chances de parvenir à occuper un rang de quelque importance.

Personne ne fit de commentaires, et surtout pas Dafydd dont les perspectives d'ascension en ce domaine étaient encore plus réduites que celles de Giles. Dans le monde qui était le sien, il ne pouvait en aucun cas compter sur ses exploits de tireur à l'arc pour s'élever dans la société. Mais ce handicap était pour lui sans importance.

Pour un gentilhomme comme Brian, en revanche, titres et fortune étaient quasiment une nécessité s'il voulait épouser Geronde Isabel de Chaney. Ils s'étaient promis l'un à l'autre et, avant de partir pour la croisade, le père de la damoiselle avait donné son accord à leur engagement. Mais il était toujours possible qu'il ait changé d'avis à son retour – surtout si, ayant acquis richesses et puissance en Terre sainte, il ambitionnait désormais un meilleur établissement pour sa fille.

Mais Giles, rejeton d'une famille de haute naissance, venait d'avouer qu'il était résigné à n'avoir ni nom ni richesse.

– Je ne souhaite qu'une chose, dit-il à ses compagnons : que l'occasion me soit offerte d'accomplir une grande prouesse, dussé-je y laisser la vie.

Cette déclaration fit enfin sortir Dafydd du mutisme qu'il observait :

– Il ne m'appartient pas de dicter sa conduite à un chevalier, mais il me semble préférable de vivre car ainsi on peut être utile.

– Nous ne sommes pas dans la même situation, répliqua sir Giles avec une douceur presque teintée de mélancolie. Nombre de chevaliers, voyez-vous, souhaiteraient se donner entièrement à quelque grande cause, fût-ce au péril de leur vie, mais les servitudes que leur imposent leur famille, leur épouse, leur nom même, le leur interdisent. Or, j'ai la chance qu'il n'en aille pas ainsi pour moi. J'ai deux frères aînés et deux frères cadets : le patrimoine de ma famille ne risque pas de tomber dans des mains étrangères. Je ne suis, pour ma part, assujetti à aucune obligation, je n'ai pas d'intérêt supérieur à défendre – hormis la mission qui nous incombe et que nous sommes ici pour mener à bien –, aucune contrainte ne m'est imposée ni par ma famille ni par le nom que je porte, hormis le devoir de ne ternir ni l'un ni l'autre par mes actes. Aussi suis-je libre d'accomplir au moins une grande chose avant de mourir. C'est là ce que je souhaite.

– Vous êtes trop jeune pour songer à mourir, Giles, dit Jim.

– Si j'étais plus vieux, serais-je capable de me donner aussi totalement à ma tâche ? rétorqua Giles. Non, c'est maintenant le moment pour moi de me jeter dans l'aventure. Délivrer notre prince serait la chance de ma vie de voir enfin mes vœux se réaliser.

De tels propos navraient Jim qui n'avait, quant à lui, absolument pas l'intention de mourir en tentant de délivrer Edouard, ni même de récolter plaies et bosses s'il pouvait s'en dispenser. Rien n'était pour lui aussi abominable que l'idée de perdre la vie. Mais il était clair que Giles n'avait pas fait cette déclaration sur un coup de tête. Cette profession de foi avait mûri en lui depuis longtemps, peut-être même le hantait-elle depuis toujours. Les objections que Jim pourrait lui opposer étaient vouées à l'échec et argumenter risquait même de faire plus de mal que de bien. Aussi jugea-t-il plus sage de ne pas insister.

Brian et Dafydd semblaient partager son avis. Quant à Aragh, ou il n'avait pas d'opinion, ou il pensait que c'était l'affaire de Giles et de lui seul, et qu'elle ne le regardait en rien. Peut-être même l'approuvait-il.

Le soleil bascula derrière la colline, et la cavité au fond de laquelle ils se terraient se trouva plongée dans les ténèbres. Les bois alentour ne furent bientôt plus que des masses bleutées à peine discernables dans le crépuscule qui les enveloppait. Ils jugèrent tous que le moment de partir en reconnaissance était venu. Jim avait décidé que ce serait Aragh qui ouvrirait la marche : de la sorte, l'odeur de ses compagnons humains ne viendrait pas troubler la finesse de son odorat.

Une fois arrivés à l'orée du bois, ils n'eurent que quelques mètres à parcourir pour tomber sur la percée que leur avait minutieusement décrite sire Raoul. Une brindille fraîchement arrachée à une branche était le signe manifeste que s'amorçait là le bon sentier, et que celui qu'ils devaient rencontrer serait au rendez-vous.

Cependant, ces bois étaient d'aspect encore plus rébarbatif vus de près que de loin. Les arbres n'étaient pour la plupart pas plus hauts que des pommiers mais ils ne portaient pas de fruits, n'avaient en guise de feuilles que des sortes de petites loupes noueuses et leurs branches anguleuses se hérissaient de piquants. Quand ils s'engagèrent en file indienne derrière Aragh sur le layon, les trois chevaliers sortirent instinctivement leurs épées. Et lorsqu'il se retourna, Jim constata que même Dafydd avait en main le long poignard habituellement glissé dans la tige de sa botte gauche.

Les ténèbres étaient maintenant totales mais quand leurs yeux commencèrent à s'y accoutumer, ils purent quand même bénéficier des dernières lueurs du ciel. Peu après, la lune, presque à son plein, s'éleva, dardant ses rayons entre les arbres.

Aragh avançait avec assurance. Au début, c'était presque au toucher que Jim arrivait à le suivre. Mais soudain, il songea qu'il lui était possible de mieux voir. Il écrivit sur son tableau noir intérieur :

MOI → ŒIL-NEZ-OREILLE DE DRAGON

Sa vision devint immédiatement ce qu'elle aurait été s'il avait repris la forme de l'animal. L'amélioration n'était pas spectaculaire mais il voyait nettement mieux qu'un instant auparavant. En outre, il pouvait maintenant utiliser dans une certaine mesure son odorat à la manière d'Aragh pour être sûr de ne pas s'écarter du sentier.

Celui-ci était à peine praticable : trois pieds de large, pas un de plus. Au moindre mouvement inconsidéré, on risquait de heurter un arbre avec la quasi-certitude que l'arête d'une branche acérée comme une épine vous lacérerait les chairs après avoir déchiré sans difficulté les vêtements, aussi bien le cuir que l'étoffe.

Le sentier zigzaguait tellement que Jim avait maintenant perdu tout sens de l'orientation. Il se pencha en avant.

– Aragh, dit-il dans un souffle, faisant confiance à la finesse de l'ouïe du loup, tu crois que nous sommes toujours dans la bonne direction ?

– Nous y étions encore à l'avant-dernier tournant, répondit celui-ci, si bas que Jim reconnut à peine sa voix. Depuis, il semble que nous avançons parallèlement au château. Vous pouvez vous en rendre compte : la terre est nue, à présent.

Jim ne s'en était pas encore aperçu jusqu'ici mais maintenant qu'Aragh le lui avait fait remarquer, son odorat suractivé lui confirmait qu'il n'y avait plus le moindre parfum végétal au niveau du sol.

– Je sens une bande de terrain plus large un peu devant nous, poursuivit le loup, toujours aussi bas. Le mieux serait qu'on s'arrête quand on y sera arrivés pour décider de ce qu'on fera. Il est d'ailleurs bien possible que nous n'ayons pas d'autre choix.

Jim ne saisit pas exactement le sens de ces derniers mots. Soudain il prêta attention à ses compagnons et vit qu'ils éprouvaient une grande difficulté à respirer. Tous, à l'exception de Dafydd qui fermait la marche, haletaient et soufflaient comme des phoques. Brian, quant à lui, jurait à mi-voix. Il se tut d'ailleurs brusquement et il y eut un bruit d'étoffe déchirée. Il était évident qu'une de ces branches barbelées l'avait malencontreusement accroché au passage. Puis la litanie à peine audible de ses blasphèmes reprit.

Giles et Dafydd, toutefois, gardaient le silence, ce qui était assez rare pour le premier : on aurait dit qu'il retenait sa respiration.

Jim commença à s'inquiéter ferme pour ses compagnons.

– Sommes-nous encore loin de cette bande de terrain dégagée ? demanda-t-il à Aragh dans un murmure.

– Elle est juste devant. Que se passe-t-il avec votre nez, James ? ajouta le loup, sarcastique. Depuis quelques minutes, vous soufflez comme un dragon. Ne me dites pas que vous ne la sentez pas vous aussi !

Jim renifla en tendant le menton. Il y avait, en effet, toute proche, une puissante odeur de terre nue.

Quelques instants plus tard, ils arrivèrent à l'emplacement attendu et firent halte.

Chacun profita de cette pause pour récupérer. Il vint alors à l'esprit de Jim que c'était là qu'ils avaient rendez-vous avec cet être mi-homme, mi-crapaud qui avait jadis servi sous les ordres du père de Raoul. Mais ils étaient parvenus trop facilement à cet endroit. Les indications de Raoul étaient claires : l'entrée du chemin était dissimulée entre les arbres et conduisait à une ébauche de terrasse suffisamment large pour qu'ils puissent se tenir tous debout en cercle. Or, en l'occurrence, le sentier qu'ils avaient suivi les avait directement menés à cette espèce de banquette.

Qui plus est, en jetant un coup d'œil à la ronde, Jim, la clarté de la lune et sa vision de dragon aidant, distingua au moins trois autres cercles d'ombre déchiquetés qui marquaient l'accès d'autant d'autres layons. C'était manifestement là une sorte de carrefour en étoile. Ces bois n'étaient-ils pas un labyrinthe ? Comment deviner lequel de ces trois chemins aboutissait au château au lieu de s'enfoncer plus profondément encore à l'intérieur de la forêt ?

Pour la première fois, Jim regarda attentivement ses compagnons sur qui la lune dardait ses rayons. Ils portaient tous les traces laissées par les branchages épineux. Dafydd était le moins atteint. Brian continuait de jurer. Giles, lui, se taisait mais le sang dégoulinait littéralement de son visage et de ses mains.

– Mais que vous est-il arrivé, Giles ? s'exclama Jim en s'avançant vers lui.

– La nuit, je ne vois pas tellement bien. (La voix de Giles était quelque peu vacillante.) C'est une infirmité qui se transmet d'une génération à l'autre dans ma famille. N'y faites pas attention.

Brian s'était déjà retourné.

– Mordieu, Giles ! s'écria-t-il, atterré. Mais on dirait que vous vous êtes battu avec le roi des chats ! Vous vous êtes drôlement arrangé ! Nous ne sommes, nous autres, que légèrement écorchés.

– Comme je l'expliquais à James, dans la famille, nous sommes presque aveugles la nuit. Mais ne vous inquiétez pas, ce ne sont que des égratignures, rien de plus.

– Des égratignures ! Vous saignez comme un porc.
Pivotant sur lui-même, Brian fit face à Jim.
– Il va falloir le panser comme on pourra, dit-il. Et, à partir de maintenant, il marchera entre nous deux.
– Je suis absolument de votre avis, Brian. Nous n'avons qu'à utiliser nos pans de chemise en guise de bandages.
– Je proteste, s'insurgea Giles. Un chevalier digne de ce nom se doit de traiter de pareilles bagatelles par le mépris.
– Peut-être, dit Jim sur un ton sévère, mais si nous ne prenons pas les mesures qui s'imposent, vous laisserez derrière vous une traînée de sang et n'importe qui pourra alors nous suivre à la trace.
Brian et lui avaient déjà sorti leur chemise de leurs chausses et s'étaient mis en devoir d'en déchirer les pans pour constituer des bandes. Sans se laisser impressionner par ses récriminations, qui manquaient d'ailleurs de conviction, ils les lui entortillèrent autour des mains et lui enveloppèrent le visage à l'exception des yeux et du nez.
– Désormais, Giles, dit Jim quand ils en eurent fini, vous marcherez derrière moi en vous accrochant à ma ceinture et devant Brian qui tiendra la vôtre.
– Aragh, demanda Brian au loup, sais-tu où nous sommes et lequel de ces trois chemins nous devons prendre ?
– Le château est dans cette direction, répondit Aragh en tendant le museau vers un épais rideau d'arbres. Nous sommes maintenant à peu près au cœur de la forêt. Mais pour ce qui est de la route à suivre, je n'en sais pas plus que vous. Si, toutefois, j'étais seul, je pourrais aller jusqu'à la clairière sur laquelle se dresse le château en me glissant sous les arbres.
Jim eut alors l'idée d'examiner Aragh de près. Le loup ne portait pas la moindre trace de griffures. Du coup, il comprit qu'en dépit de sa taille son ami pourrait parfaitement réaliser cet exploit. Protégé par sa

fourrure, il était plus que probable qu'Aragh réussirait à se couler et à se faufiler entre les arbres jusqu'à la lisière du bois selon un itinéraire plus ou moins direct.

Mais le problème demeurait entier pour eux, les humains.

24

– Lequel des trois ? murmura Brian au bout d'un long moment. Il est évident que nous devons continuer. Les directives de sire Raoul étaient on ne peut plus précises : un étroit sentier débouchant sur la droite et dont l'entrée serait cachée. Comment, au nom du ciel, peut-on trouver quelque chose au milieu d'un pareil fouillis de branchages ?

C'était là une question de pure forme. Pourtant, Aragh répondit aussitôt :

– Quand elle est masquée par un arbre postiche, évidemment, fit-il, voilà qui vous apprendra à ne pas m'avoir mis pleinement au courant.

– Que veux-tu dire au juste, Aragh ? demanda Jim.

– Que nous avons très probablement déjà dépassé cette entrée secrète. Il y a un petit moment, nous sommes passés devant un arbre que l'on avait coupé à la base pour le replacer ensuite debout sur sa souche. Il était à notre droite. Pour que l'entaille passe inaperçue, on l'avait enduite de terre malaxée avec du vin. Du vin qui était aigre ou, plus vraisemblablement, qui a eu tout le temps de surir depuis. J'en ai senti l'odeur au passage mais je n'y ai pas prêté attention car j'ignorais ce qu'on recherchait exactement.

Giles brisa le silence qui suivit :

– Eh bien, qu'est-ce que nous attendons pour rebrousser chemin ?

– Excellente idée, approuva Jim.

Reprenant la file indienne, le groupe revint sur ses pas. Aragh, qui marchait en tête avec l'assurance de celui qui connaît déjà sa destination, avait toutefois accéléré l'allure, ce qui rendait la progression des autres plus malaisée. Au moment où Jim se préparait à lui demander de ralentir, le loup s'arrêta brusquement.

– Le voilà, annonça-t-il sans se retourner.

Il s'écarta pour laisser passer Jim qui s'approcha précautionneusement de l'arbre-leurre pour le renifler.

Pas d'erreur : l'odeur qui en émanait avait indiscutablement un léger relent de vinaigre.

Jim tâtonna avec circonspection entre les branches hérissées de piquants jusqu'à ce que ses mains rencontrent la surface désagréablement rugueuse et épineuse de l'écorce. Il empoigna alors le tronc, le souleva et recula avec sa charge, dégageant ainsi l'entrée d'un sentier extrêmement étroit. Quand ses compagnons s'y furent engagés, Aragh toujours en tête, il remit le simulacre en place. L'arbre tenait parfaitement droit sur la souche : ses branches, en effet, s'emmêlant comme un écheveau à celles des arbres voisins, le maintenaient vertical. Jim avait une gourde à la ceinture mais l'étroitesse de la sente lui interdisait de s'accroupir pour mélanger comme il en avait eu l'intention de la terre avec un peu d'eau afin de faire une bouillie dont il aurait masqué l'incision. Tant pis : il allait falloir miser sur la chance et espérer que personne ne découvrirait leur présence avant qu'ils aient rencontré celui qui était censé prendre contact avec eux.

Jim rejoignit ses compagnons déjà arrivés au point de rendez-vous, un emplacement à moitié moins large que l'embranchement où ils avaient fait halte un peu plus tôt.

– Moi, dit Brian, je serais d'avis de nous asseoir et de nous restaurer. L'attente risque d'être longue. En fait, si la personne qui doit nous retrouver ne s'est pas montrée quand la lune se couchera, je suggère que nous fassions demi-tour et retournions à notre cachette. Mieux vaudrait éviter de déambuler dans la forêt en plein jour.

– Brian a raison, dit sir Giles derrière ses bandages.

– Je suis d'accord, moi aussi, approuva Jim.

Ils s'assirent tous, sauf Aragh qui reprit la position du sphinx accroupi, et restèrent à contempler la lune qui dérivait dans le ciel jusqu'au moment où le fouillis des branchages la déroba à leurs regards.

A deux reprises, Aragh leur enjoignit de faire silence. Quelqu'un passa alors peu après sur le grand chemin à moins de cinq mètres d'eux, sans toutefois s'arrêter devant l'arbre factice.

La lune avait entièrement disparu, même si le ciel réfléchissait encore un peu de sa lumière, quand la voix de Brian s'éleva à nouveau dans l'obscurité à présent presque impénétrable :

– Il est préférable de décrocher, maintenant. Et il va falloir qu'Aragh nous guide. Moi, je ne vois même pas ma main devant ma figure !

Le fait est que, même avec ses sens de dragon, Jim était à peine mieux armé que Brian pour avancer dans les ténèbres. Quand tout le monde se fut levé, il empoigna Aragh par la queue et ils se mirent en marche en se tenant par la main.

Soudain, le loup fit halte. Jim l'enjamba, souleva l'arbre postiche à pleines mains, ce qui n'alla pas sans lui valoir quelques écorchures, et, lorsque ses compagnons furent passés, il le remit en place sur la souche. Cela fait, il pétrit un peu de terre avec de l'eau de sa gourde pour modeler une pâte qui lui servit à camoufler la ligne d'intersection. Quand il eut terminé, il rejoignit ses compagnons et la petite troupe battit en retraite.

Le ciel commençait à s'éclairer à l'est lorsqu'ils émergèrent des bois. Une fois qu'ils eurent regagné leur camp, ils s'allongèrent, s'enveloppèrent dans leurs couvertures et ne tardèrent pas à sombrer dans le sommeil.

Ils dormirent tout le jour.

Les trois nuits suivantes, ils entreprirent la même expédition sans plus de résultats. Finalement, Giles déclara tout net à ses compagnons qu'il était prêt à renoncer à attendre ce guide qui leur faisait faux bond et à tenter la chance en prenant un chemin au hasard.

– Soyons patients, lui répondit Jim. Il ne savait même pas quand nous arriverions. Qui plus est, il est fort possible qu'il ne passe là-bas qu'une fois de temps en temps. Cette semaine, il peut aussi être de garde de jour et non de nuit ?

Trois nouvelles nuits se succédèrent, tout aussi infructueuses que les précédentes. Même Brian inclinait maintenant à partager le point de vue de Giles.

– Essayons encore une fois, dit Jim comme le crépuscule approchait. N'importe comment, nous ne pouvons rien faire d'autre ce soir et nous n'avons pas encore décidé quel chemin nous choisirons si nous nous risquons à tenter l'aventure. Donnons-lui une dernière chance de nouer le contact avec nous.

Les autres n'insistèrent pas. Jim ne put s'empêcher de penser qu'on lui obéissait plus parce qu'on le considérait comme le chef que par conviction.

La nuit tombée, ils retournèrent dans la forêt.

Ils attendaient au lieu fixé pour le rendez-vous et la lune commençait à peine à se lever quand Aragh leur signala que quelqu'un approchait. Tous bondirent aussitôt sur leurs pieds, l'arme au poing.

Des pas ne tardèrent pas à se faire entendre, puis l'inconnu s'arrêta. Au même moment, un rayon de lune filtra à travers un fouillis de branchages particulièrement enchevêtrés, illuminant la scène. Jim était si crispé qu'il eut presque l'impression qu'un projecteur braqué sur eux venait de s'allumer.

Le bruit de l'arbre postiche que l'on déplaçait leur

parvint. Puis ce fut une voix basse et coassante – si proche, leur semblait-il, qu'en tendant le bras ils auraient pu toucher celui qui progressait dans l'ombre.

– Messire Raoul m'a chargé de prendre soin de vous.

Ils se détendirent – mais pas totalement. Jim se rendit compte qu'il serrait la poignée de son épée avec tant de force qu'il en avait les doigts douloureux. Il relâcha un peu son étreinte mais sans baisser pour autant sa garde.

– Si tu es celui que nous attendons, fit-il dans un chuchotement tout juste audible, avance. Mais sans armes.

– Mes mains sont vides, répondit la voix discordante.

Il y eut un bruissement quasiment imperceptible et une silhouette surgit. Les deux mains qu'elle tendait et que baignait le rayon de lune étaient effectivement vides.

Un frisson parcourut l'échine de Jim. En effet, bien que ces mains, ces bras et ces jambes fussent d'apparence on ne peut plus humaine, la créature à laquelle ils appartenaient était hideusement contrefaite. La partie supérieure de son corps paraissait boursouflée, et sa tête et son visage étaient anormalement larges et aplatis.

– Dis-nous quel est ton nom, ordonna Jim dans un souffle.

– Je m'appelle Bernard et j'étais jadis un homme semblable à vous, seigneur chevalier... car je présume que vous êtes chevalier : sire Raoul n'aurait pas organisé pareille rencontre avec quelqu'un qui n'aurait pu prétendre au moins à ce titre. Cela fait de longues années que je suis tel que vous me voyez présentement – et je rends grâce à Dieu qu'il ne fasse point grand jour car mon propre reflet dans l'eau m'est presque intolérable.

– Tu es bien celui que nous attendions, répondit Jim, ému de compassion. Tu auras seulement à nous conduire jusqu'à un endroit où nous pourrons nous introduire dans le château et à nous indiquer où nous trouverons notre prince.

– Certes oui ! Il y a douze années que je feins d'être un loyal serviteur et attends que se présente l'occasion de faire payer à Malvinne tout le mal qu'il a causé à mon seigneur et aux siens. Maintenant qu'elle s'offre enfin, je suis prêt à la saisir, quitte à renoncer à l'espoir d'aller en paradis. Oui-da ! Je vous guiderai jusqu'au château. Mais n'étant pas de ceux à qui il est permis d'y entrer, je vous expliquerai de mon mieux comment parvenir jusqu'au jeune homme dont vous parlez. Ce sera alors à vous d'agir. Je ne vous demanderai qu'une chose, seigneurs chevaliers.

– Laquelle ?

– Je vous prie de ne pas chercher à me regarder en face pendant que je vous guiderai. Pour l'amour de Marie, promettez-le-moi. C'est là ma seule exigence.

– Soit. (Brian, Giles et Dafydd acquiescèrent tous les trois.) Tu as notre promesse. Mais ne vont-ils pas te soupçonner si nous fuyons avec le prince ? Ne vaudrait-il pas mieux pour toi que tu nous attendes et partes avec nous ?

La créature semi-batracienne laissa échapper un rire rauque et amer.

– Et où irais-je ? Les saints moines eux-mêmes me fermeraient la porte au nez. Même les lépreux se détourneraient de moi pour aller se terrer dans un coin. Non, ce qui a été fait ne saurait être défait. Je resterai ici en espérant que, peut-être, la chance me sourira encore et que je pourrai porter un nouveau coup à Malvinne.

– Mais si tu es l'objet de soupçons, les conséquences pourront être désastreuses pour toi.

– Peu me chaut, coassa Bernard. Qu'ai-je à craindre comparé à ce que j'ai déjà subi ? Maintenant, mettons-nous en marche car nous avons encore une certaine distance à couvrir et nous serons peut-être obligés de nous arrêter en chemin pour nous cacher. Seul, je pourrais me rendre tout droit au château mais un groupe aussi nombreux que le vôtre attirerait immanquablement l'attention. Pour l'amour de tout ce qui vous est cher, hâtons-nous, conclut l'homme-crapaud avec une note d'impatience dans la voix.

Et, sans attendre de réponse, il se coula dans l'étroit passage. Les autres le suivirent. Quand ils eurent débouché sur le sentier, Bernard redressa le tronc de l'arbre-leurre, le replaça sur son chicot et, utilisant la même recette que Jim, appliqua sur l'incision un emplâtre de boue. Quand il eut terminé, il se releva mais ne prit pas immédiatement le départ : il avait encore des recommandations à faire au groupe.

– Le chemin que nous allons suivre pour gagner le parc du château n'est pas le plus direct mais dans ce labyrinthe, ce sera le plus sûr pour vous. Vous remarquerez que nous prendrons toujours à droite. Si vous réussissez à faire évader votre prince, il vous faudra rentrer dans la forêt à l'endroit exact où vous serez sortis et tourner toujours sur votre gauche. Ce sera de cette façon que vous parviendrez à quitter la forêt. Alors, que Dieu vous aide car, moi, je ne pourrai plus rien pour vous.

Il y avait une assez longue route à parcourir pour atteindre la lisière du bois mais Bernard marchait d'un bon pas et, en définitive, ils couvrirent rapidement la distance qui les en séparait.

Quand, finalement, ils émergèrent du sous-bois et se retrouvèrent sans transition dans le parc du château de Malvinne, ils éprouvèrent un choc tant le contraste était brutal.

La nuit tiède était splendide. La lune presque à son apogée illuminait les bosquets, les pelouses, les parterres fleuris, les fontaines et les pièces d'eau.

Pressant l'allure, ils suivirent les allées de gravier soigneusement ratissées qui convergeaient vers la masse sombre du château et il ne leur fallut pas plus de dix minutes pour l'atteindre. Une porte à peine plus grande que les portes d'immeubles familières à l'homme du XXe siècle qu'était Jim était encastrée dans la muraille.

Bernard l'ouvrit et les fit entrer dans une salle déserte.

– Voilà, dit-il. Maintenant, je vous quitte.

Jim jeta un regard circulaire autour de lui. Murs de pierre, voûte aux poutres massives étroitement juxtaposées, sol constitué de dalles nues. La vaste salle, tout en longueur mais basse de plafond, loin d'être déplaisante, n'avait pas néanmoins le charme du jardin qu'ils venaient de traverser. Elle était chichement éclairée par quelques torchères qui ne perçaient pas tous les pans d'ombre.

– Vous pouvez aller et venir en toute liberté, poursuivit Bernard. Beaucoup de personnes d'aspect parfaitement humain, dont certaines de haut rang, sont au service de Malvinne. Toutefois, le chien pourrait vous faire remarquer. Je regrette fort de ne pas y avoir pensé plus tôt. Je vous aurais conseillé de le laisser dans le bois.

– Cela ne fait rien, dit Aragh.

Bernard ne sursauta pas en l'entendant : il bondit littéralement sous l'effet de la surprise.

– C'est un loup ? fit-il.

– Oui, je suis un loup, ni plus ni moins, et je ne quitterai pas mes amis. Maintenant, plus de questions.

– Ah bon. D'ailleurs, tout le monde le prendra comme moi pour un chien. Quoi qu'il en soit, je vous donne mes dernières recommandations. (Bernard tendit le bras vers le mur du fond.) Vous voyez cette porte ? Quand vous l'aurez franchie, tournez tout de suite à droite et continuez dans la même direction. Vous traverserez plusieurs salles semblables à celle-ci. Les unes seront vides, dans d'autres vous verrez des gens préparer des mets ou se livrer à diverses occupations. Vous êtes visiblement des gentilshommes...

(L'homme-crapaud lança un bref coup d'œil à Dafydd.) Enfin, au moins trois d'entre vous. Nul ne s'étonnera de vous voir continuer votre chemin. Marchez avec assurance comme si vous connaissiez parfaitement les lieux et étiez chargés d'accomplir une mission importante pour Malvinne. En sortant de la neuvième pièce, vous serez au pied de la tour où votre prince est gardé prisonnier. C'est à ce moment que le danger sera le plus grand.

Comme Bernard s'interrompait, Brian le pressa avec impatience :

– Bien, bien ! Continue !

– Vous pousserez une porte dépourvue de garnitures d'un côté mais sculptée de l'autre. Vous traverserez alors en continuant d'aller à droite une enfilade de salles au sol recouvert de tapis, beaucoup plus grandes et plus hautes, et vous arriverez au pied de l'escalier de la tour. Vous le reconnaîtrez à ses marches de pierre nue.

– Sont-elles assez larges pour que nous puissions les gravir tous les quatre de front ? s'enquit Brian.

– Non. Trois peut-être, et encore à condition de vous tenir coude à coude. Mais si vous voulez garder libre la main droite pour tenir l'épée, il ne vous faudra pas être plus de deux par degré. Attention : cet escalier en colimaçon n'a pas de rampe. D'un côté, c'est le mur et de l'autre, c'est le vide. Le prince est détenu dans les étages supérieurs. Là se trouve aussi la pièce qui sert de salle de travail à Malvinne lui-même. Comme vous voyez, c'est à proximité du plus secret de ses repaires secrets que votre prince est séquestré. Et, sans nul doute, il n'est pas seulement emprisonné par des serrures et des verrous – l'accès de ce lieu est interdit à quiconque sauf ordre spécial – mais il est aussi enfermé dans un cercle magique. (Bernard fit un pas en arrière en direction de la porte donnant sur l'extérieur.) Maintenant, allez et que la chance vous accompagne. Je demanderais bien à Dieu de vous venir en aide mais je doute qu'Il entende la créature que je suis désormais. Et si jamais vous avez le bonheur de tuer Malvinne en tentant de délivrer votre prince, vous pourrez disposer de moi comme vous l'entendrez jusqu'à la fin de mes jours.

Bernard ouvrit la porte mais marqua une hésitation avant de la franchir.

– Je tâcherai de vous intercepter de l'autre côté du portail quand vous redescendrez, dit-il finalement. Je ne saurais vous garantir que j'y serai car je ne suis pas souvent libre de mes mouvements. Aussi, ne comptez pas sur moi, ce sera préférable, mais gagnez en toute hâte le chemin par lequel nous sommes arrivés. Vous aurez alors la moitié d'une chance de vous en sortir pourvu que les créatures de Malvinne ne soient pas dans les parages immédiats.

Cette fois, Bernard passa le seuil. La porte se rabattit derrière lui.

– Allons-y ! s'exclama alors âprement Brian. Je jurerais que Son Altesse royale nous attend là-haut !

Ils s'ébranlèrent. Il n'y avait dans la première salle où ils pénétrèrent qu'un petit nombre de gens, les uns humains, les autres d'apparence plus ou moins animale, qui s'affairaient à empiler des sacs remplis, selon Jim, de grains ou d'autres produits alimentaires. Aucun ne leur adressa la parole. La pièce suivante était une cuisine où l'on plumait des volailles. Ils traversèrent encore d'autres salles servant apparemment de resserres avant d'arriver devant l'ultime porte, selon les dires de Bernard.

Là, ils s'arrêtèrent et ses compagnons se tournèrent vers Jim.

Ce dernier examina l'encadrement de près. Ah ! si seulement il pouvait voir au travers !

– On va tenter le coup et à la grâce de Dieu ! finit-il par laisser tomber.

Et il ouvrit la porte.

Bernard n'avait pas péché par exagération. La salle dans laquelle ils entrèrent était presque aussi grande que l'enfilade de toutes les autres réunies et haute de dix à quinze mètres. Son plancher disparaissait sous les tapis. Quelques meubles travaillés s'alignaient le long des murs comme le voulait la coutume de l'époque.

Et il y avait un monde fou. Rien que des humains, jeunes et beaux, tous richement vêtus – de façon excentrique, même, pour certains. Ils bavardaient par petits groupes. Mais contrairement à ce qui s'était passé précédemment, tous se tournèrent vers Jim et ses compagnons, interrompant leurs conversations pour les examiner sous toutes les coutures.

25

– Ne vous arrêtez pas ! ordonna Jim en sourdine.

Ignorant regards appuyés et commentaires, sans compter quelques rires, les quatre compagnons et le loup foncèrent droit devant eux en direction de l'escalier comme s'ils étaient chargés d'une mission d'une importance capitale.

A l'instant où il apparut clairement que l'intention des nouveaux arrivés était de monter dans la tour, les occupants de la salle cessèrent de leur prêter attention.

Le petit groupe entama en silence l'ascension de l'escalier. On n'entendait que le claquement de leurs bottes sur les degrés de pierre. Aragh, lui, comme à l'accoutumée, se déplaçait sans faire le moindre bruit.

Les marches les menèrent jusqu'à un regard qui s'ouvrait dans le plafond. Ils s'y glissèrent et l'escalier dont la spirale continuait de s'enrouler le long du mur de la tour les déroba à la vue des occupants de la salle du bas.

Ils poursuivirent leur ascension.

Très jeune, Jim avait découvert qu'il était presque totalement insensible au vertige auquel tant de personnes sont sujettes. Il en profitait pour crâner devant ses camarades en grimpant dans des endroits inaccessibles pour eux. Il avait cessé de frimer quand un de ses copains, visiblement terrifié mais déterminé à le suivre, s'était hissé sur une corniche d'à peine cinq centimètres de large : pris de panique, il avait failli tomber et se tuer. Soudain conscient de la puérilité de ce genre de prouesse, Jim n'avait plus cherché à épater la galerie. Depuis, il avait purement et simplement oublié qu'il possédait ce don.

C'est pourquoi il s'était placé sans même y réfléchir du côté extérieur de l'escalier, surplombant le vide et qu'aucune main courante ne protégeait.

Les premiers étages n'avaient pas posé de gros problèmes. Mais ils arrivaient maintenant à la partie menant à la lointaine voûte circulaire, tout là-haut au sommet de la tour. L'abîme qui plongeait juste au-delà de sa botte droite était de plus en plus impressionnant et Jim se félicita d'avoir choisi le rebord extrême des marches car ses compagnons, eux, risquaient d'être handicapés par les affres du vertige. Le coup d'œil qu'il lança dans leur direction ne fit que le confirmer dans ce sentiment. A son côté, Brian rasait la muraille, tout comme Giles et Dafydd qui se tenaient instinctivement serrés l'un contre l'autre. Même Aragh, un degré plus bas, gardait le flanc collé contre la paroi. Ils continuaient cependant d'avancer.

A un moment donné, Jim leva les yeux vers les marches au-dessus d'eux. La spirale allait se rétrécissant du fait de la perspective, et il prit pour la première fois conscience de la précarité de leur situation. Ces marches étaient, en effet, en encorbellement. Elles étaient, certes, solidement encastrées dans le mur, ce qui compensait le porte-à-faux, mais il était toujours possible qu'une pierre se descelle. Alors, la marche basculerait et celui qui aurait le pied dessus tomberait dans le vide – vers une mort certaine.

A cette pensée, Jim éprouva lui-même un soupçon

de malaise en contemplant cette théorie de marches qui semblaient se succéder sans fin au-dessus de sa tête. Toutefois, en les considérant, il commença à réviser l'idée qu'il se faisait de leur fragilité. Il remarqua, en effet, qu'elles étaient toutes en appui sur un épais montant triangulaire qui émergeait de la muraille. Non, leur fragilité apparente n'était qu'une illusion quand on regardait l'escalier de bas en haut : en réalité, elles étaient d'une solidité à toute épreuve.

Jim en était à ce point de ses réflexions quand Brian l'interpella :

– Nous avons grimpé rudement vite, dit-il d'une voix hachée. Ce ne serait peut-être pas une mauvaise idée de faire une petite pause. Nous repartirons ensuite plus lentement parce qu'il nous reste encore un sacré bout de chemin pour arriver en haut.

– Mais bien sûr, répondit Jim en s'arrêtant tandis que, derrière lui, les autres stoppaient net.

Ce fut avec surprise qu'il s'aperçut en entendant sa propre voix qu'il avait le souffle court, lui aussi. Plongé dans ses pensées, il ne s'était pas rendu compte à quel point cette grimpette avait été éprouvante pour ses amis. C'était probablement sa faute. La tête ailleurs, il avait accéléré l'allure. Or, rien ne justifiait pareille précipitation. Si Brian n'avait pas protesté, son organisme n'aurait pas manqué de le rappeler à l'ordre.

Il était néanmoins un peu étonné d'avoir malmené ses compagnons qu'il savait pourtant en bien meilleure condition que lui. Il mit cela sur le compte de sa concentration extrême – à moins que ses pouvoirs magiques soient intervenus sans qu'il en ait eu conscience...

Mais pourquoi diable n'y avait-il pas songé plus tôt ? Il n'y avait pas de gardes pour interdire l'accès de cet escalier ! Malvinne savait qu'il pouvait compter sans réserve sur la peur qu'il inspirait à ceux qui le servaient pour les dissuader de l'emprunter s'ils n'y étaient pas dûment autorisés. Mais un magicien de son envergure se fierait-il à ce seul moyen d'intimidation ?

C'était peu vraisemblable.

Il avait sûrement installé quelque part des chausse-trapes à l'intention des intrus, têtes brûlées ou indésirables. Sur le moment, le désespoir s'empara de Jim car il ne doutait pas que Malvinne fût en mesure de concocter des pièges dépassant de beaucoup ses propres capacités. Ses talents en matière de magie ne pesaient pas lourd, en effet, devant ceux d'un adversaire de cette trempe. A moins... à moins que Malvinne ne misât sur la candeur et le manque d'expérience de ceux qui pourraient avoir la témérité de se lancer dans une pareille aventure.

Mais quel genre de pièges un maître ès arts magiques comme Malvinne pourrait-il bien inventer ? Jim était encore trop novice pour être capable de concevoir toutes les manœuvres de ce dernier.

C'était là le hic. Il avait appris, et non sans peine, que pour réaliser un enchantement, il devait se représenter et le point de départ et le point d'arrivée pour parvenir au résultat souhaité. Or, c'était présentement hors de question puisque, n'ayant pas la moindre idée des traquenards mis en place par Malvinne, il lui était impossible d'imaginer la façon de les désamorcer.

Il devait pourtant y avoir un moyen...

C'est alors que Jim eut une brusque inspiration. En hâte, il inscrivit derrière son front :

MOI/VOIR → MAGIE/AU-DESSUS/EN ROUGE

Comme d'habitude, il n'éprouva rien qui lui aurait permis de savoir si sa tentative avait ou non marché. C'était chaque fois pareil : il n'avait confirmation de sa réussite que lorsqu'un changement intervenait – quand il se transformait en dragon, par exemple. Ou quand il était parvenu à respirer au fond du lac de Mélusine. Mais pour l'instant, il ne disposait d'aucun indice concluant. Il avait beau examiner la tour, il ne voyait pas la moindre différence.

– Il vaudrait peut-être mieux repartir, dit Brian.

Il avait recouvré son souffle. Giles et Dafydd également. Jim se retourna. Aragh, lui aussi, avait cessé de haleter.

– Vous avez raison. Allons-y.

Ils reprirent leur ascension mais plus lentement, cette fois.

Ils avaient couvert à peu près la moitié de la distance qui les séparait du premier des niveaux supérieurs de la tour quand Jim s'immobilisa brusquement. Brian et les autres firent halte.

– Qu'y a-t-il, James ? demanda le premier.

– J'ai cru apercevoir quelque chose. Attendez... je fais marche arrière.

Il redescendit une demi-douzaine de marches pour avoir un meilleur angle d'observation et leva les yeux. Ce qui avait attiré son regard était une sorte de tache rouge. Là où il se trouvait maintenant, il distinguait mieux de quoi il s'agissait : la dernière marche menant au palier supérieur, y compris le soubassement qui l'étayait, était rouge d'un bout à l'autre.

– J'ai seulement essayé un peu de magie pour m'assurer que Malvinne n'avait pas placé de pièges à l'intention d'éventuels intrus et j'en ai repéré un, annonça-t-il aux autres en les rejoignant. La dernière marche, celle qui est juste avant le palier.

Tous levèrent la tête. Jim avait une première idée : il supposait que cette marche et le contrefort qui la soutenait s'articulaient au mur de telle sorte qu'elle basculerait sous le poids du premier venu et ce serait la chute dans le vide. Une chute fatale, pour la malheureuse victime.

Ce ne fut qu'une fois arrivé à proximité qu'une complication supplémentaire lui apparut. La pierre, à cet endroit-là, était différente. Elle avait près de deux mètres cinquante de hauteur – autrement dit, il n'était pas question de sauter par-dessus depuis la marche inférieure. Le piège était encore plus machiavélique que Jim ne se l'était figuré.

– J'ai l'impression que nous sommes bel et bien coincés, dit-il d'un air sombre. Quelqu'un a-t-il une idée ?

Chacun garda le silence. Brian et Giles regardaient ce degré qui, exception faite de son épaisseur peu commune, n'avait apparemment rien de particulier à leurs yeux. Dafydd contemplait également la marche mais son expression était plus songeuse. Aragh, lui, la scrutait fixement, le museau tendu et les oreilles dressées.

– Honte sur nous si nous faisons demi-tour ! laissa tomber Giles au bout d'un moment.

– Absolument, approuva Brian.

Mais ni l'un ni l'autre n'avaient de solutions à proposer.

Ce fut Jim qui finit par avoir une idée. Une idée qui ne l'enthousiasmait pas outre mesure, mais il ne voyait pas d'autre expédient. Il toussota pour attirer l'attention de ses compagnons.

– Il existe un moyen de tourner l'obstacle, leur dit-il. Il ne m'emballe pas particulièrement et je doute qu'il vous plaise plus qu'à moi.

– Ce qui compte, c'est notre devoir, pas ce qui nous plaît ou nous déplaît, rétorqua sir Brian.

D'un grognement, Giles se déclara d'accord avec lui. Dafydd se borna à acquiescer du menton et Aragh braqua ses yeux jaunes sur Jim.

– Il me suffirait de me transformer en dragon et je passerais par-dessus cette marche d'un coup d'aile. Le problème sera de vous la faire franchir à vous. Vous êtes trop lourds les uns et les autres pour que je puisse simplement vous soulever et que vous ne la touchiez pas.

– Croyez-vous ? fit Giles. Rappelez-vous que vous êtes un très gros dragon, James. Et la légende veut que ces animaux enlèvent les gens pour... euh... pour les dévorer tout à loisir.

– Je crois que les rumeurs de ce genre n'ont qu'un lointain rapport avec la réalité. Ou que, si cela s'est produit, il ne pouvait s'agir que de petits enfants ou de personnes ne pesant pas plus de cent livres. Je sais ce que je suis capable de faire quand je suis dans mon corps de dragon, croyez-moi. Or, il m'est impossible de voler en portant un adulte. (Jim se tourna vers Brian.) Mais laissez-moi vous expliquer les détails de mon plan. Je ne dispose pas de suffisamment de place dans cet escalier pour pouvoir me métamorphoser en dragon. Il me reste une solution : je vais sauter dans le vide et je changerai de forme au cours de la chute.

Aragh sourit. Brian fronça les sourcils. Giles ouvrit des yeux comme des soucoupes.

– Ah bon ? Parce que vous vous transformez automatiquement en dragon dès que vous êtes dans les airs ?

– Non, pas tout à fait. Mais je pense que j'aurai largement le temps d'opérer ce changement et de prendre mon vol avant de toucher le sol et de me faire mal. (Se faire mal ! Jim s'interrompit. C'est volontairement qu'il avait atténué l'expression de sa pensée.) Une fois redevenu dragon, continua-t-il, pensif, je reprendrai de la hauteur, je piquerai sur vous et je vous agripperai à tour de rôle pour vous transporter par-dessus la marche. Maintenant, vous allez tous enlever votre ceinturon, le boucler autour de vos poignets et vous le passer derrière la tête pour que les griffes de mes pattes arrière puissent l'accrocher. Vous avez saisi ?

– Si je comprends bien, dit Brian, vous avez l'intention de nous déposer l'un après l'autre sur le palier ?

– Exactement. Celui que je soulèverai devra se tenir debout aussi loin du mur que possible pour que j'aie la place d'étendre les deux ailes et il faudra que les autres soient au moins trois degrés plus bas. Vous plierez les genoux, prêts à sauter, et quand vous sentirez que j'attrape votre ceinturon, vous prendrez votre élan... Comme si vous alliez bondir par-dessus la marche piégée sans mon aide. Avez-vous bien compris ? (Les trois hommes acquiescèrent.) Je vais donc me déshabiller, faute de quoi je déchirerais mes vêtements au cours de l'opération. Tenez, voilà ma ceinture, dit-il à Dafydd, passez-la sous les épaules d'Aragh, la boucle en haut, afin que j'aie une prise pour l'emporter quand viendra son tour. Au moment voulu, il faudra que tu sautes toi aussi, Aragh.

– Sauter, ça, c'est dans mes cordes, répondit le loup sur un ton goguenard.

Jim avait, à présent, presque fini de se déshabiller. Il s'apercevait qu'il faisait diablement froid dans la tour. Il avait la chair de poule. S'ajoutait la perspective de se laisser tomber dans le vide et de changer de forme, ce qui n'était pas de nature à le plonger dans l'euphorie. Il avait beau ne pas craindre le vertige, il avait conscience du côté suicidaire de sa tentative.

Une fois nu, il fourra tous ses vêtements dans sa chemise qu'il noua par les manches avant de l'expédier par-dessus la marche piégée. Elle atterrit sur le palier. Aussitôt, il alla se placer à l'extrême bord du degré sur lequel il se tenait. Le granit lui glaçait la plante des pieds.

Son hésitation était perceptible. Il sentait les regards des autres rivés sur lui. Retarder l'instant fatal ne servirait à rien.

Il s'élança dans le vide.

Durant la fraction de seconde qui avait précédé ce saut fatidique, il avait essayé de se dire que ce n'était rien de plus que de descendre en chute libre quand on a un parachute accroché dans le dos. Mais cette idée, pour réconfortante qu'elle fût, n'arrivait pas à le convaincre. Le sol s'approchait maintenant à une vitesse vertigineuse. Paniquant presque, il inscrivit mentalement derrière son front la formule commandant sa transformation.

Il ressentit un choc quand ses ailes s'ouvrirent à grand bruit et bloqua net son essor lorsqu'il passa comme un éclair devant ses compagnons – juste à temps pour ne pas s'aplatir sur la voûte qui, à peine trois mètres au-dessus du palier, était leur objectif. Une fois de plus, il avait oublié la formidable poussée ascensionnelle qu'engendrait le battement de ses ailes de dragon.

Quand sa panique eut reflué, il se laissa redescendre en spirale, l'étroitesse de la tour l'obligeant à effectuer des virages de plus en plus serrés, puis il se mit en devoir de remonter.

Il fallait qu'il commence par Aragh. Deux de ses compagnons, en effet, fidèles aux instructions qu'il leur avait données, se tenaient à croupetons de part et d'autre du loup afin de maintenir droite la boucle du ceinturon passé sous ses épaules. Jim plongea en oblique pour que son aile gauche n'érafle pas la muraille.

Au premier passage, il essaya d'agripper la boucle. La manqua. Continua sur sa lancée, reprit de la hauteur et recommença. Il rata à nouveau son coup. La troisième tentative fut aussi peu concluante. Le désespoir le gagnait. Mais quand ses griffes se refermèrent pour la quatrième fois sur la sangle, Aragh bondit. Ce coup-là, tous deux atteignirent le palier sans avoir effleuré la marche fatale.

Jim lâcha le ceinturon juste à temps pour ne pas percuter un mur dans lequel s'ouvrait une porte noire.

Il pivota vivement sur lui-même, redescendit l'équivalent d'une cinquantaine de marches et s'éleva derechef. La pratique qu'il venait d'acquérir commençait à porter ses fruits : il n'eut besoin que de deux essais pour soulever Dafydd. Un seul suffit pour chacun des deux chevaliers.

Son propre atterrissage sur le palier fit plus de bruit qu'il ne l'avait prévu et, visiblement, ce fut aussi l'impression de ses compagnons : ils dégainèrent instantanément et Aragh découvrit ses crocs. Tous quatre étaient massés autour de la porte noire tels des tigres à l'affût d'une proie qui a trouvé refuge derrière une grille.

Jim reprit en toute hâte sa forme humaine. Grelottant, il se rhabilla, récupéra son ceinturon auquel il fixa de nouveau son épée et sa dague. Pour une fois, il avait eu l'étrange impression d'être plus vulnérable dans son corps de dragon que dans son corps d'homme. Il se sentait maintenant beaucoup plus confiant et parfaitement capable d'assurer sa propre protection avec ses armes humaines. A son tour, il tira son épée et rejoignit les autres devant la porte.

– Le moment est venu d'entrer, leur dit-il.

26

Jim pénétra le premier, à l'affût de tout ce qui pouvait être de couleur rouge. C'était une sorte d'antichambre sur laquelle donnaient quatre pièces qui occupaient le reste de l'étage. Elles étaient plus petites que les salles du bas car la tour allait se rétrécissant à mesure qu'elle s'élevait. Le plafond n'était guère qu'à quatre mètres cinquante au-dessus. D'innombrables tapis recouvraient le sol. L'ameublement, s'il était réduit par rapport aux normes du XXe siècle, était somptueux. Les murs disparaissaient entièrement derrière de lourdes tapisseries qui ne laissaient libres que les fenêtres.

Celles-ci, un peu plus larges que la normale, faisaient au moins un mètre quatre-vingts de haut. Chacune était encadrée de rouge et un simple coup d'œil permit à Jim de comprendre pourquoi. La magie aidant, elles laissaient entrer beaucoup plus de jour que de banales croisées de dimensions égales et donnaient, compte tenu de leur emplacement élevé, une vue bien dégagée sur le paysage alentour. L'effet était par conséquent presque analogue à celui d'un appartement sur terrasse avec baies panoramiques, ce qui était monnaie courante dans le monde natal de Jim.

L'épée à nu, ils visitèrent les quatre pièces avec circonspection mais, ainsi qu'Aragh le leur avait presque immédiatement annoncé, elles étaient inoccupées.

– Mais il y a quelqu'un au-dessus, dit le loup. Un humain. Mon flair ne me trompe pas.

Un escalier à vis presque aussi large que celui dont ils avaient déjà fait l'ascension menait directement à l'étage supérieur. Ils le gravirent et découvrirent une nouvelle et vaste salle centrale autour de laquelle rayonnaient encore quatre chambres. Les portes massives qui les fermaient étaient d'un rouge éclatant aux yeux de Jim.

– Ces portes sont protégées, fit-il à ses compagnons. Si nous arrivions à découvrir en nous gardant de les toucher celle derrière laquelle peut se trouver le prince, nous marquerions un point sérieux. Es-tu capable de nous le dire, Aragh ?

Aragh les flaira les unes après les autres en prenant soin de se tenir à distance, la tête penchée de côté pour mieux entendre. Quand il les eut toutes inspectées, il revint à la troisième.

– Il y a un homme derrière celle-là, déclara-t-il. Je crois qu'il est seul car je l'entends respirer. Il semble dormir.

– C'est sûrement le prince ! fit Giles en se précipitant vers la porte. Il faut foncer...

– Non, Giles, arrêtez ! lui cria sèchement Jim. (L'interpellé s'immobilisa et se tourna vers lui avec une expression étonnée, presque offensée.) Vous ne vous rappelez donc pas ce que je vous ai dit ? Cette porte est protégée par un charme magique. Si jamais on essaie de l'ouvrir, il est hors de doute que cela déclenchera une alarme, si ce n'est pire !

Giles recula. Jim contemplait la porte. Les autres attendaient, les yeux fixés sur lui.

Un long moment s'écoula.

– Vous ne pourriez pas l'ouvrir par un moyen ou un autre grâce à votre magie à vous, James ? lui demanda finalement Brian.

– C'est ce moyen que vous me voyez occupé à chercher ! (Jim avait à peine fini sa phrase qu'il s'en voulait déjà d'avoir aussi brutalement rabroué son frère d'armes.) Pardonnez-moi, Brian. Je suis en train de réfléchir à la façon d'avoir raison de cette barrière magique.

– Je ne vous en veux nullement, James, soyez-en persuadé. Vous savez que je connais bien Carolinus. Pareille attitude est normale de la part d'un mage.

Il n'était encore jamais venu à l'idée de Jim que l'indispensable concentration que réclamait ce genre de travail pouvait excuser, dans une certaine mesure, la rudesse dont Carolinus était coutumier. Mais pour l'heure, des choses plus importantes occupaient son esprit.

Plus il y réfléchissait, plus il avait la certitude qu'en dehors de toutes les autres fonctions qui pouvaient lui être assignées le sortilège défendant la porte était une alarme chargée de prévenir directement Malvinne si jamais quelqu'un cherchait à s'introduire dans une de ces chambres interdites. Il était peu probable, en effet, qu'il confie à des subalternes le soin, tâche importante entre toutes, de déjouer une tentative d'intrusion dans ce qui était à l'évidence ses appartements privés.

Quelles que puissent être les vertus de ce charme – réduire en cendres un éventuel visiteur indésirable, par exemple –, il n'opérait pas quand c'était Malvinne en personne qui poussait la porte. Certes, Jim était dans l'incapacité d'avoir une idée précise de l'artifice utilisé pour la condamner. Mais il était prêt à parier que s'il parvenait à faire en sorte que le charme agisse à son avantage et non plus à celui de Malvinne, il serait peut-être en mesure de pénétrer dans la pièce à l'insu de ce dernier en évitant les pièges destinés aux intrus.

Après avoir réfléchi, il inscrivit mentalement derrière son front :

ALERTE MAGIQUE DIRIGÉE VERS MOI →
SI PORTE OUVERTE

Chaque fois qu'il lançait de la sorte un ordre, il s'efforçait de lui donner corps en l'imaginant. En l'occurrence, il visualisa quelque chose comme un rayon lumineux se déplaçant vers lui en court-circuitant l'endroit où se trouvait Malvinne.

Néanmoins, il était toujours hésitant. Théoriquement, la porte était maintenant neutralisée et ce serait lui, désormais, qui recevrait le signal d'alerte ; il ne courrait aucun danger.

Cependant, il n'en aurait la preuve formelle que s'il passait à l'acte et entrait dans la pièce.

La porte n'avait bien entendu pas de poignée, contrairement à celles en usage au XXe siècle. Elle était seulement munie d'une petite bâcle de la taille de la main qu'il n'y avait qu'à pousser. Ce ne serait qu'à l'instant où il la toucherait que Jim saurait si son sortilège avait ou non opéré.

– Bien, dit-il, dans une profonde inspiration, sans regarder les autres, écartez-vous. Je vais essayer d'ouvrir cette porte. Si je pénètre sans problème, vous pourrez probablement en faire autant.

Il vida ses poumons, les remplit à nouveau, puis actionna la bâcle.

Aucun éclair magique meurtrier ne le foudroya. Simplement, un son grave semblable à un coup de gong retentit par trois fois à l'intérieur de son crâne, suivi du son d'une voix qui disait : « On a ouvert la chambre bleue. On a ouvert la chambre bleue. On a ouvert la chambre bleue... »

La voix répétait inlassablement la même phrase et Jim commençait à croire que ce serait sans fin, quand elle se tut brusquement. Il balaya la pièce du regard et vit dans un coin un jeune homme allongé sur un petit lit. Il était en train de se réveiller.

Jusque-là, tout se passait bien. Restait une question : Malvinne avait-il été alerté ? Le système pouvait être plus sophistiqué qu'il n'y paraissait. Auquel cas, il fallait faire vite.

Jim franchit le seuil de la chambre. Assis sur le bord du lit, un jeune homme – le terme d'adolescent aurait mieux convenu – se frottait les yeux. Jim lui donnait entre seize et dix-neuf ans. Il avait un peu le même air d'innocence que John Chester mais avec quelque chose de plus raffiné.

Il était vêtu avec une luxueuse simplicité. Il portait par-dessus ses chausses une cotte-hardie bleu foncé semée de minuscules joyaux ou, tout du moins, d'infimes éclats de verre semblables à des gemmes qui réfractaient la lumière chaque fois qu'il bougeait. Ses cheveux cuivrés étaient taillés court. A son cou un médaillon figurant une effigie qui n'évoquait rien à Jim. Une paire de petites bottes de cuir souple était posée près du lit. Il se mit en devoir de les enfiler avant même d'ouvrir la bouche.

Jim prit alors conscience qu'il ne lui était rien arrivé de fâcheux. Les autres pouvaient donc entrer à leur tour mais quand il se retourna pour leur annoncer que la voie était libre, il constata qu'ils n'avaient pas attendu sa permission pour s'introduire dans la pièce.

Les deux chevaliers, un genou en terre, faisaient face au jeune homme. Dafydd, quant à lui, était resté debout, tout comme Aragh, mais il avait ôté le heaume qu'il n'avait pas quitté depuis Blois.

Une embarrassante question d'étiquette se posait. Théoriquement, Jim aurait dû ployer, lui aussi, le genou. Il était, après tout, le vassal direct du roi dont ce garçon était le fils. Mais c'était là une coutume étrangère à l'enfant du XXe siècle qu'était Jim : il resta debout.

Le prince avait achevé de se chausser.

– Puis-je savoir qui vous êtes, messires ? demanda-t-il en regardant tour à tour Jim, Brian et Giles. Mais relevez-vous, je vous en prie, ajouta-t-il avec un geste de la main. Le protocole n'a pas cours en ce lieu. Si vous êtes des ennemis, je n'attends point de cérémonie de votre part. Et si vous êtes des amis, je vous dispense de tout décorum.

– Nous sommes des amis, Votre Altesse, dit Brian en se relevant et en avançant d'un pas. Et des amis anglais – enfin, trois d'entre nous. Celui qui se trouve le plus près de vous est sir James Eckert, que Sa Majesté votre père a fait, l'an passé, baron de Bois de Malencontri. Et voici sir Giles de Mer, féal chevalier du Northumberland. Quant à moi, je suis sir Brian Neville-Smythe de la branche cadette des Neville de Raby, s'il plaît à Votre Altesse. Les autres sont des amis bien qu'ils ne soient pas anglais : le Gallois Dafydd ap Hywel et Aragh, loup anglais.

Le prince sourit.

– Il me semble qu'au moins quatre d'entre vous sont anglais si ce loup se réclame, lui aussi, de cette qualité.

– Loup anglais je suis né et loup anglais je mourrai, dit Aragh, encore que je ne sois pas sujet de votre royaume puisque je suis un loup libre et que mon peuple a toujours été un peuple libre. Je suis néanmoins de vos amis et le demeurerai puisque vous venez du pays qui est le mien. Mais n'attendez pas de moi que je me comporte en humain. Jamais, nous autres loups, ne l'avons fait.

– Agissez selon vos manières, messire Loup, fit le prince quelque peu étonné, vous êtes excusé d'avance. Je n'irai en aucun cas critiquer la conduite d'amis qui sont venus jusqu'à moi. En fait, je n'aurais jamais imaginé que quiconque, Anglais ou pas, puisse me retrouver en ces lieux où Malvinne me retient prisonnier. (Il sourit à ses sauveteurs.) Et maintenant que vous êtes là, qu'envisagez-vous de faire ?

– Organiser votre évasion dans les délais les plus brefs, Votre Altesse, répondit Jim.

– Oui, mais comment, James ? fit Brian. A l'instant où nous arriverons au pied de l'escalier avec Sa Grâce, tous ceux qui sont en bas La reconnaîtront. S'ils ne se jettent pas aussitôt sur nous, ils s'égailleront et répandront la nouvelle. Et nous sommes au cœur même de l'antre de Malvinne.

– C'est à l'escalier de la tour que vous faites allusion ? s'enquit le prince en se levant.

– Oui, Votre Altesse.

– Je ne saurais l'affirmer avec certitude, dit le prisonnier en plissant légèrement le front, mais je crois que Malvinne dispose d'un autre chemin, une sortie dérobée dont il est le seul à connaître l'emplacement. Il m'en a plus ou moins parlé à l'occasion.

– Parce que vous le voyez souvent ? s'enquit Jim.

– Il prend presque tous ses repas avec moi. A vrai dire, c'est la seule personne que j'ai rencontrée depuis que je suis dans ce maudit château qui est devenu ma prison.

Jim se livra à un rapide calcul. Il commençait à faire sombre quand Bernard était venu les chercher pour les guider jusqu'ici. Il ne s'était pas écoulé plus de deux heures, trois au maximum, depuis ce moment. Il n'y avait donc pas de danger que Malvinne surgisse pour se mettre à table au beau milieu de leur tentative d'évasion.

– C'est un commensal d'une épouvantable vanité, encore qu'il ne boive que de l'eau, poursuivit le prince. Force m'est toutefois de reconnaître que le vin qu'il me sert n'est pas mauvais – les mets qui l'accompagnent non plus, d'ailleurs. Mais Malvinne passe la majeure partie de son temps à disserter sur ses grands pouvoirs et ses grands talents. Et, dans la conversation, il lui arrive parfois d'évoquer ces passages secrets.

– Mais comment pourrait-il y en avoir un qui parte d'ici ? fit Brian. Que Votre Grâce daigne me pardonner... je ne voudrais surtout pas qu'Elle puisse penser que je doute de la véracité de ce qu'Elle a entendu de la bouche de Malvinne. Mais cette tour est entièrement nue à l'exception de l'escalier intérieur. Et je ne vois pas comment même une mouche pourrait s'échapper d'ici autrement que par cet escalier.

– Moi non plus, digne chevalier. Pourtant, c'est bien ce qu'il m'a suggéré – ou, plutôt, ce qu'il m'a laissé entendre à mots couverts car il ne m'a jamais dit ouvertement qu'il utilisait une voie secrète pour entrer dans cette chambre et en sortir.

– Ce doit être un itinéraire magique, il n'y a pas de doute, intervint Brian.

– Peut-être..., murmura Jim.

Son esprit travaillait à plein régime. Se transporter instantanément par magie d'un endroit quelconque jusqu'au sommet de cette haute tour serait autrement moins fatigant pour Malvinne que de gravir cette interminable série de marches. Par ailleurs un autre élément rentrait en ligne de compte.

Carolinus avait évoqué le mode de vie somptuaire de Malvinne qui contrastait avec celui du mage, beaucoup plus modeste. Or dès leur première rencontre, quand Jim était encore sous les traits de Gorbash, Carolinus lui avait révélé que la première loi de la magie était la loi du paiement.

Toute opération magique exigeait un paiement en proportion. Qui plus est, le Département avait pour fonction de tenir la comptabilité en veillant à ce que la dépense n'excède pas le revenu. Le revenu était le fruit d'un travail agréé venant grossir le crédit magie ouvert au nom du magicien en sus des bénéfices courants à lui versés. Règlement courant et règlement magie étaient indépendants l'un de l'autre. Ainsi, lors de cette première rencontre, Carolinus s'était finalement livré à un marchandage de maquignon avec Smorgl, le grand-oncle de Gorbash. Au bout du compte, celui-ci avait dû proposer une quantité d'or et de bijoux qui avait semblé extravagante aux yeux de Jim pour que Carolinus accepte de l'aider à récupérer Angie.

Le mage avait ensuite déclaré que la délivrance de la jeune femme était en réalité une bonne cause, et qu'en conséquence Jim pouvait bénéficier de son concours sans bourse délier. Jim ne lui avait d'ailleurs donné ni or ni bijoux. Toutefois cet épisode mettait en lumière le fait qu'un magicien avait besoin de revenus ordinaires pour vivre normalement dans le monde. En même temps, il lui fallait un crédit magie solide auprès du Département des Comptes pour qu'il lui soit possible de pratiquer son art.

Apparemment, les opérations de magie se situant au niveau de compétence d'un magicien de classe AAA+ comme Carolinus ou de classe AAA comme Malvinne étaient dispendieuses – en termes de crédit magie, à tout le moins.

En conclusion, Malvinne avait peut-être des sources de revenu ordinaire importantes mais il était tout à fait possible qu'en ce qui concernait les fonds destinés à la magie il fût sur la corde raide. Sans aucun doute, son degré de solvabilité n'était pas un secret pour le Département des Comptes, mais Jim savait sans avoir besoin de poser la question que ce dernier ne révélerait jamais à un magicien de classe D l'état du crédit d'un magicien de classe AAA. Mais on était parfaitement en droit de supposer que pour mener le train de vie qui était le sien, Malvinne usait jusqu'à l'extrême de son crédit.

Si tel était le cas, il devait le plus souvent possible recourir à des moyens ordinaires plutôt qu'à la thaumaturgie afin d'éviter d'épuiser son capital magie. Dès lors, s'il disposait d'une voie d'accès secrète, ce pouvait fort bien être une voie qui n'avait rien de magique, un chemin tout à fait normal encore qu'astucieusement caché.

La question, comme l'avait souligné Giles, était de savoir comment un tel passage dérobé pouvait avoir été aménagé dans cette coquille creuse qu'était la tour de son château.

Jim prit soudain une décision.

– La nature de cette galerie est sans importance, fit-il. Il faut d'abord trouver son entrée si entrée il y a. Le problème sera alors automatiquement résolu.

Le visage des autres s'éclaira mais Jim avait déjà fait demi-tour pour sortir. Ses amis et le prince lui emboîtèrent le pas.

Une fois dehors, il considéra les trois autres portes, puis avança vers celle de gauche et inscrivit à nouveau sur son tableau noir la formule magique grâce à laquelle ce serait lui et non Malvinne qui recevrait le signal d'alerte lorsqu'elle s'ouvrirait.

Cette fois, il entra sans hésiter.

C'était une pièce entièrement vide. Laissant ses compagnons y chercher une hypothétique entrée, Jim passa à la suivante. Elle était tout aussi nue. Nulle part n'apparaissait le moindre liséré rouge qui aurait trahi l'existence d'un quelconque passage secret rendu magiquement invisible.

La quatrième chambre était beaucoup plus grande que les deux autres réunies. C'était à l'évidence l'équivalent d'un laboratoire façon XIVe siècle. Divers instruments bizarres jonchaient tables et rayonnages, ainsi que des récipients en verre de forme tout aussi incongrue.

Jim revint dans le vestibule et les autres se rassemblèrent autour de lui, prêts à recevoir ses ordres. Contrairement à son attente, le prince ne lui posa aucune question. Il exerçait le commandement et personne ne songeait à contester son autorité.

– Sir James est un mage, Votre Grâce, expliqua Brian au prince. C'est pourquoi il a pu ouvrir les portes sans que la magie de Malvinne, qui n'en a rien su, nous anéantisse.

– Vraiment ?

Le prince considéra Jim avec un respect nouveau.

– Un magicien d'une classe bien inférieure à celle

de Malvinne et dont les talents sont loin d'égaler les siens, je le crains, Votre Altesse, s'empressa de préciser Jim qui ne voulait surtout pas que le prince se méprenne sur ses dons. Vous voyez, il n'y a pas d'entrée ici. Nous allons devoir descendre à l'étage inférieur pour inspecter ce qui semble être les appartements privés de Malvinne.

Tout en dévalant les marches, les autres à sa suite, Jim songeait que c'était par là qu'ils auraient dû commencer. N'était-il pas plus logique qu'un passage secret débouche dans la suite du magicien ?

Cette fois encore, il fut frappé par la magnificence du mobilier richement sculpté et travaillé, par l'épaisseur des tapis qui recouvraient le sol, par les lourdes et somptueuses tapisseries dissimulant les murs.

– Compte tenu du peu de temps dont nous disposons, je crois, dit-il, que le mieux serait de chercher tous ensemble. Y compris vous, Altesse, si vous avez cette bonté. Il se peut que Malvinne ait laissé échapper à son insu une précision pour l'instant obscure mais qu'un détail pourrait vous remémorer. Quant à vous autres, essayez de découvrir quelque chose qui ressemble à une porte ou qui pourrait être une ouverture camouflée – un panneau mural, un couvercle de coffre...

Tout le monde se mit à l'ouvrage, y compris Aragh qui fourrait son museau ici et là. Jim, pour sa part, guettait toute apparition de rouge car s'il y avait une entrée secrète, elle serait, il en avait l'absolue certitude, magiquement protégée.

La fouille, qui leur prit à peu près une demi-heure, resta vaine. Ils se rassemblèrent à nouveau devant l'escalier.

Ils étaient désemparés mais, curieusement, leur insuccès ne faisait que renforcer l'obstination de Jim. Plus il réfléchissait et plus s'affermissait sa conviction qu'il existait une issue qui, pour être cachée, n'en était pas moins matérielle. Soudain, une idée germa dans sa tête.

– Nous allons recommencer, dit-il. Cette fois, regardez bien derrière les tapisseries. Cherchez du rouge. Mais si vous en voyez, ne touchez surtout à rien !

– Du rouge, James ? s'étonna Brian.

Jim comprit son erreur. Bien sûr ! Lui seul était capable de voir la couleur révélatrice qu'il avait choisie. Il inscrivit vivement un nouvel ordre derrière son front :

VISION POUR TOUS → SIGNAL MAGIQUE ROUGE

– Oui. Je viens de me livrer à un petit tour de magie grâce auquel cette fameuse porte devrait apparaître de couleur rouge. Si vous la voyez, prévenez-moi immédiatement. Et, je vous le répète, n'y touchez pas. Gardez-vous même, si possible, de vous en approcher. Tout ce qui est rouge risque d'être mortel.

Cette fois, la perquisition dura un peu plus d'une heure mais elle se solda, elle aussi, par un échec. Quand ils tinrent à nouveau conseil, Jim remarqua qu'Aragh était couché, apparemment endormi, sur une pile de coussins. Cela devait faire un certain temps qu'il était dans cette position.

– Aragh ! Tu n'as pas fouillé comme les autres ? lui demanda-t-il.

Le loup ouvrit un œil, puis l'autre, se leva et s'ébroua.

– Non, répondit-il.

Tous les regards convergèrent vers lui.

– Pourquoi ? s'étonna Jim.

– J'aurais pourtant cru que, doué comme vous étiez, James, vous auriez eu en tête certaines réalités. Les loups sont incapables de voir ce que les deux-pattes appellent les couleurs. Pour nous autres, ce ne sont que des nuances dans un monde entièrement noir, blanc et gris. Ah ! évidemment, si votre rouge avait une odeur, je le trouverais bien avant aucun d'entre vous.

– Bien sûr ! s'exclama Jim. Quel imbécile je suis ! Prépare-toi à te servir de ton nez, Aragh !

– Eh ! Vous n'allez pas me jeter un sort ?

– Non, sois tranquille. Je vais agir sur ce que nous cherchons et charger cet objet d'une odeur. L'odeur de l'ail, par exemple. Qu'est-ce que tu en penses ?

Aragh ouvrit la gueule toute grande comme s'il riait aux éclats.

– Ça, c'est une odeur que, même vous, les humains, pourriez finir par sentir à la longue. Allez... d'accord pour l'ail !

Jim rédigea une nouvelle formule derrière son front :

SIGNE MAGIQUE ROUGE →
SE DOUBLE D'UNE ODEUR D'AIL

A peine avait-il fini qu'Aragh, oreilles dressées, se mit à trotter jusqu'à l'escalier qu'ils avaient eu tant de mal à grimper. Après avoir flairé quelques petits tapis entassés là, il glissa son museau sous l'un d'eux, respira un bon coup avec une satisfaction évidente et, en prenant le bord entre ses crocs, le sortit de la pile.

– Alors, James, fit-il en le lâchant et en se préparant à en faire autant avec le suivant, qu'est-ce que vous attendez ? J'ai trouvé ce que vous vouliez.

Ce fut une ruée générale et tout le monde se mit à l'œuvre pour dégager l'emplacement qu'Aragh avait détecté au milieu des carpettes superposées qui le dissimulaient. Bientôt, ils entrevirent quelque chose de rouge.

– Reculez-vous ! ordonna Jim. C'est moi qui vais terminer le travail.

Quand ses compagnons eurent obéi, il se baissa et entreprit d'ôter les derniers tapis. Alors, une trappe apparut à leurs yeux. Une trappe d'un rouge éclatant.

Le signal magique retentit à nouveau dans la tête de Jim. Il attendit qu'il se soit tu pour se tourner vers les autres.

– Je vais essayer d'ouvrir ce passage, leur dit-il. Cela ne devrait pas poser plus de problèmes que pour les portes du dessus mais si je n'y parviens pas et si jamais quelque chose m'arrivait, tâchez de fabriquer une corde avec les moyens du bord. Vous l'ajusterez à la poignée et y attacherez quelque chose de lourd que vous laisserez tomber depuis le palier de manière que le poids fasse basculer le couvercle. Alors, l'un d'entre vous tentera de se glisser dans l'ouverture pour voir s'il n'y a pas de danger. S'il réussit, les autres pourront l'y suivre.

– Vous craignez donc de mettre votre vie en péril quand vous soulèverez le couvercle de cette trappe, James ? demanda Brian.

– Il y a un risque, admit Jim.

– Dans ce cas, laissez-moi faire. Vous êtes plus à même d'aider Son Altesse à s'évader de ce maudit château qu'aucun d'entre nous. S'il y a un risque, permettez-moi de l'assumer.

– Merci, Brian. (Jim était touché par sa proposition car il y discernait plus que le souci d'assurer la sécurité du prince. Il connaissait suffisamment Brian pour savoir que son ami s'inquiétait aussi pour lui.) Mais la magie qui me protège sera, je le crains, sans effet sur vous autres. Aussi, nous n'avons pas le choix. Il faut que ce soit moi qui tente le coup. Reculez.

Jim se mit en position et empoigna d'une main ferme la poignée du panneau. Celui-ci devait être extrêmement épais et il s'attendait à être obligé de fournir un effort considérable pour le soulever. Mais le couvercle était sans doute muni d'un dispositif faisant office de contrepoids car il bascula sans peine à la première sollicitation, révélant l'amorce d'une cavité dans les profondeurs de laquelle descendaient des marches. Ni la surface interne de cette espèce de puits, ni son rebord n'étaient rouges. En regardant plus attentivement, Jim constata que l'encadrement du couvercle n'était plus rouge. Le charme qu'il avait jeté avait probablement cessé d'agir quand sa main, identifiée comme étant celle de Malvinne, s'était posée sur la poignée, ce qui avait du même coup fait disparaître la couleur révélatrice.

– Et voilà la solution, dit Jim en désignant l'ouverture du doigt. Vous voyez où cela mène ?

Les marches conduisaient au soubassement de l'escalier. Le conduit était si étroit qu'ils seraient contraints de descendre un par un. Dafydd et Jim devraient, qui plus est, garder la tête baissée. Mais c'était bel et bien la route qui leur permettrait de jouer la fille de l'air.

– Voilà un exploit dont je vous félicite, sir James, dit le prince – et il y avait dans sa voix une nuance de respect. Je vous adresse aussi mes félicitations, messire Loup. Et je m'en souviendrai. (Son regard se posa sur les autres.) De même que je me souviendrai de vous tous, mes sauveurs.

– La partie n'est pas encore gagnée, fit Jim, mais nous avons au moins un atout en main.

Néanmoins, il se sentait le cœur plus léger. Si Malvinne s'était donné le mal de ménager cette voie dérobée, c'était à coup sûr pour sortir secrètement du château. Cependant, Jim nourrissait la crainte que leurs efforts ne tournent court.

Il se dirigea vers les marches et les autres lui emboîtèrent le pas. Il les laissa passer et, avant de descendre à son tour, rabattit le panneau non sans avoir préalablement pris soin de le dissimuler à nouveau sous des tapis.

27

Les marches et les parois distillaient une luminosité d'origine indiscutablement surnaturelle. Jim avait craint qu'ils ne soient obligés de descendre à tâtons dans le noir. Il aurait pourtant dû deviner que Malvinne avait prévu l'éclairage et il était vexé de ne pas y avoir pensé.

La descente jusqu'aux régions habitées où s'amorçait la spirale de l'escalier sous lequel ils se trouvaient serait longue. Toutefois, Jim remarqua, détail réconfortant, de petites fentes entre les marches et la paroi tubulaire du boyau. C'étaient, semblait-il, des fissures accidentelles mais qui constituaient des repaires jusqu'au rez-de-chaussée.

Ils arrivèrent enfin à la dernière marche, là où le passage secret prenait fin pour aboutir à une galerie transversale. A gauche, il y avait un second escalier raide qui remontait probablement vers une autre tour. A droite, un étroit couloir s'élevait en pente douce.

Jim recula d'un pas ou deux pour laisser aux autres la place nécessaire.

– Quel chemin allons-nous choisir maintenant, sir James ? demanda le prince.

Jim, qui examinait le passage noyé dans la pénombre, se retourna. Il jeta à nouveau un coup d'œil vers l'escalier, puis son regard se posa sur ses compagnons.

– Je ne sais pas s'il nous faut aller à gauche ou à droite. L'un d'entre vous aurait-il une raison de penser que l'une de ces directions est préférable à l'autre ?

Seul le silence lui répondit. Même le loup n'avait pas de suggestion à faire.

– Ton odorat ne te révèle rien de particulier, Aragh ?

– Ce sont partout les mêmes odeurs. L'odeur des deux-pattes, des relents de nourriture...

Jim lâcha un profond soupir.

– Bon. En tout état de cause, il me semble que remonter par cet escalier est hors de question. La galerie de droite est légèrement en pente. Peut-être débouche-t-elle au pied du château ou à proximité. Autrement dit, si nous l'empruntons, nous parviendrons à une issue secrète que Malvinne a prévue au cas où le château serait pris d'assaut. A mon sens, la droite est le bon choix.

Le prince reprit la parole après un bref silence :

– Dans la situation où nous sommes, c'est à vous que la décision appartient, sir James. Je ne vois pas de meilleure solution pour nous que de vous suivre.

– Je vous remercie, Votre Altesse. Eh bien, allons-y.

Jim pivota sur lui-même et s'engagea dans la galerie déclive. Il entendit presque aussitôt les pas des autres derrière lui.

Tout paraissait se dérouler de façon normale quand, de manière imprévisible, la pente se fit abrupte et Jim, perdant l'équilibre, dérapa comme si le sol était recouvert de graisse. Il tomba et se mit à glisser de plus en plus rapidement. Il comprit au cri de surprise inarticulé que poussait le prince et aux jurons hautement colorés de Brian et de Giles que ses compagnons étaient victimes de la même mésaventure.

La chute s'accélérait à tel point qu'il avait l'impression d'être un bobsleigh en pleine course et il se rendit compte que le boyau qu'il dévalait descendait en spirale. Un moment, il eut la vision fugitive – cela ne dura que le temps d'un éclair – de quelque chose de rouge. Ce fut davantage une intuition.

Au plus fort de sa chute et avant de perdre conscience, il comprit son erreur et s'accabla de sanglants reproches : lui seul portait la responsabilité de ce qui leur arrivait.

En montant dans la tour, il avait inscrit sur le tableau noir de son front la formule qui lui permettrait de déceler au cours de son ascension toutes les embûches magiques que leur couleur dénoncerait aussitôt. Mais l'ordre s'appliquait exclusivement aux pièges situés au-dessus de lui. L'idée ne lui était pas venue qu'il pourrait y en avoir non pas *au-dessus* mais *au-dessous*. Il était maintenant évident qu'un de ces traquenards avait été installé à l'intersection de l'escalier dérobé et de la galerie en pente. Et, triple buse qu'il était, il avait si maladroitement libellé ses directives que celui-ci n'avait pas fonctionné : le piège, posé plus bas, n'avait pas pris la couleur révélatrice qui avait trahi la présence de ceux que Jim avait auparavant rencontrés sur son chemin. Maintenant, il était trop tard : ses compagnons et lui étaient prisonniers de ce toboggan en tire-bouchon qui les précipitait dans les entrailles de la terre.

Combien de temps leur chute dura-t-elle ? Impossible de répondre à cette question. Plus tard, Jim songea qu'à un moment donné il avait dû perdre connaissance – un étourdissement, peut-être, ou quelque autre phénomène d'origine magique. Quoi qu'il en soit, quand il revint brutalement à lui, il était plaqué contre une dure surface verticale et broyé sous le poids de ses amis.

Il ouvrit la bouche pour leur dire qu'ils l'étouffaient mais déjà, ils se dégageaient et, une seconde plus tard, il parvint à se redresser.

La voix de Giles résonna dans les ténèbres où ils étaient plongés :

– Où sommes-nous ? Je ne me souviens plus de rien. Je me rappelle seulement que je me suis retrouvé ici en me réveillant il y a à peine un instant.

Brian et le prince confirmèrent qu'il en était allé de même pour eux.

– Qu'allons-nous faire maintenant, sir James ?

poursuivit le second. La tête me tourne encore mais je crois que je suis capable de tenir sur mes jambes. Où sommes-nous ?

– Je n'en sais rien, Votre Altesse. Je sens une espèce de mur. Attendez une minute. Je vais essayer de voir s'il y a une ouverture quelconque.

Et Jim se mit en devoir de palper la paroi contre laquelle il avait été précipité. Il sentit que ce n'était pas de la pierre mais sans doute du bois, et il en déduisit que ce pouvait être une porte. Il tâtonna à la recherche d'une éventuelle poignée, que sa main finit par rencontrer.

Il la poussa. Sans résultat. Il la tira et, cette fois, elle obéit docilement. Presque sans le vouloir, il ouvrit la porte toute grande et un flot de lumière les aveugla.

Mais leurs yeux s'accoutumèrent peu à peu et quand ils eurent recouvré leur vision normale, ce fut pour constater qu'ils se trouvaient sur une sorte de plate-forme ceinturée par une barrière, un balcon si étroit que leur groupe pouvait à peine s'y tenir. A droite de la porte, une volée de marches conduisait vers ce qui semblait être une gigantesque caverne. Le sol était de pierre tout comme la muraille contre laquelle ils étaient collés et celle qui leur faisait face, distante d'une trentaine de mètres. Mais l'ensemble se perdait dans les ténèbres. S'agissait-il d'une véritable caverne ? Où étaient-ils ? Difficile de le dire. Ils avaient parcouru une telle distance dans leur chute qu'il devait y avoir une sacrée épaisseur de croûte terrestre entre eux et la surface du sol ! En outre, la lumière qui les baignait ne s'apparentait ni à celle du soleil, ni à celle de la lune ou des étoiles. C'était une lueur étrange, diffuse et souterraine.

Au-dessous d'eux se pressait une multitude de gens, hommes et femmes, tous revêtus de ce qui paraissait être un uniforme noir, armés de curieux couteaux sans manche presque aussi longs que des épées.

Ils portaient également des boucliers ronds ressemblant à des cibles de tir.

Jim balaya la scène du regard. Il ne reconnut aucun des visages. Tous étaient figés dans une expression de haine, de peur et de terreur presque démentielles qui les déformait. A une trentaine de mètres de la plate-forme et vingt mètres au-delà des silhouettes les plus éloignées, il y avait un espace vide au milieu duquel se dressaient deux trônes monumentaux. Deux personnages tout aussi colossaux y étaient assis.

L'un était de sexe masculin, l'autre de sexe féminin. Ils étaient revêtus d'une ample tunique qui leur tombait au-dessous des genoux et leurs bras reposaient sur les accoudoirs de leurs trônes. Ce qui les distinguait essentiellement des humains, en dehors de leur taille – que Jim estimait pour le moins à six mètres –, était leur cou anormalement long : il devait à lui seul faire entre un mètre vingt et un mètre cinquante.

L'homme était beau avec ses yeux perçants et ses cheveux noirs plaqués sur une tête ronde. La femme, à la chevelure également noire, resplendissait, elle aussi, d'une sombre beauté. Leur physionomie était impassible. Ce ne fut que lorsqu'il détourna le regard que Jim vit à la limite extrême de son champ de vision s'altérer les visages de l'homme et de la femme – si l'on pouvait les appeler ainsi –, celui du premier devenant une tête de chacal et celui de la seconde une tête de serpent. Mais leur aspect animal s'évanouissait quand Jim les fixait directement.

Une chose était certaine : ses amis et lui n'étaient pas à leur place en ces lieux. Il pivota vivement sur lui-même pour faire face à la porte et actionna la poignée maintenant bloquée. Sans perdre de temps, Jim inscrivit alors derrière son front :

SERRURES/LOQUETS → DÉVERROUILLAGE

Il se concentra sur l'image de pênes coulissant dans leur gâche.

Mais la porte ne s'ouvrit pas. Toutefois, cette tentative avortée déclencha une réaction brutale chez le colosse assis sur son trône.

– Fort bien ! lança-t-il d'une voix tonnante. Violation sur violation ! L'un d'entre vous est un magicien. Non seulement vous avez, tous autant que vous êtes, péché à nos yeux en venant ici vivants mais, qui plus est, l'un de vous s'adonne aux arts interdits. Ceux de ton espèce, magicien, ont toujours été proscrits de ces lieux – et, comme tu vois, ta magie y est sans effet. Ici, seules règnent nos lois.

– Dieu nous protège ! murmura Giles.

– Ici, votre Dieu ne peut rien pour vous, Lui non plus. Vous êtes six. Une bête féroce d'en haut, quatre humains vivants et un magicien. Votre seule présence est un crime. Et, de plus, vous êtes armés. Que leurs armes prennent leur essor !

Les dagues et les épées des chevaliers frémirent dans leurs fourreaux mais sans plus. Brian et Giles avaient déjà la main sur la poignée de leur flamberge. D'un geste vif, le premier dégaina et pointa sa lame.

– Vous ne pouvez vous en emparer ! s'écria-t-il d'une voix que la fureur rendait vibrante. C'est une croix et, en dépit de vos rodomontades, vous n'arracherez pas son épée à un chevalier chrétien ! Prenez-la donc si vous pouvez !

L'épée de Brian frémit à nouveau dans sa main l'espace d'un instant.

– Tiens ! Mon poignard n'a pas de garde, dit alors Dafydd avec son flegme habituel, mais il ne s'est pourtant pas envolé. Ah ! Je comprends pourquoi ! Il n'a pas quitté sa gaine parce que le morceau de bois que j'ai fixé à sa poignée fait une croix. Il en va de même des cordes qui assurent l'étui de mon arc et de mon carquois.

Jim, jusque-là accablé par le découragement, sentit un soupçon d'espérance renaître en lui.

– C'est ici le royaume des morts, et nous en sommes le roi et la reine, tonitrua le colosse. Bien que des choses insignifiantes puissent être rebelles à notre volonté, cela ne vous sauvera pas ! Vous n'échapperez pas au sort qui vous attend. Oh non ! vous n'y échapperez point ! (Aragh poussa un grondement mais le roi des morts n'y prêta pas attention.) Vous êtes à nous et le traitement que nous vous infligerons sera une leçon dont se souviendront pendant des milliers d'années tous ceux qui pourraient avoir l'audace de vouloir profaner à nouveau notre domaine de leurs corps vivants. Ici, nous accueillons les morts mais jamais les vivants ! Vous tous êtes un *outrage* à nos yeux !

L'esprit de Jim tournait à plein régime maintenant que l'espoir lui était revenu. Il devait sûrement exister une procédure magique qui leur permettrait de brûler la politesse à ces deux monstres au cou démesuré et à ce ramassis de créatures emmaillotées de noir. Il était à présent habité par une sorte d'insouciante témérité. Depuis son arrivée en France, il puisait sans compter dans son capital magie et il n'avait aucun moyen de savoir s'il disposait encore d'un crédit suffisant pour mener à bien une entreprise de l'ampleur de celle qui s'ébauchait dans sa tête. Seule façon d'en avoir le cœur net : tenter le coup.

Mais il fallait avant tout avoir une idée précise d'un scénario pour que ses amis et lui soient magiquement et instantanément transportés ailleurs, quelque part où ils seraient en sécurité.

Les parois de la caverne continuaient de renvoyer l'écho de la voix tonitruante du roi des morts :

– Regardez. Ceux-là que vous voyez en bas, nous les avons rappelés d'entre les morts pour être nos gardes du corps. Ils vont maintenant vous conduire jusqu'à nous...

Il se tut et leva un doigt. La sombre cohue massée

au pied des marches de la plate-forme surélevée s'écarta pour ouvrir un passage. Jim éprouva alors un choc. Giles s'avançait soudain, résolu et déterminé, vers les trônes des deux sinistres divinités. Il s'arrêta devant eux, ôta lentement son gant gauche, fit encore un pas et, le poing droit sur la hanche, dévisagea le roi des morts.

– J'ai l'honneur, dit-il d'une voix forte, d'être de ceux à qui revient la charge d'assurer momentanément la sauvegarde d'Edouard, prince héritier de la Couronne d'Angleterre. En son nom, je vous défie et vous invite à vous mesurer avec moi en combat singulier afin que vous prouviez vos droits sur moi si vous en êtes capable.

Et il lança son gantelet de cuir en direction du colosse.

Le gant fila dans les airs mais s'arrêta net à six pieds du visage du roi, puis, voltigeant lentement et silencieusement comme une feuille, retomba au sol à quelques pas du dieu.

– Giles ! Fou que tu es ! hurla Jim en dévalant les marches.

Mais l'assourdissant tonnerre de la voix du roi des morts noya ses paroles.

– Que l'on se saisisse de lui ! ordonnait-il, le doigt pointé sur le chevalier qui l'avait défié.

Les rangs des créatures vêtues de noir se pressèrent autour de Giles qui se retourna pour leur faire face en tirant son épée.

Il aurait été submergé sous le nombre comme une statue de sable qu'engloutirait une vague noire, mais les flèches de Dafydd pleuvaient déjà sur les assaillants. De leur côté, Brian et Jim étaient, eux aussi, passés à l'attaque. Devant, Aragh, tous crocs dehors, s'en donnait à cœur joie, expédiant d'une torsion du cou les attaquants dans tous les sens comme autant de jouets.

Ils rejoignirent Giles, l'entourèrent et regagnèrent

de haute lutte les marches pour remonter sur la plate-forme.

La houle noire tenta de se lancer à l'assaut mais en vain.

– Halte ! tonna le roi des morts. Procédons comme il se doit. Vous irez là-haut, vous vous saisirez du premier que je désignerai, le plus outrageant, puis du deuxième, puis du troisième, quel que soit le prix à payer.

Sur la plate-forme, haletant et échevelé au milieu de ses amis tout aussi désemparés, Jim réfléchissait à toute allure. La tentative de Giles était stupide mais son geste témoignait d'une sublime hardiesse.

Et Jim devait à son tour faire preuve de la même audace dans le domaine de la magie s'il voulait les tirer de ce mauvais pas : il fallait qu'il pense avec *hardiesse* !

A peine avait-il pris cette résolution qu'un scénario fou naquit dans son esprit. Un plan qui les sauverait peut-être tous mais qu'il n'avait pas le temps de tester pour en vérifier l'efficacité.

Il inscrivit derrière son front :

NOUS TOUS → HOLOGRAMMES → LIEU ÉLEVÉ

Merveille des merveilles : le succès fut complet.

Jim vit ses compagnons papilloter, pâlir et devenir transparents. Lui-même ne sentait rien mais quand il baissa les yeux, il constata que ses jambes étaient translucides. Son esprit avait choisi un lieu élevé au hasard, le premier qui lui était passé par la tête. Et cet endroit n'était autre que la salle maîtresse des appartements privés de Malvinne qu'ils avaient quittée avec un tel soulagement un peu plus tôt – il n'aurait su dire quand, d'ailleurs. En proie au vertige et à la désorientation, il avait perdu toute notion du temps. Leur chute avait aussi bien pu durer quelques secondes que quelques heures.

Sans transition, ils se retrouvèrent donc dans cette

pièce. Les silhouettes vaporeuses de Brian, de Giles, du prince, de Dafydd et d'Aragh se matérialisèrent autour de lui, suite au nouvel ordre qu'il venait de libeller :

HOLOGRAMMES → CORPS

Ils étaient sauvés. Ils avaient regagné le laboratoire de Malvinne.

Le seul ennui, Jim en prit brutalement conscience, était que celui-ci occupait présentement les lieux.

28

Malvinne venait visiblement de prendre en tête à tête avec lui-même une collation tardive – ou un petit déjeuner anticipé – sans s'être préalablement assuré que son royal prisonnier était toujours à sa merci. Il était installé devant une petite table recouverte d'une nappe blanche, chose peu commune à cette époque, sur laquelle traînaient les reliefs d'un repas frugal. Y était également posée une carafe d'eau d'une contenance d'un litre environ où il ne restait guère que la valeur d'un verre.

Il se dressa à l'instant même où Jim et les autres, cessant d'être transparents, se matérialisèrent soudain devant lui. Jim ne l'avait encore jamais vu, nul ne lui en avait jamais brossé le portrait, mais il ne douta pas une seule seconde que l'homme qui se tenait là était Malvinne.

De même que l'on devine au premier coup d'œil la spécialité des professeurs, médecins et autres praticiens qui ont une longue carrière derrière eux, on ne pouvait – et Jim moins que tout autre – se méprendre sur Malvinne et voir en lui autre chose qu'un maître magicien. Son apparence physique n'y était pour rien et sa tenue pas davantage. Il paraissait bien cinquante ans de moins que Carolinus qui, d'après ce qu'avait compris Jim, était son contemporain. Pas le moindre soupçon de gris ne venait déparer ses cheveux et sa fine moustache d'un blond tirant sur le roux. De petite taille, les yeux marron – des yeux de moineau –, il était revêtu des plus riches atours. Foin de la robe qui était parfois la marque du mage ! Il portait des habits somptueux : une cotte-hardie de velours rouge flottant sur un haut-de-chausses bleu clair avec lequel un courtisan n'aurait pas jugé indigne de plastronner à la cour. Une épée à lame fine, trop longue pour être une épée de parade, se balançait à son côté.

Rien ne trahissait en lui le magicien mais Jim connaissait maintenant assez Carolinus pour ne pas s'y tromper : il discernait clairement des points communs entre Malvinne et son vieil ami.

Ils avaient tous deux le même regard vif et brillant, le même air indéfinissable d'autorité et d'omnipotence ; et il émanait d'eux la même aura de compétence – presque d'arrogance. Et, en dépit de la surprise provoquée par l'apparition inattendue du petit groupe, tout dans son attitude indiquait qu'il ne doutait pas un seul instant de maîtriser cette situation imprévue comme n'importe quelle autre.

Et il lui suffit en effet d'un mot :

– Inertie ! dit-il brièvement.

Instantanément, tous s'immobilisèrent, cloués sur place. Jim avait beau lutter pour s'arracher à la paralysie qui s'était emparée de lui, il ne parvenait pas à se libérer. Ce fut sur lui que se riva le regard de Malvinne.

– Par Bleys, le maître de Merlin ! s'exclama-t-il. Un apprenti, un blanc-bec, un semi-amateur empoté qui prétend jouer de ses sortilèges en mon château ! Où as-tu trouvé l'insolence de... (Il s'interrompit.) Mais ne serais-tu pas le béjaune de Carolinus ? Seul lui a pu te donner l'aplomb de t'introduire chez moi ! Est-ce lui qui tire les ficelles ? Je t'écoute ! Je te rends l'usage de tes cordes vocales pour que tu me répondes.

Jim recouvra miraculeusement sa voix :

– Carolinus n'y est pour rien. Nous avons mission de délivrer notre prince que vous maintenez captif, c'est tout. Et... Aragh ! A moi !

Dans la seconde qui suivit, Malvinne était sur le dos, les pattes d'Aragh lui clouant les épaules au sol. L'haleine brûlante qui s'échappait de la gueule béante du loup faisait danser les poils de sa moustache.

– J'attendais la suite de cette aimable plaisanterie, James, grogna Aragh. Vous n'auriez pas pu la laisser durer plus longtemps ?

– Jeune démon ! dit Malvinne d'une voix qu'étouffait sa rage d'être réduit à l'impuissance. Comment as-tu appris que le charme serait inopérant sur le loup ?

– C'est au colosse qui hante les bas-fonds de votre tour que je dois d'en avoir eu l'idée, répondit Jim. Et maintenant, si vous nous rendiez la liberté ?

– Je vous enverrai plutôt brûler dans les flammes de Belzébuth ! vociféra Malvinne.

– Délivrez-les ou vous êtes mort, proféra Aragh dans un grondement.

Jim se sentit à nouveau libre de ses mouvements. Du coin de l'œil, il vit qu'il en allait de même pour ses compagnons.

– Quelqu'un vivrait sous mes appartements ? Qu'est-ce que c'est que cette histoire ? fit avec hargne Malvinne qui, même écrasé sous le poids d'Aragh, n'avait rien perdu de sa morgue. Seul Carolinus a pu te dire que mes pouvoirs de thaumaturge sont sans effet sur un... un animal.

– Carolinus n'y est pour rien. Je suis mon propre maître.

Tout en parlant, Jim réfléchissait fiévreusement. Tant qu'il ne serait pas aux portes de la mort, Malvinne était un bâton de dynamite qui exploserait dès qu'Aragh l'aurait lâché. Il fallait le neutraliser. Mais il se rirait des moyens habituels qui permettent de réduire les gens à l'impuissance. Le ligoter ? Cela ne servirait à rien. Il ne lui faudrait même pas une seconde pour se libérer de ses liens. Seul, le loup avait pouvoir sur lui.

C'était l'allusion faite par le roi des morts, allusion aux différents royaumes entre lesquels se répartissaient les créatures vivantes, qui avait donné à Jim l'idée d'appeler Aragh au secours. Peut-être le règne animal était-il immunisé contre les enchantements des magiciens ? C'était sur cette hypothèse qu'il avait misé. Et cela avait été payant.

Brusquement, un autre souvenir lui revint en mémoire : le désarroi de Mélusine pleurant sur sa solitude et la scène qui s'ensuivit où elle sombra dans l'inconscience. Sans plus attendre, il inscrivit mentalement derrière son front :

EAU DANS L'ESTOMAC DE MALVINNE → COGNAC

C'était, là encore, un pari que faisait Jim. Cette fois, il partait du postulat que Malvinne ne pouvait pas lire les formules qu'un autre magicien énonçait en son for intérieur même s'il était conscient que ce dernier se livrait précisément à cet exercice.

Et, derechef, il s'avéra qu'il avait vu juste.

Malvinne, toujours à terre, s'esclaffa.

– Tu te figures que tu vas me jeter un sort, blancbec ? Eh bien, il ne te reste plus qu'à te faire une raison : c'est peine perdue. Dès que j'en aurai analysé la nature, pfuit ! Il sera nul et non avenu.

– C'est possible. Il n'y a qu'à attendre la suite. Entre-temps, vous aurez peut-être l'obligeance de nous indiquer le chemin le plus direct et le plus secret pour quitter votre château ?

Malvinne éclata à nouveau de rire.

– Pour croire que je le lui dirai, il faut que ce godelureau soit fou !

– Peut-être préféreriez-vous mourir, après tout, laissa tomber Aragh.

– Non, non, ricana Malvinne, on ne me fera pas deux fois le coup. Tue-moi donc parce que je ne répondrai pas à cette question et toi, le jeunot, tu auras les pires ennuis. Des ennuis dont même ton maître ne pourra te tirer. Le mieux que tu puisses espérer de ce loup dont le poids est en train de réduire mes omoplates en poudre est qu'il m'empêche de passer à l'action contre vous. Il est en droit de se défendre et vous avez partie liée avec lui, au moins pour le moment. Aussi, je ne peux rien contre vous dans l'immédiat. Mais c'est une situation qui ne saurait durer.

– Vraiment ? fit Jim avec intérêt. Et qu'est-ce qui serait censé la modifier ?

– Moi ! (Nouvel éclat de rire de Malvinne.) C'est Carolinus qui a la charge de « daire » ton « éfucation », pas moi. Découvre-le toi-même si tu le peux.

Et le magicien de s'esclaffer une fois de plus.

La façon dont il avait prononcé « faire ton éducation » en écorchant les mots n'avait pas échappé à Jim. Il commençait à bredouiller. Malvinne, c'était évident, n'était pas un grand buveur et la transformation en cognac de l'eau qu'il avait dans l'estomac entraînait apparemment quelques troubles. La seule question qui se posait était de savoir s'il en avait ingurgité suffisamment. Mais vu la taille de la carafe et le peu qui restait de son contenu, il avait maintenant près d'un litre d'alcool dans le sang. Le tout était de faire en sorte qu'il continue de parler.

– J'aimerais que vous m'expliquiez pourquoi vous êtes tellement sûr de vous, demanda Jim.

– Oh !... Ton loup ne peut rester éternellement sur moi et dès que je ne sentirai plus son poids sur moi, je pourrai me mettre à l'abri derrière l'équivalent d'une armure, rempart contre lequel il sera impuissant. Alors, je serai en mesure d'agir. Et je te prie de croire que je ne me gênerai pas !

– Et que ferez-vous au juste ? s'enquit Jim en s'efforçant de donner au magicien l'impression que ses paroles l'alarmaient.

Malvinne laissa échapper un rire rauque. En fait, il riait maintenant à tout bout de champ, ce qui semblait être l'indice que l'alcool avait sur lui l'effet espéré.

– Carolinus ne t'a pas enseigné les lois... je veux dire toutes les lois... toutes les lois de la magie, quoi ?

Décidément, sa langue devenait pâteuse mais il avait encore trop d'énergie et de détermination pour qu'Aragh retire ses pattes de ses épaules.

– Est-ce que t'aimerais être un pésci... un spécimen épinglé à une planche ? (La voix de Malvinne était de plus en plus éraillée.) T'aimerais ça ? Sur une planche comme un pipailla... papillon ? Dis ? (Il perdit le fil de son discours et son regard se brouilla un instant.) Mais j't'ai posé une question. J't'ai d'mandé si tu connaissais les lois. Tu les connais pas, hein ?

– En fait, comme je vous ai dit, Carolinus m'a laissé libre de mes choix...

– Alors, tu les connais pas, fit triomphalement Malvinne. Eh ben, j'vais t'en enseigner une. Y a une loi qui dit que quand c'est qu'il y a un « machicien » dans un groupe comme toi, eh ben, n'importe quel autre ma... « machicien » peut faire tout c'qui lui plaît avec ce groupe. Et la catégorie où le Département des Chiffres t'a placé compte pour des prunes.

– Ah bon ?

Jim essayait de paraître insouciant mais, en réalité, il était dans tous ses états. Vraiment, Carolinus aurait pu au moins le mettre au courant de cette loi !

– Cela risque de causer bien des désagréments, non ?

– Le fait est, bredouilla Malvinne. De sacrés dé... désagréments...

Ses yeux se fermèrent. Les autres attendirent, les nerfs tendus à craquer, mais ses paupières demeuraient obstinément closes.

– Je l'entends respirer comme un homme endormi, dit finalement Aragh.

– Alors, fit Jim, on va peut-être pouvoir le lâcher sans danger. Essaie de t'écarter de lui mais tiens-toi prêt à lui sauter à nouveau dessus s'il fait mine de revenir à lui.

Lentement, le loup ôta ses pattes des épaules du magicien. Celui-ci commençait à ronfler *mezza voce*.

– Plus vite nous filerons d'ici et mieux cela vaudra, reprit Jim qui expliqua à ses compagnons comment il avait procédé pour mettre Malvinne dans cet état.

– Le bâillonner d'abord ne serait-il pas une bonne précaution à prendre ? suggéra le prince.

– Rien de ce que nous pourrions faire ne serait capable de le rendre inoffensif, Votre Altesse.

– Alors, que va-t-il se passer ? demanda sir Brian. Quand il se réveillera, il se lancera à notre poursuite avec toutes les créatures, tous les hommes et toutes les femmes qu'il tient sous son contrôle, non ?

– C'est possible, rétorqua Jim. Cela dit, vous l'avez entendu. Il ne boit que de l'eau selon le témoignage de Son Altesse. Donc, il n'a pas l'habitude d'être ivre. Il peut ne pas reprendre conscience avant demain matin et il sera alors tellement malade qu'il lui faudra des heures, voire la journée, pour organiser une battue et remettre la main sur nous. Le mieux est encore de l'installer aussi confortablement que nous le pourrons pour retarder au maximum l'instant où il sortira du sommeil.

– Non, mais c'est pas croyable ! maugréa Aragh. Border l'ennemi dans son lit ! On n'a jamais vu ça !

Néanmoins, ils soulevèrent Malvinne, le portèrent dans sa chambre, l'allongèrent sur le lit somptueux, la tête sur l'oreiller, lui retirèrent ses bottes, dégrafèrent son col de chemise et tirèrent la courtepointe jusqu'à son menton. Cela fait, ils détalèrent par le passage secret qu'ils avaient déjà emprunté.

Un peu avant d'avoir atteint les dernières marches,

Jim se rappela brusquement un détail. Il fallait annuler la formule magique qu'il avait précédemment inscrite derrière son front et qui avait eu de si funestes conséquences en lui cachant les diableries de Malvinne. Aussi s'empressa-t-il de noter sur son tableau noir :

MOI/VOIR → PARTOUT SORTILÈGES EN ROUGE

Arrivé en bas, Jim stoppa brusquement. Ce coup-là, il n'y avait pas à s'y tromper : l'escalier et la galerie étaient l'un et l'autre d'un rouge sombre.

La voix du prince s'éleva derrière lui :

– Pourquoi nous arrêtons-nous, sir James ? Indiscutablement, nous devons prendre à gauche, à présent.

Jim resta perplexe. Tout était aussi rouge à gauche qu'à droite.

– Je regrette, Votre Altesse, mais Malvinne a piégé l'escalier tout comme la galerie. Des indices magiques sont là pour m'avertir que les deux directions sont aussi dangereuses l'une que l'autre.

– Les deux ?

Le prince se tut tandis que Jim continuait de réfléchir. Quelle que soit la voie, le danger était là. Pire ils risquaient de tomber de Charybde en Scylla. L'un et l'autre chemin les ramèneraient probablement au royaume des morts, et c'était bien le dernier endroit où ils désiraient se retrouver !

Ah ! si seulement il pouvait se décharger sur Brian. Peut-être celui-ci aurait-il une solution simple, pratique et banale...

Et ce vœu inexprimé, ce vœu de pure forme agit comme un catalyseur. Un peu plus, Jim se serait martelé le front de ses poings tant il s'en voulait de sa stupidité. Encore une chance que Carolinus ne soit pas témoin de ses cafouillages ! Le vieux magicien l'avait expédié au loin pour qu'il apprenne et l'une des choses que Jim avait déjà saisies, c'est que le même ordre pouvait être utilisé efficacement dans des situations différentes. Ainsi, pour mettre le maître magicien qu'était Malvinne hors de combat, il avait employé exactement un sortilège identique à celui qui lui avait servi à neutraliser Mélusine.

Il avait aussi imaginé un charme pour ouvrir des portes que seul Malvinne était censé pouvoir franchir. Il n'y avait dès lors aucune raison qu'il ne module pas les formules en fonction des problèmes posés.

Aussitôt il pensa avec vigueur :

MOI = MALVINNE → ANNULER/REPLACER CE SORTILÈGE

Rien ne se produisit. Trop complexe peut-être. Il recommença :

ANNULER → CET ENCHANTEMENT

La couleur rouge s'évanouit. En même temps, loin de là, à gauche, l'escalier se mua brusquement en un boyau horizontal et la galerie, à leur droite, ne fut plus qu'une paroi de verre.

– Parfait ! dit Jim en s'engageant avec ses compagnons dans le nouveau passage non sans prescrire derechef un ordre :

RÉTABLIR → SORTILÈGE

Dans l'instant qui suivit, la vue de l'escalier fut cachée par le soubassement des marches de pierre montant jusqu'à la voûte et dont la couleur rouge sautait aux yeux. Ce faux-semblant ne tromperait pas longtemps Malvinne. Le magicien serait même capable de reconstituer ce qui s'était passé. Mais son impression première – l'impression que rien n'avait changé – pourrait peut-être retarder un tant soit peu la chasse à l'homme dans laquelle le maître magicien n'allait pas manquer de se lancer.

Jim se remit en marche et prit la tête du groupe.

– Maintenant, dit-il, nous pouvons aller de l'avant.

29

C'était un passage tout en lacets tortueux, manifestement creusé à même les remparts du château pour une raison qui ne devait pas tarder à sauter aux yeux du groupe.

L'éclairage de source magique qui avait guidé leurs pas dans l'escalier secret ne fut bientôt plus qu'un souvenir mais une clarté suffisante filtrait des regards percés dans les murs entre lesquels ils avançaient.

A l'évidence, Malvinne tenait à avoir l'œil sur ses gens à leur insu. Et il était non moins évident que son personnel avait coutume de s'activer même en plein cœur de la nuit.

Apparemment, pour l'heure, c'était la fête générale au château – il n'existait pas de mot plus adéquat pour décrire ce qui se passait derrière ces murailles – et la lumière prodiguée par les torches et les candélabres que laissaient passer ces orifices était tout bénéfice de l'avis de Jim. Malheureusement ses compagnons ne résistèrent pas à l'envie de jeter un coup d'œil par ces interstices.

Comment Jim les en aurait-il blâmés ? En d'autres circonstances, le comportement de la domesticité n'aurait pas manqué d'éveiller son intérêt – ne serait-ce que dans l'espoir de glaner quelques informations sur Malvinne lui-même. Là où les choses se gâtèrent, ce fut lorsque tous, Aragh excepté, s'arrêtèrent, Brian et Giles, en particulier, commentant ce qu'ils voyaient sur un ton admiratif.

Cédant à son tour à la curiosité, Jim chercha lui aussi une fente à laquelle il colla l'œil. Il découvrit alors une salle exclusivement remplie de femmes en petite tenue qui s'affairaient les unes à s'habiller, les autres à se déshabiller dans un concert de babillages.

– Dieu me damne ! s'exclama Brian. Regardez-moi donc un peu celle qui enfile ces hardes vertes, là-bas, Giles...

Jim recula d'un pas.

– Si intéressant que soit ce spectacle, mes amis, dit-il, je crois qu'il serait préférable de ne pas nous attarder et de poursuivre notre route. Chaque seconde est précieuse si nous voulons être hors de portée de Malvinne avant qu'il se réveille et se lance à notre poursuite.

– Vous avez assurément raison, sir James, fit le prince. J'aurais dû y penser moi-même. Mais le comportement de ces messieurs m'a entraîné à les imiter.

– Deux de ces messieurs ont déjà une femme dans leur vie, rétorqua sévèrement Jim en dévisageant tour à tour Brian, Giles et Dafydd, maintenant tout penauds. Peut-être seraient-ils pour l'heure mieux avisés de penser à ces dames plutôt que d'épier des personnes du sexe.

– J'en conviens, dit sir Brian. Vous m'en voyez fort marri, James. Votre admonestation est bien fondée, en vérité. Je suis loin d'avoir accordé à dame Geronde Isabel de Chaney tous les vœux qu'un homme se devrait d'adresser à l'objet de son amour quand il est en terre étrangère.

– Quant à moi, je n'aspire à rien d'autre qu'à mon oiseau d'or, déclara Dafydd avec une tristesse qui conférait à son visage une expression solennelle. Sir Brian a raison : vous êtes dans le vrai, sir James. Nous ne devons songer qu'à une dame et une seule : celle qui est nôtre.

– De dame, je n'en ai point et c'est ce qui m'afflige, soupira Giles. Avec le nez que j'ai, il n'en est pas une qui me regardera une seconde fois. Et comment pourrais-je leur en tenir rigueur ?

– Allons, Giles ! Votre nez n'est pas si gros, protesta Brian. J'en ai vu de plus volumineux. Si je devais le qualifier, je dirais qu'il est fort.

Le prince vint à la rescousse :

– Sans contredit, sir Giles, j'ai vu à la cour, je vous en donne ma parole – et c'est parole d'un prince du sang –, des dames assiéger littéralement des gentilshommes ayant un nez autrement protubérant que n'est le vôtre.

– Vraiment, Votre Grâce ? demanda sir Giles sur un ton dubitatif en caressant l'étonnante protubérance qui lui servait d'appendice nasal. Vous pensez que je peux avoir quelque attrait sur les dames au lieu de les faire fuir ?

Tous le lui confirmèrent et leurs assurances réconfortèrent Giles.

– Mais, reprit le prince, comme sir James vient de nous le rappeler, il nous faut à présent nous hâter. Nous n'avons pas de temps à perdre à jouer les voyeurs.

– Par saint Cuthbert, voilà qui est bien parlé ! s'écria sir Giles d'enthousiasme.

Et les autres de faire chorus en invoquant le nom de leur saint favori pour donner plus de poids à leurs protestations.

– Ah ! Ces humains ! (Aragh émit un grognement dégoûté.) Ils sont comme des chiens. Il n'est pas un loup mâle qui poursuive une louve de ses assiduités sans son consentement.

– Que voilà un loup bien impertinent ! s'exclama le prince avec humeur.

– J'appartiens, ne l'oubliez pas, à un autre royaume que le vôtre. Je ne suis pas de vos sujets, jeune prince, et nul ne m'empêchera de dire ce qu'il me plaît.

Jim mit fin à l'altercation naissante :

– Votre Altesse, et vous, mes compagnons, je vous rappelle que le temps nous est compté. Il convient de partir.

La petite troupe se remit en marche à vive allure. Moins d'un quart d'heure plus tard, elle atteignait le mur massif par lequel s'achevait la galerie. A gauche s'amorçait une volée de marches.

– Et si c'était un autre piège magique ? demanda le prince avec méfiance.

Cet escalier plongeait dans le noir et une odeur de terre humide envahissait leurs narines.

– Non, Votre Altesse, ce n'en est pas un, dit Jim. (Il avait parlé avec assurance car il n'y avait nulle part la moindre trace de rouge.) Je pense que nous sommes arrivés au rempart du château. Ou je me trompe fort ou ces marches mènent jusqu'aux fondations. Malvinne a inévitablement prévu une possibilité de fuite en cas de nécessité.

– Vous avez parfaitement raison, James, acquiesça Brian. Il n'est pas un seigneur, à ma connaissance, qui n'ait pas aménagé à toutes fins utiles une issue de secours dans son château.

– Eh bien, allons-y.

D'un geste de la main, Jim matérialisa une poignée de brindilles que Brian embrasa à l'aide d'un silex et d'une pièce d'acier trouvée dans l'escarcelle qu'il portait à la ceinture et, à la lueur de cette torche improvisée, ils s'engagèrent dans l'escalier. La descente n'eut rien de comparable avec la dégringolade qui avait pris fin à l'entrée du domaine du roi et de la reine des morts. Ils avaient plutôt l'impression que ces marches les conduisaient dans quelque cave depuis longtemps désaffectée. Elles finirent par aboutir à une sorte de galerie à angle droit qui ne tarda pas à s'enfoncer sous le mur. Le sol en était dallé et des piliers de soutènement en étayaient les parois.

Le trajet dans ce boyau obscur fut long, si long que même Jim, qui ouvrait la marche, en venait à se demander s'ils n'allaient pas au bout du compte tomber dans quelque piège, mais ils se retrouvèrent devant une porte massive qui leur barrait la route.

Un lourd barreau reposant sur deux supports de métal en forme de L en assurait la fermeture. Le dégager ne paraissait pas très difficile mais Jim marqua un temps d'hésitation. Certes, la porte était vierge de toute trace rouge, mais il était néanmoins méfiant. Il se tourna vers le loup qui marchait sur ses talons.

– Aragh, sens-tu de ce côté ou de l'autre quelque chose susceptible de présenter un quelconque danger ?

Aragh flaira consciencieusement la porte en insistant sur les interstices du bas et du chambranle.

– Il n'y a rien. Juste des odeurs de terre et de végétation, conclut-il.

– Alors, allons-y.

Le barreau, bien qu'il ne fût pas exagérément lourd, était là depuis si longtemps qu'il était presque soudé à ses montants et Brian dut venir à la rescousse, Jim ne parvenant pas à le soulever à lui tout seul. Dès qu'ils l'eurent dégagé toutefois, la porte s'ouvrit sous l'effet de son propre poids.

Elle débouchait sur une cheminée en pente douce dont l'orifice révélait un morceau de ciel ponctué d'étoiles.

– Je vais monter le premier pour jeter un coup d'œil, suggéra Jim. Vous autres, restez là pour assurer la protection de Son Altesse.

– Vous êtes parfois stupide, James, dit Aragh d'une voix mordante. C'est une tâche qui revient à quelqu'un qui a l'œil plus affûté que vous.

Sur ces mots sentencieux, le loup s'élança dans la cheminée. Quand il fut arrivé en haut, sa silhouette occulta un instant le fragment de ciel constellé, puis disparut.

Pour Jim et ses compagnons, l'attente commença.

– Vous ne pensez pas qu'il a des ennuis – ou qu'il a décidé de nous abandonner ? murmura le prince avec inquiétude à l'oreille de Jim au bout de quelques minutes.

– Non, Votre Altesse, ni l'un ni l'autre. Ce qu'il a dit était juste. Si l'un d'entre nous peut grimper là-haut sans risque, explorer les alentours et revenir, c'est bien lui. Je ne sais pas ce qui le retarde mais il va revenir, je n'ai pas le moindre doute là-dessus. Nous n'avons qu'à patienter.

Ils continuèrent donc d'attendre. Plus le temps passait, plus leur fébrilité grandissait. Jim lui-même se laissait gagner par la nervosité ambiante. Et si Aragh avait été victime d'un accident ? Il n'osait exprimer son appréhension à haute voix de crainte de saper le moral des autres mais elle était bien présente.

Et soudain, Aragh surgit, dévalant la cheminée. Une autre silhouette debout, là-haut, masquait le ciel étoilé.

– Tout va bien, annonça le loup. Il y avait même quelqu'un qui nous attendait. Vous le verrez en haut.

– Qui ça ? s'enquit Jim en plissant les yeux pour essayer de mieux distinguer la silhouette.

– Un ami. Allez... montons !

Ils montèrent donc, Jim en tête.

– Quel plaisir de vous revoir ! fit une voix familière au moment où il s'extirpait hors du trou. Vous vous en êtes sortis comme je vous l'avais dit.

C'était la voix de Bernard.

– Qui t'a prévenu ? Et pourquoi t'es-tu posté ici ? Comment savais-tu que nous sortirions justement là ?

– A ces questions, il sera répondu en temps voulu, dit Bernard. Il y a quelqu'un qui pourra le faire mieux que moi. Ma tâche se limite à vous conduire le plus vite possible auprès de la personne en question.

– Cette personne ne serait-elle pas sire Raoul ? demanda Jim à tout hasard.

– Il est avec l'autre. (Comme précédemment, Bernard se tenait le dos tourné à la lune de sorte que le haut de son corps, caché dans l'obscurité, était invisible.) Mais si vous êtes maintenant au complet, suivez-moi.

Ils se trouvaient dans l'un des bosquets du domaine de Malvinne qu'ils traversèrent au pas de course derrière Bernard. Soudain, l'homme-crapaud bifurqua à droite et s'engagea dans un sentier qui s'ouvrait dans le dense entrelacs des fourrés ceinturant le parc. Quelque trois kilomètres plus loin, la petite troupe émergea hors du bois.

– Nous pouvons maintenant faire une courte pause pour nous reposer, dit alors Bernard.

Quand ils eurent récupéré, ils se remirent en marche. Cette fois, Bernard les entraîna jusqu'à une cavité qui plongeait dans le flanc de la colline. Ils s'y enfoncèrent. Jim s'efforça d'évaluer la distance qu'ils parcouraient mais ce boyau sinueux faisait tant de méandres que, bientôt, il perdit non seulement son sens de l'orientation mais aussi toute notion du temps.

Finalement, ils émergèrent à l'air libre sur une autre colline, entourés d'arbres clairsemés et de prairies. Un feu était allumé devant lequel se profilaient les silhouettes d'un cheval en train de brouter et de deux personnes.

En fait, il y avait une troisième créature. Qui dépassait les deux autres. Un petit dragon.

Installés autour du feu, tous trois tournaient le dos aux nouveaux arrivants. Quand, toujours sous la houlette de Bernard, la petite troupe les eut contournés, Jim les reconnut.

L'une de ces silhouettes était bien celle du sieur Raoul dont l'étroit visage arborait à la lueur dansante des flammes une expression sardonique. La deuxième, comme Jim l'avait deviné au premier coup d'œil par son aspect général, n'était autre que celle de Carolinus, ce qui était déjà une surprise, mais à la vue du troisième personnage, Jim éprouva un véritable choc.

– Secoh ! s'exclama-t-il.

– Surpris, James ? demanda Secoh d'un air satisfait. Pourtant souvenez-vous de cette rencontre non loin du monastère... cette voix vous disant : *Je suis un dragon français*... C'était moi !

Ces mots firent aussitôt vibrer une corde dans la mémoire de Jim. Ils lui rappelaient le jour où, s'étant juché pour dormir en haut d'un éperon rocheux, un petit dragon s'était accroché une douzaine de pieds au-dessous de lui et lui avait demandé où il allait.

– Le fait est que je ne t'avais absolument pas reconnu, reprit Jim. Mais pourquoi as-tu prétendu être un dragon français et m'as-tu posé toutes ces questions ?

– Eh bien...

Secoh s'étala confortablement comme tout dragon qui se prépare à se lancer dans une longue relation sur ses faits et gestes mais Carolinus l'interrompit brutalement :

– Pas maintenant, Secoh !

– Mais, mage, il faut qu'il sache que je représente les dragons anglais qui m'ont désigné comme leur ambassadeur.

– Plus tard.

Le ton du magicien était si cassant que Secoh n'osa répliquer. Contrairement à ses amis, il était assis dans une sorte de fauteuil garni de coussins.

– Mes vieux os, expliqua-t-il en surprenant le regard de Jim. Quand tu auras mon âge, James, tu feras comme moi. Cela dit, installez-vous de l'autre côté du feu, vous autres, et passons aux choses sérieuses.

Docilement, Jim, Brian, Giles, Dafydd et le prince s'assirent mais Bernard, lui, resta debout hors du cercle de lumière que projetait le feu.

– Toi aussi, l'homme ! lui intima Carolinus avec humeur. Quand je décide d'une réunion, le rang ne compte pas.

– Je ne suis pas un homme, lui répondit Bernard, et ce n'est pas ma condition qui m'empêche de m'asseoir, encore que ce pourrait fort bien être le cas car je serais alors aux côtés du fils de mon ancien seigneur. Mais je préfère demeurer hors de vue dans l'ombre. C'est mon droit, n'est-il pas vrai ?

– Absolument, se hâta de dire Jim avant que Carolinus ait eu le temps de répondre. Toutefois, tu pourrais réfléchir au fait que Carolinus ici présent est peut-être à même de défaire ce que Malvinne a fait et de te rendre ta forme humaine.

– Qu'est-ce à dire ? demanda Carolinus.

Ce fut sire Raoul qui répondit à la place de Jim :

– Malvinne l'a métamorphosé en une créature moitié homme et moitié crapaud parce qu'il avait porté les armes au service de mon père. Est-ce qu'il vous serait possible de lui restituer son humanité pleine et entière ?

Carolinus considéra la sombre silhouette qui se détachait dans l'ombre.

– C'est possible, bien sûr..., commença-t-il d'une voix lente.

Mais Bernard l'interrompit :

– Je vous remercie mais je ne veux pas. En demeurant comme je suis, je peux rester à proximité de Malvinne et peut-être qu'un jour ces mains-là lui arracheront la vie. Cet espoir est ma raison d'être.

– Tu refuses donc de retrouver ton ancien moi ?

– Oui-da.

– Eh bien, si c'est là ta décision, la question est réglée. (Le regard de Carolinus revint aux autres.) Parlons donc maintenant de nos affaires. Pour commencer, toi, Raoul, tu vas mettre James et ses amis au courant de la situation en ce qui concerne les forces anglaises et françaises.

– Elle n'est guère différente de ce qu'on était en droit d'attendre. (Une certaine amertume perçait dans la voix de Raoul.) Vos chevaliers anglais n'ont pas pu rester bien longtemps inactifs. Ils se sont vite lassés de passer leur temps à s'enivrer et à courir la gueuse. Presque tous, hommes d'armes et archers, se sont mis en marche, sans attendre le reste de votre armée. Ils ont commencé peu après votre départ de Brest, messire Brian, à se diriger vers l'est de notre belle France, vers Tours, Orléans et Paris en pillant et brûlant tout sur leur passage.

– Quels sont leurs effectifs ? demanda Brian.

– Quatre mille cavaliers et à peu près autant d'archers et de combattants à pied.

La voix douce de Dafydd s'éleva :

– Combien d'archers au juste ?

Raoul agita négligemment la main.

– Je n'en connais pas le nombre exact. Un ou deux milliers, me semble-t-il. Plus de la moitié de cette troupe était composée... (on eût dit que Raoul était sur le point de cracher le reste de sa phrase) de Gascons, bien évidemment. Mais notre bon roi Jean a levé sa propre armée. Forte de plus de dix mille loyaux Français, elle fait d'ores et déjà route vers le sud pour arrêter l'envahisseur. Sa Majesté doit certainement avoir dépassé Châteauroux et il est fort possible qu'Elle ait atteint Vendôme. Si vous souhaitez remettre votre prince aux mains des forces anglaises avant que les deux armées n'engagent la bataille, il vous faudra faire vite.

– Et les Français ? s'enquit à nouveau le Gallois. Compte-t-on nombre d'archers ou d'arbalétriers dans leurs rangs ?

– Je ne sais pas davantage combien il y en a. D'après ce que j'ai ouï-dire, ils ont des arbalétriers génois en suffisance. Nous autres, Français, ne dépendons pas de la piétaille contrairement à vous, les Anglais.

Dafydd intervint à nouveau d'une voix toujours aussi douce :

– Ce qui est fort dommageable pour vous, particulièrement pour ce qui est des archers.

– Restons-en là sur ce sujet, déclara sire Raoul. Laissez-moi vous rappeler que, n'était Malvinne, je serais avec notre armée. C'est à cause de lui, et de lui seul, que j'ai fait alliance contre mon propre roi et mon propre peuple avec une race que je n'aime point. Il faut, quoi qu'il puisse en coûter et dans l'intérêt supérieur du royaume, porter un coup d'arrêt à Malvinne faute de quoi la France telle que nous la connaissons cessera d'exister.

– Que voilà une bien étrange déclaration, messire Raoul ! s'exclama Brian. Je ne vois pas comment un sorcier pourrait peser d'un si grand poids sur la destinée du royaume de France.

– Parce que vous ne comprenez pas ! s'emporta Raoul. Si seulement vous saviez...

De sa voix affaiblie par l'âge mais empreinte d'autorité, Carolinus coupa le chevalier français dans son élan :

– Arrivé à ce point, je crois préférable que ce soit moi qui fournisse les éclaircissements qui s'imposent. Ecoutez-moi tous et rappelez-vous mes paroles. Vous en particulier, Edouard. Elles vous en apprendront beaucoup. Il y a dans la magie, son art et ses adeptes des choses qui vous dépassent et qui ne sont d'aucun secours dans la vie ordinaire. Mais la tournure prise par les événements exige que vous soyez à présent avertis, au moins en partie, de certains faits.

Un frisson parcourut l'échine de Jim. Les yeux de Carolinus étaient rivés sur le feu et sa voix, lointaine ; mais ses paroles avaient un étrange pouvoir, quelque chose qui semblait unir de façon plus étroite ceux qui l'écoutaient.

30

Un petit vent froid venu de nulle part passa sur eux. Le ciel noir, constellé d'étoiles, parut se rapprocher.

– Il existe de nombreux royaumes et vous avez tout récemment fait la connaissance d'au moins deux d'entre eux. (La voix de Carolinus, si basse qu'elle fût, sonnait clairement à leurs oreilles.) Le royaume des morts et le royaume des loups sur lequel les magiciens, même Malvinne et moi, n'ont aucun pouvoir. Et les êtres qui règnent sur ces empires n'ont un ascendant que sur leurs seuls sujets : telle est la loi. Quant aux étrangers, ils ne les contrôlent que par les composantes de la magie qui ont cessé d'être surnaturelles pour devenir partie intégrante de la vie quotidienne.

– Mais, mage, ne put s'empêcher de demander Giles, comment pouvez-vous être au courant en ce qui concerne Aragh et le royaume des morts ? Ce sont des événements qui ne remontent qu'à quelques heures !

Le regard de Carolinus se posa brièvement sur le chevalier.

– Cela n'est pas de ton ressort. Il existe des lois transcendant les lois qu'aucun d'entre vous, pas même James, n'a encore découvertes. Comment je le sais ? Je ne veux ni ne peux te le dire. Peu importe. En ce qui vous concerne, le seul point à retenir est que ces royaumes sont autonomes et distincts les uns des autres, que chacun obéit à sa propre logique mais s'en tient là.

Carolinus saisit une branche à l'aide de laquelle il tisonna le feu et son regard revint aux flammes dansantes.

– Il y a donc le royaume des morts et le royaume des animaux, reprit-il après un silence. Mais ces derniers se subdivisent encore. L'empire des animaux par exemple englobe le monde des loups et des dragons qui sont des espèces à part. Un magicien humain peut avoir un certain pouvoir sur de simples scarabées, par exemple, mais il n'en a aucun sur les loups, les dragons ou d'autres créatures que je ne nommerai pas pour l'instant. Certains de ces microcosmes rassemblent des entités supraterrestres – James, lui, en a rencontré en la personne de la fée Mélusine...

Carolinus regarda Jim d'un air entendu.

– A propos, fit-il, elle s'est lancée à ta poursuite. Aucun autre homme n'a fait une aussi forte impression sur elle et elle te recherche depuis qu'elle t'a perdu. Il se peut que cela ne la mène à rien parce que tu es magicien, même si tu n'appartiens qu'au menu fretin, mais cela, elle ne le sait pas encore.

Le regard de Carolinus se posa à nouveau sur les flammes.

– Pour en revenir à mon propos, enchaîna-t-il, je citerai encore deux de ces royaumes. Le Département des Comptes et les Noires Puissances. Ces dernières ne peuvent rien contre les humains qui ne ressortissent pas à leur royaume. Elles ne peuvent s'attaquer à eux que par le truchement de leurs serviteurs – ogres, vers, sandmirks. (Le mage ménagea une courte pause.) Mais cela ne veut pas dire que nous n'avons rien à craindre d'elles. Elles sont perpétuellement à la recherche de traîtres comme Bryagh qui s'est dressé contre ses frères dragons et a enlevé dame Angela.

– Il n'était pas mauvais avant de devenir criminel, fit Secoh sur un ton presque rêveur.

– Peut-être. Néanmoins, les Noires Puissances en ont fait un renégat. Mais laissons cela pour le moment. Il existe aussi différentes catégories chez les hommes. Les Noires Puissances ne peuvent rien par exemple contre les humains qui se sont totalement consacrés à Dieu, et leurs serviteurs pas davantage. Le danger reste les fripouilles qu'elles peuvent soudoyer et retourner contre nous.

Carolinus réfléchit un instant avant de continuer :

– Il est une autre chose que vous devez bien comprendre. La conception que les personnes ordinaires se font d'un mage est très éloignée de la réalité. Pour elles, un maître magicien est quelqu'un qui n'a qu'à lever le doigt pour réaliser le moindre de ses désirs sans effort et sans que cela lui coûte quoi que ce soit. A supposer que cela soit vrai, et cela ne l'est pas, il faut prendre en considération le prix à payer pour devenir magicien. Les grands, comme Merlin et Bleys, celui qui l'a formé, ne se sont pas adonnés à la thaumaturgie pour les avantages personnels qu'ils pourraient en retirer. Ce n'est pas l'attrait de la richesse ou de la puissance qui les a incités à choisir le chemin difficile au terme duquel ils sont passés maîtres. Non : c'est l'œuvre et l'œuvre seule, cette chose sublime qu'est la magie elle-même.

La voix de Carolinus, bien qu'elle parvînt toujours aussi clairement à leurs oreilles, leur parut soudain venir de très loin.

– Il est indispensable que vous ayez tous maintenant une idée du prix à payer pour accéder à la condition de maître magicien. L'intéressé doit se consacrer corps et âme à sa nouvelle condition – voilà quel est le coût de cet apprentissage. Vous savez les uns et les autres ce qu'est la solitude, ce fardeau qui pèse sur la race humaine. Nous sommes tous condamnés à vivre seuls en nous-mêmes, si étroits soient les liens qui se tissent entre nous et nos frères ou nos sœurs. Mais la solitude qui est le lot du maître magicien est plus grande encore. Ce dernier est semblable à l'ermite qui se retire au désert. Vous êtes-vous déjà demandé pourquoi l'anachorète a fait ce choix ?

Chacun se réfugia dans un silence prudent.

– Il le fait au nom de l'amour, reprit Carolinus. Un amour si vaste qu'il s'empare de son esprit et de son âme, un amour qui l'emporte sur tout le reste. Ainsi en va-t-il de nous qui dédions notre vie à la magie et à qui l'on donne le nom de *mages*. Cet art nous possède entièrement. (Carolinus se remit à tisonner le feu et des étincelles échevelées bondirent dans les airs.) Et puis vient un moment où les meilleurs d'entre nous s'interrogent. Est-il justifié de renoncer à tous les plaisirs de la vie ? Et la réponse est toujours la même : *Oui, cela en valait la peine*. Et pourtant, pour les humains que nous sommes et que nous resterons jusqu'à notre mort, la nostalgie de ce que nous avons perdu s'impose parfois... Regret poignant, faim inassouvie que les Noires Puissances cherchent à exploiter. Désir d'amasser des trésors ou tentation triviale comme la soif insatiable de vin qui dévore les dragons. Si Bryagh est devenu un renégat, c'est parce que les Noires Puissances lui avaient promis qu'il aurait toujours davantage de trésors et du vin à satiété. Même chez les plus grands de nos maîtres, le regret de ce dont ils se sont dessaisis en échange de ce qu'ils ont gagné est une faille où risque de s'introduire le tentacule du mal. Cela peut arriver aux meilleurs d'entre nous. Jamais les Noires Puissances n'ont réussi à avoir raison de ceux de nos magiciens considérés comme éminents. Mais pour ceux qui sont presque au faîte, ceux qui détiennent déjà un pouvoir et une science immenses, la tentation est forte. Ils ont, en effet, déjà tant acquis qu'ils peuvent toujours espérer posséder davantage.

Carolinus dévisagea Jim et une fois encore son ton s'adoucit.

– C'est pourquoi James ne sera jamais vraiment un grand magicien. Il est trop intimement lié au monde extérieur en raison des amours qu'il porte en lui et qui existaient pour une part avant même qu'il ait connu le monde de la magie. (La voix du mage se durcit à nouveau.) Mais c'est là une autre question. Il est clair que James a un rôle particulier à jouer du fait de ses origines. Le lien entre le monde d'où il vient et la magie le rend particulièrement gênant pour les Noires Puissances. Je n'en dirai pas plus pour l'instant. Quant à vous, ses compagnons, vous devez l'aider à un moment où, une fois encore, les Noires Puissances sont passées à l'action et sur le point de remporter une victoire majeure après laquelle il sera difficile de leur arracher ce qu'elles auront alors gagné.

Derechef, Carolinus se perdit dans la contemplation du feu. Il hésita longuement avant de se décider à reprendre la parole :

– Maintenant j'ai honte de ce que je vais vous avouer. C'est un de mes semblables, un confrère magicien de grand pouvoir et de grande science, qui a été choisi par les Noires Puissances comme exécuteur de leurs basses œuvres. Je veux parler de Malvinne – vous l'avez deviné depuis longtemps. Pour des raisons que je ne puis présentement vous expliquer, les vrais praticiens de la magie tels que moi-même – ou quelqu'un ayant un crédit égal, voire supérieur à celui de Malvinne – prendraient un risque inconsidéré en voulant porter un coup d'arrêt à l'entreprise dans laquelle Malvinne s'est lancé sur l'ordre des Noires Puissances. D'un autre côté, un magicien moins versé dans son art n'aurait normalement aucune chance en face de lui. Seul un thaumaturge différent de nous tous, pas encore émérite dans le domaine de la magie mais chevronné dans d'autres matières inaccessibles en l'état actuel aux Noires Puissances elles-mêmes, serait peut-être en mesure de réduire à néant ces projets et de faire échec aux puissances maléfiques. Aussi est-ce à moi, parce que je suis son ami, son mentor et un maître dans l'art que nous pratiquons tous deux, qu'a incombé la tâche de choisir James pour tenter cette périlleuse aventure : se dresser contre Malvinne. (Carolinus considéra fixement Jim.) Moi seul suis à blâmer, James. C'était de moi, et de moi seul, que relevait la décision. Et cette décision, je l'ai prise sans te consulter, sans te laisser la possibilité de refuser. L'importance de l'affaire primait toute autre considération.

– Est-ce que James va affronter les Noires P-P-Pui-Puissances ?... bégaya Secoh. Et Malvinne ?

– Elles l'ont reconnu comme adversaire dès l'instant où j'ai décidé qu'il serait notre élu. (Le regard de Carolinus se tourna vers Brian.) L'attaque dont tu as fait les frais, ajouta-t-il à l'intention du chevalier, a été la première action qu'elles ont lancée contre lui. Leur objectif n'était pas de s'emparer de ton château. Elles avaient comme secret espoir que Jim ne survive pas à un combat auquel il était loin d'être préparé. Tu ne t'en es pas rendu compte mais il n'a échappé à la mort que d'un cheveu.

– Oh, James ! Si seulement j'avais su... commença Brian, bourrelé de remords.

Mais le magicien lui coupa la parole :

– Même si tu l'avais su, cela n'aurait rien changé, Brian. C'était une tentative que James était le seul à pouvoir essuyer et déjouer. Par la suite, les Noires Puissances ont cherché à différentes reprises à l'éliminer et ce n'est que de justesse qu'il s'en est tiré. C'est uniquement à votre vigilance, à vous, ses amis et compagnons, qu'il est redevable d'avoir eu la vie sauve. Et toi, Giles, les Noires Puissances escomptaient que tu le tuerais à l'auberge pour cette histoire de chambre.

– Dieu me pardonne ! s'exclama Giles. Ce n'était que mon satané mauvais caractère, James, rien de plus ! Comment pourrez-vous désormais avoir confiance en moi ?

Jim protesta mais Carolinus poursuivait, n'ayant de cesse de les éclairer :

– Tu n'as aucun reproche à te faire, Giles, déclara-t-il. Ce jour-là, les dés étaient pipés et tu ne pouvais t'en douter. Et rappelle-toi comment, plus tard, t'étant transformé en ondin, tu as sauvé le bateau et tous ceux qui étaient à son bord ; il avait talonné un récif qu'un marin aussi expérimenté que le capitaine, qui connaissait parfaitement ces eaux, n'aurait jamais dû heurter.

– C'est vrai, Giles, fit James. Vous nous avez sauvés, ce jour-là.

– Oubliez ces épisodes, reprit Carolinus. Personne n'a rien à se reprocher, je vous le répète. Encore un fait. James n'aurait pas rencontré Mélusine s'il n'avait pas suivi l'itinéraire conseillé par les dragons félons auxquels il avait remis son passeport. Ne t'a-t-il pas paru bizarre, James, d'avoir eu tant de mal à découvrir des dragons en France avant de tomber sur ces deux-là ?

– Cela m'a surpris, en effet, répondit Jim, mais j'ai pensé que ce pouvait être la conséquence des dévastations causées par la guerre qui a fait rage ces dernières années. Il se peut aussi qu'il y ait en France des régions où les dragons sont rares.

– Il n'en est rien. C'était l'œuvre des Noires Puissances. Tu étais incapable de percevoir la présence de dragons véritables jusqu'au moment où tu as rencontré ces deux traîtres. Mais assez parlé de cela. J'ajouterai simplement que Malvinne ne s'est laissé dévoyer que tardivement quand les Noires Puissances ont trouvé le défaut de sa cuirasse et joué sur son point faible. Il s'est laissé aller à assouvir sa soif de richesse et de puissance. Comme il n'osait pas tirer sur le crédit dont il disposait au Département des Comptes pour se procurer tous les biens matériels qu'il convoitait, il a utilisé des instruments humains pour dépouiller ceux qui l'entouraient.

– Comme mon père et tous les miens ! dit sire Raoul sur un ton farouche. Sa voracité a conduit à la ruine des dizaines de nobles familles. D'abord, il les discréditait auprès de notre bon roi en salissant leur réputation, puis il lançait ses propres troupes contre elles. Mes deux frères aînés ont péri l'arme au poing en défendant notre château. Mon père, après avoir été fait prisonnier, a connu une mort cruelle.

– Il est vrai, laissa tomber Carolinus, mais cela appartient au passé. Or, c'est l'avenir qui est, maintenant, d'une importance cruciale. Et l'avenir immédiat. Les armées française et anglaise sont au bord de la confrontation. Et les forces anglaises manquent cruellement de ces archers qui ont été pour beaucoup dans les victoires de Crécy et de Nouaille-Maupertuis en 1365 – ce que l'on appelle plus communément la bataille de Poitiers.

– C'est bien ce que je pensais, murmura Dafydd.

Carolinus lui décocha un coup d'œil.

– Oui, mais plus grave encore, Malvinne rejoindra bientôt l'armée française, accompagné d'un simulacre du prince Edouard...

– Vous voulez dire un imposteur ? explosa le prince.

– Pas un imposteur dans le sens où vous l'entendez, Edouard. Ce sera une créature née de la magie, une image parfaite de vous-même, jusqu'aux vêtements que vous portez. Et le bruit court déjà que vous avez conclu alliance avec le roi Jean et que vous combattrez les Anglais, votre propre armée, à ses côtés.

Carolinus ménagea une pause pour laisser à ses auditeurs le temps d'assimiler ses paroles avant de poursuivre d'une voix solennelle en martelant ses mots :

– Quel que soit celui qui remportera cette bataille – je dis bien : *quel qu'il soit* –, il en résultera une guerre sanglante, une guerre interminable qui déchirera la France et donnera toujours plus de puissance à Malvinne jusqu'au jour où ce ne sera plus le roi Jean mais *lui* qui régnera. Alors, ses forces et son pouvoir magique aidant, il boutera une fois pour toutes les Anglais hors du royaume. (Carolinus se tourna vers le Français.) Peut-être te féliciteras-tu, Raoul, de les voir rejetés à la mer, fût-ce à ce prix. Mais je te le dis, ce n'est ni le bon moment, ni le bon moyen. En outre, si Malvinne en est le maître, la France ne sera plus la France que tu as toujours connue. Ce sera une plaie purulente sur le visage de l'Europe et il en découlera des maux immenses. Cette France-là tentera, en effet, non seulement de s'emparer des pays voisins mais aussi de mettre finalement sous sa coupe l'Angleterre et le monde tout entier.

– Il est inutile de me convaincre. Je sais – oh oui, je le sais ! – que Malvinne ne peut engendrer que maux sur maux. Mais que pouvons-nous faire pour l'empêcher de nuire ?

– Il n'y a qu'un seul espoir. (Les yeux du magicien se rivèrent à ceux de Jim.) Je ne te dirai pas comment t'y prendre, James, car il ne m'est même pas permis de t'aider de mes conseils. Il faut que, d'une manière ou d'une autre, tu arrives sur le champ de bataille à temps pour mettre fin à la guerre avant que l'un des deux camps en présence l'ait emporté, que tu démasques cette créature du diable et imposes Edouard, le vrai. Le jour se lève et, bien que tu aies passé une nuit blanche, je t'engage à partir immédiatement. J'ai indiqué à Raoul où l'affrontement aurait lieu – un endroit situé à peu de distance de ce qui fut le théâtre de la bataille de Poitiers car les Anglais, ayant eu vent de l'arrivée imminente des Français, ont obliqué vers le sud afin de trouver une position de défense plus favorable.

– J'ai des chevaux pour tout le monde, annonça Raoul.

– Les nôtres et nos équipements sont à notre camp, répliqua Brian. Nous ne devons pas en être bien loin.

– Non, confirma Bernard. Je vais les chercher. Je n'en aurai que pour un moment.

– Ne prends que les équipements, Bernard, lui ordonna Raoul qui ajouta à l'adresse des autres avec un sourire sardonique : Il serait fort étrange qu'en France un chevalier français ne puisse vous fournir de meilleures montures que celles que vous vous êtes procurées. Je m'en suis occupé.

31

Les chevaux sélectionnés par Raoul étaient des bêtes superbes mais ils ne convenaient évidemment qu'aux seuls humains. Secoh et Aragh, eux, ne pouvaient compter que sur eux-mêmes.

Il n'y avait pas de problème pour le premier qui avait toujours la ressource de voler. Quant à Aragh, il trottait sans difficulté à la hauteur des montures, prenant même visiblement un malin plaisir à s'en approcher le plus possible, ce qui avait pour effet de les rendre nerveuses. A tel point que Jim dut le prier de se tenir à distance raisonnable autant que faire se pouvait.

Secoh, lui, avait des difficultés. Marcher sur ses pattes arrière, même si cela demandait des efforts, était chose faisable pour un dragon. Mais courir dans cette position pour suivre le rythme se soldait par une dépense d'énergie excessive – et Raoul pressait l'allure. Qui plus est, les chevaux avaient tendance à avoir encore plus peur de Secoh que d'Aragh.

On finit par trouver une solution : Secoh gagnerait par la voie des airs un endroit déterminé où il attendrait le reste de la troupe.

Le soleil brillait mais la journée n'était pas excessivement chaude. Ils allaient bon train et atteignirent bientôt la route par laquelle étaient passées les troupes françaises. Les gens du cru, interrogés par Raoul, leur confirmèrent qu'elles avaient au moins deux bonnes journées d'avance sur eux. Il apparut qu'elles avaient obliqué vers l'ouest. Ils en déduisirent que les Français, sachant que les forces anglaises avaient pris cette direction, s'étaient lancés à leur poursuite pour les rattraper.

– Tu ne m'as jamais expliqué pourquoi tu es là. Tu es un ambassadeur, as-tu dit ? demanda Jim à Secoh lors d'une pause.

Ils s'arrêtaient plus fréquemment, maintenant, sous prétexte de faire reposer les chevaux, de manger un morceau et de se rafraîchir ou pour toute autre raison qui leur venait à l'esprit. Mais la vérité était qu'à l'exception de sire Raoul et de Secoh ils tombaient tous de sommeil et aucun des cavaliers ne voulait être le premier à s'endormir et à dégringoler de sa selle.

– Eh bien, répondit Secoh, Carolinus m'a parlé de vous et des Noires Puissances. Il m'a dit comment elles vous avaient dirigé droit sur les deux dragons félons qui habitent dans ce vieux château. Alors, je suis allé voir les dragons de la falaise et leur ai suggéré de m'envoyer comme ambassadeur pour vous mettre au courant de vos droits vis-à-vis des dragons français. En effet, ces deux traîtres auront des comptes à leur rendre pour s'être approprié ce précieux passeport. Bref, ils ont accepté sans trop d'histoires de me laisser partir pour la France bien que cela les ait forcés à lâcher quelques bijoux de plus pour m'accréditer comme ambassadeur.

– C'est bien aimable de leur part, fit Jim. A vrai dire, je ne pensais pas qu'ils s'intéressaient tellement à moi.

– Eh bien, en fait, ils étaient inquiets au sujet de leurs pierres précieuses. Pour être tout à fait honnête, ajouta Secoh, pris d'un soudain accès de franchise, je me faisais un peu de souci pour ma contribution personnelle au fonds commun constituant votre laissez-passer. La perle qui était ma quote-part était le seul bijou qui restait du trésor de ma famille, vous comprenez ? Ce joyau, je le tenais de mon arrière-grand-père et chaque père a fait jurer à son fils de ne jamais s'en séparer. Même quand je crevais la faim dans les marécages, je ne m'en suis jamais dessaisi. Et il est peut-être à jamais perdu, maintenant.

– Te défaire d'une chose qui avait tant de valeur pour toi ! Une pareille générosité me touche profondément, Secoh.

– Allons ! A quoi servent donc les amis ? D'ailleurs, ce n'était pas comme si je m'en étais définitivement séparé. J'étais sûr de le récupérer.

– Tu récupéreras ta perle, Secoh, dit Jim avec force. Je remettrai la main sur ces deux dragons et les forcerai à rendre le passeport. Et si je n'y parviens pas, je trouverai un moyen de remplacer ta perle par une autre d'une valeur égale.

– Il faudra d'abord que vous dénichiez ces deux traîtres. Nous sommes en France, ne l'oubliez pas, et ils sont français. Ils doivent connaître des cachettes où vous ne pourrez jamais les découvrir. En fait, Carolinus a pensé, et je me suis rangé à son avis, qu'il serait préférable, et de beaucoup, que vous fassiez pression sur la communauté des dragons français tout entière. Si elle laisse un des siens voler un passeport et que la chose s'ébruite, elle se déconsidérera aux yeux de toutes les autres communautés, de tous les autres peuples dragons existant qui cesseront de lui accorder leur confiance. Oui, les dragons français ont beaucoup à perdre si vous choisissez cette ligne de conduite, James. Et ils sauront beaucoup mieux s'y prendre que vous ou moi pour dénicher ces deux dragons félons et les obliger à restituer votre bien.

– Mais comment intervenir au sein de leur communauté ?

– Eh bien, c'est justement la raison pour laquelle je suis là. Je serai habilité à parler en votre nom, comprenez-vous ? Je pourrai entrer en contact avec les dragons français, être reçu en audience par leurs chefs à qui j'expliquerai la situation. Je serai en mesure de transmettre toutes les requêtes que vous désirerez présenter à qui de droit et réclamer toutes les sanctions et compensations que vous souhaiterez, y compris la restitution du passeport. Le dédommagement que vous exigerez pourra être d'une valeur très supérieure, de sorte qu'ils n'auront rien de plus pressé que de vous le rendre pour éviter d'avoir à se plier à vos conditions.

La voix de Raoul retentit soudain, brisant net leur conversation :

– En selle ! Il est grand temps de reprendre la route.

Ils repartirent donc, mais les propos de Secoh avaient largement de quoi nourrir les réflexions de Jim. Ses pensées se tournèrent d'abord vers la compensation à demander. Il y avait là une occasion magnifique à saisir. Sur le moment, il était incapable d'imaginer ce qui pourrait égaler l'immense valeur des gemmes constituant son passeport. Ou il se trompait fort, ou elles auraient pu suffire pour acheter la moitié du royaume de France. Cependant, à force de réfléchir, une idée finit par naître dans son esprit et, à la pause suivante, il prit de nouveau Secoh à part.

– Dis-moi, fit-il, les dragons français n'aiment pas plus les georges français que les dragons anglais n'aiment les georges anglais, n'est-ce pas ?

– Sûrement ! Oh ! je ne dis pas qu'il n'y a pas de georges sympathiques – comme vous et sir Brian que j'ai maintenant appris à connaître. Et peut-être même sir Giles qui, étant un ondin, n'est évidemment pas semblable aux autres georges. Mais ces derniers, qu'ils soient anglais ou français, sont souvent de la même étoffe que sir Hugh de Bois de Malencontri dont vous habitez désormais le château. Il m'a capturé, moi, et m'a promis la vie sauve si je vous attirais pour qu'il puisse s'emparer de vous alors que vous marchiez sur la Tour Répugnante. Vous vous rappelez ? Et puis, après vous avoir emprisonné, loin de me libérer, il s'est contenté de rire aux éclats, me menaçant d'accrocher ma tête à son mur !

– Eh bien, figure-toi qu'une idée vient de me venir à l'esprit. Après mûre réflexion, il me semble que le mieux serait de leur demander quelque chose qu'ils ne pourront refuser mais qu'ils n'oseront pas mettre à exécution pour une raison ou une autre.

– Je ne comprends pas.

– Je vais t'expliquer, commença Jim qui était parvenu à la conclusion qu'il pourrait peut-être faire d'une pierre deux coups. Suppose que tu leur dises de ma part que j'exige qu'ils se présentent avec les pierreries sous trois jours... faute de quoi tous les dragons de France aptes à combattre devront se rassembler sur le champ de bataille entre les lignes adverses et se préparer à se battre aux côtés des Anglais.

Secoh regarda Jim en ouvrant de grands yeux.

– Je ne... Ah mais si, je comprends ! s'exclama-t-il soudain. Ils n'aiment pas les georges pris individuellement mais il leur faut bien cohabiter avec eux et s'ils combattent dans le camp anglais, ils risquent leur réputation et leur vie. Toute la communauté peut être décimée. Ils seront ainsi obligés de vous remettre le passeport – ou, s'ils ne le peuvent pas, un sac de joyaux d'égale valeur ! James, vous êtes le georges le plus malin du monde !

– J'en doute mais la question n'est pas là. Veux-tu leur transmettre ce message ? Et exactement dans ces termes. *Ils devront rejoindre les lignes anglaises en formation de combat.*

– C'est entendu. Vous voulez qu'ils se présentent prêts à se battre dans nos rangs ou avec le passeport dans trois jours ? C'est court comme délai.

– Oui, c'est court. Il serait peut-être aussi bien que tu partes tout de suite pour te mettre à leur recherche.

– J'y vole !

Secoh s'écarta en se dandinant afin d'avoir les coudées franches. Il se ramassa un peu sur lui-même et déploya ses ailes. Leur claquement produisit un terrifiant vacarme quand il prit son essor et les chevaux à l'attache se cabrèrent en hennissant.

– Que se passe-t-il ? cria Raoul qui se tenait un peu plus loin. Qu'est-ce que cela signifie, sir James ?

Jim estima qu'il était temps que le Français sache une bonne fois qui était le chef. Il s'avança à grands pas vers les autres.

– Aucun d'entre nous ne connaît votre rang, sire Raoul, attaqua-t-il.

L'interpellé le dévisagea en fronçant les sourcils.

– Mon nom de famille et mon rang sont mon secret, sir James. Et vous n'avez pas répondu à la question que je viens de vous poser.

– C'est précisément ce que je m'apprête à faire, répliqua Jim. Vous désirez que votre nom et votre rang réels demeurent secrets ? Soit. Nous respectons votre souhait. Mais il y a une chose qui, elle, est claire, c'est que je suis magicien. L'êtes-vous aussi, messire ?

Le froncement de sourcils de Raoul s'accentua au point de devenir menaçant.

– En voilà une question absurde ! Vous savez bien que non !

– Et aucun de nos amis ici présents ne peut se prévaloir d'un tel don, si je ne m'abuse ?

– Bien sûr que non !

– Alors peut-être conviendrez-vous qu'il ne saurait y avoir qu'un seul chef : celui qui est à la fois chevalier et magicien. Moi, autrement dit. Vous êtes chargé de nous conduire à l'endroit que Carolinus vous a désigné parce que vous êtes capable d'en trouver le chemin beaucoup plus aisément qu'aucun d'entre nous. Mais c'est à moi que revient le commandement de l'expédition. Le contesteriez-vous ?

Les deux hommes restèrent quelques instants à se regarder dans le blanc des yeux. Enfin, Raoul baissa les siens.

– Non, sir James, dit-il, dompté. Vous avez sans contredit raison. Il ne peut y avoir qu'un seul chef et ce ne peut être que vous.

– Parfait. Je suis heureux que nous soyons d'accord. Je vais maintenant vous faire part à titre exceptionnel de la décision que j'ai prise mais, à l'avenir, je ne vous expliquerai plus aucun de mes actes. J'ai chargé Secoh d'une mission spéciale. C'est tout ce que vous avez besoin de savoir.

Raoul inclina la tête.

Jim se tourna vers les autres. Ils n'en pouvaient visiblement plus. Brian et Giles, il n'en doutait pas, aimeraient mieux tomber à bas de leur selle que d'admettre les premiers qu'ils étaient à bout de forces. Le prince avait de toute évidence été élevé à la même école. De plus, étant de sang royal, il se devait de faire mieux que n'importe qui en toutes circonstances – ne fût-ce que de ne pas céder au sommeil, même au bord de l'épuisement. Néanmoins, il était temps de prendre des mesures.

Jim revint vers Raoul.

– Nous ne sommes encore qu'à la mi-journée, mais je pense qu'à ce stade il est indispensable que nous

nous reposions. Dès que nous aurons trouvé un coin où nous serons en sécurité, nous nous arrêterons pour dormir. Connaissez-vous près d'ici un endroit où nous pourrions passer la nuit ?

– J'ai des amis, répondit simplement le chevalier français. Vous n'avez qu'à remonter en selle et me suivre.

Il y avait un petit château à moins de cinq kilomètres et, comme il l'avait dit, ses occupants reconnurent immédiatement Raoul. Ce fut avec gratitude que les voyageurs exténués acceptèrent l'hospitalité qui leur fut offerte – à la seule exception d'Aragh. Comme à l'accoutumée, celui-ci rechignait à l'idée de coucher sous un toit quand il pouvait s'en dispenser, aussi annonça-t-il d'autorité qu'il irait dormir dans les bois.

Jim se réveilla automatiquement quand la lumière grisâtre de l'aube s'engouffra par l'étroite fenêtre de la chambre qu'il partageait avec Brian, Giles et Dafydd – il soupçonnait que Raoul et le prince avaient dû bénéficier d'un peu plus de confort que celui qu'offraient les paillasses sur lesquelles ses compagnons et lui avaient dormi. Il se sentait parfaitement reposé et débordant d'énergie. Ce ne fut que lorsqu'il essaya de poser les pieds par terre qu'il se rendit compte à quel point ses articulations raides se ressentaient encore de la longue chevauchée de la veille.

Il trouva sans difficulté la grande salle du château et demanda à un domestique d'aller chercher sire Raoul. Quand celui-ci l'eut rejoint, il commanda le déjeuner. Peu après, chacun enfourcha sa monture et le petit groupe prit le départ. Aragh ne tarda pas à les rattraper.

Dans la matinée, certains indices – traces de roues et crottin de cheval – leur indiquèrent que l'armée française les précédait maintenant de fort peu ; en conséquence, ils effectuèrent un large détour pour la contourner et poursuivirent sans problème le chemin que leur avait indiqué Carolinus.

Ils allaient bon train et il leur apparut avant midi qu'ils n'étaient plus très loin de l'arrière-garde anglaise. Les deux armées étaient plus proches l'une de l'autre qu'ils ne l'avaient pensé. Quand le soleil fut à son zénith, ils s'arrêtèrent pour se restaurer et Jim profita de cette pause pour s'entretenir avec Brian.

– Comment allons-nous établir le contact avec nos hommes d'armes ? demanda-t-il. Ils nous attendent probablement à proximité du château de Malvinne. J'avais pensé vous envoyer auprès d'eux, vous ou Giles, mais dans la mesure où les deux armées sont si proches, nous ne disposons plus d'assez de temps pour que vous nous rejoigniez avec eux avant que la bataille s'engage.

– Non, ce n'est pas ainsi que se présentent les choses, sir James, répondit Brian. Ils devraient déjà avoir rallié l'armée anglaise. J'avais donné pour consigne à John Chester de ne rester que deux jours dans les parages du château de Malvinne et si, passé ce délai, nous ne l'avions pas contacté, de faire jonction avec nos forces afin de pouvoir au moins porter quelques coups aux Français. (Le front de Brian s'assombrit.) Mais il est impératif de les rejoindre, continua-t-il. Auriez-vous oublié que nous avons confié tous nos équipements au détachement de John Chester, James ? Sans armures et avec les seules armes dont nous disposons présentement, prendre part au combat est hors de question. Et je ne parle pas de Blanchard, mon fidèle destrier, sans lequel je ne saurais affronter des chevaliers armés de pied en cap.

– Non, je ne l'ai pas oublié mais j'aurai peut-être une autre mission d'une nature particulière à confier à nos hommes. Nous verrons. A supposer qu'ils soient avec les forces anglaises, pensez-vous que nous pourrons les retrouver au milieu d'elles ?

– Assurément, James. Nous connaissons tous John Chester et nos gens d'armes de vue. Il en est de même pour eux. Toutefois, les repérer au milieu d'une troupe aussi nombreuse, même si elle est relativement réduite, durera un certain temps. Des heures, peut-être une demi-journée.

– Eh bien, c'est ce que nous allons faire. Pendant ce temps, les autres essaieront de chercher un endroit où le prince sera à l'abri. Si nous en croyons Carolinus, les Anglais tiennent pour acquis qu'il s'est rallié aux Français. Ils prendront quiconque est vêtu comme lui pour un imposteur. D'un autre côté, si jamais les Français découvraient le prince authentique, ils seraient encore plus empressés de s'emparer de lui. S'ils ignorent que le prétendu prince que Malvinne compte produire n'est qu'un faux-semblant, le fruit de sa magie, ils sont sûrs d'une chose : il ne saurait y avoir deux princes. Aussi y a-t-il toutes les chances pour qu'ils tentent de capturer Edouard et de le conduire auprès de leurs chefs afin d'éclaircir la situation.

– Vous avez raison, James. C'est exactement ce qui risque de se passer. Si vous voulez, je peux partir dès maintenant en éclaireur pour commencer à rassembler nos hommes avant votre arrivée.

– Non, je crois qu'il serait plus sage d'éviter de nous séparer. D'ailleurs, les deux armées ne vont pas se précipiter l'une sur l'autre à la minute où elles se verront, n'est-ce pas ?

– En général, répondit Brian, la mine songeuse, se mettre en ordre de bataille demande du temps quand il s'agit de forces de cette importance. Et l'on engage presque toujours des pourparlers préliminaires – chacun des belligérants invite l'autre à se rendre... Vous avez raison. Il s'écoulera près d'une journée avant que les Français se montrent, arrêtent leurs positions de combat et commencent à marcher contre nous. Si, toutefois, ce sont eux qui attaquent.

– Vous attendez-vous que nous prenions l'initiative alors que nous sommes très inférieurs en force et que, me suis-je laissé dire, nous manquons d'archers ?

– Non, certes. Mais on ne peut jamais savoir à l'avance comment les choses se passeront.

– Tâchons de découvrir l'attitude que les Français ont le plus de chances d'adopter.

– Sire Raoul, fit Jim en s'approchant du Français.

Assis en tailleur, ce dernier était en train de manger un morceau de viande accompagné de pain – le seigneur qui leur avait offert l'hospitalité leur avait fourni des vivres.

– Oui, sir James ? dit-il en se levant.

– Vous savez mieux qu'aucun d'entre nous à quelle vitesse les forces françaises sont capables de faire mouvement. Tout permet de supposer que les troupes anglaises sont à moins d'un jour de marche. Dans combien de temps, selon vous, la rencontre aura-t-elle lieu ?

– Il ne faudra pas plus d'une journée pour cela. Le roi Jean et ses chevaliers auront hâte de tailler des croupières aux envahisseurs. Il est vrai que quand ils seront en vue des forces anglaises, ils devront installer leur dispositif de bataille. Cela pourra prendre une demi-journée, peut-être.

– Vous pensez donc qu'il est possible que la bataille s'engage demain vers midi ?

Les lèvres de Raoul se retroussèrent en un sourire carnassier.

– Cela ne fait pour moi aucun doute, sir James.

– Eh bien, je vais en informer les autres. Il nous faudra foncer le plus vite possible. Aujourd'hui, nous sommes reposés. Mettons-nous en route sans plus tarder.

De fait, ils firent une longue étape. Peu après la tombée du jour, ils arrivèrent en vue du camp anglais et décidèrent de passer la nuit dans une minuscule chapelle en ruine d'où l'on apercevait les feux de bivouac de la troupe.

32

Il ne faisait pas encore jour quand des voix toutes proches accompagnées d'un piétinement de chevaux réveillèrent Jim. Se risquant à jeter un coup d'œil à l'extérieur, il aperçut un groupe d'une demi-douzaine de cavaliers à l'armement léger. Il devait très vraisemblablement s'agir d'une équipe de fourriers qui se préparaient à écumer la campagne pour rapporter du ravitaillement.

Comme ils ne prêtaient nulle attention à la chapelle, Jim en conclut avec un vif soulagement que la bâtisse, depuis longtemps visitée et revisitée, n'offrait aucun intérêt pour des pillards en veine de maraudage. Leur indifférence était particulièrement bienvenue car les chevaux de ses compagnons étaient dissimulés dans les bois qui s'étendaient derrière la chapelle et si les fourriers avaient pris une direction un tant soit peu différente, ils auraient fort bien pu tomber sur leurs montures à l'attache.

Jim s'extirpa du tapis de selle dans lequel il s'était enveloppé pour dormir, se mit debout et, grelottant de froid car le petit matin était glacial, sortit dans l'aube à peine naissante. Le sentier qu'il suivit serpentait entre les arbres et escaladait une éminence du haut de laquelle la vue était dégagée. Il commençait à faire clair et Jim éprouva un choc.

L'armée française était déjà arrivée. Peut-être n'était-elle pas encore en ordre de bataille mais elle était néanmoins bel et bien là, séparée du camp anglais par une prairie de moins d'un kilomètre de large.

Il n'y avait pas de temps à perdre. Jim retourna à la chapelle pour réveiller ses compagnons.

– Le déjeuner ! glapit Brian d'une voix éraillée quand il le secoua.

– Il faudra manger froid. Il y a des maraudeurs qui vont et viennent et il serait trop dangereux de faire du feu.

Jim finit par réunir tout son monde dehors et commença à donner ses ordres :

– Giles, Brian et Dafydd, vous venez tous les trois avec moi jusqu'au camp anglais que nous passerons au peigne fin pour récupérer John Chester et nos hommes. Quand nous les aurons trouvés, il faudra qu'ils s'esquivent aussi discrètement que possible par groupes de deux ou trois en essayant de ne pas attirer l'attention. Point de rassemblement : la chapelle.

– Et moi, sir James ? demanda le prince Edouard. Ne serait-il pas préférable que je me présente simplement à découvert et me fasse reconnaître par les sujets du roi mon père ?

– Personne ne doit vous voir, Altesse. Le risque serait trop grand tant que la plupart des Anglais, comme le pense Carolinus, s'imaginent que vous avez fait alliance avec le roi de France. Ils s'empareraient immédiatement de vous et vous seriez peut-être même traité en ennemi. En tout état de cause, vous seriez molesté et la dissension éclaterait dans les rangs des forces anglaises entre ceux qui vous croiraient et les autres. A l'heure où elles doivent se préparer à riposter à une attaque française, ce serait désastreux. Commençons par réunir nos hommes ici. Je serai peut-être alors en mesure de prendre les dispositions voulues pour que vous puissiez, avec le minimum de danger, vous montrer aux yeux de tous et être mis en présence de la créature de Malvinne.

– Je meurs d'envie de rencontrer cet imposteur – l'arme au poing ! Mais que me proposez-vous pendant ce temps, sir James ?

– De rester caché ici, Votre Grâce. J'ai exploré la chapelle. Elle possède un ancien bas-côté bloqué par un amas de décombres qui permettent au toit de tenir en équilibre. Mais une des pierres qui se trouvent à sa base peut facilement être retirée et, derrière, il y a un trou dans ce qui était autrefois le mur du fond. Vous vous dissimulerez dans cette collatérale. Si jamais quelqu'un tentait de pénétrer dans la chapelle, vous n'aurez qu'à vous glisser dans ce trou sans oublier de remettre la pierre à sa place. Aragh et sire Raoul pourront demeurer avec vous afin d'assurer votre protection.

– Je crois, sir James, suggéra ce dernier, que je serai plus utile dans une autre tâche. Il me serait aisé de m'infiltrer dans le camp des Français. Aucun ne me connaît personnellement. Ainsi j'en apprendrais beaucoup plus sur les intentions du roi Jean et les renseignements que je recueillerais pourraient vous être utiles.

– Je ne sais trop, répondit Jim, dubitatif. Il est impératif que la protection du prince soit assurée et si Aragh aurait partie gagnée face à une poignée d'hommes légèrement armés comme ceux que j'ai vus tout à l'heure, un archer ou un arbalétrier représenterait, en revanche, un danger réel pour lui.

– Je survivrai, dit le loup. Et dans le cas contraire, il m'est égal que la mort vienne me prendre ici plutôt qu'ailleurs.

– Que sire Raoul fasse ce qu'il suggère, dit le prince. Mais que l'un d'entre vous me prête son épée. Il ne sied point qu'un Plantagenêt de sang soit sans armes.

La requête d'Edouard eut pour effet d'alourdir soudain l'atmosphère. L'idée d'être privé de l'épée sans laquelle il se sentait amputé d'une part de lui-même ne souriait à aucun des chevaliers présents. D'un autre côté, il était difficile de ne pas faire droit à l'exigence formulée par le prince. Malheureusement aucun n'avait une épée supplémentaire à proposer.

Ce fut alors que Dafydd intervint :

– Je crois que je peux vous aider à sortir de cette impasse, dit-il de sa voix douce. Je vous prie seulement de m'attendre un instant.

Et le Gallois disparut avant que personne n'ait eu le temps de lui poser la moindre question.

Son absence fut de courte durée. Il revint avec un ballot de forme allongée qu'il se mit en devoir de dénouer, découvrant ainsi, outre une épée, un ceinturon incrusté de pierreries.

– C'est là, certes, une lame qu'un homme d'importance se flatterait de porter, dit le prince sur un ton empreint de méfiance. Comment diantre est-elle tombée en votre possession ?

– L'un des gouverneurs des marches de Galles nommé par le roi votre père et dont je tairai le nom décida un jour d'organiser un tournoi. Et il songea qu'il serait divertissant autant qu'instructif pour le public, en partie anglais et en partie gallois, de voir trois chevaliers anglais charger à la lance certain archer gallois dont tout le monde avait entendu parler. Il avait la réputation d'être capable d'étendre raides morts même des chevaliers revêtus de leur armure.

– Un archer qui n'était autre que vous ? demanda le prince.

– Précisément. Le rôle qui m'était dévolu n'était guère de mon goût, c'est le moins que l'on puisse dire. Je suis néanmoins entré en lice avec les trois chevaliers. Le moment venu, j'ai pris position avec mon arc et mon carquois à l'extrémité du champ clos et les trois chevaliers ont chargé.

– Et alors ?

– Je n'avais pas le choix. Je les ai abattus les uns après les autres d'une flèche en plein cœur. Je n'avais demandé qu'une chose au gouverneur avant la rencontre : que les armes de mes adversaires vaincus me reviennent ainsi qu'il en va pour le vainqueur d'un tournoi. Il s'est esclaffé mais a accepté. J'ai choisi la plus belle des épées – celle-ci.

Dafydd se tut. Tous le regardaient, muets de stupéfaction.

– C'est étrange, reprit-il rêveusement au bout d'un moment, mais nous avons dans notre famille comme un sixième sens prémonitoire qui se transmet d'une génération à l'autre. Quand je rassemblais tristement mes affaires pour vous accompagner dans cette expédition, sir James, je ne songeais pas à prendre cette épée. Le matin, Danielle, mon oiseau d'or, m'avait en quelque sorte enjoint de disparaître hors de sa vue, et j'avais la curieuse impression que tous les objets que je me préparais à emporter étaient bizarrement froids sous ma main. Or, lorsque j'ai touché par le plus grand des hasards cette épée et ce ceinturon, ils m'ont paru tièdes. Alors, l'intuition a joué et je les ai pris. J'ignorais pourquoi. Mais je sais peut-être maintenant pour quelle raison j'ai agi de la sorte.

Dafydd posa l'épée sur une pierre devant le prince. Celui-ci tendit vers elle une main hésitante mais n'alla pas jusqu'au bout de son geste.

– C'est assurément une épée de chevalier, dit-il d'une voix lente, mais je ne souhaite pas l'avoir à mon côté.

Le silence retomba. Ce fut Giles qui, cette fois, le rompit :

– Si Sa Grâce daignait accepter l'épée d'un humble mais féal chevalier, dit-il en dégrafant son ceinturon, je serais fier de lui donner la mienne. Je prendrai celle de Dafydd en échange.

– J'accepte votre offre et vous en remercie, sir Giles. Je considère comme un honneur de porter l'épée d'un homme qui l'a utilisée au combat alors que l'occasion de me battre ne m'a encore jamais été offerte.

– Voilà qui règle la question, fit Jim tandis que le prince et Giles se harnachaient. Aragh demeurera avec vous. Et que Votre Altesse reste cachée ici jusqu'à notre retour.

Ainsi prit fin le conseil de guerre. Le prince entra dans la chapelle en ruine, Aragh disparut dans les bois selon son habitude tandis que les autres enfourchaient leurs montures et partaient chacun de son côté.

Jim, pour sa part, se dirigea vers les arrières des

forces anglaises. Arrivé à la périphérie du camp, il s'y enfonça. Son intention était de commencer par examiner l'aile gauche. Il fendit rapidement les archers car aucun de ses hommes ne maniant l'arc, il n'avait guère de chances de tomber sur un visage de connaissance. Dafydd, lui, de l'autre côté des lignes, les passerait plus attentivement en revue dans l'espoir d'en trouver quelques-uns qu'il pourrait recruter.

Aux archers succédèrent les hommes d'armes. Dispersés par petits groupes, ils se réchauffaient autour des feux, affûtaient leurs armes ou paressaient en bavardant. Pas un seul ou presque ne levait les yeux au passage de Jim qui ne reconnut personne, ni les gens d'armes de Brian, ni les siens. Finalement, il aperçut sir Brian qui, comme prévu, venait à sa rencontre et sa première pensée fut que son compagnon n'avait pas eu plus de chance que lui.

Démoralisé, il se demanda ce qui avait bien pu se produire. Le plus probable était que John Chester et sa troupe s'étaient égarés, à moins qu'ils ne soient malencontreusement tombés aux mains des Français. Dans un cas comme dans l'autre, le problème était entier car les plans encore nébuleux de Jim avaient pour condition *sine qua non* qu'il disposerait de son monde au grand complet.

– Vous revenez bredouille, vous aussi ? chuchota-t-il à l'oreille de Brian quand il fut à sa hauteur.

– Eh oui, je reviens bredouille..., répondit l'autre de la même façon. (Mais un sourire retroussa soudain ses lèvres.) Non, rassurez-vous. Je les ai trouvés il y a moins d'un quart d'heure ! L'un d'eux connaissait même l'emplacement de la chapelle et il est parti en avance avec John Chester pour lui montrer le chemin. Il reviendra ensuite pour servir de guide aux autres qui s'esquiveront deux par deux ou trois par trois. Theoluf restera le dernier pour s'assurer qu'ils s'en vont bien tous sans esclandre. Venez, ajouta Brian – mais à haute et intelligible voix, cette fois.

On est peut-être à court de viande mais j'ai un flacon de vin. Accompagnez-moi, mon vieil ami, nous allons lui faire un sort.

Il posa la main sur l'épaule de Jim, tira sur les rênes de son cheval et, l'un suivant l'autre, ils s'éloignèrent en direction des bois. Mais lorsqu'ils furent à l'abri du couvert, changeant de direction, ils s'élancèrent au galop vers la chapelle.

Quand ils y arrivèrent, une demi-douzaine d'hommes d'armes étaient déjà là. John Chester les accueillit avec un sourire qui lui fendait la figure jusqu'aux oreilles.

– Voilà qui est bien joué, John ! s'exclama Brian avec exubérance en sautant à bas de sa selle et en adressant un signe à l'un de ses hommes pour qu'il s'occupe de son cheval et de celui de Jim. Nous ferons de vous un chevalier !

– Je vous sais gré de vos compliments, sir Brian, mais – et ce n'est pas un secret pour vous –, si j'avais été laissé à moi-même, j'aurais été un bien piètre chef. C'est grâce à Theoluf et aux plus expérimentés de nos hommes d'armes que nous avons atteint notre objectif.

– Mais vous avez appris quelque chose, John. Apprendre, c'est le principal. Continuez et ce que j'ai dit se réalisera : vous accéderez au titre de chevalier. (Brian se tourna vers Jim.) Venez, James. Nous allons voir si l'attente n'a pas trop pesé à Son Altesse.

Jim et lui entrèrent dans la chapelle et se glissèrent l'un derrière l'autre dans le boyau débouchant sur le bas-côté. Le prince, assis sur une pierre tout au fond, et Aragh allongé à ses pieds discutaient avec animation.

A la grande surprise de Jim, c'était Aragh qui menait la conversation. Il s'interrompit à l'arrivée des deux hommes et le prince leva les yeux sur eux.

– Messire Loup est fort savant, dit-il. Il ferait un bon maître. Je me suis instruit. Jeune comme je le suis encore, il m'arrive souvent de ne pas voir l'or de la sagesse éparpillé sous mes pieds. Quand je serai roi, j'aurai des responsabilités à assumer. Savoir et sagesse me seront alors nécessaires. Car ceux de ma génération sont entrés dans un nouvel âge, soyez-en assurés, messieurs.

– Ce qui ne m'emplit pas de joie, grommela Aragh. Je suis attaché à l'ancien et je déplorerais que changent les pays que je connais. Mais je suis volontiers disposé à parler à ceux qui m'écoutent.

– Nous avons tous, je le crois, à apprendre en nous mettant à l'écoute des autres, Altesse, répondit Jim. Cela étant dit, nous avons trouvé le reste de nos gens dans le camp anglais. Ils vont nous rejoindre par petits groupes et nous aurons bientôt trente ou cinquante braves avec nous, plus des archers si Dafydd a réussi à en recruter quelques-uns.

– C'est là une maigre troupe mais je n'ai pas réclamé une armée, même réduite, pour assurer ma protection.

– Que Votre Grâce me pardonne, mais assurer votre protection n'est pas la mission que j'envisage de confier à ces hommes. Quelques-uns demeureront avec vous dans ce but, certes, mais les autres m'aideront à parvenir jusqu'à celui qui se dissimule sous vos traits et à l'amener en votre présence.

– Dieu vous entende !

Les yeux du prince scintillèrent tandis que ses doigts caressaient la poignée de son épée d'emprunt.

Giles ne tarda pas à arriver, puis ce fut au tour de Brian. Ils étaient tous sortis de la chapelle quand Raoul les rejoignit. Il eut un demi-sourire en mettant pied à terre.

– Je vois que vous avez trouvé vos gens, dit-il tandis qu'un des hommes d'armes, obéissant à l'ordre muet de Theoluf, prenait son cheval par la bride pour le mener derrière la chapelle avec les autres. Eh bien, de mon côté, ma promenade n'a pas, elle non plus, été vaine. Je vous rapporte des informations. Une trêve va être conclue et des pourparlers vont s'engager pour débattre des conditions que pose le roi Jean aux Anglais.

– Je n'ai pas entendu parler de trêve du côté anglais, dit John Chester.

Raoul balaya l'objection d'un revers de la main sans même le regarder.

– Vous autres Anglais ne parlez sans doute pas aussi librement entre vous que les Français. Toujours est-il que l'on ne se battra pas avant demain. Les deux camps passeront la nuit à discuter et à échanger des émissaires car la journée est déjà trop avancée pour ranger les troupes en ordre de bataille – une bataille qui, si elle commençait maintenant, finirait forcément dans l'obscurité et la confusion.

– Elle aura donc lieu demain ? demanda Brian.

– Elle sera, selon moi, engagée peu après l'aube car le roi Jean et ses féaux s'en tiendront fermement à leurs conditions sans rien céder. Et le duc de Cumberland, qui commande les forces anglaises, est certainement trop entêté pour se résoudre à faire des concessions.

– Savez-vous où seront le roi Jean et sa garde ? demanda Jim.

– Si j'ai bien compris, le roi en personne prendra le commandement de la troisième compagnie ou se portera sur les lignes arrière. Cela dit, cette information est à prendre sous réserve car il peut encore revenir sur sa décision demain matin. Il est en effet plausible que le roi n'aura nul besoin de combattre. Les deux premières compagnies sont parfaitement capables de mettre à elles seules les Anglais en déroute.

– Notre camp n'est pas totalement démuni d'archers, répliqua Brian, et, à Crécy comme à Poitiers, nous pousser à battre en retraite n'a pas été un jeu d'enfant pour vous, Français. Si votre roi n'avait pas eu la sagesse de faire reposer ses archers génois et de les dépêcher en secret pour attaquer notre flanc droit au moment où la victoire hésitait entre les deux camps, vous ne l'auriez pas emporté.

– Toujours est-il que, grâce à sa stratégie, c'est nous qui avons gagné ! répliqua Raoul, les yeux flamboyants.

Jim jugea préférable de calmer le jeu.

– Ne recommençons pas les batailles passées. Si nous sommes ici, ne l'oubliez pas, c'est pour démasquer le prince que Malvinne a créé par sorcellerie. En ce qui me concerne, je suis chargé par Carolinus de faire en sorte qu'aucune des deux parties en présence ne triomphe sur l'autre. Et la réussite de ma mission exige que la bataille n'ait pas lieu.

– Et vous avez un plan pour empêcher qu'elle ne se déroule ? demanda Raoul.

Jim secoua la tête.

– Un plan solide ? Non, pas encore. Mais j'ai déjà l'ébauche d'un projet dont j'ai bon espoir qu'il aboutira. Nous bénéficierons peut-être de plus d'aide que nous ne le pensons.

– Sous quelle forme, James ? s'enquit Giles.

– Pour l'instant, permettez-moi de garder le secret. Mieux vaut que vous ne comptiez sur personne. Sachez seulement que je vais m'employer à faire éclater la fourberie de Malvinne aux yeux du roi de France. Si j'y parviens, ce sera déjà une belle victoire.

– Quoi qu'il en soit, je ne vois pas comment on pourra empêcher que la bataille ait lieu..., commença Raoul – mais des murmures confus l'interrompirent.

Les rangs s'écartèrent pour livrer passage à Dafydd suivi de trois hommes, l'arc en travers de l'épaule.

– Seulement trois archers ? s'exclama sire Raoul – et son intonation était presque celle du mépris. Le beau renfort que voilà !

33

Les nouveaux venus, dégingandés et presque aussi grands que Dafydd, étaient tannés par le soleil. Aucun ne paraissait plus de trente-cinq ans. Ils s'arrêtèrent devant le groupe. Ce fut directement à Jim que le Gallois s'adressa :

– Je vous présente, lui dit-il de son ton posé, Wat of Easdale, Will o'the Howe et Clym Tyler. Ce sont tous des maîtres archers contre qui j'ai disputé maintes joutes et je considère qu'ils se classent parmi les meilleurs tireurs à l'arc long au monde.

Jim se hâta de briser le silence embarrassant qui menaçait de s'installer :

– Nous sommes heureux d'accueillir dans nos rangs des combattants de cette qualité, Dafydd. Si certains d'entre nous sont plus réservés, c'est parce que nous nous attendions que vous reviendriez avec plus de trois archers.

– J'aurais pu en ramener davantage mais je pense qu'à nous quatre nous pourrons mener à bien le projet que j'ai en tête et auquel, j'en suis sûr, vous donnerez votre aval.

– Par saint Dunstan ! s'exclama Brian, je ne me rappelle pas qu'on vous ait demandé d'établir les plans de bataille à notre place !

– J'ai été chargé de trouver des archers, lesquels ont un rôle bien précis à remplir, faute de quoi c'est en pure perte qu'on les emploie. Etant le seul archer de cette expédition, il m'a semblé que c'était à moi qu'il appartenait de déterminer la forme que prendrait leur intervention puisque aucun d'entre vous n'a d'expérience en ce domaine. Me serais-je trompé ?

– Non, Dafydd, répondit Jim au nom de tous les autres, vous ne vous êtes pas trompé. Mais éclairez-nous au moins sur vos intentions.

– Il n'est pas coutumier qu'un archer explique à un chevalier de qualité comment conduire une bataille, je le sais. Mais un archer, voyez-vous, est un instrument. Or, il n'y en a pas deux qui soient exactement semblables et certains sont mieux adaptés que d'autres à un travail donné, même si les profanes ne voient pas la différence. Les trois archers que j'ai avec moi conviennent parfaitement dans la situation présente. Votre plan vise à approcher le roi Jean et Malvinne avec ces gentilshommes et, tout particulièrement, avec le prince, n'est-ce pas ?

– En effet.

– Et vous ne pouvez espérer le faire qu'à la faveur de la bataille, n'est-il pas vrai ?

– En effet, répéta Jim.

– Ai-je également raison de croire que, lorsque le combat sera engagé, le roi de France sera entouré d'au moins cinquante chevaliers d'élite, flanc à flanc, prêts à mourir sur place pour tenir à distance tout ennemi ?

– C'est là pure vérité, déclara Raoul sur un ton railleur. Je n'ai pas encore réussi à imaginer le moyen qui permettra à une troupe aussi réduite que la nôtre de percer un pareil rempart. En as-tu trouvé un, archer ?

– Le plan que j'ai à vous suggérer exige d'abord que nous soyons conduits en toute sécurité à une certaine distance du roi Jean et de sa garde. De là, nous pourrons ouvrir une brèche dans le bouclier d'acier protégeant non seulement le roi et Malvinne, mais aussi le faux prince : il est sans aucun doute à leurs côtés pour prouver aux deux armées qu'il s'est rangé dans le camp français.

– Ce que dit l'archer me semble fort judicieux.

Nul ne s'était attendu à ce commentaire inopiné du prince Edouard.

– Votre Altesse a probablement raison, approuva Brian. Mais pourquoi faudra-t-il vous conduire aussi près des lignes adverses, Dafydd ?

Un sourire étira lentement les lèvres du Gallois.

– Pour aller à la rencontre de l'adversaire, il ne faut pas être nus comme ces trois archers et moi mais caparaçonnés d'acier à l'instar de ces chevaliers. Dans une bataille telle que celle qui se prépare, les archers sont d'une grande efficacité à distance pour autant qu'ils peuvent se replier derrière des hommes revêtus de cuirasses quand on en arrive au corps-à-corps. Autrement, ils ne valent pas mieux que chair à pâté.

– Vous avez tout à fait raison, Dafydd, dit Jim. Les dispositions à prendre pour effectuer cette manœuvre sont de mon ressort et il se trouve que j'ai quelques idées à ce propos.

– Quelle bonne chose ce serait, fit rêveusement Brian, si vous pouviez nous précéder en ayant revêtu votre apparence de dragon, James ! Vous sèmeriez alors l'effroi parmi les chevaux et nos adversaires seraient trop occupés à s'efforcer de garder le contrôle de leurs montures pour nous opposer une résistance vraiment efficace. Mais avoir recours à la magie ne serait pas combattre à armes égales ; pareille tactique serait évidemment indigne d'un gentilhomme.

– Vous pouvez vraiment vous transformer en dragon à volonté, sir James ? demanda le prince, manifestement fasciné.

– Oui, Altesse, encore que mes pouvoirs de magicien n'aillent guère au-delà.

– James pèche par modestie, Votre Altesse, protesta Brian. Il nous a fait pénétrer au cœur même du château de Malvinne et nous a permis de ressortir sains et saufs – et cela, Votre Grâce est bien placée pour le savoir.

– Il est vrai. Mais j'aimerais fort vous voir un jour vous changer en dragon, sir James...

– James, reprit Brian, vous nous avez laissé entendre que vous aviez réfléchi à la manière dont il nous serait possible de nous approcher du roi Jean. Raoul, rappelez-vous, vient de nous dire qu'il sera à la hauteur de la troisième compagnie avec le gros de l'armée française derrière lui.

– Parfaitement. C'est pourquoi j'ai pensé effectuer un mouvement tournant avec tout notre monde pour arriver sur les arrières de l'adversaire, là où il s'attend le moins à être attaqué.

Brian paraissait dubitatif.

– C'est osé, sir James, rétorqua Raoul qui avait l'air tout aussi peu convaincu. Derrière la troisième compagnie, il y aura les fourgons à bagages, la valetaille, les palefreniers et toute la racaille qui suit une armée. Si vous avez l'intention de charger à travers cette cohue grouillante, les chevaux et les hommes seront exténués avant même de fondre sur la garde du roi, sans compter qu'elle saura alors d'où vient l'assaut.

– Oui, sans aucun doute. Mais s'il n'est pas dans mes intentions d'utiliser la magie contre qui que ce soit, je pense légitime de recourir à elle pour parvenir en un point à partir duquel charger sera profitable.

Pas le moindre signe d'incrédulité ne se lisait sur les visages que Jim scrutait. Quelle ironie ! Pour ses compagnons, la magie pouvait faire tout et le reste et un magicien accomplir n'importe quel tour de passe-passe ! Ils y croyaient dur comme fer et aucun ne lui demanda comment il ferait pour les transporter aussi près que possible du roi et de son escorte. C'était une chance car Jim s'interrogeait encore sur la manière dont il allait s'y prendre.

– Eh bien, n'en parlons plus, dit Brian. Toutefois, éloignons-nous un peu de nos hommes – vous aussi, Dafydd – pour pouvoir discuter plus librement hors de portée des oreilles indiscrètes. Mais avant... Theoluf ! Tom Seiver !

Le nouvel écuyer de Jim et le vieux serviteur s'approchèrent.

– Oui, sir Brian ?

– Veillez à ce que nos hommes fassent bon accueil

ces trois archers. Ils sont maintenant des nôtres et j'entends qu'ils soient traités comme tels.

– A vos ordres, sir Brian.

Sous la conduite de celui-ci, Jim et les autres contournèrent la chapelle en ruine et firent halte un peu plus loin au milieu des herbes. Brian s'adressa alors directement au Gallois :

– Maintenant que nous sommes entre nous, Dafydd, expliquez-nous comment vous pensez être capables à vous quatre de nous ouvrir cette brèche parmi les soldats dont le roi Jean sera entouré.

– Je suis parti du principe qu'à cheval on ne peut pas se servir de l'arc long ; les archers d'Orient, dont j'ai entendu parler, ont, eux, des arcs plus petits et peuvent tirer même quand ils chargent au galop. Néanmoins, des bêtes pourront nous amener suffisamment près de l'escorte royale pour que nos flèches causent de grands ravages dans ses rangs en se riant des cuirasses et autres corselets. Mais, pour cela, il faudra que vous nous fournissiez des montures. Je n'ai recruté que ces trois hommes car je ne voulais pas seulement des maîtres archers mais des archers qui soient aussi des cavaliers émérites – et ces trois-là montaient à cheval quand ils étaient enfants.

– Je comprends mais nous nous trouverons toujours devant un mur sans faille – et je ne parle pas des lances et autres armes qui se tourneront contre nous au bruit de notre approche.

– Comme la plupart de ceux qui ne sont pas archers, vous sous-estimez les possibilités de l'arc, surtout entre les mains de garçons comme ceux que j'ai choisis. Voyez-vous, sir Brian, les chevaliers touchés par les flèches vont vider les étriers, ce qui fera une trouée dans la muraille des défenseurs. Ainsi, vous pourrez les bousculer avant qu'ils soient en mesure d'essuyer votre assaut.

– Humm, fit Brian, soudain rêveur. Effectivement, c'est envisageable.

– Qui plus est, reprit Dafydd, si nous sommes pla-

cés, comme je l'espère, sous un angle favorable pa
rapport à vous, nous continuerons de tirer par-dessu
vos têtes pendant que vous chargerez. Et les Frar
çais, gênés par les cadavres ou les montures à terr
auront fort à faire pour se porter à votre rencontr
tant que la voie ne sera pas dégagée, ce qui, dans l
cohue, ne sera pas sans difficulté.

– Je comprends.

– Et nos flèches couvriront aussi les homme
d'armes qui progresseront derrière vous.

Brian se tourna vers Jim.

– Qu'en pensez-vous, James ?

– Ce plan cadre à merveille avec celui que j'avai
moi-même en tête. Cela veut dire qu'il nous fau
chercher des chevaux pour nos trois nouveaux ar
chers. Et un autre, bien sûr, ainsi que des armes
pour Son Altesse.

– Ainsi qu'une armure, ajouta vivement Edouard
Et une lance, ne l'oubliez pas, sir James.

– J'ai bien peur que Votre Grandeur ne se rend
pas compte que trouver une armure parfaitement à
Sa taille risque d'être fort malaisé. Nous ferons de
notre mieux mais il est peu probable que nous ayons
la chance de dénicher autre chose qu'un casque et
une cotte. Peut-être aussi un bouclier. Quant à la
lance...

– Je tiens à avoir une armure et une lance, plus
toutes les armes qui sont les attributs indispensables
d'un chevalier ! coupa le prince avec hauteur. C'est
un ordre !

Jim soupira intérieurement. Il commençait à en
avoir sa claque ! Tous ces gentilshommes, nobles et
rois, étaient toujours en représentation. A qui avait
un rang à tenir, il ne suffisait pas d'être brave : il lui
fallait aussi faire montre du caractère qui va de pair
avec le courage. Etant de sang royal, Edouard laissait éclater une ire toute royale à la perspective de
ne pas être obéi au doigt et à l'œil.

Ce fut, cette fois, Brian qui défia ce royal courroux :

– Que Votre Altesse daigne me pardonner mais je crains fort que James n'ait raison. Dans une rencontre frontale avec des cavaliers formant un bloc compact, la lance n'a d'efficacité qu'au moment du choc initial. Je commence à penser que si Dafydd peut éliminer un certain nombre de chevaliers de la première rangée, des lances ne pourraient que nous gêner. Il sera grandement préférable de nous fier à nos seules épées. Et, dans la mêlée qui s'ensuivra, les dagues feront encore mieux notre affaire.

Le prince se trouva réduit à quia et sa colère s'éteignit aussi vite qu'elle s'était allumée.

– Pardonnez-moi, sir James, et vous tous, mais je n'avais encore jamais vu de bataille rangée avant Poitiers, où je me suis vu contraint de me rendre sans coup férir. Qui suis-je donc pour le prendre de haut avec des hommes qui connaissent, eux, les réalités du combat ? Je m'en remets entièrement à vous pour ce qui est de mon équipement. Continuez votre discussion : je me contenterai désormais de vous écouter.

– Soyez remercié, Votre Altesse. (Jim se tourna vers les autres.) En ce qui concerne l'assaut, j'ai mon idée. Je sais qu'il est normal pour vous de charger tout simplement en ligne, flanc contre flanc. Mais il est inévitable que cette ligne d'assaut frontale se désagrège à mesure que les chevaux se distancent les uns des autres. Or, c'est justement au moment du choc entre les assaillants et les défenseurs que le dispositif d'attaque fait ou non sentir toute sa force. Il existe un autre moyen de pénétrer les lignes ennemies, qu'on appelle le *coin*. C'est un dispositif qui affecte la forme d'une pointe de flèche. (Jim s'interrompit un instant pour être sûr que tous suivaient son argumentation. Apparemment, cette description était suffisamment parlante.) L'intérêt présenté par la formation en biseau est réel : ce qui en constitue le corps pèse de tout son poids sur son extrémité avancée qui s'enfonce dans les lignes adverses. Ainsi l'élan des chevaux qui font bloc l'accompagne. (Jim ménagea une nouvelle pause.) Puisque la nuit n'est pas encore tombée, j'ai pensé que nous pourrions en profiter pour nous entraîner à charger comme ce serait le cas demain en grandeur réelle. Il suffira de trouver un terrain assez large derrière les arbres afin que personne ne nous surprenne.

im s'attendait que ses compagnons, d'esprit fondamentalement conservateur, renâclent. Dès lors il lui aurait fallu dépenser des trésors d'éloquence pour les convaincre. Mais pas du tout : ce fut avec enthousiasme qu'ils accueillirent sa proposition.

On n'eut pas grand mal à repérer un peu plus loin une prairie dont les dimensions permettaient ce genre d'exercice. Des protestations commencèrent toutefois à s'élever quand Jim exigea qu'ils ôtent tous leurs armures et troquent leurs épées contre de vulgaires branches, cela afin de ne pas éveiller de curiosité intempestive si jamais quelqu'un passait par hasard. Mais il fut inflexible et force fut aux autres de se soumettre.

Comme il l'avait prévu, la plus grosse difficulté fut d'obtenir qu'ils conservent la cohésion du dispositif d'attaque. En effet, pour ces hommes, ce qu'il y avait de plus excitant dans une charge était pour moitié de faire la course, histoire de voir lequel frapperait le premier d'estoc et de taille l'ennemi supposé. En désespoir de cause, Jim se résigna à recourir à un subterfuge ridicule, pour les impressionner.

Après les avoir obligés à s'immobiliser en biseau, il tourna à pas lents autour d'eux en marmonnant des paroles inintelligibles tout en agitant les mains. C'était, leur expliqua-t-il, pour les envelopper d'un invisible filet magique qui les souderait les uns aux autres. Qui plus est, le charme, leur assura-t-il, multiplierait par trois la force de chacun. Mais il cesserait d'agir si jamais l'un d'eux perdait le contact avec son voisin immédiat.

Leur foi en la magie était si profonde que lorsque Jim donna le signal du simulacre de charge, ils galopèrent en restant littéralement collés les uns aux autres comme s'ils n'avaient fait que cela toute leur vie. Par la suite, leurs commentaires élogieux sur le sortilège qui, ils l'avaient bien senti, avait triplé leurs forces allèrent bon train...

Ils étaient si euphoriques que, par mesure de sécurité, Jim leur précisa que ce phénomène ne se manifesterait que pendant qu'ils chargeraient en formation triangulaire. Il ne fallait donc surtout pas qu'ils essaient d'améliorer leurs performances en demeurant groupés ainsi dans les conditions de combat ordinaires. Une crédulité excessive, il l'avait déjà constaté, pouvait être aussi dangereuse qu'un scepticisme exagéré.

– Maintenant, dit-il quand la séance eut pris fin, il va falloir réfléchir au moyen de trouver ces chevaux supplémentaires.

Des chevaux quelconques feraient l'affaire pour les archers mais, pour le prince, une monture de qualité – digne d'un chevalier – s'imposait impérativement. Il n'y avait aux yeux de Jim qu'une seule façon de se procurer ces bêtes : les voler aux Français en contournant furtivement leurs lignes. Raoul devrait pouvoir servir de guide à ceux qui seraient chargés de cette mission. Le véritable problème serait de choisir des hommes capables de la remplir.

Quand il eut rejoint le gros des hommes d'armes, il nota non sans une certaine contrariété que Theoluf était encore avec eux. Il lui fit signe de s'approcher.

– Theoluf, lui dit-il à voix basse, maintenant que vous êtes mon écuyer, votre place est parmi nous, les chefs de cette expédition.

– Merci à vous, milord, répondit Theoluf. Je reconnais que je n'ai pas assez de hardiesse pour me mêler à des personnes au-dessus de ma condition. En outre, je dois faire accepter les archers par nos hommes d'armes qui ont généralement tendance à mépriser les porteurs d'arc. C'est la tâche à laquelle je me consacrais.

– Fort bien, mais il va falloir que vous assistiez à nos conseils de guerre, ne serait-ce que pour vous tenir au courant de nos discussions. Si vous restez avec vos hommes, vous ne saurez rien de plus que les ordres qui leur seront donnés.

– Il en ira ainsi désormais, milord.

– Voilà qui est parfait. Maintenant, je dois m'adresser à eux.

Theoluf fit pivoter son cheval pour prévenir les hommes d'armes.

– Or çà, vous autres ! Prêtez attention à milord James qui veut vous parler.

– Ecoutez-moi, compains ! commença Jim en forçant le ton. Nous avons besoin de montures non seulement pour nos nouveaux archers mais aussi pour le prince Edouard. Lequel d'entre vous a quelque expérience en matière de vol de chevaux ?

La seule réponse fut un silence de mort. Jim attendit un moment et quand il fut évident que personne n'ouvrirait la bouche, il reprit :

– Alors, y en a-t-il parmi vous qui ont connu des voleurs de chevaux ? Ou qui ont une idée de leur façon de procéder ?

Toujours le même mutisme, toujours les mêmes physionomies vides d'expression. Décidément, il n'y avait rien à faire. Jim héla son nouvel écuyer.

– Venez me retrouver quand vous le pourrez, Theoluf, lui dit-il à mi-voix.

Il tourna le dos à ses hommes, se demandant, désabusé, comment il allait œuvrer pour se procurer ces indispensables chevaux.

C'est alors que Brian lui adressa un signe de tête. Obéissant à son injonction muette, Jim le suivit.

– Je vous ai entendu, dit Brian quand ils furent à l'écart. Oh ! James, James ! Que croyiez-vous obtenir en parlant de la sorte à ces hommes ?

– Eh bien, j'espérais qu'il y en aurait au moins un

d'expérimenté en matière de vol de chevaux. Exactement ce que je leur ai demandé.

– Exactement ! (Brian secoua la tête.) Ah ! James ! Il y a des moments où je pense qu'il n'y a pas sur terre d'homme plus avisé que vous. Mais parfois vous semblez aussi ignorant des choses les plus courantes de la vie que si vous arriviez de l'autre côté du monde !

Jim le dévisagea.

– Je ne comprends pas.

– Allons ! Vous semblez croire que ces garçons réunis au grand complet vont se présenter devant vous comme des voleurs de chevaux ! Comment pouvaient-ils répondre à pareille question ? Si jamais l'un d'eux s'était proposé et si, par la suite, des chevaux avaient disparu dans le voisinage, on n'aurait pas manqué d'accuser celui qui avait reconnu publiquement être en mesure de commettre ce larcin.

– Je vois. Seulement, le prince et nos archers ont besoin de montures. Voulez-vous m'expliquer comment je suis censé résoudre ce problème ?

Brian se tourna vers les gens d'armes et appela :

– Tom Seiver !

L'interpellé se détacha de la compagnie et s'avança.

– Tom, lui dit Brian quand il fut devant lui, nous avons besoin d'au moins deux hommes susceptibles de voler des chevaux. Trouvez-les-moi. Nous vous attendrons ici.

– A vos ordres, sir Brian.

Tom Seiver fit demi-tour et s'éloigna.

– Vous comprenez, maintenant, James ? reprit alors Brian. Voilà à quoi servent des hommes comme Tom. Il connaît les garçons qui sont sous ses ordres. Il sait déjà si certains ont des talents dans ce domaine. La question ne sera pas posée publiquement. Tout se passera à demi-mot.

– Je vois, soupira Jim avec lassitude.

Ce nouveau monde où Angie et lui avaient décidé

de vivre désormais le dépassait. Même après plusieurs mois il lui était difficile de l'appréhender. Tout ce que ses habitants savaient pour ainsi dire en naissant, il devait, lui, le découvrir. Et combien d'erreurs aurait-il encore à son actif !

34

Cinq minutes plus tard, Tom Seiver était de retour. Deux hommes l'accompagnaient : un petit, très jeune, vif et alerte, le visage ouvert et candide, surmonté d'une tignasse rousse ; et un grand maigre nettement plus âgé dont les cheveux noirs commençaient à s'éclaircir.

– Le rouquin s'appelle Jem Wattle, sir James, et l'autre, c'est Hal Lackerby, dit Tom. Sir Brian les connaît bien mais j'ai pensé que vous aimeriez les rencontrer personnellement. C'est juste les gars qu'il vous faut pour... (un sourire farouche fendit le visage de Tom Seiver) ... espionner les lignes françaises quand il fera noir.

– Je vous remercie, Tom, répondit Jim.

– Jem et Hal, fit Brian, vous vous mettrez à la disposition de sir James jusqu'à ce qu'il n'ait plus besoin de vous. Voulez-vous que je reste avec vous, James, ou préférez-vous...

– Oui, s'il vous plaît, Brian. Je vais parler à Raoul et je ne serais pas mécontent d'avoir avec moi quelqu'un qui soit au courant de nos projets.

– Eh bien, allons-y.

Suivis des deux hommes d'armes à pied, ils se dirigèrent vers Raoul qui se tenait un peu plus loin à côté de son cheval.

– Sire Raoul, commença Jim, nous souhaiterions vous entretenir – en tête à tête si vous n'y voyez pas d'inconvénient. Comme vous le savez, nous avons besoin de chevaux pour les archers et pour le prince. J'ai trouvé deux hommes qui pourraient nous aider à nous les procurer. Accepteriez-vous de nous guider jusqu'à l'arrière des lignes françaises ?

– Pas les lignes anglaises, évidemment ! laissa tomber Raoul sur un ton sardonique. D'ailleurs, je savais bien que vous choisiriez le camp français pour effectuer cette petite opération. Soit ! Suivez-moi.

Il faisait nuit noire quand ils arrivèrent à destination. Ils avaient été obligés de réduire l'allure car ils devaient cheminer au milieu des arbres. Cependant un mince croissant de lune apparut dans le ciel au moment où ils parvenaient en vue du premier fourgon.

– Voilà l'endroit qui sert de dépôt pour les bagages et où les chevaux sont parqués, annonça Raoul. Ce que vous allez faire maintenant ne regarde que vous. Moi, je me contenterai de vous attendre pour vous ramener à bon port.

Pendant qu'il parlait, Brian avait tenu conférence à voix basse avec Jem et Hal.

– A présent, les garçons, c'est à vous de jouer, conclut-il. Vous savez de quoi nous avons besoin : de chevaux, de selles et du matériel indispensable – armes et cuirasse pour Son Altesse. Allez ! Au travail ! (Les deux hommes d'armes s'éclipsèrent et Brian se tourna vers Jim :) Il ne nous reste plus qu'à patienter, James.

– Je crois que je vais en profiter pour jeter un coup d'œil sur les environs. Voudriez-vous patienter ici, Brian, au cas où Jem et Hal reviendraient avant moi ?

– C'est entendu.

– Merci, ami. Raoul, pourriez-vous me montrer l'endroit où vous pensez que le roi se tiendra quand la bataille s'engagera ? J'aimerais avoir une idée du terrain sur lequel nous serons peut-être amenés à charger.

– Je ne peux faire que des conjectures, sir James,

répondit Raoul sur un ton quelque peu guindé. Mais si c'est ce que vous voulez...

– C'est ce que je veux.

Raoul enleva son cheval. Jim le rattrapa et tous deux, se faufilant entre les chariots à bagages, se dirigèrent vers ce qui paraissait être une colline avancée mais qui, lorsqu'ils s'en furent rapprochés, se révéla n'être qu'un alignement de tentes, version moyenâgeuse. La plupart d'entre elles étaient éclairées et il s'en échappait le joyeux brouhaha que font les hommes qui se donnent du bon temps à grand renfort de victuailles et de vin – surtout de vin, probablement.

Passé cet obstacle, le sol s'élevait en pente douce et, bientôt, il n'y eut plus un seul arbre. Raoul et Jim avaient atteint la limite extrême de l'espace dégagé de part et d'autre duquel les deux armées se faisaient face.

– Je présume, dit le premier, que c'est cette éminence que Sa Majesté choisira le plus vraisemblablement comme point d'observation pour assister à la bataille. Mais, je vous le répète, ce n'est là qu'une supposition. Je ne promets rien. Cependant, si c'était moi, ce serait ici que je prendrais position.

Jim fit une petite reconnaissance dans les environs immédiats. Le site était idéal. En chargeant au sortir des bois, le groupe aurait toute la place voulue pour prendre son élan.

– Si le roi adopte effectivement cet emplacement, nous aurons des chances sérieuses, dit-il à Raoul qui se borna à émettre un grognement en guise de réponse. Maintenant, dites-moi s'il n'y aurait pas un endroit proche où l'on pourrait mettre le prince à l'abri avec quelques hommes pour le protéger en cas de nécessité ?

Raoul réfléchit, la tête inclinée sur la poitrine.

– Il y a les ruines d'une autre chapelle dans les bois, pas très loin. Je vais vous y conduire.

Ils partirent au petit trot et au bout de quelques

minutes, la masse sombre d'un amas de pierres démantelées apparut à leurs yeux. Jim mit pied à terre et s'en approcha à tâtons. C'était bien une sorte d'ancien oratoire, beaucoup plus petit que la chapelle où ils avaient établi leur quartier général, et encore plus délabré si c'était possible. Le boyau – il ne méritait pas d'autre nom – à l'intérieur duquel Jim se coula tant bien que mal ne faisait pas plus de deux mètres cinquante de long et deux personnes ne pouvaient y avancer de front. Le prince au fond, un homme devant lui... Si jamais quelqu'un avait l'intention de parvenir jusqu'à Edouard, il lui faudrait littéralement passer sur le corps de la sentinelle !

Jim ressortit à l'air libre.

– Ce sera parfait, dit-il laconiquement à sire Raoul en s'époussetant. Maintenant, retournons auprès de Brian.

Quand ils l'eurent rejoint, Jem Wattle et Hal Lackerby étaient déjà revenus avec non pas quatre, mais cinq chevaux dont l'un, tout harnaché, avait particulièrement fière allure pour autant que Jim pouvait en juger dans l'obscurité. Celui-là, c'était indiscutable, appartenait à un chevalier. Ce serait le prince qui en hériterait.

Ils reprirent le chemin du retour, à vive allure, cette fois. La lune était haute, maintenant, et il faisait assez clair pour que les archers soient autorisés à être en selle. Et ils confirmèrent les dires de Dafydd : c'étaient indéniablement de fins cavaliers.

– A présent, que tout le monde prenne un peu de repos, ordonna Jim quand ils eurent regagné leur base. On établira un tour de garde pour la nuit. Celui qui assurera la dernière veille nous réveillera tous quand la lune se couchera. Le soleil ne se lèvera qu'une bonne heure plus tard. Je tiens à ce que nous partions avant le point du jour.

Une main secoua Jim. Ce n'était pas encore l'aube. Ses jointures craquèrent quand il se mit sur ses pieds, engourdi par le froid bien qu'il se fût enveloppé dans une couverture de cheval. Il n'avait pas eu son compte de sommeil. Bah ! Cela s'arrangerait quand il aurait échauffé ses muscles !

Il sortit de l'oratoire dans l'intention de s'assurer que les autres étaient réveillés. Oui, chacun avait l'air de s'activer mais l'obscurité était telle que les silhouettes qu'il croisait étaient indistinctes et il entra à plusieurs reprises en collision avec les uns ou les autres avant de trouver Brian.

– Tout le monde est debout ? lui demanda-t-il, pour donner le change.

– Oui, oui, mais écartez-vous un peu, pour l'amour du ciel ! répondit vivement Brian qui avait toujours tendance à se montrer irascible dans les moments précédant l'action. J'ai besoin de place pour enfiler mon armure. Vous devriez d'ailleurs en faire autant. Où est donc Theoluf ? Un écuyer doit être avec son seigneur dans des circonstances comme celle-là. Ho ! John Chester !

Une voix s'éleva dans l'obscurité, toute proche de Jim.

– Je suis là, sir Brian.

– Où est mon corselet ? Allez chercher Theoluf. Vous lui direz d'apporter l'armure de sir James et de venir l'aider à se harnacher.

– Dès la première clarté, j'aimerais que vous veniez dans un coin tranquille avec moi, Brian, déclara Jim. J'ai quelques pratiques secrètes à vérifier et j'aurai besoin de votre concours.

– C'est entendu, James, c'est entendu. Le plastron doit recouvrir la poitrine, John Chester, pas le ventre ! Dès que je serai prêt. Vous n'aurez qu'à venir me prendre. Allons, John Chester...

Mais Jim s'était déjà éclipsé.

Il heurta violemment quelqu'un. Un objet lourd tomba par terre avec un bruit métallique.

– Mes excuses, milord. (C'était la voix de Theoluf.) Je vous apportais votre armure...

– Oh ! Eh bien, je vais essayer de l'endosser si on y voit suffisamment clair.

Theoluf se mit à l'ouvrage et Jim attendit stoïquement d'être harnaché de pied en cap. L'écuyer ne lui fit grâce que de son heaume : il ne le mettrait qu'au dernier moment. Avoir la tête emprisonnée dedans était à la limite du supportable et par ailleurs l'étroitesse de la visière réduisait sensiblement le champ de vision.

– Milord désire-t-il son cheval ? s'enquit Theoluf en reculant quand il en eut terminé.

– Non, pas encore. Allez d'abord quérir sir Brian. Vous amènerez ensuite mon cheval et le sien.

Theoluf ne tarda pas à revenir, tenant les deux bêtes par la bride. Brian, à présent revêtu de son armure, son casque sous le bras, le précédait.

Jim et Brian enfourchèrent leurs montures.

– Où allons-nous, James ?

– Pas très loin. Il faut juste que nous soyons à l'abri des regards.

Quand Jim eut trouvé un endroit qui lui convenait, il pria Brian de descendre de cheval. Il mit pied à terre à son tour et jeta un coup d'œil à la ronde. Ses yeux se posèrent sur un arbrisseau. Il en arracha alors une branche feuillue qu'il entreprit de coincer dans la visière du heaume que Brian avait posé sur le pommeau de sa selle.

– Qu'est-ce que vous avez en tête, James ?

Brian était visiblement dérouté.

– Rien de très important. Je veux juste faire avec votre aide l'essai d'un sortilège. Mettez votre heaume, si vous voulez bien.

Brian s'exécuta, rabaissant sa visière. Jim nota avec satisfaction que le rameau qu'il y avait glissé demeurait en place.

– A présent, ne bougez plus, je vous prie.

Jim avait longuement réfléchi à l'opération qu'il se préparait maintenant à réaliser. Au XXe siècle, l'invisibilité était chose inimaginable. Mais que quelqu'un regarde fixement un objet et se refuse à admettre qu'il le voit – cela était du domaine du possible, un procédé même communément utilisé par les hypnotiseurs.

Se concentrant sur cette idée, Jim émit mentalement l'ordre suivant :

UN SANS/FEUILLES → NE PEUT VOIR UN PORTE/FEUILLES

Brian disparut à sa vue.

Sa voix résonna dans le vide :

– Quand allez-vous effectuer votre sortilège, Jim ?

Celui-ci enfonça le second rameau dans la visière de son propre heaume. A peine l'eut-il coiffé que Brian redevint visible pour lui.

– J'en ai presque terminé. Ne bougez toujours pas.

Jim passa derrière Brian, ôta le rameau qui sortait de la visière de son casque, arracha celui qu'il avait planté dans le sien et les lança tous deux au loin.

– Je n'y comprends rien ! s'exclama Brian. Qu'est-ce que vous fabriquez avec ces petites branches ? Dépêchez-vous, Jim. Il faut rentrer au camp. Il y a des ordres à donner et nous devons nous occuper des derniers préparatifs.

– Nous pouvons y retourner. J'ai fait ce que je voulais.

Ils reprirent le chemin de l'oratoire. Tout le monde – hommes d'armes, archers et chevaliers – était apparemment fin prêt et l'on n'attendait plus qu'eux.

Toutefois, quelqu'un qui ne portait pas d'armure mais avait une lance au poing et dont le heaume, visière baissée, cachait le visage, se précipita à la rencontre de Jim.

– Sir James ! s'exclama le chevalier qui n'était autre que le prince Edouard, cette armure n'est pas à ma taille !

– C'est bien ce que je craignais, Altesse. Mais je pense que nous pouvons nous arranger pour que vous ne soyez pas empêché de prendre part à l'action, même si, au début, vous êtes obligé de vous tenir à l'écart du combat.

– Mais c'est que je comptais bien charger avec vous autres ! protesta Edouard.

– Moi aussi, Votre Grâce, mentit effrontément Jim. Mais sans armure, il ne saurait en être question. Voilà comment nous allons procéder. Nous vous aménagerons une cachette suffisamment proche du champ de bataille pour que vous puissiez nous rejoindre dès que nous aurons ouvert dans la défense une brèche qui nous permettra de parvenir jusqu'au roi Jean, à Malvinne et à l'imposteur qui se fait passer pour vous.

– Soit ! Mais je persiste à considérer que ne pas charger à vos côtés sera une tache qui ternira mon honneur.

Jim piqua des deux en direction du groupe des chevaliers auquel Brian s'était déjà joint.

– Sire Raoul, fit-il d'une voix forte, voulez-vous prendre la tête du détachement et nous guider ? Parfait ! Eh bien, en avant !

35

Le soleil n'était pas encore tout à fait levé quand ils arrivèrent en vue des arrières français mais une petite lueur leur permettait de se distinguer les uns les autres. Jim donna ordre à sa troupe de s'arrêter à quelque trois cents mètres des premiers chariots à bagages et il expédia deux hommes d'armes pour aller couper deux fois autant de branches qu'il y avait de personnes présentes. Il se pencha sur sa selle pour prendre deux de ces rameaux quand, sur ses instructions, ils lui rapportèrent leur cueillette. Les brandissant à bout de bras afin que tout le monde les aperçoive, il s'expliqua :

– Observez-moi avec attention ainsi que mon cheval.

Quand tous les yeux furent braqués sur lui, il glissa l'une des branches sous le frontal de son cheval.

– Que voyez-vous ? demanda-t-il alors sans cesser d'agiter la seconde.

Un murmure admiratif parcourut les rangs de la troupe. Mais comme personne n'osait apparemment se résoudre à s'exprimer, il interpella Brian :

– Sir Brian, que voyez-vous ?

– Dieu me pardonne mais vous planez dans le vide... au-dessus du sol !

– Exactement. Maintenant, regardez bien.

Il introduisit le second rameau dans la charnière de la visière de son heaume.

– Et maintenant, Brian ?

– Vous êtes toujours là, James ? Nous ne distinguons plus rien – ni vous ni votre cheval !

– Oui, je suis bien là, n'ayez crainte, et dans une minute je reprendrai forme. Vous deux, dit-il aux hommes chargés de branchages qui, bouche bée, contemplaient le vide, vous allez à présent procéder à la distribution générale de ces branches à raison de deux par personne. Quand tout le monde sera servi, chacun en fixera solidement une sous le frontal de son cheval de façon qu'elle soit aisément visible de loin. Ensuite, vous coincerez tout aussi solidement l'autre dans votre casque. Allez... Exécution !

Les deux hommes d'armes, jusque-là pétrifiés, sursautèrent à cet ordre qui tombait de je ne sais où et commencèrent la distribution. Chacun prit son dû et suivit la consigne. De nouveaux murmures s'élevèrent. Un par un, les membres de l'expédition regardaient leurs voisins disparaître quand ils avaient reçu leurs rameaux et réapparaître une fois qu'eux-mêmes étaient en possession de ceux qui leur revenaient et qu'ils les avaient fixés conformément aux directives de Jim.

– Vous avez tous mis vos brindilles en place ? demanda ce dernier. Est-ce que vous vous voyez et me voyez à nouveau ?

Le murmure qui suivit la question avait, cette fois, valeur d'acquiescement. La voix du prince retentit haut et clair :

– C'est prodigieux, sir James !

– Je remercie Votre Altesse. Pour tous ceux qui n'auront pas une branche accrochée à leurs vêtements ou ailleurs, vous serez invisibles. Mais évitez surtout de parler fort ou de faire du bruit car cela risquerait de tout gâcher. Mettez-vous bien dans la tête que tout est question de suggestion. Quelqu'un qui regardera dans votre direction sera persuadé de ne rien voir. Mais s'il vous entend, il n'en sera plus aussi convaincu et il finira peut-être par vous apercevoir quand même au bout du compte. Cela vaut aussi pour les chevaux. Il faut qu'ils fassent le moins de bruit possible. Ils iront donc au pas. (Jim se tourna alors vers Raoul.) Voudriez-vous, lui dit-il, conduire Son Altesse et les chevaliers à l'endroit que nous avons repéré hier ? Vous les laisserez à la lisière du bois. Ensuite, je vous prierai de revenir pour guider le reste de la troupe réparti par groupes de dix hommes. Je partirai avec le dernier.

Ainsi fut fait. Quand Jim arriva en serre-file, tout son monde était déjà assis au milieu des arbres à la limite de l'espace dégagé qui s'étendait entre les deux armées.

Les chevaliers, comme on pouvait s'y attendre, s'étaient installés à l'endroit le plus confortable : un bouquet d'arbres dont les troncs leur servaient de dossier au bord d'un petit ruisseau. Quand il eut mis pied à terre, Jim vida la gourde accrochée à sa selle dans l'intention de recueillir de l'eau fraîche.

– James ! s'exclama Brian de sa place. Mais que

faites-vous donc ? En voilà une idée de gaspiller comme cela du bon vin !

Il se dirigea, les sourcils froncés, vers Jim qui, à croupetons au bord du ruisseau, était en train de remplir le récipient.

– C'est que j'aurai vraisemblablement besoin d'eau pure, répondit Jim en levant la tête.

– Mais voyons, l'eau, c'est malsain ! Je vous ai déjà prévenu, James. Particulièrement l'eau qu'on trouve en France. Vous allez attraper la colique.

– Nous verrons bien. (Sa gourde était maintenant pleine et Jim la reboucha.) N'importe comment, mes pouvoirs magiques pourront me protéger de la maladie.

– Oh ! Oui, bien sûr. J'avais oublié.

– C'est compréhensible.

Jim se redressa et alla arrimer la gourde. Il aurait bien voulu être sûr que ses pouvoirs magiques l'immuniseraient effectivement contre ce que Brian appelait la colique. Son compagnon le suivit quand il alla attacher son cheval avec ceux des autres chevaliers et celui du prince.

– Raoul nous a expliqué la raison pour laquelle vous avez choisi cet endroit, James, lui dit Brian. Si j'ai bien compris, nous allons maintenant simplement attendre de voir si le roi prendra position avec sa garde sur cette levée de terrain qui se trouve un peu plus loin ?

– Absolument. S'il ne s'est pas montré quand les deux armées se seront déployées en formation de combat, il nous faudra nous mettre à sa recherche. Il serait bon que nous ayons deux guetteurs perchés sur les arbres les plus hauts pour nous tenir au courant des mouvements des troupes françaises et anglaises. Avons-nous un homme qui ait une vue particulièrement perçante ?

– Moi, j'en ai un. John Chester ! Approchez ! (L'écuyer s'avança.) John Chester, lequel de nos garçons a-t-il une vue particulièrement aiguë ? Luke Allbye ? Eh bien, allez le chercher.

John Chester ne resta absent que quelques instants. Quand il revint, un homme d'armes d'une trentaine d'années à la mine chagrine le suivait. Dafydd surgit au même moment, accompagné d'un des trois archers qu'il avait ramenés, celui dont les cheveux grisonnaient.

– Qu'y a-t-il, Dafydd ? lui demanda sir Brian.

– Si j'ai bien compris sir James, il a besoin de quelqu'un qui ait un œil de lynx pour observer la mise en place du dispositif de bataille des deux armées. Or, je crois que personne ne peut se comparer à Wat of Easdale dans ce domaine. (A ces mots, Luke Allbye et John Chester se renfrognèrent et Brian fronça les sourcils.) Un archer, n'est-ce pas, se doit d'avoir une meilleure vue que le commun des mortels pour toucher sa cible comme il convient. Or un maître archer comme notre ami Wat est capable de damer le pion à tout le monde. N'est-ce pas, Wat ?

– C'est la vérité du bon Dieu si je peux me permettre, messeigneurs.

– Eh bien, il y a une solution toute simple, dit Jim : nous désignerons Luke et Wat tous les deux comme guetteurs. La question n'est pas de savoir lequel est le plus doué, mais d'obtenir avec le maximum de précisions les informations souhaitées.

– Voilà qui est bien parlé, James, approuva Brian. Luke et Wat, vous allez l'un et l'autre grimper sur un arbre et quand vous aurez bien regardé, vous reviendrez nous rapporter ce que vous aurez observé.

Jim et Brian s'assirent pour attendre le compte rendu des deux hommes.

Le soleil était maintenant levé et l'atmosphère commençait à se réchauffer. Une journée splendide s'annonçait. L'herbe embaumait, la forêt résonnait de chants d'oiseaux. Tout paraissait si paisible qu'il semblait impensable que des hommes soient sur le point de s'étriper.

Jim se rappelait ce que lui avait dit Carolinus : si l'on voulait faire échouer les desseins des Noires Puissances, il fallait qu'aucun des deux camps ne remporte la victoire. Mais comment opérer pour qu'il en aille ainsi ? Il n'en avait aucune idée – ou, tout au moins, s'il en avait une, elle était des plus nébuleuses. Carolinus comptait évidemment sur lui pour parvenir à ce résultat mais, jusqu'à présent, Jim n'avait guère pensé qu'à l'objectif immédiat : révéler au roi Jean la mystification dont il était l'objet et lui prouver que le vrai prince était Edouard et non l'imposteur qu'il prenait pour lui.

Le retour de Luke Allbye et de Wat of Easdale qu'accompagnaient John Chester et Dafydd interrompit le cours de ses réflexions.

– Eh bien, Luke, quelles nouvelles nous rapportez-vous ? demanda Brian.

– Les deux armées sont à présent rangées en ordre de bataille, messeigneurs. Les Français se sont répartis en trois lignes successives comme on le supposait, la dernière touchant presque les tentes des seigneurs et chevaliers. Les Anglais, pour autant que j'ai pu m'en rendre compte, sont rassemblés en une seule ligne disposée en échelon comme c'était déjà le cas à Crécy et à Poitiers, les hommes d'armes faisant face aux Français et deux ailes d'archers en double file derrière eux. (Luke, qui avait parlé tout d'une traite, s'interrompit pour reprendre souffle avant de continuer :) Pour moi, sir Brian, milord, il y a six mille hommes d'armes côté anglais et peut-être deux mille en tout côté français. Les Français ont aussi des archers génois devant leur première ligne – dans les trois mille à mon idée. Dans le camp anglais, il me semble qu'il y a entre quatre mille et six mille archers et non point deux mille comme on le disait.

– Merci, Luke. Vous avez des questions à lui poser, James ? (Jim fit signe que non et Brian tourna la tête vers Wat of Easdale.) Avez-vous quelque chose à ajouter à ce que Luke vient de nous dire ?

– Seulement qu'il n'y a pas six mille archers mais tout au plus deux mille.

– Comment pouvez-vous être aussi affirmatif ? Ils étaient sûrement trop loin pour qu'il vous ait été possible de les compter un par un et je sais que Luke est bon juge en matière d'estimation.

– Il lui a certainement paru aller de soi que les deux ailes enveloppant le gros des hommes d'armes qu'il a vues représentaient au moins six mille archers, répliqua Wat of Easdale d'une voix égale. Mais cela peut n'être qu'une ruse de guerre destinée à tromper l'ennemi. Au moins deux sur trois des hommes qui sont supposés être des archers ne sont que des hommes d'armes – voire des gens appartenant au personnel des cuisines – munis d'un bout de bois de la longueur d'une tige d'arc et qui se tiennent comme ils croient que se tiennent des archers.

– C'étaient tous des archers, messeigneurs ! s'écria Luke avec véhémence. Je le jure !

– Alors, tu mets ton âme en péril, rétorqua calmement Wat. On peut placer un homme dans une compagnie et lui fourrer un bâton dans la main mais seule une vie tout entière consacrée à pratiquer le métier lui apprendra à avoir le maintien qui est celui d'un archer. Pour moi, qui suis un fils de l'arc ayant grandi et vécu avec des experts en cet art, il saute aux yeux qu'il n'y a pas deux sur trois de ces garçons qui sont de vrais archers !

– Ventrebleu ! s'exclama Brian. A la distance à laquelle ils se trouvaient, comment aurait-on pu noter d'aussi subtiles différences dans l'attitude de ces hommes et leurs manières ?

– Je vous le dis en grand respect, sir Brian : si vous aviez visé aussi souvent que moi une cible à trois cents pieds, vous seriez attentif au moindre détail.

– Admettons que les Français soient inférieurs en nombre, intervint Raoul avec emportement. Croyez-vous que cela les effarouchera au point d'en dissuader un seul de passer à l'attaque le moment venu ? Et quand ils se seront rapprochés, ne s'apercevront-ils pas de la ruse ? Ne pensez-vous pas que cela les incitera à donner l'assaut avec une vigueur accrue ?

– C'est sans nul doute ce qui se passera, seigneur Raoul, et c'est justement ce qu'attendent les Anglais pour peu qu'ils aient ne serait-ce que cinq cents autres archers embusqués derrière les haies de part et d'autre de leur dispositif. Lorsque les Français découvriront ce qu'ils croiront n'être qu'une ruse et qu'ils redoubleront d'ardeur, leur colonne n'en sera que plus distendue, les chevaux les plus vifs prenant une large avance sur les moins rapides. A ce moment, les archers camouflés commenceront à tirer et s'ils ne tuent pas la moitié des attaquants avant qu'un seul soit arrivé assez près du premier des faux archers pour le mettre hors d'état de nuire, je veux bien manger mon arc ! Et mon carquois par-dessus le marché !

– Qu'importe s'ils massacrent la moitié des cavaliers de la colonne d'attaque ! (Le ton de Raoul était d'une violence presque sauvage.) Il y aura derrière eux cinq fois autant de Français prêts à les remplacer !

– Eh bien, c'est là tout profit, dit Jim – et tous les regards se posèrent sur lui car, jusque-là, il n'avait pas ouvert la bouche. Un renversement aussi inattendu de la situation et la possibilité que les attaquants tombent dans d'autres traquenards encore suffiront peut-être à amener les Français à perdre leur sang-froid. Et, vous n'êtes pas sans le savoir, sire Raoul, quand on fait offense à vos compatriotes, ils n'ont plus qu'une seule idée en tête : en venir le plus vite possible aux mains avec l'agresseur. En conséquence, le plan de bataille des Français, quel qu'il puisse être, a toutes les chances de sombrer dans la confusion et de tourner à la déconfiture.

Raoul foudroya Jim du regard, voulut parler et se retint. Ce fut précisément le moment que choisit Tom Seiver pour arriver au pas de course.

– Messeigneurs, un important groupe de chevaliers s'approche et, si je ne me trompe, j'ai vu flotter au-dessus des têtes le léopard et les lys de l'oriflamme royale.

Giles poussa un cri d'allégresse.

– Alors, c'est le roi de France ! Il vient donc ici, en définitive !

Alentour, les hommes d'armes étaient déjà debout et les chevaliers se ruaient vers leurs montures.

– Pas encore ! (La voix de Jim les arrêta net.) Laissons-les d'abord se mettre en position. Que tout le monde s'enfonce dans le bois. Votre Altesse, l'heure a sonné pour moi de vous parler en particulier. Daignerez-vous m'accompagner ?

– Soit, sir James, je vous suis, répondit le prince qui s'avança vers Jim.

– Venez avec nous, sir Giles, je vous prie.

Tous trois s'enfoncèrent dans la forêt. Quand ils furent en vue de l'amas de ruines qu'il avait exploré la nuit précédente, Jim fit halte.

– Je sais bien, Votre Altesse, commença-t-il, que vous auriez préféré prendre part à la charge ou, au moins, être plus près de nous quand nous livrerons l'assaut. Mais songez que si jamais quelque chose de fâcheux vous arrivait, si par malheur nous vous perdions, nous perdrions tout. Les forces anglaises ici présentes et l'Angleterre perdraient tout. Ce tas de pierres dissimule une cache à laquelle on accède par une sorte de boyau juste assez large pour permettre à une personne de s'y glisser. Si vous vous accroupissez dans ce trou d'homme avec sir Giles pour en défendre l'entrée, vous serez parfaitement en sécurité.

Le prince était devenu écarlate.

– Quelle présomption de votre part, sir James ! Suis-je un enfant ou un valet pour me cacher au fond d'un trou à l'heure du combat ? Je vais à l'instant retrouver les autres.

Et le prince tourna le dos à l'oratoire en ruine.

– Attendez, Altesse ! Songez à votre devoir. Songez

aux obligations qui sont les vôtres envers votre père et envers l'Angleterre.

Edouard, qui s'était déjà mis en marche, ralentit. Puis il s'immobilisa, fit demi-tour, revint lentement sur ses pas et se planta en face de Jim.

– Je ne pense pas que le danger soit aussi grave que vous semblez le croire, sir James, dit-il d'une voix égale. Vous oubliez que, prince d'Angleterre, j'ai infiniment plus de valeur vivant que mort. Même si les Français me découvrent, le pire qui pourrait se produire serait qu'ils me capturent et mon père paierait la rançon qu'ils exigeraient. Il ne saurait en aller autrement.

– Il n'en est rien. Réfléchissez. Malvinne a créé un substitut du prince dont il tire les ficelles. Et c'est Malvinne et non plus le roi Jean qui, maintenant, gouverne effectivement la France. Aucun Français ne cherchera à vous tuer. Seulement à vous capturer comme vous l'avez dit. Aucun Français – sauf un : Malvinne. Tant que vous êtes vivant, vous constituez un danger pour sa créature. Il ne fait pas de doute que depuis que nous nous sommes échappés de son château, il s'est lancé à votre poursuite, non pas pour vous rattraper et vous séquestrer dans l'espoir d'obtenir une rançon mais pour vous faire disparaître une fois pour toutes afin que personne ne puisse plus contester la réalité de la chose qu'il a créée par sorcellerie.

Jim se tut, attendant de voir comment le prince allait réagir à son discours. Edouard avait le regard perdu au loin. Finalement, il poussa un soupir et ses épaules s'affaissèrent.

– Vous dites vrai, sir James, j'ai des obligations à assumer. Je me rends donc à vos raisons. Où est-il, ce cul-de-basse-fosse où vous voulez que je m'enterre ?

– Vous n'y resterez pas plus d'une heure ou deux, Votre Altesse. Si le roi Jean est en route, il nous faudra seulement patienter jusqu'à ce que ses gens aient pris position. Attentifs au déroulement de la bataille, ils ne se soucieront pas de ce qui pourra se passer derrière eux. Alors, nous chargerons et tout se décidera dans les minutes qui suivront : la victoire ou la défaite. Même ici, vous devriez entendre le fracas des armes. S'il se tait et si, au bout d'une demi-heure, je ne suis pas venu – moi ou quelqu'un d'autre – pour vous confronter à l'imposteur, c'est que nous aurons été écrasés et il ne vous faudra plus penser qu'à votre sécurité. Sir Giles, poursuivit Jim après une pause, sir Giles sera avec vous. Si les choses ont mal tourné pour nous autres, vous essaierez tous deux de gagner Brest pour vous mettre sous la protection des troupes anglaises qui y sont encore. Malvinne ne peut courir le risque de vous laisser en vie mais il ne peut pas, non plus, clamer sur les toits qu'il est à la recherche de quelqu'un qui ressemble trait pour trait au prince d'Angleterre retenu captif.

Tout en parlant, Jim avait contourné l'amas de ruines. Quand il eut retrouvé le trou permettant d'accéder à la cache, il tendit le doigt.

– C'est là, Votre Altesse. Et ouvrez grandes vos oreilles.

– J'irai à contrecœur, sir James, mais je vous obéirai.

Et le prince se glissa dans l'ouverture.

Giles s'apprêtait à le suivre quand Jim le retint en lui agrippant le bras.

– Je ne vous ai même pas demandé si vous acceptiez de remplir cette mission. Pardonnez-moi, mon ami.

– C'est un grand honneur, au contraire, qui m'échoit, James ! Et c'est moi qui dois vous en remercier !

Quand Giles eut disparu à l'intérieur de l'amoncellement de pierres qu'était devenu l'ancien oratoire, Jim se hâta de rejoindre les autres chevaliers et leur troupe. Tous étaient debout, silencieux, dissimulés derrière les arbres et les buissons. Et le roi Jean, flanqué de Malvinne et de l'imposteur, ses gonfalons frappés aux armes de la Maison de France, entamait juste l'ascension de la petite éminence d'où il dominerait le champ de bataille.

36

Jim, Brian et Raoul observaient sous le couvert de leur invisibilité la garde royale en train de prendre position sur la petite hauteur qui s'élevait à quelque distance de la lisière du bois.

Le roi Jean tira sur ses rênes. Ses chevaliers firent halte et tous contemplèrent l'espace dégagé et les lignes anglaises massées quelque cinq cents mètres plus loin. La grande oriflamme royale claquait au vent.

La main en visière au-dessus des yeux, Brian, lui, ne s'intéressait ni au roi ni à son escorte mais aux forces françaises déjà en ordre de bataille à leur gauche et à leur droite.

– Je serais d'avis d'attendre que le premier détachement français passe à l'attaque, dit-il. Si ce que nous a dit Wat of Easdale est la vérité, il serait même préférable de laisser les archers, vrais ou non, entrer en action. A ce moment, toute l'attention de l'escorte royale sera concentrée sur eux. Il nous faudra, certes, patienter un peu mais ce ne sera pas du temps perdu.

– C'est une fort bonne suggestion, Brian, répondit Jim.

Sentant qu'on le tirait par le coude, il se retourna, pensant que Dafydd qui se trouvait juste derrière lui avec ses trois archers avait un commentaire à formuler. En fait, ce n'était pas le Gallois mais Carolinus.

– Tes compagnons ne peuvent ni me voir ni m'entendre, lui dit le magicien. Trouve un prétexte et viens avec moi un peu plus loin. J'ai à te parler.

Interloqué, Jim ne répondit pas tout de suite.

– Oh ! Il y a une chose dont j'aurais dû m'occuper plus tôt ! dit-il enfin. Cela m'était sorti de la tête. Restez là, vous autres, et faites bonne garde. Je reviens dans quelques instants.

– Comptez sur nous, déclara Brian avec autorité. Je crois que les hommes du premier détachement français sont prêts à passer à l'attaque.

Carolinus fit signe à Jim de lui emboîter le pas et, comme nul ne s'occupait plus de lui, ce dernier obtempéra. L'un suivant l'autre, tous deux s'éloignèrent. Lorsqu'ils furent à l'abri des arbres qui formaient écran et que le mage se retourna, Jim fut surpris de constater à quel point ses traits tirés étaient marqués par la fatigue. Un visage gris de vieillard épuisé...

– Même aujourd'hui, tu ne connais pas le monde qui nous entoure, James, fit Carolinus. Aussi, il faut que tu me pardonnes mon intrusion.

– Vous pardonner ? Je ne vous ai jamais vu agir sans raison, mage.

– Ce que je veux dire, James, c'est que tu n'as pas encore bien compris à quel point un subalterne est propriété de son supérieur. Brian, par exemple, pourrait faire pendre haut et court n'importe lequel de ses hommes d'armes tout simplement s'il en décidait ainsi. Aucune loi ne s'y opposerait. Certes, s'il donnait un tel ordre sans motif valable, il y a fort à parier que la plupart de ses hommes, et sans contredit les meilleurs d'entre eux, déserteraient. Mais si les circonstances l'exigeaient, il se résoudrait à une telle extrémité.

– Je crains que vous ne me sous-estimiez, dit calmement Jim. Je crois que je suis maintenant arrivé à comprendre ces usages.

– Vraiment ? Et t'es-tu jamais demandé dans quelle mesure ils s'appliquaient aux relations qui nous lient, toi et moi ?

Jim le dévisagea.

– Vous et moi ?

– Parfaitement. J'entends par là nos relations de maître à élève. Quand je t'ai pris comme disciple, tu es devenu ma propriété. Je devais t'initier à la magie mais, en même temps, j'étais libre de me servir de toi ou de te détruire à mon gré. Telle est la règle qui régit ce monde et ce temps.

– Non, je n'ai jamais envisagé les choses sous cet angle, dit lentement Jim. Mais, en toute hypothèse, je penserais que vous avez une raison pour agir ainsi et, comme Brian...

– Il y a une différence, James, l'interrompit Carolinus. Dans ton cas, des causes extérieures pourraient m'obliger à prendre à ton égard des mesures qui iraient au-delà de ce à quoi tu es en droit de t'attendre. Dans ce combat qui nous oppose aux Noires Puissances, tu es malheureusement devenu un pion sur l'échiquier, un pion que l'on fait avancer pour obtenir un gain ou que l'on sacrifie. La seule aide que j'ai pu t'apporter a été de t'envoyer Aragh et Dafydd pour qu'ils te prêtent leur concours. Il y a eu aussi de menus faits mais rien qu'il m'ait été possible d'entreprendre directement. Je devrais te complimenter. Ce sortilège que tu as imaginé pour que personne ne puisse vous voir, toi et tes compagnons, était habile. Cependant, si je te félicite, ce n'est pas seulement pour ton ingéniosité mais aussi parce que ce charme tient compte de ton expérience passée dans un autre monde. De la sorte, tu as moins tiré sur le crédit magie dont tu disposais. Il ne t'est jamais venu à l'esprit que tous les sortilèges dont tu as usé étaient hors de portée d'un simple apprenti magicien de classe D ?

– Je n'ai jamais réfléchi à cet aspect des choses.

– Eh bien, il serait temps que tu commences. Parce que tu es maintenant devant le fait accompli : tu as d'ores et déjà totalement épuisé la réserve d'énergie qui te permet de pratiquer la magie.

– Dans ce cas, comment se fait-il que j'aie pu continuer ? Avez-vous transféré sur mon compte un peu de l'énergie dont vous disposez sur le vôtre ?

– C'est strictement interdit, et à juste titre. Sinon, un maître pourrait rendre son élève plus puissant que ne le permet le crédit qui lui est alloué par le Département des Comptes. Non, il m'était impossible de t'accorder le moindre prêt. Je t'ai seulement laissé tirer sur mon compte depuis quelques jours. En l'occurrence j'ai outrepassé les limites de mes prérogatives et le Département des Comptes m'infligera sans aucun doute une amende quand toute cette affaire sera terminée. A moins que nous ne remportions une victoire écrasante sur les Noires Puissances, ce qui aura pour effet de nous réapprovisionner à leurs dépens. Mais oublions cela, poursuivit Carolinus. Je ne peux plus grand-chose pour toi mais, si peu que ce soit, je le ferai quand même. Et, tout d'abord, il me faut t'informer de certains points qui te seront utiles. En premier lieu, tu dois savoir que ton crédit magie est à sec. Ce qui veut dire que tant qu'il ne sera pas remis à flot, la poursuite de ton apprentissage de magicien est interrompue *sine die*. Tu n'es plus désormais qu'un ambassadeur sans lettres de créance. Sache que le roi des morts a porté plainte auprès du Département des Comptes. Il a élevé de vives protestations contre l'intrusion d'un magicien dans son royaume. Ceux qui t'accompagnaient étaient sans importance. Ce n'étaient que de simples humains. En pénétrant sur son territoire, ils lui appartenaient légitimement à moins qu'ils ne réussissent à s'en échapper. Et vous vous êtes enfuis, toi et tes amis. Malheureusement, pour y parvenir, tu as eu recours à la magie. Or, recourir à la magie dans le domaine du roi des morts qui en contrôle toutes les formes est un crime encore plus grave que faire intrusion sur son territoire. Tu devras répondre de l'infraction que tu as commise.

– Mais si nous avons violé son domaine, c'est uniquement parce que Malvinne nous y avait attirés au moyen des pièges qu'il avait installés !

– C'est exact et le Département des Comptes prendra cet argument en considération – mais uniquement si tu l'emportes à la fois sur Malvinne et sur les Noires Puissances. Ce sera alors Malvinne qui aura à rendre des comptes. Mais seulement après qu'il aura été vaincu.

– Je ne trouve pas cela juste !

– Qui a dit que ce devait être juste ? Mais ce n'est pas tout. Il y a un autre problème dont tu n'as peut-être pas conscience, à savoir que Mélusine était là, tout près. Elle veut te récupérer. Toutefois, elle ne peut rien pour l'instant.

– Elle ne peut rien ? répéta Jim, un peu rasséréné. Pourquoi ?

– Comme je te l'ai déjà dit, rétorqua Carolinus sur un ton où l'on retrouvait un peu de l'irascibilité qui lui était coutumière, tu es toujours magicien, même si tu as épuisé ton crédit au Département des Comptes. La loi interdit qu'il y ait commerce entre les différents royaumes. C'est pourquoi le roi des morts est sans pouvoir hors des limites du sien.

– Mais quel rapport avec Mélusine et moi ?

– Mélusine est un esprit élémentaire et son royaume est distinct – enfin, presque.

– Je le sais. Je l'ai vue utiliser sa propre magie.

– Il ne s'agissait pas réellement de magie. Celle-ci est réservée aux seuls humains, encore que la plupart des autres créatures t'expliqueront qu'elles en usent aussi. En fait, ce qu'elles possèdent est une sorte de pouvoir instinctif, qui leur permet de façonner à leur gré leur environnement, l'espace qui les entoure. Concrètement, cela signifie que Mélusine peut se diriger vers toi où que tu sois. Jusqu'à présent, tu t'es déplacé et tu es, par conséquent, resté hors d'atteinte. Mais maintenant que tu es immobilisé, cloué sur place sur ce champ de bataille, elle te retrouvera inévitablement.

– Mais si elle ne peut pas s'emparer de moi, quelle différence ?

– Benêt que tu es ! tonna Carolinus. Ne t'ai-je pas

dit, il y a un instant, que s'il ne peut être établi que ton irruption dans le royaume des morts est le fait de Malvinne, ce sera toi qui auras à en répondre ? Eh bien, même chose pour Mélusine. Ce sera encore toi qui seras tenu pour responsable de tous les dommages qu'elle sera susceptible de causer en essayant de te récupérer. Comprends-tu, oui ou non ?

– A vous entendre, répondit Jim, tout cela prend des airs de problème juridique !

– Mais c'est un problème juridique ! Cela relève de la loi – même si cette loi diffère de celle à laquelle tu es habitué. Je t'ai prévenu. Je ne peux désormais rien pour toi. Sauf une chose encore. Pour cela aussi, j'aurai, à mon tour, des comptes à rendre. Mais comme pour l'infraction que j'ai commise en te laissant puiser dans mon crédit pour opérer tes sortilèges, la sanction que me vaudra le délit de complicité se limitera à une amende. Une très lourde amende mais qui ne m'empêchera pas de vivre. Il en ira de même pour ce que je vais tenter à présent. Théoriquement, je ne devrais rien entreprendre pour t'assister par la magie tant que ton crédit reste inexistant et que tu n'es pas autorisé à reprendre tes pratiques. Mais je vais outrepasser cette règle en dépit des risques. Je m'engage à te protéger pendant les prochaines vingt-quatre heures contre toute opération magique que Malvinne pourra diriger contre toi.

– C'est... c'est très généreux de votre part, balbutia Jim, mais si cela doit vous en coûter plus que vous ne pouvez vous le permettre, il serait peut-être préférable que je me débrouille tout seul...

– Tu n'aurais pas l'ombre d'une chance, mon garçon ! Dès l'instant où tu auras réussi à pousser Malvinne dans ses retranchements, il répondra par la magie. Et avec tes maigres connaissances dans le domaine de l'art, tu ne serais rien de plus qu'un moineau qui essaie de voler en plein ouragan.

– Je voudrais quand même vous poser encore une question, mage. Vous m'avez dit qu'il fallait renvoyer dos à dos les deux armées. Or, je n'ai pas la moindre idée des moyens pour y arriver. Si vous pouviez seulement me mettre sur la voie...

– Impossible ! répondit sèchement Carolinus. J'ai fait tout ce qui était en mon pouvoir. Et même davantage. Tu sais quel est l'objectif à atteindre. Il ne te reste plus qu'à le réaliser si tu le peux. (Brusquement, sa voix se radoucit.) Mon affection et mes vœux t'accompagnent, James. Pardonne-moi mais je n'ai rien d'autre à t'offrir. Allez ! Il faut maintenant que tu retournes avec tes compagnons. Le premier détachement monté français a commencé de charger.

37

Jim se hâtait de rejoindre la lisière des bois, courant aussi vite que le lui permettait le poids de son armure. A l'orée de la forêt, Brian et les autres chevaliers contemplaient, comme fascinés, la première ligne des cavaliers français qui, à l'approche du milieu de la prairie, accéléraient l'allure.

Des rangs des arbalétriers génois qui leur faisaient face monta un seul cri, articulé par tous tandis qu'ils lâchaient leurs traits. Le ciel fut hachuré de noir et les hommes s'égaillèrent pour se mettre à l'abri de la charge.

Les flèches se mirent à pleuvoir sur les rangs anglais. Mais d'autres amorçaient déjà leur parabole dans les airs, tirées des deux ailes de la ligne anglaise où les archers étaient positionnés. Les chevaux des Français commencèrent à trébucher et à culbuter.

Ceux qui tombaient ne ralentissaient pas pour autant la progression de la cavalerie française qui était passée du trot au galop. Le martèlement des sabots n'était plus que tonnerre assourdissant. Pennons et bannières claquaient fièrement au soleil et les lances, jusque-là tenues verticalement, s'abaissaient. C'était là un spectacle propre à glacer les cœurs de terreur et il était difficile de croire que l'élan de cette muraille de fer en marche ne balaierait pas tout ce qui se trouvait sur son passage, la ligne de défense anglaise en particulier.

– Brian ! appela Jim d'une voix haletante quand il eut enfin rallié ses compagnons, ne restez pas là. Les faux archers, si tel est le cas, risquent de se manifester d'un instant à l'autre. Tout le monde en selle et qu'on se rassemble dans le bois ! Mettez-vous en formation et tenez-vous prêts à charger. Et que personne n'enlève son feuillage ni celui de son cheval tant que je ne n'en aurai pas donné l'ordre !

Brian et ses compagnons qui, jusque-là, semblaient pétrifiés, prirent soudain le pas de course et s'enfoncèrent plus à l'intérieur des bois après avoir lancé aux hommes d'armes la consigne de les suivre avec les chevaux.

Il n'y avait maintenant plus personne avec Jim qui n'avait pas encore entièrement recouvré son souffle. Plus personne à l'exception de Dafydd.

– Eh bien, vous n'avez pas entendu ce que j'ai dit, Dafydd ? Hâtez-vous de mettre vos archers en place.

– Ils y sont depuis une demi-heure, répondit le Gallois sans faire un mouvement. Wat et le jeune Clym Tyler sur ce qui sera le flanc droit du biseau et Will o'the Howe sur son flanc gauche. Il m'attend. Nous passerons à l'action dès que vous l'ordonnerez. Quel sera le signal pour que nous nous débarrassions des branches et redevenions visibles ?

– Nous... (Jim fut obligé de s'interrompre pour aspirer une goulée d'air) ... nous attendrons le dernier moment. Les chevaliers se dépouilleront des leurs avant de charger mais j'aimerais que les archers restent invisibles le plus longtemps possible. Qu'ils se tiennent prêts à tirer, flèche encochée, et n'arrachent leurs rameaux protecteurs que lorsque nous arriverons à votre hauteur.

– C'est entendu.

Quand Dafydd se fut éloigné à grands pas, Jim rejoignit les chevaliers. Theoluf l'aida à enfourcher son cheval et, après lui avoir présenté sa lance, monta sur le sien.

– Vous êtes prêts ? demanda alors Jim à ses compagnons. Tout le monde derrière moi ! C'est moi qui serai à la pointe du triangle.

– Foutre non, par le diable ! explosa Brian. (Se forçant au calme, il respira profondément à plusieurs reprises mais ce fut d'une voix tout aussi forte qu'il continua :) Pardonnez mon audace, James, mais je suis bien placé pour savoir que, s'agissant du maniement des armes, l'adresse vous fait défaut. Et je vous le dis en toute franchise : vous n'êtes pas assez habile avec une lance pour être en tête. C'est moi qui serai à la pointe du biseau. Sire Raoul, je ne doute pas que vous ayez déjà l'expérience du combat. Voudriez-vous vous placer un peu derrière moi et à ma droite ? John Chester chevauchera pareillement à ma gauche et devant Theoluf. Et rappelez-vous, Theoluf, qu'avec votre bouclier vous devez vous protéger, vous et sir James. James, vous serez au milieu, votre cheval immédiatement derrière le mien. Tom Seiver, vous couvrirez sa droite. Même consigne pour vous que pour Theoluf. Lorsque nous entrerons en contact avec l'adversaire...

– Une minute ! l'interrompit sèchement Jim. Quel rôle entendez-vous me faire jouer, Brian ? Le même que celui du roi de France entièrement ceinturé par son escorte ? Je suis ici pour combattre avec vous parce que nous aurons besoin de toutes les lances dont nous disposons.

– Toutes sauf la vôtre. *Sauf la vôtre, James !* Réfléchissez un peu : si jamais vous succombiez, tout serait perdu pour nous et nous aurions fait cette chevauchée pour rien. A quoi servirait-il, en effet, de se frayer un chemin jusqu'au roi de France si vous n'êtes pas avec nous, bien vivant, pour affronter

Malvinne et dénoncer la sorcellerie qui donne au faux prince l'apparence du vrai ?

Jim se crispa. C'était là ni plus ni moins le langage qu'il avait lui-même tenu quelques instants plus tôt au prince Edouard. Comment aurait-il pu contredire Brian ? En outre, à quoi bon se cacher la vérité : c'était à Brian qu'il appartenait, dans les circonstances présentes, de prendre le commandement et les décisions sur le terrain. Lui, Jim, ne pouvait que reconnaître le bien-fondé du raisonnement de son ami et il ravala les arguments qu'il s'apprêtait à sortir.

– Quant à vous autres, reprit le chevalier, vous allez reprendre sans plus tarder la place que vous occupiez lors des exercices d'entraînement. Vous vous mettrez en branle à mon signal mais tenez-vous prêts à vous débarrasser des branchages qui vous ont été distribués dès que sir James en donnera l'ordre.

Jim jeta un rapide coup d'œil en direction de l'éminence où se trouvaient le roi Jean et les chevaliers de son escorte. Ils n'en avaient pas bougé.

– Allez-y ! Jetez-les maintenant !

Sir Brian se tourna un instant vers lui, le temps de lui décocher un bref sourire, avant de crier d'une voix retentissante :

– En avant ! Et restez groupés !

La petite troupe démarra au pas, puis passa au trot et ce fut au galop qu'elle émergea du bois. Au même moment, un cri s'éleva de l'escorte qui, plus loin, entourait le roi Jean. Aux deux ailes du dispositif anglais, des hommes, jusque-là couchés, s'étaient dressés et, l'arc à la main, s'avançaient vers les Français. Une nouvelle volée de flèches zébra l'azur.

Le roi et sa garde n'avaient d'yeux que pour ce qui se passait devant eux. Mais quelqu'un dut entendre le martèlement des sabots qui s'approchait car, tout à coup, une voix hurla, dominant le brouhaha :

– Nous sommes attaqués !

Jim avait l'impression que cette galopade effrénée en direction de la garde royale ne prendrait jamais fin. Et, soudain, sans avertissement préalable, le heurt eut lieu.

Il fut d'une violence inouïe, à tel point que Jim se sentit littéralement plaqué contre la surface intérieure de son armure. Les chevaux se cabraient en hennissant, fouettant l'air de leurs antérieurs. Un choc d'une brutalité inimaginable ébranla sa lance et il contempla avec incrédulité le tronçon de hampe qu'il étreignait – c'était tout ce qu'il en restait.

Ils avaient profondément enfoncé les rangs des Français dans lesquels ils avaient ouvert une brèche mais la formation compacte en biseau des attaquants n'avait pas résisté à la furie de l'assaut et Jim, maintenant séparé de ses compagnons d'armes, se trouva brusquement en face d'un personnage inconnu dont le heaume s'ornait de bandes noires parallèles disposées en oblique. Son épée – il n'avait même pas conscience de l'avoir tirée du fourreau – sonna contre celle de l'autre. Il eut le réflexe de lever son bouclier de sorte que lorsqu'il dégagea le fer, ce fut sur celui-ci que s'abattit la lame de son adversaire. Il frappa de taille mais sa lame ne fit que siffler dans l'air : désarçonné, le chevalier au heaume barré de noir basculait, plié en deux, l'extrémité empennée d'une flèche plantée juste en plein milieu de la dossière de son armure. Il n'y avait maintenant plus personne en face de Jim. Voyant deux autres chevaliers ennemis glisser comme par magie de leur selle, il comprit que les archers de Dafydd étaient à l'œuvre : comme l'avait promis le Gallois, ils ouvraient le passage aux cavaliers. Brian était devant lui. Il piqua des deux pour le suivre.

Subitement, autour de lui, ce fut le vide. Brian et Raoul étaient sensiblement à la même hauteur. Il n'y avait plus un seul Français en vue, hormis un chevalier démonté d'une taille inférieure à la moyenne et dont l'armure était incrustée d'or. Il avait l'épée à la main mais ne portait pas de bouclier. Une brise légère faisait onduler l'étendard frappé du léopard et des lys planté en terre derrière lui.

Par miracle, la javeline de Brian était encore intacte. Il la pointa sur le chevalier à la riche armure en criant à pleine voix :

– Rendez-vous !

Mais sire Raoul avait déjà sauté à bas de sa monture. Il mit un genou en terre devant le Français et, relevant la visière de son heaume, essaya de saisir sa main libre pour la baiser.

– Que mon suzerain daigne me pardonner, lui dit-il. C'est contre Malvinne que je me suis dressé, jamais contre Votre Majesté !

– Et qui êtes-vous ? demanda le chevalier à la somptueuse armure qui, relevant à son tour sa visière, posa son regard sur Raoul.

– Je suis le fils de feu le comte d'Avronne qui fut un fidèle et loyal serviteur de Votre Majesté, même après que le sorcier Malvinne l'eut faussement accusé de trahison, fait déposséder de son titre et eut confisqué ses terres à son profit. Il a néanmoins continué tant qu'il a vécu de servir Sa Majesté comme je l'ai servie moi-même. Je n'ai d'autre dessein que la délivrer de cet incube. C'est contre lui que ma haine était dirigée. Pardonnez-moi, ô mon roi, si elle laissait supposer que j'avais pris les armes contre vous.

– Rendez-vous, Majesté, répéta Brian. Vous êtes encerclé. Toute retraite vous est coupée.

– Eh bien, soit. Je me rendrai donc. (Le roi baissa les yeux sur Raoul et lui présenta son épée.) Mais à ce gentilhomme français et non point à un Anglais. Toutefois, je ne capitulerai qu'à une seule condition : que vous donniez ordre à vos maudits archers de cesser de tirer sur les preux chevaliers et seigneurs qui me restent.

Jim se retourna.

– Dafydd ! cria-t-il. Que les archers arrêtent immédiatement leur tir !

Le sifflement des flèches se tut.

– J'ai capitulé ! fit alors le roi Jean d'une voix forte. Rendez vos armes, mes bons chevaliers, et suivez mon exemple.

Brian, imité par Jim, mit pied à terre et tous deux plièrent à leur tour le genou devant le roi de France.

– Que Votre Majesté nous pardonne aussi, dit-il. Nous ne nous réjouissons pas de votre capture mais si nous sommes ici, c'est par obéissance envers notre souverain.

Il se redressa et Jim estima qu'il pouvait en faire autant. Prenant sire Raoul par la main, le roi Jean l'aida aussi à se relever, puis il ôta son casque. C'était un homme d'un certain âge à la physionomie avenante dont les cheveux clairsemés s'argentaient.

– Maintenant que je suis entre vos mains, messires, où comptez-vous me conduire ? (Il dévisagea Brian.) Je présume que c'est vous le chef de cette soldatesque anglaise ?

Brian recula d'un demi-pas.

– Non, sire. Nous sommes sous les ordres de sir James Eckert que vous voyez à mon côté. Sa réputation n'a peut-être pas atteint votre royaume mais, dans notre pays, ses exploits lui ont valu le surnom de chevalier dragon.

Le roi considéra Jim.

– Certaines rumeurs vous concernant sont, en effet, parvenues à nos oreilles, messire. J'ai, par ailleurs, remarqué la bande rouge qui barre votre écu. Vous êtes donc un magicien, vous aussi ?

– Un apprenti magicien, Majesté. Mais c'est à ce titre que je suis ici car je dois également affronter Malvinne, votre ministre.

– Un magicien de second ordre pour battre en brèche Malvinne ? Mais cela n'a pas de sens ! Malvinne est un sorcier d'une puissance considérable. Sinon, je n'aurais pas fait de lui mon conseiller. A propos, où est-il et où est le prince anglais ?

– Ici, fit la voix aigre que Jim avait déjà entendue dans le château où Edouard était alors séquestré. Et lâchez-moi, vous autres, si vous ne voulez pas voir la lèpre vous ronger les mains.

Et Malvinne apparut, se frayant un passage entre les chevaux. Celui qui s'était substitué au prince le suivait et Jim eut le souffle coupé à sa vue. Il était quasiment impossible de ne pas prendre ce jeune homme pour le prince en personne. C'était Edouard jusqu'au moindre détail de son vêtement, dans sa façon de marcher, dans l'expression de son visage.

Malvinne avança jusqu'au roi et se porta à sa droite.

– J'ai attendu pour savoir exactement de quoi il retournait, dit-il alors. (Il pointa le doigt sur Jim.) Pas un geste !

Mais Jim ne se sentit pas paralysé pour autant. Afin de le prouver, il ôta ses gantelets, glissa un pouce dans son ceinturon et fixa Malvinne.

– J'ai dit pas un geste ! répéta ce dernier, le doigt toujours tendu. (Ses yeux s'écarquillèrent.) Comment se fait-il que cet ordre soit sans effet sur vous ?

– Je l'ai immunisé contre ton pouvoir, fit une voix sèche – celle de Carolinus qui se matérialisa aux côtés de Jim tandis qu'un murmure de stupéfaction s'élevait alentour.

– Carolinus ! Toi ! s'exclama Malvinne en lui décochant un regard fulminant. Mais qu'est-il pour toi ?

– Mon élève, Salinguet, répondit Carolinus sur le ton de la conversation. Te rappelles-tu nos petites blagues à l'école ? Il y a longtemps que je ne t'avais pas revu, Salinguet.

– Garde ton argot d'escholier pour toi ! Que tu sois de classe A+ ne constitue pas une si grande différence entre nous.

– Je me permets de ne pas partager cet avis. Ce + peut te détruire. (Carolinus se tourna vers Jim.) Ne voudrais-tu pas que le véritable prince soit là pour assister au spectacle ?

Jim se retourna. Son regard balaya les hommes qui

étaient derrière lui et s'éclaira quand il se posa sur Theoluf, toujours sur son cheval.

– Theoluf, regagnez l'endroit où nous étions postés. Là, vous obliquerez à droite et vous continuerez jusqu'à ce que vous arriviez devant un oratoire en ruine. Vous y trouverez sir Giles et Son Altesse. Prenez deux chevaux pour eux et ramenez-les ici – le plus vite possible.

– J'y cours, milord.

L'écuyer fit demi-tour, ordonna sans cérémonie aux deux hommes d'armes les plus proches de mettre pied à terre, empoigna les rênes de leurs montures et s'en fut.

– De qui parlez-vous ? demanda le roi Jean.

Ce fut Brian qui répondit sur un ton âpre :

– D'Edouard, prince héritier d'Angleterre.

– Edouard ? (Le roi tourna les yeux vers celui qui était debout à côté de Malvinne avant de s'adresser à Carolinus :) Voilà qui est extravagant. De quoi s'agit-il ? Vous... ce jeune magicien... cette histoire de princes ?

– C'est sir James Eckert qu'il vous faut interroger, sire.

Le roi le dévisagea un bon moment mais l'expression de Carolinus demeurait impénétrable. Il pivota alors vers Malvinne.

– Qu'est-ce que cela signifie ?

– C'est une machination montée contre moi, Votre Majesté. Mais je ne pourrais vous l'expliquer car elle est de nature magique.

Le roi fit face à Jim.

– Vous, messire, allez-vous me donner une réponse claire et nette ? Qu'est-ce que vous tramez ? Je tiens à le savoir.

– Vous serez informé sous peu, Votre Majesté. Attendez de voir.

– Je suppose, dit Malvinne, qu'ils vont produire quelque imposteur et prétendre que c'est lui et non ce jeune homme que nous connaissons et honorons tous deux qui est le prince Edouard.

– Quelque chose comme cela, convint Jim, mais pas tout à fait.

– Sir James !

C'était la voix encore lointaine de Theoluf.

Quelques instants plus tard, les rangs de la petite troupe massée autour de l'étendard s'écartèrent pour livrer passage à un cheval sur le mors duquel le cavalier qui le montait tira si vigoureusement qu'il piétina sur place et qu'on dut le retenir.

– Sir James ! J'ai trouvé l'oratoire et si le prince y est, on est présentement en train de l'attaquer ! Ses assaillants sont des chevaliers comme ceux-ci avec des bandes noires peintes sur leur heaume. Ils sont bien une demi-douzaine. Je crois avoir entr'aperçu sir Giles défendant l'entrée l'arme au poing mais il succombera bientôt sous le nombre si l'on ne se porte pas immédiatement à son secours !

38

– Des heaumes ornés de bandes noires ? s'écria sire Raoul en sautant en selle. Ce sont des chevaliers aux ordres de Malvinne. Celui-ci les a chargés d'assassiner le prince avant qu'il puisse se présenter ici en personne ! Hâtons-nous avant que sir Giles soit débordé !

Ce fut le branle-bas général. Tous se précipitèrent pour enfourcher leurs montures. Brian avait déjà passé un pied dans l'étrier quand il se ravisa.

– Vingt hommes, Theoluf ! ordonna-t-il à l'écuyer. Seulement vingt. Que les autres restent là pour garder les chevaliers français qui ont rendu les armes.

– Ainsi donc, il y a bien un imposteur ? demanda le roi Jean à Malvinne.

– Assurément, sire, mais n'ayez crainte. Mes consignes étaient de s'emparer de sa personne et nullement de le tuer. Je ne vous en avais pas touché mot, ne voulant pas importuner Votre Majesté avec ce qui n'est, somme toute, qu'un détail négligeable. Une fois qu'il sera amené ici, on verra qu'il ne ressemble en rien à notre prince.

– Ou précisément le contraire, rétorqua Jim. Et quand vous prétendez que vos sbires ont seulement l'ordre de le faire prisonnier, c'est un mensonge. S'ils sont partis à sa poursuite, ce ne peut être que dans le dessein de l'abattre afin que le roi Jean demeure totalement ignorant de son existence.

– Vous osez m'accuser de mentir ? rétorqua Malvinne. Eh bien, l'avenir le dira.

Pendant le quart d'heure qui suivit et tandis que l'on s'occupait des blessés des deux camps, le roi, Brian et les autres n'avaient pas quitté des yeux le champ de bataille. Le premier détachement français avait été réduit en pièces par des centaines d'archers embusqués. De l'escadron lancé au grand galop contre les lignes adverses et qu'avait accueilli une grêle de flèches, il ne subsistait que quelques poignées de survivants.

Comme l'avaient prévu les Anglais, le spectacle de cette hécatombe avait été intolérable pour le deuxième détachement qui avait alors chargé à son tour sans attendre. Et il avait subi le même sort. Dès lors, le troisième était passé à l'attaque et il s'était heurté de front à la cavalerie anglaise de sorte que les deux armées en présence s'étaient à présent littéralement désagrégées en innombrables petits groupes qui s'affrontaient, coupés les uns des autres.

Soudain, un cri retentit derrière l'escorte du roi dont, un instant plus tard, les rangs s'ouvrirent pour livrer passage à Theoluf. Le prince qui le suivait, sans armure et sans casque, l'épée au côté, mit pied à terre devant le roi et s'avança vers lui, les bras tendus.

– Cousin..., commença-t-il selon l'usage des monarques s'adressant à leurs pairs.

Mais le roi Jean recula et croisa les bras sur sa poitrine. Le prince s'immobilisa alors.

– Qui êtes-vous donc, messire ?

– Moi ? (Le jeune homme redressa le menton dans une attitude altière.) Qui puis-je être sinon Edouard Plantagenêt, fils aîné et prince héritier d'Edouard, souverain du royaume d'Angleterre ?

Le monarque se tourna vers Malvinne.

– Il est de fait qu'il ressemble fort à notre prince.

– Dites plutôt que votre prince ressemble fort à notre Royale Altesse ici présente, gronda Brian.

– Nous allons voir, fit alors Malvinne qui allongea le bras, le doigt tendu à toucher le nez du jeune homme. Plus un geste !

Le prince parut se pétrifier instantanément. Aucun doute n'était possible : le charme avait opéré. Malvinne ricana et lança un coup d'œil à Carolinus.

– Je m'en doutais ! Il ne vous a pas été possible de faire jouer votre protection pour tout le monde. Celui que vous parez du titre de prince est maintenant en mon pouvoir.

Carolinus ne répondit pas. Il était aussi immobile qu'Edouard bien qu'il donnât l'impression d'être parfaitement libre de ses mouvements. On aurait dit que Malvinne n'existait pas.

Jim descendit de son cheval et détacha la gourde fixée à sa selle.

– Eh bien, nous allons maintenant savoir qui est qui, dit-il.

– Arrêtez-le ! s'écria Malvinne. C'est un philtre magique ! Qu'on ne le laisse pas s'approcher du prince !

– Ce n'est rien que de l'eau.

Jim déboucha le récipient, versa un peu de son contenu dans le creux de sa main et le fit respirer au roi.

– Sentez-vous quelque chose, Votre Majesté ? Ce n'est que de l'eau, je le répète.

– Mais une eau enchantée ! s'égosilla Malvinne.

Ignorant ses protestations, Jim s'approcha d'Edouard toujours figé.

– Pardonnez-moi, Votre Altesse, mais c'est absolument indispensable.

Et il lança l'eau qu'il avait dans sa main à la figure du prince.

Celui-ci, ligoté par le charme, était incapable ne fût-ce que de tressaillir mais une flamme de fureur s'alluma dans ses prunelles.

– Je demande encore à Votre Grâce de bien vouloir me pardonner, reprit Jim avec une révérence. J'aurais préféré utiliser un autre moyen s'il y en avait eu un, soyez-en assuré.

Il se dirigea alors vers l'autre personnage, debout entre le roi et Malvinne. Celui-ci tenta de lui barrer le chemin mais Jim le repoussa et Brian immobilisa le magicien. Le roi s'apprêta à s'interposer entre Jim et celui qu'il considérait comme le prince. Trop tard. Jim avait déjà aspergé d'eau le visage de la créature de Malvinne.

Une exclamation de stupeur s'éleva et le roi Jean lui-même lâcha un blasphème tandis que la figure éclaboussée du faux prince se transformait. Il s'en dégageait comme un chuintement, un grésillement et s'il ne se décomposait pas encore, ses traits se ratatinaient. Sa bouche se rétrécissait, son nez se recroquevillait, ses yeux se rapprochaient sans qu'il parût s'en rendre compte.

Faisant des moulinets avec sa gourde, Jim continuait à arroser d'abondance le simulacre du prince. Son visage perdait rapidement ses volumes et ses habits commençaient à flotter autour de son corps qui s'amenuisait toujours davantage jusqu'au moment où il n'en demeura plus rien.

Quand il n'y eut plus qu'un amas de hardes vides par terre devant le roi et Malvinne, Carolinus pivota sur ses talons.

– Département des Comptes ! appela-t-il sèchement.

– A votre disposition, répondit la surprenante voix de basse.

– Enregistrez avec exactitude les questions et les réponses que vous allez entendre. James ?

Jim leva les yeux du tas de vêtements. Il avait beau avoir anticipé ce phénomène troublant, il était bouleversé. En dépit de tout, il avait l'impression d'avoir commis un meurtre. Son regard croisa celui de Carolinus.

– James, reprit le magicien, l'eau dont tu t'es servi n'était-elle réellement que de l'eau ?

– Oui. C'était de l'eau pure que j'avais prise dans un ruisseau il y a quelques heures. Sir Brian m'a vu vider le vin qu'il y avait dans ma gourde pour le remplacer par cette eau.

– Dieu m'est témoin que je l'ai vu, confirma Brian d'une voix mal assurée.

– Pourquoi as-tu arrosé cette créature avec l'eau ? poursuivit Carolinus.

– Parce que... (Jim avala sa salive.) Parce que j'avais la certitude que cela aurait pour effet de la décomposer. Je savais que les simulacres créés par la magie l'étaient toujours à partir de neige fraîche ramassée au sommet des montagnes.

– Et qui t'a dit que cette créature fondrait comme de la neige si on la mouillait ?

– Les légendes de mon... de l'endroit d'où je viens en faisaient souvent mention.

– Vous avez entendu, Département des Comptes ?

– Nous avons entendu, répondit la voix grave.

– Eh bien, ce sera tout pour le moment. James, suis-moi. J'ai à te parler.

Carolinus fit demi-tour sans un regard pour Malvinne. Jim se préparait à lui emboîter le pas quand une certaine agitation s'empara de son entourage. Sept hommes d'armes apparurent portant un corps couché sur un bouclier. Ils déposèrent avec précaution cette civière improvisée presque au pied de l'oriflamme royale.

– Giles ! s'écria Jim.

Deux événements se produisirent alors simultanément.

– Vous êtes libéré, dit la voix de basse de l'invisible interlocuteur.

En même temps, une silhouette revêtue d'un justaucorps bleu clair se précipita, bousculant Jim au passage. Elle se laissa tomber à genoux devant l'homme allongé sur le bouclier.

– Sir Giles ! (C'était le prince et il était en larmes.) Comment pourrai-je jamais vous remercier d'avoir risqué votre vie pour me sauver, ô mon vaillant chevalier ? Pour défendre mon honneur...

Giles était d'une pâleur livide. Ses lèvres remuèrent mais Jim n'entendit pas ce qu'il disait. Le prince s'empara de la main du blessé et la porta à ses lèvres. L'armure de Giles avait été mise en pièces ou peu s'en fallait et elle était ensanglantée. Theoluf s'agenouilla à son tour et commença à nettoyer les plaies du blessé à l'aide de linges humides.

C'est alors que le cercle des hommes en armes qui se pressaient autour d'eux s'écarta pour laisser passer un groupe de quatre cavaliers. Celui qui marchait en tête, un personnage de haute taille à la forte carrure, fit halte presque devant l'étendard. Là, il mit pied à terre et ôta son casque, révélant un visage osseux surmonté d'une brosse de cheveux argentés et orné d'une barbe grisonnante taillée au carré. Il s'inclina devant le roi Jean.

– Que Votre Majesté me pardonne de ne pas être venu plus tôt, lui dit-il. Mais je n'ai appris qu'à l'instant que vous vous étiez rendu à un Anglais. Avec votre permission, je me présenterai : je suis Robert de Clifford, comte de Cumberland, et je commande les forces anglaises. C'est pour nous grand regret qu'un monarque et un chevalier tel que vous se soit vu contraint de faire reddition. Etant désormais prisonnier des Anglais, êtes-vous disposé à reconnaître comme vous le commande le droit des armes que vos forces ont perdu la bataille et que nous sommes les vainqueurs ?

– Relevez-vous, comte Robert, répondit sèchement le roi Jean. Vous êtes dans l'erreur. Ce n'est pas à un Anglais que je me suis rendu mais à un Français, le comte d'Avronne ici présent, et c'est uniquement à ma garde personnelle que j'ai donné ordre de capituler. Pour quelle raison les forces françaises mettraient-elles bas les armes alors que les combats continuent et que l'issue de la bataille n'est pas encore décidée ?

Le comte de Cumberland prit un air menaçant.

– Quel intérêt Votre Majesté peut-elle avoir à poursuivre des hostilités qui ne peuvent se solder que par la mort d'un grand nombre de combattants français ?

– Et d'un grand nombre de combattants anglais, comte Robert. Qui peut dire à l'heure présente lequel des deux camps comptera le plus de pertes ? Et lequel l'emportera finalement ?

– Voyons, Votre Majesté...

Le comte Robert fut alors interrompu par l'irruption soudaine d'une ravissante jeune femme revêtue d'une arachnéenne robe verte. Elle s'avançait d'un pas vif et léger dans le couloir que le comte de Cumberland avait ouvert dans les rangs des soldats.

Jim la reconnut aussitôt : c'était Mélusine. Et elle marchait droit sur lui.

– Ô mon bien-aimé ! s'écria-t-elle en l'enlaçant de ses bras. Je t'ai enfin trouvé. Nous allons immédiatement regagner mon lac ! Tu es mien !

C'est alors que Carolinus intervint :

– Non, il ne t'appartient pas.

Mélusine se tourna vers lui mais la fureur qui animait ses yeux s'éteignit quand elle vit à qui elle avait affaire. Elle plongea dans une révérence.

– Quel grand honneur pour moi de vous rencontrer, mage ! (Sa voix était presque un roucoulement.) Vous êtes bel homme, vous aussi. Mais je sais que vous m'êtes inaccessible. Pourquoi en serait-il de même pour James, expliquez-moi ?

– Pour la même raison que celle qui me met hors de ta portée. C'est, lui aussi, un magicien.

– Un magicien ! (Mélusine ouvrit tout grands les yeux, laissa retomber ses bras et recula.) Et tu ne me l'avais pas dit, James ? Pendant tout ce temps ! (Et elle versa coquettement quelques larmes dans un fin mouchoir vert mystérieusement sorti de dessous sa robe.) M'avoir laissée parcourir toute cette route pour me décevoir si cruellement ! Comment est-ce possible, James ?

– C'est que..., commença Jim sans trop savoir ce qu'il allait bien pouvoir répondre.

– Enfin, soit ! (Mélusine se tamponna les yeux presque avec entrain et le mouchoir disparut comme par enchantement.) C'est le sort qu'il m'a toujours été donné de subir. Il semble que je doive me mettre en quête d'un nouvel amant... Oh ! Que cet homme est donc beau ! C'est toi qu'il me faut, mon aimé ! Et je te garderai toujours avec moi.

Elle s'était ruée sur le roi Jean et le serrait maintenant étroitement contre elle.

– Tu n'as aucun droit sur lui non plus, lui dit Carolinus.

– Et pourquoi donc ? demanda-t-elle sur un ton boudeur.

– Parce que je suis roi, par la mort-Dieu ! bredouilla Jean. Et, étant roi, je suis hors d'atteinte des charmes et des envoûtements des créatures surnaturelles de votre espèce !

– C'est vrai ? (Des pleurs montèrent à nouveau aux yeux de la fée. Elle lâcha le roi et le mouchoir fit sa réapparition.) Etre deux fois déçue d'un même coup ! pleurnicha-t-elle. Et vous êtes encore plus beau que James. Je vous aimerai toujours, mon roi. Mais vous m'êtes, vous aussi, interdit.

Son regard se posa alors sur Giles. Penché sur lui, Theoluf s'efforçait de panser ses multiples blessures. Elle se précipita vers lui et se mit à genoux en face de l'écuyer.

– Oh ! Le malheureux ! Il est blessé. Je le guérirai !

Theoluf n'y alla pas par quatre chemins.

– Est-ce que vous pouvez quelque chose, milady ? Aucune de ses plaies n'est mortelle. Mais elles sont si nombreuses qu'il a perdu presque tout son sang et je ne peux pas en juguler l'épanchement.

– Ne pourriez-vous, au moins, l'installer à l'ombre ?

– Oui, c'est une bonne idée, milady.

Theoluf se releva et entreprit de désigner quelques hommes d'armes qui feraient office de brancardiers.

– Oh ! Quelle tristesse ! murmura d'une voix chantante Mélusine. Tu es si jeune et si beau ! Et je pressens étrangement que nous nous ressemblons tous deux.

Giles remua les lèvres mais seule la fée put entendre les mots qu'il balbutiait.

– Mais ton nez est une splendeur ! s'exclama-t-elle. Je n'en ai jamais vu un aussi bien planté ! C'est la première chose qui m'a frappée quand je t'ai aperçu.

Et elle couvrit de baisers le fier promontoire qui se dressait au milieu du visage de Giles.

Mais Theoluf revenait avec les hommes qu'il avait choisis.

– Soulevez-le en douceur, leur ordonna-t-il. On va le déposer là-bas à l'ombre de cet arbre.

Durant cet épisode, Jim était resté pour assister aux tractations qui allaient bon train entre le roi Jean et le comte de Cumberland. Ce dernier, et cela n'avait pas été sans le surprendre, s'était révélé un négociateur habile. Il avait fini par convaincre son interlocuteur que laisser la bataille se poursuivre n'apporterait aucun avantage et que si le prix d'une reddition risquait d'être lourd, on pourrait toujours s'entendre ultérieurement sur des accommodements favorables pour les deux parties. En attendant, le bon sens ne commandait-il pas de préserver la vie des vétérans français ?

On en était à ce point de la discussion quand Jim remarqua le prince dont le regard demeurait braqué sur le gentilhomme anglais. Son visage ressemblait de plus en plus à la nuée d'orage qui précède la tornade. Pour tenter d'éviter une explosion dévastatrice, Jim interrompit le comte :

– Pardonnez-moi, Votre Seigneurie, mais je crois que notre royal prince souhaite vous dire un mot.

Robert de Cumberland tourna lentement la tête vers Edouard dont la présence n'avait de toute évidence pu lui échapper jusqu'ici.

– Oui, Altesse ? fit-il sur un ton glacial.

– Vous savez donc qui je suis, maraud ?

– Je sais que vous êtes mon prince, l'héritier présomptif de la couronne d'Angleterre, répondit le comte avec la même froideur. Et je sais aussi que vous vous êtes détourné de la terre de vos ancêtres dans l'intention de prêter main-forte aux Français pour lutter contre tout ce qui est anglais, ce qui vous a peut-être permis d'acquérir un autre titre.

– Quelle insolence ! gronda le prince. A genoux à mes pieds, comte, faute de quoi je vous ferai trancher le col pour vous punir de ne point m'avoir rendu plus tôt l'hommage qui m'était dû. Soyez assuré que mes hommes exécuteront avec joie un ordre de leur prince légitime. (Cumberland, dont la suite ne s'élevait qu'à trois hommes, ploya immédiatement le genou.) Regardez à droite, comte. Vous voyez ce tas de vêtements identiques aux miens ? Il y a peu de temps encore, celui qui les portait était un imposteur créé par la magie de l'exécrable sorcier qui se trouve derrière vous. C'est lui qui a donné substance à la fable selon laquelle je me serais rallié aux Français. Comment aurais-je pu tourner le dos à l'Angleterre alors que nous ne faisons qu'un, l'Angleterre et moi ? Me direz-vous que vous avez cru à un tel mensonge ?

– Je n'y ai pas cru au fond de mon cœur, Votre Altesse. (Le comte avait pâli mais sa voix demeurait assurée.) Cependant, il n'y avait pas que ces rumeurs. Il y avait aussi les témoignages de personnes d'honorable réputation qui vous avaient vu de loin chevaucher, tout armé, en compagnie de Français. Il m'a été difficile d'accorder foi à pareille trahison. Mais, étant humain, je me suis interrogé, je l'avoue, Votre Altesse, comme l'ont fait bon nombre d'Anglais qui sont sous mes ordres.

– En vérité, vous n'étiez probablement pas moins déconcerté que beaucoup d'autres, reprit le prince sur un ton plus calme. Et l'on peut même dire que l'imposteur était une copie si parfaite que j'ai été moi-même stupéfait devant ce double. Alors, comte, avez-vous besoin d'une confirmation supplémentaire ? Faut-il que je saute à cheval pour me lancer à l'assaut des Français ? Si vous le souhaitez, il y aura au moins derrière moi quelques hommes pour me suivre. (Il se tourna vers les chevaliers et les gens d'armes qui se tenaient derrière lui.) N'est-il pas vrai ?

Une féroce clameur d'approbation lui répondit.

– Ne croyez-vous pas, comte, poursuivit le prince, qu'à cette vue tous les Anglais se rallieront à moi ?

– Je serai moi-même parmi les premiers, Votre Altesse.

Le prince le dévisagea longuement. Enfin, il se détendit.

– Relevez-vous, comte. Je vous considère comme un loyal et fidèle serviteur, et de moi et du roi mon père. Mais ne me donnez plus jamais de motif de douter de votre dévouement.

– Vous n'en aurez plus aussi longtemps que je vivrai, Votre Altesse.

Cumberland se redressa.

– Nous sommes heureux de vous l'entendre dire. Cette affaire étant désormais réglée, vous pouvez continuer de discuter les conditions de reddition avec notre cousin le roi de France. Je me contenterai d'écouter sans intervenir parce que vous avez plus d'expérience que moi pour ce qui est de tels pourparlers, je le reconnais. Et, en second lieu, parce que ce sera la meilleure façon de mettre fin le plus rapidement possible aux combats qui se poursuivent toujours.

– Je crains que vous ne soyez dans l'erreur, cousin, déclara alors le roi Jean. A aucun moment des négociations que nous avons engagées il n'a été question que les Français se rendent. Ou nous continuerons de nous battre en hommes d'honneur, ou nous proposerons des clauses suffisamment généreuses pour que nos adversaires puissent les accepter sans déchoir. Mais je vois que votre front s'assombrit à nouveau, mon jeune cousin. Vous vous préparez à me rappeler que je suis votre prisonnier personnel. Eh bien, réglons cette question une bonne fois pour toutes. Vous me trancherez la tête avant que je donne à mes hommes l'ordre de capituler alors qu'ils n'ont pas encore perdu la bataille.

– En ce cas, dit le prince, vous ne me laissez pas le choix. Holà ! Qu'on m'amène un cheval !

L'homme d'armes le plus proche sauta à bas de sa monture et, un genou en terre, tendit les rênes au prince qui s'en saisit et se mit en selle.

– Depuis quelque temps, cousin, dit-il au roi, le combat me paraissait fort égal. Peut-être tournera-t-il en faveur de l'armée anglaise si j'apparais sur le champ de bataille. Aussi, je vais rejoindre nos troupes. Et ce sera l'occasion pour vous autres Français de voir si vous avez encore une chance de l'emporter ! (Le prince se tourna derechef vers ses compatriotes.) Derrière moi, vous tous !

Sortant son épée du fourreau, il la brandit bien haut et se rua en direction du champ de bataille.

39

– Attendez, mon cousin ! s'écria le roi Jean. Votre désir de conduire vos forces à la victoire est tout à votre honneur. Cependant, réfléchissez un instant. Si vous vous résolvez à prendre leur tête, il y aura dans les deux camps de nombreuses pertes car il ne fait pas de doute qu'Anglais ou Français, tous se battront jusqu'à la mort quand ils vous verront au cœur de la bataille. Bien des choses ont déjà mal tourné aujourd'hui. Aussi, mieux vaut éviter le risque de multiplier les erreurs. Il y a, certes, matière à discussion. Si cela est suffisant pour vous dissuader de vous lancer dans la bataille, je suis prêt à entamer une négociation portant non seulement sur la capitulation anglaise mais aussi sur une possible reddition française – encore que dans mon esprit, semblable éventualité n'est qu'hypothèse d'école, comprenez-moi bien.

– Votre Altesse ? fit promptement le comte de Cumberland.

Une note d'espoir résonnait dans sa voix.

Le prince resta longtemps silencieux, apparemment perdu dans ses réflexions. Il sortit enfin de son mutisme :

– C'est là un domaine dont vous avez l'expérience, comte. Pensez-vous qu'il serait préférable que je remette ma décision à plus tard pour vous laisser le temps de poursuivre encore ces conversations ?

– Je vous le recommanderais chaudement, Votre Altesse. Cela ne porterait en aucun cas atteinte à votre honneur. Songez par ailleurs que vous représentez ce qu'il y a de plus précieux pour l'Angleterre, non seulement maintenant mais dans l'avenir. Si jamais quelque accident fâcheux vous arrivait au cours de la bataille...

– Ce n'est pas une telle crainte qui pourrait me retenir ! déclara le prince avec raideur.

– Certes, Votre Grâce, certes. Loin de moi cette idée ! Néanmoins, je suis partisan de reprendre la discussion avec Sa Majesté le roi de France.

Edouard se laissa glisser à bas de sa monture.

– Fort bien. Je suivrai donc votre conseil. Je vous laisse à vos pourparlers. J'écouterai néanmoins avec attention.

Jim constata alors que la concertation prenait un cours totalement nouveau, le comte de Cumberland et le roi Jean cherchant maintenant à élaborer un accord aux termes duquel il n'y aurait ni vainqueur ni vaincu.

Il lui semblait presque que le délicat problème dont Carolinus s'était déchargé sur lui était en train de se régler sans même qu'il eût besoin d'intervenir. Le seul point délicat pour les deux négociateurs consistait à trouver la formulation adéquate pour un accord de ce type. Ils finirent par s'entendre sur une solution de compromis : on décréterait une trêve provisoire à effet immédiat qui serait suivie, en théorie, de tractations ultérieures. De ces marchandages sortirait une décision désignant le vainqueur et le vaincu officiels, décision dont l'application serait perpétuellement remise en question tant et si bien qu'au bout du compte tout cela finirait par ne plus être que de l'histoire ancienne. Ce fut donc la solution que l'on adopta. Elle satisfaisait indiscutablement le roi et le comte, et le prince Edouard ne paraissait pas la voir d'un mauvais œil, lui non plus.

Malheureusement, elle soulevait un problème épineux : comment, concrètement, proclamer la trêve et arrêter les combats qui se poursuivaient toujours ? Techniquement parlant, la procédure à employer tombait sous le sens : des hérauts des deux camps proclameraient à son de trompe qu'une trêve temporaire et immédiate avait été décrétée. Le prince Edouard ayant en effet été délivré, la diplomatie devait prendre le relais. Il allait sans dire que l'accord tacite des deux plénipotentiaires de ne plus faire appel aux armes resterait secret.

Sur le terrain, les difficultés subsistaient, tout le monde en avait parfaitement conscience. A l'exception de Jim.

– Mais quel est le problème ? chuchota-t-il à l'oreille de Brian.

– C'est que les chevaliers ne cessent pas forcément de combattre quand ils en ont l'ordre, répondit Brian sur le même ton. Surtout si l'une des deux armées en présence a le sentiment d'avoir la victoire à portée de main.

Jim ne tarda pas à constater que Brian n'avait que trop raison. Les hérauts envoyés par le roi Jean et le comte de Cumberland s'élancèrent au galop, soufflant dans leur trompette et rendant publique la nouvelle qu'ils étaient chargés de répandre. Mais ce fut comme si l'annonce de la trêve tombait dans l'oreille d'un sourd : les combats ne s'en poursuivaient pas moins avec autant de furie.

La lumière commença alors lentement à se faire dans l'esprit de Jim : le chevalier des temps féodaux partait en guerre pour guerroyer, remporter la victoire et tuer. Ou, le cas échéant, il succombait lui-même. Il était possible que, s'il jouait de malchance, il perde une bataille. Mais il n'envisageait pas de mettre inopinément bas les armes. La vérité était qu'il aimait se battre. Rien d'autre ne comptait pour lui. La guerre, c'était toute sa vie.

– James ! (Jim se retourna. Carolinus était à nouveau à ses côtés.) Suis-moi. Personne ne s'apercevra de ton absence – sauf Malvinne. Et il attend que nous ayons une petite conversation en particulier, toi et moi.

Tous deux se frayèrent leur chemin à travers le cercle des hommes d'armes qui ne leur prêtèrent aucune attention. Quand ils furent à bonne distance, Carolinus s'arrêta au pied d'un gros arbre dont l'ombre les protégerait de l'éclat du soleil à son zénith et s'adressa à son disciple.

– Le moment est maintenant venu pour toi de décider ce que tu vas faire en ce qui concerne Malvinne, James, commença-t-il, les yeux plantés dans ceux de Jim.

– Ce que je vais faire ? Il me semble que, de ce côté, tout s'est passé pour le mieux. Cette créature engendrée par le magicien s'est évaporée et un accord a été conclu entre le comte et le roi Jean. Il ne reste plus qu'à mettre fin aux combats.

– Pour ce qui est de ce dernier point, tu as pu te rendre compte que les choses n'avancent pas aussi vite que tu le pensais, répliqua sèchement Carolinus.

– Oui, je le reconnais. Mais il semble que Malvinne est désormais bel et bien réduit à l'impuissance.

– Au niveau temporel, c'est exact. Mais la question demeure : que faire de lui au plan du royaume de la magie ?

– Mais est-ce à moi qu'il incombe de prendre une décision en ce domaine ? demanda Jim, soudain très mal à l'aise. Il y a sûrement d'autres personnes, des lois ou que sais-je encore pour se charger de résoudre ce problème.

– Oui, en un sens. Essentiellement, le Département des Comptes. Mais tout dépendra de l'action que tu décideras d'entreprendre, toi.

– Pourquoi ? Et quelle action devrais-je entreprendre ?

– Je te l'ai déjà dit : il t'appartient de décider. Je n'ai pas plus le droit de t'aider maintenant que je ne l'avais précédemment. Un magicien de mon rang ne pouvait en aucun cas porter le coup d'arrêt à Malvinne et lui faire rendre gorge. Seul quelqu'un comme toi d'un niveau très inférieur a le pouvoir de s'acquitter de cette tâche. Les règles qui régissent la magie exigent qu'il en soit ainsi. Leur raison d'être est d'empêcher les magiciens puissants de se combattre entre eux, mettant ainsi en danger les divers royaumes qui cohabitent en ce monde et ailleurs dans l'espace. Mais trêve de ces explications et allons droit au but. Si je t'ai pris à part, c'est pour t'exposer comment se présente exactement ta situation.

– Je vous écoute.

– Fort bien. En premier lieu, il faut que tu comprennes que, de tous les magiciens en exercice, tu étais le seul capable d'intervenir pour faire obstacle à Malvinne. Il ne pouvait être contré, comme je viens de te le dire, que par un apprenti magicien mais, par définition, aucun de ceux-là n'était en mesure de l'abattre. Cette règle connaît toutefois une exception s'agissant de quelqu'un ayant reçu une formation dont personne n'a bénéficié, quelqu'un ayant appris à maîtriser un savoir qui a totalement façonné le futur du monde qui t'a vu naître.

– Vous voulez parler de... de la technologie ?

– Oui, on lui donne ce nom. C'était indispensable parce qu'il m'était strictement interdit de te porter assistance – et, en particulier, de t'apprendre certaines choses que tu avais besoin de connaître pour désamorcer les sortilèges que Malvinne pouvait lancer contre toi. Qui plus est, j'ignorais quelles seraient ces armes et pour te protéger, il m'aurait fallu te donner un enseignement qui aurait fait de toi son égal. De toute façon, nous n'aurions pas eu le temps nécessaire. A lui seul, cet apprentissage prendrait des années.

– Mais en quoi la technologie intervient-elle ici ?

– Pour commencer, tu n'es pas prisonnier des habitudes et des réflexes propres aux hommes de ce siècle. Or, il faut étudier la magie pendant des années pour s'affranchir de certaines pratiques avant de pouvoir commencer à progresser dans l'art.

– Mais pourquoi ai-je échappé à ce handicap ? demanda Jim.

– Parce que, familiarisé comme tu l'es avec ce que tu appelles la technologie, il va de soi pour toi que des objets dont tu ne sais pas comment ils fonctionnent au juste te permettent d'accomplir des choses étonnantes ou t'apportent des capacités d'action inouïes. Ils sont à tes yeux aussi banals qu'une javeline ou une hache pour nous autres.

– Vous croyez ?

Cette idée déconcertait Jim. Et puis, il songea aux automobiles et aux téléviseurs.

– Je vais te donner un exemple, poursuivait Carolinus. Quand tu as quitté les deux dragons sur lesquels tu avais été acheminé à ton insu, l'un d'eux t'a délibérément indiqué la direction du lac de Mélusine pour qu'elle te noie.

– Oui, mais en quoi cela prouve-t-il que je suis différent ?

– En raison d'un certain nombre de facteurs liés à son conditionnement, un jeune magicien comme toi qui se serait changé en dragon n'aurait jamais repris sa forme humaine sous prétexte qu'il se sentait inconfortable dans ce corps d'emprunt. Mais pour toi, il était tout naturel de te comporter ainsi. En conséquence, quand tu es arrivé au lac, Mélusine n'a pas du tout réagi comme elle l'aurait fait si tu avais encore eu ton aspect de dragon.

– Mais quel est le lien avec ma situation à l'égard de Malvinne ?

– Il lui faut à présent répondre à la plainte déposée par le roi des morts qui l'accuse du viol de son royaume par un magicien. Il peut s'en tirer en ne se reconnaissant qu'indirectement responsable. Le Département des Comptes se bornera alors à le condamner à verser au roi des morts des dédommagements qui représenteront une part substantielle de son actif mais ce ne sera là que moindre mal. Le Département ne pourra retenir aucune autre charge contre lui.

– Et le simulacre d'Edouard ?... fit Jim avec stupéfaction.

– Contrairement à ce que tu t'imagines tout naturellement mais à tort, le Département des Comptes ne se soucie ni de morale ni d'éthique. Ce sont là pour lui des notions nulles et non avenues. Il ne se préoccupe que de l'équilibre de l'énergie dont il a la charge. La plainte déposée par le roi des morts est importante pour lui parce qu'elle implique une perturbation de cet équilibre entre le royaume des morts et le monde humain auquel, tout magicien qu'il soit, Malvinne appartient encore. Son faux prince, en revanche, n'avait de conséquence que pour nous et n'affectait donc en rien le rapport d'énergie – à première vue toutefois.

Carolinus avait mis dans ces derniers mots une insistance qui alerta Jim.

– Qu'entendez-vous par là ? Qu'une autre affaire serait sous-jacente et susceptible d'intéresser le Département ?

– Cela se pourrait. Suppose que l'on démontre que l'objet de l'opération « faux prince » était d'aider les Noires Puissances à modifier l'avenir... C'est là un point rigoureusement prohibé et considéré comme un très grave délit. S'il était prouvé que Malvinne s'en est rendu coupable, non seulement le Département des Comptes pourrait annuler tout son crédit magie mais aussi invalider les prérogatives auxquelles lui donne droit son rang de magicien de classe AAA. Il serait alors dépouillé de tous ses pouvoirs autres que temporels. Mais il faudra néanmoins que tu te tiennes sur tes gardes car, même alors, il sera encore dangereux.

– Mais dans ce cas, objecta Jim, à quoi bon le priver de son potentiel d'action ? En quoi ce que nous avons réalisé a-t-il servi ?

– Malvinne ne présente plus d'intérêt dans l'immédiat pour les Noires Puissances car celles-ci n'utilisent jamais deux fois le même instrument. Cependant, elles pourraient être amenées à le manipuler à nouveau.

Jim dévisageait Carolinus, songeur.

– Vous voulez que je saisisse le Département des Comptes de l'infraction dont Malvinne s'est rendu coupable ? fit-il enfin.

– Je ne veux rien du tout. Je ne peux intervenir en rien parce que la loi m'interdit de t'aider d'aucune manière – une loi à laquelle j'ai d'ailleurs commis une entorse en te protégeant pendant vingt-quatre heures contre la magie de Malvinne. Cette échéance écoulée, tu perdras cette immunité. Malvinne pourra alors utiliser le crédit magie dont il disposera encore pour régler ses comptes avec toi.

– Alors, si je vous comprends bien, il me reste moins de vingt-quatre heures pour saisir le Département des Comptes ?

– Je te le répète, c'est à toi, et à toi seul, qu'il revient de tirer les déductions qu'il te plaira de mes propos.

– Si je vous pose une question, pourrez-vous y répondre ?

– Peut-être.

– Si je n'ai pas intenté une action auprès du Département des Comptes avant le lever du soleil, quelle fraction de ce qu'il a perdu Malvinne pourra-t-il récupérer ?

– Dans cette situation hypothétique, un magicien de son envergure serait en mesure de récupérer tout ce qu'il a perdu, et davantage encore.

– Autrement dit, si l'on veut lui porter un coup d'arrêt définitif, c'est maintenant qu'on doit agir ?

– Si c'est là ta conclusion, je ne peux qu'y donner mon adhésion. Note bien que si un magicien de rang inférieur porte une accusation à l'encontre d'un mage de classe AAA et que celle-ci est jugée irrecevable, il doit s'attendre à se voir privé de tous ses pouvoirs et peut-être même purement et simplement banni du royaume des magiciens.

– Mais je ne sais pas au juste de quoi l'accuser ! s'exclama Jim avec accablement.

– En tant que maître instruisant son disciple, je

suis en mesure d'éclairer ta lanterne. Dans le cadre de ce cas hypothétique, l'intéressé devrait être incriminé d'avoir créé une situation qui se soldera en dernière analyse par un amoindrissement permanent de la somme d'énergie dont le Département des Comptes a la charge d'assurer la gestion. De porter, donc, atteinte à son pouvoir et d'affaiblir l'autorité et le contrôle qu'il exerce sur le royaume des magiciens.

– Vous voulez dire que cela pourrait être la conséquence des menées de Malvinne ?

– Toujours en se situant dans ce cas hypothétique. Ce serait, bien sûr, au Département des Comptes d'en décider. A mon avis – mais mon opinion est sans importance –, une telle accusation est absolument irréfutable. Il y aurait lieu de prendre des mesures à l'encontre de ce magicien. Cela étant dit, tu devrais avoir maintenant une idée générale de la situation. Mon devoir s'arrête ici. Faut-il ou non saisir le Département des Comptes ? C'est à toi d'en décider.

– Et il n'y a pas de moyen terme ? Si je l'emporte sur ce magicien, sera-t-il totalement ruiné ?

– Oui. (Il y eut un long silence.) Bien, dit enfin Carolinus. Allons rejoindre les autres. Te voilà informé.

Le mage se mit en marche et Jim lui emboîta le pas. Quand ils arrivèrent en vue du groupe, Theoluf se précipita vers ce dernier.

– Sir James ! Je n'ai pas réussi à vous trouver. Sir Giles n'en a plus pour longtemps à vivre et il vous réclame !

40

On avait glissé sous la tête de Giles un coussin de fortune fait de plusieurs cottes enroulées ; on lui avait ôté son heaume et on avait détaché quelques-unes de ses plaques d'armure – celles qui pouvaient être retirées sans le faire trop souffrir. Mélusine, toujours agenouillée, tenait la main exsangue du chevalier dans la sienne. Elle ne cessait de lui parler.

A l'approche de Jim, elle leva la tête.

– Enfin ! dit-elle. Vite ! Dépêche-toi ! Il veut t'entretenir d'un sujet qui lui tient à cœur et c'est à peine s'il en a encore la force.

Jim se mit à genoux à son tour et prit l'autre main de Giles. Elle était froide tant il avait perdu de sang.

– Je vous écoute, Giles.

Un peu de vie revint dans le regard de l'agonisant et Jim se pencha, collant presque son oreille contre les lèvres glacées de son compagnon.

– Pas en terre..., murmura Giles au prix d'un grand effort. En mer...

Jim serra plus fort sa main.

– Vous avez ma parole, Giles. Vous serez immergé au large. Je vous en fais le serment.

Les yeux de Giles se fermèrent et ses traits se détendirent. Mais il avait encore un souffle de vie : sa poitrine se soulevait et s'abaissait insensiblement au rythme de sa respiration.

– Il est pareil à moi, fit Mélusine. Quand vient la fin, c'est vers l'eau qu'il se tourne.

Jim se releva. Il s'aperçut alors que les hommes d'armes massés en demi-cercle derrière le prince ne perdaient pas un seul de ses gestes. Il lut une interrogation et comme un espoir dans tous ces yeux rivés sur lui – l'espoir qu'il pourrait faire quelque chose pour sauver la vie de Giles.

Il secoua lentement la tête.

– Il tient à reposer en mer, dit-il. Je lui ai promis que sa volonté sera respectée.

Plus ému qu'il ne l'aurait cru, il s'éclaircit la gorge et, fendant la foule, se dirigea vers l'étendard au pied duquel le roi Jean et le comte de Cumberland discutaient toujours des conditions d'une suspension d'armes. Mais, à en juger par l'ardeur des combattants isolés et dispersés qui continuaient de s'affronter sur le champ de bataille, une trêve éventuelle était rien moins qu'assurée. Quand Jim arriva à leur hauteur, les deux interlocuteurs en étaient au chapitre de l'inhumation des morts.

– Oui, disait le roi, j'approuve cette idée, seigneur comte. Nous édifierons un mausolée où l'on priera pour l'âme des Français qui sont tombés ce jour au champ d'honneur.

– Sa Majesté le roi Edouard fera sans aucun doute de même pour les nôtres.

– Dans une même sépulture. Oui. Anglais et Français dormant de leur dernier sommeil ensemble mais séparés... pareil mémorial rassemblera les parties adverses.

– Il faudra s'assurer qu'aucun chevalier anglais ne nous a échappé. Quant à ceux qui n'ont pas de titre de noblesse, ils seront inhumés dans les bois. S'ils étaient ensevelis pêle-mêle avec ceux qui sont de haute naissance, cela porterait atteinte à la solennité de la sépulture réservée aux chevaliers.

– Il en ira de même pour les chevaliers français, dit le roi Jean. Les roturiers, et tout particulièrement les gens de peu comme les Génois, seront mis dans une fosse à l'écart.

– Veuillez m'excuser..., fit Jim.

Les deux interlocuteurs tournèrent lentement la tête.

– C'est un de vos Anglais, je crois, comte, murmura le roi.

– Oui, et j'en ai grande honte, répondit Cumberland d'une voix acerbe. Ne vous a-t-on donc point appris la civilité là d'où vous venez, messire ? Le roi de France et moi tenons conseil – en privé.

Jim prit sur lui pour conserver son calme et demeurer aussi courtois que possible.

– Je sais, dit-il. Que Sa Majesté et Votre Seigneurie me pardonnent de les déranger. Je me serais bien gardé de troubler votre entretien mais le hasard a voulu que je surprenne vos propos sans l'avoir prémédité. Donner une sépulture commune aux chevaliers des deux camps et édifier un mausolée à leur mémoire me paraît être une excellente idée. Je souhaite simplement vous faire savoir que l'un des chevaliers anglais tombés au combat devra reposer ailleurs.

– C'est hors de question, rétorqua Cumberland avec emportement. Il reposera ici avec les autres, cela va de soi.

– Je crains fort, monseigneur, que cela ne soit possible...

– Par tous les chiens de l'enfer ! explosa Cumberland. Comment osez-vous me parler sur ce ton ? D'où vous vient pareille impertinence ? J'ai dit que votre chevalier sera inhumé avec les autres et il n'y a pas à revenir là-dessus. Maintenant, vous pouvez disposer !

– Vous ne comprenez pas, Excellence ! Il s'agit de sir Giles de Mer, le chevalier qui a sauvé la vie du prince que les sbires de Malvinne se préparaient à assassiner. Qui pourrait nier qu'il a acquis le droit d'être enseveli comme il le souhaite ?

– Il sera enterré avec les autres ! gronda le comte. A présent, disparaissez avant que je ne vous fasse chasser par la force !

– Je ne m'en irai que quand nous serons convenus que sir Giles sera immergé au large ainsi qu'il me l'a demandé à l'instant. Je lui ai donné ma parole que son vœu serait exaucé.

– Que m'importe votre parole ? Ce ne sont pas les gens de votre sorte qui décident de ces questions. Sa

Majesté et moi avons tranché. La cause est entendue. Votre sir Giles sera enterré avec les autres chevaliers. Il n'y a rien à ajouter !

– Soit, Excellence, je me retirerai donc. Mais sachez que sir Giles ne reposera pas dans cette fosse. Il sera immergé conformément à sa volonté.

Sous l'effet de la fureur, le visage du comte devint rouge brique.

– Je n'avais encore jamais rencontré pareille insolence ! vociféra-t-il. Vous pouvez répéter autant qu'il vous plaira que votre ami, ce chevalier de rien, sera immergé. Vous pouvez même tenter d'enlever son corps. Mais dès l'instant où la trêve sera conclue, et elle le sera certainement sous vingt-quatre heures au plus tard, je lancerai sur vos traces un détachement qui vous traquera comme un lapin et ramènera ici ses os et la chair putréfiée qui y adhérera encore.

– Votre Seigneurie n'aura pas à attendre au-delà de ces vingt-quatre heures, cracha d'une voix venimeuse Malvinne qui se tenait en retrait derrière le roi. Je vous en fais promesse, moi, ministre du roi de France.

– Essayez donc ! gronda Jim qui pivota sur lui-même dans l'intention d'aller chercher Giles – s'il était déjà mort – pour entreprendre avec lui le long voyage jusqu'à la Manche.

– Un moment !

C'était, cette fois, la voix de Carolinus.

Le vieux magicien avait soudain surgi du néant. Mais ce n'était pas à Jim qu'il s'adressait : c'était au comte de Cumberland.

– Si Votre Seigneurie veut bien m'écouter...

– La peste soit de vous tous, sorciers que vous êtes ! brailla le comte. Je ne veux plus entendre un mot sur cette affaire. Elle est close. Vous m'avez compris ? Close ! C'est moi qui prends les décisions, personne d'autre.

Sur quoi, Cumberland se tourna vers le roi comme pour poursuivre la conversation interrompue.

La main de Carolinus se posa sur le bras de Jim.

– Reste là, lui ordonna-t-il.

Ayant dit, le mage se mit en marche en direction du petit groupe réuni autour de Giles et s'y fondit. Jim attendit, rongeant son frein, tandis que le roi et le comte entamaient la discussion sur les mausolées à édifier à la mémoire des combattants et continuaient de l'ignorer.

Soudain, une cotte-hardie bleue passa comme un éclair devant lui. C'était le prince Edouard. Il était rouge de colère.

– Que viens-je d'apprendre, messire comte ? dit-il à Cumberland. Le vaillant sir Giles n'aurait pas droit à dormir de son dernier sommeil là où il a choisi de reposer ?

– Il ne s'agit de rien d'autre que d'une disposition nécessaire à la proclamation de la trêve que nous sommes en train de mettre sur pied, Sa Majesté et moi. Pour la rendre effective et donner satisfaction à l'une et l'autre parties, nous avons décidé qu'ici même seraient construits deux mémoriaux et creusées deux grandes sépultures, une pour tous les gentilshommes français tombés au combat et une pour les gentilshommes anglais. Reposer ici sera un grand honneur pour eux, sans compter que leurs âmes bénéficieront des prières qui seront dites dans ces mausolées.

– Vous n'avez pas répondu à ma question, seigneur comte ! Je vous ai demandé si sir Giles sera immergé conformément au vœu qu'il a exprimé, oui ou non ?

– Il est impératif qu'il soit enseveli avec les autres chevaliers anglais à qui cette bataille a coûté la vie, Altesse.

– Et ce en dépit de son souhait ?

– Je regrette, Votre Grâce, répondit le comte d'une voix solennelle, mais la réponse est oui.

– Et ce en dépit du mien ?

– Dans des circonstances ordinaires, je ne ferais rien qui aille à l'encontre des désirs de Votre Altesse.

Mais Votre Grâce – qu'Elle me pardonne – est encore jeune et bien que je ne doute pas qu'Elle ne soit pas ignorante des réalités de ce monde, il existe entre les nations des rapports de nature politique qui...

– J'ai dit le mien ? coupa le prince.

D'écarlates qu'elles étaient, les joues du comte virèrent au cramoisi.

– Eh bien, puisque Votre Altesse insiste, je serai franc avec Elle. Je suis à la tête du corps de troupe anglais et une armée ne saurait avoir qu'un seul chef. En tant que commandant suprême de nos forces, c'est à moi de juger quelle est la solution la meilleure pour tout le monde. Mon honneur et les engagements dont j'ai à répondre devant le roi votre père l'exigent. Je suis désolé mais sir Giles sera inhumé en ces lieux. C'est là une nécessité incontournable, Votre Grâce ne le voit-Elle pas ?

– Ce que je vois, c'est un comte impudent déterminé à prendre le contrepied de la volonté de son prince ! Vous ne tenez pas compte du fait que sir Giles n'appartenait pas à vos forces. Il dépendait d'un groupe ayant pour mission de me délivrer alors que j'étais captif. Il est donc sous mes ordres et il reposera là où il souhaite reposer – en mer et nulle part ailleurs !

– Je regrette infiniment, Votre Altesse, rétorqua Cumberland avec entêtement, mais je ne saurais admettre votre position. Tout Anglais qui a combattu et est mort ici est sous mes ordres. Il sera enseveli avec les autres.

– Fort bien ! Grâce à vous, comte présomptueux, ma décision est prise ! J'avais raison tout à l'heure ! Je vais sauter en selle, rallier à moi tous les Anglais ici présents et nous verrons bien si, après tout, la victoire ne nous sourira pas !

– Mon jeune cousin..., commença le roi Jean en s'avançant, la main tendue, pour arrêter Edouard.

Mais celui-ci avait déjà pivoté sur ses talons.

– Mon cheval ! cria-t-il. Or çà, vous autres, préparez-vous à me suivre et...

Il n'alla pas plus loin. Derrière lui, les hommes regardaient tous le ciel. Le prince leva les yeux à son tour au moment où Jim le rejoignait.

Une large nappe de taches noires s'approchait rapidement. Les plus visibles étaient autant de silhouettes de dragons.

C'était là un spectacle déroutant. Le premier moment de stupéfaction passé, Jim, fort de l'expérience personnelle qu'il avait de la condition de dragon, parvint à dominer son imagination qui s'emballait déjà tant il était abasourdi. Le nombre de ces dragons qui fonçaient vers eux à tire-d'aile ne pouvait excéder deux cents mais à première vue, on avait le sentiment qu'ils remplissaient le ciel, qu'ils étaient des milliers.

Quelques flèches s'élevèrent dans les airs mais ils étaient trop haut pour qu'elles les touchent. Leur ombre voilait maintenant le champ de bataille où tout combat avait soudain cessé alors que, quelques instants auparavant, on s'y étripait à cœur joie.

Jim laissa lentement échapper un soupir de soulagement. « Mieux vaut tard que jamais », se dit-il dans son for intérieur.

Les combattants prêtaient enfin l'oreille aux hérauts d'armes qui continuaient de parcourir le champ de bataille à présent obscurci. On remettait les épées au fourreau, les boucliers s'abaissaient. Il semblait que Français et Anglais ne formaient plus désormais qu'une seule et unique armée. Tous écoutaient l'annonce de la trêve que les messagers lançaient à tous les échos.

– Qu'est-ce qui amène tous ces dragons ? demanda le roi Jean d'une voix mal assurée. Pourquoi sont-ils là ?

Jim se tourna vers lui et le comte.

– Pour soutenir la cause anglaise, Majesté, expliqua-t-il sur un ton âpre. En ma qualité de chevalier dragon, j'avais conclu un accord avec eux. J'espérais qu'ils arriveraient un peu plus tôt mais l'essentiel est qu'ils soient là.

Le roi le regarda. Le comte fit de même. Ce fut Cumberland qui recouvra le premier ses esprits. Tournant le dos au monarque, il s'adressa directement à Jim :

– Peut-être désirez-vous, après tout, que nous discutions des conditions d'une reddition, messire ?

– Non ! répliqua laconiquement Jim.

La première réaction du comte fut de le prendre de haut, mais comprenant que la situation avait changé, il ravala sa hargne.

– Puis-je vous demander la raison de votre refus, messire chevalier dragon ? se borna-t-il à s'enquérir en s'efforçant de parler avec calme et politesse.

– Parce que cette journée est destinée à s'achever sur une trêve pour le bien et pour la plus grande gloire non seulement de l'Angleterre mais aussi de la France. Il vous faut me croire, Majesté, et vous aussi, Excellence. C'est ainsi que les choses doivent se conclure.

Le roi et le comte échangèrent un coup d'œil, puis leur regard revint à Jim. Ils demeurèrent muets l'un et l'autre. Ce qui n'avait rien de surprenant : l'échange n'avait plus de raison d'être.

41

Le voilier à bord duquel avaient embarqué Jim, Brian, Dafydd et Aragh, plus tous leurs hommes et leurs chevaux, était beaucoup plus grand que le bateau qui les avait amenés en France. Bien que, pour la Manche, la mer fût relativement calme, il roulait et tanguait, et nombreux étaient ceux qui, gens d'armes ou archers, n'avaient qu'une hâte : retrouver la terre ferme.

Mais les trois compagnons n'avaient nullement l'intention de retarder l'immersion de Giles. Comme il ne leur avait pas été possible de se faire accompagner d'un prêtre pour procéder à la cérémonie, Jim récita toutes les prières funéraires dont il se souvenait, comptant sur l'ignorance de ceux qui l'entouraient pour qu'ils ne s'aperçoivent pas de ses erreurs et de ses omissions.

Il ne pleuvait pas, bien que le ciel fût bas et bouché. Tous étaient rassemblés autour de la section démontée du bastingage par où le corps de sir Giles attaché à deux planches, revêtu de son armure et ceint de ses armes, s'enfoncerait dans les profondeurs des flots, son ultime lieu de repos.

Quand il eut terminé ses oraisons, Jim adressa un signe de tête à Tom Seiver et aux hommes d'armes désignés pour la funèbre corvée. Ils inclinèrent la civière de fortune supportant le défunt chevalier pour la faire glisser à l'eau. Tout le monde se détourna au dernier moment sauf Jim, Brian et Dafydd qui, au contraire, se penchèrent sur la rambarde pour voir une dernière fois leur compagnon.

Et bien leur en prit.

En effet, ce qui se passa aurait terrifié les autres mais les trois amis eurent, eux, l'impression d'être témoins d'un véritable miracle qui leur causa une joie inimaginable.

A peine le corps de sir Giles eut-il commencé à couler que l'armure dans laquelle il était enfermé éclata littéralement comme avait éclaté celle de Jim le jour où, se rendant chez Carolinus, il s'était subitement transformé en dragon. Mais cette fois, ce qu'elle libéra fut un phoque gris qui posa sur le trio un regard bien vivant avant de plonger définitivement dans les abîmes sous-marins.

– Vous saviez ce qui allait arriver, James ? demanda Brian à voix basse.

Jim secoua la tête et sourit.

– Non, mais je n'en suis pas autrement surpris.

Il avait été inexplicablement déprimé depuis le soir où, après la bataille, il avait saisi le Département des Comptes des accusations dont Malvinne aurait à répondre. Jusque-là, il n'avait pas été absolument certain d'avoir, ce faisant, agi au mieux des intérêts des personnes concernées. Or, l'éclat du bref mais lumineux coup d'œil que lui avait décoché le phoque l'avait bizarrement réconforté.

Brian héla le patron :

– Holà, capitaine ! Nous en avons terminé. Cap sur l'Angleterre !

Une semaine et demie s'était à présent écoulée. Par cette belle et chaude journée d'août, les trois compagnons, leurs hommes d'armes montés et leurs archers suivaient le chemin qui serpentait à travers la forêt. Ils n'étaient plus guère qu'à un mile de leur destination finale, le château de Malencontri. A peine avaient-ils débarqué qu'Aragh leur avait tiré sa révérence : leur allure était trop lente à son goût.

Tout en chevauchant, Brian ne pensait qu'à une chose : sa tendre amie avait-elle prolongé sa visite et allait-il la retrouver à Malencontri ? Dafydd, lui, gardait le silence mais Jim le soupçonnait de caresser, lui aussi, l'espoir que sa femme serait également au château. Mais, sans doute pour se délivrer des questions obsédantes qui l'obnubilaient, le Gallois ne cessait de bavarder de choses et d'autres.

– Avez-vous remarqué, demandait-il présentement à Jim, que la disparition de Malvinne a presque coïncidé avec l'arrivée des dragons ? Vous auriez dû me dire plus tôt que Carolinus vous avait averti qu'au bout de vingt-quatre heures il ne pourrait plus vous protéger contre les agissements du sorcier français.

– C'était sans importance, répondit Jim presque distraitement. A ce moment, j'avais déjà soumis mes accusations à la connaissance du Département des Comptes.

– Vos accusations ? s'étonna Brian. Quelles accusations ?

Jim se rendit compte qu'il en avait trop dit. C'était une affaire interne qui concernait exclusivement le royaume des magiciens.

– C'est trop difficile à expliquer. Croyez-moi seulement sur parole : Malvinne ne pourra plus se servir de la magie pour nuire à qui que ce soit avant longtemps, très longtemps. Jamais plus, peut-être.

– Vous vous faites du souci ? demanda Dafydd.

– Un peu, avoua Jim.

Brian fut aussitôt en alerte.

– Du souci ? A quel propos, James ?

– Je ne pense pas qu'il le sache lui-même, fit l'archer, mais il y a encore une ombre qui plane. Et c'est là où se trouve Malvinne qu'elle est le plus sombre. Je ressens les mêmes affres, moi aussi, mais je ne peux pas plus l'expliquer que James.

– Dafydd a raison, renchérit Jim. Oui, il y a une ombre – et la raison de sa présence m'échappe. N'en parlons plus, Brian. Si j'arrive à comprendre si peu que ce soit ce dont il s'agit, je vous le dirai.

– Comme vous voudrez, James. Mais en cas de besoin... ne m'oubliez pas.

Jim ne put s'empêcher de lui sourire.

– En cas de besoin, vous serez la dernière personne que j'oublierais.

– Eh bien, laissons venir les ennuis si ennuis il doit y avoir. En ce bas monde, c'est aussi commun que la vermine. Et parfois impossible à éliminer. On ne peut qu'attendre et prendre ensuite les mesures qui s'imposent.

Bizarrement, cette philosophie aimablement fataliste eut un effet apaisant sur Jim. Toutefois, elle ne suffit pas à dissiper ce sombre nuage dont Dafydd, si sensible aux choses surnaturelles, avait également conscience. Dans cette lutte sourde, Jim n'avait-il rien oublié ?

Pour la centième fois et plus, il passa la situation en revue. Théoriquement, tout allait pour le mieux. Il avait réussi à exécuter les directives de Carolinus. L'Angleterre et la France avaient conclu à leur corps défendant une trêve, certes pas vraiment satisfaisante pour aucune des deux parties, mais que ni l'une ni l'autre n'avait de raisons valables de dénoncer. Discret additif à cet armistice, le roi Jean, libéré par ceux qui s'étaient assurés de sa personne, avait retrouvé son trône.

Et Jim avait récupéré son passeport.

Il lui avait été restitué par un Secoh positivement rayonnant accompagnant la horde des dragons qui survolaient le champ de bataille – et qui, lorsqu'il avait entamé sa descente, avait bien failli se faire transpercer de part en part par des volées de flèches. Si Jim et Dafydd ne s'étaient interposés et n'avaient ordonné aux trois archers du Gallois de cesser de tirer, il aurait été mort en touchant le sol.

La manœuvre d'intimidation d'Edouard menaçant de prendre le commandement des troupes anglaises avait fait son effet : la bataille s'était terminée sans vainqueur ni vaincu.

Il ne restait plus à Jim qu'à retourner au plus vite auprès des dragons de la falaise pour leur rendre le passeport et c'en serait fini.

Et pourtant, il éprouvait un sentiment de malaise diffus, la prémonition d'un danger. Mais il ne voyait vraiment pas quel danger il pourrait courir. Les hommes d'armes et les archers qui chevauchaient derrière lui constituaient une parfaite protection. Brian avait raison. Il était préférable d'attendre simplement que d'éventuels ennuis se profilent sans s'alarmer à l'avance.

– Il y a une chose que je voulais vous demander, dit Brian en s'adressant à Dafydd qui chevauchait près de Jim et sur son autre flanc. Je ne me considère nullement comme un bel homme. Vous, en revanche, Dafydd, exercez une séduction particulière sur toutes les femmes ou peu s'en faut. Cela n'a pas été sans me surprendre sur le moment. Aussi ai-je été étonné que Mélusine, faute de pouvoir jeter son dévolu sur Jim et le roi Jean, n'ait pas fondu sur vous alors que le beau sexe vous trouve si désirable.

– C'est là, répondit Dafydd, une opinion par trop flatteuse, encore que certaines dames ne sont pas sans éprouver quelque attirance pour moi... Mais, connaissant l'esprit médisant de beaucoup, j'ai voulu éviter qu'une situation scabreuse ne vienne ternir l'amour que je porte à mon oiseau d'or. Aussi, lorsque je me suis rendu compte de la propension qu'avait Mélusine à se jeter au cou des hommes, j'ai arraché une petite branche feuillue que j'ai glissée sous mon casque. Cela m'a-t-il rendu invisible ou non, je ne sais, mais il est certain que ses yeux ne se sont pas posés sur moi et qu'elle n'a...

De façon inattendue, Dafydd s'interrompit brusquement et, enlevant son cheval, fit un bond de plusieurs mètres en avant.

– Arrêtez ! cria-t-il en levant le bras.

A cet ordre venant d'un homme qui, d'ordinaire, n'en donnait jamais, la colonne stoppa. Le Gallois se pencha sur sa selle et, fouillant l'amas de broussailles qui bordaient le sentier, en sortit un objet.

C'était une flèche.

Tandis qu'il la contemplait, Jim et Brian le rejoignirent.

– Que vous arrive-t-il ? lui demanda ce dernier. Ce n'est jamais qu'une flèche perdue, sans doute lancée par quelque chasseur d'ours.

Dafydd le dévisagea. Ses traits étaient si défaits que Brian se raidit.

– Cette flèche appartient à mon oiseau d'or et si elle est là, ce ne peut être que parce que Danielle a voulu nous prévenir qu'elle est en difficulté.

– Comment la vue d'une simple flèche peut-elle vous amener à cette conclusion, Dafydd ?

– Je connais les flèches de mon oiseau d'or aussi bien que les miennes. Plus encore, si elle est là, c'est qu'elle est porteuse d'un message. Un message qui s'adresse à nous tous mais que je suis seul à pouvoir lire.

– Dafydd, vous êtes seul habilité à interpréter ce signe. Dites-nous en quoi il nous intéresse.

– En premier lieu, nous sommes ici exactement au point limite que Danielle pouvait atteindre en lançant une flèche du haut de la tour de Malencontri. Et c'est également à peu près la courbe du sentier la plus éloignée qu'il est possible de voir depuis cette tour. Vous remarquerez qu'il n'y a pas d'arbres élevés dans les environs immédiats. Danielle le connaît bien, ce chemin. Elle a visé ce point précis.

– En êtes-vous bien sûr ? demanda Jim. Comment pouvez-vous dire avec certitude qu'elle n'a pas perdu cette flèche lors d'une partie de chasse remontant à plusieurs semaines ?

– Elle était plantée toute droite dans la terre, ce qui signifie qu'elle a été tirée en visant très haut pour pouvoir franchir la plus grande distance possible. Elle n'est pas restée exposée aux intempéries plus d'un jour, deux tout au plus – sinon, je l'aurais remarqué. J'ajouterai que perdre ses flèches n'est pas dans les habitudes de mon oiseau d'or. En outre, comme tous les archers émérites, quand elle vise une cible, elle en inspecte aussi les abords pour savoir où sa flèche risquerait de se ficher si elle la manquait – et je ne me rappelle pas que cela lui soit jamais arrivé.

– Je vois ce que vous entendez par là, fit Jim. Cette flèche a été lancée d'un point élevé. Bon. Mais comment savez-vous que c'était du château ?

– Pourquoi aurait-elle décoché ce trait au hasard ? Le château est le seul endroit d'où cette flèche a pu vraisemblablement venir. Et si elle a été tirée, c'est pour que nous la trouvions sur notre route. Il n'y a aucun doute. Il s'agit d'un message et d'un avertissement.

– Mais vous auriez tout aussi bien pu ne pas la remarquer, répliqua Brian. Pour ma part, je ne l'avais même pas vue avant que vous l'ayez sortie de ces broussailles.

– Moi ? Passer à côté d'une flèche envoyée par ma bien-aimée sans la voir ? Allons donc ! Mais assez ergoté. Faites-moi confiance.

– Et quelle serait la teneur de ce message ? demanda Brian.

– Il est probable que Danielle et probablement tous ceux qui sont avec elle dans le château y sont séquestrés. Prisonniers de nos ennemis. Mon oiseau d'or a eu recours à ce moyen pour nous avertir qu'une embuscade est tendue à notre intention.

– Mais nous ne nous connaissons pas d'ennemis. A part la bande de maraudeurs que nous avons mise en déroute avant notre départ pour la France, tous nos voisins sont de fidèles amis.

– Réfléchissez encore. (Dafydd avait toujours les yeux fixés sur la flèche.) Ceux qui les retiennent portent quatre bandes noires comme marque distinctive.

– Comment pouvez-vous le savoir ? s'enquit Brian.

– Grâce à un trait tracé à l'encre noire à la base de quatre des plumes de l'empennage. Qui, à notre connaissance, arbore quatre bandes noires ?

– Malvinne, répondit automatiquement Jim. Mais ce n'est pas croyable ! Malvinne ici ? Et arrivé assez tôt pour s'emparer de mon château et nous tendre un piège ?

– Comment peux-tu poser une question aussi stupide, James ? grogna une voix.

Et Aragh surgit soudain à côté d'eux.

– Aragh ! s'exclama Jim. Depuis combien de temps es-tu là ? Ce que prétend Dafydd est-il vrai ?

– Ce ne saurait l'être davantage, rétorqua le loup, et si vous ne vous attendiez pas à quelque chose de ce genre, James, j'ai encore moins de respect pour votre intelligence. Malvinne est peut-être dépossédé de ses pouvoirs magiques comme vous nous l'avez dit, mais n'avez-vous pas remarqué qu'après la bataille il est parti avant tout le monde ? Avant le crépuscule ? Une nuit et une matinée avant notre départ à nous ?

– C'est vrai, convint Jim sur un ton lugubre. Tu as raison, Aragh. J'aurais dû y penser.

– Il a de toute évidence rejoint la côte en galopant comme un forcené, s'arrangeant pour rassembler en cours de route de l'argent et des hommes à lui pour s'embarquer en nous devançant de justesse. Il a ainsi pu arriver à Malencontri largement avant nous et investir le château qui n'était gardé que par une poignée d'hommes. Depuis, il nous attend. Et il a eu tout le temps nécessaire pour monter une embuscade où vous seriez tombés la tête la première. Vous n'avez pas songé à cette éventualité, James ?

– Non, répondit Jim, partagé entre le dépit et la fureur, j'avoue à ma grande honte que cela ne m'était pas venu à l'esprit. J'ai seulement eu le vague pressentiment d'un danger qui nous menaçait mais sans être capable de le définir.

– De combien d'hommes dispose-t-il, Aragh ? demanda Brian, faisant preuve de son sens pratique. Et quelle est la nature de leur armement ?

– Quatre-vingts cavaliers répartis en deux groupes sont postés hors de vue derrière le château. Tous revêtus d'armures et puissamment armés contrairement à vous autres. Dès que vous sortirez des bois, les guetteurs sur les remparts leur donneront le signal. Alors, ils sauteront en selle et s'élanceront à la charge depuis chacune des deux ailes du château.

– Combien ont-ils d'archers ? voulut savoir Dafydd.

– J'en ai dénombré dix-huit. Comptons large et disons qu'il y en a entre vingt et vingt-cinq.

Après avoir réfléchi un instant, Dafydd se tourna vers la colonne immobile.

– Qui parmi vous connaît chaque maison dans un rayon de vingt miles ? demanda-t-il de toute la force de ses poumons.

Plusieurs voix s'élevèrent mais seul un des hommes d'armes s'avança. Des mèches grises sortaient de son casque et grise était aussi la barbe hirsute dont se hérissait son menton.

– C'est ici que j'ai grandi, se borna-t-il à dire au Gallois.

– Nous avons besoin d'un guide. (Avisant Clym Tyler, Will o'the Howe et Wat of Easdale qui se tenaient un peu plus loin, Dafydd fit signe à ce dernier d'approcher.) Combien d'archers avons-nous à présent ?

– Six. (Le visage de Wat était totalement dénué d'expression.) En vous comptant.

– Toi, comment t'appelles-tu ? demanda Dafydd à l'homme d'armes grisonnant.

– Rob Aleward.

– Rob Aleward sera votre guide, Wat. Vous allez fouiller tout le voisinage en commençant par les maisons les plus proches et vous ramènerez tous les hommes qui ont déjà eu l'occasion d'avoir un arc long entre les mains. Qu'ils se disent habiles tireurs ou tireurs maladroits est sans importance. De plein gré ou non, ils seront tous requis de se mettre au service de lord James. Je peux compter sur toi pour mener cette tâche à bien, Wat ?

– Vous pouvez. (Wat se tourna vers Aleward.) Conduis-moi chez le manieur d'arc le plus proche.

Les deux hommes s'en furent.

– Je ne peux pas faire davantage, dit alors Dafydd à Jim et à Brian. Pour le reste, seigneurs chevaliers, ce sera à vous de prendre les choses en main.

Jim se tourna vers Brian.

– Dans une situation comme celle-ci, vous avez plus d'expérience que je n'en aurai sans doute jamais, ami. Quelle stratégie suggérez-vous d'adopter ?

42

Brian plissa le front sous l'effort de la réflexion.

– Ce que nous devons surtout nous garder de faire, dit-il finalement, c'est de se précipiter pour qu'ils nous attrapent comme un poisson gobe une mouche. Ils possèdent un avantage sur nous : la supériorité du nombre. Pour que la partie soit égale, il faudrait que ce soit eux qui tombent dans un piège que nous leur tendrions et non pas le contraire. Voilà la seule réponse que je puisse vous faire : les attirer dans un traquenard. Mais je veux bien être damné si je sais comment nous pourrons nous y prendre. Cela va être à vous, James, de trouver un moyen.

Il a raison, se dit Jim. Il ne s'agissait pas, en l'occurrence, d'un problème militaire offrant une solution toute prête et bien ficelée que Brian aurait sortie de sa poche comme un paquet-cadeau.

– Eh bien, examinons la situation de près. Quatre-vingts personnes font le pied de grue toute la journée derrière le château, attendant l'ordre d'enfourcher leurs chevaux et de se lancer à l'attaque. Mais si l'on y réfléchit, ils ne peuvent pas rester là toute la nuit. Ils doivent débarquer le matin et rentrer le soir. Alors, quand sont-ils le plus vulnérables ? Quand ils viennent de se réveiller ? Ou dans l'après-midi lorsqu'ils sont à bout de forces après avoir tourné en rond tout le jour, cuisant à petit feu dans leur armure ?

– Plutôt en fin de journée, à mon avis, dit Brian. Au petit jour, on peut se sentir ankylosé et avoir froid mais on se réchauffe vite quand on doit passer à l'action. En revanche, plus tard – après le repas, notamment –, ils doivent être fatigués de toute cette inactivité. On peut même supposer qu'ils se chamailleront pour des broutilles et qu'une foule de choses insignifiantes leur auront mis les nerfs à fleur de peau, de sorte qu'ils ne seront pas dans les conditions voulues pour sauter fougueusement à cheval d'un instant à l'autre et se battre d'un même cœur. S'il se produit à ce moment un événement aussi fâcheux qu'inattendu qui les démoralise et leur fait perdre la tête, ils nageront en pleine confusion et nous aurons alors toutes les chances de les écraser.

– Voilà qui est parfaitement raisonné, Brian. Il nous faudra non seulement fondre sur eux lorsqu'ils s'y attendront le moins mais aussi imaginer quelque chose qui les prendra par surprise et les désorganisera complètement.

Jim se représenta la clairière qui s'étendait derrière le château. Un espace que l'on avait simplement défriché en abattant les arbres et où l'on avait laissé l'herbe reprendre ses droits. A cette période de l'année, le sol devait être dur. Abstraction faite de quelques souches qui pouvaient encore pointer çà et là, c'était un bon terrain pour des cavaliers chargeant un ennemi stationnaire.

– Mais une autre question se pose, reprit Jim, réfléchissant tout haut. Pourquoi Malvinne s'est-il lancé dans cette entreprise ?

– Pour se venger de vous, James. A quel autre motif voudriez-vous qu'il obéisse ?

– Oui, c'est une raison suffisante, je suppose. C'est à moi qu'il doit d'avoir perdu tout ce qu'il possédait ; j'ai contribué à faire échouer le plan minutieusement préparé qu'il méditait, sans compter que c'est à cause de moi qu'il s'est vu forcé de tromper les espoirs que les Noires Puissances avaient fondés sur lui. Cependant, il ne me semble pas que se venger soit un but suffisant pour quelqu'un comme Malvinne. Qu'il cherche à prendre sa revanche, j'en conviens, mais il veut certainement que celle-ci lui permette aussi de retrouver ses droits et la position qu'il occupait naguère.

– Evidemment, s'il vous capturait vivant, il pourrait vous ramener en France et exiger une rançon en échange de votre libération. Ou même vous faire condamner pour je ne sais quel crime contre les lois françaises que vous seriez censé avoir commis, un acte qui déconsidérerait tant aux yeux des Français qu'à ceux des Anglais l'homme qui a mis fin à la bataille en obligeant les adversaires à conclure une trêve. Et peut-être espère-t-il également se réconcilier avec le roi Jean.

– Oui, fit pensivement Jim, son objectif doit être, non pas de me tuer mais de me neutraliser. Vous et Dafydd aussi probablement. Les accusations que j'ai portées contre lui devant le Département des Comptes paraîtront moins solides, venant de quelqu'un qui est l'otage de celui-là même qu'il a incriminé. Mais venons-en à autre chose. A ces chevaliers – s'ils ont droit à ce titre – dont vous disiez qu'ils perdront la tête si quelque chose d'inattendu se produit. Ils sont équipés pour se battre à cheval, et vous pouvez être sûr qu'ils sont plus lourdement armés et mieux protégés que nos hommes. Mais supposez qu'ils soient obligés de combattre à pied alors que nos gens ont encore leurs chevaux et leurs javelines ? Pensez-vous que, dans ce cas de figure, les nôtres auraient une chance contre eux ?

Une lueur machiavélique s'alluma dans les yeux de Brian.

– C'est hors de doute, James. A pied, les soudards de Malvinne seraient empêtrés dans leurs propres armures alors que nos cavaliers, revêtus d'une simple cotte de mailles, pourraient en les chargeant à la lance avoir raison d'eux sans grande difficulté. Mais comment entendez-vous priver de leurs chevaux les sbires aux ordres de Malvinne ?

– Il vient de me venir une idée. N'importe comment, il n'est pas question de continuer notre route jusqu'à Malencontri pour aujourd'hui, n'est-ce pas ? Si nous nous dissimulons dans le sous-bois un peu en deçà de l'orée de la forêt, nous serons en mesure de les observer à loisir quand ils rentreront ce soir au château. Nous saurons alors exactement combien ils sont et nous pourrons par la même occasion nous faire une idée du genre d'adversaires que nous avons en face de nous. D'ici là, Wat fouillera les environs pour tenter de rassembler des archers et tous ceux qui seront susceptibles de se battre à nos côtés. Je ne sais s'il parviendra à en trouver ou non...

– Ne vous inquiétez pas, dit Brian. Vous êtes un maître apprécié de tous ceux qui sont à votre service, domestiques et vilains. Je ne crois pas trop m'aventurer en disant que nous aurons au moins une cinquantaine de volontaires de tout âge et de tout acabit. Combien d'entre eux seront utilisables, c'est une autre affaire. Mais avez-vous encore des idées en tête, James ?

– Oui. Voyons ce que vous pensez du plan que j'ai imaginé. Nous resterons cachés dans les bois jusqu'au soir. Quand il fera nuit, et avec l'aide des gens du pays qui connaissent bien la forêt, nous déploierons nos hommes en demi-cercle derrière le château afin qu'ils puissent se ruer tous ensemble, surgissant de toutes les directions, sur les reîtres de Malvinne. Dans l'intervalle, nous essaierons de repérer la manière dont ils parquent leurs chevaux pendant la journée. Peut-être y aura-t-il un moyen de donner du mou à leurs longes sans qu'il y paraisse.

– Excellente idée !

– Demain, il faudra imaginer quelque chose pour effrayer les bêtes afin qu'elles rompent leurs liens. Quand elles se seront détachées, nous tâcherons de les entraîner dans les bois ou, au moins, à bonne distance des hommes de Malvinne. Alors, il ne nous restera qu'à charger ce qui ne sera plus que de la piétaille.

– C'est là un plan remarquable, James ! Tout à fait remarquable ! Mais que prévoyez-vous pour que ces chevaux prennent le large ? Vous songez peut-être à vous changer en dragon et à fondre sur eux pour les paniquer ?

– Cela ne me sera malheureusement pas possible. Je suis comme Malvinne un magicien privé de ses pouvoirs spécifiques. Je n'étais qu'un petit apprenti de classe D auquel le Département des Comptes n'avait accordé qu'un crédit réduit. Or, ce peu de crédit dont je disposais, je l'ai entièrement dépensé en France.

Brian dévisagea Jim en écarquillant les yeux.

– Mais les sortilèges dont vous vous êtes servi dans le château de Malvinne... l'invisibilité...

– C'est grâce à Carolinus que j'ai pu opérer. Il m'avait autorisé à tirer sur son crédit magie personnel. Dorénavant, n'ayant plus rien à mon compte, je ne peux plus me transformer en dragon. J'en suis réduit à mes seules forces humaines à l'instar de n'importe lequel d'entre vous.

– Voilà qui complique diablement nos affaires ! Pour le moment, je suis bien incapable d'imaginer un moyen pour que les chevaux se sauvent.

– Tous ont peur du feu, particulièrement quand ils sont à l'attache et ne peuvent pas prendre la fuite. Supposez que quelques-uns de nos garçons sortent brusquement de la forêt au galop en traînant derrière eux des fagots de brindilles enflammées. S'ils vont assez vite, les gens de Malvinne n'auront pas le temps de les arrêter. Les chevaux seront terrorisés et les fagots auront toutes les chances de mettre le feu à la clairière. En cette saison, l'herbe est haute et sèche. Non seulement les bêtes seront terrifiées mais les cavaliers eux-mêmes risquent de paniquer.

– Par saint Dunstan, ils auraient alors comme qui dirait les mains liées lorsque nous passerons à l'attaque ! (Brian leva une seconde les yeux pour regarder le soleil.) Il nous reste encore au moins trois heures de jour. Le mieux serait d'attendre ici que nos soudards regagnent le château pour la nuit. Nous saurons alors combien ils sont au juste et de quoi ils ont l'air.

– Moi, dit Dafydd, je vais avoir du pain sur la planche. Il va falloir que je m'occupe de nos archers et de ceux que Wat ramènera avec lui.

A peine le Gallois avait-il fini de parler que la première vague des paysans que Wat avait enrôlés commença à déferler. Et ce n'était qu'un début. Ils se pressaient en si grand nombre que Jim n'en revenait pas. Une fois de plus, les circonstances le confrontaient à un aspect de ce monde qu'il avait méconnu jusqu'à présent.

Les chevaliers aimaient combattre et les hommes d'armes, tout comme les archers, n'étaient pas en reste sur ce chapitre, cela, Jim le savait. Une fois lancés, il n'était pas facile de les arrêter. Mais il ne s'était pas attendu que laboureurs et bûcherons, bref, tous les manants attachés au domaine de Malencontri et dont il était le seigneur et maître manifestent autant d'enthousiasme à la perspective de ce qui risquait fort d'être une bataille meurtrière.

Ils ne cessaient d'arriver, jeunes et vieux, gamins qui n'avaient pas plus de huit ou neuf ans et vieillards chenus au dos voûté. Ils avaient des couteaux passés à la ceinture, des faux, des pioches, des haches, voire, faute de mieux, de vulgaires gourdins à la main.

La plupart d'entre eux ne seraient pas d'une grande utilité face à des guerriers en armures expérimentés, même contraints de se battre à pied. Néanmoins, l'ardeur dont faisaient preuve ces simples gens touchait et réchauffait curieusement le cœur de Jim.

Volontaires, hommes d'armes et archers se déployèrent dans le sous-bois, suffisamment loin du château pour demeurer invisibles. Le soleil fut bientôt au terme de sa course et juste au moment où il se coucha, les cavaliers de Malvinne surgirent de part et d'autre de l'édifice, franchirent le pont-levis et s'engouffrèrent par le portail.

– Quatre-vingts hommes, fit Brian quand le dernier eut disparu dans la cour du château. Le chiffre est exact.

– Je ne vous l'ai pas dit, peut-être ? grogna Aragh.

– Bien sûr que si, vous nous l'avez dit, messire Loup. Ce n'était nullement manque de confiance de ma part mais il fallait que je les voie par moi-même, moins pour les compter que pour constater comment ils sont équipés, comment ils sont armés et se tiennent en selle. Ce n'est pas un ramassis de loqueteux, James. Tous sont des vétérans qui savent monter. Et le moment venu, ils feront le meilleur usage de leurs armes.

– J'avais peu d'espoir qu'il en aille différemment, déclara Jim d'une voix morne.

– Et moi pas davantage. Mais si la médaille a son revers, elle a aussi un bon côté. N'avez-vous pas remarqué qu'ils n'ont pas l'air d'être particulièrement animés par l'esprit de camaraderie ? Ou ce n'est pas l'amitié qui les étouffe ; ou, comme je vous l'ai suggéré, l'obligation de passer la journée à attendre passivement les a épuisés à tel point qu'il leur faut quelques ripailles pour pouvoir enfin se dérider. (Le pont-levis fut relevé et Brian enchaîna :) Maintenant, il faut profiter du crépuscule pour aller derrière le château examiner de près le terrain.

Aussitôt dit, aussitôt fait : ils prirent la direction de la clairière. Non seulement elle était dans l'ombre du château mais la façade postérieure de celui-ci était une massive muraille d'un seul tenant et ce n'était que du haut des créneaux que l'on pouvait surveiller la prairie.

Jim, Brian et Dafydd se dépouillèrent de leurs cottes de mailles et abandonnèrent leurs armes pour ressembler le plus possible à de simples manants, après quoi ils entreprirent d'examiner soigneusement la clairière. Si on les apercevait du château, leur présence ne surprendrait personne : il était courant pour les plus miséreux des vilains de ratisser l'endroit où des hommes de condition supérieure avaient passé la journée dans l'espoir de récupérer des objets abandonnés de quelque valeur ou pouvant avoir quelque utilité.

Quand Brian émit un sifflement assourdi pour attirer son attention, Jim se retourna et rejoignit son compagnon qui lui faisait signe d'approcher.

– Regardez, lui dit dans un murmure Brian penché au-dessus de l'herbe piétinée. Ils attachent simplement leurs chevaux à des piquets plantés dans le sol. Il devrait être possible de gratter un peu la terre pour les dénuder en partie. On pourrait ensuite les entailler à moitié et reboucher le trou. Ils résisteraient alors à une traction normale mais casseraient net si les chevaux paniquaient. Attendons qu'il fasse tout à fait noir. Nous aurons toute la nuit pour effectuer le travail.

Une demi-heure plus tard, Jim, Brian, Dafydd et une bonne quinzaine de leurs recrues, silhouettes à peine visibles, se mettaient à l'ouvrage, le couteau à la main.

Ils en avaient fini et avaient regagné les bois avant que la lune se soit levée.

Les archers et les hommes d'armes passèrent la nuit chez l'habitant. Brian, Jim et Dafydd, quant à eux, préférèrent bivouaquer devant un feu de camp qu'on alluma assez loin pour que sa lueur soit cachée par les arbres.

Ce fut une soirée chargée. Il fallait préparer les margotins que l'on enflammerait le lendemain. Dafydd avait aussi des instructions précises à fournir à ses hommes. Il avait sélectionné une douzaine d'archers acceptables sur les trente ou quarante qui s'étaient portés candidats. Les heureux élus auraient essentiellement pour tâche d'empêcher les archers ou les arbalétriers postés en haut du parapet d'arroser de leurs flèches les assaillants quand l'assaut serait donné. Ils pourraient au moins inciter les tireurs à garder la tête baissée.

Il devait être aux environs de 10 heures selon les estimations de Jim quand tout le monde se dispersa. Du feu de camp, il ne restait plus guère qu'un lit de braises. A peine s'étaient-ils enroulés dans leurs couvertures de cheval que Dafydd et Brian s'endormirent du sommeil du juste, à croire que demain devait être une journée comme les autres – un don que Jim leur enviait depuis longtemps. Pour sa part, il se tourna et se retourna un bon moment en s'efforçant de penser le moins possible au coup de main qu'ils allaient tenter et aux conditions dans lesquelles se trouvait Angie, prisonnière dans sa propre demeure. Enfin, s'accrochant à l'idée qu'il serait contraire aux intérêts de Malvinne de maltraiter ses trois captives tant qu'il ne serait pas assuré de les tenir, lui, Jim, et ses amis, dans ses griffes, il sombra à son tour dans le sommeil.

Il se réveilla aux premières lueurs de l'aube en même temps que les autres. Ils avaient à peine rallumé leur feu pour se réchauffer que plusieurs serfs vinrent leur apporter à manger. Une fois restaurés, les trois compagnons placèrent quelques flacons de bière de fabrication maison et des vivres dans leurs trousses de selle, après quoi ils entreprirent de positionner leurs forces. Il était impératif, insista Brian, que ces préparatifs soient terminés avant que les cavaliers de Malvinne sortent du château afin qu'aucun bruit, aucun mouvement suspect n'attire leur attention.

Bientôt, les hommes de la garnison franchirent le portail. Arrivés dans la clairière, ils mirent pied à terre, attachèrent leurs chevaux aux piquets et commencèrent à jouer à des jeux divers et variés, allant des dés à des sortes de rudimentaires parties d'échecs.

Le plus dur était devant eux.

Ainsi que Brian l'avait souligné la veille, il allait falloir surveiller les gens de Malvinne qui se préparaient à une nouvelle et épuisante journée de vaine attente. Et, cette fois, l'attente serait presque aussi pénible pour Jim et ses amis, cachés dans la forêt.

Presque mais pas tout à fait. D'abord, ils étaient à l'abri du soleil et bénéficiaient d'une relative liberté de mouvement alors que, dans la clairière, les cavaliers de Malvinne, suant sang et eau dans leurs lourdes armures, maudissaient la chaleur à grand renfort de jurons et essayaient de trouver de rares et maigres coins d'ombre.

A midi, les domestiques vinrent leur apporter leur déjeuner sur lequel ils se jetèrent voracement. Quand ils furent rassasiés, ils s'affalèrent paresseusement dans l'herbe, le ventre trop rempli, même, pour se remettre aux petits jeux qui les aidaient à tuer le temps. Alors, Brian – que tous, à commencer par Jim, acceptaient tout naturellement comme chef des opérations – fit passer le mot à la ronde : que tout le monde se tienne prêt. L'action allait s'engager.

43

Repus, les hommes en armures somnolaient dans la clairière qui ne leur offrait plus le moindre coin d'ombre. Un rauque appel de faisan retentit soudain, venant de la forêt à droite du château. Un autre lui répondit presque aussitôt, celui-là, à l'ouest.

Tout à coup, trois cavaliers surgirent au galop de chacune des cornes du bois. Ils traînaient derrière eux un fagot de brindilles enflammées et se ruèrent vers les montures à l'attache.

Surpris au milieu de leur sieste, les hommes de Malvinne commencèrent à se lever dans une bousculade maladroite. Le temps qu'ils reprennent leurs esprits, les six cavaliers leur étaient déjà passés sous le nez et les margotins qu'ils tiraient avaient mis le feu à l'herbe sèche. Poussant des hennissements de terreur, les chevaux parqués brisèrent les piquets auxquels étaient fixées leurs longes et détalèrent dans toutes les directions.

Dans l'intervalle, les six cavaliers, qui avaient pris soin de trancher la corde retenant leurs fagots embrasés, avaient rejoint l'asile des bois où ils avaient disparu. Il n'y avait plus un cheval en vue. Si elle n'était pas assez épaisse pour obscurcir la clairière, la fumée irritait les yeux des guerriers qui pleuraient à chaudes larmes. Tandis que la troupe essayait de mettre un semblant d'ordre dans ses rangs, un assourdissant martèlement de sabots retentit : de nouveaux cavaliers émergeaient des bois ventre à terre.

Mais il ne s'agissait plus de simples gueux comme les six qui les avaient précédés : c'étaient des hommes d'armes en cottes de mailles qui chargeaient à la lance. Il ne fallut que quelques minutes pour que les deux tiers des guerriers démontés de Malvinne en pleine débandade se retrouvent couchés à terre et sommés de se rendre, le fer d'une lance devant le viseur de leur heaume.

Ceux qui demeuraient encore debout – à peine quinze ou vingt – s'étaient regroupés en formation de hérisson, boucliers levés et armes tirées. Mais que faire contre un adversaire chargeant à la lance ? En un rien de temps le dispositif fut réduit en pièces. Démoralisés, les reîtres n'étaient plus en état d'opposer une résistance effective. Les arbalétriers postés sur les remparts avaient commencé à tirer et les archers de Dafydd ripostaient. Mais ce duel ne dura guère. Bientôt, les défenseurs furent hors de combat – grâce à l'art consommé du Gallois et de ses trois fidèles plus qu'à l'adresse de ses recrues de la veille qui, pour la plupart, n'avaient jamais chassé une proie beaucoup plus grosse qu'un lapin – et le combat cessa faute de combattants : ceux qui, derrière les créneaux, n'étaient pas blessés ou n'avaient pas été tués n'avaient plus le cœur à décocher la moindre flèche.

– Qui commande ici ? demanda Brian d'une voix tonnante en balayant la prairie du regard.

L'un des gisants se remit péniblement sur ses pieds.

– Moi, Charles Bracy du Mont, coassa-t-il.

– Vous rendez-vous, vous et tous vos hommes, ou allons-nous devoir vous trancher la gorge ?

Ce n'était pas une menace en l'air. Les manants et les vilains qui étaient accourus pour prêter main-forte à Jim – plus d'une centaine en tout – étaient maintenant sortis du bois. Et tous étreignaient leur couteau et leurs yeux flamboyaient.

– Je... je me rends, répondit Bracy du Mont.

– Et vos hommes ?

Cette fois, c'était Jim qui avait parlé, et son ton était rude.

– Ils capitulent.

– Qu'on les désarme et qu'on leur attache les mains dans le dos ! ordonna Brian.

Bracy du Mont redressa vivement la tête.

– Comment ? Nous ligoter ? J'ai rang de chevalier comme la plupart d'entre nous ! Nous vous donnons notre parole.

– Des chevaliers qui combattent au service des Noires Puissances n'ont pas de parole. Qu'on les entrave tous !

– Et maintenant ? demanda Jim à son compagnon quand tous les prisonniers en état de marcher eurent été troussés comme volaille.

– Maintenant ? Nous allons amener tout ce joli monde jusqu'à la poterne, répondit Brian sur un ton farouche. J'ai dans l'idée que c'étaient ceux-là qui constituaient le gros des forces de Malvinne ; d'autre part les archers de Dafydd ont réglé leur compte aux tireurs des remparts. Il ne nous reste plus qu'à voir si Malvinne aura assez de sagesse pour nous faire sa reddition et...

Brian fut interrompu par un événement inattendu :

l'arrivée impromptue de Secoh qui, tombant du ciel, se posa soudain à quelques pas de Jim.

– James ! s'écria-t-il avec allégresse. Quelle joie de vous retrouver ! Je viens vous souhaiter officiellement la bienvenue au nom des dragons des marécages qui saluent votre retour.

– Eh bien... tu les remercieras de ma part, dit Jim qui commençait tout juste à se remettre de sa surprise.

– Par ailleurs, reprit Secoh, les dragons de la falaise voudraient bien savoir pourquoi vous ne leur avez pas encore rendu le passeport alors qu'il y a plus de vingt heures que vous êtes de retour.

– Ils sont fous ou quoi, dragon ? s'exclama Brian d'une voix tonitruante. Nous étions trop occupés pour penser à ces histoires de passeport !

– C'est exactement ce que je leur ai dit. Mais vous les connaissez. Chacun a donné le plus précieux de ses joyaux et... Si vous me confiiez le passeport, James, je pourrais aller le leur remettre sans délai.

– Jamais de la vie !

La fureur paraissait s'emparer de Brian mais Jim posa la main sur son bras.

– Je crois que ce serait le mieux, Brian. Cela ne prendra que quelques minutes. Mais j'aurai besoin d'être seul. Ce que je dois faire ressortit à la magie, vous comprenez ? Je reviens dans un petit moment.

Sur quoi, Jim alla s'isoler avec Secoh dans le bois. En fait, il se demandait après la conversation qu'il avait eue avec Carolinus en France – conversation au cours de laquelle le vieux mage lui avait appris qu'il tirait sur son propre compte – s'il serait encore capable de réduire le volume du passeport à celui d'une pastille pour pouvoir l'avaler.

Après avoir réfléchi quelques instants pour se remémorer la procédure exacte, il recracha sans difficulté l'espèce de pilule qui constituait le fameux passeport. Celle-ci se mit alors à grossir et redevint le sac rempli de bijoux qui lui avait été originellement remis. Il le tendit à Secoh qui l'accepta avec gratitude et conclut qu'il avait toujours accès au crédit magie de Carolinus.

– Je vais le rapporter immédiatement à la falaise, fit le dragon. Euh ! Juste un instant. Ma contribution personnelle, n'est-ce pas ?

Secoh dénoua le sac et y plongea sa patte. Quand il l'en ressortit après avoir farfouillé à l'intérieur, il serrait une perle – sa perle – entre ses griffes. Il la fourra dans sa gueule, renoua le sac et déploya ses ailes.

– A très bientôt, James ! dit-il en prenant son essor.

Il ne tarda pas à trouver un courant ascendant et s'éloigna en vol plané en direction de la falaise.

Jim rejoignit Brian.

– Eh bien, si vous n'avez plus rien d'autre à faire, dit celui-ci sur un ton qui manquait quelque peu d'amabilité, nous pouvons peut-être conduire nos prisonniers jusqu'à la poterne ?

– Absolument ! s'empressa de répondre Jim.

On se mit en marche pour contourner le château, Jim, Brian et Dafydd en tête, la place qui leur revenait de droit, précédant les vétérans, hommes d'armes et archers ; puis sur quatre rangs, la colonne des prisonniers que suivait en désordre la cohue des volontaires, le couteau à la main – juste pour le cas où...

Devant le pont-levis baissé se tenaient Malvinne et un personnage revêtu d'une armure, l'écu au bras et la masse d'armes au poing. Son heaume dissimulait ses traits. Derrière eux était massé le comité d'accueil : une troupe d'hommes équipés et armés comme ceux qui s'étaient rendus. Ils se pressaient jusque dans la cour intérieure.

– James, chuchota Brian sans quitter des yeux Malvinne à qui il faisait maintenant face, je crains que ce ne soit à vous, à présent, de prendre le commandement et d'engager la conversation.

– C'était bien mon intention, répondit âprement Jim sans même se donner la peine de baisser la voix.

Il pensait à Angie et aux autres prisonniers de Malvinne. Il mit pied à terre et s'avança. Brian et Dafydd l'imitèrent.

– Et quelles sont vos intentions, James ? lui demanda Malvinne quand il s'immobilisa à deux pas de lui.

– De vous voir quitter mon château immédiatement et sans délai.

– Votre château ? Je crois savoir, si je suis bien informé, que vous ne l'habitez pas depuis très longtemps.

– Il n'empêche qu'il est à moi. Il m'a été octroyé par le roi Edouard.

– Et si je vous disais qu'un autre parchemin vous en retirant la jouissance attend présentement à Londres qu'il y appose sa signature ? Dans certaines circonstances, le roi Edouard est prêt à signer à peu près n'importe quel document, juste pour qu'on le laisse en paix.

– Pourquoi voudriez-vous que je vous croie ? rétorqua Jim. Et même si c'était le cas, en quoi cela changerait-il la situation ? Vous occupez mon château et vous allez déguerpir. Et si vous y avez commis des déprédations ou si vous avez maltraité les personnes qui s'y trouvent, je vous ferai rendre gorge.

– Peut-être pensez-vous qu'il y aura sous peu une confrontation entre nous deux à la demande du Département des Comptes ? Vous seriez bien avisé de considérer que les charges contre moi manqueront de poids dès lors qu'elles auront été formulées par quelqu'un qui est mon prisonnier.

– Je ne suis pas votre prisonnier.

– Oh ! Mais cela ne va pas tarder ! Emanant d'un jeune magicien novice dans une situation critique, ces accusations apparaîtront comme une manœuvre. On supposera que vous calomniez un éminent maître en l'art pour détourner l'attention de votre personne.

– Je doute fort que ce soit là la façon de raisonner du Département des Comptes. Néanmoins, je le répète, je ne suis pas votre prisonnier.

– Et moi, je le répète, je crois que vous allez l'être sous peu. (La voix de Malvinne se fit solennelle.) Devant toutes les personnes ici rassemblées, je vous accuse d'avoir présenté des charges mensongères et propagé des contre-vérités à mon encontre en de nombreuses autres occasions.

Jim saisit à demi-mot le jeu de Malvinne : c'était ni plus ni moins une provocation lancée par un chevalier à un autre chevalier.

– Dois-je comprendre que c'est là un défi que vous m'adressez ? lui demanda-t-il.

– Certes. Enfin... pas à proprement parler, vu notre différence d'âge. Mais étant magicien, j'appartiens à une classe qui me donne le privilège de choisir un champion pour combattre en mes lieu et place. Et mon champion est ici présent. (Malvinne se tourna vers le personnage en armure qui se tenait, debout et silencieux, près de lui.) N'êtes-vous pas à mon côté, mon champion ?

L'interpellé releva lentement la visière de son heaume et Jim écarquilla les yeux.

Ce visage carré et osseux, il ne l'avait vu qu'une seule fois et plus d'un an auparavant près de la Tour Répugnante mais il n'était pas près de l'oublier. C'était celui de sir Hugh de Bois de Malencontri aux archers duquel il n'avait alors échappé que de justesse et qu'il croyait toujours en fuite, terré quelque part sur le continent.

– Je suis à vos côtés et je suis votre champion. (L'ancien baron eut un sourire à faire froid dans le dos.) Et je ne suis pas un simulacre pétri avec de la neige comme vous le pensez peut-être, sir James. C'est moi et bien moi qui suis là, devant ce château qui était mon bien et le redeviendra quand le roi aura mis son sceau au bas de ce parchemin après qu'il aura été démontré que vous êtes le prisonnier de

Malvinne. Car nous allons nous affronter en combat singulier. Le jugement de Dieu apportera la preuve que le chevalier que vous prétendez être est en réalité un imposteur et un couard qui n'a pas plus droit à ses éperons qu'à ce domaine et à ce château.

Tout en parlant, sir Hugh avait retiré un de ses gantelets et, en prononçant le dernier mot de sa diatribe, il le lança à la figure de Jim. Ce fut comme un coup porté par une arme : du sang jaillit de son nez et de sa lèvre entaillée. Il crut même que l'impact lui avait déchaussé une dent.

Le gantelet était maintenant retombé à ses pieds. Mais avant qu'il ait pu le ramasser, Brian avait empoigné Jim par le bras et l'avait obligé à reculer de quelques pas pour qu'il soit hors de portée d'oreille de Malvinne et de sir Hugh.

– James ! Ecoutez-moi, James ! Vous ne pouvez pas vous battre en duel avec lui ! Vous m'entendez ? Vous ne le pouvez pas. Vous êtes, vous aussi, magicien, même si vous êtes de classe inférieure à celle de Malvinne, et vous avez, en tant que tel, également le droit de choisir un champion. Et je serai votre champion. Ne touchez pas à ce gant : c'est moi qui le ramasserai.

– Vous ne m'avez pas regardé ! Je m'en vais transformer cette canaille en charpie...

– Si vous en étiez capable, je m'inclinerais avec joie ! Mais écoutez-moi, James. C'est moi qui, cet hiver, vous ai enseigné l'art de l'escrime et je suis bien placé pour vous dire que vous n'avez pas plus de chances de battre sir Hugh qu'un enfant n'en aurait face au Lancelot de la légende. C'est un chevalier chevronné. Une canaille, oui, j'en suis bien d'accord, mais une canaille qui est aussi l'un des meilleurs bretteurs que je connaisse. Vous laisser l'affronter serait tenter Dieu. Un pareil combat singulier ne serait qu'une farce. M'entendez-vous, James ?

– Oui, je vous entends, gronda Jim. Mais écoutez-moi à votre tour, Brian. Ce sera moi, et personne d'autre, qui croiserai le fer avec lui !

– James, si vous m'aimez...

Mais Jim avait déjà repoussé Brian. Il avança, ramassa le gant, le brandit et, fixant sir Hugh droit dans les yeux, récita la formule que sir Brian lui avait apprise plusieurs mois auparavant :

– Au nom de Dieu et de mon plein droit, je relève ce défi !

44

Deux tentes improvisées avaient été dressées. La coutume le voulait ainsi pour que les deux adversaires puissent procéder à leurs ultimes préparatifs ou recevoir les soins médicaux rudimentaires en vigueur à l'époque si, d'aventure, ils étaient gravement blessés. Brian put donc faire à Jim ses recommandations de dernière minute dans l'intimité.

– Vous avez agi de manière stupide en ramassant ce gant, James, soupira-t-il. Malheureusement je ne peux plus rien. Il est évident que Dieu a voulu que ce soit vous et non moi qui rencontre sir Hugh. (Brian se signa.) Nul plus que moi n'a foi en la volonté divine mais il faudra quasiment un miracle pour que vous l'emportiez sur lui, ami. Maintenant, écoutez-moi avec attention.

Bien que sa résolution fût toujours aussi ferme, la fureur qui s'était emparée un peu plus tôt de Jim avait reflué et il était maintenant assez calme pour reconnaître que c'était le bon sens qui parlait par la bouche de Brian. S'agissant du maniement des armes du XIVe siècle, il n'était que trop conscient de ses insuffisances et était plus que disposé à prêter une oreille attentive aux conseils de son compagnon.

– Allez-y, Brian, je vous écoute. Quelle sera la meilleure tactique à employer ?

– Voyons d'abord la situation telle qu'elle se présente. Vous êtes novice dans le métier des armes, même si vous avez déjà participé à quelques échauffourées – je pense notamment au concours que vous m'avez apporté pour mettre en déroute les ruffians qui avaient investi mon château. En tout état de cause, sir Hugh devrait vous réduire en miettes. Néanmoins, il n'est pas, lui non plus, sans avoir certaines lacunes dont vous pourrez peut-être tirer parti.

– Par exemple ?

– Commençons par dresser l'état des lieux. Vous manquez d'adresse avec les armes mais vous êtes jeune et vigoureux. Sir Hugh a, quant à lui, une grande dextérité et il est également robuste mais il est un peu plus vieux que vous. Et il pèse aussi vingt-cinq ou trente livres de plus. Enfin, votre grand atout est votre remarquable agilité. Cette rapidité de mouvement vous permettra d'esquiver la plupart des coups qu'il vous portera, voire de feinter pour être en position d'engager le fer alors que sa lame sera désalignée.

– Continuez.

– Il préférera utiliser sa masse d'armes, ce qui sera fort dangereux s'il réussit à l'abattre, même sur une plaque d'armure. Un bouclier ne résiste pas longtemps à une masse et si elle retombe d'aplomb sur votre casque, si bien rembourré soit-il, vous êtes un homme mort. Toutefois, l'objectif de Malvinne est de s'emparer de votre personne, non de vous tuer. Cela vous confère encore un certain avantage. Si rien ne vous interdit, vous, de tuer sir Hugh, si l'occasion vous en est donnée, il s'efforcera, lui, d'éviter de vous occire – à moins, évidemment, que dans la chaleur du combat, la passion l'emporte sur la raison.

– Et ce sont là les seuls avantages dont je disposerai ?

– Patience, James. J'en arrivais justement à cette

question. En deux mots comme en cent, sir Hugh a en sa faveur le poids et l'expérience, vous la jeunesse, la rapidité et l'agilité. Vous n'avez jamais réussi à monter d'un bond sur votre cheval mais, en revanche, je vous ai déjà vu faire des sauts que je ne vous aurais jamais cru capable d'effectuer. Cela dicte la tactique qu'il vous faudra employer pour ce duel : éviter les coups que sir Hugh essaiera de vous porter, l'amener à courir autour de vous, le fatiguer et ne l'attaquer de front que lorsqu'il n'en pourra plus.

– C'est cette masse qui...

Brian interrompit Jim :

– Nous tâcherons de le contraindre à renoncer à elle et à choisir une autre arme. C'est de mon épée à deux mains que vous vous servirez, vous.

– Cet instrument-là ?

A l'entraînement, Jim n'avait jamais apprécié l'épée à deux mains. Il la trouvait trop longue et d'un maniement malaisé. En outre, avec elle, la position de base que préconisait sir Brian lui paraissait tout à fait incommode. Il fallait en empoigner le pommeau des deux mains comme le manche d'une hache. Mais au lieu d'avancer sur l'adversaire en la pointant droit sur lui, on devait lever les bras à la hauteur du front et la tenir la pointe en bas de manière que la lame soit parallèle au corps. Brian jurait ses grands dieux que cette garde, en dépit de son incommodité apparente, permettait à la fois de parer en un rien de temps les attaques de quelque direction qu'elles viennent et de frapper l'adversaire à l'improviste aussi bien à la tête qu'aux jambes. Jim, qu'il avait initié à cette technique, avait été obligé de reconnaître que ce n'était pas faux. Mais il continuait de penser qu'il devait y avoir une meilleure façon d'utiliser cette arme.

– Pourquoi l'épée à deux mains ? insista-t-il.

– Parce qu'elle augmentera grandement votre allonge – alors que, ne l'oubliez pas, vos bras sont déjà plus longs que ceux de Hugh de Bois. En conséquence, s'il gardait sa masse d'armes alors que vous l'affrontez avec l'épée à deux mains, il serait désavantagé. Vous seriez en mesure de lui porter des coups tout en restant à l'écart des siens. Qui plus est, cela vous fera faire l'économie d'un pesant bouclier puisque votre objectif sera de le fatiguer, ce qui constituera un avantage considérable.

– Oui, je comprends, fit Jim avec réticence car il demeurait encore sceptique.

– Mais quand il vous verra, il renoncera à sa masse pour lui préférer, lui aussi, l'espadon. Reste à savoir s'il est aussi bien entraîné à son maniement mais cela, il ne vous est pas possible de le deviner. Quoi qu'il en soit, vous devrez absolument vous maintenir à distance et diriger vos coups sur son bras droit et ses jambes. L'espadon n'est pas comme l'épée droite que l'on peut faire passer d'une main à l'autre si le bras qui la tient est touché. Vous n'aurez pas de bouclier. Aussi, gardez ce conseil présent à l'esprit : si vous vous reposez sur votre rapidité et votre agilité, James, vous aurez au moins une chance de l'emporter !

Le courage revenait à Jim. Le doute qui s'était insinué en lui quand Brian avait commencé à lui donner ses instructions s'était maintenant dissipé. Il savait de quoi ses jambes étaient capables et il en était réconforté.

– A présent, James, il vous faut endosser votre armure et vous préparer, conclut Brian.

Quand, vingt minutes plus tard, tous deux sortirent de la tente, ils découvrirent que Theoluf et l'un des hommes d'armes de Malvinne avaient été désignés comme arbitres. Une baguette à la main, ils se tenaient agressivement chacun à une extrémité de ce qui allait être le champ clos que l'on avait délimité par des cordes pour l'isoler des spectateurs. En principe, on aurait dû aussi ériger une tribune à l'intention des dignitaires des deux camps. Mais comme Malencontri n'en possédait pas, c'était au centre de l'espace dégagé qui s'étendait devant le château qu'avait pris place un groupe entourant Carolinus. Celui-ci avait un bourdon aussi haut que lui dans une main, une baguette dans l'autre.

Jim et Brian s'avancèrent vers lui. Sir Hugh était déjà là. De toute évidence, Carolinus avait tout simplement surgi et s'était imposé comme juge du combat bien que personne ne lui ait demandé de s'acquitter de cette fonction. Malvinne en était encore à se répandre en protestations.

– Tu ne fais donc pas confiance à un magicien, ton confrère, Malvinne ? clamait Carolinus.

– Tu sais très bien ce que je veux dire, bafouilla l'autre. Tu es, en cette affaire, tout autant de parti pris que moi !

– Je ne vois pas pourquoi je ne serais pas impartial, Salinguet, répliqua Carolinus avec un calme olympien. Il est vrai que l'un des adversaires en présence est un de mes disciples mais l'honneur attaché à un mage de mon rang permet indéniablement de passer outre à ce détail. D'ailleurs, où trouveras-tu quelqu'un d'autre pour tenir ce rôle ? La candidature d'un individu soumis à l'influence des Noires Puissances serait irrecevable dans une ordalie et aucune personne dévote n'accepterait de te rendre ce service, surtout depuis que des charges à ton encontre ont été soumises au Département des Comptes. Tu es obligé de t'incliner et de te résigner à me voir occuper la place de juge du combat.

– Soit, répondit Malvinne sur un ton vindicatif. Mais sois assuré que si tu fais preuve de partialité, je le signalerai quand j'aurai à me disculper des accusations dont je suis l'objet.

– Tant que tu voudras, Salinguet, mais pour l'heure, écarte-toi pour que je puisse inspecter la lice et recevoir le champion qui s'approche avec son compagnon.

A ces mots, l'attention de tous se porta sur Jim et sur Brian qui arrivaient à la hauteur du groupe.

Le moment était venu des questions et des réponses rituelles.

– Je combattrai avec la seule épée à deux mains, annonça Jim.

– Fort bien, dit Carolinus. Ta requête est acceptée. Ton rival a sollicité que la rencontre ait lieu à pied et non à cheval. En es-tu d'accord ?

Jim ne demandait pas mieux et il savait que Brian en était tout aussi satisfait que lui. La joute était son grand point faible. Par ailleurs, la raison pour laquelle Malvinne avait suggéré qu'ils s'affrontent à pied était claire à ses yeux : dans un duel, sir Hugh pourrait réussir à l'assommer et à lui faire perdre conscience ou le contraindre à se déclarer vaincu. Mais à cheval et armé d'une lance, il lui serait impossible de prévoir si le coup qu'il lui porterait serait mortel ou ne ferait que le mettre hors de combat. Et Brian le lui avait rappelé : Malvinne voulait faire de lui son prisonnier.

– J'en suis d'accord.

Carolinus se tourna vers sir Hugh.

– Je crois savoir que vous avez opté pour la masse d'armes et le bouclier ?

– Non, répondit l'ancien seigneur de Malencontri non sans décocher à Jim un sourire menaçant. Ne voulant pas paraître bénéficier d'un quelconque avantage, je renonce à l'écu et à la masse. Comme mon adversaire, je n'aurai pour arme qu'une épée à deux mains.

– C'est parfait, laissa tomber Carolinus de la même voix monocorde et officielle. Que chacun de vous aille maintenant prendre position aux extrémités opposées de la lice. Ordre sera donné aux directeurs du combat de lever leurs bâtons. Quand ils l'abaisseront, vous serez autorisés à aller à la rencontre l'un de l'autre. Que Dieu, alors, protège le bon droit !

Jim fit demi-tour et, Brian toujours à son côté, se dirigea vers l'extrémité est du champ. Il avait agi de la sorte sans réfléchir, de façon purement automatique, mais c'était le bon choix. Le peu de temps qu'il avait fallu à sir Hugh pour se débarrasser de sa masse et la remplacer par un espadon avait offert à Jim l'occasion de jeter son dévolu sur l'emplacement où il aurait le soleil dans le dos. Certes, l'astre ne tarderait plus, maintenant, à atteindre son apogée et, au bout du compte, il n'y aurait pas beaucoup de différence, d'autant que les deux adversaires bougeraient et que Jim, qu'il le voulût ou non, ferait face à l'est à un moment ou à un autre. Néanmoins, dans l'immédiat, c'était un avantage supplémentaire car malgré les nuages, la chaleur était suffocante.

Arrivé à la périphérie de la lice, Jim se retourna. Sir Hugh n'avait pas encore rejoint sa place. Quand il l'atteignit, il pivota à son tour sur lui-même. Les deux champions étaient à moins de cinquante mètres l'un de l'autre. Les arbitres levèrent simultanément leurs baguettes. Puis, sur un ordre de Carolinus, ils laissèrent retomber leur bras.

Jim se mit en marche en direction de son adversaire qui en fit autant. Tous deux étaient en position de combat.

L'épée de sir Hugh n'avait nullement l'air de l'embarrasser. Il paraissait même à l'aise comme si une longue pratique de cette position en avait fait pour lui une seconde nature et Jim, qui se sentait tout gauche, eut un moment d'appréhension à l'idée que la manière dont lui-même tenait sa garde ne trahisse son manque d'expérience. Mais il chassa ces doutes de son esprit pour se concentrer sur des préoccupations plus immédiates. Le passionné de volley et de basket qu'il avait été au XXe siècle s'efforçait de se rappeler les techniques de ses sports favoris. Qui sait si tels ou tels mouvements corporels ne pourraient pas lui être utiles ?

Tout d'abord, il avait appris à feinter le joueur adverse sans bouger ni le corps ni les pieds. Le pas de côté et la volte soudaine destinés à le propulser jusqu'à lui avant que l'autre ait le temps de comprendre ce qui lui arrivait seraient peut-être susceptibles de déconcerter sir Hugh.

Encore quelques pas et ils seraient face à face. Quand ils furent à portée l'un de l'autre, l'ancien baron de Malencontri lâcha sans avertissement son épée, s'accroupit, la ramassa et porta une botte de bas en haut, visant le casque de Jim.

La seule chose qui sauva ce dernier fut qu'il avait déjà décidé d'employer la feinte de basket à laquelle il venait de penser : pencher le haut du corps à droite mais sans déplacer ses pieds et exécuter en un éclair un pas de côté et une volte. Il avait donc déjà amorcé le mouvement à l'instant où sir Hugh se fendait, de sorte que l'épée de celui-ci ne fit que siffler dans le vide. Estimant alors que c'était le moment favorable pour la riposte, Jim porta un coup de revers, visant l'épaule de son adversaire.

Mais sir Hugh, toujours accroupi, réussit à pivoter sur lui-même et, l'épée haute, parvint à bloquer la lame dont la pointe effleura seulement l'épaulière de sa cuirasse. Une clameur enthousiaste monta des rangs des partisans de son adversaire, manifestement persuadés qu'il avait fait mouche, mais Jim, lui, savait qu'il n'en était rien. Il rompit vivement tandis que sir Hugh pointait son épée sur son casque.

Pour la seconde fois, elle ne rencontra que le vide. Le baron déchu se dressa sur ses genoux afin d'être au contact. La large lame de son espadon, pointe en bas, décrivit un arc de cercle. C'était aux jambes de Jim qu'il en avait, semblait-il, mais la trajectoire de l'épée dévia à mi-course pour frapper une fois encore à la tête.

Jim esquiva et ce fut derechef un coup pour rien. Il commençait à se faire une idée de la tactique du champion de Malvinne : sir Hugh cherchait à le réduire à l'impuissance sans le tuer en se concentrant sur la tête avec l'espoir, peut-être, de déplacer son heaume de façon que la visière ne soit plus en face de ses yeux.

Sir Hugh pointait et estoquait, Jim esquivait et rompait. Et c'était en vain qu'il guettait des signes de lassitude chez son adversaire. En revanche, il prenait conscience que la fatigue le gagnait, lui. La rapidité de ces évolutions sous le soleil qui tapait sur son armure minait ses forces et il s'aperçut que toutes ces voltes, toutes ces parades et tous ces dégagements avaient pour conséquence de pomper son énergie – cette énergie que Brian lui avait, au contraire, instamment recommandé d'économiser. Peut-être serait-il judicieux de changer de méthode ? Mais il avait beau réfléchir, il ne parvenait pas à imaginer une autre stratégie.

Ses jambes, elles, ne lui faisaient pas défaut comme il l'avait, d'ailleurs, prévu. Mais c'étaient ses bras et ses épaules qui commençaient à se ressentir du maniement de la lourde colichemarde.

Ses gens qui, massés derrière les cordes, suivaient les péripéties du combat avaient cessé de l'encourager de leurs cris. Ils étaient mornes, maintenant. Il était clair qu'à l'instar des hommes de Malvinne ils concluaient un peu hâtivement que leur héros avait peur de son adversaire et se bornait à feinter.

Et ils avaient raison, songeait Jim avec amertume – pour une part, tout au moins.

Cependant, la tactique de la dérobade ne pouvait se poursuivre éternellement. Tôt ou tard, il faudrait bien en arriver au corps-à-corps, et c'était là une perspective qui ne lui souriait guère.

Mais, soudain, comme il encaissait une nouvelle charge alors qu'il tentait de l'esquiver, Jim eut l'impression que l'impact avait été moins violent que les précédents.

L'idée ne lui était pas venue jusqu'à cet instant que sir Hugh, tout comme lui, pouvait se fatiguer. Non sans prendre les précautions qui s'imposaient, il s'exposa alors délibérément à une botte qu'il lui était possible de détourner au moins en partie. Il n'y avait pas de doute : sir Hugh ne frappait plus avec autant de force qu'auparavant.

Maintenant qu'il avait conscience de la faiblesse croissante qui alourdissait ses membres, Jim se rendait à l'évidence : il allait arriver un moment où ses propres coups seraient sans aucun effet sur son adversaire bien abrité sous son armure. Le temps lui était désormais compté. Ce qui voulait dire qu'il devait absolument attaquer tôt ou tard et accepter le corps-à-corps. Ce serait alors une affaire à régler entre deux personnes également affaiblies.

Entre-temps, il continuait de harceler sir Hugh en ne cessant de tournoyer autour de lui. La sueur qui inondait son front lui coulait dans les yeux et le rembourrage de son armure avait tout d'une éponge imbibée d'eau. Il se demanda si son adversaire souffrait du même inconfort et lors d'une volte suivante qui le fit passer au plus près de ce dernier, il tendit l'oreille.

Oui, des halètements rauques sortaient du heaume de sir Hugh !

Mais la fatigue qui plombait les bras de Jim avait à présent presque atteint sa limite extrême. Le moment était venu de jouer le tout pour le tout. Il esquissa une de ses habituelles feintes suivies d'une volte mais cette fois, il n'alla pas jusqu'au bout : il s'immobilisa et l'épée de sir Hugh heurta la sienne de plein fouet.

Le choc ébranla son bras jusqu'au coude. Mais cette fois, la puissance meurtrière qui accompagnait jusque-là les attaques de sir Hugh n'était plus au rendez-vous. Jim vit brusquement s'allumer une lueur d'espoir. Assener ne fût-ce qu'un coup efficace était pour lui désormais exclu : ses bras n'étaient plus que deux poids morts. Sans bouger le corps, il para l'attaque que lui portait sir Hugh et riposta sans tenter d'esquiver.

Jim, comme sir Hugh, avait à présent abandonné la position de contre-garde : tous deux tenaient leur épée pointe non pas en bas mais en avant, chacun frappant l'autre tour à tour. Cette nouvelle façon de combattre en restant immobile provoquait une sorte de griserie chez Jim. Recevoir des coups et les rendre sans plus avoir à simuler était pour lui un soulagement. Son ivresse monta encore d'un cran quand il s'aperçut que les halètements de sir Hugh étaient encore plus rauques que les siens. Peut-être sa fatigue avait-elle atteint un degré tel qu'ils étaient maintenant à égalité ? S'il continuait ainsi à frapper de la même manière, il l'emporterait bientôt.

Mais voilà qu'au moment même où, jouant avec cette idée, Jim se voyait déjà vainqueur, la lame de son adversaire s'abattit en plein sur le devant de son heaume qui tourna légèrement sur lui-même. Ce qu'il avait redouté s'était réalisé. Mais pas entièrement quand même : il pouvait encore voir de l'œil droit les barrettes de protection de la partie gauche de sa visière.

Cependant, avec un seul œil, il n'avait plus le sens de la perspective et ne pouvait donc plus évaluer les distances. La fureur s'empara de lui. Il avait agi exactement à l'encontre de ce qu'il s'était promis de faire. Et pourtant Brian l'avait mis en garde. Misant sur la force, il s'était de son propre chef placé sur le terrain où sir Hugh avait précisément la supériorité. Un coup violent assené sur son épaulière droite – son côté aveugle – le fit chanceler.

– Tu es à moi... coquin ! gronda sir Hugh entre deux halètements.

Jim comprit que le combat devenait maintenant une lutte à mort. Hugh, en particulier, ne songeait plus à le blesser : désormais, il se battait pour tuer. Et il était bien parti pour le massacrer.

Un nouveau et foudroyant coup d'épée fit encore pivoter un peu plus le heaume de Jim. A présent, il ne voyait pratiquement plus son adversaire qui avait maintenant toute latitude pour lui porter le coup de grâce.

C'était la fin.

Ce fut alors que Jim se rappela le duel qui l'avait

opposé au chef des pirates quand Brian et lui avaient reconquis le château de Smythe avec une poignée d'hommes.

Ses jambes étaient encore solides.

Il sauta à pieds joints. Un bond qui l'amena presque à la hauteur de la clavicule de sir Hugh. C'était bien la dernière chose à laquelle s'attendait ce dernier qui eut un instant d'hésitation alors qu'il s'apprêtait à frapper.

Ce bref moment de flottement fut suffisant pour qu'avant de retomber sur ses pieds Jim ait le temps de lui lancer une double ruade en visant ses épaules.

Hugh bascula et se retrouva étendu sur le dos. Une seconde plus tard, Jim lui écrasait le bras sous ses solerets. Pointant son épée entre les barres de la visière du heaume de l'homme à terre, il lui demanda d'une voix pantelante :

– Vous avouez-vous vaincu ?

Ce fut un croassement qui lui répondit :

– Je me rends...

Quand Jim leva les yeux, il vit les deux arbitres se diriger en courant vers lui, leurs baguettes baissées. Derrière eux, Carolinus avait laissé tomber la sienne.

Jim recula, libérant le poignet de sir Hugh dont la main avait cessé d'étreindre le pommeau de son épée. D'un coup de pied, il l'expédia hors de portée du chevalier gisant à terre. Il était si exténué qu'il en titubait. La chaleur qui l'étouffait, enfermé comme il l'était dans son armure, l'épuisement, la réaction engendrée par sa victoire – tout cela eut raison de lui. Le paysage se mit brusquement à tournoyer et il s'écroula.

45

Ce passage à vide ne dura pas plus de quelques secondes : ce fut la voix de Carolinus qui fit reprendre conscience à Jim.

Titubant, il se remit sur ses pieds au prix d'un énorme effort. Rien ou presque ne semblait avoir bougé depuis l'instant où il avait perdu connaissance. Pourtant, les éléments se déchaînaient soudain. Les nuages en bourrasques se fondaient en une masse noire et compacte qui obscurcissait le ciel. Un vent venu de nulle part soufflait dans toutes les directions à la fois. Le bourdon que Carolinus tenait à bout de bras était une fois et demie plus long que tout à l'heure. Brian et Dafydd avaient rejoint le magicien et saisissaient eux aussi à pleines mains le bâton. Plus étrange encore, Aragh, qu'on aurait dit surgi du néant, serrait le bas de la crosse dans sa gueule. De l'endroit où il se trouvait, Jim pouvait se rendre compte que ses impitoyables crocs jaunes traversaient le bois de part en part.

A eux quatre, ils s'efforçaient de maintenir le bourdon haut dressé en dépit de la tourmente. Quant aux spectateurs, ils avaient tous fui comme des moutons surpris par l'orage et se pressaient pêle-mêle contre le mur du château.

– James ! cria Carolinus. (C'était la seconde fois qu'il l'appelait.) Viens ! Hâte-toi ! (Jim se tourna vers lui.) Empoigne mon bourdon. Enlève tes gantelets et aide-nous à le tenir en te servant de tes mains nues !

Jim obtempéra à cette injonction mais à l'instant où ses doigts se refermaient sur la hampe, il ressentit un profond changement. Ce fut comme s'il avait enlevé des lunettes de soleil : sa vision s'éclaircit brusquement.

Il voyait maintenant de petits éclairs s'échapper de

la tige de bois. Des éclairs qui fusaient, rayonnaient dans tous les sens, contournaient le château en en léchant les remparts, montaient à l'assaut de ses mâchicoulis, l'auréolant d'un hérissement de lumière papillotante qui semblait animé d'une vie propre.

– Tiens bon, James !

Le vent était si violent qu'on entendait à peine les mots qui sortaient de la bouche du mage.

– Mets-y toutes tes forces ! criait celui-ci. Il ne faut pas le lâcher. Si tu veux protéger tes gens, ton château et tout ce qui t'est cher... tiens bon !

Les épais nuages formaient une voûte basse à présent. Le ciel était si sombre que c'est tout juste si Jim discernait les arbres à la limite de l'espace dégagé qui s'étendait devant le château. Sir Hugh gisait toujours là où il était tombé quelques minutes auparavant. En levant la tête, Jim aperçut une déchirure dans les nuées comme si l'on y avait ouvert une brèche, creusé une caverne illuminée. Et dans cette cavité se profilait la silhouette du roi et de la reine des morts dont les trônes dominaient la horde de ceux qu'ils appelaient leurs gardes du corps. Au cœur des nuages, ils observaient ce qui se passait en bas.

Les bourrasques se firent plus brutales encore. Là-bas, dans les bois, il y eut un craquement comme si plusieurs arbres avaient été déracinés par l'ouragan. Puis un deuxième. Plus proche. Et un troisième, encore plus près. Un frisson glacé parcourut l'échine de Jim. C'était à croire qu'un géant invisible se dirigeait vers le château, écrasant les arbres comme des brins d'herbe sous ses pieds.

La voix de Carolinus s'éleva, frêle dans la tornade :

– Département des Comptes ! criait-il. Donnez-nous force ! Ils s'en prennent aux fondements mêmes des royaumes ! Donnez-nous force !

Le vent fouettait le bourdon avec furie pour l'arracher des mains de ceux qui s'y accrochaient et aux crocs d'Aragh plantés dans sa hampe. Il s'en fallut de peu qu'il n'y parvienne. Mais, soudain, Jim sentit, venant de partout, une énergie nouvelle se déverser en lui. Un flux qui n'avait ni corps ni masse. Qui était, simplement.

En même temps, il eut l'impression qu'il grandissait – pas physiquement ni même mentalement mais d'une manière étrange, indéfinissable. Sa vision s'aviva encore davantage mais cette fois, de l'intérieur. Grâce à cette énergie qui se diffusait en lui, il avait une perception des choses infiniment accrue.

Il lui semblait qu'il discernait des champs de connaissance dont il n'avait jamais soupçonné l'existence. Son étreinte sur la crosse se fit plus assurée. Et quand il regarda Carolinus, il vit que celui-ci lui souriait derrière sa barbe que fouettait le vent.

La crosse était maintenant toute droite malgré les coups de boutoir des rafales. Les éclairs qu'elle dardait, plus violents et plus drus, étendaient un réseau protecteur au-dessus de la foule et du château.

Les pas de géant se rapprochaient encore.

Subitement, Malvinne, qui s'était jusque-là tenu debout sous le scintillant réseau protecteur, se rua vers le champ clos. Quand il eut franchi en courant la moitié, au moins, de la distance qui séparait Carolinus et ses amis de sir Hugh, toujours au sol, il se laissa tomber à genoux et leva les bras vers les noirs nuages.

– Salinguet ! lui cria Carolinus. Reviens, imbécile !

La voix du magicien dominait maintenant la clameur du vent. Demeurant sourd à son appel, Malvinne dressa encore plus haut ses mains implorantes.

– Venez à mon aide ! hurla-t-il à l'adresse des nuages. Venez à mon aide, maintenant ! Je vous ai été fidèle !

– Salinguet ! appela à nouveau Carolinus – et il y avait une note de tristesse dans sa voix. Ecoute-moi...

Mais Malvinne ne réagit pas davantage. C'était aux nuages, et à eux seuls, qu'allait son attention.

Les pas du géant étaient tout proches, à présent. Jim vit ou perçut ou entendit tout à la fois quelque chose comme une corde qui se tendait jusqu'à son point de rupture, une corde qui vibrait sur une seule note. Soudain, elle céda avec un claquement sec et cessa d'émettre.

– J'ai été fidèle..., répéta encore une fois Malvinne.

Sa voix que noyait le grondement du vent était presque inaudible.

Des turbulences agitèrent soudain les nuages au-dessus de l'endroit où il était agenouillé. Tout là-haut, dans leur caverne, les silhouettes du roi et de la reine des morts étaient déjà en passe de s'estomper. Jim sentit l'énergie nouvelle qui l'avait envahi commencer à refluer. Les nuages étaient toujours là mais ils laissaient filtrer une clarté diffuse comme s'ils s'éclaircissaient.

Jim eut une dernière vision de Malvinne : une forme flasque tel un homme mort se balançant au bout d'une corde qui montait en direction de la fissure où l'on voyait s'évanouir les silhouettes fantomatiques du roi et de la reine des morts. Et plus il s'élevait, plus on avait de mal à le distinguer ; il était presque aussi transparent qu'elles – et, comme elles, il se fondit dans les nuages.

Alors, les nuées se déchirèrent et l'éclat du soleil inonda le château et ses alentours. Le vent mourut. Ce qui restait encore de l'énergie qui l'avait si soudainement envahi déserta finalement Jim. Il sentit ses propres forces l'abandonner et les ténèbres se refermèrent sur lui.

Il n'eut même pas conscience de tomber. Mais cette fois encore, son malaise ne dura pas plus de quelques secondes. Quand il revint à lui, Dafydd et Brian qui le soutenaient le débarrassaient de son armure. Carolinus se tenait un peu en retrait et son bourdon avait retrouvé sa taille initiale. Le mage était livide et paraissait avoir mille ans. Mais sa crosse semblait le porter. Et quand ses compagnons eurent ôté la dernière plaque de l'armure de Jim, il serra le bras de celui-ci. Sa poigne était étonnamment vigoureuse. C'était Carolinus, maintenant, qui le maintenait debout.

– Allez au-devant de ceux qui vous attendent, ordonna-t-il à Brian et à Dafydd.

Après un instant d'hésitation, tous deux pivotèrent sur eux-mêmes comme un seul homme et s'élancèrent en direction du château. Jim, toujours soutenu par Carolinus, les suivit à petits pas. Trois personnes émergèrent tout à coup du portail et franchirent en courant le pont-levis abaissé : Geronde Isabel de Chaney, Danielle – grosse de l'enfant qu'elle portait – et Angie.

– Angie ! s'écria Jim qui, toutes ses forces revenues, s'arracha à l'étreinte de Carolinus pour serrer contre lui sa femme qui se précipitait en courant dans ses bras.

Devant lui, Brian tenait sa dame dans les siens et, à sa gauche, Dafydd enlaçait Danielle qui pleurait et riait tout à la fois.

– Mon oiseau d'or ! Mon oiseau d'or ! répétait le Gallois en la berçant doucement, une joue enfouie dans sa chevelure.

– Ah ! Quel bel oiseau d'or je fais ! s'exclama Danielle entre sanglots et rire. Regarde-moi. Mais regarde-moi donc !

– Je te regarde. (Dafydd repoussa légèrement Danielle pour caresser son ventre épanoui.) Je regarde la chose la plus belle que pouvait m'offrir mon oiseau d'or.

Ils s'enlacèrent à nouveau. Dafydd riait à son tour aux éclats mais ses yeux étaient embués.

Jim et Angie restèrent un long moment l'un contre l'autre sans prononcer un mot. Enfin, la voix douce d'Angie murmura à l'oreille de Jim :

– Tu es rentré. Tu es enfin rentré.

– Oui.

– Pour rester.

– Oui, dit Jim.

Et il savait qu'il ne pourrait en être ainsi. Et Angie le savait aussi.

Mais pour l'heure, ces mots étaient l'expression de la vérité.

Épouvante

Depuis Edgar Poe, il a toujours existé un genre littéraire qui cherche à susciter la peur, sinon la terreur, chez le lecteur. King et Koontz en sont aujourd'hui les plus épouvantables représentants. Nombre de ces livres ont connu un immense succès au cinéma.

ANDREWS Virginia C. — **Ma douce Audrina** 1578/**4**

BLATTY William P. — **L'exorciste** 630/**4**

CAMPBELL Ramsey — **Le parasite** 2058/**4**
La lune affamée 2390/**5**
Images anciennes 2919/**5** Inédit

CITRO Joseph A. — **L'abomination du lac** 3382/**4**

CLEGG Douglas — **La danse du bouc** 3093/**6** Inédit
Gestation 3333/**5** Inédit

COLLINS Nancy A. — **La volupté du sang** 3025/**4** Inédit
Appelle-moi Tempter 3183/**4** Inédit

COYNE John — **Fury** 3245/**5** Inédit

DEVON Gary — **L'enfant du mal** 3128/**5**

HERBERT James — **Le Sombre** 2056/**4** Inédit

HODGE Brian — **La vie des ténèbres** 3437/**7** Inédit

JAMES Peter — **Possession** 2720/**5** Inédit
Rêves mortels 3020/**6** Inédit

KING Stephen

Carrie 835/**3**
Shining 1197/**5**
Danse macabre 1355/**4**
Cujo 1590/**4**
Christine 1866/**4**
Peur bleue 1999/**3**
Charlie 2089/**5**
Simetierre 2266/**6**
Différentes saisons 2434/**7**
La peau sur les os 2435/**4**
Brume - Paranoïa 2578/**4**
Brume - La Faucheuse 2579/**4**
Running Man 2694/**3**
ÇA 2892/**6**, 2893/**6** & 2894/**6**
(Egalement en coffret 3 vol. FJ 6904)
Chantier 2974/**6**
La tour sombre :
- Le pistolero 2950/**3**
- Les trois cartes 3037/**7**
- Terres perdues 3243/**7**
Misery 3112/**6**
Marche ou crève 3203/**5**
Le Fléau (Édition intégrale) 3311/**6** 3312/**6** & 3313/**6**
(Egalement en coffret 3 vol. FJ 6616)
Les Tommyknockers 3384/**4**, 3385/**4** & 3386/**4**
(Egalement en coffret 3 vol. FJ 6659)

KOONTZ Dean R. — **Spectres** 1963/**6** Inédit
L'antre du tonnerre 1966/**3** Inédit
Le rideau de ténèbres 2057/**4** Inédit
Le visage de la peur 2166/**4** Inédit
L'heure des chauves-souris 2263/**5**
Chasse à mort 2877/**5**
Les étrangers 3005/**8**
Les yeux foudroyés 3072/**7**
Le temps paralysé 3291/**6**

LANSDALE Joe. R. — **Le drive-in** 2951/**2** Inédit
Les enfants du rasoir 3206/**4** Inédit

LEVIN Ira	**Un bébé pour Rosemary** 342/**3**
MICHAELS Philip	**Graal** 2977/**5** Inédit
McCAMMON Rober R.	**Mary Terreur** 3264/**7** Inédit
MONTELEONE Thomas	**Fantasma** 2937/**4** Inédit
	Lyrica 3147/**5** Inédit
MORRELL David	**Totem** 2737/**3**
NICHOLS Leigh	**L'antre du tonnerre** 1966/**3** Inédit
QUENOT Katherine E.	**Blanc comme la nuit** 3353/**4**
RHODES Daniel	**L'ombre de Lucifer** 2837/**4** Inédit
SAUL John	**La Noirceur** 3457/**6** Inédit
SELTZER David	**La malédiction** 796/**2** Inédit
SIMMONS Dan	**Le chant de Kali** 2555/**4**
STABLEFORD Brian	**Les loups-garous de Londres** 3422/**7** Inédit
STOKER Bram	**Dracula** 3402/**7**
TESSIER Thomas	**La nuit du sang** 2693/**3**
WHALEN Patrick	**Les cadavres ressuscités** 3476/**6** Inédit
X	**Histoires de sexe et de sang** 3225/**4** Inédit

POLAR

Cette collection présente tous les genres du roman criminel : le policier classique avec des auteurs tels que Ellery Queen, Boileau-Narcejac, le roman noir avec Raymond Chandler, Mickey Spillane et les œuvres de suspense modernes illustrées par Stephen King ou TRidley Pearson. Sans oublier les auteurs français ou les grandes adaptations du cinéma.

BAXT George — **Du sang dans les années folles** 2952/**4**
BOILEAU-NARCEJAC — **Les victimes** 1429/**2**
Maldonne 1598/**2**
BLOCH R. & NORTON A. — **L'héritage du Dr Jekyll** 3329/**4** Inédit
BROWN Fredric — **La nuit du Jabberwock** 625/**3**
CHANDLER Raymond — **Playback** 2370/**3**
COGAN Mick — **Black Rain** 2661/**3** Inédit
CONSTANTINE K.C. — **L'homme qui aimait se regarder** 3073/**4**
L'homme qui aimait les tomates tardives 3383/**4**
DePALMA Brian — **Pulsions** 1198/**3**
GALLAGHER Stephen — **Du fond des eaux** 3050/**6** Inédit
GARBO Norman — **L'Apôtre** 2921/**7**
GARDNER Erle Stanley — Perry Mason :
- **L'avocat du diable** 2073/**3**
- **La danseuse à l'éventail** 1688/**3**
- **La jeune fille boudeuse** 1459/**3**
- **Le canari boiteux** 1632/**3**

GARTON Ray — **Piège pour femmes** 3223/**5** Inédit
GRADY James — **Steeltown** 3164/**6** Inédit
HUTIN Patrick — **Amants de guerre** 3310/**9**
KENRICK Tony — **Shanghaï surprise** 2106/**3**
Les néons de Hong-kong 2706/**5** Inédit
KING Stephen — **Running Man** 2694/**3**
Chantier 2974/**6**
Marche ou crève 3203/**5**
Rage 3439/**3**
LASAYGUES Frédéric — **Back to la zone** 3241/**3** Inédit
LEPAGE Frédéric — **La fin du 7e jour** 2562/**5**
LUTZ John — **JF partagerait appartement** 3335/**4**
McBAIN Ed — **Le chat botté** 2891/**4** Inédit
Mac GERR Pat — **Bonnes à tuer** 527/**3**
MAXIM John R. — **Les tueurs Bannerman** 3273/**8**
NAHA Ed — **Robocop** 2310/**3** Inédit
Robocop 2 2931/**3** Inédit
NICOLAS Philippe — **Le printemps d'Alex Zadkine** 3096/**5**
PARKER Jefferson — **Pacific Tempo** 3261/**6** Inédit
PEARSON Ridley — **Le sang de l'albatros** 2782/**5** Inédit
Courants meurtriers 2939/**6** Inédit
PÉRISSET Maurice — **Le banc des veuves** 2666/**3**
QUEEN Ellery — **La ville maudite** 1445/**3**
Et le huitième jour 1560/**3**
La Décade prodigieuse 1646/**3**
Face à face 2779/**3**

	Le cas de l'inspecteur Queen 3023/**3**
	La mort à cheval 3130/**3**
	Le mystère de la rapière 3184/**3**
	Le mystère du soulier blanc 3349/**4**
SADOUL Jacques	*L'Héritage Greenwood* 1529/**3**
	L'inconnue de Las Vegas 1753/**3**
	Trois morts au soleil 2323/**3**
	Le mort et l'astrologue 2797/**3**
	Doctor Jazz 3008/**3**
	Yerba Buena 3292/**4** Inédit
SCHALLINGHER Sophie	*L'amour venin* 3148/**5**
SPILLANE Mickey	*En quatrième vitesse* 1798/**3**
THOMAS Louis	*Crimes parfaits et imparfaits* 2438/**3**
THOMPSON Carlène	*Noir comme le souvenir* 3404/**5**
TORRES Edwin	*Contre-enquête* 2933/**3** Inédit
WILTSE David	*Le cinquième ange* 2876/**4**

3418

Photocomposition Assistance 44-Bouguenais
Achevé d'imprimer en Europe (France)
par Brodard et Taupin à La Flèche (Sarthe)
le 26 novembre 1993. 1412I-5
Dépôt légal novembre 1993. ISBN 2-277-23418-4
1er dépôt légal dans la collection : février 1993
Éditions J'ai lu
27, rue Cassette, 75006 Paris
Diffusion France et étranger : Flammarion

Van dood tot erger

Van Charlaine Harris zijn verschenen:

DE SOOKIE STACKHOUSE ROMANS

1 Date met de dood ◈
2 Levend dood in Dallas ◈
3 Club Dood ◈
4 Zo goed als dood ◈
5 Dood als een vampier ◈
6 Echt dood ◈
7 Allemaal dood ◈
8 Van dood tot erger ◈

◈ Ook als e-book verkrijgbaar

Charlaine Harris

Van dood tot erger

Een Sookie Stackhouse roman

LUITINGH FANTASY

Uitgeverij Luitingh Sijthoff en Drukkerij HooibergHaasbeek vinden het belangrijk om op milieuvriendelijke en verantwoorde wijze met natuurlijke bronnen om te gaan.

Oorspronkelijke titel: *From Dead to Worse*
Vertaling: Erica Feberwee en Marion Drolsbach
Omslagontwerp: Mariska Cock
Omslagfotografie © 2012 Home Box Office, Inc.

ISBN 978 90 245 5553 6
NUR 285/334

www.dromen-demonen.nl
www.watleesjij.nu
www.boekenwereld.com

Als dit *The Lord of the Rings* was en ik net zo mooi Engels sprak als Cate Blanchett, zou ik zo boeiend over de achtergrond van de gebeurtenissen kunnen vertellen dat je op het puntje van je stoel zat te wachten op de rest.

Maar wat er in mijn uithoek in het noordwesten van Louisiana is gebeurd, is geen heldenverhaal. De vampieroorlog had meer weg van een staatsgreep in een klein land en die van de Weers leek eerder op een grensconflict. Zelfs in de geschiedenis van het bovennatuurlijke Amerika – die vast wel ergens is beschreven – vormden de gebeurtenissen een onbelangrijk hoofdstuk... behalve als je actief bij de staatsgreep en het grensconflict betrokken was.

Het had alles te maken met Katrina, de orkaan die een golf van ellende en permanente veranderingen met zich meebracht. Voordat Katrina door Louisiana raasde, was er een bloeiende vampiergemeenschap geweest. In New Orleans was de vampierbevolking zo snel gegroeid dat de stad een grote trekpleister voor vamptoeristen was geworden. Vooral de jazzclubs voor ondoden, met muzikanten die al tientallen jaren niet in het openbaar waren opgetreden, trokken veel publiek. Vampstriptenten, vampmediums, vampseksshows, geheime en niet zo geheime plekken waar je je kon laten bijten en bevredigen: in het zuiden van Louisiana was er voor elk wat wils.

In het noorden was dat veel minder het geval. Daar woon ik, in het plaatsje Bon Temps. Maar zelfs in mijn streek, waar vamps vrij zeldzaam zijn, hadden de ondoden op economisch en sociaal gebied grote vooruitgang geboekt.

Alles bij elkaar genomen ging het uitstekend met de vampierindustrie in Louisiana. Totdat de koning van Arkansas stierf terwijl zijn vrouw, de koningin van Louisiana, hem vlak na de bruiloft vermaakte. Omdat het lijk verdwenen was en alle getuigen behalve ik bovennatuurlijke wezens waren, had de wet geen belangstelling. Maar de andere vampiers wel, en dat bracht de koningin, Sophie-Anne Leclerq, juridisch in een bijzonder lastig parket. Vervolgens kwam Katrina, die de financiële basis onder Sophie-Annes rijk wegsloeg. Toch was de koningin na die rampen weer overeind gekrabbeld, toen er nog een ramp bovenop kwam. Sophie-Anne en een paar van haar trouwste volgelingen – en ik, Sookie Stackhouse, telepaat en mens – waren betrokken bij een vreselijke explosie in Rhodes, waarbij het vampierhotel de Piramide van Gizeh werd verwoest. Een splintergroep van het Verbond van de Zon had de verantwoordelijkheid opgeëist. Hoewel de leiders van de 'antivampierkerk' het haatmisdrijf hadden veroordeeld, was algemeen bekend dat het Verbond niet echt begaan was met de zwaargewonde slachtoffers van de aanslag, en al helemaal niet met de (nu voorgoed) dode vampiers en de mensen die voor hen werkten.

Sophie-Anne was haar benen, een paar leden van haar gevolg en haar liefste metgezel kwijtgeraakt. Haar advocaat, de halfdemon, had haar leven gered, maar het zou lang duren voordat ze was hersteld en ze bevond zich in een bijzonder kwetsbare positie.

En welke rol heb ik bij dit alles gespeeld?

Ik had geholpen levens te redden nadat de Piramide was ingestort. Nu kreeg ik het benauwd bij de gedachte dat ik daardoor de aandacht had getrokken van mensen die misschien wilden dat ik de rest van mijn leven bij hen in dienst zou blijven om mijn telepathie voor hun doeleinden in te zetten. Sommige van die doeleinden waren goed, en op zich had ik er niets op tegen om de reddingsdiensten af en toe een handje te helpen, maar wat ik verder met mijn leven deed, wilde ik zelf bepalen. Ik leefde nog, mijn vriend Quinn leefde nog en de vampiers die het meest voor me betekenden hadden het ook overleefd.

Wat betreft de problemen waarmee Sophie-Anne te maken had, de politieke gevolgen van de aanval en het feit dat er groepen bovennatuurlijke wezens om de verzwakte staat Louisiana heen dromden als hyena's rond een stervende gazelle... daar wilde ik maar liever niet aan denken.

Ik had andere dingen aan mijn hoofd, persoonlijke dingen. Meestal denk ik niet veel verder dan mijn neus lang is; dat is het enige excuus dat ik kan verzinnen. Niet alleen dacht ik niet aan de vampiersituatie, maar er was nog een andere bovennatuurlijke situatie waar ik niet bij stilstond, die net zo belangrijk voor mijn toekomst bleek te zijn.

Vlak bij Bon Temps, in Shreveport, is een troep Weers die het afgelopen jaar in twee kampen uiteen is gevallen. Ik ging ervan uit dat het vanzelf wel goed zou komen. Dat ik bij de oplossing ervan betrokken zou raken, had ik niet voorzien. Tja, op dat punt ben ik erg blind geweest. Tenslotte ben ik telepaat en niet helderziende. De gedachten van vampiers zijn voor mij een gesloten boek, wat heel relaxed is. Die van Weers zijn moeilijk te lezen, maar niet onmogelijk.

Dat is het enige excuus dat ik kan aanvoeren voor het feit dat ik me niet bewust was van de problemen die overal om me heen de kop opstaken.

Wat hield me eigenlijk zo bezig? Nou, bruiloften – en de verdwijning van mijn vriend.

1

Ik was druk bezig de drankflessen netjes op de klaptafel achter de draagbare bar neer te zetten toen Halleigh Robinson kwam aanrennen. Haar gewoonlijk lieftallige gezicht was nu rood aangelopen en betraand. Aangezien ze al over een uur ging trouwen en nog steeds een spijkerbroek en een T-shirt droeg, wist ze onmiddellijk mijn aandacht te trekken.

'Sookie!' riep ze, terwijl ze om de bar heen liep. 'Je moet me helpen.'

Ik hád haar al geholpen door me in mijn barmeisjesoutfit te hijsen in plaats van de mooie jurk die ik had willen dragen. 'Tuurlijk,' zei ik, in de veronderstelling dat ze een speciale cocktail wilde. Als ik haar gedachten had afgeluisterd, zou ik wel beter hebben geweten. Maar ik wilde mijn beste beentje voorzetten en schermde me dus uit alle macht af. Telepaat zijn is geen lolletje, vooral niet bij zo'n stressy gelegenheid als een dubbele bruiloft. Ik had er als gast naartoe zullen gaan, niet om voor barkeepster te spelen. Maar de barkeepster van de cateraar had een ongeluk gehad toen ze op weg was naar Shreveport, waarna Sam, die door E(E)E aan de kant was gezet toen ze per se hun eigen barkeeper wilden gebruiken, plotseling toch weer werd ingehuurd.

Het was een teleurstelling dat ik achter de bar zou staan in plaats van ervoor, maar voor een bruid moest je iets overhebben op haar speciale dag. 'Wat kan ik voor je doen?' vroeg ik.

'Ik wil graag dat je mijn bruidsmeisje bent,' antwoordde ze.

'Eh... wát?'

'Tiffany is flauwgevallen toen meneer Cumberland de eerste serie foto's had gemaakt. Ze is nu op weg naar het ziekenhuis.'

Het was een uur voor de bruiloft en de fotograaf had geprobeerd een aantal groepsfoto's af te handelen. De bruidsmeisjes en -jonkers waren al helemaal uitgedost. Halleigh zou zich in haar trouwjurk moeten hijsen, in plaats van hier te staan in haar spijkerbroek, met krulspelden in haar haar en met een onopgemaakt, behuild gezicht.

Wie zou daartegen kunnen?

'Je hebt de juiste maat,' zei ze. 'En Tiffany's blindedarm moet er waarschijnlijk uit. Dus wil je alsjeblieft de jurk aanpassen?'

Ik wierp een blik op Sam, mijn baas.

Sam glimlachte naar me en knikte. 'Toe maar, Sook. We gaan toch pas officieel na de bruiloft open.'

Zodoende ging ik met Halleigh mee naar Belle Rive, het landhuis van de familie Bellefleur, dat onlangs min of meer in zijn oude glorie was hersteld. De houten vloeren glommen, de harp naast de trap fonkelde van het verguldsel en het zilverwerk op het grote dressoir blonk van het poetsen. Overal liepen obers in witte jassen rond, met het E(E)E-logo in sierlijke zwarte letters op hun tuniek. Extreme(ly Elegant) Events was de grootste exclusieve cateraar van Amerika geworden. Er ging een steek door mijn hart toen ik het logo zag, want mijn afwezige vent werkte voor de bovennatuurlijke afdeling van E(E)E. Maar ik kon niet lang stilstaan bij de pijn, omdat Halleigh me in een noodtempo mee de trap op sleurde.

De eerste slaapkamer zat vol vrij jonge vrouwen in goudkleurige jurken die zich om Halleighs aanstaande schoonzus Portia Bellefleur verdrongen. Halleigh stoof langs de deur en ging de tweede kamer links ervan binnen. Die zat ook vol jonge vrouwen, maar deze waren gekleed in nachtblauw chiffon. Het was een puinhoop in de kamer; overal slingerden de gewone kleren van de bruidsmeisjes. Bij de westmuur stond een make-up- en kaptafel die werd beheerd door een gelaten vrouw in een roze schort met een krultang in de aanslag.

Halleigh stelde iedereen razendsnel aan elkaar voor. 'Meiden, dit is Sookie Stackhouse. Sookie, dit is mijn zus Fay, mijn nicht Kelly, mijn beste vriendin Sarah en mijn andere beste vriendin Dana. En dit is de jurk. Het is een maatje zesendertig.'

Ik stond versteld dat Halleigh de tegenwoordigheid van geest had gehad om Tiffany de bruidsmeisjesjurk afhandig te maken voordat ze naar het ziekenhuis werd afgevoerd. Bruiden zijn meedogenloos. Binnen enkele minuten was ik van mijn bovenkleding ontdaan. Ik was blij dat ik mooi ondergoed aanhad, want ik kreeg geen kans om me te bedekken. Wat zou het gênant zijn geweest als ik een slobberonderbroek vol gaten had aangehad! De jurk was gevoerd, dus een onderjurk had ik niet nodig, wat nog een meevaller was. Er was een reservepanty die ik aantrok, en daarna ging de jurk over mijn hoofd. Soms draag ik maat achtendertig, dus ik hield mijn adem in toen Fay de rits dichtdeed.

Als ik niet al te veel ademde, zou het moeten lukken.

'Super!' kraaide een van de vrouwen (Dana?) verrukt. 'Nu de schoenen.'

'O god,' kreunde ik toen ik ze zag. Het waren torenhoge hakken in dezelfde kleur als de nachtblauwe jurk. Ik schoof mijn voeten erin en zette me schrap voor de pijn. Kelly (geloof ik) gespte de riempjes vast, en ik ging staan. We hielden allemaal onze adem in terwijl ik eerst één stapje deed en toen nog een. De schoenen waren ongeveer een half maatje te klein. Een belangrijk halfje.

'Ik hou het wel uit op de bruiloft,' zei ik, en iedereen klapte.

'Deze kant op dan maar,' zei het Roze Schort. Ik ging in haar stoel zitten en kreeg over mijn eigen make-up nog een laag heen. Ook mijn haar werd opnieuw gedaan, terwijl de echte bruidsmeisjes en Halleighs moeder de bruid in haar jurk hielpen. Het Roze Schort had veel haar om mee te werken. Ik schat dat ik het de afgelopen drie jaar hooguit drie keer heb laten bijknippen, en nu hangt het tot ver onder mijn schouderbladen. Mijn huisgenote Amelia heeft er een paar *highlights* in gezet, wat me heel goed staat. Ik ben blonder dan ooit.

Toen ik mezelf in de passpiegel bekeek, kon ik haast niet geloven dat ik in twintig minuten zo totaal veranderd was. Van barmeisje in een wit geplisseerd smokinghemd en een zwarte broek tot bruidsmeisje in een nachtblauwe jurk – en nog zeven centimeter langer ook.

Jee, ik zag er geweldig uit. De jurk was precies mijn kleur, de rok had een lichte A-lijn, de korte mouwen zaten niet te strak en de hals was niet zo laag uitgesneden dat ik er slettig uitzag. Met mijn tieten ligt het gevaar van de sletfactor algauw op de loer.

Ik werd ruw uit mijn zelfbewondering gehaald door de praktische Dana, die zei: 'Goed opletten, dit is het draaiboek.' Vanaf dat moment luisterde en knikte ik alleen maar. Ik bestudeerde een schemaatje en knikte weer. Dana was echt superefficiënt. Als ik ooit een klein land wilde binnenvallen, zou ik zorgen dat ik haar aan mijn kant had.

Tegen de tijd dat we behoedzaam de trap afliepen (lange jurken en hoge hakken gaan niet goed samen), was ik helemaal voorbereid en klaar voor mijn eerste gang naar het altaar als bruidsmeisje.

De meeste vrouwen hebben dat voor hun zesentwintigste al een paar keer meegemaakt, maar Tara Thornton, de enige met wie ik goed genoeg bevriend was om als bruidsmeisje te worden gevraagd, was stiekem getrouwd toen ik toevallig net even de stad uit was.

De andere bruiloftsgangers zaten beneden te wachten toen we de trap af kwamen. Portia's groep zou als eerste aan de beurt zijn. Als alles volgens plan verliep, stonden de twee bruidegoms en hun bruidsjonkers al buiten, want het duurde nog vijf minuten tot het moment suprême.

Portia Bellefleur en haar bruidsmeisjes waren gemiddeld zeven jaar ouder dan Halleighs groepje. Portia was de grote zus van Andy Bellefleur, de politierechercheur van Bon Temps en Halleighs bruidegom. Portia's jurk was iets te uitbundig – bezet met zoveel parels en versierd met zoveel kant en lovertjes dat hij volgens mij zelfstandig rechtop kon staan – maar het was Portia's grote dag, dus mocht ze aan wat ze wilde. Al haar bruidsmeisjes waren in het goud gekleed.

De boeketten van de bruidsmeisjes waren allemaal op elkaar afgestemd – wit, donkerblauw en geel. De combinatie met het donkerblauw dat Halleigh voor haar bruidsmeisjes had gekozen, was bijzonder geslaagd.

De bruiloftplanner, een nerveuze, magere vrouw met een grote bos donkere krullen, telde bijna hoorbaar de koppen. Toen ze zich ervan had overtuigd dat iedereen die ze nodig had aanwezig was, zwaaide ze de dubbele deur naar een enorme bakstenen patio open. We zagen de genodigden op het gazon met hun rug naar ons toe zitten op witte klapstoelen met een strook rood tapijt tussen de twee partijen. Ze zaten tegenover het podium waarop de priester bij een altaar stond dat met doeken en glimmende kandelaars was versierd. Rechts van de priester zat Portia's bruidegom Glen Vick te wachten, met zijn gezicht naar het huis gekeerd. En dus ook naar ons. Hij zag er heel erg nerveus uit, maar hij glimlachte. Aan weerszijden van hem stonden zijn bruidsjonkers al klaar.

Portia's gouden bruidsmeisjes kwamen de patio op, en een voor een begonnen ze aan hun gang naar het altaar door de keurig verzorgde tuin. De geur van bruidsbloemen maakte de nacht zwoel. En de rozen van Belle Rive bloeiden zelfs in oktober nog.

Eindelijk schreed Portia bij aanzwellende muziek over het tapijt over de patio, terwijl de bruiloftplanner met enige moeite de sleep van haar jurk ophield zodat die niet over de stenen kon slierten.

Op een teken van de priester ging iedereen staan met het gezicht naar achteren, zodat ze Portia's triomfmars konden zien. Hier had ze jaren op gewacht.

Nadat ze veilig het altaar had bereikt, was onze groep aan de beurt. Halleigh gaf ons allemaal een luchtkus op de wang toen we langs haar de patio opliepen. Ze vergat zelfs mij niet, wat lief van haar was. De bruiloftplanner stuurde ons een voor een op weg om naast de aangewezen bruidsjonker vooraan te gaan staan. De mijne was een Bellefleur-neef uit Monroe die verbijsterd was toen hij mij zag aankomen in plaats van Tiffany. Ik liep in het langzame tempo dat Dana had benadrukt en klemde mijn boeket onder de gewenste hoek in mijn ineengestrengelde handen. Ik hield de andere bruidsmeisjes nauwlettend in de gaten, want ik wilde het niet verknallen.

Alle ogen richtten zich op mij, en ik was zo zenuwachtig dat ik vergat mezelf af te schermen. In een golf van ongewenste communicatie stroomden de gedachten van de aanwezigen op me af.

Ziet er beeldschoon uit... Wat zou er met Tiffany zijn gebeurd...? Wow, wat een joekels... Schiet alsjeblieft op, ik snak naar een borrel... Wat doe ik hier in godsnaam? Ze sleept me overal naartoe... Ik ben dol op bruidstaart.

Een fotografe ging voor me staan om een foto van me te nemen. Het was iemand die ik kende, een aantrekkelijke weerwolvin genaamd Maria-Star Cooper. Ze was de assistente van Al Cumberland, een bekende fotograaf uit Shreveport. Ik glimlachte naar haar en ze nam nog een foto. Nog altijd glimlachend liep ik over het tapijt en zette het kabaal in mijn hoofd van me af.

Even later ontdekte ik lege plekken in het publiek, een teken dat er vampiers aanwezig waren. Glen had speciaal om een nachtelijke bruiloft gevraagd, zodat hij een paar van zijn belangrijke vampierklanten kon uitnodigen. Toen Portia daarmee instemde, wist ik zeker dat ze echt van hem hield, want ze kon bloedzuigers niet uitstaan. Eigenlijk vond ze ze maar eng.

Over het algemeen mocht ik vampiers wel, omdat ik hun gedachten niet kon afluisteren. Het was eigenaardig rustgevend om in hun gezelschap te zijn. Oké, in andere opzichten was het stressy, maar mijn hersens konden tenminste ontspannen.

Eindelijk bereikte ik mijn aangewezen plek. Ik had gezien dat de bruidsmeisjes en -jonkers van Portia en Glen zich in een omgekeerde v hadden opgesteld, met vooraan ruimte voor het bruidspaar. Onze groep deed hetzelfde. Het was me gelukt, en ik slaakte een zucht van verlichting. Omdat ik niet de plaats van het eerste bruidsmeisje innam, zat mijn taak erop. Verder hoefde ik alleen maar stil te staan en oplettend kijken, en dat zou moeten lukken.

De muziek zwol voor de tweede keer aan, en weer gaf de priester een teken. De gasten gingen staan en draaiden zich om naar de tweede bruid. Langzaam kwam Halleigh naar ons toe. Ze zag er stralend uit. De jurk die ze had uitgekozen was veel eenvoudiger dan die van Portia, en ze zag er heel jong en lieftallig uit. Ze was minstens vijf jaar jonger dan Andy, misschien wel meer. Halleighs vader, al even fit en gebronsd als zijn vrouw, stapte naar buiten om Halleigh een arm te geven zodra ze naast elkaar stonden. Aangezien Portia in haar eentje naar het altaar was gelopen (want haar vader was al lang dood), was besloten dat Halleigh dat ook zou doen.

Nadat ik Halleighs stralende lach genoeg had bewonderd, bekeek ik het publiek, dat zich had omgedraaid om de bruid met zijn blikken te volgen.

Er zaten zoveel bekende gezichten tussen: onderwijzeressen van de basisschool waar Halleigh lesgaf, agenten van het politiebureau waar Andy werkte, vrienden van de oude mevrouw Caroline Bellefleur die nog leefden en broos waren, Portia's collega's en andere mensen die bij justitie werkten en Glen Vicks cliënten en andere accountants. Bijna alle stoelen waren bezet.

Er waren een paar zwarte gezichten bij en ook een paar bruine, maar de meeste gasten waren rijke blanken. De bleekste gezichten in het publiek waren vanzelfsprekend de vampiers. Een van hen kende ik goed. Bill Compton, mijn buurman en mijn vroegere geliefde, zat ongeveer in het midden achter me, in smoking, waarin hij er heel aantrekkelijk uitzag. Op de een of andere manier zag Bill er altijd ontspannen uit, wat hij ook droeg. Naast hem zat zijn mensenvriendin Selah Pumphrey, een makelaar uit Clarice. Ze droeg een bordeauxrode jurk waar haar donkere haar prachtig bij afstak. Er waren hooguit vijf vamps die ik niet herkende. Ik nam aan dat het cliënten van Glen waren. Zonder dat Glen het wist, waren er ook enkele andere aanwezigen die meer (en minder) dan menselijk waren.

Mijn baas Sam was een zeldzame echte vormveranderaar die in elk dier kon veranderen. De fotograaf was een weerwolf, net als zijn assistente. Voor alle gewone gasten zag hij eruit als een volslanke, vrij kleine Afro-Amerikaanse man in een mooi pak die een grote camera bij zich had. Maar net als Maria-Star veranderde Al bij vollemaan in een wolf. Er zaten nog een paar andere Weers in het publiek, maar slechts een die ik kende: Amanda, een vrouw van achter in de dertig met rood haar, de eigenaresse van The Hair of the Dog, een bar in Shreveport. Misschien verzorgde Glens firma de boekhouding van de bar.

En er was een weerpanter, Calvin Norris. Calvin had een date meegebracht, zag ik tot mijn plezier, hoewel ik minder blij was toen ik besefte dat het Tanya Grissom was. Getver. Waarom was zij teruggekomen? En hoezo stond Calvin eigenlijk op de gastenlijst? Ik mocht hem wel, maar snapte de relatie niet.

Terwijl ik in het publiek naar bekende gezichten zocht, had Halleigh haar plaats naast Andy ingenomen. Nu moesten alle bruidsmeisjes en -jonkers naar voren kijken om naar de plechtigheid te luisteren.

Omdat ik niet emotioneel bij het gebeuren betrokken was, merkte ik dat mijn gedachten afdwaalden terwijl pastor Kempton Littrell, de anglicaanse priester die normaal gesproken tweemaal per week naar het kerkje in Bon Temps kwam, de trouwdienst leidde. De lampen die waren neergezet om de tuin te verlichten weerkaatsten van pastor Littrells bril en verbleekten zijn gezicht een beetje. Hij leek haast een vampier.

Alles verliep min of meer zoals gebruikelijk. Het was maar goed dat ik het gewend was om bij de bar te staan, want er moest veel worden gestaan en bovendien op hoge hakken. Ik droeg haast nooit hakken en zulke hoge al helemaal niet. Het voelde vreemd om een meter vijfenzeventig te zijn. Ik deed mijn best om niet te wiebelen, dwong mezelf lijdzaam en geduldig te zijn.

Nu schoof Glen de ring om Portia's vinger. De bruid zag er bijna mooi uit, zoals ze op hun ineengestrengelde handen neerkeek. Portia was nooit een van mijn favorieten geweest – en ik ook niet van haar – maar ik wenste haar het beste. Glen was broodmager en had vrij donker, dunnend haar en een grote bril. Als je een castingbureau zou bellen en om een 'type accountant' vroeg, zouden ze je Glen sturen. Maar ik kon rechtstreeks uit zijn gedachten opmaken dat hij van Portia hield, en zij hield ook van hem.

Ik stond mezelf toe even te bewegen en verplaatste mijn gewicht iets meer op mijn rechterbeen.

Toen begon pastor Littrell weer van voren af aan met Halleigh en Andy. Ik bleef stug glimlachen (wat geen enkel probleem was; in de bar deed ik dat de hele tijd) en zag hoe Halleigh mevrouw Andrew Bellefleur werd. Ik bofte. Anglicaanse bruiloften kunnen lang duren, maar de twee bruidsparen hadden voor de korte variant van de trouwdienst gekozen.

Eindelijk zwol de muziek aan tot een triomfantelijke melodie en liepen de pasgetrouwden het huis in. De bruidsstoet ging in omgekeerde volgorde achter hen aan. Op de terugweg van het altaar was ik oprecht blij en stiekem ook een beetje trots. Ik had Halleigh geholpen toen ze het moeilijk had... en straks zou ik eindelijk deze schoenen kunnen uittrekken.

Vanuit zijn stoel ving Bill mijn blik en legde zwijgend zijn hand op zijn hart. Het was zo'n romantisch en volkomen onverwacht gebaar dat ik er even vertederd door raakte. Het scheelde niet veel of ik had geglimlacht, hoewel Selah vlak naast hem zat. Nog net op tijd schoot me te binnen dat Bill een waardeloze smeerlap was, en toen strompelde ik waardig verder. Sam stond een paar meter achter de laatste rij stoelen, gekleed in een wit smokinghemd net zoals ik had aangehad en een zwarte smokingbroek. Ontspannen en op zijn gemak, dat was typisch Sam. Zelfs zijn warrige krans rossig haar paste er op de een of andere manier bij.

Ik glimlachte hartelijk naar hem en hij grijnsde terug. Hij stak zijn duim op, en hoewel de gedachten van veranderaars moeilijk te lezen zijn, kon ik opmaken dat hij mijn uiterlijk en de manier waarop ik me had gedragen goedkeurde. Zijn helderblauwe ogen bleven strak op me gericht. Hij is al vier jaar mijn baas en voor het grootste deel van de tijd kunnen we goed met elkaar opschieten. Toen ik met een vampier ging daten, was hij eerst behoorlijk van slag, maar later is hij eroverheen gekomen.

Het werd tijd dat ik aan het werk ging, en snel ook. Ik haalde Dana in. 'Wanneer kunnen we ons omkleden?' vroeg ik.

'O, eerst nog de foto's,' antwoordde Dana opgewekt. Haar man kwam naast haar staan en sloeg zijn arm om haar heen. Hij hield hun baby vast, een klein ding ingezwachteld in sekseneutraal geel.

'Dat is toch vast niet nodig,' zei ik. 'Jullie hebben daarnet toch al een heleboel foto's genomen? Voordat Dingetje ziek werd.'

'Tiffany. Ja, maar er moeten er nog veel meer worden gemaakt.'

Ik kon me niet voorstellen dat de familie mij erbij wilde hebben, hoewel mijn afwezigheid de symmetrie in de groepsfoto's zou verstoren. Ik ging Al Cumberland opzoeken.

'Ja,' zei hij, erop los klikkend terwijl de bruidjes en bruidegoms elkaar stralend aankeken. 'Ik heb nog een paar opnamen nodig. Je moet je feestjurk nog even aanhouden.'

'Balen,' zei ik, want mijn voeten deden pijn.

'Luister, Sookie, het enige wat ik kan doen is dat ik jouw groep eerst neem. Andy, Halleigh! Ik bedoel... mevrouw Bellefleur! Als jullie allemaal deze kant op komen, kunnen we jullie foto's afhandelen.'

Portia Bellefleur Vick keek een beetje verbaasd omdat haar groep niet als eerste aan de beurt was, maar ze had te veel mensen die ze moest begroeten om goed nijdig te kunnen worden. Terwijl Maria-Star druk aan de slag ging om het ontroerende tafereel te fotograferen, reed een ver familielid de oude mevrouw Caroline naar Portia toe. Portia boog zich om haar grootmoeder te kussen.

Portia en Andy hadden jaren bij mevrouw Caroline in huis gewoond, nadat hun ouders waren overleden. Vanwege mevrouw Carolines slechte gezondheid hadden de bruiloften al minstens twee keer uitgesteld moeten worden. Oorspronkelijk zouden ze het afgelopen voorjaar hebben plaatsgevonden, en dat was een haastklus geweest omdat mevrouw Caroline zo verzwakt was. Ze had een hartaanval gehad en was weer hersteld. Daarna had ze haar heup gebroken. Voor iemand die twee ingrijpende medische rampen had meegemaakt, zag ze er... nou, om eerlijk te zijn, zag ze er gewoon uit als een hoogbejaarde dame die een hartaanval en een gebroken heup had overleefd. Ze had zich opgetut in een beige zijden mantelpak, ze had zich zelfs opgemaakt en haar sneeuwwitte haar zat in de stijl van Lauren Bacall. In haar jonge jaren was ze een schoonheid geweest, haar hele leven lang een dictator en tot voor kort een beroemde keukenprinses.

Vanavond was Caroline Bellefleur in de zevende hemel. Ze had allebei haar kleinkinderen uitgehuwelijkt, werd overladen met eerbewijzen en Belle Rive zag er grandioos uit dankzij de vampier die haar met een volkomen ondoorgrondelijk gezicht aanstaarde. Toen Bill Compton had ontdekt dat hij de voorvader van de Bellefleurs was, had hij mevrouw Caroline anoniem een smak geld geschonken. Ze vond het heerlijk om het uit te geven en had geen flauw idee dat het van een vampier kwam. Ze dacht dat het een erfenis van een ver familielid was. Ik vond het ironisch dat de Bellefleurs Bill eerder in zijn gezicht zouden spugen dan hem te bedanken. Maar hij hoorde bij de familie en ik was blij dat het hem was gelukt aanwezig te zijn.

Nadat ik diep adem had gehaald, verbande ik Bills duistere blik uit mijn bewustzijn en glimlachte naar de camera. Ik ging op de aangewezen plek staan om de foto's van het bruidsgezelschap evenwichtig te maken, ontweek de verlekkerd kijkende neef en vloog eindelijk de trap op om me in mijn barkeepersoutfit te hijsen.

Er was niemand boven, en het was een opluchting om in mijn eentje in de kamer te zijn.

Ik wurmde me uit de jurk, hing hem op en ging op een kruk zitten om de riempjes van de knellende schoenen los te maken.

Ineens hoorde ik een geluidje bij de deur en geschrokken keek ik op. Bill stond net over de drempel met zijn handen in zijn zak. Zijn huid blonk zacht en zijn hoektanden stonden uit.

'Ik ben me hier aan het omkleden,' zei ik bits. Het had geen zin om moeilijk te doen over mijn staat van ontkleding. Tenslotte had hij me spiernaakt gezien.

'Je hebt niks gezegd,' zei hij.

'Huh?' Toen snapte ik het. Bill bedoelde dat ik niet tegen de Bellefleurs had gezegd dat hij hun voorvader was. 'Nee, tuurlijk niet. Je vroeg of ik dat niet wilde doen,' zei ik.

'Ik dacht dat je het er in je kwaadheid misschien zou hebben uitgeflapt.'

Ongelovig keek ik hem aan. 'Nee, sommige mensen hebben tenminste eergevoel,' zei ik. Hij wendde zijn blik heel even af. 'Je gezicht is trouwens goed genezen.' Tijdens de bomaanslag van het Verbond van de Zon in Rhodes was Bills gezicht blootgesteld aan de zon, met misselijkmakende gevolgen.

'Ik heb zes dagen achter elkaar geslapen,' zei hij. 'Toen ik eindelijk opstond, was het grotendeels genezen. En wat betreft die steek onder water over mijn gebrek aan eergevoel... Ik weet niet wat ik als verontschuldiging moet aanvoeren... behalve dat toen Sophie-Anne zei dat ik met je moest aanpappen... Dat deed ik met tegenzin, Sookie. Eerst wilde ik niet eens net doen alsof ik een vaste verhouding met een mensenvrouw had. Ik vond het beneden mijn waardigheid. Ik ben alleen naar de bar gegaan om jou te identificeren toen ik het niet langer kon uitstellen. En het liep die avond heel anders dan de bedoeling was. Ik ben met de Uitzuigers naar buiten gegaan, en ineens gebeurde er van alles. Toen jij degene was die me te hulp kwam, besloot ik dat het zo had moeten zijn. Ik deed wat ik van mijn koningin moest doen. Daarbij liep ik in een valstrik waaruit ik niet kon ontsnappen. Dat kan ik nog steeds niet.'

De val van de llllliefde, dacht ik sarcastisch. Maar hij was te ernstig, te kalm, om de draak met hem te steken. Ik wapende alleen mijn eigen hart met hatelijkheid.

'Je hebt een vriendin,' zei ik. 'Je hebt met Selah aangepapt.' Ik sloeg mijn blik neer om te controleren of ik het riempje van de tweede sandaal los had gemaakt voordat ik met moeite de schoen eraf trok. Toen ik weer opkeek, waren Bills donkere ogen strak op me gericht.

'Ik zou er alles voor overhebben om weer bij je te liggen,' zei hij.

Ik verstarde bij het afstropen van de nylonkous van mijn linkerbeen.

Oké, ik stond om verschillende redenen behoorlijk paf. Ten eerste over het Bijbelse 'liggen bij'. Ten tweede omdat hij me zo'n gedenkwaardige bedgenoot vond.

Misschien herinnerde hij zich alleen de maagden.

'Ik wil vanavond niet met je rotzooien, en Sam zit beneden op me te wachten tot ik hem achter de bar kom helpen,' zei ik ruw. 'Ga maar vast.' Ik ging staan en draaide hem mijn rug toe terwijl ik mijn kleren aantrok en het hemd in de broek stopte. Toen waren mijn zwarte hardloopschoenen aan de beurt. Na een snelle blik in de spiegel om te zien of ik nog lippenstift ophad, draaide ik me naar de deuropening.

Hij was weg.

Ik ging de brede trap af en liep door de patiodeuren de tuin in, opgelucht om mijn vertrouwde plek achter de bar te kunnen innemen. Mijn voeten deden nog steeds zeer. Dat gold ook voor het gevoelige plekje in mijn hart waar de naam Bill Compton op stond.

Sam glimlachte vluchtig naar me toen ik haastig achter de bar plaatsnam. Mevrouw Caroline had ons verzoek om een fooienpot neer te zetten geweigerd, maar de klanten hadden al een paar biljetten in een leeg longdrinkglas gestopt. Ik had me voorgenomen dat daar te laten staan.

'Je ziet er beeldschoon uit in die jurk,' zei Sam, onder het mixen van een rum-cola. Ik reikte een biertje aan over de bar en glimlachte naar de oudere man die het kwam halen. Hij gaf me een royale fooi, en toen ik omlaag keek, merkte ik dat ik een knoopje had overgeslagen in mijn haast om naar beneden te gaan. Ik had een beetje inkijk. Heel even kon ik wel door de grond zakken, maar gelukkig was het geen sletterige knoop maar gewoon een knoop van: hé, kijk eens, ik heb tieten. Daarom liet ik het maar zo.

'Bedankt,' zei ik, in de hoop dat Sam niets had gemerkt van die snelle evaluatie. 'Ik hoop dat ik alles goed heb gedaan.'

'Ja natuurlijk heb je het goed gedaan,' zei hij, alsof de mogelijkheid dat ik mijn nieuwe rol zou verknallen geen moment bij hem was opgekomen. Daarom is hij de beste baas die ik ooit heb gehad.

'Nee maar, goeienavond,' zei een licht nasale stem. Ik keek op van de wijn die ik aan het inschenken was en zag Tanya Grissom, die plaats en ademruimte innam die veel beter door vrijwel ieder ander gebruikt konden worden. Haar metgezel Calvin was nergens te bekennen.

'Ha, Tanya,' zei Sam. 'Hoe gaat het ermee? Alweer een tijd geleden.'

'Ach, ik moest in Mississippi wat losse eindjes aan elkaar knopen,' zei Tanya. 'Maar ik ben hier op bezoek, en ik vroeg me af of je parttimehulp nodig hebt, Sam.' Ik klemde mijn kaken op elkaar en zorgde dat mijn handen iets te doen hadden. Tanya ging naast Sam staan toen een oude dame om een glas tonic met een schijfje limoen vroeg. Ik gaf het haar zo snel dat ze me verbluft aankeek en daarna hielp ik Sams volgende klant. Uit Sams gedachten maakte ik op dat hij blij was om Tanya te zien. Mannen zijn soms zulke stommelingen, hè?

Eerlijk gezegd wist ik een paar dingen over haar die Sam niet wist.

Selah Pumphrey was de volgende in de rij. Het zat me niet mee. Maar Bills vriendin vroeg alleen om een rum-cola.

'Prima,' zei ik. Ik deed mijn best om niet opgelucht te klinken en ging haar drankje klaarmaken.

'Ik heb hem gehoord,' zei Selah zachtjes.

'Over wie heb je het?' vroeg ik, afgeleid door mijn poging om te luisteren naar wat Tanya en Sam zeiden – zowel met mijn oren als met mijn brein.

'Ik hoorde Bill toen hij daarnet met je sprak.' Toen ik niets zei, ging ze verder: 'Ik ben achter hem aan geslopen.'

'Dan weet hij dat je er was,' zei ik afwezig, terwijl ik haar het drankje gaf.

Een ogenblik keek ze me met grote ogen aan. Was ze geschrokken, was ze boos? Ze liep weg. Als wensen konden doden, zou ik levenloos op de grond liggen.

Tanya begon zich van Sam af te wenden, alsof haar lichaam van plan was te vertrekken, maar haar hoofd was nog steeds in gesprek met mijn baas. Eindelijk ging ze voor honderd procent terug naar haar date. Vol duistere gedachten keek ik haar na.

'Nou, dat is goed nieuws,' zei Sam glimlachend. 'Tanya is een poosje beschikbaar.'

Ik bedwong de neiging hem te vertellen dat Tanya heel duidelijk had laten merken dat ze beschikbaar was. 'O, geweldig,' zei ik. Er waren zoveel mensen die ik aardig vond. Waarom waren er vanavond op deze bruiloft juist twee vrouwen aanwezig die ik echt niet kon uitstaan? Nou ja, mijn voeten jubelden in ieder geval van genot nu ze uit de veel te kleine hakken bevrijd waren.

Glimlachend schonk ik drankjes in, ruimde lege flessen weg en ging naar Sams pick-up om nieuwe voorraad te halen. Ik opende flessen bier, schonk wijn in en veegde gemorste drank op tot ik me net een robot voelde.

De vampierklanten kwamen in groepjes tegelijk de bar binnen. Ik trok een fles Royalty Blended open, een eersteklas blend van synthetisch bloed en natuurlijk bloed van echte leden van Europese vorstenhuizen. Die moest uiteraard gekoeld worden bewaard. Het was een bijzondere traktatie voor Glens cliënten, een traktatie die hij persoonlijk had geregeld. (Het enige vampierdrankje dat nog duurder is dan Royalty Blended is het bijna pure Royalty, dat slechts een zweem van conserveringsmiddelen bevat.) Sam zette de wijnglazen naast elkaar neer en zei dat ik moest inschenken. Ik was extra voorzichtig om geen druppel te morsen. Sam gaf elk glas aan de ontvanger. Alle vampiers, ook Bill, gaven een zeer royale fooi en glimlachten breed toen ze hun glas hieven om op de pasgetrouwden te toosten.

Nadat ze een slokje van de donkere vloeistof hadden genomen staken ze hun hoektanden uit om te laten zien hoe lekker het was. Sommige menselijke gasten keken een tikkeltje benauwd bij die blijk van waardering, maar Glen stond erbij te glimlachen en te knikken.

Hij had genoeg ervaring met vampiers om niet te proberen hun de hand te schudden. Het viel me op dat de nieuwe mevrouw Vick geen praatje maakte met de ondode gasten, hoewel ze met een geforceerde glimlach op haar gezicht één keer tussen de groep door liep.

Toen een van de vamps terugkwam voor een glas gewoon TrueBlood gaf ik hem het warme drankje. 'Bedankt,' zei hij, en weer gaf hij me een fooi. In zijn open portefeuille zag ik een rijbewijs uit Nevada zitten. Omdat ik in de bar vaak jongeren moet vragen zich te legitimeren, herken ik veel verschillende rijbewijzen. Hij was van ver naar de bruiloft gekomen. Ik nam hem voor het eerst goed op. Toen hij merkte dat hij mijn aandacht had getrokken, vouwde hij zijn handen en maakte een lichte buiging. Ik had wel eens een detective gelezen die zich in Thailand afspeelde en zodoende wist ik dat dit een *wai* was, het hoffelijke begroetingsgebaar van boeddhisten – of misschien van Thailanders in het algemeen? In ieder geval was het beleefd bedoeld. Na een aarzeling legde ik het doekje in mijn hand neer en volgde zijn voorbeeld. De vampier keek blij.

'Ik noem mezelf Jonathan,' zei hij. 'Amerikanen kunnen mijn echte naam niet uitspreken.'

Het klonk misschien een beetje arrogant en minachtend, maar dat kon ik hem niet kwalijk nemen.

'Ik ben Sookie Stackhouse,' zei ik.

Jonathan was vrij klein van postuur, misschien net iets langer dan een meter zeventig, met de licht koperkleurige teint en het zwarte haar van zijn landgenoten. Hij was erg aantrekkelijk, met een kleine, brede neus en volle lippen. Boven zijn bruine ogen zaten volmaakt rechte zwarte wenkbrauwen. Zijn huid was zo glad dat ik geen poriën kon ontdekken. Hij had de vage glans die vamps hebben.

'Is dat je man?' vroeg hij, terwijl hij zijn glas bloed optilde en met zijn hoofd naar Sam wees. Sam was druk bezig om voor een van de bruidsmeisjes een pina colada te mixen.

'Nee, dat is mijn baas.'

Op dat moment kwam Terry Bellefleur, de achterneef van Portia en Andy, aanstrompelen om nog een biertje te bestellen. Ik mocht Terry erg graag, maar hij kon slecht tegen drank en ik vond dat hij al aardig op weg was om stomdronken te worden. De Vietnamveteraan wilde blijven praten over het beleid van de president ten aanzien van de huidige oorlog, maar ik bracht hem naar een ander familielid, een verre neef uit Baton Rouge. Ik drukte de man op het hart goed op Terry te letten en te zorgen dat hij niet in zijn pick-up stapte.

Ondertussen hield de vampier Jonathan me de hele tijd in het oog. Ik wist niet waarom hij dat deed, maar bespeurde niets agressiefs of wellustigs in zijn houding of gedrag. Zijn hoektanden waren ingetrokken, dus leek het me geen kwaad te kunnen om hem te negeren en me op mijn werk te concentreren. Als Jonathan me per se wilde spreken, zou ik het vroeg of laat vanzelf wel merken. Liever laat dan vroeg, wat mij betreft.

Toen ik een krat cola uit Sams pick-up ging halen, werd mijn aandacht getrokken door een man die in zijn eentje in de schaduw stond van de grote eik aan de westkant van het gazon. Hij was lang, slank en onberispelijk gekleed in een pak dat er heel duur uitzag. De man deed een stapje naar voren en toen ik zijn gezicht kon zien, besefte ik dat hij mij ook aankeek. Mijn eerste indruk was dat hij een lieftallige verschijning was en helemaal geen man. Een mens was hij in ieder geval niet. Hoewel hij behoorlijk op leeftijd was, was hij bijzonder knap om te zien, en zijn haar, nog altijd lichtblond, was net zo lang als het mijne. Hij droeg het netjes achterovergekamd. Hij was een beetje verschrompeld, als een lekkere appel die te lang in de groentela heeft gelegen, maar zijn rug was nog kaarsrecht en hij droeg geen bril. Een stok had hij wel, een eenvoudige zwarte met een gouden handvat.

Toen hij uit de schaduw stapte, draaiden de vampiers zich als één man om en keken naar hem. Even later bogen ze licht hun hoofd. Hij beantwoordde hun groet. Ze bleven op een afstand, alsof hij gevaarlijk of ontzagwekkend was.

Het was een vreemd voorval, maar ik had geen tijd om erover na te denken. Iedereen wilde nog een laatste gratis drankje. De receptie was bijna afgelopen, en de mensen drentelden naar de voorkant van het huis om afscheid te nemen van de gelukkige bruidsparen. Halleigh en Portia waren naar boven gegaan om hun reiskleren aan te trekken. De medewerkers van E(E)E hadden lege bekers en de bordjes voor de taart en de hapjes telkens tussendoor opgeruimd, dus de tuin zag er vrij netjes uit.

Nu we het niet meer druk hadden, liet Sam me weten dat hem iets dwarszat. 'Vergis ik me of heb je echt een hekel aan Tanya?'

‘Ik heb inderdaad iets tegen haar,’ antwoordde ik. ‘Maar ik weet niet of ik daarover met jou zou moeten praten. Het is duidelijk dat je haar leuk vindt.’ Je zou denken dat ik van de bourbon had gedronken. Of waarheidsserum.

‘Als je niet met haar samen wilt werken, wil ik daarvan de reden weten,’ zei hij. ‘Je bent een vriendin. Ik respecteer je mening.’

Dat was heel fijn om te horen.

‘Tanya is mooi,’ zei ik. ‘Ze is slim en bekwaam.’ Dat waren de goede punten.

‘En?’

‘En ze kwam hier om te spioneren. De Pelts hebben haar gestuurd om erachter te komen of ik iets te maken had met de verdwijning van hun dochter Debbie. Weet je nog dat ze naar de bar kwamen?’

‘Ja,’ zei Sam. In het schijnsel van de lampjes die overal in de tuin waren opgehangen zag hij er tegelijkertijd helder verlicht en somber uit. ‘En had je er iets mee te maken?’

‘Alles,’ antwoordde ik triest. ‘Maar het was zelfverdediging.’

‘Ik geloof je direct.’ Hij had mijn hand vastgepakt. Ik was zo verbaasd dat mijn eigen hand ervan schokte. ‘Ik ken je,’ zei hij, en hij liet me niet los.

Sams vertrouwen in me bezorgde me een warm gevoel vanbinnen. Ik werkte al heel lang voor hem en dat hij een hoge dunk van me had betekende veel voor me. Het ontroerde me een beetje, en ik moest mijn keel schrapen. ‘Daarom was ik niet blij om Tanya te zien,’ vervolgde ik. ‘Ik vertrouwde haar al meteen niet, en toen ik erachter kwam waarom ze naar Bon Temps was gekomen, kon ik haar helemaal niet meer uitstaan. Ik weet niet of ze nog steeds door de Pelts betaald wordt. Bovendien is ze hier vanavond met Calvin, en ze heeft niet het recht om met jou aan te pappen.’ Mijn toon was scherper dan de bedoeling was.

‘O.’ Hij was van zijn stuk gebracht.

'Maar als je met haar uit wilt gaan, ga gerust je gang,' zei ik om wat minder negatief te klinken. 'Ik bedoel, ze valt vast mee. En ik neem aan dat ze dacht dat ze er goed aan deed door te komen helpen om informatie over een vermiste veranderaar te krijgen.' Dat klonk best goed en was misschien nog waar ook. 'Ik hoef jouw date niet aardig te vinden,' voegde ik eraan toe, om duidelijk te maken dat ik begreep dat ik geen aanspraak op hem kon maken.

'Ja, maar ik vind het prettiger als je haar wel aardig vindt.'

'Ik ook,' zei ik, tot mijn eigen verbazing.

2

We begonnen rustig en onopvallend onze spullen in te pakken, want er waren nog wat laatste gasten achtergebleven.

'Over dates gesproken, wat is er eigenlijk met Quinn gebeurd?' vroeg Sam onder het werken. 'Sinds je terug bent uit Rhodes zit je de hele tijd te kniezen.'

'Ik heb toch verteld dat hij ernstig gewond is geraakt bij de bomaanslag?' Quinns afdeling van E(E)E organiseerde speciale evenementen voor de bovennatuurlijke gemeenschap: hiërarchische vampierbruiloften, volwassenheidsfeesten voor Weers, troepmeesterverkiezingen en dergelijke. Daarom was Quinn in de Piramide van Gizeh toen het Verbond van de Zon zijn snode plan ten uitvoer bracht.

De mensen van het Verbond waren tegen vampiers, maar ze beseften niet dat vamps alleen maar het zichtbare, openbare topje van de ijsberg in de bovennatuurlijke wereld waren. Dat wist niemand; of in ieder geval alleen een paar mensen zoals ik, hoewel er steeds meer van het grote geheim op de hoogte waren. Ik wist zeker dat de fanaten van het Verbond net zo'n hekel zouden hebben aan weerwolven of veranderaars als Sam als aan vampiers... als ze eenmaal van hun bestaan af wisten. Dat zou vast niet lang meer duren.

'Jawel, maar ik dacht...'

'Ik weet het, ik dacht ook dat het wel goed zat tussen Quinn en mij,' zei ik, en als mijn stem somber klonk, dan kwam dat doordat ik me zo voelde bij de gedachte aan mijn afwezige weertijger. 'Ik hoopte steeds dat ik iets van hem zou horen. Maar geen woord.'

'Heb je de auto van zijn zus nog?' Frannie Quinn had me haar auto geleend zodat ik na de ramp in Rhodes thuis kon komen.

'Nee, die is op een avond verdwenen toen Amelia en ik allebei naar ons werk waren. Ik heb gebeld en een bericht op zijn mobiel achtergelaten om te zeggen dat de auto weg was, maar ik heb nooit meer iets gehoord.'

'Wat rot, Sookie,' zei Sam. Hij wist dat dat ontoereikend was, maar wat moest hij zeggen?

'Ja, vind ik ook.' Ik probeerde niet al te gedeprimeerd te klinken. Het kostte me moeite om niet weer over dezelfde dingen in een dip te raken. Ik wist dat Quinn mij niet de schuld gaf voor zijn verwondingen. Voordat ik uit Rhodes vertrok was ik in het ziekenhuis bij hem langsgegaan. Hij was toen onder de hoede van zijn zus Fran, die op dat moment geen hekel aan me leek te hebben. Geen verwijt, geen hekel – waarom geen contact? Het was alsof de grond was opengespleten en hem had opgeslokt. Ik hief vertwijfeld mijn handen op en probeerde aan iets anders te denken. Het was beter om bezig te blijven als ik me ongerust maakte. We brachten een paar van onze spullen naar Sams pick-up, die een straat verderop geparkeerd stond. Hij droeg de meeste zware dingen. Sam is niet groot, maar zoals alle veranderaars is hij wel erg sterk.

Tegen halfelf waren we bijna klaar. Uit het gejoel vanaf de voorkant van het huis maakte ik op dat de bruiden in hun reiskleren de trap afkwamen, hun boeketten naar de gasten gooiden en vertrokken. Portia en Glen gingen op huwelijksreis naar San Francisco, en Halleigh en Andy naar een of ander resort op Jamaica. Ik kon er niets aan doen dat ik dat wist.

Sam zei dat ik mocht weggaan. 'Ik vraag of Dawson me bij de bar helpt met uitladen,' zei hij. Aangezien Dawson, die vanavond in Merlotte voor Sam was ingevallen, zo sterk was als een beer, vond ik dat een goed idee.

Toen we de fooien gingen verdelen, kreeg ik ongeveer driehonderd dollar. Het was een lucratieve avond geweest. Ik stopte het geld in mijn broekzak. Het was een dikke rol, want het waren voornamelijk briefjes van één dollar. Ik was blij dat we in Bon Temps waren en niet in een grote stad, want anders zou ik bang zijn geweest dat iemand me een klap voor mijn kop zou hebben gegeven voordat ik bij mijn auto was.

'Nou, goeienavond dan maar, Sam,' zei ik, terwijl ik in mijn zak naar mijn autosleutels zocht. Mijn tas had ik thuisgelaten. Terwijl ik over het aflopende gazon naar de stoep liep, streek ik mismoedig over mijn haar. Ik had de vrouw met de roze schort ervan kunnen weerhouden mijn haar op te steken, maar in plaats daarvan had ze me een luchtige bos krullen aangesmeerd, een beetje Farrah Fawcett-achtig. Ik voelde me belachelijk.

Er reden auto's voorbij, de meeste met vertrekkende bruiloftsgasten, maar ook het gewone zaterdagavondverkeer. De geparkeerde auto's langs de stoep vormden een lange rij, dus al het verkeer reed langzaam door de straat. Ik stond illegaal geparkeerd met de bestuurderskant tegen de stoeprand aan, iets wat in ons stadje meestal geen probleem is.

Ik boog voorover om het portier open te maken, toen ik achter me een geluid hoorde. In één soepele beweging klemde ik mijn sleutels in mijn hand en balde mijn vuist, terwijl ik me razendsnel omdraaide en zo hard mogelijk uithaalde. De sleutels verleenden mijn vuist extra kracht, en de man achter me wankelde over de stoep en kwam op het gazon op zijn achterste terecht.

'Ik wou je geen kwaad doen,' zei Jonathan.

Het valt niet mee om er waardig en onbedreigend uit te zien als er bloed uit je mondhoek sijpelt en je op je kont zit, maar de Aziatische vampier slaagde er moeiteloos in.

'Je overrompelde me,' zei ik. Dat was zwak uitgedrukt.

'Dat heb ik gemerkt.' Hij sprong overeind, haalde een zakdoek tevoorschijn en drukte die tegen zijn mond.

Ik was niet van plan mijn excuses aan te bieden. Iemand die naar me toe sluipt als ik 's avonds in mijn eentje ben, verdient niet beter. Maar toen bedacht ik me. Vampiers bewegen zich nu eenmaal geruisloos. 'Het spijt me dat ik ervan uitging dat je slechte bedoelingen had,' zei ik, wat een soort compromis was. 'Ik had je moeten herkennen.'

'Nee, dan zou het te laat zijn geweest,' verklaarde Jonathan. 'Een vrouw alleen moet zich verdedigen.'

'Ik ben blij dat je er begrip voor hebt,' zei ik voorzichtig. Ik gluurde achter hem, zonder een spier te vertrekken. Dat ben ik gewend, omdat ik in de gedachten van mensen zoveel schokkende dingen lees. Daarna keek ik hem recht in zijn ogen. 'Heb je... Wat kom je hier doen?'

'Ik ben op doorreis door Louisiana. Ik ben als gast van Hamilton Tharp naar de bruiloft gegaan,' legde hij uit. 'Eric Northman heeft me toestemming gegeven om in Gebied Vijf te zijn.'

Ik had geen flauw idee wie Hamilton Tharp was – waarschijnlijk een vriend van de Bellefleurs. Maar Eric Northman kende ik heel goed. (Een tijdje kende ik hem zelfs van top tot teen – en het hele stuk ertussenin.) Eric was de sheriff van Gebied Vijf, een groot deel van het noorden van Louisiana. We waren op een ingewikkelde manier met elkaar verbonden, waar ik me vrijwel dagelijks wild aan ergerde.

'Eigenlijk wilde ik vragen waarom je daarnet naar me toe kwam.' Ik wachtte met de sleutels nog steeds in mijn hand geklemd. Als het erop aankwam zou ik op zijn ogen richten, besloot ik. Daar zijn zelfs vampiers gevoelig.

'Ik was nieuwsgierig,' zei Jonathan ten slotte, en hij hield zijn handen voor zich gevouwen. Langzamerhand begon ik een grote hekel aan de vamp te krijgen.

'Hoezo?'

'In Fangtasia heb ik iets opgevangen over een blondine die grote indruk op Eric heeft gemaakt. Eric is zo'n keiharde dat ik me niet kon voorstellen dat hij zich voor een mensenvrouw zou interesseren.'

'En hoe wist je dat ik vanavond hier op de bruiloft zou zijn?'

Zijn ogen flikkerden. Hij had niet verwacht dat ik zou blijven doorvragen. Hij had verwacht dat hij me zou kunnen kalmeren. Misschien probeerde hij me op dat moment zelfs met zijn charme te bedwingen. Maar dat werkte niet bij mij.

'De jonge vrouw die voor Eric werkt, zijn kind Pam, had het erover,' antwoordde hij.

Je liegt dat je barst, dacht ik. Ik had Pam al een paar weken niet gesproken, en de laatste keer hadden we niet gezellig gebabbeld over mijn sociale leven en mijn werk. Ze was toen aan het herstellen van de verwondingen die ze in Rhodes had opgelopen. Het enige waarover we het hadden gehad, was haar herstel, en dat van Eric en de koningin.

'Ach, natuurlijk,' zei ik. 'Nou, goeienavond. Ik moet ervandoor.' Ik maakte het portier open en stapte behoedzaam in, met mijn ogen strak op Jonathan gericht om voorbereid te zijn op een plotselinge aanval. Als een zoutpilaar stond hij daar, en hij boog zijn hoofd naar me toen ik de motor startte en wegreed. Bij het eerstvolgende stopbord gespte ik mijn veiligheidsgordel vast. Zolang hij nog zo dichtbij was geweest, had ik mezelf niet willen vastzetten. Ik deed de portieren op slot en keek goed om me heen. Geen vampier te bekennen. Ik dacht: dat was echt bizar. Eigenlijk zou ik Eric moeten bellen om hem over het voorval te vertellen.

Weet je wat ook heel gek was? De verschrompelde man met het lange blonde haar stond de hele tijd in de schaduw achter de vampier. We hadden elkaar zelfs even in de ogen gekeken. Zijn mooie gezicht was ondoorgrondelijk geweest, en toch wist ik dat hij niet wilde dat ik op zijn aanwezigheid zou reageren. Ik had zijn gedachten niet gelezen – dat kon ik niet – maar desondanks wist ik dat heel zeker.

Maar het allergekste was dat Jonathan niet besefte dat hij er was. Gezien het scherpe reukvermogen dat alle vampiers hebben, was het gewoon onvoorstelbaar dat Jonathan niets in de gaten had.

Piekerend over dat vreemde voorval sloeg ik Hummingbird Road af naar de lange oprijlaan door het bos die naar mijn oude huis voerde. Het hoofdgedeelte van het huis was ruim honderdzestig jaar geleden gebouwd, maar van het oorspronkelijke gebouw was uiteraard nog maar weinig over. Het was in de loop der jaren wel twintig keer uitgebreid, verbouwd en van een nieuw dak voorzien. Aanvankelijk was het een boerenhoeve van twee vertrekken geweest, maar intussen was het veel groter, hoewel het nog steeds een heel gewoon huis was.

Vanavond zag het er vredig uit in het schijnsel van de veiligheidslamp die Amelia Broadway, mijn huisgenote, voor me had aan gelaten. Amelia's auto stond aan de achterkant geparkeerd en ik parkeerde ernaast. Mijn sleutels hield ik gereed voor het geval ze al naar boven was gegaan. Ze had de hordeur van de grendel gelaten en ik deed hem achter me op de klink. Daarna deed ik de achterdeur open en weer op slot. We waren erg gebrand op beveiliging, Amelia en ik, vooral 's nachts.

Een beetje verrast zag ik dat Amelia aan de keukentafel op me zat te wachten. In de weken dat we samenwoonden, hadden we een routine opgebouwd, en meestal was Amelia rond deze tijd al naar boven. Daar had ze haar eigen tv, mobiele telefoon en laptop, en omdat ze een bibliotheekkaart had, had ze ook genoeg te lezen. Bovendien had ze haar toverijwerk, waar ik niet naar vroeg. Dat doe ik nooit. Amelia is een heks.

'Hoe ging het?' vroeg ze, terwijl ze in haar thee roerde alsof ze een piepkleine draaikolk moest creëren.

'Nou, ze zijn getrouwd. Niemand werd voor het altaar gedumpt. Glens vampklanten hebben zich keurig gedragen en mevrouw Caroline deed vriendelijk tegen iedereen. Maar ik moest invallen voor een van de bruidsmeisjes.'

'O, wow! Vertel, vertel.'

Dat deed ik, en het werd een vrolijke boel. Ik overwoog of ik Amelia over de mooie man zou vertellen, maar besloot dat niet te doen. Wat had ik moeten zeggen? *Hij keek naar me?* Wel vertelde ik over Jonathan uit Nevada.

'Wat denk je dat hij van je wilde?' vroeg ze.

'Ik zou het echt niet weten.' Ik haalde mijn schouders op.

'Daar moet je achter zien te komen. Vooral als je nog nooit hebt gehoord van de vent door wie hij zei dat hij was uitgenodigd.'

'Ik ga Eric bellen. Als het er vanavond niet van komt, dan zeker morgenavond.'

'Jammer dat je die database waar Bill mee leurt niet hebt gekocht. Gisteren zag ik er een advertentie voor op internet, op een vampsite.' Bills database bevatte foto's en/of biografieën van alle vampiers over de hele wereld die hij had opgespoord plus een paar over wie hij alleen had gehoord. Bills cd bracht voor zijn baas, de koningin, meer geld in het laatje dan ik ooit had verwacht. Maar je moest vampier zijn om er een te kunnen kopen, en dat konden ze controleren.

'Nou, aangezien Bill vijfhonderd dollar per stuk vraagt en

het bloedlink is om je voor een vampier uit te geven...' zei ik.

Amelia maakte een wegwuifgebaar. 'Dat zou de moeite waard zijn,' vond ze.

Amelia is wereldwijzer dan ik, in sommige opzichten althans. Ze is opgegroeid in New Orleans, waar ze vrijwel haar hele leven heeft gewoond. Nadat ze een enorme vergissing had begaan, is ze bij mij ingetrokken. Toen ze uit onervarenheid een magische ramp had veroorzaakt, moest ze weg uit New Orleans. Dat was maar goed ook, want kort daarna kwam Katrina eroverheen. Sinds de orkaan woonde haar huurder in het bovenste appartement van haar huis. Haar eigen appartement op de benedenverdieping had grote schade opgelopen. Ze vroeg geen huur van de huurder, omdat hij toezicht hield op de reparatie van het huis.

En daar verscheen de reden waarom Amelia voorlopig niet terug zou verhuizen naar New Orleans. Bob drentelde de keuken in om me te begroeten en wreef liefdevol tegen mijn benen.

'Hé, mijn lieve poezewoezel,' zei ik, terwijl ik de langharige zwart-witte kat oppakte. 'Hoe gaat het met mijn schattebboutje? Wat ben je toch een lekker ding!'

'Mag ik een teiltje?' zei Amelia. Maar ik wist dat ze zelf net zo walgelijk tegen Bob praatte als ik er niet bij was.

'Ben je al iets opgeschoten?' vroeg ik, toen ik mijn hoofd van Bobs vacht ophief. Hij had zich vanmiddag gewassen – dat kon ik merken aan zijn donzigheid.

'Nee,' antwoordde ze ontmoedigd. 'Ik ben vandaag wel een uur met hem bezig geweest, maar ik kon hem alleen een hagedissenstaart geven. Het kostte me de grootste moeite om dat weer ongedaan te maken.'

In werkelijkheid was Bob een vent, dat wil zeggen: een man. Een nerdachtige man met donker haar en een bril, hoewel Amelia me had toevertrouwd dat hij een paar uitstekende kenmerken had die niet zichtbaar waren wanneer hij zich kleedde om naar buiten te gaan. Amelia mocht eigenlijk helemaal geen transformatiemagie bedrijven toen ze Bob in een kat veranderde. Ze hadden bijzonder avontuurlijke seks gehad. Ik had nog niet de moed kunnen opbrengen om te vragen wat ze van plan was geweest, maar het was duidelijk iets behoorlijk exotisch.

'Het gaat hierom,' zei Amelia plotseling, en ik spitste mijn oren. De ware reden waarom ze was opgebleven om me te zien zou worden onthuld. Amelia was een sterke zender, dus kon ik het rechtstreeks uit haar hoofd opvangen. Maar ik liet haar uitpraten, want mensen vinden het helemaal niet leuk als je uitlegt dat ze niets hoeven te zeggen, vooral niet als het gaat om iets waar ze naartoe hebben gewerkt. 'Morgen komt mijn vader naar Shreveport, en hij wil langs Bon Temps rijden om me te zien,' flapte ze eruit. 'Alleen hij en zijn chauffeur Marley. Hij wil komen eten.' De volgende dag was het zondag. Dan was Merlotte alleen 's middags geopend, maar ik stond toch niet ingeroosterd, zag ik met een snelle blik op mijn kalender. 'Dan zorg ik gewoon dat ik er niet ben,' zei ik. 'Ik zou bij JB en Tara langs kunnen gaan. Geen probleem, hoor.'

'Blijf alsjeblieft hier,' zei ze smekend, waardoor haar gezicht er ineens weerloos uitzag. Ze legde niet uit waarom ze dat wilde, maar ik kon de reden duidelijk afluisteren. Amelia had een bijzonder moeilijke relatie met haar vader. Ze had zelfs de achternaam van haar moeder aangenomen, Broadway, hoewel dat gedeeltelijk was omdat haar vader zo bekend was. Copley Carmichael had veel politieke invloed en hij was rijk, al wist ik niet in hoeverre Katrina zijn vermogen had aangetast. Carmichael bezat een aantal enorme houthandels en hij was aannemer, dus misschien had Katrina zijn bedrijf verwoest. Aan de andere kant was er in het hele gebied hout nodig en moest er veel worden herbouwd.

'Hoe laat komt hij?' vroeg ik.

'Vijf uur.'

'Eet de chauffeur aan dezelfde tafel als hij?' Ik had nog nooit met werknemers te maken gehad. In de keuken hadden we maar één tafel. Ik was niet van plan om de man buiten op de stoep te laten zitten.

'O god,' zei ze. Daar had ze duidelijk nog niet bij stilgestaan. 'Wat doen we met Marley?'

'Dat vraag ik aan jou.' Het zou kunnen dat ik iets te geduldig klonk.

'Moet je luisteren,' zei ze. 'Jij kent mijn vader niet. Je weet niet hoe hij is.' Uit Amelia's gedachten wist ik dat ze zeer gemengde gevoelens over hem had. Het viel niet mee om door de liefde, angst en ongerustheid heen te prikken om bij haar werkelijke houding te komen. Ik kende maar weinig rijke mensen en nog minder rijke mensen die fulltime een chauffeur in dienst hadden.

Het beloofde een interessant bezoek te worden.

Ik wenste Amelia welterusten en ging naar bed, en hoewel ik heel wat had om over na te denken, was mijn lichaam zo moe dat ik algauw in slaap viel.

Zondag was het weer een prachtige dag. Ik dacht aan de pasgetrouwde stellen die veilig aan hun nieuwe leven waren begonnen en aan de oude mevrouw Caroline, die genoot van de aanwezigheid van een paar neven en nichten (jonkies van een jaar of zestig) als waakhonden en gezelschapsdames. Wanneer Portia en Glen terugkwamen, zouden de neven en nichten – waarschijnlijk met enige opluchting – weer naar hun eigen, veel eenvoudiger huis gaan. Halleigh en Andy zouden in hun kleine huis gaan wonen.

Ik dacht aan Jonathan en de mooie verschrompelde man. Dat herinnerde me eraan dat ik Eric die avond zou bellen wanneer hij op was. Daarna dacht ik aan Bills onverwachte woorden. Voor de miljoenste keer speculeerde ik over Quinns zwijgzaamheid. Maar voordat ik te neerslachtig kon worden, werd ik meegesleurd door de orkaan Amelia.

Er zijn veel dingen van Amelia die ik heb leren waarderen en zelfs leuk ben gaan vinden. Ze is rechtdoorzee, enthousiast en talentvol. Ze weet alles over de bovennatuurlijke wereld en mijn plaats daarin. Mijn rare 'talent' vindt ze heel cool. Ik kan met haar overal over praten. Ze zal nooit met afschuw of ontzetting reageren. Daar staat tegenover dat ze impulsief en koppig is, maar je moet de mensen nemen zoals ze zijn. Ik vond het echt leuk om Amelia bij me in huis te hebben.

Als ik het vanuit een praktisch oogpunt bekijk, is ze een goede kok, zorgt ze ervoor dat onze spullen gescheiden blijven en is ze overdreven netjes. Waar Amelia echt goed in is, is schoonmaken. Ze maakt schoon als ze zich verveelt, als ze nerveus is en als ze zich schuldig voelt. Ik ben zelf niet slecht in het huishouden, maar aan Amelia kan ik niet tippen. Op de dag dat ze bijna een auto-ongeluk had gehad, heeft ze de meubels in mijn woonkamer schoongemaakt, met bekleding en al. Toen haar huurder belde om te zeggen dat het dak moest worden vervangen, ging ze naar een verhuurbedrijf en kwam terug met een machine om de houten vloeren boven en beneden te schuren en te lakken.

Toen ik om negen uur opstond, was Amelia al druk bezig met schoonmaken vanwege het bezoek van haar vader. Tegen de tijd dat ik om ongeveer kwart voor elf naar de kerk ging, zat ze op handen en knieën in de badkamer beneden op de gang. Die ziet er weliswaar heel ouderwets uit met zijn kleine achthoekige zwart-witte tegels en een enorme badkuip op klauwpoten, maar dankzij mijn broer Jason stond er wel een moderne wc. Dit was de badkamer die Amelia gebruikte, omdat er boven geen was. Ik had een kleine aparte bij mijn slaapkamer die in de jaren vijftig was toegevoegd. In mijn huis kon je in één gebouw verschillende interieurtrends van de afgelopen vijftig jaar zien.

'Was het echt zo vies?' vroeg ik vanuit de deuropening. Ik praatte tegen Amelia's billen.

Ze hief haar hoofd en streek met haar in een rubber handschoen gestoken hand over haar voorhoofd om haar korte haar uit haar gezicht te halen.

'Nee, het viel wel mee, maar ik wil dat het er geweldig uitziet.'

'Dit is een oud huis, Amelia. Ik geloof niet dat het er geweldig uit kan zien.' Het had geen zin om me te verontschuldigen voor de ouderdom en de slijtage van het huis en de inrichting. Dit was het beste wat ik ervan kon maken en ik hield ervan.

'Het is een schitterend oud huis, Sookie,' zei Amelia fel. 'Maar ik moet bezig blijven.'

'Oké,' zei ik. 'Nou, ik ga naar de kerk. Om halfeen ben ik weer thuis.'

'Kun je na de kerk even bij de winkel langs? Het lijstje ligt op het aanrecht.'

Ik beloofde het, blij om een reden te hebben om langer weg te blijven.

De ochtendtemperatuur voelde meer als maart (dat wil zeggen: maart in het zuiden) dan oktober. Toen ik bij de methodistenkerk uitstapte, hield ik mijn gezicht omhoog in de lichte bries. Er hing een zweempje winter in de lucht, een voorbode. De ramen stonden open in de eenvoudige kerk. Toen we zongen zweefden onze stemmen naar buiten over het gras en de bomen. Maar tijdens de preek zag ik een paar bladeren voorbijdwarrelen.

Eerlijk gezegd luister ik niet altijd naar de preek. Soms beschouw ik dat uur in de kerk gewoon als tijd om na te denken, om te filosoferen over welke kant mijn leven op moet. Maar dat zijn tenminste gedachten binnen een bepaalde context. En als je bladeren van de bomen ziet vallen, wordt je context nogal beperkt.

Vandaag luisterde ik wel naar de eerwaarde Collins. Hij had het over God geven wat van Hem is en de keizer geven wat van de keizer is. Dat leek me eerder een preek voor de fiscus, en onwillekeurig begon ik me af te vragen of de eerwaarde Collins zijn belasting misschien per kwartaal betaalde. Na een poosje realiseerde ik me dat het hem waarschijnlijk ging om wetten die we allemaal overtreden zonder dat we ons schuldig voelen, zoals het overschrijden van de maximumsnelheid of geen extra porto betalen voor een pakje met cadeaus waar je ook een brief in hebt gestopt.

Bij het verlaten van de kerk glimlachte ik naar de eerwaarde Collins. Hij kijkt altijd een beetje benauwd als hij me ziet.

Ik groette Maxine Fortenberry en haar man Ed toen ik de parkeerplaats op liep. Maxine was groot en ontzagwekkend, en Ed zo stil en verlegen dat hij bijna onzichtbaar was. Hun zoon Hoyt was mijn broer Jasons beste vriend. Hoyt stond achter zijn moeder. Hij droeg een net pak en zijn haar was geknipt. Interessante vingerwijzingen.

'Geef me een knuffel, schat!' zei Maxine, en natuurlijk deed ik dat. Maxine was een goede vriendin van mijn oma geweest, ook al had ze meer de leeftijd die mijn vader zou hebben gehad. Ik glimlachte naar Ed en zwaaide even naar Hoyt.

'Je ziet er goed uit,' zei ik tegen hem. Hij glimlachte. Ik geloof niet dat ik Hoyt ooit heb zien glimlachen, en ik wierp Maxine een vluchtige blik toe. Ze grinnikte.

'Hoyt gaat met die Holly van je werk,' legde ze uit. 'Ze heeft een kleintje, en dat is natuurlijk niet iets om lichtvaardig over te doen. Maar hij is altijd dol op kinderen geweest.'

'Dat wist ik niet,' zei ik. De laatste tijd was ik niet meer zo op de hoogte. 'Dat is geweldig, Hoyt. Holly is een aardige meid.'

Ik wist eigenlijk niet of ik het zo zou hebben gezegd als ik tijd had gehad om erover na te denken, dus misschien was het maar goed dat dat niet zo was. Holly had een paar grote pluspunten (ze was gek op haar zoon Cody, trouw aan haar vrienden, goed in haar werk). Ze was al een paar jaar gescheiden, dus Hoyt was geen troostrelatie. Ik vroeg me af of Holly hem had verteld dat ze een heks was. Nee, want anders zou Maxine niet zo breed glimlachen.

'We hebben met haar voor de lunch afgesproken bij de Sizzler,' zei ze, doelend op het steakhouse langs de snelweg. 'Holly is niet erg kerks, maar we proberen haar over te halen om met ons mee te gaan en Cody mee te brengen. We mogen wel opschieten als we op tijd willen zijn.'

'Super, Hoyt,' zei ik, met een klopje op zijn arm toen hij langs me liep. Hij keek me glunderend aan.

Iedereen ging trouwen of werd verliefd. Ik was blij voor ze. Blij, blij, blij. Ik zette een vrolijk gezicht op en ging naar de supermarkt. Uit mijn tas viste ik Amelia's boodschappenlijst op. Die was vrij lang, maar ik was ervan overtuigd dat ze intussen een paar dingen wilde toevoegen. Ik belde haar, en inderdaad had ze al drie dingen bedacht, dus liep ik een poosje in de winkel rond.

Met mijn armen vol zware plastic tassen strompelde ik de treden van de achterveranda op. Amelia vloog naar de auto om de andere tassen te halen.

'Waar heb jij uitgehangen?' vroeg ze, alsof ze ongeduldig bij de deur op me had staan wachten.

Ik keek op mijn horloge. 'Ik ben vanuit de kerk naar de supermarkt gegaan,' zei ik verdedigend. 'Het is pas één uur.'

Ze beende opnieuw zwaarbeladen langs me. Toen ze voorbijliep schudde ze geïrriteerd haar hoofd, terwijl ze een geluid uitstootte dat ik niet anders kan beschrijven dan: 'Urrrrrgh.'

De rest van de middag verliep in dezelfde trant, alsof Amelia zich klaarmaakte voor de date van haar leven.

Ik kan best aardig koken, maar Amelia liet me alleen de eenvoudigste klusjes doen bij het voorbereiden. Ik mocht uien en tomaten kleinsnijden. O, en ze liet me de opdienschalen afwassen. Ik had me altijd al afgevraagd of ze kon afwassen zoals de goede feeën in *Doornroosje*, maar toen ik dat zei, snoof ze smalend.

Het huis was kraakhelder, en hoewel ik mijn best deed het me niet aan te trekken, merkte ik dat Amelia zelfs mijn slaapkamervloer had aangeveegd. Gewoonlijk kwamen we niet bij elkaar op de kamer.

'Sorry dat ik in je kamer ben geweest,' zei Amelia ineens tot mijn schrik. Want ik was telepaat, en nu had Amelia de rollen omgedraaid. 'Het was een van die rare opwellingen die ik af en toe krijg. Ik was aan het stofzuigen en dacht, kom laat ik jouw vloer ook meteen even doen. En voordat ik er erg in had, was het gebeurd. Ik heb je sloffen onder je bed gezet.'

'Prima,' zei ik zo neutraal mogelijk.

'Hé, het spijt me echt.'

Ik knikte en ging verder met afdrogen en opruimen. Het menu dat Amelia had uitgekozen bestond uit een groene salade met tomaten en geraspte wortel, lasagne, warm knoflookbrood en gestoomde gemengde groenten. Ik weet geen bal van gestoomde groenten, maar ik had alle rauwe ingrediënten klaargemaakt: courgette, paprika's, champignons en bloemkool. Halverwege de middag werd ik geschikt geacht om de salade te mengen en mocht ik het kleed op tafel leggen, een vaasje bloemen neerzetten en de tafel dekken. Voor vier personen.

Ik had aangeboden om Marley mee te nemen naar de woonkamer, waar we met ons bord op schoot konden eten, maar Amelia reageerde zo geschokt alsof ik had aangeboden zijn voeten te wassen.

'Nee, jij blijft bij mij,' zei ze.

'Je moet met je vader praten,' zei ik. 'Op een gegeven moment ga ik de kamer uit.'

Ze ademde diep in en toen weer uit. 'Oké, ik ben een grote meid,' mompelde ze.

'Bange schijterd,' zei ik.

'Jij hebt hem nog niet ontmoet.'

Om kwart over vier ging Amelia haastig naar boven om

zich te verkleden. Ik zat in de woonkamer een bibliotheekboek te lezen toen ik een auto over het grind van de oprijlaan hoorde aankomen. Snel wierp ik een blik op de klok op de schoorsteenmantel. Het was twaalf voor vijf. Ik riep van onder aan de trap naar boven en ging bij het raam staan kijken. De middag liep ten einde, maar omdat het nog geen wintertijd was, was de Lincoln Town Car die aan de voorkant parkeerde goed te zien. Een man met kortgeknipt donker haar gekleed in een pak stapte uit aan de bestuurderskant. Dat moest Marley zijn. Een beetje teleurgesteld zag ik dat hij geen chauffeurspet droeg. Hij opende het achterportier en daar verscheen Copley Carmichael.

Amelia's vader was niet erg lang, en hij had kort grijs haar dat eruitzag als een tapijt van goede kwaliteit; dicht, glad en deskundig geknipt. Hij was erg bruinverbrand, en zijn wenkbrauwen waren nog zwart. Geen bril. Geen lippen. Nou ja, natuurlijk had hij wel lippen, maar die waren heel dun, waardoor zijn mond op een klem leek.

Meneer Carmichael keek om zich heen alsof hij een belastinginspecteur was die een controlebezoek kwam afleggen.

Achter me hoorde ik Amelia de trap af denderen, terwijl ik de man in mijn voortuin zijn inspectie zag voltooien. Marley de chauffeur keek recht naar het huis en had mijn gezicht achter het raam ontdekt.

'Marley is nog vrij nieuw,' zei Amelia. 'Hij werkt pas twee jaar voor mijn vader.'

'Heeft je vader altijd een chauffeur gehad?'

'Yep. Marley is ook zijn lijfwacht,' zei ze nonchalant, alsof alle vaders een lijfwacht hadden.

Nu liepen ze over het grindpad, zonder zelfs maar naar de keurige haag van hulst te kijken. De houten trap op, over de voorveranda. Aankloppen.

Ik dacht aan alle enge wezens die er in mijn huis waren geweest: Weers, veranderaars, vampiers en zelfs een stuk of wat demonen. Waarom zou ik ongerust moeten zijn over deze man? Ik rechtte mijn rug, ontspande mijn angstige brein en liep naar de voordeur, hoewel Amelia me bijna te vlug af was. Per slot van rekening was het mijn huis.

Ik legde mijn hand op de deurkruk en zette mijn glimlach op voordat ik opendeed.

'Komt u binnen,' zei ik. Marley hield de hordeur open voor meneer Carmichael, die binnenkwam en zijn dochter omhelsde, maar niet voordat hij onderzoekend in de woonkamer om zich heen had gekeken.

Hij was net zo'n sterke zender als zijn dochter. Hij vond dat het er een beetje armoedig uitzag voor een dochter van hem... Leuke meid bij wie Amelia in huis woonde... Vroeg zich af of Amelia seks met haar had... Die meid nam het vast niet zo nauw met de zeden... Maar zonder strafblad, ondanks een verhouding met een vampier en een losgeslagen broer...

Eigenlijk was het logisch dat een rijke, machtige man als Copley Carmichael de nieuwe huisgenoot van zijn dochter had laten natrekken. Bij mij was zoiets domweg niet opgekomen, zoals zoveel dingen die rijke mensen deden.

Ik haalde diep adem. 'Ik ben Sookie Stackhouse,' zei ik beleefd. 'U bent vast meneer Carmichael. En dit is?' Nadat ik meneer Carmichael een hand had gegeven, stak ik mijn hand uit naar Marley.

Heel even dacht ik dat ik Amelia's vader van zijn stuk had gebracht, maar hij herstelde zich onmiddellijk.

'Dit is Tyrese Marley,' zei hij soepel.

De chauffeur schudde me voorzichtig de hand, alsof hij bang was dat hij me fijn zou knijpen, en daarna knikte hij naar Amelia. 'Juffrouw Amelia,' zei hij. Amelia keek kwaad, alsof ze wilde zeggen dat hij haar niet met 'juffrouw' moest aanspreken, maar toen bedacht ze zich. Al die heen en weer schietende gedachten... Het was genoeg om me af te leiden.

Tyrese Marley was een Afro-Amerikaanse man met een

lichtbruine huid. Zwart kon je hem niet noemen; zijn huidskleur leek eerder op oud ivoor. Zijn ogen waren roodbruin. Hoewel zijn haar zwart was, kroesde het niet en er zat een rode gloed in. Marley was een man die overal zou opvallen.

'Ik rij even terug naar de stad om te tanken,' zei hij tegen zijn baas. 'Terwijl u bij juffrouw Amelia bent. Wanneer hebt u me weer nodig?'

Meneer Carmichael keek op zijn horloge. 'Over een uur of twee.'

'U mag gerust blijven eten,' zei ik. Het lukte me een zeer neutrale toon aan te slaan. Ik wilde dat iedereen zich op zijn gemak voelde.

'Ik moet een paar boodschappen doen,' zei Tyrese Marley met vlakke stem. 'Bedankt voor de uitnodiging. Tot straks.' Hij vertrok.

Oké, tot zover mijn democratiseringspoging.

Tyrese kon niet vermoeden dat ik veel liever de stad in zou zijn gegaan dan thuis te blijven. Ik zette me schrap en begon met de sociale verplichtingen. 'Kan ik u een glas wijn aanbieden, meneer Carmichael, of iets anders? En jij, Amelia?'

'Zeg maar Cope,' zei hij met een glimlach. Die deed me te veel denken aan een haaiengrijns om warme gevoelens bij me op te wekken. 'Ja, doe mij maar een glas van wat er open is. En jij, schatje?'

'Een glaasje wit graag,' zei ze. Toen ik naar de keuken liep, hoorde ik haar tegen haar vader zeggen dat hij moest gaan zitten.

Ik schonk de wijn in en zette de glazen op het dienblad met ons voorgerecht: crackers, een smeersel van warme brie, en abrikozenjam gemengd met pepertjes. We hadden grappige kleine mesjes die leuk stonden bij het dienblad, en Amelia had cocktailservetten voor de drankjes gekocht.

Cope was een flinke eter en hij vond de brie lekker. Hij nipte van de wijn, een merk uit Arkansas, en knikte beleefd. Nou ja, gelukkig spuugde hij het tenminste niet uit. Ik drink haast nooit en van wijn heb ik geen verstand. Eigenlijk heb ik nergens verstand van. Maar ik genoot van de wijn, slokje na slokje.

'Vertel eens hoe je je tijd besteedt terwijl je wacht tot je huis gerepareerd is, Amelia,' zei Cope. Dat leek me een vrij redelijke opening voor een gesprek.

Eerst wilde ik zeggen dat ze om te beginnen niet met mij naar bed ging, maar dat leek me iets te direct. Ik deed mijn uiterste best om niet zijn gedachten te lezen, maar ik zweer dat het net was alsof ik naar een tv-programma zat te luisteren, met hem en zijn dochter in dezelfde kamer.

'Ik heb wat archiefwerk gedaan voor een van de verzekeringsmaatschappijen hier in de buurt. En ik werk parttime bij Merlotte,' legde Amelia uit. 'Ik serveer drankjes en af en toe een mandje kippendrumsticks.'

'Is het barwerk interessant?' Cope klonk niet sarcastisch, dat moest ik hem nageven. Maar ik wist zeker dat hij ook Sam had nagetrokken.

'Het gaat wel,' antwoordde ze met een flauwe glimlach. Dat kostte haar veel zelfbeheersing, dus gluurde ik in haar hoofd en zag dat ze zich in een gesprekstechnisch keurslijf dwong. 'De fooien zijn goed.'

Haar vader knikte. 'En u, mevrouw Stackhouse?' vroeg hij beleefd.

Hij wist alles van me behalve de kleur nagellak die ik op mijn tenen had, en als hij de kans kreeg, zou hij dat ook in mijn dossier zetten. 'Ik werk fulltime in Merlotte,' antwoordde ik, alsof hij dat niet wist. 'Ik werk er al jaren.'

'Hebt u hier familie wonen?'

'Jazeker, we zijn hier altijd al geweest,' zei ik. 'Of wat voor Amerikanen voor altijd doorgaat. Maar onze familie is vrijwel uitgestorven. Nu zijn alleen mijn broer en ik nog over.'

'Oudere broer? Jonger?'

'Ouder. Nog maar kortgeleden getrouwd.'

'Dus misschien komen er binnenkort nieuwe kleine Stackhousjes bij.' Hij deed zijn best de indruk te wekken dat hij dat een goed idee vond.

Ik knikte, alsof dat vooruitzicht mij ook leuk leek, maar ik had een hekel aan de vrouw van mijn broer en als ze kinderen kregen, leek het me heel goed mogelijk dat het vervelende klieren zouden zijn. In feite was er op dat moment al een onderweg, als Crystal niet weer een miskraam kreeg. Mijn broer was een weerpanter (gebeten, niet geboren), en zijn vrouw was zo geboren... Een zuivere weerpanter, bedoel ik. Het viel niet mee om in de kleine weerpantergemeenschap van Hotshot op te groeien, en voor halfbloedjes zou het nog veel erger zijn.

'Kan ik nog wat wijn voor je inschenken, pap?' Amelia schoot overeind en rende met het halflege glas naar de keuken. Ha fijn, een kwaliteitsmomentje met Amelia's vader.

'Het is erg aardig van je om mijn dochter al die tijd bij je in huis te laten wonen, Sookie,' zei Cope.

'Amelia betaalt huur,' zei ik. 'Ze zorgt voor de helft van de boodschappen. Ze betaalt haar eigen kosten.'

'Toch zou ik het op prijs stellen als ik iets voor je kan terugdoen.'

'Wat Amelia aan huur betaalt is genoeg. Ze heeft trouwens ook voor een paar verbeteringen aan de woning betaald.'

Er verscheen een waakzame blik op zijn gezicht, alsof hij iets groots op het spoor was gekomen. Dacht hij soms dat ik Amelia zo gek had gekregen om een zwembad in de achtertuin te laten installeren? 'Boven heeft ze in haar slaapkamer een raamairco laten installeren,' zei ik. 'En ze heeft een extra telefoonlijn voor de computer. En ik geloof dat ze ook een kleedje en gordijnen voor haar kamer heeft gekocht.'

'Woont ze boven?'

'Ja.' Het verbaasde me dat hij dat nog niet wist. Misschien waren er een paar dingen die zijn speurneus had gemist. 'Ik woon hierbeneden, zij op de bovenverdieping, en we delen het gebruik van de keuken en de woonkamer, al geloof ik dat Amelia boven ook een tv heeft. Hé, Amelia!' riep ik.

'Ja?' Haar stem zweefde vanuit de keuken de gang door.

'Heb je die kleine televisie nog op je kamer?'

'Ja, die heb ik op de kabel aangesloten.'

'Dat vroeg ik me ineens af.'

Ik glimlachte naar Cope om aan te geven dat hij nu aan de beurt was om iets te zeggen. Hij dacht aan verschillende dingen die hij me wilde vragen en aan de beste manier om me te benaderen zodat het hem de meeste informatie zou opleveren. In de draaikolk van zijn gedachten floepte een naam naar de oppervlakte, en het kostte me de grootste moeite om mijn gezicht netjes in de plooi te houden.

'De eerste huurder van Amelia in het huis aan Chloe Street... Dat was toch jouw nicht, nietwaar?'

'Hadley. Ja.' Ik bleef kalm terwijl ik knikte. 'Hebt u haar gekend?'

'Ik ken haar man,' antwoordde hij met een glimlach.

3

Ik besefte dat Amelia weer in de kamer was, dat ze als aan de grond genageld naast de oorfauteuil stond waarin haar vader zat. Ik besefte ook dat mijn adem even stokte.

'Ik heb hem nooit ontmoet,' zei ik, met een gevoel alsof ik door het oerwoud had gelopen en in een valkuil was gevallen. Ik was maar wat blij dat ik de enige telepaat in huis was. Toen ik in de bank in New Orleans Hadleys safeloket had leeggehaald, had ik niemand verteld wat erin zat. 'Ze waren al een poosje gescheiden voordat Hadley stierf.'

'Je zou hem eens moeten ontmoeten. Het is een interessante man,' zei Cope, alsof hij niet besefte dat zijn bericht insloeg als een bom. Uiteraard wachtte hij op mijn reactie. Hij had gehoopt dat ik niets van het huwelijk af wist, dat ik volkomen overrompeld zou zijn. 'Hij is een ervaren timmerman. Ik zou hem dolgraag willen opsporen om hem weer in te huren.' De stoel waarin hij zat was bekleed met een roomkleurige stof waarop een heleboel blauwe bloemetjes op gebogen groene stelen waren geborduurd. De stof was nog steeds mooi, maar erg verbleekt. Ik concentreerde me op het bloemetjespatroon, zodat Copley Carmichael niet aan me zou merken hoe woedend ik was.

'Hij zegt me niets, al is hij nog zo interessant,' zei ik met vlakke stem. 'Hun huwelijk was verleden tijd. Zoals je ongetwijfeld zult weten, had Hadley een andere partner toen ze stierf.' Toen ze werd vermoord... Maar voor de overheid telde de dood van een vampier nog steeds niet mee, tenzij die door mensen was veroorzaakt. Vampiers zorgden voor hun eigen ordehandhaving.

'Ik dacht dat je de baby vast wel zou willen zien,' zei Copley.

Gelukkig had ik die woorden een paar seconden voordat hij ze uitsprak al in zijn hoofd opgevangen. Ook al wist ik wat hij zou gaan zeggen, toch kwam zijn o zo terloopse opmerking keihard aan. Maar ik gunde het hem niet om dat te laten blijken. 'Mijn nicht Hadley was losgeslagen. Ze gebruikte drugs en mensen. Ze was niet de meest evenwichtige persoon die er bestaat. Maar ze was beeldschoon en ze had iets aparts waardoor ze altijd bewonderaars had.' Ziezo, ik had alle voors en tegens over mijn nicht Hadley opgenoemd, zonder het woord 'baby' in de mond te nemen. Wélke baby trouwens?

'Wat vond je familie ervan toen ze een vampier werd?' vroeg Cope.

Hadleys verandering was algemeen bekend. 'Veranderde' vampiers moesten zich registreren wanneer ze in hun gewijzigde toestand overgingen. Ook moesten ze hun maker noemen. Het was een soort geboortebeperking voor vampiers op last van de overheid. Reken maar dat het bureau voor vampierzaken hard zou optreden tegen een vampier die te veel kleine vampiertjes had gemaakt. Hadley was door Sophie-Anne Leclerq persoonlijk overgebracht.

Amelia zette het wijnglas binnen handbereik van haar vader neer en kwam weer naast me op de bank zitten. 'Hadley heeft twee jaar boven me gewoond, pap,' zei ze. 'Natuurlijk wisten we dat ze een vampier was. Jezusmina, ik dacht dat je me alle roddels van thuis wilde vertellen.'

Die bovenste beste Amelia. Het kostte me de grootste moeite om me te beheersen, en dat lukte alleen dankzij mijn jarenlange ervaring met verschrikkelijke dingen die ik telepathisch had gehoord.

'Ik moet even naar het eten kijken. Neem me niet kwalijk,' mompelde ik. Ik stond op en liep de kamer uit. Althans, ik hoop dat ik normaal liep en niet halsoverkop wegvluchtte. Maar eenmaal in de keuken ging ik meteen door naar de achterdeur, over de achterveranda en door de hordeur naar de tuin.

Als ik had verwacht Hadleys spookstem te horen zeggen wat ik moest doen, dan werd ik teleurgesteld. Vampiers laten geen spook na, voor zover ik wist. Sommige vampiers geloven dat ze geen ziel hebben. Ach, ik weet het niet. Dat is aan God. En daar stond ik dan tegen mezelf te praten, omdat ik niet aan Hadleys baby wilde denken, of aan het feit dat ik niet van het bestaan van het kind op de hoogte was geweest.

Misschien was Copley gewoon zo. Misschien wilde hij steeds laten merken hoeveel hij wist, als een manier om zijn macht te tonen aan de mensen met wie hij te maken had.

Omwille van Amelia moest ik weer naar binnen. Ik zette me schrap, toverde mijn glimlach op mijn gezicht – al wist ik dat het een akelige, nerveuze glimlach was – en ging weer de kamer in. Ik ging naast Amelia zitten en keek hen allebei stralend aan. Afwachtend keken ze me aan, en ik besefte dat er een stilte in het gesprek was gevallen.

'O ja,' zei Cope plotseling. 'Dat was ik vergeten te vertellen, Amelia. Vorige week heeft er iemand voor je gebeld, iemand die ik niet kende.'

'Wie was dat?'

'O, eens even denken. Mevrouw Beech heeft het opgeschreven. Ophelia? Octavia? Octavia Fant. Dat was het. Ongewone naam.'

Ik dacht dat Amelia van haar stokje zou gaan. Ze zag grauw en steunde met haar hand tegen de leuning van de bank. 'Weet je dat zeker?' vroeg ze.

'Ja, heel zeker. Ik heb haar je mobiele nummer gegeven en gezegd dat je in Bon Temps woont.'

'Bedankt, pap,' zei Amelia schor. 'Ah, ik denk dat het eten nu wel klaar is. Ik ga even kijken.'

'Heeft Sookie dat niet net gedaan?' Hij glimlachte breed op de toegeeflijke manier van een man die vindt dat vrouwen zich aanstellen.

'Jawel, maar nu is het bijna klaar,' zei ik, terwijl Amelia net zo haastig de kamer uit liep als ik daarnet. 'Het zou vreselijk zijn als het verbrandde. Amelia heeft zich zo uitgesloofd.'

'Ken je die mevrouw Fant?' vroeg Cope.

'Nee, die naam zegt me niets.'

'Amelia zag er haast bang uit. Er is toch niemand op uit om mijn meisje kwaad te doen, hè?'

Hij was een heel andere man toen hij dat vroeg, een man die ik bijna aardig kon vinden. Wat je verder ook van hem kon zeggen, Cope wilde niet dat iemand zijn dochter kwaad deed. Niemand behalve hijzelf tenminste.

'Ik geloof het niet.' Ik wist wie Octavia Fant was omdat ik dat zojuist uit Amelia's gedachten had opgevangen, maar ze had er zelf niet hardop over gesproken, dus kon ik er niet over praten. Soms gaan de dingen die ik hardop hoor en de dingen die ik in mijn hoofd hoor erg door elkaar heen lopen – een van de redenen dat ik half voor gek word versleten. 'U bent toch aannemer, meneer Carmichael?'

'Zeg toch Cope. Ja, onder andere.'

'Dan zal het uw bedrijf wel voor de wind gaan, neem ik aan.'

'Als mijn bedrijf twee keer zo groot was, zouden we nog

steeds niet al het werk aankunnen,' zei hij. 'Maar ik vind het vreselijk om New Orleans zo verwoest te zien.'

Gek genoeg geloofde ik hem.

De maaltijd liep op rolletjes. Als Amelia's vader het raar vond om in de keuken te eten, dan liet hij dat niet merken. Als aannemer viel het hem op dat het keukengedeelte van het huis nieuw was. Ik vertelde over de brand, maar dat had iedereen kunnen overkomen, nietwaar? Dat de brand was aangestoken, zei ik er niet bij.

Cope liet zich het eten goed smaken en gaf Amelia complimenten, waar ze erg blij mee was. Hij nam nog een glas wijn bij de maaltijd, maar daar bleef het bij, en hij at ook niet overdreven veel. Terwijl hij met Amelia over vrienden en een paar familieleden sprak, kon ik rustig nadenken. En neem maar van me aan dat ik heel wat had om over na te denken.

In Hadleys safeloket dat ik na haar dood had geopend, lagen haar huwelijks- en haar scheidingsakte. Verder zaten er enkele familiespullen in – een paar foto's, het overlijdensbericht van haar moeder, een aantal sieraden. Er lag ook een sprietige lok donker haar in, dat met plakband bijeen werd gehouden. Die zat in een kleine envelop. Daar had ik me al over verwonderd toen ik zag hoe fijn het haar was. Maar een geboorteakte of ander bewijsmateriaal dat Hadley een kind had gehad, zat er niet bij.

Tot nu toe had ik geen duidelijke reden gehad om contact op te nemen met Hadleys ex-man. Ik wist niet eens dat hij bestond voordat ik haar safeloket had geopend. In haar testament werd hij niet vermeld, ik had hem nooit ontmoet en toen ik in New Orleans was, had hij zich niet laten zien.

Waarom had ze het kind niet in haar testament genoemd, zoals je van een ouder zou verwachten? En hoewel ze meneer Cataliades en mij samen als executeurs had aangewezen, had ze ons ook niet verteld – dat wil zeggen, ze had mij niet verteld – dat ze afstand had gedaan van haar kind.

'Kun je me even de boter aangeven, Sookie?' vroeg Amelia. Uit haar toon kon ik opmaken dat ze dat al een paar keer had gevraagd.

'Natuurlijk,' zei ik. 'Kan ik nog wat water of een glas wijn voor jullie inschenken?'

Dat sloegen ze allebei af.

Na het eten bood ik aan om af te wassen. Weifelend nam Amelia mijn aanbod aan. Haar vader en zij moesten nodig ongestoord met elkaar praten, ook al zag Amelia daar erg tegen op.

In betrekkelijke rust waste en droogde ik af en borg alle spullen weg. Ik nam het aanrecht af, trok het tafellaken van tafel en stopte het in de wasmachine op de overdekte achterveranda. Daarna ging ik naar mijn kamer om een poosje te lezen, al drong er weinig van wat er op de bladzijde gebeurde tot me door. Uiteindelijk legde ik het boek opzij en haalde een doos uit mijn ondergoedla. In die doos zat alles wat ik uit Hadleys safeloket had gehaald. Ik controleerde de naam op de trouwakte en in een opwelling belde ik inlichtingen.

'Ik heb het nummer nodig van ene Remy Savoy,' zei ik.

'Welke stad?'

'New Orleans.'

'Dat nummer is opgeheven.'

'Probeert u het eens in Metairie.'

'Nee, mevrouw.'

'Oké, bedankt.'

Sinds Katrina waren veel mensen natuurlijk verhuisd en een heleboel verhuizingen waren permanent. Mensen die voor de orkaan waren gevlucht hadden vaak geen reden om terug te komen. In de meeste gevallen hadden ze geen huis en geen baan om naar terug te gaan.

Ik vroeg me af hoe ik Hadleys ex-man moest opsporen.

Er schoot me ineens een bijzonder onwelkome oplossing te binnen. Bill Compton was een computernerd. Misschien kon hij die Remy Savoy opsporen, uitzoeken waar hij nu was en of het kind bij hem was.

Ik liet het idee in mijn hoofd ronddraaien als een mondvol dubieuze wijn. Na onze woordenwisseling tijdens de bruiloft de vorige avond zag ik mezelf niet bij Bill aankloppen om hem om een gunst te vragen, ook al was hij de juiste man voor de klus.

Een golf van verlangen naar Quinn werd me bijna te veel. Quinn was slim en bereisd, en hij zou me vast goede raad kunnen geven. Als ik hem ooit nog zag...

Ik riep mezelf tot de orde toen ik een auto hoorde die bij de parkeerhaven langs de stoep voor het huis parkeerde. Tyrese Marley kwam terug om Cope op te halen. Ik rechtte mijn rug en liep met een geforceerde glimlach op mijn gezicht mijn kamer uit.

De voordeur was open en Tyrese stond in de deuropening, die hij vrijwel helemaal vulde. Hij was een forse man. Cope boog zich naar zijn dochter toe om haar op de wang te kussen, wat ze zonder zelfs een zweem van een glimlach toeliet. Op dat moment kwam Bob de kat binnen en ging naast haar zitten. Het beest staarde Amelia's vader met grote ogen aan.

'Heb je een kat, Amelia? Ik dacht dat je een hekel aan katten had.'

Bobs blik gleed naar Amelia. Tegen het staren van een kat kan niets op.

'Pap! Dat is jaren geleden! Dit is Bob. Hij is geweldig.' Amelia pakte de zwart-witte kater op en hield hem tegen zich aan. Bob zag er zelfvoldaan uit en begon te spinnen.

'Hm. Nou, ik bel je nog wel. Wees alsjeblieft voorzichtig. Ik vind het geen prettig idee dat je hier aan de andere kant van de staat zit.'

'Het is maar een paar uur rijden,' wierp Amelia tegen. Ze klonk plotseling als hooguit zeventien.

'Dat is zo,' beaamde hij, in een poging zielig maar charmant te klinken. Erg overtuigend klonk hij niet.

'Bedankt voor de gezellige avond, Sookie,' riep hij over de schouder van zijn dochter.

Marley was naar Merlotte gegaan om te zien of hij iets over mij te weten kon komen, hoorde ik duidelijk in zijn hoofd. Hij had een paar nuttige dingen opgevangen. Hij had met Arlene gesproken, wat vervelend was, en met onze huidige kok en onze hulpkelner, wat niet erg was. En met diverse vaste klanten. Hij zou een gevarieerd verslag uitbrengen.

Zodra de auto wegreed, liet Amelia zich opgelucht op de bank ploffen. 'Gelukkig, hij is weg,' zei ze. 'Zie je nu wat ik bedoel?'

'Ja.' Ik ging naast haar zitten. 'Hij is een echt zakenmannetje, hè?'

'Altijd al geweest,' zei ze. 'Hij probeert een relatie te onderhouden, maar onze ideeën liggen te ver uit elkaar.'

'Je vader is dol op je.'

'Dat is zo. Maar hij is ook dol op macht en invloed.'

Dat was nog voorzichtig uitgedrukt.

'En hij weet niet dat jij je eigen vorm van macht hebt.'

'Nee, daar gelooft hij gewoon niet in. Hij zal zeggen dat hij een vroom katholiek is, maar dat is niet waar.'

'Eigenlijk is dat alleen maar goed,' zei ik. 'Als hij wel geloofde dat je een heks bent, zou hij je vast allerlei dingen willen laten opknappen. Ik durf te wedden dat je sommige dingen liever niet zou willen doen.' Ik had mijn tong wel kunnen afbijten, maar Amelia nam geen aanstoot aan mijn opmerking.

'Je hebt gelijk. Ik zou me niet graag voor zijn karretje laten spannen. Hij kan het ook wel zonder mijn hulp af. Ik zou allang blij zijn als hij me met rust liet. Hij probeert altijd mijn leven te verbeteren, op zijn voorwaarden. Ik vind het wel best zoals het nu gaat.'

'Wie was dat die je in New Orleans had gebeld?' Dat wist ik al, maar ik moest net doen alsof mijn neus bloedde. 'Fant heette ze toch?'

Amelia huiverde. 'Octavia Fant is mijn mentor,' zei ze. 'Zij is de reden dat ik uit New Orleans ben vertrokken. Ik was bang dat mijn *coven* me iets verschrikkelijks zou aandoen als ze erachter kwamen wat er met Bob is gebeurd. Zij staat aan het hoofd van mijn coven. Of wat ervan over is. Als er überhaupt nog iets van over is.'

'Oeps.'

'Ja, zeg dat wel. Ik zal er nu voor moeten boeten.'

'Denk je dat ze hierheen zal komen?'

'Het verbaast me dat ze er nog niet is.'

Ondanks haar angst maakte Amelia zich grote zorgen over het welzijn van haar mentor sinds Katrina. Hoewel ze er alles aan gedaan had om de vrouw op te sporen, wilde ze niet dat Octavia háár zou vinden. Amelia was bang om gevonden te worden, vooral zolang Bob nog een kater was. Ze legde uit dat haar geknoei met transformatiemagie als nog afkeurenswaardiger zou worden beschouwd omdat ze nog een stagiaire was of iets dergelijks... één treetje boven een novice in ieder geval. Amelia deed de hekseninfrastructuur niet uit de doeken.

'Waarom heb je je vader niet gevraagd om je verblijfplaats geheim te houden?'

'Als ik dat had gedaan, zou hij zo nieuwsgierig zijn geworden dat hij mijn hele leven op zijn kop zou zetten om erachter te komen waarom ik dat had gevraagd. Ik had nooit verwacht dat Octavia hem zou bellen, want ze weet hoe ik over hem denk.'

Ambivalent, dacht ik met gevoel voor understatement.

'Ik wilde je trouwens nog iets vertellen,' zei ze plotseling. 'Over telefoontjes gesproken, Eric heeft voor je gebeld.'

'Wanneer?'

'Eh, gisteravond. Voordat je thuis was. Toen je binnenkwam had je zoveel nieuwtjes te vertellen dat ik het gewoon ben vergeten. Bovendien zei je dat je hem toch zou bellen. En ik was erg van streek omdat mijn vader zou komen. Het spijt me, Sookie. Ik beloof dat ik het de volgende keer opschrijf.'

Het was niet de eerste keer dat Amelia was vergeten te zeggen dat er voor me was gebeld. Leuk was anders, maar het was nu eenmaal gebeurd, en onze dag was al stressy genoeg geweest. Ik hoopte dat Eric had ontdekt dat de koningin me nog geld schuldig was voor mijn diensten in Rhodes. Ik had namelijk nog geen cheque ontvangen en omdat ze zo zwaargewond was geraakt, wilde ik haar niet lastigvallen. Ik ging naar mijn kamer om daarvandaan Fangtasia te bellen, waar het nu een drukte van belang moest zijn. De club was elke nacht geopend behalve op maandag.

'Fangtasia, bloedstollend gezellig,' zei Clancy.

Ook dat nog. Mijn minst favoriete vamp. Ik formuleerde mijn verzoek zorgvuldig.

'Met Sookie, Clancy. Eric vroeg of ik hem kon terugbellen.'

Het bleef een ogenblik stil. Ik durfde te wedden dat Clancy op een manier zon om te zorgen dat ik Eric niet te spreken kreeg. Hij besloot ervan af te zien.

'Momentje,' zei hij. Er volgde een korte pauze, terwijl ik luisterde naar 'Strangers in the Night'. Toen kwam Eric aan de lijn.

'Hallo?'

'Het spijt me dat ik niet eerder heb teruggebeld. Ik heb net pas je boodschap gekregen. Belde je over mijn geld?'

Hij zweeg even. 'Nee, over iets heel anders. Ga je morgenavond met me uit?'

Verbluft staarde ik naar de telefoon. Ik was niet in staat om helder te denken. Ten slotte zei ik: 'Ik ben met Quinn, Eric.'

'En wanneer heb je hem voor het laatst gezien?'

'In Rhodes.'

'Wanneer heb je voor het laatst van hem gehoord?'

'In Rhodes.' Mijn stem klonk stug. Ik had geen zin om er met Eric over te praten, maar we hadden vaak genoeg bloed uitgewisseld om een sterkere band te hebben dan me lief was.

In feite verafschuwde ik onze band, die we noodgedwongen hadden gesmeed. Maar wanneer ik zijn stem hoorde, voelde ik me tevreden. Wanneer ik bij hem was, voelde ik me mooi en gelukkig. En daar kon ik niets tegen doen.

'Ik vind dat je me best een avondje kunt gunnen,' zei hij. 'Het klinkt niet alsof Quinn je geboekt heeft.'

'Dat is gemeen.'

'Quinn is degene die gemeen is, door te beloven dat hij hier zal zijn en vervolgens zijn belofte niet na te komen.' Erics stem had een dreigende klank aangenomen, een ondertoon van woede.

'Weet jij wat er met hem is gebeurd?' vroeg ik. 'Weet je waar hij is?'

Er viel een veelbetekenende stilte. 'Nee,' antwoordde Eric zachtmoedig. 'Dat weet ik niet. Maar er is iemand in de stad die jou graag wil ontmoeten. Ik heb beloofd dat ik het zou regelen en ik wil je graag zelf naar Shreveport brengen.'

Dus het was geen date.

'Bedoel je die Jonathan? Hij was op de bruiloft en heeft zich voorgesteld. Eigenlijk mocht ik hem niet zo. Dat bedoel ik niet kwaad, als hij een vriend van je is.'

'Jonathan? Welke Jonathan?'

'Ik heb het over een Aziatische jongen, een Thailander misschien? Hij was gisteravond op de Bellefleur-bruiloft. Hij zei dat hij me wilde spreken omdat hij in Shreveport was en veel over me had gehoord. Hij had zich bij jou gemeld, als een brave vampier op doorreis.'

'Ik ken hem niet.' Erics stem klonk ineens veel scherper. 'Ik zal hier in Fangtasia informeren of iemand hem heeft gezien. En ik zal de koningin aan je geld herinneren, hoewel ze niet... zichzelf is. En wil je nu alsjeblieft doen wat ik heb gevraagd?'

Ik trok een gezicht tegen de telefoon. 'Nou, vooruit,' zei ik. 'Wie ga ik ontmoeten? En waar?'

'Ik zal de "wie" nog even geheim moeten houden,' antwoordde Eric. 'En wat "waar" betreft, we gaan uit eten in een goed restaurant. Het type dat jij "informeel chic" zou noemen.'

'Jij eet niet. Wat ga jij doen?'

'Ik zal jullie aan elkaar voorstellen en blijf erbij zo lang je dat wilt.'

Een druk restaurant zou vast geen kwaad kunnen. 'Oké,' zei ik, niet bepaald vriendelijk.

'Ik kom om een uur of zes, halfzeven uit mijn werk.'

'Ik haal je om zeven uur op.'

'Kom maar om halfacht. Ik moet me nog omkleden.' Ik wist dat ik chagrijnig klonk en zo voelde ik me ook. Ik had een hekel aan dat geheimzinnige gedoe rond die afspraak.

'Als je mij ziet, voel je je meteen een stuk beter,' zei hij. En verdomd, hij had nog gelijk ook.

4

Ik keek op mijn woord-van-de-dag-kalender terwijl ik wachtte tot mijn stijltang opgewarmd was. ANDROGYN. Huh.

Omdat ik niet wist naar welk restaurant we zouden gaan en ook niet wie we daar zouden ontmoeten, koos ik mijn meest comfortabele outfit, bestaande uit een hemelsblauw T-shirt dat Amelia te groot was en een nette zwarte broek met zwarte hakken. Veel sieraden draag ik niet, dus een gouden ketting en een paar gouden oorbelletjes vond ik voldoende versiering. Ik had een zware dag achter de rug, maar ik was te nieuwsgierig naar de avond om moe te zijn.

Eric was op tijd en tot mijn verrassing was ik blij om hem te zien. Ik geloof niet dat het helemaal aan de bloedband tussen ons te danken was. Volgens mij zou elke heterovrouw blij zijn om Eric te zien. Hij was een lange vent en in zijn tijd moest hij een reus zijn geweest. Hij was gebouwd om met een machtig zwaard zijn vijanden neer te maaien. Zijn goudblonde haren stonden als leeuwenmanen op zijn kale voorhoofd naar achteren. ANDROGYN kon je Eric niet noemen, en ook niet ongrijpbaar mooi. Hij was een echte vent.

Hij boog voorover om me op mijn wang te kussen. Ik voelde me warm en geborgen. Dat was de uitwerking die Eric op me had nu we meer dan drie keer bloed hadden uitgewisseld. De bloeduitwisseling was niet voor de lol geweest maar iedere keer pure noodzaak – tenminste, dat dacht ik –, maar de tol die ik moest betalen was zwaar. We waren nu met elkaar verbonden, en telkens wanneer hij in de buurt was, voelde ik me absurd gelukkig. Ik probeerde van het gevoel te genieten, maar dat lukte niet altijd omdat ik wist dat het niet helemaal natuurlijk was.

Eric was in zijn Corvette gekomen, en daarom was ik extra blij dat ik een broek aanhad. Het valt niet mee om netjes in en uit een Corvette te stappen als je een jurk draagt. Op weg naar Shreveport babbelde ik honderduit, maar Eric was tegen zijn gewoonte in erg zwijgzaam. Ik wilde hem uithoren over Jonathan, de geheimzinnige vampier op de bruiloft, maar hij zei: 'Daar hebben we het nog wel over. Je hebt hem sindsdien toch niet meer gezien, hè?'

'Nee. Zou ik dat moeten verwachten?'

Hij schudde zijn hoofd. Even viel er een onbehaaglijke stilte. Aan de manier waarop hij het stuur vastklemde, begreep ik dat hij moed wilde scheppen om me iets te vertellen wat hij liever voor zich hield.

'Ik ben blij voor je dat Andre de bomaanslag waarschijnlijk niet heeft overleefd,' zei hij.

Andre, het lievelingskind van de koningin, was bij de bomaanslag in Rhodes omgekomen. Maar hij was niet door de bom gedood. Alleen Quinn en ik wisten waaraan hij was bezweken: een grote houtsplinter die Quinn in Andre's hart had geramd toen de vampier uitgeschakeld was. Quinn had Andre ter wille van mij gedood, omdat hij wist dat Andre iets met me van plan was wat me misselijk maakte van angst.

'Ik weet zeker dat de koningin hem zal missen,' zei ik behoedzaam.

Eric keek me scherp aan. 'De koningin is radeloos,' zei hij. 'En haar genezing zal nog maanden duren. Wat ik had willen zeggen was...' Zijn stem stierf weg.

Dit was niets voor Eric. 'Wat?' drong ik aan.

'Je hebt mijn leven gered,' antwoordde hij. Ik draaide me om zodat ik hem kon aankijken, maar hij tuurde strak voor zich uit naar de weg. 'Je hebt mijn leven gered, en dat van Pam.'

Ik schoof ongemakkelijk op mijn stoel. 'Ach, nou ja.' Niet erg welsprekend, nee. De stilte hield aan totdat ik me gedwongen voelde iets te zeggen. 'We hebben tenslotte een bloedband.'

Een hele poos reageerde Eric niet. 'Dat is niet in de eerste plaats de reden waarom je me kwam wekken, die dag toen het hotel werd opgeblazen,' zei hij. 'Maar daar zullen we het nu niet meer over hebben. Je hebt een belangrijke avond voor de boeg.'

Ja baas, zei ik bits, maar alleen bij mezelf.

We waren in een deel van Shreveport dat ik niet zo goed ken. Het lag in ieder geval buiten het belangrijkste winkelgebied, waar ik wel vrij goed bekend ben. We waren in een buurt waar de huizen groter waren en de gazons keurig aangeharkt. De winkels waren er klein en duur... wat winkeliers 'boetieks' noemen. We stopten bij een aantal van zulke winkeltjes die in een L-vorm waren gebouwd. Het restaurant lag aan het achterste deel van de L. Het heette *Les Deux Poissons*. Er stonden ongeveer acht auto's geparkeerd, die stuk voor stuk mijn jaarinkomen vertegenwoordigden. Ik keek naar mijn kleren en voelde me ineens slecht op mijn gemak.

'Maak je niet druk, je bent beeldschoon,' zei Eric zacht. Hij leunde voor me langs om mijn gordel los te maken (tot mijn verbazing), en toen hij rechtop ging zitten, kuste hij me opnieuw, deze keer op mijn mond. Zijn hemelsblauwe ogen straalden in zijn bleke gezicht. Hij zag eruit alsof hij een heel verhaal wilde vertellen. Maar toen bedacht hij zich, stapte moeizaam uit en liep om de auto heen om mijn portier voor me open te houden. Misschien was ik niet de enige die door die bloedband werd beïnvloed...

Eric was zo gespannen dat ik besefte dat er iets belangrijks stond te gebeuren, en ineens kreeg ik het benauwd. Hij gaf me een hand toen we naar het restaurant liepen en streek afwezig met zijn duim over mijn palm. Tot mijn verrassing merkte ik dat er een directe verbinding was tussen mijn palm en mijn, mijn... gleuf.

We stapten de hal binnen, waar een fonteintje stond en een scherm dat het zicht op de eters verhulde. De vrouw bij de ingang was mooi en zwart, met haar dat heel kort op haar schedel was afgeschoren. Ze droeg een wikkeljurk in oranje en bruin en de hoogste hakken die ik ooit had gezien. Het leek wel alsof ze op spitzen stond. Ik bestudeerde haar goed, onderzocht het kenmerk van haar brein en stelde vast dat ze een mens was. Ze glimlachte stralend naar Eric en was zo verstandig om mij ook wat van die glimlach te gunnen.

'Een tafel voor twee personen?' informeerde ze.

'We hebben met iemand afgesproken,' zei Eric.

'Ah, de meneer...'

'Ja.'

'Loopt u maar even mee.' Haar glimlach maakte plaats voor een bijna jaloerse blik toen ze zich omdraaide en elegant door het restaurant naar achteren liep. Eric gebaarde dat ik haar moest volgen. Het interieur was vrij donker en er flakkerden kaarsen op de tafels, die waren gedekt met sneeuwwitte tafellakens en kunstig gevouwen servetten.

Mijn ogen waren op de rug van de gastvrouw gericht, dus toen ze stil bleef staan, besefte ik niet meteen dat ze was gestopt bij het tafeltje waar we moesten aanschuiven. Ze stapte opzij. Tegenover me zat de charmante man die twee avonden geleden op de bruiloft was geweest.

De gastvrouw keerde zich om, raakte de rugleuning van de stoel rechts van de man aan om aan te geven dat ik daar moest gaan zitten en zei dat onze ober zo zou komen. De man kwam overeind om mijn stoel naar achteren te schuiven en voor me vast te houden. Ik keek achterom naar Eric, die me geruststellend toeknikte. Ik glipte voor de stoel en de man schoof hem op precies het juiste moment naar voren.

Eric ging niet zitten. Ik wilde dat hij zou uitleggen wat er aan de hand was, maar hij zei niets. Hij zag er bijna verdrietig uit.

De aantrekkelijke man keek me doordringend aan. 'Kind,' zei hij om mijn aandacht te trekken. Toen streek hij zijn lange, fijne gouden haar opzij. De andere gasten konden niet zien wat hij me liet zien. Zijn oor was spits. Hij was een elf.

Ik kende maar twee andere elfen. Maar die zouden er alles aan doen om vampiers te mijden, want voor een vampier was de geur van een elf even bedwelmend als honing voor een beer. Volgens een vampier met een bijzonder sterk ontwikkeld reukvermogen bezat ik een zweem elfenbloed.

'Oké,' zei ik, om hem te laten weten dat zijn oor me was opgevallen.

'Sookie, dit is Niall Brigant,' zei Eric. Hij sprak het uit als: Nij-al.

'Hij wil tijdens de maaltijd met je praten. Ik ben buiten als je me nodig hebt.' Hij boog stijfjes zijn hoofd naar de elf en toen verdween hij.

Ik keek Eric na en werd overstelpt door een vlaag paniek. Plotseling voelde ik een hand boven op de mijne. Ik draaide me om en keek recht in de ogen van de elf.

'Zoals hij al zei, ik ben Niall.' Zijn stem was licht, geslachtloos, sonoor. Zijn ogen waren groen, het diepste groen dat je je maar kunt voorstellen. In het flakkerende kaarslicht deed de kleur er nauwelijks toe – het was de diepte die opviel. Zijn hand op de mijne was zo licht als een veertje maar voelde erg warm aan.

'Wie bent u?' vroeg ik, en ik bedoelde niet dat hij zijn naam moest herhalen.

'Ik ben je overgrootvader,' antwoordde Niall Brigant.

'O shit,' zei ik. Toen sloeg ik snel mijn hand voor mijn mond. 'Sorry, het was gewoon...' Ik schudde mijn hoofd. 'Overgrootopa?' vroeg ik, om dat idee uit te proberen. Niall Brigant kromp subtiel in elkaar. Bij een echte vent zou dat verwijfd hebben geleken, maar bij Niall niet.

Bij ons in de buurt noemen veel kinderen hun grootvader '*papaw*'. Ik zou dolgraag zijn reactie zien als ik hem zo noemde. Die gedachte hielp me mijn gedeukte zelfbeeld te herstellen.

'Leg het alstublieft uit,' zei ik heel beleefd. De ober kwam vragen wat we wilden bestellen en ratelde het dagmenu af. Niall bestelde een fles wijn en zei dat we graag de zalm wilden. Hij overlegde niet met mij. Eigenmachtig.

De jongeman knikte enthousiast. 'Uitstekende keus,' verklaarde hij. Hij was een Weer, en hoewel ik had verwacht dat hij nieuwsgierig zou zijn naar Niall (per slot van rekening een bovennatuurlijk wezen dat je niet vaak tegenkomt), leek hij meer belangstelling voor mij te hebben. Dat schreef ik toe aan zijn jeugd en mijn tieten.

Kijk, en dat is het gekke van een ontmoeting met de man die zichzelf mijn familielid noemde: ik twijfelde geen moment aan zijn oprechtheid. Dit was mijn echte overgrootvader en die wetenschap klikte gewoon zomaar op haar plaats alsof het een stukje van een legpuzzel was.

'Ik zal je alles vertellen,' zei Niall. Heel langzaam, terwijl hij zijn bedoeling duidelijk maakte, boog hij naar voren om me op mijn wang te kussen. Rond zijn mond en ogen verschenen rimpels toen hij zijn lippen tuitte. Het fijne spinnenweb van rimpeltjes deed geen afbreuk aan zijn schoonheid; hij leek op heel oude zijde of een gebarsten schilderij van een oude meester.

Dit was blijkbaar een nacht om vaak te worden gezoend.

'Toen ik nog jong was, zo'n vijf- of zeshonderd jaar geleden, begaf ik me vaak onder de mensen,' zei Niall. 'En zo nu en dan zag ik, zoals elke man, een mensenvrouw die ik aantrekkelijk vond.'

Ik keek om me heen om hem niet de hele tijd aan te gapen, en toen viel me iets raars op: de enige die naar ons keek was de ober. Ik bedoel, niemand wierp zelfs maar een vluchtige blik onze kant op. En de mensenbreinen in de zaal merkten onze aanwezigheid niet eens op. Mijn overgrootvader hield even zijn mond terwijl ik rondkeek en ging weer verder toen ik de situatie had opgenomen.

'Op een dag zag ik zo'n vrouw in het bos. Ze heette Einin en ik vond haar een engel.' Hij was even stil. 'Ze was verrukkelijk,' zei hij toen. 'Ze was levendig, vrolijk en eenvoudig.' Nialls ogen waren strak op mijn gezicht gericht. Ik vroeg me af of hij dacht dat ik net als Einin was: eenvoudig. 'Ik was jong genoeg om smoorverliefd te worden, jong genoeg om te negeren dat er onvermijdelijk een eind aan onze band zou komen naarmate zij ouder werd en ik niet. Maar Einin raakte in verwachting en dat was een schok. Elfen en mensen kruisen zich niet vaak. Einin kreeg een tweeling, iets wat vrij vaak voorkomt onder de elfen. Einin en de jongens doorstonden de geboorte, wat in die tijd allesbehalve zeker was. Ze noemde onze oudste zoon Fintan. De tweede Dermot.'

Toen de ober onze wijn bracht, werd ik losgerukt uit de betoverende uitwerking die Nialls stem op me had. Het was alsof we in het bos rond een kampvuur naar een oude legende hadden zitten luisteren en toen *poef*! Ineens waren we in een modern restaurant in Shreveport, Louisiana, en zaten er andere mensen om ons heen die geen idee hadden van wat er aan de hand was. Automatisch tilde ik mijn glas op en nam een slokje wijn. Ik vond dat ik daar recht op had.

'Fintan de halfelf was je grootvader van vaderskant, Sookie,' zei Niall.

'Nee. Ik weet wie mijn grootvader was.' Mijn stem trilde een beetje, merkte ik, maar het was nog altijd heel stil. 'Mijn opa was Mitchell Stackhouse en hij trouwde met Adele Hale. Mijn vader was Corbett Hale Stackhouse, en hij is samen met mijn moeder tijdens een overstroming omgekomen toen ik nog een klein meisje was. Daarna ben ik door mijn oma Adele opgevoed.'

Ik moest denken aan de vampier in Mississippi die me had verteld dat hij een zweem elfenbloed in mijn aderen waarnam. Hoewel ik geloofde dat Niall inderdaad mijn overgrootvader was, kon ik de voorstelling die ik van mijn familie had gemaakt gewoon niet aanpassen.

'Wat was je oma voor iemand?'

'Ze heeft me grootgebracht terwijl ze dat niet had hoeven te doen,' antwoordde ik. 'Ze heeft Jason en mij in huis genomen en ze heeft hard gewerkt om ons een goede opvoeding te geven. We hebben alles van haar geleerd. Ze hield van ons. Zelf had ze twee kinderen, die ze allebei heeft moeten begraven, en dat moet een enorme klap voor haar zijn geweest, maar toch was ze sterk omwille van ons.'

'In haar jonge jaren was ze beeldschoon,' zei Niall. Zijn groene ogen bleven op mijn gezicht rusten alsof hij een zweem van haar schoonheid in haar kleindochter wilde terugvinden.

'Dat zal best,' zei ik onzeker. Je denkt bij je oma niet aan schoonheid, tenminste normaal gesproken niet.

'Ik heb haar gezien toen Fintan haar zwanger had gemaakt,' zei hij. 'Ze was allerliefst. Haar man had haar verteld dat hij haar geen kinderen kon geven. Hij had op het verkeerde moment de bof gehad. Dat is toch een ziekte, hè?' Ik knikte. 'Ze leerde Fintan kennen toen ze op een dag een kleedje over de waslijn stond uit te kloppen, achter het huis waar je nu woont. Hij vroeg haar om een glas water en werd op slag verliefd. Zij wilde dolgraag kinderen en hij beloofde dat hij ze haar kon geven.'

'U zei dat elfen en mensen meestal niet vruchtbaar zijn als ze zich kruisen.'

'Zeg maar "je", hoor,' zei Niall. 'Maar Fintan was maar voor de helft elf. En hij wist al dat hij een vrouw zwanger kon maken.' Hij vertrok zijn mond. 'De eerste vrouw van wie hij hield is in het kraambed gestorven, maar jouw oma en haar zoon hadden meer geluk. En twee jaar later schonk ze het leven aan Fintans dochter.'

'Hij heeft haar verkracht,' zei ik, bijna hopend dat het waar was. Mijn oma was de eerzaamste vrouw die ik ooit heb gekend. Ik kon me niet voorstellen dat ze ooit iemand zou bedriegen, vooral omdat ze tegenover God had beloofd trouw te zijn aan mijn opa.

'Nee, hij heeft haar niet verkracht. Ze wilde kinderen, hoewel ze niet ontrouw wilde zijn aan haar man. Fintan trok zich niets aan van de gevoelens van anderen en hij was gek op haar,' zei Niall. 'Gewelddadig was hij nooit en hij zou haar nooit hebben verkracht. Maar mijn zoon kon alles van een vrouw gedaan krijgen, zelfs iets wat tegen haar morele opvattingen indruiste... En zij was een schoonheid, maar hij mocht er ook zijn.'

Ik probeerde de vrouw die ze moest zijn geweest te vergelijken met de oma die ik had gekend. En dat lukte gewoon niet.

'Wat was je vader, mijn kleinzoon, voor iemand?' vroeg Niall.

'Hij was een knappe vent,' antwoordde ik. 'Een harde werker en een goede vader.'

Niall glimlachte flauwtjes. 'Wat vond je moeder van hem?'

Die vraag sneed scherp door mijn warme herinneringen aan mijn vader. 'Ze, eh, ze was dol op hem.' Misschien ten koste van haar kinderen.

'Was ze geobsedeerd?' Zijn stem klonk niet kritisch, maar zelfverzekerd, alsof hij wist wat mijn antwoord zou zijn.

'Ontzettend bezitterig,' gaf ik toe. 'Ik was pas zeven toen ze stierven, maar zelfs ik kon dat zien. Ik denk dat ze het normaal vonden. Zij wilde hem echt al haar aandacht geven. Soms zaten Jason en ik haar in de weg. En ik herinner me dat ze vreselijk jaloers was.' Ik probeerde geamuseerd te kijken, alsof het een charmant trekje van mijn moeder was dat ze zo jaloers om mijn vader was.

'Het was zijn elfenbloed dat ervoor zorgde dat ze zo hardnekkig was,' zei Niall. 'Sommige mensen reageren op die manier. Ze zag het bovennatuurlijke in hem en dat boeide haar. Was ze een goede moeder?'

'Ze heeft erg haar best gedaan,' fluisterde ik.

Ze had het echt geprobeerd. Mijn moeder wist theoretisch hoe je een goede moeder moest zijn. Ze wist hoe een goede moeder zich tegenover haar kinderen gedroeg en had zichzelf gedwongen de schijn op te houden. Maar haar ware liefde was bestemd voor mijn vader, die zich verwonderde over de felheid van haar passie. Nu begreep ik dat, als volwassene. Als kind was ik verward en gekwetst geweest.

De roodharige Weer kwam aanlopen met onze salade en zette die voor ons neer. Hij had willen vragen of we nog iets nodig hadden, maar hij was veel te bang toen hij de sfeer aan tafel bespeurde.

'Waarom heb je nu ineens besloten om me op te zoeken?' vroeg ik. 'Hoe lang weet je al van mijn bestaan af?' Ik vouwde mijn servet open op mijn schoot en bleef zitten met mijn vork in mijn hand. Eigenlijk zou ik een hap moeten nemen. Verspilling hoorde niet bij de opvoeding die ik had gehad. Van mijn oma, die seks had gehad met een halfelf (die als een zwerfhond de tuin in was komen banjeren). Genoeg seks om na verloop van tijd zelfs twee kinderen te baren.

'Ik ken jouw familie al zo'n jaar of zestig, maar mijn zoon Fintan heeft me verboden jullie te zien.' Hij stopte voorzichtig een schijfje tomaat in zijn mond, liet het daar liggen, dacht erover na en kauwde er toen op. Hij at zoals ik in een Indiaas of Nicaraguaans restaurant zou doen.

'Wat is er veranderd?' vroeg ik, maar ineens begreep ik het. 'Dus je zoon is nu dood.'

'Ja.' Hij legde zijn vork neer. 'Fintan is dood. Tenslotte was hij maar half menselijk. En hij had al zevenhonderd jaar geleefd.'

Moest ik daar een mening over hebben? Ik voelde me lusteloos, alsof Niall een vervlakkende uitwerking had op mijn emoties. Misschien zou ik moeten vragen hoe mijn... mijn opa was gestorven, maar dat kon ik niet opbrengen.

'Dus toen besloot je me dat te komen vertellen. Maar waarom?' Ik was trots dat ik zo kalm klonk.

'Ik ben oud, zelfs voor iemand van mijn soort. Ik zou je graag willen leren kennen. Dat je leven is bepaald door de erfenis waarmee Fintan je heeft opgezadeld kan ik niet goedmaken. Maar als je me de kans geeft, zal ik proberen je leven een beetje makkelijker voor je te maken.'

'Kun je mijn telepathie wegnemen?' vroeg ik. Een wilde hoop, vermengd met angst, vlamde als een zonnevlek in me op.

'Je vraagt of ik iets uit je wezenlijke karakter kan wegnemen. Nee, dat kan ik niet.'

Ik zakte in elkaar op mijn stoel. 'Ik vond dat ik het toch moest vragen,' zei ik, terwijl ik mijn tranen onderdrukte. 'Mag ik drie wensen doen of is dat alleen bij een geest?'

Niall keek me droog aan. 'Je zou niet graag een geest willen tegenkomen,' zei hij. 'En ik ben geen schertsfiguur. Ik ben een prins.'

'Sorry. Ik kan dit allemaal niet zo goed verwerken... overgrootvader.'

Van mijn menselijke overgrootvaders kon ik me niets herinneren. Mijn opa's – ja, oké, een van hen zal vast niet echt mijn opa zijn geweest – hadden totaal niet op deze mooie verschijning geleken en zich ook niet zo gedragen. Opa Stackhouse was zestien jaar geleden overleden en de ouders van mijn moeder waren gestorven voordat ik een tiener was. Zodoende had ik mijn oma Adele veel beter gekend dan de anderen en zelfs veel beter dan mijn eigen ouders.

'Hé, hoezo kwam Eric me eigenlijk ophalen? Tenslotte ben je een elf. Vampiers worden gek als ze elfen ruiken.'

In feite verliezen de meeste vamps alle zelfbeheersing als er elfen in de buurt zijn. Alleen een zeer gedisciplineerde vamp zou zich kunnen inhouden wanneer een elf zich op ruikafstand bevond. Mijn goede fee, Claudine, was doodsbang voor bloedzuigers.

'Ik kan mijn essentie onderdrukken,' zei Niall. 'Ze kunnen me wel zien, maar niet ruiken. Het is een handig toverkunstje. Ik kan zorgen dat mensen me niet eens opmerken, zoals je hebt gezien.'

Uit de manier waarop hij dat zei bleek duidelijk dat hij niet alleen heel oud en heel machtig was, maar ook heel trots. 'Heb je Claudine naar me toe gestuurd?' vroeg ik.

'Ja. Ik hoop dat ze zich nuttig heeft gemaakt. Alleen mensen met een beetje elfenbloed kunnen zo'n relatie met een elf hebben. Ik wist dat je haar nodig had.'

'O ja, ze heeft mijn leven gered,' zei ik. 'Ze is geweldig.' Ze was zelfs met me wezen shoppen. 'Zijn alle elfen net zo aardig als Claudine of zo mooi als haar broer?'

Claude, een mannelijke stripper en tegenwoordig ondernemer, was zo aantrekkelijk als een man maar kon zijn, maar hij had de persoonlijkheid van een egocentrische koolraap.

'Mijn lieve, in de ogen van mensen zijn we allemaal mooi,

maar sommige elfen zijn inderdaad erg gemeen.'

Oké, nu kwam de keerzijde. Ik had sterk het gevoel dat mijn ontdekking dat ik een volbloedelf als overgrootvader had goed nieuws zou moeten zijn, volgens Niall tenminste, maar dat het niet allemaal rozengeur en maneschijn was. Nu zou ik het slechte nieuws te horen krijgen.

'Je hebt jarenlang geleefd zonder dat je bent gevonden,' zei Niall, 'en dat was gedeeltelijk omdat Fintan dat zo wilde.'

'Maar hij hield me wel in de gaten?' Ik kreeg er bijna een warm gevoel van toen ik dat hoorde.

'Mijn zoon had spijt dat hij twee kinderen had veroordeeld tot het halfslachtige bestaan dat hij zelf had meegemaakt als elf die geen echte elf was. Ik ben bang dat de anderen van ons ras niet zo aardig voor hem zijn geweest.' Mijn overgrootvader keek me strak aan. 'Ik heb mijn best gedaan om hem te beschermen, maar dat was niet genoeg. Fintan heeft ook moeten vaststellen dat hij niet menselijk genoeg was om voor mens door te gaan, althans niet langer dan een korte tijd.'

'Zie je er normaal niet zo uit?' vroeg ik nieuwsgierig.

'Nee.' En in een flits zag ik een bijna verblindend licht met Niall in het midden, adembenemend en perfect. Geen wonder dat Einin hem voor een engel had aangezien.

'Claudine zei dat ze zich aan het opwerken is,' zei ik. 'Wat houdt dat in?' Hakkelend hield ik het gesprek op gang. Mijn hoofd duizelde van alle informatie en ik worstelde om mijn emotionele evenwicht te hervinden. Dat lukte niet zo goed.

'Dat had ze je nooit mogen vertellen.' Heel even overlegde hij bij zichzelf voordat hij weer verderging. 'Veranderaars zijn mensen met een genetische kronkel, vampiers zijn dode mensen die in iets anders zijn veranderd, maar het elfenvolk heeft alleen een basisvorm met mensen gemeen. Er zijn allerlei soorten elfen, van groteske, zoals kobolden, tot mooie, zoals wij.' Dat zei hij zonder blikken of blozen.

'Zijn er ook engelen?'

'Engelen zijn weer een andere vorm, die een vrijwel complete gedaanteverandering hebben ondergaan, zowel lichamelijk als moreel. Het kan wel honderden jaren duren om een engel te worden.'

Arme Claudine.

'Maar genoeg gepraat over dit onderwerp,' zei Niall. 'Nu wil ik meer over jou horen. Mijn zoon heeft me bij je vader en je tante vandaan gehouden en daarna bij hun kinderen. Zijn dood kwam te laat om je nicht Hadley te leren kennen, maar nu kan ik jou zien en aanraken.' Dat deed hij trouwens op een manier die niet echt menselijk was: als zijn hand niet de mijne vasthad, lag die plat op mijn schouder of tegen mijn rug. Zo gingen mensen niet met elkaar om, maar pijn deed het niet. Ik zou me er onbehaaglijker bij voelen als ik niet had gemerkt dat Claudine ook erg aanhalig was. Omdat ik geen telepathische golven van elfen kan ontvangen, was zoveel contact goed te verdragen. Bij gewone mensen zou ik overstelpt worden door gedachten, omdat aanraking mijn gevoeligheid voor telepathisch contact vergrootte.

'Had Fintan nog andere kinderen of kleinkinderen?' Ik zou het leuk vinden om meer familieleden te hebben.

'Daar hebben we het later nog wel over,' zei Niall. Er ging meteen een alarmbelletje bij me rinkelen. 'Nu je me wat beter kent, kun je misschien zeggen wat ik voor je kan doen,' zei hij.

'Waarom zou je iets voor me willen doen?' Over geesten hadden we het al gehad. Daar wilde ik niet op terugkomen.

'Ik kan merken dat je een zwaar leven hebt gehad. Nu ik je eindelijk mag zien, wil ik je graag helpen.'

'Je hebt Claudine al naar me toe gestuurd. Zij is een grote steun geweest,' zei ik. Zonder de hulp van mijn zesde zintuig kostte het me moeite de emotionele en geestelijke toestand van mijn overgrootvader te begrijpen. Treurde hij om zijn zoon? Hoe was hun verhouding eigenlijk geweest? Vond Fintan dat hij ons allemaal een dienst bewees door zijn vader al die tijd bij de familie Stackhouse uit de buurt te houden? Was Niall slecht of had hij kwade bedoelingen met me? Hij had me makkelijk van een afstand iets akeligs kunnen aandoen zonder zich uit te sloven om me te ontmoeten en me op een duur etentje te trakteren.

'Meer wil je er niet over zeggen, hè?'

Niall schudde zijn hoofd, waardoor zijn haren langs zijn schouders streken als strengen goud- en zilverdraad die ongelooflijk fijn waren gesponnen.

Ineens kreeg ik een ingeving. 'Kun je mijn vriend vinden?' vroeg ik hoopvol.

'Heb je een man? Afgezien van de vampier?'

'Eric is mijn man niet, maar sinds ik een paar keer zijn bloed heb gehad en hij het mijne...'

'Daarom heb ik je ook via hem benaderd. Je hebt een band met hem.'

'Ja.'

'Ik ken Eric Northman al heel lang. Ik dacht dat je wel zou komen als hij je dat zou vragen. Heb ik daar verkeerd aan gedaan?'

Zijn vraag overviel me. 'Nee. Ik geloof niet dat ik zou zijn gekomen als hij niet had gezegd dat het in orde was. Hij zou me niet hebben gebracht als hij je niet vertrouwde... Tenminste, dat denk ik niet.'

'Zal ik hem doden? Om de band te verbreken?'

'Nee!' riep ik verontwaardigd. 'Nee!'

Ondanks mijn overgrootvaders *niet-kijken*-kunstje keken er voor het eerst een paar mensen zowaar onze kant op toen ze mijn geagiteerde toon hoorden.

'Die andere vriend van je,' zei Niall, voordat hij een hap van zijn zalm nam. 'Wie is hij en wanneer is hij verdwenen?'

'Quinn de weertijger,' antwoordde ik. 'Sinds de explosie in Rhodes is hij spoorloos. Hij was gewond, maar daarna heb ik hem nog gezien.'

'Ik heb over de Piramide gehoord,' zei hij. 'Was jij erbij?'

Ik vertelde hem alles, en mijn pas ontdekte overgrootvader luisterde met een verfrissend gebrek aan vooringenomenheid. Hij was noch geschokt, noch geschrokken, en hij had geen medelijden met me. Dat vond ik heel prettig.

Terwijl we zaten te praten had ik de kans om mijn emoties op een rijtje te zetten. 'Weet je wat?' zei ik toen er een stilte in het gesprek viel. 'Zoek maar niet naar Quinn. Hij weet waar ik ben en hij heeft mijn nummer. Hij komt vast wel weer.' God, kwam hij maar weer. Want als hij kwam, dan kwam hij ook goed, dacht ik verlangend.

'Maar dan is er niets wat ik voor je kan doen als geschenk,' zei mijn overgrootvader.

'Dat hou ik dan te goed,' zei ik glimlachend, maar toen moest ik uitleggen wat dat betekende. 'Er schiet me nog wel iets te binnen. Kan ik... Mag ik het over je hebben? Tegen mijn vrienden?' vroeg ik. 'Nee, misschien beter niet, hè?' Ik kon me niet voorstellen dat ik mijn vriendin Tara zou vertellen dat ik een nieuwe overgrootvader had die een elf was. Amelia zou er misschien meer begrip voor hebben.

'Ik wil onze relatie geheimhouden,' zei hij. 'Ik ben zo blij dat ik je eindelijk heb ontmoet en ik wil je beter leren kennen.' Hij legde zijn hand op mijn wang. 'Maar ik heb machtige vijanden en ik zou niet willen dat ze jou iets zouden aandoen om mij te grazen te nemen.'

Ik knikte begrijpend, al baalde ik een beetje dat ik een gloednieuw familielid had, maar niet eens over hem mocht praten. Niall haalde zijn hand van mijn wang en liet hem naar mijn hand afdwalen.

'En hoe zit het met Jason?' vroeg ik. 'Ga je ook met hem praten?'

'Jason,' zei hij, met een blik vol afschuw op zijn gezicht. 'Op de een of andere manier is de essentiële vonk niet op Jason overgeslagen. Ik weet dat jullie dezelfde ouders hebben, maar in hem heeft de bloedband zich alleen geopenbaard in zijn vermogen om liefjes aan te trekken, wat niet iets is om trots op te zijn. Hij zou onze band niet begrijpen en niet op prijs stellen.'

Het klonk erg hooghartig. Ik wilde iets tot Jasons verdediging aanvoeren, maar deed snel mijn mond dicht. Diep in mijn hart moest ik toegeven dat Niall vrijwel zeker gelijk had. Jason zou allerlei noten op zijn zang hebben en hij zou zijn mond voorbijpraten.

'Hoe vaak kom je langs?' vroeg ik daarom, zo onverschillig mogelijk. Ik besefte dat ik mezelf onhandig uitdrukte, maar ik wist niet hoe ik anders structuur moest aanbrengen in deze nieuwe en gênante relatie.

'Ik zal proberen op bezoek te komen zoals een familielid dat gewoonlijk zou doen,' antwoordde hij.

Daar probeerde ik me een beeld van te vormen. Niall en ik in een hamburgerrestaurant? Op zondag samen naar de kerk? Dacht het niet.

'Ik krijg het gevoel dat je een heleboel dingen voor me verzwijgt,' zei ik botweg.

'Dan hebben we de volgende keer iets om over te praten.' Hij knipoogde naar me. Dat had ik niet verwacht. Hij gaf me een visitekaartje, nog iets waar ik niet op had gerekend. Er stond eenvoudig op: Niall Brigant, met een telefoonnummer eronder. 'Op dat nummer kun je me altijd bereiken. Er is altijd iemand die opneemt.'

'Bedankt. Ik neem aan dat je mijn telefoonnummer hebt?' Hij knikte. Ik dacht dat hij klaar was om op te stappen, maar hij bleef treuzelen. Hij leek net zo weinig zin te hebben om afscheid te nemen als ik. 'Dus,' begon ik, en ik schraapte mijn keel. 'Wat doe je eigenlijk de hele dag?' Je moest eens weten hoe raar en gaaf het voelde om in het gezelschap van een familielid te zijn. Ik had alleen Jason, en we waren niet bepaald close. Hij was niet zo'n broer aan wie je alles kon vertellen. In geval van nood kon ik wel op hem rekenen, maar samen iets gezelligs doen? Voor geen goud.

Mijn overgrootvader gaf antwoord op mijn vraag, maar toen ik me dat later voor de geest wilde halen, kon ik niets bijzonders opnoemen. Ik denk dat hij zijn geheime elfenprinskunstje uithaalde. Wel vertelde hij dat hij mede-eigenaar was van een paar banken, een bedrijf dat tuinmeubels maakte en – iets wat me heel vreemd voorkwam – een bedrijf dat experimentele medicijnen maakte en testte.

Ik keek hem bedenkelijk aan. 'Medicijnen voor mensen,' zei ik, om te controleren of ik hem goed had begrepen.

'Ja. Grotendeels,' reageerde hij. 'Maar een paar apothekers maken speciale dingen voor ons.'

'Voor het elfenvolk.'

Toen hij knikte, zwaaide zijn fijne maisvezelachtige haar voor zijn gezicht.

'Er is nu zoveel ijzer,' zei hij. 'Ik weet niet of je beseft dat we heel gevoelig zijn voor ijzer? Maar als we de hele tijd handschoenen dragen, vallen we erg op in de wereld van vandaag.' Ik keek naar zijn rechterhand, die op de mijne lag op het witte tafellaken. Ik haalde mijn vingers weg en aaide over zijn huid. Die voelde eigenaardig glad.

'Het lijkt wel een onzichtbare handschoen,' zei ik.

'Precies.' Hij knikte. 'Een van hun formules. Maar genoeg gepraat over mij.'

Juist toen het interessant begon te worden, dacht ik. Maar ik kon merken dat mijn overgrootvader nog geen reden had om me nu al zijn geheimen toe te vertrouwen.

Niall vroeg naar mijn werk, mijn baas en mijn dagelijkse routine zoals een echte overgrootvader dat zou doen. Hoewel het idee dat zijn achterkleindochter werkte hem duidelijk niet aanstond, leek hij geen moeite te hebben met de bar. Zoals ik al zei was Niall niet makkelijk te lezen. Zijn gedachten waren privé, wat mij betreft; maar het viel me wel op dat hij af en toe een opmerking leek in te slikken.

Ten slotte werd er ook nog gegeten, en toen ik op mijn horloge keek, was ik verbaasd dat het al zo laat was. Ik moest opstappen, want de volgende dag moest ik werken. Daarom verontschuldigde ik me, bedankte mijn overgrootvader (er liep nog steeds een rilling over mijn rug als ik op die manier aan hem dacht) voor het eten en boog heel aarzelend voorover om hem een kus op zijn wang te geven, zoals hij mij op mijn wang had gekust. Hij leek zijn adem in te houden toen ik dat deed, en onder mijn lippen voelde zijn huid zacht en glad aan als een glanzende pruim. Al kon hij eruitzien als een mens, zo voelde hij in ieder geval niet.

Hij kwam overeind toen ik wegging, maar bleef bij de tafel staan – om de rekening te betalen, nam ik aan. Ik ging naar buiten zonder dat er iets tot me doordrong van wat mijn ogen zagen. Op de parkeerplaats zat Eric op me te wachten. Hij had wat TrueBlood gedronken tijdens het wachten en had zitten lezen in de auto, die onder een lamp geparkeerd stond.

Ik was uitgeput. Pas nu ik niet meer in Nialls gezelschap was, besefte ik ineens hoe zenuwslopend de maaltijd was geweest. Hoewel ik de hele tijd op een comfortabele stoel had gezeten, was ik zo moe als wanneer we onder het hardlopen hadden gepraat.

In het restaurant had Niall de elfengeur voor Eric kunnen maskeren, maar ik zag aan Erics gespreide neusvleugels dat de bedwelmende reuk nog aan me kleefde. Verrukt deed hij zijn ogen dicht, en hij likte zowaar zijn lippen af. Ik voelde me een T-bonesteak waar een hongerige hond net niet bij kon komen.

'Kap ermee,' zei ik. Daar kon ik echt niet tegen.

Met een uiterste krachtsinspanning wist Eric zich in bedwang te houden. 'Als je zo ruikt,' zei hij, 'wil ik je gewoon neuken en bijten en overal tegen je aan wrijven.'

Dat was tamelijk veelomvattend, en ik wil niet beweren dat ik die handelingen niet een ogenblik lang (eerlijk verdeeld in wellust en angst) voor me zag. Maar ik had belangrijkere dingen om over na te denken.

'Hé, wacht even,' zei ik. 'Wat weet jij van elfen? Afgezien van hoe ze smaken?'

Eric keek me aan met een helderder blik. 'Ze zijn heerlijk, zowel de mannetjes als de vrouwtjes. Ontzettend sterk en woest. Ze zijn niet onsterfelijk, maar ze blijven heel lang leven tenzij er iets met ze gebeurt. Je kunt ze bijvoorbeeld met ijzer doden. Er zijn nog andere manieren om ze te doden, maar dat is veel werk. Meestal zijn ze nogal eenzelvig. Ze houden van een gematigd klimaat. Ik weet niet wat ze eten of drinken als ze alleen zijn, maar ze proberen graag het eten van andere culturen. Ik heb zelfs een elf bloed zien proeven. Ze hebben een hogere dunk van zichzelf dan gerechtvaardigd is. Als ze hun woord geven, houden ze zich daaraan.' Hij dacht even na. 'Ze hebben verschillende toverkrachten. Ze kunnen niet allemaal hetzelfde doen. En ze zijn heel erg magisch. Dat is hun essentie. Ze kennen geen andere goden dan hun eigen ras, want ze zijn vaak voor goden aangezien. Sommigen van hen hebben zelfs de kenmerken van een godheid aangenomen.'

Verbluft staarde ik hem aan. 'Wat bedoel je daarmee?'

'Nou, ik wil niet zeggen dat ze heilig zijn. Ik bedoel dat de elfen die in het bos wonen zich zo sterk met het bos vereenzelvigen dat als de een schade lijdt, de ander dat ook voelt. Daardoor zijn ze sterk achteruitgegaan in aantallen. Natuurlijk zijn wij vampiers niet zo goed op de hoogte van de elfenpolitiek en hun overlevingskwesties, omdat we zo gevaarlijk voor ze zijn... domweg omdat we ze zo bedwelmend vinden.'

Het was nog nooit bij me opgekomen om Claudine over zulke dingen uit te horen. Om te beginnen leek ze er niet graag over te willen praten dat ze een elf was. En als ze opdook, was dat meestal als ik in moeilijkheden verkeerde en dus helaas erg in mezelf verdiept was. Bovendien dacht ik dat er nog hooguit een handjevol elfen was overgebleven, en nu vertelde Eric dat er ooit evenveel elfen op de wereld waren geweest als vampiers, hoewel het elfenvolk aan het afnemen was.

In scherpe tegenstelling daarmee nam het aantal vampiers juist toe – in Amerika tenminste. Er waren drie wetten ingediend bij het Congres die met vampierimmigratie te maken hadden. Amerika had de eer (samen met Canada, Japan, Noorwegen, Zweden, Engeland en Duitsland) een land te zijn dat betrekkelijk kalm op de Grote Onthulling had gereageerd.

In de nacht van de zorgvuldig georganiseerde Grote Onthulling waren vampiers over de hele wereld op de televisie, de radio, in eigen persoon of wat de beste manier van communiceren in een bepaald gebied ook mocht zijn, verschenen om de menselijke bevolking te laten weten: hé, wij bestaan echt! Maar we zijn niet levensbedreigend! Het nieuwe Japanse kunstbloed voorziet in onze voedingsbehoeften!

De zes jaar sinds die nacht waren erg leerzaam geweest. Vanavond had ik mijn hoeveelheid bovennatuurlijke kennis enorm uitgebreid.

'Dus de vamps hebben de overhand,' zei ik.

'We voeren geen oorlog,' zei Eric. 'We leven al eeuwen niet in oorlog met ze.'

'Dus vroeger vochten de vamps en de elfen tegen elkaar? Ik bedoel, geregelde veldslagen, zeg maar?'

'Ja,' antwoordde Eric. 'En als het nog eens zover komt, is Niall de eerste die ik zou afslachten.'

'Waarom?'

'Hij is erg machtig in de elfenwereld. Hij is erg magisch. Als hij oprecht meent dat hij jou onder zijn hoede wil nemen, dan mag je zowel van geluk als van ongeluk spreken.' Eric startte de motor en toen reden we de parkeerplaats af. Ik had Niall niet uit het restaurant zien komen. Misschien was hij gewoon *poef* uit de eetzaal verdwenen. Ik hoopte dat hij wel eerst onze rekening had betaald.

'Ik geloof dat ik moet vragen of je dat kunt uitleggen,' zei ik. Maar ik had zo'n gevoel dat ik het antwoord niet echt wilde weten.

'Ooit waren er duizenden elfen in Amerika,' zei Eric. 'Nu zijn het er nog maar honderden. Maar de elfen die zijn overgebleven zijn hardnekkige overlevenden. En dat zijn niet allemaal vrienden van de prins.'

'O, joepie. Daar zat ik echt op te wachten: nog een groep bovennatuurlijken die me niet kunnen uitstaan,' mopperde ik.

Zwijgend reden we door de nacht langs allerlei kronkelwegen naar de snelweg die ons oostwaarts naar Bon Temps zou voeren. Eric leek diep in gedachten verzonken en zelf had ik ook veel om over na te denken.

Over het algemeen voelde ik een aarzelende blijdschap over het feit dat ik ineens een overgrootvader bleek te hebben. Niall leek serieus een band met me te willen opbouwen. Ik had nog een heleboel vragen voor hem, maar die konden wachten tot we elkaar wat beter kenden.

Erics Corvette kon behoorlijk snel rijden en Eric hield zich niet echt aan de limiet op de snelweg. Daarom keek ik er niet van op toen ik knipperlichten achter ons dichterbij zag komen. Het enige wat me verbaasde was dat de politiewagen Eric kon bijhouden.

'A-hum,' zei ik, en Eric vloekte in een taal die waarschijnlijk al in geen eeuwen hardop was gesproken. Maar zelfs de sheriff van Gebied Vijf moet zich tegenwoordig aan de mensenwetten houden, of tenminste doen alsof. Eric stopte langs de kant van de weg.

'Wat had je dan verwacht met een gepersonaliseerd nummerbord als BLDSKR?' vroeg ik, terwijl ik openlijk genoot van het ogenblik. Ik zag de donkere gestalte van de agent achter ons uit de auto stappen en naar ons toe lopen met iets in zijn hand – een klembord, een zaklamp?

Ik keek nog eens goed. Ik stelde me open. Een grommende massa agressie en angst bereikte mijn innerlijke oor.

'Een Weer! Er is iets mis,' zei ik, en Erics grote knuist duwde me omlaag in de voetenbak, wat een iets betere schuilplek zou zijn geweest als de auto geen Corvette was geweest.

Toen liep de politieman op het raam af en probeerde hij op me te schieten.

5

Eric had zich omgedraaid en maakte zich breed voor het raampje om de schutter het uitzicht te benemen, waardoor hij zelf in zijn nek werd geraakt. Een akelig ogenblik lang zakte hij met een wezenloze blik op zijn gezicht terug in zijn stoel, terwijl er donker bloed over zijn bleke huid omlaag sijpelde. Ik gilde alsof het lawaai me zou beschermen, want het pistool wees naar mij toen de schutter langs Eric door het raam leunde om te richten.

Dat had hij beter niet kunnen doen. Eric greep de pols van de man stevig vast en begon te knijpen. De 'agent' slaakte zelf een gilletje en wapperde hulpeloos met zijn lege hand naar Eric. Het pistool viel boven op me. Ik had mazzel dat het ding niet afging toen het viel. Van wapens heb ik weinig verstand, maar dit exemplaar was groot en zag er levensgevaarlijk uit. Ik krabbelde overeind en richtte het op de schutter.

Half door het raam hangend verstarde hij. Eric had zijn arm al gebroken en hield hem in een stevige greep. De malloot zou banger moeten zijn voor de vampier die hem vasthield dan voor een serveerster die nauwelijks wist hoe ze het pistool moest afvuren, maar het pistool trok zijn aandacht.

Ik wist zeker dat ik ervan zou hebben gehoord als de verkeerspolitie had besloten snelheidsmaniakken neer te schieten in plaats van ze op de bon te slingeren.

'Wie ben je?' vroeg ik, en niemand kon het me kwalijk nemen als mijn stem niet al te vast klonk. 'Wie heeft je gestuurd?'

'Ze zeiden dat ik het moest doen,' hijgde de Weer. Nu ik de tijd had om op kleinigheden te letten, zag ik dat hij niet het echte uniform van een verkeersagent droeg. Het had wel de juiste kleur en de pet klopte ook, maar de broek was geen uniformbroek.

'Wie zijn "ze"?' vroeg ik.

Eric zette zijn hoektanden in de schouder van de Weer. Ondanks zijn verwonding wist hij de nepagent stukje bij beetje de auto in te trekken. Het leek me niet meer dan redelijk dat Eric wat bloed zou krijgen nadat hij zelf zoveel had verloren. De huurmoordenaar begon te huilen.

'Zorg alsjeblieft dat hij me niet in een van hen verandert,' zei hij smekend tegen mij.

'Dat mocht je willen,' zei ik, niet omdat het me zo geweldig leek om een vamp te zijn, maar omdat ik zeker wist dat Eric iets veel ergers van plan was.

Ik stapte uit de auto, want het was zinloos om Eric te vragen de Weer te laten gaan. Hij zou toch niet luisteren zolang zijn bloeddorst zo sterk was. Mijn band met Eric was de voornaamste factor in dat besluit. Ik was blij dat hij zich amuseerde, dat hij het bloed kreeg dat hij nodig had. Maar ik was ook razend dat iemand hem kwaad wilde doen. Omdat die gevoelens normaal gesproken geen kleuren waren die in mijn emotionele palet zaten, wist ik waar dat aan te wijten was.

Bovendien begon het onaangenaam benauwd te worden in de Corvette met mij, Eric en het grootste deel van de Weer.

Wonderlijk genoeg kwamen er geen auto's langs toen ik langs de berm naar de wagen van de aanvaller liep. Het verbaasde me niet dat het een witte auto met een illegaal zwaailicht was. Ik doofde de koplampen, en door elk kabeltje los te maken en elke knop in te drukken lukte het me om ook het zwaailicht uit te zetten. Nu vielen we niet meer zo op. Eric had de lampen van de Corvette gedoofd kort nadat we waren gestopt.

Ik wierp een snelle blik in de witte auto, maar zag nergens een envelop liggen met het opschrift: ONTHULLING VAN DEGENE DIE ME HEEFT INGEHUURD VOOR HET GEVAL IK GESNAPT WORD. Ik had dus een aanwijzing nodig. Er zou op zijn minst een telefoonnummer op een papiertje moeten rondslingeren, een nummer dat ik in een omgekeerd telefoonboek kon opzoeken. Als ik wist hoe dat moest. Verdorie. Ik sjokte terug naar Erics auto en zag in de koplampen van een passerende vrachtwagen dat er aan de bestuurderskant geen benen meer uit het raam staken. Daardoor viel de Corvette veel minder op. Toch moesten we maken dat we wegkwamen.

Ik tuurde door het raam en zag dat de auto leeg was. Het enige bewijs van het voorval was een bloedveeg op Erics stoel. Ik haalde een tissue uit mijn tas, spuugde erop en wreef het opdrogende bloed weg. Geen elegante oplossing, maar wel praktisch.

Plotseling stond Eric naast me. Ik kon nog net een gil onderdrukken. Hij was nog steeds opgewonden door de onverhoedse aanval en drukte me tegen de zijkant van de auto, terwijl hij mijn hoofd scheef hield om me te kussen. Er ging een golf van begeerte door me heen en ik stond op het punt om te zeggen: ach, wat kan mij het ook schelen, neem me nu, grote Viking van me. Het was niet alleen de bloedband waardoor ik geneigd was zijn stilzwijgende aanbod aan te nemen, maar ook de herinnering aan wat een kanjer Eric in bed was geweest. Toen dacht ik aan Quinn en met veel moeite rukte ik me los van Erics mond.

Heel even dacht ik dat hij me niet zou laten gaan, maar dat deed hij wel. 'Laat eens kijken,' zei ik met haperende stem. Ik schoof zijn hemdsboord opzij om de schotwond te bekijken. Eric was al bijna helemaal genezen, al was zijn hemd natuurlijk nog nat van het bloed.

'Wat had dat daarnet te betekenen?' vroeg hij. 'Was dat een vijand van je?'

'Ik heb geen flauw idee.'

'Hij schoot op je,' zei hij, alsof ik een beetje traag van begrip was. 'Hij wilde eerst jou te grazen nemen.'

'Maar stel dat hij dat deed om jou kwaad te doen? Stel dat hij mijn dood op jou zou hebben geschoven?' Ik was het zo zat om het doelwit van complotten te zijn dat ik waarschijnlijk hoopte dat Eric het eigenlijke mikpunt was. Er schoot me iets anders te binnen en daar ging ik mee aan de haal. 'Hoe hebben ze ons eigenlijk gevonden?'

'Iemand wist dat we vanavond naar Bon Temps zouden terugrijden,' zei Eric. 'Iemand wist in welke auto ik rij.'

'Niall kan het niet geweest zijn,' zei ik, maar toen twijfelde ik aan mijn flits van loyaliteit aan mijn kersverse overgrootvader, zoals hij zich noemde. Per slot van rekening had hij het best allemaal gelogen kunnen hebben. Hoe moest ik dat controleren? In zijn hoofd kon ik niet kijken. De onwetendheid van mijn situatie voelde heel vreemd.

Toch dacht ik niet dat Niall had gelogen.

'Ik geloof ook niet dat het de elf is geweest,' zei Eric. 'Maar laten we er onderweg maar verder over praten. Dit is geen goeie plek om te blijven plakken.'

Daar had hij gelijk in. Ik wist niet waar hij het lijk had gelaten, en ineens besefte ik dat het me niet eens iets kon schelen. Een jaar geleden zou ik er kapot van zijn geweest om een lijk achter te laten terwijl we er over de snelweg vandoor gingen.

Nu was ik alleen maar blij dat hij in het bos lag en niet ik.

Ik was een slechte christen en een vrij goede overlever.

Terwijl we door het donker reden dacht ik na over de gapende kloof die vlak voor me lag te wachten tot ik die extra stap eroverheen zou nemen. Ik had het gevoel dat ik op de rand was vastgelopen. Het kostte me steeds meer moeite om te doen wat juist was, wanneer het verstandiger leek om te doen wat het voordeligste was. Snap je nou echt niet, hield mijn brein me meedogenloos voor, dat Quinn je heeft gedumpt? Zou hij niet contact hebben opgenomen als hij ons nog steeds als een stel beschouwde? Had ik niet altijd al een zwak voor Eric gehad, die vrijde als een trein die door een tunnel raast? Had ik niet meer dan genoeg bewijzen dat Eric me beter kon beschermen dan iedereen die ik kende?

Ik kon nauwelijks de energie opbrengen om geschokt te zijn over mezelf.

Als je beseft dat je erover denkt om iemand als minnaar te nemen omdat hij je goed zou kunnen beschermen, dan lijkt het er aardig op dat je een partner kiest omdat je vindt dat hij gunstige eigenschappen heeft om aan toekomstige generaties door te geven. En als het mogelijk was geweest om een kind van Eric te krijgen (bij de gedachte alleen al brak het zweet me uit), dan zou hij bovenaan staan op een lijst waarvan ik niet eens wist dat ik die had. Ik stelde mezelf voor als een vrouwtjespauw op zoek naar de mannetjespauw met de mooiste staart of als een wolvin die wachtte tot de leider (de sterkste, slimste, dapperste) van de roedel haar zou bespringen.

Oké, ik had mezelf misselijk gemaakt. Ik was een mensenvrouw die probeerde een goede vrouw te zijn. Ik moest Quinn vinden omdat ik me aan hem had gebonden... min of meer.

Nee, geen uitvluchten!

'Waar denk je aan, Sookie?' vroeg Eric vanuit het donker. 'De gedachten glijden zo snel over je gezicht dat ze moeilijk te volgen zijn.'

Het feit dat hij me kon zien – niet alleen in het donker, maar terwijl hij zijn aandacht op de weg zou moeten richten – was onuitstaanbaar en eng. En bewijs van zijn superioriteit, zei mijn innerlijke holenmens.

'Eric, breng me alsjeblieft gewoon naar huis. Ik ben emotioneel overbelast.'

Daarna zei hij niets meer. Misschien was hij verstandig of misschien verliep zijn genezing pijnlijk.

'We moeten het er nog een keer over hebben,' zei hij toen hij mijn oprijlaan op reed. Hij parkeerde voor het huis en draaide zich zo goed en zo kwaad als het in de kleine auto ging naar me toe. 'Sookie, ik lijd pijn... Kan ik...' Hij leunde voorover en streek met zijn vingers over mijn hals.

Bij dat idee liet mijn lichaam me schandalig in de steek. Diep in mijn onderbuik begon er iets te kloppen, en dat was gewoon hartstikke verkeerd. Het zou verboden moeten worden om opgewonden te raken bij het vooruitzicht dat je gebeten wordt. Dat kan toch niet? Ik balde mijn vuisten zo stevig dat mijn nagels zich diep in mijn palmen boorden.

Nu ik hem beter kon zien, nu het interieur van de auto door het felle schijnsel van de beveiligingslamp werd verlicht, besefte ik dat Eric nog bleker was dan anders. Terwijl ik naar hem keek gleed de kogel langzaam uit de wond. Eric leunde achterover in zijn stoel met zijn ogen dicht. Millimeter na millimeter werd de kogel uitgedreven, totdat hij in mijn uitgestoken hand viel. Ik herinnerde me dat Eric me een keer had overgehaald om een kogel uit zijn arm te zuigen. Ha! Wat een oplichter. De kogel zou vanzelf naar buiten zijn gekomen. Door mijn verontwaardiging kwam ik ineens weer tot mezelf.

'Volgens mij red je het wel tot je thuis bent,' zei ik, ook al had ik de bijna onbedwingbare neiging me over hem heen te buigen en hem mijn hals of mijn pols aan te bieden. Ik klemde mijn kaken op elkaar en stapte uit. 'Je kunt even bij Merlotte binnenwippen om wat flessenbloed te kopen als het echt nodig is.'

'Wat ben je hardvochtig,' zei hij, maar hij klonk niet echt kwaad of beledigd.

'Klopt,' zei ik met een glimlach. 'Pas goed op jezelf, hoor.'

'Dat doe ik altijd. En voortaan stop ik voor geen enkele politieagent meer.'

Ik dwong mezelf zonder om te kijken het huis in te gaan. Toen ik eenmaal binnen was en de voordeur stevig achter me had dichtgetrokken, voelde ik me meteen opgelucht. Godzijdank. Ik had me afgevraagd of ik me bij elke stap zou omdraaien. Dat bloedbandgedoe was behoorlijk irritant. Als ik niet heel voorzichtig was of niet goed oplette, zou ik iets doen waar ik spijt van kreeg.

'Ik ben een sterke vrouw, mij krijg je niet klein,' zei ik hardop.

'Goh, waar slaat dat op?' vroeg Amelia, en ik schrok me kapot. Ze kwam vanuit de keuken door de gang aanlopen, gehuld in haar nachtpon met bijpassende ochtendjas, perzikkleurig en afgezet met roomkleurige kant. Alle spullen van Amelia waren mooi. Ze zou nooit haar neus ophalen over de koopgewoonten van iemand anders, maar ze zou zelf nooit iets dragen van Walmart.

'Ik heb een zware avond achter de rug,' zei ik. Ik bekeek mezelf. Alleen een paar spetters bloed op mijn blauwe T-shirt. Dat zou ik moeten weken. 'Hoe is het hier gegaan?'

'Octavia heeft gebeld,' zei Amelia. Hoewel ze haar best deed om met vaste stem te praten, voelde ik dat ze in alle staten was.

'Je mentor.' Ik was niet erg goed bij de les.

'Yep, de enige echte.' Ze bukte zich om Bob op te pakken, die altijd in de buurt leek te zijn als ze overstuur was. Ze hield hem tegen zich aan en begroef haar gezicht in zijn vacht. 'Ze had het natuurlijk al gehoord. Zelfs na Katrina en alle veranderingen die dat in haar leven heeft veroorzaakt moest ze toch zo nodig over de vergissing beginnen.' (Zo noemde Amelia het: de vergissing.)

'Ik vraag me af hoe Bob het zou noemen,' zei ik.

Amelia keek me over Bobs kopje aan en ik besefte onmiddellijk dat het een tactloze opmerking was geweest. 'Sorry. Dat had ik niet moeten zeggen. Maar misschien is het niet erg realistisch om te denken dat je hier niet voor op het matje wordt geroepen, hè?'

'Je hebt gelijk.' Ze vond het niet leuk dat ik gelijk had, maar ze had het tenminste gezegd. 'Ik heb het verknald. Ik heb iets geprobeerd wat ik niet had moeten doen en Bob is er de dupe van geworden.'

Wow, als Amelia eenmaal besluit iets op te biechten, gaat ze er ook helemaal voor.

'Ik zal mijn straf moeten ondergaan,' zei ze. 'Misschien mag ik een jaar lang geen magie doen. Misschien langer.'

'O. Dat zou wel een harde straf zijn,' zei ik. In mijn verbeelding gaf haar mentor haar alleen een standje voor een zaal vol magiërs, tovenaars en heksen en dergelijke, en daarna zouden ze Bob weer in zichzelf terugtoveren. Hij zou het Amelia prompt vergeven en zeggen dat hij van haar hield. Omdat hij het haar had vergeven, zou de rest van het gezelschap dat ook doen. Amelia en Bob zouden met mij mee naar huis gaan en dan leefden ze nog lang en gelukkig... Of in ieder geval een hele poos. (Daar was ik nog een beetje vaag over.)

'Dat is de lichtste straf die er bestaat,' zei Amelia.

'O.'

'Je wilt niet weten wat de andere straffen zijn.' Ze had gelijk: dat wilde ik niet weten. 'Nou, wat was dat geheimzinnige uitstapje dat Eric voor je in petto had?' vroeg Amelia.

Zij had niemand over onze bestemming of route kunnen inlichten, want ze wist niet waar we naartoe gingen. 'O, eh, hij wilde me meenemen naar een nieuw restaurant in Shreveport. Het heeft een Franse naam. Het eten was erg lekker.'

'Dus het was een soort date?' Ik kon merken dat ze zich afvroeg welke rol Quinn speelde in mijn relatie met Eric.

'Nee hoor, geen date.' Zelfs in mijn oren klonk dat niet overtuigend. 'Geen jongen-meisjegedoe of zo. Gewoon een beetje chillen, zeg maar.' Zoenen, neergeschoten worden...

'Hij is in ieder geval errug aantrekkelijk,' verklaarde Amelia.

'Ja, zeker weten. Ik heb al heel wat kanjers ontmoet. Weet je Claude nog?' Ik had Amelia de poster laten zien die twee weken geleden bij de post zat, een uitvergroting van de cover van het romannetje waarvoor Claude had geposeerd. Ze was onder de indruk geweest. Welke vrouw niet?

'Eh, ik heb Claude vorige week zien strippen.' Ze durfde me niet aan te kijken.

'Zonder mij mee te nemen!' Claude is een onaangenaam portret, vooral vergeleken met zijn zus Claudine, maar hij is wel beeldschoon. Wat mannelijke schoonheid betreft bevindt hij zich op de eenzame hoogte van Brad Pitt. Het spreekt haast vanzelf dat hij homo is. Dat zul je altijd zien. 'Ben je gegaan toen ik moest werken?'

'Ik dacht dat je het vast niet zou kunnen waarderen als ik ging,' zei ze met gebogen hoofd. 'Ik bedoel, omdat je bevriend bent met zijn zus. Ik ben samen met Tara gegaan. JB moest werken. Ben je boos?'

'Neu. Het maakt mij niet uit.' Mijn vriendin Tara had een kledingzaak en haar nieuwe echtgenoot JB werkte bij een fitnesscenter voor vrouwen. 'Ik zou Claude wel eens willen zien als hij probeert net te doen alsof hij het leuk vindt.'

'Volgens mij vond hij het echt leuk,' zei ze. 'Er is niemand van wie Claude meer houdt dan van zichzelf, nietwaar? Dus al die vrouwen die bewonderend naar hem kijken... Hij heeft niks met vrouwen, maar hij vindt het heerlijk om te worden bewonderd.'

'Da's waar. Laten we een keer samen naar hem gaan kijken.'

'Is goed,' zei ze. Ik kon merken dat ze was opgevrolijkt. 'Vertel me nu maar wat je in dat chique nieuwe restaurant hebt besteld.' Dat deed ik, maar ondertussen wenste ik dat ik niet mijn mond hoefde te houden over mijn overgrootvader. Ik wilde Amelia zo dolgraag over Niall vertellen: hoe hij eruitzag, wat hij had gezegd, dat ik een hele geschiedenis had waarvan ik me niet bewust was geweest. En het zou behoorlijk lang duren om te verwerken wat mijn oma had moeten doorstaan, om het beeld dat ik van haar had te veranderen in het licht van de feiten die ik had gekregen. En ik moest ook mijn vervelende herinneringen aan mijn moeder bijstellen. Ze was halsoverkop verliefd geworden op mijn vader en ze had zijn kinderen gebaard omdat ze van hem hield... om tot de ontdekking te komen dat ze hem niet met hen wilde delen, vooral niet met mij, ook een vrouw. Tenminste, dat was mijn nieuwe inschatting.

'Er was nog meer,' zei ik, en toen moest ik ineens vreselijk gapen. Het was heel laat. 'Maar nu moet ik naar bed. Heeft er nog iemand voor me gebeld?'

'Die Weer uit Shreveport. Hij wilde jou spreken, dus ik zei dat je de hele avond weg was en dat hij je mobiele nummer kon proberen. Hij vroeg of hij een afspraak met je kon maken, maar ik zei dat ik niet wist waar je was.'

'Alcide,' zei ik. 'Ik vraag me af wat hij van me wilde.' Ik nam me voor hem de volgende dag te bellen.

'En een of andere vrouw belde. Ze zei dat ze als serveerster bij Merlotte heeft gewerkt en dat ze je gisteravond op de bruiloft had gezien.'

'Tanya?'

'Ja, zo heette ze.'

'Wat wou ze?'

'Geen idee. Ze zei dat ze morgen zou terugbellen of dat ze je anders in de bar zou zien.'

'Shit. Ik hoop dat Sam haar niet heeft aangenomen om in te vallen of zo.'

'Ik dacht dat ik de invalster was.'

'Ja, tenzij iemand ontslag heeft genomen. Ik waarschuw je maar vast, want Sam vindt haar leuk.'

'Jij niet?'

'Ze is een achterbakse bitch.'

'Goh, hou je vooral niet in.'

'Ik meen het, Amelia. Ze heeft een baantje bij Merlotte genomen zodat ze mij voor de Pelts in de gaten kon houden.'

'O, was zij dat? Nou, dat hoeft ze niet nog eens te proberen. Daar zal ik een stokje voor steken.'

Die gedachte was enger dan het werken met Tanya. Amelia was een sterke en vakkundige heks, daar niet van, maar ze was ook geneigd dingen uit te proberen waarmee ze nog geen ervaring had. Dat bleek wel uit Bob.

'Overleg dat alsjeblieft eerst met mij,' zei ik, en ze keek verbaasd.

'Ja, tuurlijk,' zei ze. 'Nu ga ik naar bed.'

Met Bob in haar armen liep ze de trap op en ik ging naar mijn kleine badkamer om mijn make-up eraf te halen en mijn nachtpon aan te trekken. Amelia had de bloedspatjes op mijn T-shirt niet opgemerkt en ik stopte het snel in de wasbak om te weken.

Wat een dag. Ik had met Eric opgetrokken, die me altijd op stang joeg, en ik had een levend familielid gevonden, maar geen menselijk. Ik was een heleboel over mijn familie te weten gekomen, het meeste onaangenaam. Ik had in een chic restaurant gegeten, hoewel ik amper nog wist wat ik had gehad. En als klap op de vuurpijl was er op me geschoten.

Toen ik mijn bed inkroop en mijn gebeden opzei, probeerde ik Quinn boven aan de lijst te zetten. Ik dacht dat de opwinding over de ontdekking van een overgrootvader me wel wakker zou houden, maar ik viel als een blok in slaap terwijl ik God vroeg om me te helpen mijn weg te vinden door het morele moeras van medeplichtigheid aan een moord.

6

De volgende ochtend, ongeveer een uur voordat ik had willen opstaan, werd er op de voordeur geklopt. Ik hoorde het omdat Bob mijn kamer binnen was geslopen en op bed was gesprongen, wat eigenlijk niet mocht. Hij had zich in mijn knieholten genesteld terwijl ik op mijn zij lag. Daar lag hij luid te spinnen, en ik strekte mijn arm om hem achter zijn oortjes te kriebelen. Ik was dol op katten, al weerhield dat me er niet van om ook gek op honden te zijn. Als ik niet zo vaak weg was, zou ik zelfs een puppy hebben genomen. Terry Bellefleur had me er eentje aangeboden, maar ik had zo lang geaarzeld dat zijn pups al weg waren. Ik vroeg me af of Bob bezwaar zou hebben tegen een jong katje als gezelschap. Zou Amelia jaloers worden als ik een poes zou kopen? Glimlachend kroop ik dieper onder de dekens.

Maar ik sliep niet echt, en zodoende hoorde ik dat er geklopt werd.

Mopperend over de vroege bezoeker schoot ik haastig mijn sloffen en mijn dunne blauwe katoenen ochtendjas aan. De ochtend was een beetje kil, wat me eraan herinnerde dat het ondanks de milde, zonnige dagen al oktober was. Je had Halloweens waarbij het zelfs voor een trui te warm was en Halloweens waarbij je een dunne jas moest aantrekken als je 's avonds langs de deuren trok om te gaan *trick-or-treaten*.

Ik gluurde door het kijkgaatje en zag een oude zwarte vrouw met een krans van wit haar. Haar huid was lichtgetint en haar trekken waren smal en scherp: neus, lippen, ogen. Ze had lila lippenstift op en droeg een geel broekpak. Maar ze zag er niet gewapend of gevaarlijk uit. Daaruit blijkt maar weer hoe misleidend een eerste indruk kan zijn. Ik deed open.

'Ik kom voor Amelia Broadway, jongedame,' liet de vrouw me duidelijk articulerend weten.

'Komt u binnen,' zei ik, want dit was een oude vrouw en als kind had ik geleerd om eerbied te hebben voor ouderen. 'Gaat u zitten.' Ik wees naar de bank. 'Ik ga even naar boven om Amelia te halen.'

Het viel me op dat ze zich niet verontschuldigde omdat ze me uit bed had gehaald of omdat ze onaangekondigd voor de deur stond. Ik liep de trap op met het deprimerende gevoel dat Amelia niet blij zou zijn met dat bericht.

Ik ging zo zelden naar de bovenverdieping dat ik verrast was toen ik zag hoe gezellig Amelia het had ingericht. Omdat er in de bovenslaapkamers alleen de noodzakelijkste meubels stonden, had ze de grootste in gebruik genomen als haar slaapkamer. De kleinste was haar zitkamer. Daar stonden haar televisie, een leunstoel en een poef, een klein computerbureautje en een stuk of wat planten. In de slaapkamer, die volgens mij gebouwd was voor een generatie Stackhouses die kort achter elkaar drie jongens had verwekt, stond alleen een kleine kast, maar Amelia had op internet verrijdbare kledingrekken gekocht die ze handig in elkaar had gezet. Daarna had ze op een veiling een drievoudig kamerscherm gekocht, geschilderd en voor de rekken gezet om ze te camoufleren. Haar fleurige sprei en de oude tafel, die ze opnieuw had geverfd om hem als make-uptafel te gebruiken, staken kleurig af bij de wit geschilderde muren. Te midden van al die vrolijkheid bevond zich een mistroostige heks.

Amelia zat rechtop in bed, met haar korte haar in rare pieken.

'Wie is er beneden?' vroeg ze op gedempte toon.

'Oudere zwarte dame, lichte huidkleur. Nogal scherp in haar manier van doen.'

'O gottegot,' fluisterde Amelia, en toen zakte ze achteruit tegen haar stapel kussens. 'Dat is Octavia.'

'Nou, ga maar naar beneden om met haar te praten. Ik kan haar niet bezighouden.'

Amelia trok een gezicht naar me, maar accepteerde het onvermijdelijke. Ze stond op en trok haar nachtpon uit. Snel schoot ze een beha, een slipje en een spijkerbroek aan en haalde een trui uit een la.

Ik ging naar beneden om Octavia Fant te laten weten dat Amelia eraan kwam. Amelia zou vlak langs haar moeten lopen naar de badkamer, want er was maar één trap, maar ik kon het haar tenminste iets makkelijker maken.

'Kan ik u een kop koffie aanbieden?' vroeg ik. De oude vrouw keek ongegeneerd de kamer rond met haar heldere bruine ogen.

'Als je toevallig thee hebt, lust ik wel een kopje,' zei ze.

'Ja mevrouw, dat hebben we,' zei ik, opgelucht omdat Amelia dat met alle geweld had willen kopen. Ik had geen idee wat voor soort het was en hoopte op theezakjes, want ik had nog nooit van mijn leven thee gezet.

'Mooi zo,' zei ze, en dat was dat.

'Amelia komt er zo aan,' zei ik, terwijl ik hard nadacht om er tactvol iets aan toe te voegen als: maar ze moet eerst nog even door de kamer hollen om te plassen en haar tanden te poetsen, dus doet u maar net alsof u haar niet ziet. Dat was onbegonnen werk, dus vluchtte ik maar de keuken in.

Van een van Amelia's planken viste ik de thee, en terwijl het water kookte, pakte ik twee kop-en-schotels die ik op een dienblad zette, met de suikerpot, een kannetje melk en twee lepeltjes erbij.

Servetten, dacht ik, en ik wenste dat ik linnen servetten had in plaats van papieren. (Dat was de uitwerking die Octavia Fant op me had, zonder dat ze zelfs maar haar toverkracht hoefde te gebruiken.) In de badkamer op de gang hoorde ik water stromen toen ik juist een paar koekjes op een bord legde en aan de verzameling toevoegde. Bloemen en een klein vaasje had ik niet, want dat was het enige wat ik kon bedenken dat er nog aan ontbrak. Ik pakte het dienblad op en liep er langzaam mee naar de woonkamer.

Voorzichtig zette ik het op het koffietafeltje voor mevrouw Fant neer. Ze keek me doordringend aan en knikte een bedankje. Ik besefte dat ik haar gedachten niet kon lezen. Daar had ik mee gewacht tot ik me er helemaal op kon concentreren, maar ze wist hoe ze me moest buitensluiten. Ik had nog nooit een mens ontmoet die dat kon. Heel even was ik bijna geïrriteerd.

Toen herinnerde ik me wie en wat ze was, waarna ik snel naar mijn kamer liep om mijn bed op te maken en naar mijn eigen badkamer te gaan. Op de gang kwam ik Amelia tegen, die me doodsbenauwd aankeek.

Sorry, Amelia, dacht ik, terwijl ik mijn slaapkamerdeur stevig dichttrok. Zoek het zelf maar uit.

Ik hoefde pas 's avonds te werken, dus trok ik een oude spijkerbroek aan en een Fangtasia-T-shirt ('bloedstollend gezellig'). Dat had Pam me gegeven toen de bar ze ging verkopen. Ik schoof mijn voeten in een paar Crocs en ging naar de keuken om nu voor mezelf iets te drinken te maken: koffie. Ik roosterde twee boterhammen en pakte de plaatselijke krant, die ik mee had gegrist toen ik de deur opendeed. Terwijl ik het elastiekje eraf rolde, bekeek ik de voorpagina. Het schoolbestuur had vergaderd, de plaatselijke Walmart had een royale bijdrage geleverd aan de naschoolse opvang en het staatsbestuur had gestemd voor de erkenning van gemengde huwelijken tussen vampiers en mensen. Tjongejonge. Niemand had ooit gedacht dat die wet aangenomen zou worden.

Ik sloeg de krant open om de overlijdensberichten te lezen. Eerst de plaatselijke sterfgevallen. Geen bekenden, mooi zo. Daarna de regionale berichten. O nee.

MARIA-STAR COOPER, luidde de kop. In het bericht stond alleen maar: *Maria-Star Cooper, 25, een inwoonster van Shreveport, is gisteren onverwachts in haar woning overleden. Cooper, die fotografe was, laat haar ouders, Matthew en Stella Cooper uit Minden, en drie broers achter. De plechtigheid moet nog worden geregeld.*

Ik snakte plotseling naar adem en liet me met een gevoel van ongeloof op de keukenstoel zakken. Maria-Star en ik waren geen dikke vriendinnen geweest, maar ik mocht haar wel. Ze ging al maanden met Alcide Herveaux, een vooraanstaande figuur binnen de Weer-troep in Shreveport. Arme Alcide! Zijn eerste vriendin was door geweld om het leven gekomen, en nu dit.

Toen de telefoon ging, schrok ik me kapot. Met een akelig gevoel van onheil nam ik op. 'Hallo?' zei ik behoedzaam, alsof de telefoon me in mijn gezicht kon spugen.

'Sookie,' zei Alcide. Hij had een zware stem, die nu schor klonk van het huilen.

'Wat verschrikkelijk,' zei ik. 'Ik heb het net in de krant gelezen.' Meer viel er niet te zeggen. Nu snapte ik waarom hij de vorige avond gebeld had.

'Ze is vermoord,' zei hij.

'O god.'

'Dat was nog maar het begin, Sookie. Voor het geval Furnan ook achter jou aan zit: ik wil dat je goed op jezelf past.'

'Te laat,' zei ik nadat ik dat vreselijke nieuws even had laten bezinken. 'Gisteravond heeft iemand geprobeerd me te vermoorden.'

Alcide hield de telefoon van zich af en jankte. Dat geluid was zelfs op klaarlichte dag en door de telefoon angstaanjagend.

Er broeide al een poosje onraad binnen de Shreveporttroep. Dat wist ik zelfs, ook al had ik niets met Weer-politiek te maken. Patrick Furnan, de leider van de Langtandentroep, had zijn functie gekregen nadat hij Alcides vader in een gevecht had gedood. Het was een wettige overwinning geweest – dat wil zeggen, wettig naar de begrippen van de Weers – maar voor het zover was, waren er een paar niet zo wettige spelletjes gespeeld. Alcide – sterk, jong, rijk en met een wrok – was altijd al een bedreiging geweest voor Furnan, tenminste zo dacht Furnan erover.

Het was een heikele kwestie, want Weers waren voor de menselijke bevolking geheim. Ze hadden nog niet de openbaarheid gezocht, zoals de vampiers. Het zou niet lang meer duren tot ook de veranderaars naar buiten zouden treden. Daar had ik ze al heel vaak over horen praten. Maar zover was het nog niet, en het zou hun zaak geen goed doen als het eerste wat de mensen over de Weers te horen kregen was dat er overal lijken waren gevonden.

'Er komt zo iemand naar je toe,' zei Alcide.

'Niks ervan. Ik moet vanavond werken en ik heb er zo weinig mee te maken dat ze het vast niet nog een keer zullen proberen. Maar ik wil wel graag weten hoe die vent wist waar en wanneer hij me kon vinden.'

'Vertel de omstandigheden aan Amanda,' zei Alcide, hees van kwaadheid. Daarna kwam Amanda aan de lijn. Het was nauwelijks te geloven dat we allebei zo vrolijk waren geweest toen ik haar op de bruiloft had gezien.

'Zeg het maar,' zei ze kordaat, en ik begreep dat dit niet het juiste moment was om tegen te sputteren. Ik vertelde haar het verhaal zo beknopt mogelijk (zonder Niall, Eric en de meeste andere details te noemen) en toen ik klaar was met praten, was ze een paar seconden stil.

'Hij is uitgeschakeld, dus dat is één zorg minder,' zei ze. Het klonk opgelucht. 'Ik wou dat je wist wie hij was.'

'Sorry,' zei ik een beetje bits. 'Op dat moment dacht ik alleen maar aan het pistool, niet aan zijn legitimatie. Hoe komt het dat jullie oorlog kunnen voeren als jullie met zo weinig zijn?' De Shreveport-troep kon hooguit dertig Weers tellen.

'Versterking uit andere gebieden.'

'Waarom zou iemand dat doen?' Waarom zou je je bij een oorlog aansluiten die niet de jouwe was? Wat had het voor zin om je eigen mensen te verliezen voor een ruzie van een andere troep?

'Er zijn voordelen aan verbonden als je de winnende partij steunt,' zei Amanda. 'Zeg, woont die heks nog steeds bij jou in huis?'

'Ja.'

'Dan is er iets waarmee je kunt helpen.'

'Oké,' zei ik, al kon ik me niet herinneren dat ik mijn hulp had aangeboden. 'Waarmee precies?'

'Vraag die heks van je of ze naar Maria-Stars appartement kan gaan om uit te vogelen wat daar is gebeurd. Lukt dat, denk je? We willen weten welke Weers erbij betrokken zijn.'

'Vast wel, maar ik weet niet of ze het wil doen.'

'Vraag het haar nu maar even.'

'Eh... ik bel je straks terug. Ze heeft bezoek.' Voordat ik naar de woonkamer ging, moest ik nog iemand anders bellen. Ik wilde mijn bericht niet achterlaten op het antwoordapparaat van Fangtasia, dat nog gesloten was, dus belde ik Pams mobiele nummer, iets wat ik nog nooit had gedaan. Toen het mobieltje rinkelde vroeg ik me af of het bij haar in de doodkist lag. Dat was een akelig idee. Ik wist niet of Pam werkelijk in een doodkist sliep, maar als dat zo was... Ik huiverde. Natuurlijk werd ik doorgeschakeld naar de voicemail, en ik zei: 'Pam, ik ben erachter waarom Eric en ik gisteravond langs de snelweg moesten stoppen, tenminste dat denk ik. Er is een Weer-oorlog op komst en ik vermoed dat ik het doelwit was. Iemand heeft ons aan Patrick Furnan verlinkt. En ik had niemand verteld waar ik naartoe ging.' Over dat probleem hadden Eric en ik het de vorige avond niet gehad, toen we nog te geschokt waren. Hoe kon iemand weten waar we gisteravond zouden zijn? Dat we terug zouden rijden vanuit Shreveport?

Amelia en Octavia waren diep in gesprek, maar ze keken geen van beiden zo geïrriteerd of van streek als ik had gevreesd.

'Het spijt me dat ik stoor,' zei ik, terwijl twee paar ogen zich naar mij omdraaiden. Octavia's ogen waren bruin, die van Amelia lichtblauw, maar het was griezelig dat ze me met dezelfde blik aankeken.

'Ja?' Octavia was de situatie duidelijk meester.

Elke heks die iets te betekenen heeft is van de Weers op de hoogte. Ik vatte de problemen rond de Weer-oorlog in een paar zinnen samen, vertelde over de aanval op de snelweg van de vorige avond en gaf Amanda's verzoek door.

'Is dit iets waar je je mee zou moeten bemoeien, Amelia?' vroeg Octavia op een toon die duidelijk maakte dat er maar een antwoord mogelijk was.

'Ja, ik vind van wel,' antwoordde Amelia. Ze glimlachte. 'Ik kan toch niet zomaar iemand op mijn huisgenoot laten schieten. Ik zal Amanda helpen.'

Octavia had niet geschokter kunnen reageren als Amelia een pit van een watermeloen op haar broek had uitgespuugd. 'Amelia! Je probeert dingen te doen die veel te hooggegrepen zijn! Daar komen alleen maar problemen van! Moet je kijken wat je die arme Bob Jessup hebt aangedaan.'

Hoewel ik Amelia nog niet zo lang kende, snapte ik dat dit

geen goede manier was om te zorgen dat ze deed wat je wilde. Als Amelia ergens trots op was, dan was het op haar heksenvermogens. Wie haar deskundigheid in twijfel trok, kon op zijn vingers natellen dat hij haar op stang joeg. Aan de andere kant was Bob inderdaad een grandioze blunder geweest.

'Kunt u hem terugveranderen?' vroeg ik aan de oudere heks.

Octavia keek me scherp aan. 'Natuurlijk kan ik dat.'

'Waarom doet u dat dan niet, en dan zien we daarna wel verder?'

Ze keek geschrokken, en ik wist dat ik haar niet zo voor het blok had moeten zetten. Maar als ze Amelia wilde laten zien dat haar magie krachtiger was, dan had ze nu de kans. Bob de kater zat onbekommerd bij Amelia op schoot. Octavia stak haar hand in haar zak en haalde er een pillendoosje uit dat zo te zien met marihuana gevuld was. Voor mij zien gedroogde kruiden er allemaal zo'n beetje hetzelfde uit en zelf heb ik nog nooit marihuana gebruikt, dus ik ben geen kenner. Hoe dan ook, Octavia pakte een beetje van het gedroogde groene spul, dat ze op de kattenvacht strooide. Bob leek het niet erg te vinden.

Amelia's gezicht was een studie waard toen ze Octavia een toverspreuk zag prevelen die leek te bestaan uit enkele woorden Latijn, een paar gebaren en het genoemde kruid. Ten slotte mompelde Octavia iets wat de esoterische variant van 'abracadabra!' zal zijn geweest, en wees naar de kat.

Er gebeurde niets.

Ze herhaalde de spreuk nog nadrukkelijker, weer met die wijzende vinger. En weer zonder resultaat.

'Weet u wat ik denk?' vroeg ik. Dat leek niemand te interesseren, maar per slot van rekening was het mijn huis. 'Ik vraag me af of Bob altijd een kat is geweest en om een of andere reden tijdelijk een mens was. Daarom kunt u hem niet terugtoveren. Misschien is dit zijn ware gedaante.'

'Dat is bespottelijk,' snauwde de oude heks. Ze had er flink de pest in dat het was mislukt. Amelia probeerde uit alle macht een grijns te onderdrukken.

'Als u er nu nog zo zeker van bent dat Amelia niet deugt als heks, en ik weet toevallig dat ze wel deugt, bent u misschien bereid om met ons mee te gaan naar het appartement van Maria-Star,' zei ik. 'Om te zorgen dat Amelia geen gekke dingen doet.' Heel even keek Amelia verontwaardigd, maar toen had ze mijn plannetje door en viel ze me bij.

'Nou, vooruit. Ik ga mee,' zei Octavia grootmoedig.

Hoewel ik niet in haar hoofd kon kijken, had ik lang genoeg in de bar gewerkt om een eenzaam mens te herkennen.

Ik vroeg Amanda om het adres en ze vertelde dat Dawson de woning bewaakte totdat wij kwamen. Ik kende hem en vond hem aardig, want hij had me een keer uit de brand geholpen. Hij was de eigenaar van een motorwerkplaats een paar kilometer buiten Bon Temps en soms beheerde hij Merlotte voor Sam. Dawson hoorde niet bij een troep, en het nieuws dat hij zich bij Alcides rebellenclub had aangesloten was veelbetekenend.

Ik wil niet beweren dat we tijdens de rit naar de buitenwijken van Shreveport naar elkaar toe groeiden, maar ik bracht Octavia wel op de hoogte van de achtergrond van de problemen met de troep. En ik vertelde haar over mijn eigen betrokkenheid. 'Toen de troepmeesterverkiezing plaatsvond, wilde Alcide mij erbij hebben als menselijke leugendetector. Ik heb de tegenkandidaat inderdaad op bedrog betrapt, wat nuttig was. Maar daarna liep het uit op een gevecht tot de dood, waarbij Patrick Furnan de sterkste was. Hij heeft Jackson Herveaux gedood.'

'Ze hebben de dood zeker verdoezeld?' De oude heks keek niet geschokt of verrast.

'Ja, ze hebben het lijk achtergelaten op een afgelegen boerderij van hem, want daar zou een hele poos niemand gaan kijken. Tegen de tijd dat hij werd gevonden, waren de wonden op het lichaam onherkenbaar.'

'Is Patrick Furnan een goede leider?'

'Dat zou ik echt niet weten,' bekende ik. 'Alcide heeft altijd een groepje ontevreden Weers om zich heen en die ken ik het best in de roedel, dus eigenlijk sta ik aan Alcides kant.'

'Heb je er wel eens aan gedacht om je gewoon terug te trekken? Moge de beste Weer winnen?'

'Nee,' antwoordde ik eerlijk. 'Ik zou liever hebben gehad dat Alcide me niet over de problemen met de troep had gebeld. Maar nu ik ervanaf weet, zal ik hem zo veel mogelijk helpen. Niet dat ik zo'n lieverdje ben of zo. Maar Patrick Furnan heeft een hekel aan me, en het is slim om zijn vijand te helpen, dat is punt een. Bovendien mocht ik Maria-Star graag, punt twee. En gisteravond heeft iemand geprobeerd me te vermoorden, iemand die misschien door Furnan is ingehuurd, punt drie.'

Octavia knikte. Ze was beslist geen laffe oude dame.

Maria-Star had in een vrij ouderwets appartementengebouw gewoond aan Highway 3 tussen Benton en Shreveport. Het was een klein complex, slechts twee flats naast elkaar tegenover een parkeerplaats, direct aan de snelweg. Aan de achterkant grensden ze aan een veld en ernaast lagen een verzekeringsmaatschappij en een tandartsenpraktijk.

De twee bakstenen gebouwen waren onderverdeeld in vier appartementen. Rechts voor de flat zag ik een bekende gehavende pick-up staan, waar ik naast parkeerde. De appartementen waren ingesloten; je kwam via de gemeenschappelijke ingang een gang binnen en daar bevond zich aan weerszijden van het trappenhuis een deur naar de eerste verdieping. Maria-Star had in het linkerappartement op de begane grond gewoond. Dat was makkelijk te herkennen, want Dawson leunde tegen de muur naast haar deur.

Omdat ik zijn voornaam niet wist, stelde ik hem aan de twee heksen voor als 'Dawson'. Hij was een beer van een man. Ik durf te wedden dat je op zijn spierballen pecannoten kon kraken. Hij had donkerbruin haar dat al een beetje begon te grijzen, en een keurige snor. Ik kende hem al mijn hele leven, maar niet erg goed. Hij was waarschijnlijk zeven of acht jaar ouder dan ik en hij was jong getrouwd. En ook jong gescheiden. Zijn zoon, die bij de moeder woonde, was een goede voetballer voor Clarice High School.

Dawson zag er stoerder uit dan enige andere man die ik ooit had ontmoet. Ik weet niet of het lag aan zijn donkere ogen, zijn grimmige gezicht of alleen aan zijn enorme postuur.

De deur van het appartement was met politielint afgezet. Ik kreeg tranen in mijn ogen toen ik dat zag. Op deze plek was Maria-Star nog maar een paar uur geleden een gewelddadige dood gestorven. Dawson haalde een sleutelbos tevoorschijn (van Alcide?) en maakte de deur open. We doken onder de tape door om naar binnen te gaan.

Zwijgend bleven we staan, vol ontzetting over de toestand van de kleine woonkamer. Vlak voor mijn voeten lag een omgegooide koffietafel met een grote kerf die het hout ontsierde. Mijn ogen schoten langs de onregelmatige donkere vlekken op de muren totdat mijn verstand me zei dat het bloedspatten waren.

De geur was vaag maar onaangenaam. Ik haalde oppervlakkig adem om niet te kokhalzen.

'Wat wil je dat we doen?' vroeg Octavia.

'Ik dacht aan een ectoplastische reconstructie, zoals Amelia al eens heeft gedaan,' antwoordde ik.

'Heeft Amelia een ectoplastische reconstructie gedaan?' Octavia had haar hooghartige toon laten varen en klonk oprecht verbaasd en bewonderend. 'Dat heb ik nog nooit gezien.'

Amelia knikte bescheiden. 'Met Terry en Bob en Patsy,' zei ze. 'Het ging geweldig. We moesten een groot gebied doen.'

'Dan moet het hier zeker lukken,' zei Octavia. Ze keek geïnteresseerd en opgewonden. Het was alsof haar gezicht wakker was geworden. Ik besefte dat ik eerst haar depressieve gezicht had gezien. En nu ze me niet meer bewust buitensloot, kon ik genoeg uit haar hoofd oppikken om te weten dat ze de maand na Katrina geen idee had waar haar volgende maaltijd vandaan moest komen of waar ze 's nachts moest slapen. Nu logeerde ze bij familie, maar daar kreeg ik geen duidelijk beeld bij.

'Ik heb de spullen meegebracht,' zei Amelia. Haar brein straalde trots en opluchting uit. Misschien zou ze toch nog onder het fiasco met Bob uit komen zonder er zwaar voor te hoeven boeten.

Dawson leunde tegen de muur en luisterde met duidelijke belangstelling mee. Omdat hij een Weer was, waren zijn gedachten moeilijk te lezen, maar hij stond er in ieder geval ontspannen bij.

Ik was jaloers op hem. Zelf kon ik me met geen mogelijkheid op mijn gemak voelen in dat akelige kleine appartement, dat haast nog nagalmde van het geweld dat er tussen de muren had plaatsgevonden. Ik durfde niet te gaan zitten op de tweezitsbank of in de leunstoel, die allebei met blauw-witte ruitjesstof waren bekleed. De vloerbedekking was donkerder blauw en de verf wit. Alles was op elkaar afgestemd. Het appartement was een beetje saai naar mijn smaak, maar het was er netjes, schoon en zorgvuldig ingericht. En nog geen etmaal geleden was het een thuis geweest.

Ik kon in de slaapkamer kijken, waar de dekens opengeslagen lagen. Dat was het enige teken van slordigheid in de slaapkamer of de keuken. Het geweld had zich in de woonkamer geconcentreerd.

Omdat ik niet wist waar ik moest staan, leunde ik naast Dawson tegen de kale muur.

Ik geloof niet dat ik ooit een lang gesprek had gevoerd met de motormonteur, ook al was hij een paar maanden geleden neergeschoten toen hij mij wilde beschermen. Ik had gehoord dat de politie (in dit geval Andy Bellefleur en zijn collega Alcee Beck) vermoedde dat er in Dawsons werkplaats meer gebeurde dan alleen motorreparaties, maar dat ze Dawson nog nooit op iets illegaals hadden betrapt. Af en toe liet hij zich ook inhuren als lijfwacht, of misschien bood hij zijn diensten vrijwillig aan. Hij was er in ieder geval heel geschikt voor.

'Waren jullie bevriend?' bromde Dawson, met een hoofdknik naar de bloederigste plek op de grond, de plek waar Maria-Star was gestorven.

'We waren meer goede kennissen,' antwoordde ik, om geen aanspraak te maken op meer verdriet dan waar ik recht op had. 'Een paar avonden geleden heb ik haar op een bruiloft gezien.' Ik wilde zeggen dat ze toen nog niets had gemankeerd, maar dat zou stom zijn geweest. Je stortte niet in voordat je werd vermoord.

'Wanneer heeft iemand voor het laatst met Maria-Star gesproken?' vroeg Amelia aan Dawson. 'Ik moet een paar tijdslimieten bepalen.'

'Gisteravond om elf uur,' antwoordde hij. 'Telefoontje van Alcide. Hij was de stad uit, met getuigen. Ongeveer een halfuur later hebben de buren herrie gehoord en de politie gebeld.' Dat was een lange toespraak voor Dawson.

Amelia ging verder met haar voorbereidingen en Octavia las in een dun boekje dat Amelia uit haar rugzakje had gehaald.

'Heb je zoiets wel eens meegemaakt?' vroeg Dawson aan mij.

'Ja, in New Orleans. Ik heb begrepen dat het weinig gebeurt en nogal moeilijk is. Amelia is erg goed.'

'Woont ze bij jou?'

Ik knikte.

'Zoiets had ik al gehoord,' zei hij. Een ogenblik zwegen we. Dawson bleek niet alleen een handige spierbundel te zijn maar ook rustgevend gezelschap.

Er werden gebaren gemaakt en er werden op zangerige

toon magische woorden gesproken, waarbij Octavia haar vroegere leerling nadeed. Ook al had ze nog nooit een ectoplastische reconstructie uitgevoerd, hoe langer het ritueel doorging, hoe meer kracht er door het kleine vertrek galmde, totdat mijn nagels leken mee te zoemen. Echt bang keek Dawson niet, maar hij was duidelijk op zijn hoede toen de magie steeds sterker werd. Hij haalde zijn armen van elkaar en ging rechtop staan, en ik deed hetzelfde.

Hoewel ik wist er zou komen, schrok ik toch toen Maria-Star plotseling bij ons in de kamer verscheen. Naast me voelde ik Dawson opschrikken van verbazing.

Maria-Star was haar teennagels aan het lakken. Haar lange donkere haar was boven op haar hoofd in een paardenstaart bijeengebonden. Ze zat voor de televisie op het tapijt, met een krant zorgvuldig onder haar voet uitgespreid. Het beeld dat op magische wijze was opgeroepen had dezelfde waterige sfeer die ik bij de eerdere reconstructie had gezien, toen ik mijn nicht Hadley had gadegeslagen tijdens haar laatste paar uur op aarde. Maria-Star was niet in kleur aanwezig. Ze leek op een beeld dat met glinsterende gel was gevuld. Omdat het appartement niet meer in dezelfde toestand verkeerde als toen ze op die plek had gezeten, was het effect heel vreemd. Ze zat namelijk precies in het midden van de omgegooide koffietafel.

We hoefden niet lang te wachten. Nadat Maria-Star klaar was met haar teennagels, ging ze televisiekijken (die nu zwart was en uit stond) terwijl ze wachtte tot haar nagels droog waren. Ze deed een paar beenoefeningen tijdens het wachten. Daarna pakte ze het flesje lak en de teenspreiders en vouwde ze de krant op. Ze stond op en liep naar de badkamer. Omdat de werkelijke badkamerdeur nu op een kier stond, moest de waterige Maria-Star er dwars doorheen lopen.

Vanwaar Dawson en ik stonden, konden we niet naar binnen kijken, maar Amelia, met haar armen gestrekt alsof ze de reconstructie op die manier ondersteunde, schokschouderde even als om te zeggen dat Maria-Star niets bijzonders deed. Ectoplastisch plassen misschien.

Een paar minuten later verscheen de jonge vrouw weer, deze keer in haar nachtpon. Ze liep de slaapkamer in en keerde zich naar het bed. Plotseling draaide ze haar hoofd naar de deur.

Het was alsof we naar een pantomime stonden te kijken. Maria-Star had blijkbaar iets bij de deur gehoord en dat geluid was onverwacht. Ik wist niet of ze de deurbel hoorde, iemand die aanklopte of iemand die het slot probeerde te forceren.

Haar alerte houding sloeg om in schrik, in paniek zelfs. Ze ging terug naar de woonkamer en pakte haar mobieltje – dat zagen we verschijnen toen ze het aanraakte – en toetste een paar cijfers in. Ze belde iemand via de sneltoets. Maar nog voordat de telefoon zelfs maar had kunnen overgaan, werd de deur opengebroken en stortte een man – half wolf, half man – zich boven op haar. Hij verscheen in beeld omdat hij een levend wezen was, maar hij was duidelijker te zien toen hij zich vlak bij Maria-Star bevond, het onderwerp van de betovering. Hij drukte haar tegen de vloer en beet gemeen in haar schouder. Haar mond ging wijd open, en je kon zien dat ze gilde en vocht als een Weer, maar hij had haar volkomen overrompeld en hield haar armen neergedrukt. Glimmende lijnen gaven aan waar het bloed uit de beet stroomde.

Dawson greep mijn schouder vast en uit zijn keel steeg gegrom op. Ik wist niet of hij razend was vanwege de aanval op Maria-Star, opgewonden vanwege de actie en de indruk van het stromende bloed of alles tegelijk.

Vlak achter de eerste Weer verscheen een tweede. Hij was in mensengedaante en had een mes zijn rechterhand. Dat liet hij in Maria-Stars romp zinken, vervolgens rukte hij het los, haalde uit en stak nog een keer toe. Toen het mes op- en neerging wierp het bloedspetters op de muren. We konden de druppels zien, dus moest er ook ectoplasma (of wat het ook is) in bloed zitten.

De eerste man kende ik niet, maar deze vent wel. Het was Cal Myers, een handlanger van Furnan en rechercheur bij de politie van Shreveport.

De bliksemactie had hooguit enkele seconden geduurd. Zodra duidelijk was dat Maria-Star dodelijk gewond was, vlogen ze naar buiten en trokken de deur achter zich dicht. Ik was geschokt door de onverwachte, gruwelijke wreedheid van de moord en merkte dat mijn ademhaling sneller ging. Een ogenblik lang bleef Maria-Star liggen, glimmend en bijna doorzichtig, met bloedvlekken op haar nachtpon en de grond om haar heen, te midden van de ravage, en toen floepte ze ineens weg, want op dat moment stierf ze.

We stonden allemaal vol afgrijzen te zwijgen. De heksen zwegen, hun armen vielen langs hun zij alsof het marionetten waren waarvan de draden waren doorgeknipt. Octavia huilde, de tranen rolden langs haar gerimpelde wangen. Amelia zag eruit alsof ze moest overgeven. Ik rilde als reactie, en zelfs Dawson zag eruit alsof hij misselijk was.

'Die eerste vent herkende ik niet, want hij was nog maar half veranderd,' zei Dawson. 'Maar de tweede kwam me bekend voor. Hij is een smeris, hè? In Shreveport?'

'Cal Myers. Ik zal Alcide bellen,' zei ik toen ik dacht dat mijn stem het weer zou doen. 'En Alcide moet deze dames iets sturen voor de moeite, wanneer hij zijn eigen problemen heeft opgelost.' Ik vermoedde dat Alcide daar misschien niet aan zou denken, omdat hij rouwde om Maria-Star, maar de heksen hadden hun werk gedaan zonder dat er over een vergoeding was gesproken. Ze verdienden het om voor hun inspanning te worden beloond. Het had hen erg aangegrepen: ze waren allebei op de tweezitsbank neergeploft.

'Als jullie zover zijn, dames,' zei Dawson, 'kunnen we beter maken dat we hier wegkomen. De politie kan elk moment verschijnen. Vijf minuten voordat jullie hier waren, was het forensisch lab klaar.'

Terwijl de heksen op adem kwamen en al hun spullen bij elkaar raapten, ging ik met Dawson praten. 'Zei je dat Alcide een alibi heeft?'

Dawson knikte. 'Hij kreeg een telefoontje van Maria-Stars buurvrouw. Zodra ze de politie had gewaarschuwd toen ze herrie hoorde heeft ze Alcide gebeld. Dat was naar zijn mobieltje, maar hij nam onmiddellijk op en ze zei dat ze op de achtergrond geluiden van de hotelbar hoorde. Bovendien was hij in de bar met mensen die hij nog maar net had ontmoet toen hij hoorde dat ze vermoord was. Dat zullen ze niet zo gauw vergeten.'

'Ik neem aan dat de politie naar een motief zoekt.' Dat deden ze tenminste in tv-series.

'Ze had geen vijanden,' zei Dawson.

'En nu?' vroeg Amelia. Octavia en zij stonden rechtop, maar ze waren zichtbaar uitgeput. Dawson voerde ons het appartement uit en deed het op slot.

'Bedankt voor jullie komst, dames,' zei Dawson tegen de heksen. Hij draaide zich om naar mij. 'Zou jij met mij mee willen gaan, Sookie, om aan Alcide te vertellen wat we zojuist hebben gezien? Kan Amelia mevrouw Fant terugbrengen?'

'Eh. Ja tuurlijk. Als ze niet te moe is.'

Amelia dacht dat ze het wel zou redden. We waren in mijn auto gekomen, dus gooide ik haar mijn sleutels toe. 'Denk je dat je kunt rijden?' vroeg ik, alleen om mezelf gerust te stellen.

Ze knikte. 'Ik zal het langzaamaan doen.'

Ik klauterde Dawsons pick-up in, toen ik besefte dat ik met deze stap nog meer bij de Weer-oorlog betrokken zou raken. Maar toen bedacht ik dat Patrick Furnan al had geprobeerd me te vermoorden. Erger kon het vast niet worden.

7

Dawsons pick-up, een Dodge Ram, zag er aan de buitenkant gammel uit, maar was vanbinnen netjes opgeruimd. Het was beslist geen nieuwe wagen – waarschijnlijk vijf jaar oud – maar goed onderhouden, zowel onder de motorkap als in de cabine.

'Jij bent geen troeplid, hè Dawson?'

'Ik heet Tray. Tray Dawson.'

'O, neem me niet kwalijk.'

Dawson haalde zijn schouders op, als om te zeggen: niets aan de hand. 'Ik deug niet voor een troep,' zei hij. 'Ik kan me nooit aan de regels houden, heb moeite met gezag.'

'Waarom doe je dan mee met dit gevecht?' vroeg ik.

'Patrick Furnan wilde me failliet laten gaan,' antwoordde hij.

'Waarom zou hij zoiets doen?'

'Er zijn niet zoveel motorwerkplaatsen in deze streek, vooral niet sinds Furnan de Harley-Davidson-zaak in Shreveport heeft gekocht,' legde hij uit. 'Die je-weet-wel is inhalig. Hij wil alles voor zich alleen hebben. Het kan hem niet schelen wie er over de kop gaat. Toen hij besefte dat ik niet van plan was mijn werkplaats op te doeken, heeft hij een paar van zijn jongens langs gestuurd. Die hebben mij in elkaar geslagen en de werkplaats vernield.'

'Ze moeten wel heel goed zijn geweest,' zei ik. Het was onvoorstelbaar dat iemand het van Tray Dawson kon winnen. 'Heb je de politie gebeld?'

'Nee. De politie in Bon Temps is toch al niet zo dol op me, maar ik heb me bij Alcide aangesloten.'

Rechercheur Cal Myers voelde zich blijkbaar niet te goed om Furnans smerige karweitjes op te knappen. Myers was degene geweest die met Furnan onder één hoedje had gespeeld bij de zwendel tijdens de troepmeesterverkiezing. Maar ik was geschokt dat hij er niet voor terugschrok om Maria-Star te vermoorden. Het enige wat ze had misdaan, was dat Alcide van haar hield. Toch hadden we het met onze eigen ogen gezien.

'Hoe zit het met jou en de politie in Bon Temps?' vroeg ik, aangezien we het toevallig over ordehandhavers hadden.

Hij moest lachen. 'Ik ben vroeger politieagent geweest; wist je dat niet?'

'Nee,' zei ik, oprecht verbaasd. 'Meen je dat?'

'Serieus,' zei hij. 'Ik werkte bij de politie in New Orleans. Maar ik hield niet van politieke spelletjes en mijn hoofdinspecteur was, neem me niet kwalijk, een echte klootzak.'

Ik knikte ernstig. Het was lang geleden dat iemand zich had verontschuldigd voor het gebruik van een krachtterm in mijn bijzijn. 'Er is dus iets gebeurd?'

'Ja, uiteindelijk kwam het tot een uitbarsting. Hij beschuldigde mij ervan dat ik geld had gejat dat een of andere schoft op tafel had laten liggen toen we hem in zijn huis hadden opgepakt.' Tray schudde vol afschuw zijn hoofd. 'Toen moest ik wel mijn ontslag nemen. Ik hield van het werk.'

'Wat vond je er zo leuk aan?'

'Er was geen dag hetzelfde. Ja, oké, natuurlijk stapten we in de auto en gingen patrouilleren. Dat was wel vaste prik. Maar telkens wanneer we uitstapten, gebeurde er iets anders.'

Ik knikte. Dat snapte ik. In de bar was elke dag ook een beetje anders, maar vast niet zo anders als Trays dagen in zijn patrouillewagen.

Een poosje reden we zwijgend verder. Ik kon merken dat Tray zich afvroeg hoe groot de kans was dat Alcide het van Furnan zou winnen in de machtsstrijd. Hij vond Alcide een geluksvogel omdat hij zowel met Maria-Star als met mij had gedatet, en helemaal omdat die bitch van een Debbie Pelt was verdwenen. Opgeruimd staat netjes, dacht hij.

'Nu wil ik jou iets vragen,' zei Tray.

'Da's niet meer dan eerlijk.'

'Heb jij iets te maken gehad met de verdwijning van Debbie?'

Ik haalde diep adem. 'Ja. Noodweer.'

'Top, zeg. Het werd tijd dat iemand dat deed.'

Minstens tien minuten lang zwegen we opnieuw. Ik wil niet over het verleden zeuren, maar Alcide had het al uitgemaakt met Debbie Pelt voordat ik hem leerde kennen. Daarna had hij een poosje met mij gedatet. Debbie beschouwde mij als de vijand en had geprobeerd me van kant te maken. En ik was sneller. Daar had ik mee leren leven... voor zover je dat ooit kunt leren. Maar sindsdien had Alcide me met andere ogen bekeken, en wie kon hem dat kwalijk nemen? Hij had Maria-Star gevonden, en dat was fijn.

Was fijn gewéést...

Ik voelde de tranen in mijn ogen prikken en keek daarom maar naar buiten. We kwamen langs de renbaan en de afrit naar het winkelcentrum in Bossier City, en we reden langs nog een paar afslagen voordat Tray van de snelweg af ging.

Een tijdje volgden we een kronkelroute door een eenvoudige buurt, terwijl Tray zo vaak in zijn achteruitkijkspiegel keek dat zelfs ik doorhad dat hij controleerde of we werden gevolgd. Plotseling sloeg hij een oprit in en reed achterom bij een van de iets grotere huizen, voorzien van ingetogen witte gevelbekleding. We parkeerden onder een luifel aan de achterkant, naast een andere pick-up. Aan de zijkant stond een kleine Nissan geparkeerd. Er stonden ook een paar motoren, die Tray met professionele belangstelling keurde.

'Wie woont hier?' Ik aarzelde om hem alweer iets te vragen, maar ik wilde tenslotte wel graag weten waar ik was.

'Amanda,' antwoordde hij. Hij liet mij voorgaan, en ik liep de drie treden op naar de achterdeur en belde aan.

'Wie is daar?' vroeg een gedempte stem.

'Sookie en Dawson,' antwoordde ik.

De deur ging voorzichtig open, en Amanda versperde de toegang zodat we niet langs haar heen konden kijken. Ik heb weinig verstand van handvuurwapens, maar ze had een grote revolver in haar hand die ze strak op mijn borst gericht hield. Dit was al de tweede keer in twee dagen dat iemand een wapen op me richtte. Ik kreeg het plotseling ijskoud en voelde me een beetje duizelig.

'Oké,' zei Amanda, nadat ze ons goed had bekeken.

Alcide stond achter de deur met een geweer in de aanslag. Hij stapte tevoorschijn toen we binnenkwamen, en toen hij ons met zijn eigen zintuigen had opgenomen, trok hij zich terug. Hij legde het geweer op het aanrecht in de keuken en ging aan de keukentafel zitten.

'Het spijt me van Maria-Star, Alcide,' zei ik stijfjes. Het is echt angstaanjagend om een geweer op je gericht te krijgen, vooral van dichtbij.

'Ik heb het nog niet,' zei hij op vlakke toon. Ik nam aan dat hij bedoelde dat haar dood nog niet tot hem was doorgedrongen. 'We dachten erover om te gaan samenwonen. Dan zou ze nu nog leven.'

Het had geen zin om te zwelgen in weemoed. Dat was alleen maar een andere vorm van zelfkwelling. Wat er was gebeurd was al erg genoeg.

'We weten wie het heeft gedaan,' zei Dawson. Er ging een huivering door het vertrek.

Er waren nog meer Weers in het huis – nu kon ik ze voelen – en bij Dawsons woorden waren ze ineens allemaal op hun hoede.

'Wat? Hoe?' Zonder dat ik hem had zien bewegen was Alcide gaan staan.

'Ze heeft haar heksenvriendinnen een reconstructie laten doen,' zei Tray, met een hoofdknik naar mij. 'Ik heb toegekeken. Het waren twee kerels. Een die ik nog nooit had gezien, dus Furnan heeft een paar wolven van buiten ingeschakeld. De tweede was Cal Myers.'

Alcide balde zijn grote vuisten. Hij had zoveel tegenstrijdige gevoelens dat hij niet wist wat hij het eerst moest zeggen. 'Furnan heeft hulp ingehuurd,' zei hij, toen hij ten slotte een inhaakpunt had gekozen. 'Dus dan hebben we het recht om zonder waarschuwing te doden. We grijpen een van die schoften en zorgen ervoor dat hij praat. We kunnen geen gijzelaar hierheen brengen. Dat zou opvallen. Dus waar zullen we het dan doen, Tray?'

'In de Hair of the Dog,' antwoordde hij.

Dat vond Amanda geen goed idee. Het was haar bar en om die als executie- of martelruimte te gebruiken stond haar niet aan. Ze deed haar mond open om te protesteren. Alcide keek haar grommend aan, waarbij hij zijn gezicht verwrong totdat het net niet meer op hem leek. Ze dook in elkaar en knikte instemmend.

Voor zijn volgende aankondiging verhief Alcide zijn stem nog meer. 'Cal Myers moet worden gedood.'

'Maar hij is een troeplid en leden hebben recht op een proces,' zei Amanda, en ze kromp bij voorbaat ineen in afwachting van Alcides woordloze gebrul van razernij.

'Jullie hebben me nog niet gevraagd naar de man die me wilde vermoorden,' zei ik. Ik wilde de situatie kalmeren, voor zover dat mogelijk was.

Hoe woedend Alcide ook was, hij was nog steeds te fatsoenlijk om me erop te wijzen dat ik het had overleefd en Maria-Star niet, of dat hij veel meer van Maria-Star had gehouden dan hij ooit om mij had gegeven. Maar die gedachten kwamen wel allebei bij hem op.

'Het was een Weer,' zei ik. 'Iets langer dan een meter vijfenzeventig, in de twintig. Gladgeschoren met bruin haar, blauwe ogen en een grote moedervlek in zijn nek.'

'O,' zei Amanda. 'Dat klinkt als Dinges, die nieuwe monteur in Furnans werkplaats. Is vorige week aangenomen. Lucky Owens. Ha! Met wie was je?'

'Met Eric Northman,' antwoordde ik.

Er viel een lange, niet echt vriendelijke stilte. Weers en vamps zijn van nature rivalen, om niet te zeggen regelrechte vijanden.

'Dus is hij dood?' vroeg Tray nuchter, en ik knikte.

'Hoe heeft hij je benaderd?' vroeg Alcide op een normalere toon.

'Dat is een interessante vraag,' antwoordde ik. 'Ik reed met Eric op de snelweg van Shreveport naar huis. We waren daar naar een restaurant geweest.'

'En wie wist dat je daar zou zijn en met wie?' vroeg Amanda. Alcide keek intussen fronsend naar de grond, diep in gedachten verzonken.

'Of dat je via de snelweg naar huis zou rijden.' Tray steeg onmiddellijk in mijn achting; hij sprong er meteen bovenop met praktische en relevante ideeën.

'Ik heb alleen tegen mijn huisgenote gezegd dat ik ergens

ging eten, maar niet waar,' zei ik. 'Daar zijn we iemand tegen het lijf gelopen, maar die kunnen we vergeten. Eric wist ervan, want hij was mijn chauffeur. Maar ik weet dat Eric en die andere man niemand hebben ingeseind.'

'Hoe weet je dat zo zeker?' vroeg Tray.

'Eric werd neergeschoten toen hij me wilde beschermen. En de persoon met wie we hadden afgesproken was een familielid.'

Amanda en Tray beseften niet hoe klein mijn familie was, dus hadden ze niet door hoe gewichtig die opmerking was. Maar Alcide, die me beter kende, was woest. 'Je verzint maar wat,' zei hij.

'Nee, echt niet.' Ik keek hem recht in zijn ogen. Ik begreep heus wel dat het een vreselijke dag voor hem was, maar daarom hoefde ik nog niet mijn hele leven voor hem uit de doeken te doen. Ineens kreeg ik een ingeving. 'Weet je, de ober... Dat was een Weer.' Dat zou heel wat kunnen verklaren.

'Hoe heet het restaurant?'

'Les Deux Poissons.' Mijn uitspraak was niet zo goed, maar de Weers knikten.

'Daar werkt Kendall,' zei Alcide. 'Kendall Kent. Lang rossig haar?' Ik knikte, en hij keek treurig. 'Ik dacht dat Kendall onze kant zou kiezen. We hebben een paar keer samen een biertje gedronken.'

'Dat is de oudste van Jack Kent. Hij had alleen maar even hoeven bellen,' zei Amanda. 'Misschien wist hij het niet...'

'Dat is geen excuus,' vond Tray. Zijn diepe stem galmde door de kleine keuken. 'Kendall weet wie Sookie is, van de troepmeesterverkiezing. Ze is een vriendin van de troep. In plaats dat hij Alcide laat weten dat ze in ons territorium was en beschermd zou moeten worden, heeft hij Furnan gebeld en gezegd waar ze was, misschien ook wanneer ze naar huis vertrok. Daardoor kon Lucky makkelijk op de loer gaan liggen.'

Ik wilde protesteren dat het helemaal niet zeker was dat het zo was gebeurd, maar toen ik erover nadacht, realiseerde ik me dat het haast wel zo moest zijn gegaan of vrijwel op die manier. Om te controleren of mijn herinnering me niet in de steek liet, belde ik Amelia en vroeg of zij eventuele bellers had verteld waar ik de vorige avond was.

'Nee,' antwoordde ze. 'Octavia heeft me gebeld, maar zij kende jou niet. En ik kreeg een telefoontje van die weerpanter die ik op de bruiloft van je broer heb ontmoet. Geloof me, in dat gesprek kwam jij helemaal niet ter sprake. Alcide heeft gebeld, behoorlijk overstuur. En Tanya. Haar heb ik niets verteld.'

'Bedankt, huisgenootje,' zei ik. 'Ben je weer opgeknapt?'

'Ja, ik voel me een stuk beter, en Octavia is teruggegaan naar haar familie in Monroe, waar ze logeert.'

'Oké, ik zie je wel wanneer ik terug ben.'

'Ben je op tijd terug om naar je werk te gaan?'

'Ja, dat zal wel moeten.' Na die week in Rhodes moest ik zorgen dat ik me voorlopig aan het rooster hield, anders zouden de andere serveersters gaan zeuren dat Sam mij de hele tijd voortrok. Ik hing op. 'Ze heeft het tegen niemand gezegd,' zei ik.

'Dus jij zat – samen met Eric – ontspannen te eten in een duur restaurant, met een andere man.'

Verbijsterd keek ik hem aan. Dat sloeg helemaal nergens op. Ik concentreerde me. Ik had mijn geestelijke voelhoorns nog nooit in zo'n ontreddering uitgestoken. Alcide treurde om Maria-Star, voelde zich schuldig omdat hij haar niet had beschermd, was kwaad omdat ik bij het conflict betrokken was geraakt en stond vooral te popelen om een paar figuren de hersens in te slaan. Als klap op de vuurpijl kon hij het – absurd genoeg – niet uitstaan dat ik uit was geweest met Eric.

Uit eerbied voor zijn verlies probeerde ik mijn mond te houden. Zelf had ik trouwens ook last van zeer gemengde gevoelens. Maar zomaar ineens kreeg ik genoeg van hem. 'Oké,' zei ik. 'Zoek het zelf maar uit. Ik ben gekomen toen je dat vroeg. Ik heb je geholpen toen je dat vroeg, zowel bij de strijd om het troepmeesterschap als vandaag, waar ik financieel en emotioneel trouwens zelf voor mocht opdraaien. Je kan de klere krijgen, Alcide. Misschien is Furnan een betere Weer dan jij.' Ik draaide me kwaad om en ving de blik op die Tray Dawson Alcide gaf terwijl ik de keuken uit stampte en de trap afliep naar de carport. Als er een blikje had gelegen, zou ik ertegenaan hebben geschopt.

'Ik breng je wel even naar huis,' zei Tray, die plotseling verscheen. Opgelucht omdat hij me de kans bood om te vertrekken liep ik naar zijn pick-up. Ik was naar buiten gestormd zonder daaraan te denken. Een goede aftocht wordt een afgang als je terug moet om eerst in het telefoonboek een taxi te zoeken.

Ik verkeerde in de veronderstelling dat Alcide echt een hekel aan me had na het Debbie-fiasco. Kennelijk viel dat erg mee.

'Eigenlijk ironisch, vind je niet?' zei ik na een stilte. 'Gisteravond werd ik bijna doodgeschoten omdat Patrick Furnan dacht dat Alcide dat erg zou vinden. Tot tien minuten geleden zou ik hebben gezworen dat dat niet waar was.'

Tray zag eruit alsof hij liever uien zou willen fijnsnijden dan dit gesprek voort te zetten. Na weer een stilte zei hij: 'Alcide gedraagt zich schofterig, maar hij heeft veel aan zijn hoofd.'

'Dat snap ik,' zei ik, en toen deed ik snel mijn mond dicht voordat ik nog iets kon zeggen.

Uiteindelijk was ik inderdaad op tijd terug om die avond naar mijn werk te gaan. Onder het omkleden was ik zo overstuur dat ik bijna uit mijn zwarte broek scheurde, zo wild trok ik hem aan. Ik borstelde mijn haar zo stevig dat het knetterde.

'Kerels zijn onbegrijpelijke hufters,' zei ik tegen Amelia.

'Zeg dat wel. Toen ik vandaag Bob zocht, vond ik een poes met jonge katjes in het bos. En wat denk je? Ze waren allemaal zwart-wit.'

Ik wist echt niet wat ik daarop moest zeggen.

'Dus de belofte die ik hem heb gedaan kan hij mooi op zijn buik schrijven. Ik ga lekker lol trappen. Als hij seks kan hebben, kan ik het ook. En als hij nog een keer mijn sprei onderkotst, ga ik met de bezem achter hem aan.'

Ik deed mijn best om haar niet aan te kijken. 'Gelijk heb je,' zei ik. Het kostte me de grootste moeite om mijn gezicht in de plooi te houden. Het was fijn om te moeten lachen in plaats van iemand te willen slaan. Ik pakte mijn handtas, inspecteerde mijn paardenstaart in de spiegel en ging via de achterdeur naar buiten om naar Merlotte te rijden.

Nog voordat ik door de personeelsingang naar binnen ging, was ik al moe. Dat was geen goed begin voor mijn dienst.

Sam was nergens te bekennen toen ik mijn tas in de diepe la stopte die we allemaal gebruikten. Toen ik uit de gang kwam die toegang gaf tot de twee openbare toiletten, Sams kantoor, het magazijn en de keuken (hoewel de keukendeur meestal aan de binnenkant op slot zat) trof ik Sam achter de bar aan. Ik zwaaide naar hem terwijl ik een wit schort omknoopte dat ik van een grote stapel had gepakt. Ik stak mijn bestelboekje en een potlood in een zak, keek om me heen of ik Arlene zag, die ik zou vervangen, en speurde de tafels in ons gedeelte af.

De moed zonk me in de schoenen. Daar ging mijn rustige avond. Aan een van de tafels zaten een paar idioten in T-shirts van het Verbond van de Zon. Het verbond was een radicale organisatie die (a) geloofde dat vampiers van nature zondig en bijna demonen waren, en (b) vond dat ze moesten worden geëxecuteerd. De 'priesters' van het verbond zouden dat nooit openlijk zeggen, maar het verbond was voor de totale uitroeiing van ondoden. Ik had gehoord dat er zelfs een handleiding was om leden te informeren over hoe dat kon worden gedaan. Na de bomaanslag in Rhodes waren ze brutaler geworden in hun haat.

De Verbondsgroep werd groter naarmate meer Amerikanen moeite hadden om iets te accepteren wat ze niet konden begrijpen – en naarmate honderden vamps het land binnenstroomden waar de ontvangst het vriendelijkst was van alle naties op aarde. Sinds een paar zwaar katholieke en moslimlanden een beleid voerden op grond waarvan vampiers zomaar mochten worden neergeknald, hadden de Verenigde Staten vampiers toegelaten als vluchtelingen wegens vervolging op grond van religieuze of politieke overtuiging. Het verzet tegen dat beleid was gewelddadig. Laatst had ik een bumpersticker gelezen met de tekst: IK GELOOF PAS IN VAMPIERS ALS HUN TANDEN IN MIJN KEEL STAAN. Ik beschouwde het Verbond als een onverdraagzame, domme club, en ik verachtte iedereen die er lid van was. Maar ik was het gewend om achter de bar mijn mond te houden over dat onderwerp, zoals ik het ook gewend was om discussies te mijden over abortus, wapenbeheersing of homo's in het leger.

Die lui van het Verbond waren natuurlijk maatjes van Arlene. Mijn slappe ex-vriendin was met open ogen in de pseudoreligie getrapt die door het Verbond werd verspreid.

Arlene gaf nors de bestellingen aan me door voordat ze me een stuurse blik toewierp en via de achterdeur naar buiten liep. Terwijl ik haar nakeek, vroeg ik me af hoe het met haar kinderen zou zijn. Vroeger ging ik vaak op hen passen. Nu hadden ze waarschijnlijk een hekel aan me, als ze naar hun moeder luisterden.

Ik schudde mijn neerslachtigheid van me af, want Sam betaalde me niet om humeurig te zijn. Ik liep mijn klanten af, vulde drankjes bij, controleerde of iedereen genoeg te eten had, bracht een schone vork naar een vrouw die de hare had laten vallen, zorgde voor extra servetten op het tafeltje waar Catfish Hennessy kip-*nuggets* zat te eten en wisselde een paar vrolijke woorden uit met de kerels die aan de bar zaten. De tafel van het Verbond behandelde ik precies zoals alle andere en de klanten leken niet speciaal op me te letten, wat ik prima vond. Het zag ernaar uit dat ze zonder moeilijkheden zouden vertrekken... totdat Pam binnenkwam.

Pam is zo wit als een doek en lijkt als twee druppels water op Alice in Wonderland als die tot vampier was opgegroeid. Vanavond had Pam zelfs een blauw lint in haar steile blonde haar om het in toom te houden, en in plaats van haar gebruikelijke broekpak droeg ze een jurk. Ze was beeldschoon – ook al zag ze eruit als een vamp die de rol van een meisje in een ouderwetse tv-serie speelde. Haar jurk had met wit kant afgezette pofmouwtjes en ook op haar kraag zat een witte kanten rand. De knoopjes op haar lijfje waren wit, zodat ze pasten bij de stippen op de rok. Geen panty, viel me op, maar een panty zou raar hebben gestaan, omdat de rest van haar huid zo bleek was.

'Hoi Pam,' zei ik, toen ze op me afstevende.

'Sookie,' zei ze hartelijk, en ze gaf me een kus zo zacht als een sneeuwvlok. Haar lippen voelden koel op mijn wang.

'Wat is er?' vroeg ik. 's Avonds werkte Pam meestal in Fangtasia.

'Ik heb een date. Zie ik er goed uit?' Ze draaide zich om.

'Ja, nou,' antwoordde ik. 'Jij ziet er altijd goed uit.' Dat was niet meer dan de waarheid.

Pams kleren waren vaak bijzonder conservatief en eigenaardig ouderwets, maar dat wilde niet zeggen dat ze haar niet flatteerden. Ze had een lieftallige en tegelijkertijd dodelijke charme. 'Wie is de gelukkige vent?'

Ze keek zo ondeugend als een ruim tweehonderd jaar oude vampier maar kon kijken. 'Wie had het over een vent?'

'O.' Ik keek om me heen. 'Wie is de gelukkige?'

Op dat moment kwam mijn huisgenote binnen. Amelia droeg een prachtige zwarte linnen broek met hoge hakken, een beige sweater en oorbellen van amber en schildpad. Ook zij zag er conservatief uit, maar moderner. Amelia liep naar ons toe, glimlachte naar Pam en vroeg: 'Heb je al wat gedronken?'

Pam glimlachte zoals ik haar nog nooit had zien glimlachen. Het was... schuchter. 'Nee, ik heb op jou gewacht.'

Ze gingen aan de bar zitten en Sam nam hun bestelling op. Algauw zaten ze honderduit te praten, en toen hun glas leeg was, stonden ze op om te vertrekken.

Op weg naar de uitgang zei Amelia: 'Je ziet me wel verschijnen.' Dat was haar manier om me te laten weten dat ze vannacht misschien niet thuis zou komen.

'Oké, veel plezier samen,' zei ik. Ze werden nagekeken door meer dan één paar mannenogen. Als ogen net zo konden beslaan als brillen, zouden alle kerels in de bar wazig zien.

Ik ging nog een keer mijn tafels langs, haalde nieuwe biertjes voor de ene, liet de rekening achter bij de andere, totdat ik de tafel bereikte met de twee gasten in een Verbond-shirt. Ze keken nog steeds naar de deur, alsof ze verwachtten dat Pam weer naar binnen zou springen om 'BOE!' te roepen.

'Heb ik dat nou echt goed gezien?' vroeg de ene man aan me. Hij was in de dertig, gladgeschoren, met bruin haar, gewoon een doorsnee vent. De andere man was iemand die ik argwanend zou hebben bekeken als ik alleen met hem in de lift had gestaan. Hij was mager, had een ringbaard, was versierd met een paar tatoeages die er zelfgemaakt uitzagen – bajestattoos – en om zijn enkel had hij een mes gebonden. Dat had ik al snel ontdekt, nadat ik in zijn hoofd had gehoord dat hij gewapend was.

'Wat zag u dan?' vroeg ik poeslief. Bruinhaartje vond me maar een domme doos, maar dat was een goede dekmantel, en het betekende dat Arlene niet zo diep was gezonken dat ze mijn afwijking overal had rondgebazuind. In Bon Temps zou niemand hebben gezegd dat telepathie mogelijk was, als je het op zondag bij de kerk vroeg. Zou je het op zaterdagavond bij Merlotte vragen, dan zeiden ze misschien dat er wel iets in zat.

'Volgens mij zag ik een vamp binnenkomen, alsof ze daar het volste recht toe had. En ik denk dat ik een vrouw zag die vrolijk samen met haar naar buiten ging. Ik geloof mijn ogen niet.' Hij keek me aan alsof ik zijn verontwaardiging wel zou delen. Bajestattoo knikte verwoed.

'Neem me niet kwalijk, maar u ziet twee vrouwen samen de bar uit lopen en daar stoort u zich aan? Ik snap het probleem niet.' Natuurlijk begreep ik dat heus wel, maar soms moet je het er dik bovenop leggen.

'Sookie!' riep Sam dringend.

'Wilt u nog iets bestellen, heren?' vroeg ik, aangezien Sam me duidelijk tot de orde wilde roepen.

Nu keken ze me allebei bevreemd aan, nadat ze juist hadden geconcludeerd dat ik niet echt aan hun kant stond.

'Ik geloof dat het tijd wordt om op te stappen,' zei Bajestattoo, zichtbaar hopend dat ik ervoor zou boeten dat ik betalende klanten had weggejaagd. 'Mogen we de rekening?' Die had ik toevallig bij me, en ik legde het bonnetje op het tafeltje tussen hen in. Ze wierpen er allebei een blik op, legden er ieder een biljet van tien dollar op en schoven hun stoel achteruit.

'Ik kom zo terug met het wisselgeld,' zei ik, en ik draaide me om.

'Laat maar zitten,' zei Bruinhaar, hoewel zijn toon bars was en hij niet echt blij leek te zijn met mijn bediening.

'Hufters,' mompelde ik, terwijl ik naar de kassa achter de bar liep.

Sam zei: 'Sookie, je moet tegen ze slijmen!' Ik was zo verbluft dat ik hem aanstaarde. We stonden allebei achter de bar en Sam was een Vodka Collins aan het mixen. Zachtjes ging hij verder, met zijn blik op zijn handen gericht: 'Je moet ze net zo bedienen als iedereen.'

Het kwam niet vaak voor dat Sam me als een werknemer behandelde in plaats van als een vertrouwde collega. Dat kwam hard aan; nog meer toen ik besefte dat hij gelijk had. Hoewel ik uiterlijk beleefd was geweest, had ik hun laatste opmerkingen zonder commentaar moeten slikken – en als ze niet een Verbond-T-shirt aan hadden gehad, zou ik dat ook hebben gedaan. Merlotte was niet mijn café, maar dat van Sam. Als er klanten wegbleven, zou hij onder de gevolgen te lijden hebben. En op den duur ik ook, als hij barmeisjes moest ontslaan.

'Het spijt me,' zei ik, al viel het niet mee om dat te zeggen. Ik glimlachte breed naar hem en liep weg om een onnodig rondje langs mijn tafels te doen, waarbij ik waarschijnlijk de grens tussen attent en irritant overschreed. Maar als ik naar de personeels-wc of het openbare damestoilet ging, zou ik in janken uitbarsten, want het deed pijn om een standje te krijgen en ook om iets fout te hebben gedaan. Maar dat ik op mijn nummer was gezet, deed nog het meest pijn.

Toen we die avond de tent sloten, vertrok ik zo snel en onopvallend mogelijk. Ik wist dat ik over mijn gekwetste gevoelens heen moest komen, maar dat deed ik liever thuis in mijn eentje. Ik had geen behoefte aan een 'gesprekje onder vier ogen' met Sam – of met wie dan ook. Holly keek me veel te nieuwsgierig aan naar mijn smaak.

Zodoende schoot ik met mijn handtas de parkeerplaats op, met mijn schort nog om. Tray stond tegen mijn auto te leunen. Ik schrok voordat ik me kon inhouden.

'Ben je bang?' vroeg hij.

'Nee, ik ben van slag,' antwoordde ik. 'Wat kom je hier doen?'

'Ik volg je naar je huis. Is Amelia er?'

'Nee, ze is op een date.'

'Nou, dan ga ik zeker het huis doorzoeken,' zei de grote vent. Hij klom in zijn pick-up en reed achter me aan naar Hummingbird Road.

Ik zag geen enkele reden om bezwaar te maken. In feite gaf het me zelfs een goed gevoel om iemand bij me te hebben, iemand die ik min of meer vertrouwde.

Mijn huis lag er nog net zo bij als ik het had achtergelaten, of eigenlijk zoals Amelia het had achtergelaten. Buiten was de beveiligingslamp automatisch aangesprongen en binnen had ze in de keuken het licht boven de gootsteen aan gelaten en ook de lamp op de achterveranda. Met mijn sleutelbos in mijn hand liep ik naar de keukendeur.

Tray greep me met zijn grote knuist bij mijn arm toen ik de deurknop wilde omdraaien.

'Er is niemand,' zei ik, nadat ik dat op mijn eigen manier had gecontroleerd. 'En Amelia heeft het met een spreuk beschermd.'

'Blijf jij maar even hier terwijl ik poolshoogte ga nemen,' zei hij vriendelijk. Ik knikte en liet hem binnen.

Na een paar seconden stilte deed hij de deur open en zei dat ik de keuken in kon komen. Ik wilde al achter hem aan door het huis lopen om te helpen zoeken, maar hij zei: 'Ik zou best een glas cola lusten, als je dat hebt.' Hij had me perfect van mijn voornemen om hem te volgen af gebracht door een beroep te doen op mijn gastvrijheid. Mijn oma zou me met een vliegenmepper hebben geslagen als ik niet onmiddellijk een glas cola voor hem was gaan halen.

Tegen de tijd dat hij weer terug was in de keuken en verklaarde dat er geen indringers in het huis waren, stond er een glas ijskoude cola op tafel met een sandwich met vlees ernaast. En een gevouwen servet.

Zonder een woord te zeggen ging Tray zitten, vouwde het servet open op zijn schoot, at de sandwich en dronk de cola. Ik ging tegenover hem zitten met mijn eigen drankje.

'Ik hoor dat je vriend is verdwenen,' zei hij toen hij zijn lippen met het servet had afgeveegd.

Ik knikte.

'Wat denk je dat er met hem is gebeurd?'

Ik legde de omstandigheden uit. 'Dus ik heb niets van hem gehoord,' zei ik tot besluit. Het verhaal klonk al bijna automatisch, ik zou het eigenlijk op de band moeten opnemen.

'Dat is niet zo best,' was alles wat hij zei. Op de een of andere manier voelde ik me prettiger door dit rustige, niet-dramatische gesprek over een zeer gevoelig onderwerp. Na een minuut peinzende stilte zei Tray: 'Ik hoop dat je hem gauw vindt.'

'Bedankt. Ik maak me erg ongerust over hem.' Dat was veel te zwak uitgedrukt.

'Nou, ik moet er maar weer eens vandoor,' zei hij. 'Als je vannacht in paniek raakt, moet je maar even bellen. Ik kan er binnen tien minuten zijn. Het is niet goed dat je hier in je eentje zit, nu er oorlog uitbreekt.'

In gedachten zag ik tanks over mijn oprijlaan rijden.

'Hoe erg denk je dat het zou kunnen worden?' vroeg ik.

'Mijn vader heeft me verteld dat in de vorige oorlog, toen zijn eigen vader klein was, de troep uit Shreveport het aan de stok kreeg met de troep uit Monroe. De Shreveport-troep bestond toen uit ongeveer veertig man, met de halfjes meegerekend.' Halfjes was de algemene benaming voor Weers die wolf waren geworden nadat ze waren gebeten. Zij konden alleen in een soort wolfman veranderen en namen nooit de perfecte wolfgedaante aan die geboren Weers als veruit superieur beschouwden. 'Maar de troep uit Monroe had een paar studenten erbij, dus zij hadden ook iets van veertig, vijfenveertig man. Na afloop van het gevecht waren beide troepen gehalveerd.'

Ik dacht aan de Weers die ik kende. 'Ik hoop dat het nu afgelopen is,' zei ik.

'Dat mocht je willen,' zei Tray nuchter. 'Ze hebben bloed geproefd, en het doden van Alcides vriendin in plaats van hem te grazen te nemen was een laffe manier om de strijd te beginnen. Ook toen ze jou probeerden te pakken, wat het alleen maar erger maakte. Jij hebt geen druppel Weer-bloed in je lijf. Je bent een vriendin van de troep. Daardoor zou je juist ontastbaar moeten zijn, en geen doelwit. En vanmiddag heeft Alcide Christine Larrabee dood aangetroffen.'

Ik was weer helemaal opnieuw geschokt. Christine Larrabee was de weduwe – geweest – van een van de vorige troepleiders. Ze genoot veel aanzien in de Weer-gemeenschap en had met enige tegenzin Jackson Herveaux gesteund toen hij zich kandidaat had gesteld als troepleider. Nu had ze het alsnog betaald gekregen.

'Heeft hij het niet op mannen gemunt?' wist ik ten slotte uit te brengen.

Tray vertrok zijn gezicht minachting. 'Neu,' zei de Weer. 'De enige manier waarop ik het kan opvatten is dat Furnan Alcide wil uitlokken. Hij wil dat iedereen op springen staat, terwijl Furnan zelf rustig en beheerst blijft. Op die manier heeft hij nog zijn zin gekregen ook. Gezien zijn verdriet en de persoonlijke belediging zal Alcide vast knallen als een jachtgeweer. Hij moet meer afgaan als een scherpschuttergeweer.'

'Is Furnans strategie niet een beetje... ongewoon?'

'Yep,' zei Tray nadrukkelijk. 'Ik weet niet wat hem bezielt. Blijkbaar wil hij Alcide niet bij een gevecht van man tot man onder ogen komen. Hij wil Alcide niet zomaar verslaan. Voor zover ik kan opmaken, is hij eropuit om Alcide en al zijn mensen compleet in de pan te hakken. Een paar Weers met kleine kinderen hebben zich al opnieuw aan hem gebonden. Die zijn te bang voor wat hij met hun kinderen zou kunnen doen, na de aanvallen op de vrouwen.' De Weer stond op. 'Bedankt voor het eten. Ik moet mijn honden gaan voeren. Zorg dat je de boel goed afsluit als ik weg ben, hoor je? En waar is je mobiel?'

Die gaf ik hem, en met verrassend sierlijke bewegingen voor zulke grote knuisten programmeerde Tray zijn mobiele nummer in mijn adresboekje. Daarna vertrok hij met een nonchalante zwaai van zijn hand. Naast zijn reparatiewerkplaats had hij een huisje, en ik was ontzettend opgelucht dat hij had getimed dat de rit daarvandaan naar mijn huis maar tien minuten duurde. Ik deed de deur achter hem op slot en inspecteerde de keukenramen. En ja hoor, Amelia had er een opengezet tijdens de warme middag. Na die ontdekking voelde ik me verplicht om alle ramen in het huis te controleren, zelfs op de bovenverdieping.

Daarna voelde ik me zo veilig als ik me kon voelen, zette de televisie aan en ging ervoor zitten, al drong er weinig tot me door van wat er op het scherm gebeurde. Ik had veel aan mijn hoofd.

Maanden geleden was ik op Alcides verzoek naar de troepmeesterverkiezing gegaan om erop toe te zien dat er niet werd gesjoemeld. Ik had de pech dat mijn aanwezigheid werd opgemerkt en mijn ontdekking van Furnans verraad openbaar werd. Het irriteerde me dat ik bij dit gevecht betrokken was geraakt, ook al had ik er niets mee te maken. In feite kwam het erop neer dat mijn vriendschap met Alcide me alleen maar ellende had opgeleverd.

Het was bijna een opluchting om te merken dat ik me zat op te winden over dat onrecht, maar mijn betere ik drong aan mijn ergernis in de kiem te smoren. Tenslotte kon Alcide er niets aan doen dat Debbie Pelt zo'n moordzuchtig secreet was geweest, en ook niet dat Patrick Furnan had besloten om tijdens de verkiezing te sjoemelen. Evenmin was Alcide verantwoordelijk voor Furnans bloeddorstige en ongebruikelijke aanpak om zijn troep te versterken. Ik vroeg me af of zijn gedrag eigenlijk wel wolfachtig was.

Uiteindelijk kwam ik tot de conclusie dat het gewoon Patrick Furnan-achtig was.

De telefoon ging en ik schrok me een ongeluk. 'Hallo?' zei ik, maar ik vond het niet leuk dat ik zo benauwd klonk.

'De Weer Herveaux heeft me gebeld,' zei Eric. 'Hij bevestigt dat hij in oorlog is met zijn troepmeester.'

'Ja. Had je de bevestiging van Alcide nodig? Was mijn boodschap soms niet overtuigend genoeg?'

'Ik dacht aan een alternatief voor de theorie dat jij werd

aangevallen om Alcide te treffen. Ik weet zeker dat Niall heeft verteld dat hij vijanden heeft.'

'Hm-m.'

'Ik vroeg me af of die vijanden heel snel hebben gehandeld. Als de Weers spionnen hebben, dan hebben de elfen die misschien ook.'

Daar dacht ik even over na. 'Dus door met mij af te spreken heeft hij bijna mijn dood veroorzaakt.'

'Maar hij was zo verstandig om mij te vragen je naar en van Shreveport te vergezellen.'

'Dus hij heeft mijn leven gered, nadat hij dat op het spel had gezet.'

Stilte.

'Eigenlijk heb jij mijn leven gered,' zei ik, om vastere emotionele grond onder mijn voeten te krijgen, 'en daar ben ik je dankbaar voor.' Ik verwachtte half dat Eric zou vragen hoe dankbaar ik precies was, dat hij over de kus zou beginnen... maar hij bleef zwijgen.

Juist toen ik er iets stoms wilde uitflappen om de stilte te verbreken, zei de vampier: 'Ik meng me alleen in de Weeroorlog om onze belangen te verdedigen. Of jou.'

Nu was het mijn beurt om even te zwijgen. 'Oké,' zei ik slapjes.

'Als je moeilijkheden ziet aankomen, als ze proberen je er nog meer bij te betrekken, moet je me onmiddellijk bellen,' zei Eric. 'Ik geloof dat de moordenaar werkelijk door de troepmeester was gestuurd. In ieder geval was het een Weer.'

'Een paar van Alcides mensen herkenden de beschrijving. Die gast, Lucky huppeldepup, was net door Furnan aangenomen als monteur.'

'Raar dat hij zo'n klus toevertrouwt aan iemand die hij amper kende.'

'Vooral omdat hij helemaal niet zo *lucky* bleek te zijn.'

Eric grinnikte zowaar. Toen zei hij: 'Ik zal het er met Niall niet meer over hebben. Natuurlijk heb ik hem wel verteld wat er is gebeurd.'

Belachelijk genoeg voelde ik me heel even ellendig omdat Niall me niet te hulp was gesneld of zelfs maar had gebeld om te vragen of alles in orde was. Ik had hem maar een keer ontmoet, en nu vond ik mezelf zielig omdat hij zich niet als mijn kindermeisje had opgeworpen.

'Goed, Eric, bedankt,' zei ik, en ik hing al op terwijl hij nog afscheid nam. Ik had hem weer naar mijn geld moeten vragen, maar ik voelde me te moedeloos. Bovendien was het niet zijn probleem.

De hele tijd dat ik me klaarmaakte om naar bed te gaan, was ik gespannen, maar er gebeurde niets om me nog meer de stuipen op het lijf te jagen. Ik hield mezelf wel vijftig keer voor dat Amelia het huis met een spreuk had beschermd. Zulke spreuken zouden moeten werken ongeacht of ze aanwezig was of niet.

Er zaten een paar stevige sloten op de deuren.

Ik was moe.

Uiteindelijk viel ik in slaap, maar ik schrok een paar keer wakker en luisterde of ik een moordenaar hoorde.

8

De volgende ochtend stond ik met lodderogen op. Ik voelde me duf en had koppijn. Ik had, zeg maar, een emotionele kater. Er moest nodig iets veranderen. Zo'n nacht wilde ik niet nog een keer meemaken. Ik vroeg me af of ik Alcide moest bellen om te vragen of hij al ten strijde was getrokken, en of er nog een plekje vrij was in de beschutting van hem en zijn manschappen. Maar ik werd razend alleen al bij het idee dat ik zo ver moest gaan om me veilig te voelen.

Ik kon de gedachte maar niet van me af zetten dat ik pas zonder angst in mijn eigen huis kon blijven als Quinn er was. En heel even maakte ik me niet alleen zorgen over mijn vermiste, gewonde vriendje, maar was ik kwaad op hem.

Eigenlijk stond ik te popelen om me op íémand kwaad te maken. Er zweefden te veel losse emoties rond in mijn hoofd.

Nou, het was me wel het begin van een heel bijzondere dag.

Amelia was nergens te bekennen. Ik nam aan dat ze de nacht met Pam had doorgebracht. Met hun relatie had ik geen enkele moeite, maar ik wilde gewoon dat Amelia thuis was, omdat ik me eenzaam en bang voelde. Haar afwezigheid vormde een lege plek in mijn bestaan.

Gelukkig was het vanochtend iets koeler. Je kon duidelijk merken dat de herfst in aantocht was en al in de grond zat, gereed om op te springen en de bladeren, het gras en de bloemen op te eisen. Ik trok een trui over mijn nachtpon aan en ging naar de veranda om mijn eerste kop koffie te drinken. Daar zat ik een poosje naar de vogeltjes te luisteren. Ze maakten niet zoveel lawaai als in het voorjaar, maar door hun getjilp en gekwinkeleer wist ik in ieder geval dat er vanochtend niets bijzonders in het bos verscholen zat. Ik dronk mijn koffie op en probeerde mijn dag te plannen, maar ik botste telkens tegen een mentaal blok op. Het viel niet mee om plannen te maken als je vermoedde dat iemand je probeerde te vermoorden. Kon ik mezelf maar afleiden van mijn eventuele aanstaande dood, want ik moest de benedenverdieping stofzuigen, een was draaien en naar de bibliotheek. Als ik die klusjes had overleefd, moest ik naar mijn werk.

Ik vroeg me af waar Quinn was.

Ik vroeg me af wanneer ik weer iets van mijn overgrootvader zou horen.

Ik vroeg me af of er in de loop van de nacht nog meer Weers waren gestorven.

En ik vroeg me af wanneer mijn telefoon weer zou rinkelen.

Omdat er op de veranda niets gebeurde, sleepte ik mezelf maar weer naar binnen en begon aan mijn gebruikelijke ochtendroutine. Toen ik in de spiegel keek, had ik spijt dat ik de moeite had genomen. Ik zag er niet uitgerust en verfrist uit, maar als een verzenuwd iemand na een doorwaakte nacht. Ik bewerkte mijn wallen met camouflagestift en deed wat extra oogschaduw en blusher op om mijn gezicht wat kleur te geven. Daarna vond ik dat ik eruitzag als een clown en veegde ik het meeste weer weg. Nadat ik Bob had gevoed en hem een standje had gegeven vanwege het nest jonge katjes controleerde ik al mijn sloten opnieuw en sprong ik in de auto om naar de bibliotheek te gaan.

Het filiaal Bon Temps van de bibliotheek van het district Renard is geen groot gebouw. Onze bibliothecaresse, die aan de Louisiana Tech University in Ruston heeft gestudeerd, is een geweldige vrouw van achter in de dertig genaamd Barbara Beck. Haar man Alcee is rechercheur bij de politie van Bon Temps, en ik hoop echt dat Barbara niet weet wat hij allemaal in zijn schild voert. Alcee Beck is een stoere kerel die veel goede dingen doet... af en toe. Hij doet ook vrij veel slechte dingen. Alcee heeft geboft toen hij Barbara wist over te halen om met hem te trouwen en dat beseft hij maar al te goed.

Barbara is de enige fulltimemedewerkster in het bibliotheekfiliaal. Het verbaasde me dan ook niet dat ik haar in haar eentje aantrof toen ik de zware deur openduwde. Ze was boeken op de plank aan het zetten. Barbara kleedt zich in wat ik beschouw als comfortabele chic, dat wil zeggen dat ze truien in heldere kleuren draagt met bijpassende schoenen. Ze heeft ook een voorkeur voor grote, opvallende sieraden.

'Goedemorgen, Sookie,' zei ze, met haar brede glimlach.

'Dag Barbara,' zei ik, en ik probeerde terug te glimlachen. Ze merkte dat ik niet mezelf was, maar hield haar gedachten voor zich. Niet echt natuurlijk, aangezien ik mijn kleine afwijking heb, maar ze zei niets hardop. Ik legde de boeken die ik kwam terugbrengen op de daarvoor bestemde balie en ging snuffelen in de kast met nieuwe aanwinsten. De meeste waren variaties op het thema zelfhulp. Afgaande op de populariteit van dat soort boeken en hoe vaak ze werden uitgeleend, zou iedereen in Bon Temps onderhand perfect moeten zijn.

Ik haalde twee nieuwe romannetjes en een paar detectives van de plank, en zelfs een sciencefiction, iets wat ik zelden lees. (Mijn eigen werkelijkheid is waarschijnlijk krankzinniger dan alles wat een sciencefictionauteur zou kunnen verzinnen.) Terwijl ik stond te kijken naar het omslag van een boek van een auteur van wie ik nog nooit iets had gelezen, hoorde ik op de achtergrond een bons. Ik wist dat er iemand door de achterdeur van de bibliotheek binnen was gekomen en schonk er geen aandacht aan. Sommige mensen gebruiken altijd de achterdeur.

Barbara slaakte een kreetje, en ik keek op. De man achter haar was ontzettend lang, minstens een meter achtennegentig, en zo mager als een lat. Hij had een groot mes bij zich, dat hij tegen Barbara's keel drukte. Heel even dacht ik dat hij een overvaller was, en ik vroeg me af wie het in zijn hoofd haalde een bibliotheek te beroven. Vanwege de boetes voor te laat terugbrengen?

'Niet gillen,' snauwde hij tussen zijn lange, scherpe tanden door. Ik bleef als verstard staan. Barbara was de angst al voorbij en verkeerde in grote paniek. Maar ik hoorde nog een ander actief brein in het gebouw. Er kwam iemand stilletjes door de achterdeur naar binnen.

'Rechercheur Beck zal je doodschieten als je zijn vrouw iets aandoet,' zei ik met luide stem. En met rotsvaste overtuiging. 'Zeg maar dag met je handje tegen je leven.'

'Ik weet niet wie dat is en dat kan me niet schelen ook,' zei de lange man.

'Dat is stom van je, klootzak,' zei Alcee Beck, die zachtjes achter hem was gaan staan. Hij drukte zijn pistool tegen het hoofd van de man. 'Laat onmiddellijk mijn vrouw los en laat dat mes vallen.'

Maar Scherptand piekerde er niet over. Vliegensvlug draaide hij zich om, duwde Barbara tegen Alcee aan en stormde met opgeheven mes regelrecht op mij af.

Ik smeet een Nora Roberts-hardback naar zijn hoofd, die hem op zijn kruin raakte. Toen stak ik mijn voet uit. Verblind door de schok van het boek struikelde Scherptand over mijn voet, precies zoals ik had gehoopt.

Hij viel boven op zijn eigen mes, en dat had ik niet voorzien.

Het werd meteen stil in de bibliotheek, op Barbara's gehijg na. Alcee Beck en ik staarden neer op de bloedplas die onder de man uit sijpelde.

'O-o,' zei ik.

'Oeiiii... shit,' zei Alcee Beck. 'Waar heb je zo leren gooien, Sookie Stackhouse?'

'Softbal,' antwoordde ik, en dat was de zuivere waarheid.

Je kunt je wel voorstellen dat ik die middag te laat op mijn werk kwam. Ik was nog moeër dan ik al was, maar hoopte dat ik tenminste levend de dag door zou komen. Tot dusver was het lot twee keer achter elkaar tussenbeide gekomen om te verhinderen dat ik werd vermoord. Ik nam aan dat Scherptand was gestuurd om me te vermoorden en dat hij het had verknald, net zoals de nepverkeersagent. Misschien zou ik een derde keer niet zoveel mazzel hebben, al zou dat best kunnen. Hoe groot was de kans dat nog een vamp een kogel voor me opving of dat Alcee Beck puur toevallig het lunchpakket van zijn vrouw zou komen langsbrengen, dat ze thuis op het aanrecht had laten staan? Uitermate klein, toch? Maar toch had ik tot tweemaal toe ontzettend veel geluk gehad.

Wat de politie er officieel ook van vond (aangezien ik die vent niet kende en niemand kon beweren dat dat wel zo was – en per slot van rekening had hij Barbara gegrepen, niet mij), Alcee Beck had me nu in de smiezen. Hij was erg goed in het interpreteren van situaties, en hij had gemerkt dat Scherptand zich op mij concentreerde. Barbara was een middel geweest om mijn aandacht te trekken. Dat zou Alcee me nooit vergeven, ook al had ik er niets aan kunnen doen. Bovendien had ik dat boek met verdacht veel kracht en nauwkeurigheid gegooid.

Waarschijnlijk zou ik er in zijn plaats precies zo over denken.

Dus nu was ik in Merlotte, hield ik lusteloos de schijn op, terwijl ik me afvroeg waar ik naartoe moest, wat ik moest doen en waarom Patrick Furnan woest was geworden. En waar kwamen al die vreemdelingen ineens vandaan? De Weer die Maria-Stars deur had opengebroken kende ik niet. Eric was neergeschoten door een gast die pas sinds een paar dagen voor Patrick Furnan had gewerkt. Scherptand had ik nog nooit eerder gezien, en dat was niet iemand die je gauw zou vergeten.

Ik snapte er werkelijk geen bal van.

Plotseling kreeg ik een ingeving. Ik vroeg aan Sam of ik even mocht bellen, want mijn tafels waren toch rustig, en hij knikte van ja. Al de hele avond had hij me met half samengeknepen ogen onderzoekend opgenomen, met een blik die betekende dat hij straks een hartig woordje met me zou willen spreken, maar voorlopig liet hij me even met rust. Dus ik ging naar Sams kantoor, zocht in het telefoonboek van Shreveport naar *Patrick Furnan* en belde hem op.

'Hallo?'

Ik herkende zijn stem.

'Patrick Furnan?' vroeg ik voor de zekerheid.

'Daar spreekt u mee.'

'Waarom wil je mij zo graag vermoorden?'

'Wat? Met wie spreek ik?'

'Ach, kom nou. Je spreekt met Sookie Stackhouse. Waarom doe je dat allemaal?'

Het bleef heel lang stil.

'Probeer je me erin te luizen?' vroeg hij.

'Hoezo? Denk je dat ik je telefoon heb laten aftappen? Ik wil gewoon weten waarom. Ik heb jou nooit iets gedaan. Ik ga niet eens met Alcide. Maar jij probeert mij om zeep te helpen, alsof ik invloed heb. Jij hebt die arme Maria-Star vermoord. Jij hebt Christine Larrabee vermoord. Waar slaat het allemaal op? Ik ben niet belangrijk.'

Langzaam zei Patrick Furnan: 'Denk je echt dat ik dat doe? Dat ik vrouwelijke troepleden afmaak? Dat ik jou wil vermoorden?'

'Jazeker.'

'Dat ben ik niet. Ik heb over Maria-Star gelezen. En is Christine Larrabee dood?' Hij klonk bijna angstig.

'Ja.' Mijn stem klonk al even onzeker als de zijne. 'En iemand heeft twee keer geprobeerd me te vermoorden. Ik ben bang dat iemand die volkomen onschuldig is er de dupe van wordt. En uiteraard voel ik er niets voor om dood te gaan.'

'Gisteren is mijn vrouw verdwenen,' zei Furnan. Hij klonk rauw van verdriet en angst. En van woede. 'Alcide heeft haar, en die smeerlap zal ervoor boeten.'

'Alcide zou zoiets nooit doen,' zei ik. (Nou ja, ik was er vrij zeker van dat hij dat nooit zou doen.) 'Wil je zeggen dat je geen opdracht hebt gegeven om Maria-Star en Christine te laten vermoorden? En mij?'

'Nee, waarom zou ik het op de vrouwen hebben gemunt? Wij zouden nooit vrouwelijke volbloed Weers doden. Behalve misschien Amanda,' voegde hij er tactloos aan toe. 'Als we mensen wilden vermoorden, zouden het de mannen zijn.'

'Volgens mij wordt het tijd dat Alcide en jij eens met elkaar gaan praten. Hij heeft je vrouw niet. Hij denkt dat je gek geworden bent door vrouwen aan te vallen.'

Weer bleef het lang stil. Toen zei Furnan: 'Ik denk dat je gelijk hebt, tenzij je alles uit je duim zuigt om mij in een situatie te brengen waarin Alcide mij kan ombrengen.'

'Ik zal allang blij zijn als ik zelf de volgende week haal!'

'Ik ben bereid om met Alcide af te spreken als jij erbij blijft en als jij zweert dat je ieder van ons zult vertellen wat de ander denkt. Jij bent een vriendin van de troep, van de hele troep. Nu kun je ons helpen.'

Patrick Furnan wilde zijn vrouw zo graag terug hebben dat hij zelfs in mij wilde geloven.

Ik dacht aan de doden die er al waren gevallen. Ik dacht aan de doden die er nog zouden vallen, misschien zelfs ikzelf. En ik vroeg me af wat er in godsnaam aan de hand was. 'Ik doe het als jij en Alcide ongewapend aan tafel gaan zitten,' zei ik. 'Als mijn vermoeden klopt hebben jullie een gezamenlijke vijand die probeert jullie tegen elkaar uit te spelen totdat jullie elkaar afmaken.'

'Als die zwartharige hufter ermee akkoord gaat, wil ik het wel proberen,' zei Furnan. 'Als Alcide mijn vrouw heeft, dan hoop ik dat haar geen haar op haar hoofd is gekrenkt en dat hij haar meebrengt. Anders zweer ik dat ik hem aan stukken zal scheuren.'

'Dat begrijp ik. Ik zal zorgen dat hij het ook begrijpt. Je hoort nog van ons,' beloofde ik. Ik hoopte uit de grond van mijn hart dat ik dc waarheid had gezegd.

9

Het was midden in diezelfde nacht en ik stond op het punt me in gevaar te begeven. Dat was mijn eigen stomme schuld. Na een paar snelle telefoontjes hadden Alcide en Furnan een geschikte plek afgesproken. Ik had me voorgesteld dat ze tegenover elkaar aan een tafel zouden gaan zitten, met hun luitenants vlak achter hen, om deze hele situatie uit te praten. Mevrouw Furnan zou komen opdagen en het echtpaar zou worden herenigd. Iedereen zou tevreden zijn, of tenminste minder vijandig. En ik zou er niet aan te pas komen.

Toch stond ik hier op een verlaten bedrijventerrein in Shreveport, dezelfde plek waar de troepmeesterverkiezing had plaatsgevonden. Gelukkig was Sam er deze keer bij. Het was donker en koel, en de wind blies mijn haar van mijn schouders. Ik wipte van mijn ene op mijn andere voet, en wilde dat het snel achter de rug was. Hoewel Sam lang niet zo onrustig was als ik, kon ik merken dat hij er hetzelfde over dacht.

Het was mijn schuld dat hij erbij was. Toen hij zo nieuwsgierig was geworden naar wat er onder de Weers broeide, moest ik het hem uiteindelijk wel vertellen. Als er iemand Merlotte binnenwandelde die mij probeerde neer te schieten, had Sam tenslotte het recht te weten waarom zijn bar vol gaten zat. Ik had hem uit alle macht ervan proberen te weerhouden toen hij zei dat hij met me mee zou gaan, maar toch waren we hier nu allebei.

Misschien hield ik mezelf wel voor de gek. Misschien wilde ik alleen een vriend bij me hebben, iemand die vierkant achter me stond. Of misschien was ik gewoon bang. Nee, vergeet dat 'misschien' maar, want eigenlijk wist ik dat wel zeker.

Het was een frisse nacht, en we droegen allebei een waterdicht jack met een capuchon. Niet dat we een capuchon nodig hadden, maar als het nog kouder werd, zouden we er blij mee zijn. Het verlaten bedrijventerrein lag in sombere stilte om ons heen. We stonden op het laadplatform van een bedrijf dat een of andere flinke zending had ontvangen. De grote metalen deuren voor de plek waar de vrachtwagens werden uitgeladen zagen eruit als enorme glimmende ogen in het schijnsel van de resterende beveiligingslampen.

In feite waren er vannacht een heleboel grote glimmende ogen te zien. De Sharks en de Jets waren aan het onderhandelen. O pardon, de Furnan-Weers en de Herveaux-Weers bedoel ik. De twee partijen van de troep zouden het misschien eens worden, maar misschien ook niet. En Sam de Veranderaar en Sookie de Telepaat stonden precies tussen twee vuren. Terwijl ik vanuit het noorden en zuiden het harde gebonk van naderende Weer-breinen dichterbij voelde komen, draaide ik me naar Sam en zei uit de grond van mijn hart: 'Ik had je nooit moeten meenemen. Ik had nooit mijn mond moeten opendoen.'

‘Het begint zo langzamerhand een gewoonte van je te worden om dingen voor me te verzwijgen, Sookie. Ik wil dat je me vertelt wat er met je aan de hand is, vooral als er gevaar dreigt.’ Het briesje dat tussen de gebouwen waaide blies Sams rossige haren rond zijn hoofd in de war. Ik was me sterker bewust van zijn anders-zijn dan ooit. Sam is een zeldzame zuivere vormveranderaar, die elke gewenste gedaante kan aannemen. Hij geeft de voorkeur aan een hond, omdat honden vertrouwd en vriendelijk zijn en mensen niet al te vaak op ze schieten. Ik keek in zijn blauwe ogen en zag de wildheid erin.

‘Ze zijn er,’ zei hij, en hij stak zijn neus omhoog in de bries.

Daarna stelden de twee groepen zich op ongeveer drie meter aan weerszijden van ons op en moesten we ons concentreren.

Ik herkende de gezichten van een paar Furnan-wolven, die in de meerderheid waren. Cal Myers, de politierechercheur, was een van hen. Furnan had het lef om Cal mee te brengen terwijl hij verklaarde onschuldig te zijn. Ik herkende ook het tienermeisje met wie Furnan had gepaard als onderdeel van zijn overwinningsviering nadat hij Jackson Herveaux had verslagen. Vanavond zag ze er stukken ouder uit.

Tot Alcides groep behoorden Amanda met haar kastanjebruine haar, die me met een ernstig gezicht toeknikte, en een paar weerwolven die ik in The Hair of the Dog had gezien op de avond toen Quinn en ik er waren geweest. Vlak achter Alcide stond het schriele meisje dat die avond de roodleren bustier had gedragen. Ze was tegelijkertijd heel opgewonden en doodsbang. Tot mijn verrassing zag ik dat Dawson er ook was. Hij was dus lang niet zo’n einzelgänger als hij had voorgewend.

Alcide en Furnan liepen weg van hun troep.

Dat was de afgesproken opzet voor de onderhandelingen of de bespreking of hoe je het ook wilde noemen: ik zou tussen Furnan en Alcide in gaan staan. De Weerleiders zouden ieder mijn hand vastpakken. Terwijl zij praatten, zou ik als menselijke leugendetector fungeren. Ik had gezworen om het tegen de een te zeggen als de ander loog, tenminste naar mijn beste vermogen. Ik kon gedachten lezen, maar die konden misleidend en lastig of gewoon warrig zijn. Zoiets had ik nog nooit eerder gedaan, en ik hoopte vurig dat mijn talent vannacht extra nauwkeurig zou zijn en dat ik het verstandig zou gebruiken, zodat ik kon helpen een eind te maken aan het verspillen van levens.

Alcide kwam stijfjes dichterbij. In het felle schijnsel van het beveiligingslicht zag zijn gezicht er ruw uit. Voor het eerst viel het me op dat hij er magerder en ouder uitzag. Tussen zijn zwarte haren zaten een paar grijze die hij niet had toen zijn vader nog leefde. Ook Patrick Furnan zag er niet best uit. Hij had altijd al aanleg tot vetzucht gehad, en nu zag hij eruit alsof hij minstens vijf tot tien kilo zwaarder was. Het had hem geen goed gedaan om troepmeester te worden. En de schok van de ontvoering van zijn vrouw had zijn sporen op zijn gezicht achtergelaten.

Ik deed iets wat ik nooit had gedacht te zullen doen: ik stak hem mijn rechterhand toe. Hij greep hem vast, en onmiddellijk vloeide de stroom van zijn ideeën door me heen. Zelfs zijn kronkelige Weer-brein was makkelijk te lezen, omdat hij zo geconcentreerd was. Ik stak mijn linkerhand uit naar Alcide, die hij veel te stevig vastpakte. Een minuut lang voelde ik me overspoeld door hun gedachten. Daarna lukte het me met een enorme krachtsinspanning om ze in een stroom te kanaliseren zodat ik niet overstelpt zou raken. Hardop liegen zou makkelijk zijn geweest, maar in je eigen hoofd is dat niet zo eenvoudig, en zeker niet consequent. Ik deed mijn ogen dicht. Door het opgooien van een munt was bepaald dat Alcide de eerste vraag mocht stellen.

'Waarom heb je mijn vrouw gedood, Patrick?' Het kwam eruit alsof de woorden Alcides keel doorsneden. 'Ze was een zuivere Weer, en ze was zo zachtaardig als een Weer maar kan zijn.'

'Ik heb mijn mensen nooit opdracht gegeven om een van jouw mensen te doden,' antwoordde Patrick Furnan. Hij klonk zo vermoeid alsof hij amper overeind kon blijven, en zijn gedachten bewogen zich op dezelfde wijze: traag, loom, langs een route die hij in zijn eigen brein had ingesleten. Hij was makkelijker te lezen dan Alcide. Hij meende wat hij zei.

Alcide luisterde aandachtig en vroeg toen: 'Heb je iemand die niet in jouw troep zit gevraagd om Maria-Star, Sookie en mevrouw Larrabee te vermoorden?'

'Ik heb nooit opdracht gegeven om een van jullie te vermoorden, helemaal nooit,' antwoordde Furnan.

'Dat gelooft hij oprecht,' zei ik.

Jammer genoeg wist Furnan van geen ophouden. 'Ik kan jou niet uitstaan,' zei hij, en hij klonk nog net zo moe als eerst. 'Als je door een vrachtwagen werd overreden, zou ik blij zijn. Maar ik heb niemand vermoord.'

'Ook dat gelooft hij oprecht,' zei ik, misschien ietsje te droog.

Alcide wilde weten: 'Hoe kun je beweren dat je onschuldig bent terwijl Cal Myers bij jouw troep staat? Hij heeft Maria-Star doodgestoken.'

Furnan keek verward. 'Cal was er niet bij,' zei hij.

'Hij gelooft wat hij zegt,' zei ik tegen Alcide. Ik wendde mijn gezicht naar Furnan. 'Cal was er wel bij, en hij heeft Maria-Star vermoord.' Hoewel ik mijn concentratie niet durfde te laten verslappen, hoorde ik overal om Cal Myers heen gefluister en ik zag dat de andere Furnan-Weers achteruitdeinsden.

Nu was Furnan aan de beurt om een vraag te stellen.

'Mijn vrouw,' zei hij met gebroken stem. 'Waarom juist zij?'

'Ik heb Libby niet meegenomen,' verklaarde Alcide. 'Ik zou nooit een vrouw ontvoeren, vooral niet een Weer-vrouw met jongen. En ik zou ook nooit iemand anders opdragen dat te doen.'

Dat geloofde hij. 'Alcide heeft het niet zelf gedaan en ook niemand opdracht gegeven het te doen.' Maar Alcide had een enorme hekel aan Patrick Furnan. Op het hoogtepunt van de verkiezing had Furnan Jackson Herveaux helemaal niet hoeven te doden, maar dat had hij wel gedaan. Hij vond het beter om zijn leiderschap te beginnen door zijn rivaal uit de weg te ruimen. Jackson zou zich nooit aan zijn heerschappij hebben onderworpen en zou nog jarenlang een doorn in zijn vlees zijn geweest. Ik kreeg van beide partijen gedachten binnen, zulke sterke golven van ideeën dat ze in mijn hoofd brandden. Daarom zei ik: 'Even dimmen, jongens, allebei.' Ik voelde Sam achter me staan, zijn warmte, de aanraking van zijn geest, en ik zei: 'Sam, raak me niet aan, oké?'

Hij begreep het en ging opzij.

'Jullie hebben allebei geen van de mensen vermoord die zijn gedood. En geen van beiden hebben jullie daar opdracht toe gegeven. Voor zover ik kan opmaken.'

Alcide zei: 'We willen Cal Myers ondervragen.'

'Waar is mijn vrouw dan?' gromde Furnan.

'Dood en begraven,' zei een heldere stem. 'En ik ben bereid haar plaats in te nemen. Cal is van mij.'

We keken allemaal op, want de stem kwam vanaf het platte dak van het gebouw. Daarboven stonden vier Weers, en de brunette die had gesproken stond het dichtst bij de rand. Ze had gevoel voor dramatiek, dat moest ik haar nageven. Vrouwelijke Weers hebben macht en status, maar troepleider zijn ze nooit. Deze vrouw was fors en had onmiskenbaar de leiding, hoewel ze hooguit een meter zestig was. Ze stond klaar om te veranderen, dat wil zeggen: ze was naakt. Of misschien wilde ze alleen aan Alcide en Furnan laten zien wat ze konden krijgen. Wat behoorlijk veel was, zowel in kwantiteit als in kwaliteit.

'Priscilla,' zei Furnan.

Dat vond ik zo'n onwaarschijnlijke naam voor de Weer dat ik onwillekeurig begon te grijnzen, wat gezien de omstandigheden niet zo slim was.

'Jij kent haar,' zei Alcide tegen Furnan. 'Hoort dit bij je plan?'

'Nee,' antwoordde ik in zijn plaats. Mijn geest raasde door gedachten die ik kon lezen en klampte zich vooral vast aan één bepaalde draad. 'Furnan, Cal is haar kind,' zei ik. 'Hij heeft jou verraden.'

'Ik dacht dat jullie twee elkaar wel zouden afmaken als ik een paar belangrijke wijven uit de weg ruimde,' zei Priscilla. 'Jammer dat het is mislukt.'

'Wie is dat?' vroeg Alcide weer aan Furnan.

'Zij is de partner van Arthur Hebert, een troepleider uit St. Catherine.' St. Catherine lag helemaal in het zuiden, iets ten oosten van New Orleans. Die stad was zwaar getroffen door Katrina.

'Arthur is dood. We hebben geen huis meer,' zei Priscilla Hebert. 'We willen dat van jou.'

Nou, dat was duidelijk.

'Waarom heb je dat gedaan, Cal?' vroeg Furnan aan zijn luitenant. Cal had beter het dak op kunnen vluchten toen dat nog kon. Nu waren de Furnan-wolven en de Herveaux-wolven in een kring om hem heen gaan staan.

'Cal is mijn broer,' riep Priscilla. 'Zorg dat jullie hem geen haar krenken.' In haar stem klonk ineens een wanhopige ondertoon door. Cal keek benauwd omhoog naar zijn zus. Hij besefte dat hij in de puree zat en ik vermoed dat hij wilde dat ze haar mond hield. Dat zou zijn laatste gedachte zijn.

Plotseling stak Furnan zijn harige arm uit zijn mouw. Met een enorme kracht haalde hij uit naar zijn vroegere kameraad en reet de ingewanden van de Weer open. Alcides geklauwde hand haalde Cals achterhoofd open terwijl de verrader op de grond viel. Cals bloed spatte in een boogje over me heen. Achter me zoemde Sam van de energie van zijn aanstaande verandering, die werd veroorzaakt door de spanning, de geur van bloed en mijn onbewuste gil.

Priscilla Hebert brulde van razernij en verdriet. Met een onmenselijke gratie sprong ze van het dak van het gebouw op de parkeerplaats, gevolgd door haar handlangers (pootlangers?).

De oorlog was begonnen.

Sam en ik waren op de een of andere manier tussen de Shreveport-wolven beland.

Toen Priscilla's troep aan weerszijden langzaam dichterbij kwam, zei Sam: 'Ik ga veranderen, Sookie.'

Ik snapte niet wat een collie kon uitrichten in deze situatie, maar ik zei: 'Is goed, baas.' Hij keek me met een scheve grijns aan, trok zijn kleren uit en boog voorover. Overal om ons heen deden de Weers hetzelfde. In de kille avondlucht weerklonk het van het zompige geluid, van harde dingen die zich door dikke, kleverige vloeistof bewogen, dat typerend was voor een mens die in een dier verandert.

Overal om me heen stonden enorme wolven op en schudden zich uit; ik herkende de wolfgedaanten van Alcide en Furnan. Ik probeerde de wolven in onze plotseling herenigde troep te tellen, maar ze liepen zo onrustig rond om zich op te stellen voor het ophanden zijnde gevecht dat het onbegonnen werk was ze uit elkaar te houden.

Ik wendde me tot Sam om hem een klopje te geven en ontdekte dat er een leeuw naast me stond.

'Sam,' fluisterde ik, en hij brulde.

Heel even bleef iedereen als verstijfd staan. De Shreveport-wolven waren net zo bang als de wolven uit St. Catherine, maar toen ze beseften dat Sam aan hun kant stond echode hun opgewonden gejank tussen de lege gebouwen.

Toen barstte het gevecht los.

Sam probeerde me in te sluiten, wat natuurlijk onmogelijk was, maar het was een galante poging. Als ongewapende mens was ik hulpeloos in deze veldslag. Het was een akelig gevoel – zeg maar gerust angstaanjagend. Ik was het kwetsbaarste wezen op het terrein.

Sam was geweldig. Hij haalde uit met zijn enorme klauwen, en als hij een wolf recht op zijn kaak sloeg, ging die tegen de vlakte. Als een demente elf danste ik in het rond om niemand voor de poten te lopen, maar ik kon niet alles wat er gebeurde in de gaten houden. Groepjes St. Catherine-wolven stormden af op Furnan, Alcide en Sam, terwijl er om ons heen individuele gevechten plaatsvonden. Het drong tot me door dat de groepjes de opdracht hadden om de leiders onderuit te halen, wat op een goede voorbereiding wees. Priscilla Hebert had er geen rekening mee gehouden dat haar broer snel moest worden bevrijd, maar dat hield haar niet tegen.

Omdat ik geen gevaar opleverde leek niemand zich om mij te bekommeren. Maar de kans was groot dat ik door de grommende vechtjassen omvergelopen zou worden en net zo ernstig gewond zou raken als wanneer ze het op mij hadden gemunt. Priscilla, nu een grijze wolvin, had het op Sam voorzien. Ik denk dat ze wilde bewijzen dat ze meer ballen had dan de anderen omdat ze achter het grootste en gevaarlijkste doelwit aan ging. Maar Amanda hapte naar haar achterpoten toen Priscilla door de meute heen drong. Priscilla reageerde door haar kop om te draaien en de kleinere wolvin haar tanden te laten zien. Amanda stoof opzij, maar zodra Priscilla zich omdraaide om verder te gaan, schoot Amanda terug om weer in haar poot te bijten.

Aangezien Amanda's beet krachtig genoeg was om botten te breken, was dat meer dan alleen irritant, dus Priscilla keerde zich woest om. Voordat ik zelfs maar 'o nee' kon denken, had Priscilla Amanda in haar ijzersterke kaken genomen en haar nek gebroken.

Terwijl ik er vol afgrijzen bij stond te kijken, liet Priscilla het lijk op de grond vallen, draaide zich vliegensvlug om en sprong boven op Sams rug. Hij schudde zich een paar keer wild, maar ze had haar snijtanden in zijn nek laten zinken en liet zich niet van hem af gooien.

Bij mij knapte er iets net zo plotseling als de botten in Amanda's nek. Ik raakte helemaal door het dolle heen en sprong in de lucht alsof ik ook een wolf was. Om te voorkomen dat ik van de kolkende dierenmassa afgleed, sloeg ik mijn armen om de vacht rond Priscilla's nek en mijn benen om haar middel, waarna ik mijn armen aanspande totdat ik mezelf omarmde. Priscilla vertikte het om Sam los te laten, dus bewoog ze zich woedend heen en weer om me van zich af te gooien. Maar ik klampte me aan haar vast als een aap met moordneigingen.

Eindelijk moest ze zijn nek loslaten om mij aan te pakken. Ik kneep steeds harder terwijl zij mij probeerde te bijten, maar omdat ik op haar rug zat, kon ze er niet goed bij. Wel lukte het haar om met haar snijtanden mijn been te schaven, maar ze kreeg geen houvast. De pijn drong nauwelijks tot me door.

Ik klemde haar steeds steviger vast, ook al deden mijn armen ontzettend zeer. Als ik mijn greep ook maar heel even verslapte, zou ik Amanda achternagaan.

Hoewel alles razendsnel gebeurde, leek het alsof ik die vrouw/wolf al een eeuwigheid om zeep probeerde te helpen. Ik dacht niet bewust: ga dood, ga dood; ik wilde alleen dat ze ophield met wat ze aan het doen was en dat vertikte ze, verdomme. Toen klonk er opnieuw een oorverdovend gebrul, en op een paar centimeter afstand van mijn armen blikkerden enorme tanden. Ik begreep dat ik moest loslaten en zodra ik mijn armen weghaalde, tuimelde ik van de wolvin af, rolde over de stoep en kwam een paar meter verderop terecht.

Er klonk een soort *plop!* en ineens stond Claudine naast me. Ze was gekleed in een tanktopje met een pyjamabroek en ze had een warrig slaaphoofd. Tussen haar gestreepte benen door zag ik dat de leeuw de kop van de wolvin er bijna af beet en daarna op een kieskeurige manier uitspuugde. Toen draaide hij zich om en bestudeerde het parkeerterrein om de volgende dreiging in te schatten.

Een van de wolven stortte zich boven op Claudine, die liet zien dat ze toch klaarwakker was. Terwijl het beest door de lucht vloog sloeg ze haar handen tegen zijn oren en zwaaide hem in het rond, waarbij ze gebruikmaakte van de kracht van zijn eigen vaart. Met het gemak waarmee een student een blikje bier zou wegsmijten wierp Claudine de enorme wolf van zich af. Het beest smakte tegen het laadplatform met een geluid dat volkomen definitief klonk. De snelheid van zijn aanval en de afloop was verbluffend.

Claudine bleef wijdbeens staan en ik was zo slim om me niet te verroeren. Eigenlijk was ik uitgeput en bang. Bovendien was ik een beetje bloederig, hoewel alleen de rode spetter op mijn been van mezelf leek te zijn. Een gevecht duurt maar heel even, terwijl het met verbijsterende snelheid alle opgespaarde energie van je lichaam verbruikt. Zo gaat het tenminste bij mensen. Claudine zag er nog behoorlijk energiek uit.

'Kom maar op, bontjas!' krijste ze, terwijl ze met beide handen een Weer wenkte die achter haar dichterbij sloop. Zonder haar benen te verplaatsen had ze zich omgedraaid, een beweging die voor een doorsnee menselijk lichaam onmogelijk zou zijn. De Weer waagde de sprong en kreeg dezelfde behandeling als zijn troepgenoot. Voor zover ik kon opmaken, was Claudine niet eens buiten adem. Haar ogen waren verder opengesperd en stonden feller dan anders, en ze zat in een losse hurkhouding, gereed om in actie te komen.

Er klonk nog meer gebrul, geblaf en gegrom, en ook kreten van pijn en scheurgeluiden waar ik liever niet over nadacht. Maar na nog een minuut of vijf hevige strijd verstomde het lawaai.

In de tussentijd had Claudine me zelfs niet aangekeken, omdat ze mijn lichaam beschermde. Toen ze wel keek, schrok ze zichtbaar. Blijkbaar zag ik er nogal gehavend uit.

'Ik was een beetje laat,' zei ze, terwijl ze haar voeten verplaatste zodat ze naast me kwam te staan. Ze stak haar hand uit, die ik vastgreep. In een flits stond ik overeind.

Ik omhelsde haar. Dat wilde ik niet alleen, maar het moest gewoon. Claudine rook altijd zo heerlijk en haar lichaam voelde eigenaardig steviger aan dan mensenvlees. Ze leek het niet erg te vinden om mij ook te omhelzen, en een ogenblik lang klampten we ons aan elkaar vast terwijl ik mijn evenwicht hervond.

Daarna hief ik mijn hoofd om rond te kijken, al was ik bang voor wat ik zou zien. De gevallenen lagen in hoopjes vacht overal om ons heen op de grond. De donkere vlekken op de straat waren geen olievlekken. Hier en daar neusde een verfomfaaide wolf tussen de lijken op zoek naar iemand. De leeuw zat een paar meter verderop uit te hijgen. Zijn vacht was besmeurd met bloed en in zijn schouder had hij een open wond, veroorzaakt door Priscilla. Op zijn rug zat nog een bijtwond.

Ik wist niet wat ik het eerst moest doen. 'Dank je wel, Claudine,' zei ik daarom maar, en ik kuste haar wang.

'Ik kan er niet altijd op tijd bij zijn,' waarschuwde ze. 'Reken er niet op dat ik je automatisch kom redden.'

'Heb ik soms ergens een noodknop voor elfen of zo? Hoe wist je dat je moest komen?' Ik wist dat ze daar geen antwoord op zou geven. 'Maar goed, ik ben heel blij dat je me hebt gered. Hé, je weet vast al dat ik mijn overgrootvader heb ontmoet.' Ik ratelde aan één stuk door, zo blij was ik dat ik nog leefde.

Ze boog haar hoofd. 'De prins is mijn grootvader,' zei ze.

'O. Betekent dat dat we nichten van elkaar zijn?'

Ze keek op me neer, en haar ogen waren helder, donker en kalm. Ze zag er helemaal niet uit als een vrouw die zojuist in een flits twee wolven had vermoord. 'Ja, ik geloof van wel.'

'Hoe noem je hem eigenlijk? Overgrootopa? Opi?'

'Ik noem hem "mijn heer".'

'O.'

Ze liep weg om de wolven te inspecteren die ze uit de weg had geruimd (ik was er vrij zeker van dat ze nog steeds dood waren), dus ging ik naar de leeuw. Ik hurkte naast hem neer en sloeg mijn arm om zijn nek. Hij spinde brommend. Automatisch krabde ik hem boven op zijn kop en achter zijn oren, zoals ik ook met Bob deed. Het gespin nam toe.

'Sam,' zei ik. 'Dank je wel dat je mijn leven hebt gered. Ben je erg gewond? Wat kan ik doen om te helpen?'

Met een zucht legde Sam zijn kop op de grond.

'Ben je moe?'

Plotseling begon de lucht om hem heen te zinderen, en ik deinsde snel achteruit. Ik wist wat er ging gebeuren. Een paar tellen later lag er geen dier meer naast me, maar een mens. Bezorgd liet ik mijn blik over zijn lichaam glijden en zag dat hij nog steeds bijtwonden had, maar nu waren ze veel kleiner dan toen hij nog een leeuw was. Vormveranderaars genezen altijd heel snel. Het zegt veel over de manier waarop mijn leven was veranderd dat ik er niet raar van opkeek dat Sam spiernaakt was. Daar was ik allang overheen – en dat was maar goed ook, want nu lagen er overal om me heen naakte lichamen. De lijken veranderden weer terug, evenals de gewonde wolven.

Het was minder erg geweest om de lijken in hun wolfgedaante te zien.

Cal Myers en zijn zus Priscilla waren uiteraard dood, evenals de twee Weers die Claudine van kant had gemaakt. Amanda was dood. Het magere meisje dat ik in The Hair of the Dog had gezien leefde nog wel, maar ze had een ernstige bijtwond in haar bovendij. Ik herkende ook Amanda's barman, die ongedeerd leek te zijn. Tray Dawson wiegde zijn ene arm, die er gebroken uitzag.

Patrick Furnan lag midden in een kring doden en gewonden, allemaal wolven uit Priscilla's troep. Met enige moeite baande ik me een weg tussen de gehavende, bloederige lijken door. Alle ogen, van wolven en van mensen, prikten in mijn rug toen ik naast hem neerknielde. Voorzichtig legde ik mijn vingers in zijn hals, maar ik voelde niets. Toen controleerde ik zijn pols en ik legde zelfs mijn hand op zijn borst. Geen enkele beweging.

'Hij heeft ons verlaten,' zei ik, en iedereen die nog in wolfgedaante was, begon te janken. Het gehuil dat er uit de kelen van de Weers in mensengedaante kwam was nog veel verontrustender.

Alcide strompelde naar me toe. Hij leek min of meer ongeschonden te zijn, hoewel er opgedroogd bloed in zijn borsthaar geplakt zat. Toen hij langs de gesneuvelde Priscilla kwam, gaf hij haar een schop. Bij Patrick Furnan knielde hij een ogenblik neer en liet zijn hoofd even zakken alsof hij een buiging maakte voor het lijk. Daarna kwam hij overeind, met een duistere, woeste en kordate blik op zijn gezicht.

'Ik ben de leider van deze troep!' verklaarde hij met absolute zekerheid. Er daalde een angstaanjagende stilte neer terwijl de overlevende wolven dat tot zich lieten doordringen.

'Nu moet je hier weg,' zei Claudine heel zacht achter me. Ik schrok me wild, want ik was gebiologeerd door de schoonheid van Alcide, door de primitieve wildheid die hij uitstraalde.

'Wat? Waarom?'

'Ze gaan hun overwinning en de promotie van een nieuwe troepmeester vieren,' legde ze uit.

Het magere meisje kneep haar handen dicht en liet ze neerkomen op de schedel van een gevallen – maar nog stuiptrekkende – vijand. De botten braken met een akelig gekraak. Overal om me heen werden de verslagen Weers geëxecuteerd, althans degenen die zwaargewond waren. Een groepje van drie Weers krabbelde overeind om voor Alcide neer te knielen, met hun hoofd achterover. Twee van hen waren vrouwen, de derde was een puberjongen. Ze boden Alcide hun hals aan als teken van overgave. Alcide was erg opgewonden. Over zijn hele lichaam. Ik herinnerde me hoe Patrick Furnan het had gevierd toen hij troepmeester was geworden. Ik wist niet of Alcide van plan was de gijzelaars te neuken of te doden. Ik zoog mijn longen vol om het uit te schreeuwen. Wat ik zou hebben geroepen weet ik niet, want Sam sloeg zijn groezelige hand voor mijn mond. Kwaad en geagiteerd keek ik naar hem, en hij schudde hevig zijn hoofd. Een ogenblik lang keek hij me onderzoekend aan om er zeker van te zijn dat ik geen kik zou geven voordat hij zijn hand weghaalde. Daarna sloeg hij zijn arm om mijn middel en draaide me abrupt weg van het tafereel. Claudine vormde de achterhoede toen Sam me snel meevoerde.

Ik hield mijn blik vooruit gericht en probeerde niet naar de geluiden te luisteren.

10

Sam had extra kleren in zijn pick-up, die hij heel laconiek aantrok.

Claudine zei: 'Ik ga weer naar bed,' alsof ze wakker was geworden om de kat even naar buiten te laten of naar de wc te gaan, en *poef!*, weg was ze.

'Ik rij wel,' bood ik aan, omdat Sam gewond was.

Hij gaf me zijn sleutels.

We vertrokken in stilte. Het kostte me moeite om me de route naar Bon Temps via de snelweg te herinneren, want in allerlei opzichten was ik nog geschokt.

'Dat is een normale reactie na een gevecht,' zei Sam. 'De opwelling van wellust.'

Ik keek expres niet naar Sams schoot om te zien of hij ook een opwelling beleefde. 'Ja, dat weet ik. Ik heb al een paar gevechten meegemaakt. Een paar te veel.'

'Bovendien is Alcide opgeklommen tot troepmeester.' Nog een reden om 'blij' te zijn.

'Maar hij heeft zich dat hele gevecht alleen op de hals gehaald omdat Maria-Star dood is.' Hij had dus veel te verdrietig moeten zijn om de dood van zijn vijand te willen vieren, bedoelde ik eigenlijk.

'Hij heeft zich "dat hele gevecht" op de hals gehaald omdat hij werd bedreigd,' zei Sam. 'Het was ontzettend stom van Alcide en Furnan dat ze niet om de tafel zijn gaan zitten om het uit te praten voordat het zover kwam. Ze hadden er veel eerder achter kunnen komen hoe de vork in de steel zat. Als jij ze niet had overgehaald, zouden ze nog steeds een voor een worden afgemaakt, en dan was het op een totale oorlog uitgelopen. Dan zouden ze al het werk voor Priscilla Hebert hebben gedaan.'

Ik had mijn buik vol van de Weers, met hun agressie en hun koppigheid. 'Jij bent erbij betrokken geraakt vanwege mij, Sam. Dat vind ik verschrikkelijk. Als jij er niet was geweest, was ik nu dood. Ik ben je ontzettend dankbaar. En het spijt me heel erg.'

'Jou in leven houden is belangrijk voor me,' zei Sam. Hij deed zijn ogen dicht en sliep de hele weg terug naar zijn trailer. Zonder hulp strompelde hij de treden op en daarna trok hij zijn deur stevig achter zich dicht. Een beetje verloren en behoorlijk neerslachtig stapte ik in mijn eigen auto en reed naar huis. Ik vroeg me af hoe ik alles wat er vanavond was gebeurd in de rest van mijn leven moest verweven.

Amelia en Pam zaten in de keuken. Amelia had thee gezet en Pam zat te borduren. Haar handen vlogen heen en weer terwijl de naald door de stof schoot. Ik wist niet wat me het meest verbaasde: haar vaardigheid of de keuze van haar tijdverdrijf.

'Wat hebben Sam en jij uitgespookt?' vroeg Amelia met een grote grijns. 'Het was nogal heftig, zo te zien.'

Toen keek ze nog eens goed en vroeg: 'Wat is er gebeurd, Sookie?'

Zelfs Pam legde haar borduurwerk neer en trok haar ernstigste gezicht. 'Je stinkt,' vond ze. 'Je stinkt naar bloed en oorlog.'

Ik bekeek mezelf en pas toen drong het tot me door dat ik er verfomfaaid uitzag. Mijn kleren waren gescheurd en vies en zaten onder het bloed, en mijn been deed pijn. Het was tijd voor eerste hulp, en ik kon me geen betere verzorging wensen dan die van zuster Amelia en zuster Pam. Die laatste was een beetje opgewonden door de wond, maar als een gehoorzame vamp hield ze zich in. Ik wist dat ze alles aan Eric zou doorvertellen, maar op dat moment kon me dat niet schelen.

Amelia sprak een genezende spreuk uit boven mijn been. Genezing was niet haar sterkste kant, zei ze bescheiden, maar de spreuk hielp toch een beetje. Mijn been klopte tenminste niet meer van de pijn.

'Ben je niet ongerust?' vroeg Amelia. 'Dit is van een Weer. Stel dat je bent besmet?'

'Dat is moeilijker om te krijgen dan vrijwel elke andere besmettelijke ziekte,' legde ik uit, want ik had zowat alle weerdieren die ik tegenkwam gevraagd naar de kans dat hun kwaal door een beet kon worden overgedragen. Zij hebben tenslotte ook dokters. En onderzoekers. 'De meeste mensen moeten een paar keer zijn gebeten, over hun hele lichaam, om het te kunnen krijgen, en zelfs dan is het niet zeker.' Het is niet zoals griep of een verkoudheid. En als je de wond zo snel mogelijk schoonmaakt, wordt de kans op besmetting aanmerkelijk kleiner. Ik had een flesje water over mijn been uitgegoten voordat ik in de auto was gestapt. 'Dus ik maak me niet ongerust, maar het doet wel pijn en ik denk dat ik er een litteken aan overhoud.'

'Eric zal het niet leuk vinden,' zei Pam met een hoopvolle glimlach. 'Je hebt jezelf in gevaar gebracht vanwege de Weers. Je weet dat hij geen hoge pet van ze opheeft.'

'Ja, ja, ja,' zei ik, want het kon me geen bal schelen. 'Hij kan de boom in.'

Pam fleurde op. 'Dat zal ik tegen hem zeggen,' zei ze.

'Waarom plaag je hem zo graag?' vroeg ik, en ik merkte dat ik bijna sloom van moeheid was.

'Ik heb nooit zoveel gehad om hem mee te kunnen plagen,' antwoordde ze. Daarna liep ze met Amelia mijn kamer uit en was ik eindelijk alleen, heerlijk in mijn eigen bed en in leven, maar toen viel ik in slaap.

De douche die ik de volgende ochtend nam was een sublieme ervaring. Op mijn top tien van de lekkerste douches van mijn leven stond deze toch zeker op nummer vier. (De beste was de keer toen ik samen met Eric heb gedoucht, en daar kon ik niet eens aan terugdenken zonder te huiveren van genot.) Ik boende mezelf schoon. Mijn been zag er goed uit, en hoewel ik nog meer pijn had in spieren die ik niet zo vaak gebruikte, had ik het gevoel dat er een ramp was voorkomen en dat het kwaad was verslagen, tenminste op een soort grijze manier.

Terwijl ik onder het stromende warme water mijn haar stond te wassen, dacht ik aan Priscilla Hebert. In de korte indruk die ik van haar wereld had gekregen, had ik vastgesteld dat ze in ieder geval had geprobeerd om voor haar uitgesloten Weertroep een plaats te veroveren. Ze had gezocht naar een zwak gebied waar ze wel een poot aan de grond kon krijgen. Als ze smekend naar Patrick Furnan was gestapt, zou hij haar troep misschien met alle plezier een thuisbasis hebben gegeven. Maar zijn leiderschap zou hij beslist nooit hebben overgedragen.

Hij had Jackson Herveaux gedood om het zo ver te schoppen, dus zou hij nooit hebben ingestemd met welk soort samenwerkingsverband met Priscilla dan ook – zelfs als de wolvenmaatschappij dat zou hebben toegestaan, wat ik betwijfelde, vooral gezien haar zeldzame status als vrouwelijke troepleider.

Nou ja, nu was ze dat niet meer.

Theoretisch bewonderde ik haar poging om haar wolven

op een nieuwe plek onder te brengen. Maar sinds ik Priscilla in levenden lijve had ontmoet, kon ik alleen maar blij zijn dat ze daar niet in was geslaagd.

Toen ik schoon en verfrist was, droogde ik mijn haar en maakte ik me op. Ik had dagdienst, dus moest ik om elf uur in Merlotte zijn. Ik hees me in het gebruikelijke uniform van een zwarte broek met een wit T-shirt, besloot mijn haar voor de verandering los te laten hangen, en knoopte de veters van mijn zwarte Reeboks dicht.

Alles bij elkaar genomen voelde ik me eigenlijk best lekker.

Er waren veel doden gevallen en er hing veel verdriet rond de gebeurtenissen van de vorige avond, maar de opdringerige troep was tenminste verslagen en voorlopig zou het in de buurt van Shreveport wel rustig blijven. De oorlog had maar heel kort geduurd. En de Weers waren niet aan de rest van de wereld onthuld, hoewel dat een stap was die ze binnenkort zouden moeten nemen. Hoe langer de vamps in de openbaarheid waren, des te groter de kans dat iemand de Weers zou onthullen.

Ik stopte dat feit in de reusachtige doos vol dingen die niet mijn probleem waren.

Ik weet niet of het kwam door het soort wondje of door Amelia's goede heksenzorgen, maar op de schram op mijn been zat al bijna een korst. Mijn armen en benen zaten onder de blauwe plekken, maar die werden bedekt door mijn uniform. Vandaag was het vrij koel, dus was het logisch om lange mouwen te dragen. Eigenlijk zou een jasje zelfs wel prettig zijn geweest, en ik had er spijt van dat ik er niet een had aangetrokken toen ik naar mijn werk reed.

Amelia was nog niet opgestaan toen ik wegging, en ik had geen idee of Pam in mijn geheime vampierschuilhol in de logeerkamer was gekropen. Hé, niet mijn probleem! Onder het rijden zette ik nog meer dingen op het lijstje problemen waar ik me niet druk om zou moeten maken. Zodra ik mijn baas zag, werd ik overspoeld door een heleboel gedachten waar ik niet op had gerekend. Niet dat Sam er toegetakeld uitzag of zo. Hij zag er net zo uit als anders toen ik zijn kantoor binnenkwam om mijn tas in de gebruikelijke la te stoppen. In feite leek de knokpartij hem zelfs te hebben verkwikt. Misschien had het lekker gevoeld om eens te veranderen in iets agressievers dan een collie. Misschien had hij ervan genoten een paar weerwolven verrot te schoppen. Een paar weerwolfbuiken open te rijten... een paar weerwolfruggengraten te breken.

Hé zeg, en wie had hij het leven gered door al dat rijten en breken? Mijn gedachten vervlogen heel snel. In een opwelling boog ik me naar hem toe om hem op zijn wang te zoenen. Ik rook de typische geur van Sam: aftershave, het bos, iets wilds maar vertrouwds.

'Hoe gaat het met je?' vroeg hij, alsof ik hem altijd met een kus begroette.

'Beter dan ik had gedacht. En met jou?'

'Een beetje beurs, maar verder gaat het wel.'

Holly stak haar hoofd om de deur. 'Hoi, Sookie, Sam.' Ze kwam binnen om haar eigen tas weg te bergen.

'Ik hoor dat Hoyt en jij een setje zijn, Holly,' zei ik, en ik hoopte dat ik glimlachte en er verheugd uitzag.

'Ja, we kunnen het prima vinden,' antwoordde ze, in een poging onverschillig te klinken. 'Hij is heel lief voor Cody, en zijn familie is erg aardig.' Ondanks haar agressief zwartgeverfde piekhaar en haar zware make-up had Holly's gezicht iets weemoedigs en kwetsbaars.

Het kostte me geen moeite om te zeggen: 'Ik hoop dat het goed uitpakt.' Holly keek heel blij. Ze wist net zo goed als ik dat ze min of meer mijn schoonzus zou worden als ze met Hoyt zou trouwen, omdat Jason en Hoyt zo'n hechte band hadden.

Toen zei Sam iets over een probleem met een van zijn bierdistributeurs, Holly en ik knoopten onze schorten voor en daarna begon onze werkdag. Ik stak mijn hoofd door het dienluik om naar het keukenpersoneel te zwaaien. De huidige kok van Merlotte was een ex-legerman genaamd Carson. Buffetkoks komen en gaan. Carson was een van de betere. Hij had de 'burger Lafayette' al meteen onder de knie gekregen (hamburger gemarineerd in de speciale saus van een vroegere kok), hij bakte de kip-nuggets en de frietjes precies goed, hij had geen driftbuien en probeerde ook niet de hulpkelner neer te steken. Hij kwam op tijd opdagen en liet de keuken schoon achter aan het eind van zijn dienst, en dat was zoiets geweldigs dat Sam heel wat hebbelijkheden van hem door de vingers zou hebben gezien.

We hadden weinig klandizie, dus deden Holly en ik de drankjes. Toen Tanya Grissom door de voordeur binnenwandelde, zat Sam in zijn kantoor, aan de telefoon. De kleine, mollige vrouw zag er mooi en kerngezond uit. Tanya was zuinig met haar make-up, maar scheutig met haar zelfvertrouwen.

'Waar is Sam?' vroeg ze. Haar kleine mond plooide zich tot een glimlach. Ik glimlachte net zo vals terug. Bitch.

'Kantoor,' zei ik, alsof ik altijd precies wist waar Sam was.

'Die vrouw daar,' zei Holly, die even bleef staan op weg naar het dienluik. 'Stille wateren, diepe gronden, die meid.'

'Waarom zeg je dat?'

'Ze woont in Hotshot, woont in bij een paar vrouwen daar,' antwoordde Holly. Van alle gewone inwoners van Bon Temps was Holly een van de weinigen die op de hoogte was van het bestaan van wezens zoals Weers en veranderaars. Ik wist niet of ze had ontdekt dat de bewoners van Hotshot weerpanters waren, maar ze wist wel dat ze aan inteelt deden en een beetje vreemd waren, want dat was spreekwoordelijk in het district Renard. En Tanya (een weervos) beschouwde ze als een gevalletje 'waar je mee omgaat, word je mee besmet' of in ieder geval vermoedde ze dat.

Ineens kreeg ik het echt benauwd. Ik dacht: Tanya en Sam zouden samen kunnen veranderen. Dat zou Sam leuk vinden. Als hij dat wilde, kon hij zich zelfs in een vos veranderen.

Na die ingeving kostte het me de grootste moeite om tegen mijn klanten te glimlachen. Ik schaamde me toen ik besefte dat ik blij zou moeten zijn dat iemand geïnteresseerd was in Sam, iemand die zijn ware aard kon waarderen. Het pleitte niet voor me dat ik juist helemaal niet blij was. Maar ze was niet goed genoeg voor hem en ik had hem voor haar gewaarschuwd.

Tanya kwam terug uit de gang die naar Sams kantoor leidde en ging door de voordeur naar buiten. Ze keek lang niet zo zelfverzekerd als toen ze naar binnen was gegaan. Ik grijnsde naar haar rug. Ha! Sam kwam naar buiten om biertjes te tappen. Hij keek niet erg vrolijk.

Mijn grijns verdween onmiddellijk. Terwijl ik sheriff Bud Dearborn en Alcee Beck hun lunch ging brengen (waarbij Alcee me de hele tijd nors aankeek), zat dat me dwars. Ik besloot een kijkje in Sams hoofd te nemen, want ik begon handiger te worden in het richten van mijn talent. Ook was het makkelijker geworden om het af te schermen en van mijn dagelijkse werkzaamheden te scheiden nu ik een bloedband met Eric had, ook al wilde ik dat liever niet toegeven. Het is niet aardig om in het hoofd van een ander rond te fladderen, maar dat heb ik altijd al gekund en het was gewoon een tweede natuur.

Ja, ik weet dat het een slap excuus is, maar ik was het gewend dingen te weten, niet om me dingen af te vragen. Veranderaars zijn moeilijker te lezen dan doorsnee mensen, en Sam was zelfs voor een veranderaar lastig, maar ik ving op dat hij gefrustreerd en onzeker was, en nadenkend.

Daarna was ik geschokt over mijn eigen vrijpostigheid en onbeleefdheid. Sam had de vorige avond zijn leven op het spel gezet. Hij had mijn leven gered. En nu zat ik in zijn hoofd rond te snuffelen als een kind in een doos met speelgoed. Ik kreeg een kleur van schaamte en raakte de draad kwijt van wat de vrouw aan mijn tafeltje zei totdat ze voorzichtig vroeg of ik me wel goed voelde. Ik riep mezelf tot de orde, concentreerde me op mijn werk en nam haar bestelling op van chili en crackers en een glas zoete thee.

Haar vriendin, een vrouw van in de vijftig, bestelde een hamburger Lafayette met een salade. Ik noteerde de dressing van haar keuze en een biertje, en daarna verdween ik snel naar het luik om de bestelling door te geven. Toen ik naast Sam stond, knikte ik naar de tap en een seconde later gaf hij me het glas bier. Ik was te zeer van slag om iets tegen hem te zeggen. Onderzoekend nam hij me op.

Ik was blij om de bar te kunnen verlaten toen mijn dienst erop zat. Holly en ik droegen onze tafels over aan Arlene en Danielle en gingen onze tassen halen. In het schemerdonker kwamen we naar buiten. De veiligheidslampen waren al aan. Later zou het gaan regenen en de sterren gingen schuil achter de wolken. Uit de jukebox klonk – heel zacht – de stem van Carrie Underwood, met 'Jesus, Take the Wheel'. Het leek me een uitstekend idee als Hij achter het stuur ging zitten.

Op de parkeerplaats bleven we een ogenblik naast onze auto's staan. Het waaide en het was bepaald fris.

'Ik weet dat Jason Hoyts beste vriend is,' zei Holly. Ze klonk aarzelend, en hoewel de uitdrukking op haar gezicht moeilijk te duiden was, wist ik dat ze er niet zeker van was of ik wilde horen wat ze me te vertellen had. 'Ik heb Hoyt altijd al leuk gevonden. Op school was hij een aardige knul. Ik geloof – en ik hoop dat je me dat niet kwalijk neemt – ik geloof dat ik alleen niet eerder met hem wilde daten omdat hij zo close met Jason was.'

Ik wist niet hoe ik daarop moest reageren. 'Je kunt Jason niet uitstaan,' zei ik ten slotte.

'O jawel, ik mag Jason wel. Wie niet? Maar is hij goed voor Hoyt? Kan Hoyt gelukkig zijn als de band tussen hen verflauwt? Want ik wil niet iets met Hoyt beginnen als ik er niet van overtuigd ben dat het tussen ons net zo goed blijft klikken als het altijd tussen hem en Jason heeft geklikt. Je snapt wel wat ik bedoel.'

'Ja,' zei ik. 'Ik hou van mijn broer, maar ik weet dat Jason het niet gewend is om rekening te houden met een ander.' En dat was nog zacht uitgedrukt.

Holly zei: 'Ik mag jou graag en ik wil je niet kwetsen. Maar het leek me beter dat je het wist.'

'Ja, zoiets had ik al begrepen. Ik mag jou ook, Holly. Je bent een goede moeder. Je werkt hard om voor je kind te zorgen. Je hebt een goede verhouding met je ex. Maar hoe zit het met Danielle? Volgens mij ben jij net zo dik met haar als Hoyt met Jason.' Danielle was ook een gescheiden moeder, en Holly en zij waren al sinds de basisschool met elkaar bevriend. Danielle had meer steun dan Holly. Danielles ouders waren nog gezond en pasten graag op haar twee kinderen. Danielle had ook al een poosje een vriend.

'Ik zou nooit hebben gedacht dat er iets tussen Danielle en mij zou kunnen komen, Sookie,' Holly trok haar windjack aan en zocht in haar tas naar haar sleutels, 'maar we zijn een beetje uit elkaar gegroeid. Af en toe gaan we nog samen lunchen en onze kinderen spelen nog samen.' Ze zuchtte diep. 'Ach, ik weet het niet. Toen ik me ging interesseren in andere dingen dan alleen de wereld hier in Bon Temps, de wereld waarin we zijn opgegroeid, vond Danielle dat een beetje raar, die nieuwsgierigheid van me. Toen ik besloot een wicca te worden, kon ze dat niet uitstaan, en ze vindt het nog steeds vreselijk. Als ze van de Weers af wist, als ze wist wat er met me is gebeurd...' Een vorm veranderende heks had Eric gedwongen haar een deel van zijn financiële ondernemingen te geven. Ze had alle heksen uit de buurt die ze kon optrommelen gedwongen haar te helpen, onder wie een onwillige Holly. 'Door dat hele gedoe ben ik veranderd,' zei Holly nu.

'Ja, zo gaat dat, hè? Als je met de Bovens omgaat.'

'Ja. Maar ze zijn een deel van onze wereld. Op een dag zal iedereen dat weten. Op een dag... zal de hele wereld veranderd zijn.'

Ik knipperde met mijn ogen. Dit had ik niet verwacht. 'Wat bedoel je?'

'Als ze allemaal uit de kast komen,' zei ze, verbaasd over mijn gebrek aan inzicht. 'Als ze allemaal in de openbaarheid treden en voor hun bestaan uitkomen. Dan zal iedereen, iedereen op de hele wereld, zich moeten aanpassen. Maar sommige mensen zullen dat niet willen. Misschien wekt het verzet op of komen er oorlogen van. Misschien gaan de Weers vechten tegen alle andere veranderaars of misschien vallen de mensen de Weers en de vampiers aan. Of de vampiers – want je weet dat ze een gloeiende hekel aan de wolven hebben – wachten tot het een mooie avond is, en dan slachten ze ze allemaal af en zorgen ervoor dat de mensen "dank je wel" zeggen.'

Die Holly toch. Er school een ware dichteres in haar. En ze had een vooruitziende blik, al zag ze het nogal somber in. Ik had geen idee dat Holly zo diepzinnig was, en weer schaamde ik me. Gedachtelezers zouden zich niet op die manier moeten laten verrassen. Ik had zo hard mijn best gedaan om uit het hoofd van mensen te blijven dat ik belangrijke aanwijzingen had gemist.

'Dat allemaal of juist helemaal niet,' zei ik. 'Veel mensen zullen het gewoon accepteren. Niet in alle landen. Ik bedoel, als je denkt aan wat er met de vamps in Oost-Europa en een deel van Zuid-Amerika is gebeurd...'

'De paus heeft dat nooit goed geregeld,' merkte ze op.

Ik knikte. 'Het zal niet meevallen om er iets over te zeggen, vermoed ik.' De meeste kerken hadden het verdomd moeilijk gehad om een Bijbels en theologisch beleid uit te stippelen ten aanzien van de ondoden. Een bekendmaking door de Weers zou dat alleen maar lastiger maken. Dát ze leefden was duidelijk... Ze waren bijna té levend, zeker vergeleken bij de vampiers, terwijl die toch al een of meer levens achter de rug hadden.

Ik schuifelde met mijn voeten. Het was helemaal niet mijn bedoeling geweest om hier te staan om de problemen van de wereld op te lossen en over de toekomst te filosoferen. Ik was nog uitgeput van de vorige nacht. 'Tot ziens, Holly. Heb je zin om een keertje samen met Amelia en mij in Clarice naar de film te gaan?'

'Is goed,' zei ze, een beetje verbaasd. 'Amelia heeft geen hoge pet op van mijn kunde, maar dan hebben we tenminste iets om over te praten.'

Veel te laat bedacht ik dat het triootje waarschijnlijk niet zo geslaagd zou zijn, maar ach, we konden het in ieder geval proberen.

Onderweg in de auto vroeg ik me af of er thuis iemand op me zou wachten. Die vraag werd beantwoord toen ik naast Pams auto bij de achterdeur parkeerde. Pam reed vanzelfsprekend in een conservatieve auto, een Toyota met een Fangtasiabumpersticker. Het enige wat me verbaasde was dat het geen minibus was.

Pam en Amelia zaten in de woonkamer naar een dvd te kijken. Ze zaten op de bank, maar niet met elkaar verstrengeld. Bob had zich op mijn ligstoel genesteld. Op Amelia's schoot zag ik een schaaltje popcorn en Pam had een flesje TrueBlood in haar hand. Ik liep om hen heen zodat ik kon zien waar ze naar keken. *Underworld*. Hmmm.

'Kate Beckinsale is hot,' zei Amelia. 'Hé, hoe was het op je werk?'

'Gaat wel,' antwoordde ik. 'Zeg Pam, hoezo ben je twee avonden achter elkaar vrij?'

'Dat heb ik verdiend,' zei Pam. 'Ik heb al twee jaar lang geen vrij gehad. Eric was het ermee eens dat ik het verdiende. Hoe denk je dat ik eruit zou zien in die zwarte outfit?'

'O, net zo mooi als Beckinsale,' zei Amelia. Ze draaide haar hoofd om en glimlachte naar Pam. Ze waren in het tortelstadium. Omdat ik zelf niets te koeren had, wilde ik liever niet in de buurt blijven.

'Heeft Eric nog iets ontdekt over die Jonathan?' vroeg ik.

'Geen idee. Waarom bel je hem zelf niet even?' reageerde Pam onverschillig.

'O ja, dat is ook zo. Je hebt geen dienst,' mompelde ik. Chagrijnig en een beetje beschaamd liep ik naar mijn kamer. Ik toetste het nummer van Fangtasia in zonder het zelfs maar te hoeven opzoeken. Dat was niet best. En op mijn mobiel stond het onder een sneltoets. Jemig. Daar wilde ik op dat moment liever niet te lang over nadenken.

De telefoon ging over, en ik zette mijn naargeestige gepeins van me af. Als je met Eric sprak, moest je bij de pinken zijn.

'Fangtasia, de bar met net een beetje meer. Hallo, met Lizbet.' Een vampofiel. Ik rommelde in mijn geestelijke kast naar een gezicht bij die naam. Hebbes: lang, een erg rond figuur waar ze trots op was, vollemaansgezicht, prachtig bruin haar.

'Lizbet, je spreekt met Sookie Stackhouse.'

'O, hoi,' zei ze, verbluft en onder de indruk.

'Eh... hoi. Luister, mag ik Eric even spreken?'

'Ik zal eens kijken of de meester beschikbaar is,' fluisterde ze, met de bedoeling eerbiedig en geheimzinnig te klinken.

'Meester', m'n reet.

Vampofielen waren mannen en vrouwen die zo dol waren op vampiers dat ze elke minuut dat de vamps wakker waren bij hen in de buurt wilden zijn. Voor dat soort mensen waren baantjes zoals in Fangtasia een buitenkansje, en de mogelijkheid om te worden gebeten werd bijna als heilig beschouwd. De vampofiele erecode vereiste dat ze zich vereerd voelden als een bloedzuiger hen wilde proeven; en als ze eraan doodgingen, dan was dat ook min of meer een eer. Achter alle pathos en de ingewikkelde seksualiteit van de gemiddelde vampofiel ging de stille hoop schuil dat de vampo op een dag door een vampier 'geschikt' zou worden bevonden om zelf in een vampier te worden veranderd. Alsof je een persoonlijkheidstest moest ondergaan.

'Bedankt, Lizbet.'

Lizbet legde de hoorn met een klap neer en ging op zoek naar Eric. Ik had haar geen groter plezier kunnen doen.

'Ja,' zei Eric na een minuut of vijf.

'Je had het zeker erg druk?'

'Eh... ik zat net te eten.'

Ik trok mijn neus op. 'Nou, ik hoop dat je genoeg hebt gehad,' zei ik schijnheilig. 'Zeg luister, heb je nog iets ontdekt over die Jonathan?'

'Heb je hem nog een keer gezien?' vroeg Eric op scherpe toon.

'Eh, nee. Dat vroeg ik me alleen af.'

'Als je hem ziet, wil ik dat onmiddellijk weten.'

'Oké, dat snap ik. Wat heb je ontdekt?'

'Hij is op andere plaatsen geweest,' zei Eric. 'Hij is zelfs een avond hier geweest toen ik weg was. Pam is bij jou thuis, nietwaar?'

Ineens kreeg ik het moedeloos makende gevoel dat Pam het niet alleen met Amelia had aangelegd omdat ze zich tot haar aangetrokken voelde; dat ze hier eigenlijk was om een oogje op mij te houden, maar dat ze Amelia als dekmantel gebruikte. Die verrekte vampiers, dacht ik nijdig, want dat scenario vertoonde een pijnlijke overeenkomst met een episode uit mijn recente verleden waar ik erg veel verdriet van had gehad.

Ik nam me voor er niet naar te vragen. Zekerheid was erger dan een vermoeden.

'Ja,' zei ik weinig toeschietelijk. 'Die is er.'

'Mooi.' Eric klonk tevreden. 'Mocht hij zich weer laten zien, dan weet zij wel raad met hem. Niet dat ze dáárom bij jullie logeert,' voegde hij eraan toe. Maar het klonk niet overtuigend. Eric voelde dat ik van streek was. Vandaar dat hij probeerde me gerust te stellen. Echt niet omdat hij zich ook maar enigszins schuldig voelde.

Ik trok een lelijk gezicht naar mijn kastdeur. 'Krijg ik ook de échte reden nog te horen waarom je je zo druk maakt over die vent?'

'Je hebt de koningin sinds Rhodes niet meer gezien,' zei Eric.

Dit werd geen goed gesprek. 'Nee,' zei ik. 'Hoe zit het met haar benen?'

'Die beginnen alweer aan te groeien,' zei Eric na een korte aarzeling.

Wat betekende dat, vroeg ik me af. Groeiden haar voeten weer aan, rechtstreeks aan de stompen? Of begonnen de benen eerst vanboven te groeien en kwamen de voeten pas helemaal aan het eind van het proces? 'Dat is toch goed?' vroeg ik. Het kon alleen maar goed zijn als ze straks weer benen had.

'Het is erg pijnlijk, lichaamsdelen die weer aangroeien,' antwoordde Eric. 'En het is een traag proces. Ze is erg... Nou ja, ze is tijdelijk volledig uitgerangeerd.' Dat laatste zei hij alsof hij het woord wel kende, maar het nog nooit hardop had uitgesproken.

Ik dacht na over de implicaties van wat hij had gezegd, in zowel de directe als de indirecte betekenis. Mededelingen van Eric waren zelden uitsluitend direct en hadden doorgaans nog een diepere laag.

'Ze kan haar rol als monarch niet vervullen,' concludeerde ik. 'Wie heeft dan nu de leiding?'

'De sheriffs houden de boel draaiende,' vertelde Eric. 'En omdat Gervaise bij de bomaanslag om het leven is gekomen, komt dat neer op Cleo, Arla Yvonne en mij. Het zou allemaal een stuk duidelijker zijn geweest als Andre de aanslag had overleefd.' Paniek en schuldgevoelens overspoelden me. Ik hád het leven van Andre kunnen redden. Maar dat had ik niet gedaan, want ik was bang voor hem, en hij vervulde me met weerzin. Dus in plaats van te zorgen dat hij gespaard bleef, had ik werkeloos toegekeken terwijl hij werd gedood.

Eric zweeg geruime tijd, en ik vroeg me af of hij zich bewust was van mijn angst en mijn schuldgevoel. Het zou verschrikkelijk zijn als hij er ooit achter kwam dat Quinn de dood van Andre op zijn geweten had, en dan nog wel in mijn belang. 'Andre had een centrale, coördinerende rol kunnen spelen,' vervolgde Eric. 'Hij was tenslotte de rechterhand van de koningin. Van al haar volgelingen had ik liever gehad dat Sigebert was gesneuveld. Die kleerkast zonder hersens! Nu hij nog leeft, kan hij althans het lichaam van Sophie-Anne bewaken. Maar dat had Andre ook kunnen doen, terwijl hij tegelijkertijd waakte over haar machtsgebied.'

Ik had Eric nog nooit zo spraakzaam meegemaakt als het ging om vampierzaken. En het afschuwelijke gevoel begon me te bekruipen dat ik wist waar hij heen wilde.

'Je verwacht een soort overname.' De moed zonk me in de schoenen. *Alsjeblieft niet weer!* 'Je denkt dat Jonathan de boel kwam verkennen.'

'Pas op, of ik ga denken dat je mijn gedachten tegenwoordig ook kunt lezen.' Eric klonk zo luchtig als een schuimgebakje, maar zijn vlijmscherpe ondertoon ontging me niet.

'Natuurlijk niet. Dat kan helemaal niet.' Ik weet niet of hij me geloofde, maar hij ging er niet verder op door. Hij leek spijt te hebben van zijn mededeelzaamheid, want hij maakte al snel een eind aan het gesprek. Maar niet voordat hij me op het hart had gedrukt hem te bellen zodra Jonathan zich weer liet zien. Ik verzekerde hem dat ik niet zou aarzelen.

Tegen de tijd dat ik had opgehangen, was mijn slaperigheid zo goed als verdwenen. Het was een kille nacht, dus ik trok mijn flanellen pyjamabroek aan – wit met roze schaapjes – en een wit T-shirt. Toen haalde ik de kaart van Louisiana tevoorschijn, ik ging op zoek naar een potlood en markeerde de gebieden die ik kende. Daarbij moest ik afgaan op wat ik wist uit gesprekken die ik had bijgewoond. Eric ging over Gebied Vijf. De koningin had het bewind gevoerd over Gebied Een, bestaande uit New Orleans en omstreken. Dat sneed hout. Maar daartussen was het minder duidelijk. Gervaise, die nu definitief dood was, had de scepter gezwaaid over Baton Rouge en omgeving. Dat was het gebied waar de koningin zich had gevestigd nadat Katrina haar bezittingen in New Orleans bijna met de grond gelijk had gemaakt. Vanwege haar keuze daarheen te verhuizen zou je een tweede plaats verwachten in de rangorde, maar Baton Rouge werd Gebied Vier genoemd. Ik trok een voorzichtige, dunne lijn, want ik wilde hem later weer kunnen uitgummen.

Ondertussen pijnigde ik mijn hersens, op zoek naar meer informatie. Gebied Vijf, helemaal bovenin, besloeg bijna de hele breedte van de staat. Eric was rijker en machtiger dan ik had gedacht. Daaronder – en van ongeveer dezelfde afmetingen – lag Gebied Drie, van Cleo Babbitt, en Gebied Twee, van Arla Yvonne. Verder naar beneden, richting de Golf van Mexico en het zuidwestelijkste puntje van Mississippi, lagen Gebied Vier en Gebied Een, respectievelijk van de inmiddels overleden Gervaise en van de koningin. Ik durfde me nauwelijks een voorstelling te maken van de vampierpolitieke machinaties die tot deze rangorde hadden geleid.

Nadat ik de kaart minutenlang had bekeken, gumde ik alle dunne potloodlijnen weer uit. Ik keek op de klok. Er was sinds mijn gesprek met Eric bijna een uur verstreken. Enigszins melancholiek poetste ik mijn tanden en hield ik mijn gezicht onder de kraan. Eenmaal onder de dekens, na mijn avondgebed, lag ik geruime tijd wakker. Ik dacht na over het onmiskenbare feit dat Eric Northman, die ooit mijn minnaar was geweest en met wie ik voor altijd door het bloed verbonden zou zijn, op dit moment de machtigste vampier was in de staat Louisiana. Hij had in mijn bijzijn verklaard dat hij het koningschap niet ambieerde en niet uit was op een groter machtsgebied. Nu ik de omvang van zijn huidige territorium kende, leek die uitspraak me des te geloofwaardiger.

Ik dacht dat ik Eric wel een beetje kende; tenminste, voor zover een mens dat over een vampier kan zeggen. Dus ik wil niet beweren dat mijn kennis erg diep ging. Hoe dan ook, ik geloofde niet dat hij de ambitie had de staat over te nemen; anders had hij dat al gedaan. Wat ik wel geloofde, was dat zijn macht betekende dat er een reusachtige schietschijf op zijn rug zat.

Ik moest proberen te slapen. Opnieuw wierp ik een blik op de klok. Er was inmiddels anderhalf uur verstreken sinds ik Eric had gesproken.

Op dat moment kwam Bill geluidloos mijn kamer binnenglijden.

'Wat is er aan de hand?' Ik probeerde heel zacht en beheerst te klinken, maar ondertussen had ik het gevoel dat elke zenuw in mijn lichaam op knappen stond.

'Ik ben er niet gerust op,' zei hij met de koele stem die ik van hem kende, en ik begon bijna te lachen. 'Pam moest naar Fangtasia. Ze belde, om te zeggen dat ik het hier van haar over moest nemen.'

'Waarom?'

Hij ging in de stoel in de hoek zitten. Het was behoorlijk donker in de kamer, maar doordat de gordijnen niet helemaal dicht waren, viel er wat licht naar binnen van de veiligheidslamp aan de buitenmuur. En in de badkamer brandde een nachtlampje. Daardoor kon ik de contouren van zijn lichaam onderscheiden en had ik een vage indruk van zijn gezicht. Bill verspreidde een gedempte gloed; dat doen alle vampiers in mijn ogen.

'Pam kon Cleo niet aan de lijn krijgen,' vertelde hij. 'En Eric kreeg ze ook niet te pakken. Die was op pad voor het een of ander en daardoor niet in de club. Hoe dan ook, ik heb hem gebeld en zijn voicemail ingesproken. Dus ik reken erop dat hij terugbelt. Het probleem is Cleo die niks van zich laat horen.'

'Zijn Pam en Cleo vriendinnen?'

'Nee, helemaal niet,' zei hij zakelijk. 'Maar het is raar dat Pam haar niet te pakken kan krijgen. Ze heeft een nachtwinkel. Dus ze is altijd bereikbaar.'

'En waarom belde Pam?' vroeg ik.

'Ze bellen elkaar elke nacht,' zei Bill. 'Pam belt Cleo, en die belt vervolgens Arla Yvonne. Dat is afspraak. En zeker in een tijd als deze mag die keten niet worden verbroken.' Bill schoot zo razendsnel overeind dat ik de beweging niet kon volgen. 'Stil eens!' fluisterde hij. Zijn stem klonk zo zacht als het gefladder van een nachtuil. 'Hoor je dat?'

Ik hoorde niets, noppes, nada. Terwijl ik me doodstil hield onder de dekens, wenste ik vurig dat deze hele toestand ophield te bestaan. Alle Weers en vampiers met hun strijd en hun problemen... Van mij mocht het allemaal verdwijnen! Maar helaas, dat was me niet vergund. 'Wat hoor je?' Ik probeerde net zo zacht te praten als Bill, maar die poging was natuurlijk gedoemd te mislukken.

'Er komt iemand aan,' zei hij.

Toen hoorde ik dat er op de voordeur werd geklopt. Heel zachtjes.

Ik gooide het dek van me af. Van de zenuwen kon ik mijn pantoffels niet vinden. Dus ik liep op blote voeten naar de deur van mijn slaapkamer. Ondanks de kilte had ik de verwarming nog niet aangezet. De gladde houten vloer voelde ijskoud aan onder mijn voeten.

'Ik doe wel open.' Bill liep al voor me uit de gang door, zonder dat ik hem zelfs maar had zien opstaan.

'Jezusmina, sakkerloot!' mompelde ik, achter hem aan sjokkend. Waar zou Amelia zijn, vroeg ik me af. Boven in bed, of was ze op de bank in slaap gevallen? Ik hoopte tenminste dat ze sliep. Want ik was inmiddels zo op van de zenuwen dat ik dacht dat ze misschien wel dood was.

Bill gleed geruisloos door het donkere huis, de gang door, naar de woonkamer – het rook er nog naar popcorn – en de voordeur. Daar gluurde hij door het kijkgaatje, iets wat ik om de een of andere onduidelijke reden erg grappig vond. Ik sloeg een hand voor mijn mond om niet hardop te giechelen.

Er werd niet op Bill geschoten door het kijkgaatje. Er werd geen poging gedaan de deur in te trappen. Er werd niet gegild.

De aanhoudende stilte bezorgde me kippenvel. Ik zag niet eens dat Bill bij de voordeur wegliep. Opeens klonk zijn koele stem vlak naast me. 'Er staat een jonge vrouw voor de deur. Erg jong. Met bijna wit of erg lichtblondgeverfd haar. Heel kortgeknipt, met een donkere uitgroei. Ze is erg mager. Een menselijke vrouw. En ze is bang.'

Dan was ze niet de enige.

Ik vroeg me koortsachtig af wie de nachtelijke bezoeker kon zijn, en ineens wist ik het. 'Frannie,' fluisterde ik. 'De zus van Quinn. Tenminste, dat zou kunnen.'

'Laat me binnen,' zei een meisjesstem. 'Laat me alsjebliéft binnen.'

De situatie deed me denken aan een spookverhaal dat ik ooit had gelezen. De haartjes op mijn armen stonden recht overeind.

'Ik heb een boodschap van Quinn,' zei Frannie.

Dat gaf de doorslag. 'Doe open,' zei ik op normale geluidssterkte tegen Bill. 'We moeten haar binnenlaten.'

'Het is maar een mens.' Bill zei het op een toon alsof dat betekende dat ze niet echt voor problemen kon zorgen. Hij deed de voordeur van het slot.

Ik zal niet zeggen dat Frannie naar binnen kwam vallen, maar ze aarzelde geen moment en gooide de deur met kracht achter zich dicht. Mijn eerste indruk was destijds niet erg gunstig geweest. Wat ze aan innemendheid tekortkwam, had ze te veel aan agressie en eigengereidheid. Maar na de explosie had ik haar aan Quinns ziekenhuisbed wat beter leren kennen. Ze had het niet gemakkelijk gehad in het leven en ze hield van haar broer.

'Wat is er gebeurd?' vroeg ik scherp terwijl Frannie naar de woonkamer strompelde en zich in de eerste de beste stoel liet ploffen.

'Echt iets voor jou om een vampier in huis te hebben,' zei ze. 'Mag ik een glas water? Dan zal ik proberen de boodschap van Quinn over te brengen.'

Ik haastte me naar de keuken, deed het licht aan en vulde een glas met water. Maar bij terugkeer in de woonkamer hielden we die welbewust donker.

'Waar is je auto?' vroeg Bill.

'Die heeft het begeven. Misschien een kilometer terug,' antwoordde ze. 'Ik kon er niet bij blijven. Dus ik heb een sleepwagen gebeld en de sleutels in het contact laten zitten. En nou maar hopen dat ze hem zo snel mogelijk van de weg halen, en uit het zicht.'

'Wat is er aan de hand?' vroeg ik. 'Vertel op!'

'Wil je de korte of de lange versie?'

'De korte.'

'Er zijn vampiers vanuit Vegas onderweg hierheen om Louisiana over te nemen.'

Daar vielen we even stil van.

11

'Waar? Wanneer? Hoeveel?' vroeg Bill streng en gejaagd.

'Ze hebben al een aantal sheriffs uitgeschakeld,' antwoordde Frannie, en ik merkte dat ze er stiekem wel een beetje van genoot de brenger te zijn van zulk gewichtig nieuws. 'De zwakkeren worden uit de weg geruimd door kleine groepjes, en er verzamelt zich een grote eenheid om Fangtasia te omsingelen en met Eric af te rekenen.'

Frannie was nog niet uitgesproken of Bill had zijn mobiele telefoon al in de hand. Ik zat hem met open mond aan te kijken. Het besef hoe zwak de positie was waarin Louisiana verkeerde, was pas zo laat tot me doorgedrongen dat ik me vluchtig afvroeg of ik deze overname misschien zelf teweeg had gebracht doordat ik de mogelijkheid had geopperd.

'Maar hoe heeft dat kunnen gebeuren?' vroeg ik aan Frannie. 'En hoe is Quinn erbij betrokken geraakt? Trouwens, hoe is het met hem? Heeft hij je hierheen gestuurd?'

'Natúúrlijk heeft hij me hierheen gestuurd!' Ze zei het alsof het de stomste vraag was die ze ooit had gehoord. 'Hij weet dat je met Eric de vampier verbonden bent, dus dat maakt jou ook tot doelwit. De vamps uit Vegas hebben zelfs iemand gestuurd om je in de gaten te houden.'

Jonathan.

'Ze hebben de inventaris opgemaakt van wat Eric allemaal bezit, en daar hoor jij blijkbaar ook bij.'

'Maar wat is de relatie met Quinn?' Mijn formulering was misschien niet erg duidelijk, maar ze begreep wat ik bedoelde.

'Onze moeder. Onze verrekte moeder, die zo verpest is dat ze alles weet te verpesten!' zei Frannie bitter. 'Je weet toch dat ze ooit gevangen is genomen en verkracht door een stel jagers? In Colorado. Honderd jaar geleden.'

In werkelijkheid was het negentien jaar geleden, want Frannie was het resultaat van die verkrachting.

'Afijn, Quinn was toen nog maar een jochie, maar hij heeft haar bevrijd en het hele zootje afgeslacht. Vervolgens kwam hij bij de plaatselijke vamps in het krijt te staan omdat die hem hebben geholpen de boel op te ruimen en onze moeder daar weg te krijgen.'

Ik kende het verdrietige verhaal van Quinns moeder en stond uit alle macht te knikken, ongeduldig om iets te horen wat ik nog níét wist.

'Nou, na die verkrachting was mijn moeder dus zwanger van mij.' Frannie keek me uitdagend aan. 'Maar daarvóór was ze al raar in haar hoofd, en het viel niet mee om bij zo'n moeder op te groeien. Dat lijkt me duidelijk. Quinn was bezig zijn schuld in te lossen door in de kooien te vechten.' (Een soort *Gladiator* met Weers in dierengedaante.) 'En met mijn moeder is het nooit meer goed gekomen,' vervolgde Frannie. 'Integendeel, ze werd steeds gekker.'

'Dat heb ik begrepen.' Ik deed mijn best mijn stem vlak te houden, maar Bill keek alsof hij Frannie wel kon slaan, om te zorgen dat ze haast maakte met haar verhaal. Ik schudde mijn hoofd.

'Dus Quinn had geregeld dat ze in een mooi tehuis werd opgenomen, even buiten Las Vegas. Het enige verzorgingstehuis in heel Amerika voor mensen zoals mijn moeder.' Verpleeghuis De Gestoorde Weertijger? 'Maar mama wist te ontsnappen. Ze doodde een vrouwelijke toerist, stal haar kleren, liftte naar Vegas en pikte een vent op. Die hielp ze vervolgens ook om zeep, en met zijn geld sloeg ze aan het gokken, tot we haar te pakken kregen.' Frannie zweeg even om diep adem te halen. 'Quinn was nog herstellende van de aanslag in Rhodes, dus dit kon hij er echt niet bij hebben. Het had niet veel gescheeld of hij was er geweest.'

'O, wat erg!' Maar ik had zo'n gevoel dat het ergste nog moest komen.

'Tja, wat is erger? Dat ze was ontsnapt? Of dat ze een paar toeristen om zeep had geholpen?'

Die keuze was voor de toeristen vast niet moeilijk.

Het drong vaag tot me door dat Amelia de kamer was binnengekomen, en dat ze zich niet verbaasd toonde Bill daar te zien. Dus blijkbaar was ze wakker geweest toen Bill het van Pam overnam. Frannie kende ze nog niet, maar ze voegde zich stilletjes bij ons, zonder het verhaal te onderbreken.

'Hoe dan ook, omdat er zo ontzettend veel geld omgaat en er dus veel te verdienen valt, heeft Vegas een reusachtige vampiergemeenschap,' vervolgde Frannie. 'De vamps wisten mama op te sporen voordat de politie haar kon arresteren. En ze hebben opnieuw al haar sporen verwijderd. Het blijkt dat Whispering Palms, het tehuis waaruit ze was ontsnapt, alle Bovens in het gebied had gewaarschuwd om naar haar uit te kijken. Tegen de tijd dat ik bij het casino kwam waar ze mama hadden gepakt, kreeg Quinn van de vamps te horen dat hij opnieuw bij ze in het krijt stond, vanwege deze tweede schoonmaakoperatie. Hij vertelde dat hij in Rhodes ernstig gewond was geraakt en nog herstellende was, dus dat hij op dat moment niet voor hen kon vechten. Daarop kwam het voorstel om mij als bloeddonor te gebruiken, of als hoer voor bezoekende vamps. Het scheelde niet veel of Quinn had de vamp die dat voorstelde zijn strot omgedraaid.'

Ik wisselde een snelle blik uit met Bill. Het voorstel om Frannie 'tewerk te stellen' was natuurlijk bedoeld om elk alternatief aantrekkelijker te maken.

'Toen begonnen ze over een erg zwak koninkrijk waarvan ze wisten dat het min of meer voor het grijpen lag. Daar bedoelden ze Louisiana mee. Quinn zei dat ze het voor niks konden krijgen; dat de koning van Nevada alleen maar met Sophie-Anne hoefde te trouwen, want dat ze niet in een positie was daartegen te protesteren. Toen bleek dat de koning met zijn troepen was meegekomen. Hij had een afschuw van invaliden, zei hij, en bovendien piekerde hij er niet over te trouwen met een vamp die haar vorige echtgenoot had vermoord. Haar koninkrijk mocht dan nog zo aantrekkelijk zijn, en hij mocht Arkansas er dan bij krijgen, er kon geen sprake van zijn dat hij met Sophie-Anne trouwde.' Omdat een vampierrechtbank haar niet schuldig had verklaard aan de dood van haar echtgenoot, de koning van Arkansas, was Sophie-Anne behalve koningin van Louisiana in naam ook de monarch van Arkansas. Door de bomaanslag had ze nog niet de kans gekregen die aanspraak te consolideren, maar dat stond ongetwijfeld boven aan haar lijstje, zodra haar benen weer waren aangegroeid.

Bill klapte zijn telefoon open, maar wie hij ook belde, er werd niet opgenomen. Zijn donkere ogen schoten vuur. Hij popelde van ongeduld om in actie te komen. Achteroverleunend pakte hij een zwaard dat tegen de bank stond. Blijkbaar was hij in volle wapenrusting naar mijn huis gekomen, want dat soort spullen heb ik niet in mijn schuur.

'Ze zullen proberen ons snel en geruisloos uit te schakelen, zodat de menselijke media er geen lucht van krijgen. En vervolgens komen ze met een verzonnen verklaring waarom bekende vamps zijn vervangen door vamps van buiten de staat.' Bill keerde zich naar Frannie. 'Welke rol speelt je broer in dit hele scenario?'

'Ze hebben hem gedwongen te vertellen met z'n hoevelen jullie zijn, en wat hij verder nog meer wist over de situatie in Louisiana,' zei Frannie. Alsof het allemaal nog niet erg genoeg was, begon ze te huilen. 'Hij wilde het niet zeggen. Hij heeft geprobeerd met ze te onderhandelen, maar ze hadden hem in de tang.' Frannie leek ineens tien jaar ouder. 'Hij heeft ik weet niet hoe vaak geprobeerd Sookie te bellen, maar ze hielden hem in de gaten, en hij was bang dat hij hen rechtstreeks naar haar toe zou leiden. Helaas is het hun toch gelukt haar te vinden. Toen hij eenmaal wist wat ze van plan waren, heeft hij een enorm risico genomen – voor ons allebei – en mij vooruitgestuurd. Ik was zo blij dat een vriendin mijn auto al bij je had teruggehaald.'

'Jullie hadden me moeten bellen! Of schrijven! Of wat dan ook!' Ondanks de crisis waarin we verkeerden, kon ik er niets aan doen dat ik verbitterd klonk.

'Hij kon je niet laten weten hoe erg het allemaal was, want dan zou je proberen hem daar weg te krijgen, zei hij. En dat was onmogelijk.'

'Natuurlijk zou ik hebben geprobeerd hem daar weg te krijgen! Dat doe je als iemand in de problemen zit.'

Bill zei niets, maar ik voelde dat hij naar me keek. Toen hij in de problemen zat, had ik hem ook geholpen. En daar had ik inmiddels wel eens spijt van.

'En waarom is je broer nu nog steeds bij hen?' vroeg Bill scherp. 'Hij heeft ze de informatie gegeven die ze nodig hadden. We hebben het hier over vamps! Dus waar hebben ze hem nu nog voor nodig?'

'Ze houden hem bij zich om hem te laten onderhandelen met de Bovens, in het bijzonder de Weers.' Frannie klonk plotseling als een soort directiesecretaresse. Eigenlijk had ik medelijden met haar. Als product van de vereniging tussen een mens en een weertijger bezat ze geen speciale vermogens die haar sterker maakten, geen extra troeven die ze kon uitspelen wanneer er onderhandeld moest worden. Haar mascara was uitgelopen, ze had haar nagels afgebeten tot op het leven. Kortom, ze zag er verschrikkelijk uit.

Maar dit was niet het moment om me zorgen te maken over Frannie. De vamps van Vegas waren hard op weg zich Louisiana toe te eigenen.

'Wat moeten we doen?' vroeg ik. 'Amelia, heb jij de afwerende bezweringen op het huis gecontroleerd? En gelden die ook voor onze auto's?' Amelia knikte haastig. 'Bill, heb je Fangtasia gebeld? En alle andere sheriffs?'

Hij knikte. 'Ik heb nog steeds niks van Cleo gehoord. Wel van Arla Yvonne. Die wist het al, van de aanval. Ze ging onderduiken, zei ze, en ze zou proberen Shreveport te bereiken. Ze had zes van haar kinderen bij zich. Sinds de definitieve dood van Gervaise hebben zijn vamps de zorg voor de koningin op zich genomen, met Booth Crimmons als hun luitenant. Booth zegt dat hij vanavond op stap was. Hij had Audrey, zijn kind, bij de koningin en Sigebert achtergelaten, maar ze reageert niet. Zelfs de hulpsheriff die Sophie-Anne naar Little Rock had gestuurd, laat niks van zich horen.'

We zwegen allemaal. Het was bijna niet te bevatten dat Sophie-Anne misschien echt dood was.

Bill dwong zichzelf in actie te komen. 'Dus we kunnen hier blijven,' vervolgde hij, 'maar we kunnen ook proberen een andere plek voor jullie drieën te vinden. Zodra ik zeker weet dat jullie ergens veilig zijn ondergebracht, moet ik naar Eric toe. Om te overleven zal hij alle hulp nodig hebben die hij kan krijgen.'

Sommige andere sheriffs waren dood, dat was zeker. En Eric zou vannacht ook kunnen sterven. Dat besef trof me met de kracht van een rechtse hoek. Hortend en stotend van de schok ademde ik diep in, en het kostte me de grootste moeite staande te blijven. Eric die werd gedood, was iets waar ik simpelweg niet aan wilde denken. Waar ik niet aan kón denken!

'Wij redden ons wel,' zei Amelia vastberaden. 'Ik twijfel niet aan je vechterskwaliteiten, Bill. Maar we zijn niet weerloos.'

Met alle respect jegens Amelia's heksenkunsten, we waren hartstikke weerloos! Althans, tegenover vamps.

Bill wendde zich af en keek de gang in naar de achterdeur. Hij had een geluid opgevangen dat onze menselijke oren was ontgaan. Maar een seconde later hoorde ik een bekende stem.

'Bill, laat me erin! En vlug een beetje!'

'Het is Eric,' zei Bill verheugd. In een flits stond hij bij de achterdeur. Het was inderdaad Eric, en diep binnen in me ontspande er iets. Hij leefde nog. Maar van zijn doorgaans zo onberispelijke uiterlijk was weinig meer over. Zijn T-shirt was gescheurd, en hij liep op blote voeten.

'Ik kon niet meer terug naar de club,' zei hij terwijl hij met Bill de woonkamer binnenkwam. 'En thuis was ik ook niet veilig. Tenminste, niet in mijn eentje. Ik kon verder niemand bereiken. Toen hoorde ik jou op mijn voicemail, Bill. Dus ik kom een beroep doen op je gastvrijheid, Sookie.'

'Natuurlijk ben je welkom,' zei ik zonder nadenken, ook al had ik dat misschien wel moeten doen. 'Maar misschien kunnen we beter naar...' Ik wilde voorstellen het kerkhof over te steken en naar het huis van Bill te gaan. Dat was ruimer, met betere faciliteiten voor vamps. Maar ik werd onderbroken door een probleem uit onverwachte hoek. Sinds ze haar dramatische nieuws had verteld, hadden we geen aandacht meer aan Frannie besteed. Door de luwte waarin ze was terechtgekomen, had ze de kans gekregen na te denken over het rampzalige scenario dat ons misschien boven het hoofd hing.

'Ik moet hier weg!' zei ze. 'Quinn zei dat ik hier moest blijven, maar jullie zijn...' Haar stem werd steeds luider, ze vloog overeind, de spieren in haar nek stonden strak gespannen terwijl ze in paniek om zich heen keek.

'Frannie.' Bill legde zijn witte handen langs haar gezicht en keek haar in de ogen. Frannie bedaarde op slag. 'Je blijft gewoon hier, dom meisje, en je doet wat Sookie zegt.'

'Oké,' zei Frannie, weer volledig kalm.

'Bedankt,' zei ik. Amelia's gezicht stond geschokt. Blijkbaar had ze het nog nooit meegemaakt dat een vampier zijn bezwerende vermogens gebruikte. 'Ik ga mijn geweer halen,' zei ik tegen niemand in het bijzonder. Maar voordat ik de daad bij het woord kon voegen, draaide Eric zich om naar de kast naast de voordeur en haalde de Benelli tevoorschijn. Er lag een verbijsterde blik in zijn ogen toen hij me het wapen aanreikte.

Hij had zich herinnerd waar ik het bewaarde. Daar was hij achter gekomen toen hij bij me in huis was, in de tijd dat hij leed aan geheugenverlies.

Toen ik mijn blik eindelijk van de zijne wist los te maken, zag ik dat Amelia me peinzend, maar ook enigszins onbehaaglijk stond op te nemen. Hoewel ze nog maar kort bij me in huis was, wist ik dat het niet veel goeds beloofde als ze zo keek.

'Maken we ons niet druk om niets?' vroeg ze retorisch. 'Er is toch geen enkele reden om in paniek te raken?'

Bill keek naar Amelia alsof ze in een baviaan was veranderd. Frannie zag eruit alsof ze zich nergens druk over maakte.

'Waarom zou ook maar iemand het op óns gemunt hebben?' zei Amelia met een vluchtige, zelfgenoegzame glimlach. 'Of liever gezegd, op jóú, Sookie. Want ik neem niet aan dat de vamps het op mij voorzien hebben, maar dat terzijde. Waarom zouden ze hierheen komen? Je vormt geen essentieel onderdeel van het vampierverdedigingssysteem. Dus waarom zouden ze je willen vermoorden of gevangennemen?'

Eric had ondertussen de ronde gemaakt langs alle ramen en deuren. Daar was hij net mee klaar op het moment dat Amelia die laatste vraag stelde. 'Waar gaat het over?' vroeg hij.

'Amelia legt uit waarom de vamps uit Vegas geen reden hebben achter mij aan te komen,' zei ik.

'Natuurlijk komen ze achter je aan.' Eric keurde Amelia nauwelijks een blik waardig. Hij nam Frannie onderzoekend op, knikte goedkeurend en ging toen naast het raam in de woonkamer staan om naar buiten te kijken. 'Sookie is door het bloed met mij verbonden. En ik ben hier.'

'Inderdaad,' zei Amelia somber. 'Je wordt bedankt, Eric. Bedankt dat je linea recta naar Sookies huis bent gekomen.'

'Niet om het een of ander, Amelia, maar jij bent toch een machtige heks?'

'Ja,' zei ze, zichtbaar op haar hoede.

'En je vader is toch schatrijk? En buitengewoon invloedrijk hier in de staat? En heb ik goed begrepen dat je mentor een belangrijke heks is?'

Blijkbaar had Eric zijn licht opgestoken op het internet. En hadden Copley Carmichael en hij althans iets gemeen.

'Ja,' zei Amelia weer. 'Oké, we zijn een aantrekkelijke vangst voor ze. Maar ik blijf erbij, als Eric hier niet naartoe was gekomen, hadden we ons geen zorgen hoeven maken.'

'We hebben het hier over vampiers!' zei ik. 'Opgewonden, bloeddorstige vampiers! En jij denkt dat het zonder Eric allemaal zo'n vaart niet zou lopen?'

'Dood hebben ze niks aan ons.'

'Nee, maar er gaat wel eens wat mis,' zei ik, en Bill snoof. Het klonk zo opvallend gewoon dat ik me naar hem toe keerde. Het was hem aan te zien dat hij genoot van het vooruitzicht van een goed gevecht. Zijn hoektanden stonden uit. Frannie keek hem aan, maar de uitdrukking op haar gezicht veranderde niet. Als ik ook maar half had gedacht dat ze zo kalm en inschikkelijk zou blijven, had ik Bill misschien gevraagd haar uit haar kunstmatige staat te wekken. Want ik vond het afschuwelijk haar zo apathisch en willoos te zien.

'Waarom is Pam vertrokken?' vroeg ik.

'In Fangtasia kan ze meer betekenen. De anderen zijn naar de club gegaan, en Pam kan me vertellen of ze daar ingesloten zijn. Het was stom van me hen te bellen en te zeggen dat ze zich moesten verzamelen. Ik had juist opdracht moeten geven zich te verspreiden.' De uitdrukking op zijn gezicht verried dat hij die vergissing nooit meer zou maken.

Bill stond dicht bij een van de ramen, luisterend naar de geluiden van de nacht. Hij keek Eric aan en schudde zijn hoofd. Er was nog niemand.

Erics telefoon ging. Hij luisterde even, zei: 'Veel geluk!' en hing op.

'De meeste anderen zijn in de club,' zei hij tegen Bill. Die knikte.

'Waar is Claudine?' vroeg Bill aan mij.

'Ik heb geen idee.' Waarom verscheen Claudine soms wél als ik in de problemen zat, en soms niet? Vergde ik misschien te veel van haar? 'Maar zolang jullie hier zijn, denk ik niet dat ze komt. Ze kan weinig doen om mij te beschermen als Eric en jij jullie hoektanden niet in bedwang kunnen houden.'

Bill verstijfde. Zijn scherpe oren hadden iets opgevangen. Hij draaide zich om en wisselde een langdurige blik met Eric. 'Niet het gezelschap waar ik voor zou hebben gekozen,' zei Bill onderkoeld als altijd. 'Maar we zullen ons met hand en tand verzetten. Ik zal ze wel missen, de vrouwen.' En toen hij zich naar mij keerde, las ik een intense emotie in zijn diepe, donkere ogen. Was het liefde? Verdriet? Zijn gedachten waren een gesloten boek voor me.

'We liggen nog niet in ons graf.' Eric klonk net zo onderkoeld als Bill.

Inmiddels hoorde ik het ook: auto's die het tuinpad op kwamen. Amelia slaakte onwillekeurig een zachte kreet van angst, en de ogen van Frannie werden zo mogelijk nog groter, hoewel ze nog altijd als verlamd in haar stoel zat. Eric en Bill concentreerden zich volledig en sloten al het andere buiten.

De auto's stopten voor het huis, portieren werden geopend en dichtgegooid, voetstappen kwamen naar de voordeur.

Er werd vastberaden geklopt – niet op de deur, maar op een van de pilaren van de veranda.

Ik liep langzaam naar de deur. Bill pakte mijn arm en ging voor me staan. 'Wie is daar?' Hij deed haastig een stap opzij en trok mij met zich mee.

Blijkbaar verwachtte hij dat er dwars door de deur zou worden geschoten.

Maar dat gebeurde niet.

'Ik ben het, Victor Madden de vampier,' zei een opgewekte stem.

Dat kwam als een verrassing. Vooral voor Eric, die vluchtig zijn ogen sloot. Maddens persoon en aanwezigheid spraken duidelijk boekdelen voor hem, maar ik wist niet wat hij in die boeken had gelezen.

'Ken jij hem?' vroeg ik fluisterend aan Bill.

'Ja, ik heb hem ontmoet.' Bill wijdde niet verder uit en leek in een innerlijke tweestrijd gewikkeld. Nog nooit had ik zo graag willen weten wat iemand dacht als op dat moment. De stilte begon op mijn zenuwen te werken.

'Vriend of vijand?' riep ik.

Victor lachte. Het was een hartelijke lach – joviaal, meer een soort gegrinnik dat leek te willen zeggen: ik lach je toe, niet uit.

'Dat is een goede vraag,' zei hij. 'Een uitstekende vraag, en jij bent de enige die hem kan beantwoorden. Heb ik de eer te spreken met Sookie Stackhouse, de beroemde telepaat?'

'Je hebt de eer te spreken met Sookie Stackhouse, de serveerster,' zei ik ijzig.

Er klonk een keelachtig gerommel dat afkomstig leek van een dier. Een groot dier.

Als ik schoenen had aangehad, was mijn moed daarin gezakt.

'De afwerende bezweringen zullen standhouden,' fluisterde Amelia gejaagd, alsof ze probeerde zichzelf gerust te stellen. 'De bezweringen zullen standhouden. De bezweringen zullen standhouden.' Bill stond me met zijn donkere ogen op te nemen, zijn gezicht verried een snelle opeenvolging van gedachten. Frannie keek wazig en onthecht, maar haar ogen waren op de deur gericht. Ze had het geluid ook gehoord.

'Quinn is bij hen,' fluisterde ik tegen Amelia, want zij was de enige die dat nog niet in de gaten had.

'Staat hij aan hún kant?'

'Ze hebben zijn moeder,' hielp ik haar herinneren. Maar inwendig was ik er ziek van.

'Wij hebben zijn zus,' zei Amelia.

Erics gezicht stond net zo nadenkend als dat van Bill. Toen keken ze elkaar aan, en volgens mij voerden ze een complete dialoog zonder ook maar één woord te zeggen.

Al dat gepieker beloofde niet veel goeds. Het betekende dat ze nog niet hadden besloten voor welke aanpak ze zouden kiezen.

'Mogen we binnenkomen?' vroeg de innemende stem. 'Of kunnen we met een van jullie persoonlijk onderhandelen? Zo te voelen hebben jullie het huis behoorlijk afgeschermd.'

'Yes!' Amelia maakte een pompende beweging met haar arm en keek me grijzend aan.

Een mens mag af en toe best trots zijn op zichzelf, alleen was de timing in dit geval wat ongelukkig. Ik glimlachte terug, maar het ging niet van harte en het kostte me erg veel moeite.

Eric leek zich te vermannen, en na een laatste onderlinge

blik zag ik dat Bill en hij ontspanden. Daarop keerde Eric zich naar mij, hij kuste me vluchtig op de lippen en nam me onderzoekend op. 'Hij zal je niets doen,' zei hij ten slotte, en ik begreep dat hij het niet tegen mij had, maar tegen zichzelf. 'Je bent te uniek om te verspillen.'

Toen deed hij de deur open.

12

Omdat de lichten in de woonkamer nog uit waren en de veiligheidslamp buiten brandde, konden we goed zien wat daar gebeurde. De vampier die in de voortuin stond, was niet echt groot van postuur, maar wel een opvallende verschijning. Hij droeg een pak. Zijn korte haar krulde, en hoewel dat in het kunstlicht moeilijk te zien was, leek het me zwart. Zijn zelfverzekerde houding had iets van een pose, zoals bij een model uit de GQ.

Eric vulde bijna de hele deuropening. Daardoor was mijn zicht beperkt, en het leek me niet chic om naar het raam te lopen en naar buiten te gluren.

'Eric Northman!' zei Victor Madden. 'Dat is lang geleden! Volgens mij heb ik je geen twintig, dertig jaar gezien.'

'Je hebt het druk gehad, daar in de woestijn,' zei Eric neutraal.

'Ja, de zaken gaan geweldig. Afijn, ik moet het een en ander met je bespreken. Het is nogal dringend, ben ik bang. Mag ik binnenkomen?'

'Met z'n hoevelen zijn jullie?' vroeg Eric.

'Elf,' fluisterde ik hem van achteren toe. 'Behalve Madden nog negen vamps, en Quinn.' Een menselijk brein zorgde als het ware voor een zoemend gat in mijn innerlijke bewustzijn, een vampierbrein leverde daarentegen een soort gapende leegte op. Dus het enige wat ik hoefde te doen, was de leegten tellen.

'Ik ben hier met vier metgezellen.' Victor klonk volmaakt eerlijk en waarheidsgetrouw.

'Volgens mij kun je niet tellen! Of je hebt het verleerd,' zei Eric. 'Want ik kom op negen vamps en een vormveranderaar.'

Victors silhouet vervaagde even en werd vervolgens weer helder toen hij vluchtig met zijn hand bewoog. 'Ik hoor het al, je laat je geen zand in de ogen strooien, ouwe makker.'

'Ouwe makker?' mompelde Amelia.

'Laat ze uit de bossen tevoorschijn komen! Dan kan ik ze zien!' riep Eric.

Daarop lieten Amelia, Bill en ik alle discretie varen, en we haastten ons naar de ramen. Een voor een kwamen de vamps uit Vegas tussen de bomen tevoorschijn. Omdat het licht van de buitenlamp niet zo ver reikte, kon ik de meesten niet goed onderscheiden, maar ik zag een statige vrouw met golvend bruin haar en een man die niet groter leek dan ik, met een verzorgde baard en een oorring.

De laatste die uit het bos naar voren kwam, was de tijger. Ik twijfelde er niet aan of Quinn had zijn dierlijke gedaante aangenomen omdat hij me niet als mens onder ogen wilde komen. Ik had verschrikkelijk met hem te doen. Als ik innerlijk al zo verscheurd was, hoe moest hij zich dan wel niet voelen?

'Ik zie een paar bekende gezichten,' zei Eric. 'Staan ze allemaal onder jouw hoede?'

Dat was een formulering die ik niet begreep.

'Ja,' antwoordde Victor op besliste toon.

Het was duidelijk dat dit voor Eric iets betekende. Hij deed een stap naar achteren om de deuropening vrij te maken. 'Sookie,' zei Eric, 'het is niet aan mij om hem binnen te vragen. Dit is jouw huis.' Eric keerde zich naar Amelia. 'Is je afwerende bezwering specifiek geconstrueerd?' vroeg hij. 'Zodat hij als enige kan binnenkomen?'

'Ja,' antwoordde ze, maar ze klonk niet erg zeker van zichzelf, vond ik. 'Hij moet worden binnengevraagd door iemand die door de bezwering wordt geaccepteerd, zoals Sookie.'

Bob de kat kuierde naar de deuropening. Precies op het midden van de drempel ging hij zitten, met zijn staart rond zijn poten, zijn blik onderzoekend op de bezoeker gericht. Victor had aanvankelijk moeten lachen toen Bob op het toneel verscheen, maar zijn vrolijkheid duurde niet lang.

'Dat is geen gewone kat,' zei hij.

'Nee,' zei ik, zo luid dat Victor me kon horen. 'Net zomin als die daar.' De tijger maakte een snuivend geluid, dat vriendelijk bedoeld was, zoals ik ergens had gelezen. Ik neem aan dat het Quinns manier was om me duidelijk te maken hoe spijtig hij deze hele ellendige situatie vond. Maar misschien ook niet. Ik ging recht achter Bob staan. Hij hief zijn kop om me aan te kijken, toen kuierde hij weer weg, even onverschillig als hij op het toneel was verschenen. Katten!

Victor Madden liep naar de veranda toe. Het was duidelijk dat de afwerende bezwering hem niet toestond naar de deur te komen, dus aan de voet van de treden bleef hij staan. Amelia deed het verandalicht aan, en Victor knipperde met zijn ogen in de plotselinge felle gloed. Hij was niet echt knap, maar wel buitengewoon aantrekkelijk, met grote, bruine ogen en een wilskrachtige kaak. Zijn stralende glimlach onthulde parelwitte tanden. De blik waarmee hij me aankeek, verried dat hij op zijn hoede was.

'De getuigenissen van je aantrekkelijke kwaliteiten waren niet overdreven,' zei hij, en het duurde even voordat ik begreep wat hij bedoelde. Door mijn angst reageerde ik niet echt snugger. Tussen de vampiers op het erf herkende ik Jonathan de spion.

'Ja, dat zal wel,' zei ik, niet onder de indruk. 'Jij mag als enige binnenkomen.'

'Met alle soorten van genoegen!' zei hij met een buiging. Voorzichtig zette hij zijn voet op de eerste tree, en zijn gezicht verried opluchting. Daarop stak hij zo snel en soepel de veranda over dat hij plotseling recht voor me stond. Het scheelde niet veel of zijn pochet – ik zweer het, een sneeuwwitte zakdoek – raakte mijn witte T-shirt. Het kostte me de grootste moeite niet achteruit te deinzen, maar ik hield stand. Toen ik in zijn ogen keek, was ik me bewust van de dwingende geest die daarachter schuilging. Hij probeerde zijn mentale trucs uit om te zien voor welke ik gevoelig was.

Dat waren er niet veel, was mijn ervaring. Toen hij die conclusie ook had getrokken, deed ik een stap naar achteren om hem binnen te laten.

Net over de drempel bleef hij staan. Roerloos. Zijn blik gleed langs alle aanwezigen, en hoewel hij duidelijk erg op zijn hoede was, verbleekte zijn glimlach geen moment. Zodra hij Bill ontdekte, werd de glimlach zelfs stralend. 'Nee maar, Compton!' Ik verwachtte een nadere, verhelderende opmerking, maar die kwam niet. Daarop nam hij Amelia langdurig en onderzoekend op. 'De bron van de magie,' mompelde hij met een licht neigen van zijn hoofd. Voor Frannie had hij minder tijd nodig. Toen hij haar herkende, schonk hij haar een vluchtige maar bijzonder ontstemde blik.

Ik had haar moeten verbergen, besefte ik. Te laat. Want nu wist de hele groep uit Vegas dat Quinn haar vooruit had gestuurd om ons te waarschuwen. Ik begon me af te vragen of we deze nacht zouden overleven.

Als we stand wisten te houden tot het licht werd, zouden wij mensen met ons drieën per auto kunnen vluchten. En als de auto's onklaar waren gemaakt, dan hadden we onze mobiele telefoons, om te regelen dat we werden opgepikt. Anderzijds had ik geen idee of de vamps uit Vegas helpers hadden die overdag actief waren... behalve Quinn. Net zomin als ik wist of Eric en Bill zich door de vampiergelederen naar buiten zouden weten te vechten. Ze konden het proberen, maar ik durfde niet te voorspellen of hun dat zou lukken.

'Ga zitten.' Ik hoorde zelf hoe ongastvrij het klonk, als een domineese die een atheïst op de koffie kreeg. We liepen naar de bank en de stoelen en lieten Frannie waar ze was. Hoe meer rust we wisten te creëren, hoe beter. De spanning in de kamer was bijna voelbaar.

Ik deed hier en daar een lamp aan en vroeg de vamps of ze iets wilden drinken. Ze keken me verrast aan. Alleen Victor ging op mijn aanbod in. Ik knikte Amelia toe, waarop ze naar de keuken liep om wat TrueBlood warm te maken. Eric en Bill zaten op de bank, Victor had de gemakkelijke stoel gekozen, en ik balanceerde op de leuning van de ligstoel, met mijn handen krampachtig gevouwen in mijn schoot. Het bleef geruime tijd stil terwijl Victor nadacht over zijn openingszin.

'Je koningin is dood, Viking.'

Eric hief met een ruk zijn hoofd op. Amelia, die net weer binnenkwam, bleef abrupt staan. Toen bracht ze het glas TrueBlood naar Victor, die het aanpakte met een vluchtige buiging. Terwijl Amelia op hem neerkeek zag ik dat ze haar hand verborgen hield in de plooien van haar badjas. Net toen ik wilde zeggen dat ze geen rare dingen moest doen, liep ze bij hem weg en kwam ze naast me staan.

'Dat vermoedde ik al,' zei Eric. 'En hoeveel van de sheriffs?' Hij dwong mijn respect af, want zijn stem verried niets van zijn gevoelens.

Victor deed alsof hij diep nadacht. 'Eens even denken. O ja! Allemaal!'

Ik drukte mijn lippen stijf op elkaar om er niet iets uit te flappen. Amelia trok de rechte stoel van zijn vaste plekje naast de haard naar zich toe en liet zich er zwaar op neerploffen. Nu ze zat kon ik zien dat ze een mes in haar hand hield. Het vlijmscherpe fileermes uit de keuken.

'En hoe zit het met hun mensen?' vroeg Bill. Ook hij vertrok geen spier van zijn gezicht.

'Er zijn er nog een paar in leven. Een donkere jongeman, ene Rasul... en wat bedienden van Arla Yvonne. De ploeg van Cleo Babbitt is samen met haar gestorven, nota bene nadat ze hadden aangeboden zich over te geven. En het schijnt dat Sigebert met Sophie-Anne ten onder is gegaan.'

'En Fangtasia?' Eric had deze vraag voor het laatst bewaard, en ik merkte hoe zwaar het hem viel die te stellen. Het liefst was ik naar hem toe gegaan om mijn armen om hem heen te slaan, maar dat zou niet in goede aarde zijn gevallen, wist ik. Dat zou een indruk van zwakte hebben gewekt.

Er viel een lange stilte, waarin Victor een grote slok TrueBlood nam.

'Eric,' zei hij toen, 'je mensen zijn allemaal in de club. Ze weigeren zich over te geven tot ze iets van jou hebben gehoord. We staan klaar om de boel plat te branden. Een van je volgelingen is ontsnapt. We denken dat het een vrouw is. Ze maakt iedereen van mijn mensen af die zo onnozel is de aansluiting met de anderen te verliezen.'

Goed zo, Pam! Zet 'm op! Ik boog mijn hoofd, want het lukte me niet een glimlach te verbijten. Amelia schonk me een grijns. Zelfs Eric klaarde op, ook al duurde dat maar heel even. Het gezicht van Bill bleef onbewogen.

'Waarom leef ik nog, als enige van alle sheriffs?' Eric verwoordde de vraag waar het allemaal om draaide.

Victor hoefde geen moment over het antwoord na te denken. 'Omdat jij de meest efficiënte bent van het hele stel, de meest productieve, de meest praktische. Bovendien heb je een van de grootste geldverdieners in je gebied, die ook nog eens voor je werkt.' Hij knikte naar Bill. 'Onze nieuwe koning wil je graag handhaven in je positie, op voorwaarde dat je trouw zweert aan hem.'

'En ik kan zeker wel raden wat er gebeurt als ik weiger?'

'Mijn mensen in Shreveport staan klaar met de fakkels,' zei Victor, nog altijd met een montere glimlach. 'Of eigenlijk met wat modernere apparatuur, maar je begrijpt de bedoeling. En voor je kleine groepje hier wordt ook gezorgd. Ik moet zeggen, je houdt van diversiteit, Eric. Ik ben je hierheen gevolgd in de verwachting je aan te treffen met de elite onder je vampiers, maar in plaats daarvan heb je je omringd met dit merkwaardige gezelschap.'

Het kwam niet eens bij me op verontwaardigd te reageren. Want we waren inderdaad een merkwaardig gezelschap, dat leed geen enkele twijfel. Wat me ook niet ontging, was dat we verder geen van allen iets te zeggen kregen. De uitkomst van de situatie zou volledig worden bepaald door de vraag in hoeverre Eric zijn trots wist in te slikken.

In de stilte die was gevallen, vroeg ik me af hoe lang hij over zijn beslissing zou moeten nadenken. Als hij zich niet overgaf, zouden we het geen van allen overleven. Dat zou dan Victors manier zijn om voor ons 'te zorgen', ondanks Erics veronderstelling dat ik te uniek was om te verspillen. Volgens mij gaf Victor niets om mijn 'uniekheid', laat staan om die van Amelia. Zelfs als we erin slaagden Victor te overweldigen – en dat moest Bill en Eric wel lukken – dan hoefden de vampiers buiten alleen maar het huis in brand te steken, zoals ze dreigden met Fangtasia te doen, en we waren er allemaal geweest. Zij konden zonder uitnodiging misschien niet binnenkomen, wij zouden toch ooit naar buiten moeten.

Mijn ogen ontmoetten die van Amelia. Hoewel ze haar uiterste best deed haar rug recht te houden, registreerde ik dat ze inwendig sidderde van angst. Als ze Copley belde, zou die met Victor onderhandelen om haar leven te sparen, en hij had de middelen om dat met succes te doen. Als de troep uit Vegas gretig genoeg was om Louisiana binnen te vallen, dan was het smeergeld van Copley Carmichael ongetwijfeld ook zeer welkom. Frannie zou gespaard blijven vanwege de aanwezigheid van haar broer. Om zich van Quinns blijvende medewerking te verzekeren zou de troep haar niets doen, daar was ik van overtuigd. Over Bill had Victor opgemerkt dat ze hem wilden hebben, omdat zijn database had bewezen lucratief te zijn. Dus Eric en ik waren het minst waardevol.

Ik dacht aan Sam en wilde dat ik hem kon bellen, al was het maar om zijn stem te horen. Maar ik wilde hem hier voor geen goud bij betrekken, want dat zou onherroepelijk zijn dood betekenen. Dus ik sloot mijn ogen en nam in gedachten afscheid van hem.

Een geluid buiten, bij de voordeur, trok mijn aandacht, en het duurde even voordat ik besefte dat het afkomstig was van een tijger. Quinn wilde naar binnen.

Eric keek me aan, en ik schudde mijn hoofd. Het was zonder Quinn allemaal al erg genoeg. 'Sookie,' fluisterde Amelia, en ze drukte haar hand tegen me aan. Het was de hand met het mes.

'Niet doen,' zei ik. 'Daar bereiken we niks mee.' Ik hoopte dat Victor niet in de gaten had wat ze van plan was.

Erics ogen waren opengesperd en gericht op de toekomst. Ze schitterden vurig blauw in de langgerekte stilte.

Toen gebeurde er iets onverwachts. Frannie ontwaakte uit haar trance, ze deed haar mond open en begon te krijsen. Haar eerste kreet was nog niet verstomd of er werd dreunend op de deur gebonsd. In amper vijf seconden wist Quinn het hout te versplinteren door zijn volle gewicht als tijger ertegenaan te gooien. Frannie werkte zich overeind, rende erheen en rukte aan de deurkruk. Victor deed een poging haar tegen te houden, maar greep net mis.

Quinn stormde met zo'n vaart naar binnen dat zijn zus tegen de grond werd geslagen. Brullend en woest om zich heen kijkend stond hij over haar heen.

Het strekte Victor tot eer dat hij geen angst toonde. 'Quinn,' zei hij. 'Je moet naar me luisteren.'

Quinn brulde nog één keer en zweeg toen. Het is altijd moeilijk te zeggen in hoeverre een veranderaar in zijn dierlijke vorm nog mens is. Ik had ervaren dat Weers me volledig begrepen, en met Quinn als tijger had ik ook bevredigend kunnen communiceren. Maar door Frannies gegil was zijn woede gewekt, en hij leek niet te weten op wie hij die moest richten. Terwijl Victor zich op Quinn concentreerde, viste ik een visitekaartje uit mijn zak.

Ik vond het afschuwelijk om mijn kaartje Verlaat-de-gevangenis-zonder-betalen al zo snel te gebruiken – Lieve opa, je moet me helpen! Alsjeblieft! – en ik vond het ook afschuwelijk om mijn overgrootvader te confronteren met een huis vol vampiers. Maar als zich ooit een moment voor een elfeninterventie had voorgedaan, dan was dit het. Sterker nog, misschien had ik al te lang gewacht. Mijn mobiele telefoon zat in de zak van mijn pyjamabroek. Ik haalde hem zo onopvallend mogelijk tevoorschijn en klapte hem open, mezelf vervloekend omdat ik Nialls nummer niet onder een sneltoets had opgeslagen. Zorgvuldig begon ik de cijfers in te toetsen. Victor had zijn aandacht nog altijd bij Quinn en probeerde hem ervan te overtuigen dat Frannie ongedeerd was.

Ik deed toch alles goed? Ik belde mijn overgrootvader toch niet zomaar? Ik had hem toch echt nodig? Het was toch slim van me dat ik zijn kaartje bij me had, en mijn telefoon?

Maar ook als je alles goed doet, pakt het soms helemaal verkeerd uit.

Net toen de telefoon overging, werd mijn mobiel uit mijn hand gerukt en tegen de muur gesmeten.

'We kunnen hem hier niet in betrekken,' klonk de stem van Eric in mijn oor. 'Dat zou een oorlog tot gevolg hebben die we geen van allen overleven.'

Volgens mij bedoelde hij met 'allen' alleen de zijnen. Want als ik mijn overgrootvader te hulp riep, zou Niall er vast wel voor zorgen dat ik gespaard bleef. Maar die kans was definitief verkeken. Op dat moment haatte ik Eric bijna.

'In een situatie als deze is er niemand die je kunt bellen,' zei Victor Madden zelfvoldaan. Maar toen verscheen er een zweem van twijfel op zijn gezicht. 'Tenzij je beschikt over kwaliteiten waar ik niets van weet,' voegde hij eraan toe.

'Er is heel veel wat je niet weet over Sookie,' zei Bill. 'Maar wat je in elk geval moet weten, is dat ik bereid ben voor haar te sterven. Als je haar ook maar met een vinger aanraakt, vermoord ik je.' Bill richtte zijn donkere ogen op Eric. 'Kun jij hetzelfde zeggen?'

Het was duidelijk dat Eric daar geen trek in had, wat hem definitief punten kostte in de wedstrijd 'Wie Houdt Het Meest van Sookie?' Maar dat deed er op dat moment niet zoveel toe. 'Er is nog iets wat je moet weten,' zei Eric tegen Victor. 'En dat is zo mogelijk nog belangrijker. Als haar iets overkomt, worden er krachten in beweging gezet waar jij je geen voorstelling van kunt maken.'

Victor keek hem nadenkend aan. 'Dat zou natuurlijk een loos dreigement kunnen zijn. Maar volgens mij zeg je het niet zomaar. Anderzijds, als je het over de tijger hebt, dan moet ik je teleurstellen. Ik denk niet dat hij ons zal verscheuren om Sookie te hulp te komen. We hebben zijn moeder en zijn zus. En omdat ik zijn zus hier aantref, heeft de tijger toch al een hoop te verantwoorden.'

Amelia had een arm om Frannies schouders geslagen, zowel om haar te kalmeren als om zelf onder de bescherming van de tijger te vallen. Ze keek me aan en bracht een volmaakt heldere gedachte over. *Moet ik iets proberen? Misschien een stagnatiebezwering?*

Het was erg slim van haar om op deze manier met me te communiceren, en ik dacht koortsachtig na. Door de stagnatiebezwering zou alles als het ware bevriezen en blijven zoals het was. Maar ik wist niet of dat ook voor de vampiers buiten gold. Als ze alleen de aanwezigen binnen wist te stagneren – behalve zichzelf natuurlijk – was er weinig gewonnen, leek me. Kon ze specificeren wie door de bezwering werd getroffen? Was Amelia ook maar een telepaat, dacht ik, en dat is iets wat ik nooit eerder had gewenst. Bij niemand. Zoals de zaken ervoor stonden was er gewoon te veel wat ik niet wist. Dus ik schudde met tegenzin mijn hoofd.

'Dit is belachelijk,' zei Victor met een welbewust vertoon van ongeduld. 'Eric, verder onderhandelen heeft geen zin. Dit is mijn laatste aanbod. Leg je je neer bij de overname van Louisiana en Arkansas door mijn koning? Of wordt het een gevecht op leven en dood?'

Er viel opnieuw een stilte.

'Ik aanvaard de soevereiniteit van je koning,' zei Eric. Zijn stem verried geen enkele emotie.

'Bill Compton?' vroeg Victor.

Bill keerde zich naar me toe, de blik van zijn donkere ogen rustte op mijn gezicht. 'Ik ga akkoord,' zei hij.

Van het ene op het andere moment was het oude bewind geschiedenis en had Louisiana een nieuwe koning.

13

Ik voelde de spanning uit me stromen, als lucht uit een lek gestoken band.

'Victor, trek je mensen terug,' zei Eric. 'En wel zo dat ik het kan horen.'

Victor haalde stralend – zo stralend had ik hem nog niet gezien – zijn mobiele telefoon tevoorschijn en belde iemand die Delilah heette, om zijn orders door te geven. Op zijn beurt gebruikte Eric zijn telefoon om Fangtasia te bellen en Clancy duidelijk te maken dat er een nieuwe leider was opgestaan.

'Vergeet niet het ook tegen Pam te zeggen,' besloot hij nadrukkelijk. 'Voordat ze nog meer van Victors mensen om zeep helpt.'

Er viel een ongemakkelijke stilte, waarin iedereen zich afvroeg hoe het nu verder ging.

In de redelijke zekerheid dat ik zou blijven leven, hoopte ik dat Quinn zijn menselijke gedaante weer zou aannemen, zodat ik met hem kon praten. Want dat was wel nodig. Ik wist niet zeker of ik daar het recht toe had, maar ik voelde me verraden.

En ik ben echt niet zo iemand die denkt dat de hele wereld om haar draait. Ik begreep heus wel dat hij geen keus had gehad en dat de situatie hem was opgedrongen.

Vamps kunnen erg dwingend zijn.

Volgens mij was dit de tweede keer dat Quinn door zijn moeder voor het blok was gezet. Volkomen onbedoeld, natuurlijk. Ik besefte heel goed dat haar niets aan te rekenen viel. Ze had er echt niet voor gekozen om te worden verkracht, noch om geestesziek te worden. Ik had haar nooit ontmoet, en dat zou waarschijnlijk ook nooit gebeuren, maar ze was duidelijk een ongeleid projectiel. Quinn had gedaan wat hij kon. Hij had zijn zus vooruitgestuurd om ons te waarschuwen, en ook al had ik mijn twijfels of dat veel had geholpen, hij verdiende waardering om de inspanning.

Terwijl de tijger Frannie besnuffelde, besefte ik dat ik van meet af aan fouten had gemaakt in mijn relatie met Quinn. En ik voelde de woede van het verraad. Want hoezeer ik de situatie ook probeerde te beredeneren, de aanblik van mijn vriend aan de kant van vampiers die mijn vijanden waren, maakte me razend. Ik riep mezelf tot de orde en liet mijn blik door de kamer gaan.

Amelia was naar de wc gevlucht zodra ze de nog altijd huilende Frannie met goed fatsoen kon loslaten. Ik vermoedde dat de spanning mijn hekserige huisgenote te veel was geworden, en de geluiden die vanuit de wc tot me doordrongen, bevestigden dat vermoeden. Eric was nog aan de telefoon met Clancy en deed alsof hij het druk had, om zichzelf de kans te geven de reusachtige veranderingen tot zich te laten doordringen. Dat wist ik, ook zonder dat ik zijn gedachten kon lezen. Hij liep de gang op en neer, in de hoop op althans enige privacy om zijn toekomst te revalueren.

Victor was naar buiten gegaan om met zijn trawanten te praten. 'Ja! Gelukt!' hoorde ik een van hen roepen, alsof hun team een winnend doelpunt had gescoord, en zo kon je de situatie ook beschouwen, veronderstelde ik.

Zelf had ik het gevoel dat mijn knieën van rubber waren, en het was zo'n chaos in mijn hoofd dat ik nauwelijks helder kon denken. Op dat moment sloeg Bill een arm om me heen, en hij drukte me op de stoel waar Eric even eerder had gezeten. Zijn koele lippen streken langs mijn wang. Ik had wel een hart van steen moeten hebben om niet geroerd te zijn door wat hij tegen Victor had gezegd – ondanks de angstaanjagende situatie was ik dat niet vergeten.

Bill knielde aan mijn voeten en hief zijn witte gezicht naar me op. 'Ik hoop dat je ooit uit jezelf naar me toe komt,' zei hij. 'Je hoeft niet bang te zijn dat ik me aan je zal opdringen. Dat zou ik nooit doen.' Na die woorden richtte hij zich op en liep naar buiten, om zijn nieuwe vampierfamilie te ontmoeten.

Oké, daar kon ik het mee doen.

Maar helaas, de nacht was nog niet voorbij.

Ik slofte terug naar mijn slaapkamer, met de bedoeling mijn gezicht te wassen, of mijn tanden te poetsen, of mijn haar te fatsoeneren, omdat ik dacht dat ik me daardoor misschien iets beter zou voelen, iets minder belazerd – in meer dan één betekenis.

En daar zat Eric. Op de rand van mijn bed. Met zijn handen voor zijn ogen.

Hij keek op toen ik binnenkwam, zijn gezicht stond geschokt. Nou ja, dat was ook geen wonder, gezien de dramatische omwenteling en de traumatiserende wisseling van de wacht.

'Nu ik hier zit, op je bed, met je geur om me heen...' Hij sprak zo zacht dat ik moeite moest doen hem te verstaan. 'Sookie, ik... ik weet alles weer.'

'Hè, nee!' Ik liep naar de badkamer en trok de deur achter

me dicht. Ik borstelde mijn haar, poetste mijn tanden, boende mijn gezicht, maar uiteindelijk zou ik toch weer tevoorschijn moeten komen. Als ik Eric niet onder ogen durfde te komen, was ik net zo laf als Quinn.

Eric begon te praten op het moment dat ik de badkamer uit kwam. 'Ik vind het ongelooflijk dat ik...'

'Ja, ja, hou maar op. Je kunt je niet voorstellen dat je bent gevallen voor een simpele sterveling. Dat je al die beloften hebt gedaan. Dat niets je te dol was en dat je voor altijd bij me wilde blijven,' mopperde ik, vast van plan dit zo snel mogelijk achter de rug te hebben.

'Ik vind het ongelooflijk dat ik zo'n intense emotie heb ervaren en dat ik zo gelukkig ben geweest, voor het eerst in misschien wel een paar honderd jaar,' zei Eric waardig. 'Bespaar me je cynisme. Ik geloof niet dat ik dat heb verdiend.'

Ik wreef over mijn voorhoofd. Het was midden in de nacht, ik had gedacht dat ik ten dode was opgeschreven, en de man op wie ik verliefd was en die ik als mijn vriend had beschouwd, bleek een ander te zijn dan ik had gedacht. Hoewel 'zijn' vamps inmiddels tot dezelfde kant behoorden als 'mijn' vamps, voelde ik me emotioneel verbonden met de vampiers van Louisiana, ook al hadden sommigen me de stuipen op het lijf gejaagd. Zouden Victor Madden en zijn troep minder angstaanjagend zijn? Dat leek me niet waarschijnlijk. Ze hadden vannacht een groot aantal vamps gedood die ik had gekend en die ik aardig had gevonden.

Na alles wat er die nacht was gebeurd, voelde ik me niet opgewassen tegen Eric en zijn openbaring.

'Kunnen we het hier misschien een andere keer over hebben?' vroeg ik dan ook.

'Ja,' zei hij na een lange stilte. 'Ja, dat is goed. Dit is niet het juiste moment.'

'Ik weet niet of het juiste moment voor dit gesprek wel bestaat.'

'We moeten het er toch over hebben.'

'Eric... Nou ja, we zien wel.' Ik maakte een gebaar om duidelijk te maken dat ik er nu even klaar mee was. 'Ik ben blij dat het nieuwe regime je in je functie wil handhaven.'

'Je zou het erg vinden als ik doodging.'

'Ja, tenslotte zijn we verbonden door het bloed, met alle consequenties van dien.'

'Nee, niet alleen daarom.'

'Oké, je hebt gelijk. Ik zou het erg vinden als je doodging. Trouwens, ik zou het waarschijnlijk ook niet hebben overleefd, dus lang had het verdriet niet geduurd. Afijn, kun je nu alsjeblieft afnokken?'

'Natuurlijk!' zei hij nijdig, en ineens klonk hij weer als de oude Eric. 'Ik zal "afnokken", maar ik kom erop terug. En je kunt erop rekenen dat we het eens worden, mijn lief. Wat de vamps uit Vegas betreft, die hebben ervaring met een toeristeneconomie. Dat zal hun hier van pas komen. De koning van Nevada is een machtig man, en Victor laat ook niet met zich spotten. Hij is keihard, maar hij zal niets kapotmaken waarmee hij zijn voordeel kan doen. Het lukt hem doorgaans uitstekend zijn drift te beheersen.'

'Dus je bent niet echt heel erg ongelukkig met de overname?' Ik kon niet helpen dat ik geschokt klonk.

'Het is niet anders,' zei Eric. 'Het heeft geen zin om daar "ongelukkig" over te zijn. Ik kan de doden niet weer tot leven wekken, en in mijn eentje kan ik het niet winnen van Nevada. Ik vraag mijn mensen niet om te sterven voor een zinloze zaak. Dat weiger ik.'

Zoveel pragmatisme kon ik niet opbrengen. Ik had begrip voor zijn standpunt, en wanneer ik weer een beetje tot mezelf was gekomen, zou ik het misschien zelfs met hem eens zijn. Maar zover was ik nog niet. Op dit moment vond ik hem akelig kil en zakelijk. Ook al besefte ik dat hij een paar honderd jaar de tijd had gehad om zo te worden, en dat hij een soortgelijk proces misschien al diverse keren had moeten doormaken.

Wat een somber vooruitzicht.

Op weg naar de deur kuste Eric me op mijn wang. 'Het spijt me dat het zo gelopen is met de tijger,' zei hij, en daarmee was er wat mij betrof een streep onder de gebeurtenissen van die nacht gezet. Ik liet me in het stoeltje in de hoek van mijn slaapkamer vallen en bleef zitten tot ik zeker wist dat iedereen was vertrokken. Toen er nog maar één warm brein overbleef – dat van Amelia – gluurde ik om het hoekje van mijn kamerdeur om zekerheid te krijgen. Inderdaad, alle anderen waren verdwenen.

'Amelia?'

'Ja!'

Ik ging op onderzoek uit en vond haar in de woonkamer. Net als ik was ze doodop.

'Denk je dat je kunt slapen?' vroeg ik.

'Dat weet ik niet. Ik ga het in elk geval proberen.' Ze schudde haar hoofd. 'Hierdoor wordt alles anders.'

'Waardoor?' Verbazingwekkend genoeg begreep ze me.

'Nou, door de overname. Mijn vader doet heel veel zaken met de vamps van New Orleans. Hij zou zorgen voor de wederopbouw van het hoofdkwartier van Sophie-Anne. En voor het herstel van al haar andere panden. Dus ik kan hem maar beter bellen om te zeggen hoe de vlag erbij hangt. Want hij wil natuurlijk zo snel mogelijk om de tafel met de nieuwe koning.'

Op haar manier reageerde Amelia net zo praktisch als Eric. Ik was duidelijk een buitenbeentje. Wie zou ik kunnen bellen die net als ik verdrietig zou zijn om het verlies van Sophie-Anne, en Arla Yvonne, en Cleo... en al die anderen. Ik kon niemand bedenken die daar rouwig om zou zijn, zelfs niet een heel klein beetje. En voor het eerst kwam de vraag bij me op of vamps misschien gewend waren aan persoonlijke verliezen. Alle levens die aan hen voorbijtrokken... Generatie op generatie werd geboren en verdween in het graf, terwijl de ondoden voortleefden, soms tot in het oneindige.

Nou, deze vermoeide mens, die niet het eeuwige leven bezat, had dringend behoefte aan slaap. Als er vannacht nog een vijandige overname op de agenda stond, zou die zich zonder mij moeten voltrekken. Ik deed voor de tweede keer alle deuren op slot. Onder aan de trap naar boven bleef ik even staan om Amelia welterusten te wensen, toen kroop ik weer in bed. Ik lag minstens een halfuur te woelen, omdat ik last had van spiertrekkingen, net op het moment dat ik wegzakte. Dan schrok ik weer volledig wakker, denkend dat er iemand de kamer binnenkwam om me te waarschuwen voor de volgende ramp.

Maar ten slotte konden zelfs spiertrekkingen me niet meer wakker houden, en ik viel in een diepe slaap. Toen ik wakker werd, scheen de zon mijn kamer binnen. Quinn zat in de stoel in de hoek, waar ik die nacht was neergeploft na mijn gesprek met Eric.

Dit begon een onplezierige trend te worden. Ik zat er niet op te wachten dat de kerels mijn slaapkamer in en uit liepen. Ik wilde er een die bleef.

'Wie heeft jou binnengelaten?' Ik werkte me op een elleboog overeind. Voor iemand die nauwelijks had geslapen, zag hij er goed uit. Quinn was lang van postuur, hij had een glimmende schedel en reusachtige paarse ogen. Ik had altijd met plezier naar hem gekeken.

'Amelia,' antwoordde hij op mijn vraag. 'Ik weet dat ik niet binnen had mogen komen. Dat ik had moeten wachten tot je uit bed was. Dat je me misschien helemaal niet zou willen binnenlaten.'

Ik liep naar de badkamer om mezelf de kans te geven aan de situatie te wennen; nog iets wat maar al te vertrouwd begon te worden. Toen ik – iets verzorgder en iets minder wazig – weer tevoorschijn kwam, had Quinn een kop koffie voor me gehaald. Ik nam een slok en voelde me onmiddellijk beter opgewassen tegen wat er ging komen. Wat dat ook mocht zijn. Maar niet in mijn slaapkamer.

'Naar de keuken,' zei ik, en we gingen naar de ruimte die altijd het hart van het huis is geweest. Na de brand had ik de keuken volledig moeten laten vernieuwen, maar ik miste de oude nog steeds. De tafel waar mijn familie jarenlang aan had gegeten, was vervangen door een moderne; de nieuwe stoelen waren stukken comfortabeler dan de oude. Maar wanneer ik dacht aan alles wat er bij de brand verloren was gegaan, overviel me nog regelmatig een gevoel van spijt.

Ik had zo'n voorgevoel dat 'spijt' het thema van de dag zou worden. Tijdens mijn onrustige slaap had ik me blijkbaar iets van de praktische instelling eigen gemaakt die me enkele uren eerder nog zo verdrietig had gestemd. Om het onvermijdelijke gesprek uit te stellen liep ik naar de achterdeur. De auto van Amelia was weg, zag ik. Dus we waren alleen. Dat was tenminste iets.

Ik ging aan de keukentafel zitten, tegenover de man van wie ik had gehoopt te kunnen houden.

'Je ziet eruit alsof je net te horen hebt gekregen dat ik dood ben,' zei Quinn.

'Nou ja, het komt zo'n beetje op hetzelfde neer.' Ik moest direct zijn, wist ik, en niet bang om zijn gevoelens te kwetsen.

Hij kromp ineen. 'Wat had ik dán moeten doen? Ik had toch geen keus?' Zijn stem had een ondertoon van boosheid.

'Wat had ík moeten doen?' vroeg ik op mijn beurt, want ik wist het antwoord niet.

'Ik heb Frannie naar je toe gestuurd! Ik heb geprobeerd je te waarschuwen!'

'Toen was het al te laat.' Ik had het nog niet gezegd of ik begon aan mezelf te twijfelen. Was ik te hard? Was ik onredelijk? Ondankbaar? 'Als je me weken eerder had gebeld – al was het maar één keer – had ik me misschien anders gevoeld. Maar blijkbaar had je het te druk met zoeken naar je moeder.'

'En dus maak je het uit. Vanwege mijn moeder.' Hij klonk bitter en ik kon het hem niet kwalijk nemen.

'Ja,' zei ik na een kortstondige, maar hevige innerlijke strijd. 'Ik geloof inderdaad dat ik het uitmaak. Niet zozeer vanwege je moeder, maar vanwege de hele situatie. Zolang je moeder leeft, zal ze altijd op de eerste plaats komen. En dat moet ook, omdat ze zo beschadigd is. Daar heb ik begrip voor. Echt waar. En ik vind het heel verdrietig dat Frannie en jij het er zo moeilijk mee hebben. Dat begrijp ik. Want bij mij is het ook niet altijd rozengeur en maneschijn.'

Quinn keek neer op zijn koffie, zijn gezicht stond afgetobd, van woede en vermoeidheid. Dit was waarschijnlijk het slechtst denkbare moment voor een dergelijke confrontatie, maar uitstellen was geen optie. Daarvoor deed het allemaal te veel pijn.

'En toch, ondanks alles, ook al weet je hoeveel ik om je geef, zet je er een streep onder,' zei Quinn grimmig en verbeten. 'Je wilt het niet nog een kans geven.'

'Ik geef ook om jou en ik had het me ook anders voorgesteld,' zei ik. 'Maar wat er vannacht is gebeurd... daar kan ik me niet overheen zetten. Niet om het een of ander, maar je hebt me nooit iets over je verleden verteld. Dat moest ik van een ander horen. Volgens mij omdat je van meet af aan hebt geweten dat je verleden een probleem zou vormen. Niet dat je in de kooien hebt moeten vechten. Dat kan me niet schelen. Maar je moeder en Frannie... Zij zijn je familie... en ze zijn... afhankelijk van je. Ze hebben je nodig. En daarom zullen ze altijd op de eerste plaats komen.' Ik zweeg even en beet op de binnenkant van mijn wang. Want het moeilijkste kwam nog. 'Ik wil op de eerste plaats komen. Ik weet dat het egoïstisch klinkt, en misschien is het oppervlakkig en niet reëel. Maar ik wil bij mijn vent gewoon op de eerste plaats komen. Als dat verkeerd van me is, dan zij het zo. Dan ben ik maar verkeerd. Zo voel ik het nu eenmaal.'

Quinn dacht even na. 'Dan valt er niets meer te zeggen.' Hij keek me somber aan. Ik kon het alleen maar met hem eens zijn. Hij zette zijn grote handen op de tafel en duwde zich overeind.

Ik voelde me slecht. Ik voelde me ellendig. Beroofd. Een zelfzuchtig kreng.

Maar ik hield hem niet tegen toen hij de deur uit liep.

14

Terwijl ik me gereedmaakte om naar mijn werk te gaan – ja, zelfs na zo'n enerverende nacht moest er gewoon gewerkt worden – werd er op de voordeur geklopt. Ik had een zware auto het pad op horen komen en strikte haastig mijn schoenveters.

FedEx kwam bepaald niet dagelijks aan de deur, en de magere vrouw die uit de auto sprong, had ik nooit eerder gezien. Met enige moeite wrikte ik de voordeur open, die bij Quinns gewelddadige binnenkomst die nacht onherstelbaar was beschadigd. In gedachten maakte ik een notitie om de bouwmarkt in Clarice te bellen voor een nieuwe deur. Misschien wilde Jason me wel helpen die te plaatsen. De dame van FedEx keek onderzoekend van mij naar het versplinterde hout toen ik er eindelijk in slaagde open te doen.

Ze was echter zo tactvol geen commentaar te leveren. 'Wilt

u tekenen voor ontvangst?' vroeg ze terwijl ze me een pakketje voorhield.

'Natuurlijk.' Enigszins verbaasd pakte ik het aan. Het was afkomstig van Fangtasia, zag ik op de afzender. Vreemd. Zodra de bus van FedEx weer koers zette naar Hummingbird Road, maakte ik het pakketje open. Er zat een rode mobiele telefoon in, geprogrammeerd op mijn nummer. 'Sorry van die andere, mijn lief,' stond er op het begeleidende briefje, ondertekend met een grote 'E'. Er zat ook een oplader bij. Plus een oplader voor in de auto. En een verklaring dat mijn mobiele telefoonkosten voor een halfjaar vooruit waren betaald.

Enigszins verdwaasd hoorde ik nog een auto aankomen. Dus ik bleef op de veranda staan. Het was de bestelwagen van de Home Depot in Shreveport. Met een nieuwe voordeur. Een prachtige deur, compleet met twee man om hem te installeren. Alle kosten waren betaald.

Misschien wilde Eric de uitlaat van mijn droger ook wel schoonmaken.

Ik was al vroeg in Merlotte, omdat ik Sam wilde spreken. Maar de deur van het kantoor zat dicht, en daarachter hoorde ik stemmen. Dat de deur dichtzat, was niet voor het eerst, maar het gebeurde bijna nooit. Ik begon me onmiddellijk zorgen te maken. En mijn nieuwsgierigheid was gewekt. Ik registreerde behalve Sams vertrouwde mentale signatuur nog een aanwezigheid die ik herkende. Toen er in het kantoor geschraap van stoelpoten klonk, liep ik haastig de opslag in.

De deur ging open, en Tanya Grissom kwam langslopen.

Ik wachtte nog heel even, toen besloot ik dat de kwestie die ik moest bespreken dringend was. Zo dringend dat ik het risico moest nemen dat Sam er misschien niet voor in de stemming was. Mijn baas zat in zijn krakende, houten stoel op wieltjes, met zijn voeten op het bureau. Zijn haar zag er zo mogelijk nog chaotischer uit dan anders. Het stond als een rossige stralenkrans om zijn hoofd. Zijn uitdrukking was peinzend, in gedachten verzonken, maar toen ik zei dat ik hem iets te vertellen had, knikte hij en vroeg me de deur dicht te doen.

'Weet je wat er vannacht is gebeurd?' Ik liet me in de stoel voor het bureau vallen.

'Ik heb iets gehoord over een vijandige overname.' Sam helde naar achteren in zijn stoel, waardoor de veren een irritant geknerp lieten horen. Het was duidelijk dat ik niet veel kon hebben vandaag, want ik moest me beheersen om niet tegen hem te snauwen.

'Zo zou je het kunnen noemen.' 'Vijandige overname' was eigenlijk de perfecte formulering. Ik vertelde hem over de gebeurtenissen bij mij thuis.

Er kwam een verontruste uitdrukking op zijn gezicht. 'Ik bemoei me nooit met vampierzaken. Tweesoortigen en vamps, dat is geen goede combinatie. Maar het spijt me dat jij erbij betrokken bent geraakt, Sookie. Die klootzak van een Eric.' Het leek alsof hij nog meer wilde zeggen, maar toen kneep hij zijn lippen stijf op elkaar.

'Weet jij iets over de koning van Nevada?' vroeg ik.

Daar hoefde Sam niet over na te denken. 'Ik weet dat hij een uitgeversimperium heeft. En ten minste een casino en een aantal restaurants. Bovendien is hij de hoogste baas bij een impresariaat voor vampierentertainment. Producties als *Elvis, de Revue der Ondoden*, met een cast van vampiers die nummers van Elvis zingen – erg grappig als je er goed over nadenkt – en met geweldige showballetten.' De echte Elvis liep nog gewoon rond, wisten we, maar hij was zelden in vorm om op te treden. 'Louisiana is een toeristenstaat. Als die overname er dan toch moest komen, is Felipe de Castro de juiste vampier op de juiste plaats. Hij zal ervoor zorgen dat New Orleans wordt herbouwd zoals het hoort, want hij weet dat hij daar heel veel geld mee kan verdienen.'

'Felipe de Castro... dat klinkt exotisch,' zei ik.

'Ik heb hem nooit ontmoet, maar ik heb wel gehoord dat hij erg... eh... charismatisch is,' vertelde Sam. 'Ik vraag me af of hij in Louisiana komt wonen. Of dat hij de boel aan Victor Madden overlaat. Wat het ook wordt, de bar zal er niks van merken. Maar jij wel, Sookie.' Sam zette zijn voeten op de grond en ging rechtop in de stoel zitten, die luid knerpend protesteerde. 'Ik wou dat ik wist hoe ik je van die vampiers kon losweken.'

'Tja, als ik de avond dat ik Bill ontmoette had geweten wat ik nu weet... Ik vraag me wel eens af of ik dan anders zou hebben gehandeld. Misschien zou ik de Rattrays dan gewoon hun gang hebben laten gaan.' Ik had Bill gered uit de klauwen van een smerig stel, dat zich had ontpopt als moordenaars. Uitzuigers. Mensen die vampiers naar een afgelegen plek lokten, waar ze hen ketenden met zilveren kettingen en het bloed uit hen zogen, dat ze voor veel geld verkochten op de zwarte markt. Het leven van een uitzuiger was riskant en gevaarlijk. De Rattrays hadden de hoogste prijs betaald.

'Daar meen je niks van,' Sam wiebelde opnieuw met zijn stoel – *piep! knerp!* – en kwam overeind. 'Zoiets zou je nooit doen.'

Het was heerlijk om iemand iets aardigs over me te horen zeggen, vooral na mijn gesprek van die ochtend met Quinn. Ik kwam in de verleiding er met Sam over te beginnen, maar hij liep al naar de deur. Het was tijd om aan het werk te gaan. Ik stond ook op. In de bar begonnen we aan onze vaste routine, maar ik was er niet echt bij met mijn gedachten.

Om mijn moreel wat op te vijzelen probeerde ik te denken aan iets leuks wat ik in het verschiet had, iets om naar uit te kijken. Maar ik kon niets bedenken. Somber stond ik bij de bar, met mijn hand op mijn bestelboekje, en ik deed mijn uiterste best me niet in een depressie te storten. Toen gaf ik mezelf een tik op mijn wang. Idioot! Je hebt een huis, een heleboel vrienden, een baan. Je bent beter af dan miljoenen andere mensen. Het wordt vanzelf weer leuker.

Dat werkte. Althans, even. Ik lachte vriendelijk naar iedereen, en ook al was het een broze glimlach, ik keek tenminste niet chagrijnig.

Tegen lunchtijd kwam Jason binnen met Crystal, zijn vrouw. Crystal oogde nors en beginnend zwanger, en Jason... Jasons ogen stonden hard, nijdig, zoals hij kon kijken als iets of iemand hem had teleurgesteld.

'Hoe is het?' vroeg ik.

'O, gaat wel.' Jason toonde zich niet echt spraakzaam. 'Heb je een biertje voor ons?'

'Komt eraan.' Het was voor het eerst dat hij voor zijn vrouw bestelde, dacht ik. Crystal was een knappe meid, heel wat jaartjes jonger dan Jason. Ze was bovendien een weerpanter, maar geen bijster goede, voornamelijk vanwege de enorme inteelt in de gemeenschap van Weers in Hotshot. Het kostte haar erg veel moeite van gedaante te veranderen als het geen vollemaan was, en ze had twee keer een miskraam gehad. Tenminste, voor zover mij bekend. Vandaar dat ik met haar te doen had, helemaal omdat ik wist dat ze door de pantergemeenschap als een zwakkeling werd gezien. Inmiddels was ze voor de derde keer in verwachting. En die zwangerschap was misschien wel de reden – de enige reden – dat Calvin toestemming had gegeven voor haar huwelijk met Jason, die slechts een gebeten Weer was. Dat betekende dat hij een weerpanter was geworden doordat hij herhaalde malen was gebeten; namelijk door een jaloers mannetje dat Crystal voor zichzelf wilde. Jason was geen geboren weerpanter. En dus kon hij niet in een panter veranderen, alleen in een schepsel dat half beest, half mens was. Maar daar genoot hij volop van.

Ik bracht twee biertjes naar hun tafeltje met twee berijpte glazen uit de vriezer en wachtte af of ze ook iets te eten wilden bestellen. Het verbaasde me dat Crystal bier dronk, maar ik besloot dat het me niet aanging.

'Ik wil graag een cheeseburger met patat,' zei Jason. Niet echt een verrassing.

'En jij?' vroeg ik aan Crystal, en ik deed mijn best vriendelijk te klinken. Ze was tenslotte mijn schoonzus.

'Ík heb geen geld om iets te eten te bestellen.'

Ik wist niet wat ik daarop moest zeggen. Toen ik Jason onderzoekend aankeek, haalde die zijn schouders op. 'Ik heb iets stoms gedaan, ik zit fout, maar ik hou mijn poot stijf, want ik ben nu eenmaal stronteigenwijs,' betekende dat gebaar.

'Dan trakteer ik je, Crystal,' zei ik op gedempte toon. 'Waar heb je trek in?'

Ze wierp een woedende blik op haar echtgenoot. 'Doe mij maar hetzelfde, Sookie.'

Ik noteerde haar bestelling op een apart briefje en liep ermee naar het luik. Na alles wat er was gebeurd, had ik toch al een kort lontje, en daar had Jason een lucifer bij gehouden. Hun gedachten waren maar al te duidelijk, en toen ik begreep wat er aan de hand was, kon ik wel kotsen. Van allebei.

Crystal en Jason waren na hun trouwen in Jasons huis gaan wonen, maar Crystal reed nog bijna dagelijks naar Hotshot, omdat ze zich daar thuis voelde en omdat ze daar tegenover niemand iets hoefde te bewijzen. Ze was het gewend haar familie om zich heen te hebben en ze miste vooral haar zusje met de kinderen. Tanya Grissom huurde een kamer bij Crystals zus; de kamer die tot haar huwelijk van Crystal was geweest. Tanya en zij waren meteen dikke vriendinnen geworden. Omdat Tanya niets liever deed dan winkelen, ging Crystal regelmatig met haar mee. Sterker nog, ze gaf al het geld uit dat ze van Jason voor het huishouden kreeg. Dat was twee maanden achter elkaar gebeurd, ondanks talrijke ruzies en beloften dat ze het niet meer zou doen.

Vandaar dat Jason haar geen cent meer gaf. Hij deed zelf alle boodschappen, hij haalde de spullen van de stomerij en betaalde de rekeningen. Als ze eigen geld wilde, moest ze maar zorgen dat ze een baan kreeg, had hij tegen Crystal gezegd. Maar omdat ze zwanger was en weinig kwaliteiten bezat, was het Crystal niet gelukt werk te vinden. En dus had ze niets te besteden.

Jason probeerde zijn vrouw op te voeden, maar door haar in het openbaar te vernederen, bereikte hij juist het tegenovergestelde. Mijn broer kon soms zo stom zijn!

Maar wat kon ik eraan doen? Nou... eh... niks. Ze moesten er zelf uit zien te komen. Twee mensen die officieel meerderjarig waren, maar die nooit volwassen waren geworden, ik was niet optimistisch over de uitkomst.

Met een acuut gevoel van onbehagen dacht ik aan hun weinig gebruikelijke huwelijksbeloften. Tenminste, ik had ze nogal merkwaardig gevonden, maar blijkbaar was zoiets in Hotshot heel normaal. Als Jasons naaste, nog in leven zijnde familielid had ik moeten beloven de straf op me te nemen als Jason zich misdroeg. Namens Crystal had haar oom Calvin hetzelfde beloofd. Ik had beter moeten nadenken voordat ik die belofte deed, besefte ik inmiddels.

Toen ik met de cheeseburgers naar hun tafeltje liep, zag ik dat de echtelijke ruzie in het stadium verkeerde waarin beide partijen hun mond stijf dichthouden en naar alle kanten kijken behalve naar elkaar. Voorzichtig zette ik de borden neer en een fles Heinz-ketchup, en ik maakte dat ik wegkwam. Door Crystal te trakteren had ik me al te veel met de situatie bemoeid.

Er was echter iemand bij deze kwestie betrokken die ik wél ter verantwoording kon roepen. En dat zou ik doen ook, nam ik me voor. Al mijn woede en onbehagen richtten zich op Tanya Grissom. Ik kon haar wel wat doen! Wat voerde ze in haar schild? Waarom hing ze voortdurend om Sam heen? Waarom stookte ze Crystal op om veel te veel geld uit te geven? Wat beoogde ze daarmee? Bovendien geloofde ik niet dat het toeval was dat Tanya mijn schoonzus als haar nieuwe beste vriendin had uitgekozen. Probeerde ze me soms letterlijk dood te ergeren? Het was alsof er een daas om mijn hoofd zoemde, die af en toe ergens ging zitten... maar nooit zo dichtbij dat ik hem kon vermorzelen. Terwijl ik op de automatische piloot mijn werk deed, overwoog ik de opties die ik had om ervoor te zorgen dat ze uit mijn leven verdween. En voor het eerst vroeg ik me af of ik iemand zou kunnen dwingen me toe te laten in haar gedachten. Het zou niet meevallen, want Tanya was een Weer, maar als ik haar gedachten kon lezen, wist ik waar ze op uit was. En ik was ervan overtuigd dat die informatie me veel verdriet zou besparen... Heel veel verdriet.

Terwijl ik woedend mijn plannen smeedde, aten Crystal en Jason zwijgend hun cheeseburger. Na afloop betaalde Jason nadrukkelijk alleen zijn eigen rekening. Ik ontfermde me over die van Crystal, en toen ze de deur uit liepen vroeg ik me af hoe hun avond eruit zou zien. Ik was blij dat ik daar geen deel van hoefde uit te maken.

Sam had vanachter de bar alles gevolgd. 'Wat is er met die twee?' vroeg hij zacht.

'Ach, dat krijg je met die pasgetrouwde stellen. Gewoon een ernstig geval van aanpassingsproblemen.'

Hij keek me verschrikt aan. 'Pas op dat ze jou er niet bij betrekken.' Hij had het nog niet gezegd, of zijn gezicht verried dat hij er spijt van had. 'Sorry. Het was niet mijn bedoeling je ongevraagd van advies te dienen.'

Mijn ogen prikten. Sam diende me van advies omdat hij om me gaf, besefte ik. En in mijn overspannen staat was dat reden voor sentimenteel gesnotter. 'Dat is wel goed, baas.' Ik probeerde onbekommerd en eigengereid te klinken. Toen draaide ik me op mijn hakken om, en ik maakte de ronde langs mijn tafeltjes. Aan een daarvan zat sheriff Bud Dearborn. Dat was opmerkelijk, want als hij wist dat ik werkte, ging hij doorgaans ergens anders zitten. Er stond een mandje met uienringen voor hem, letterlijk gedrenkt in ketchup. Hij was verdiept in een krant uit Shreveport. POLITIE OP ZOEK NAAR ZESTAL, luidde de kop op de voorpagina. Ik bleef bij zijn tafeltje staan en vroeg of ik de krant mocht hebben als hij hem uit had.

Bud nam me wantrouwend op. De kleine oogjes boven zijn boksersneus keken me aan alsof hij een bebloed hakmes aan mijn riem verwachtte. 'Natuurlijk, Sookie,' zei hij ten slotte. 'Heb jij soms iemand van de vermisten bij je thuis verstopt?'

Ik keek hem stralend aan, maar door de zenuwen had mijn brede glimlach het wezenloze van iemand die er niet helemaal bij is met haar gedachten. 'Nee, Bud. Maar ik wil gewoon weten wat er gebeurt in de wereld. Ik loop achter met het nieuws.'

'Ik zal de krant op tafel laten liggen,' zei Bud, en hij begon weer te lezen. Volgens mij zou hij me zelfs met de verdwijning van Jimmy Hoffa in verband hebben gebracht als hij had gedacht dat hij dat ongestraft kon doen. Niet omdat hij me tot moord in staat achtte, maar hij vond me wel verdacht en hij vermoedde dat ik betrokken was bij dingen waarvan hij niet wilde dat ze in zijn rayon gebeurden. Die overtuiging deelde hij met Alcee Beck, vooral sinds ik die man om zeep had geholpen in de bibliotheek. Gelukkig voor mij bleek de persoon in kwestie een indrukwekkend strafblad te bezitten, met een reeks van veroordelingen wegens geweldsmisdrijven. Maar hoewel Alcee wist dat ik uit zelfverdediging had gehandeld, had ik zijn vertrouwen voorgoed verspeeld... net als dat van Bud Dearborn.

Toen Bud zijn bier en zijn uienringen had weggewerkt en was vertrokken om de boeven van het district Renard aan zijn schrikbewind te onderwerpen, nam ik de krant mee naar de bar en las het artikel, terwijl Sam over mijn schouder meekeek. Na het bloedbad in het verlaten bedrijvenpark had ik de nieuwsmedia bewust gemeden. Het leek me ondenkbaar dat de Weers zo'n enorme zaak stil konden houden. Het enige wat ze konden doen, was het spoor dat de politie zou volgen, zo veel mogelijk uitwissen. En dat bleken ze met succes te hebben gedaan.

Na meer dan vierentwintig uur staat de politie nog steeds voor een raadsel bij haar zoektocht naar zes burgers van Shreveport die worden vermist. Het onderzoek wordt bemoeilijkt door het feit dat er geen getuigen zijn gevonden die kunnen verklaren of iemand van de vermisten na woensdagavond tien uur nog in leven was.

'We kunnen niets vinden wat de vermisten met elkaar verbindt,' aldus rechercheur Willie Cromwell.

Onder de vermisten bevindt zich Cal Myers, rechercheur in Shreveport. Verder gaat het om Amanda Whatley, uitbaatster van een café in het centrum van Shreveport; Patrick Furnan, eigenaar van de plaatselijke Harley-Davidson-zaak, en zijn vrouw, Libby; Christine Larrabee, weduwe van John Larrabee, gepensioneerd schoolconciërge; en ten slotte Julio Martinez, als piloot gestationeerd op de nabijgelegen Barksdale Air Force Base. Buren van de Furnans zeggen dat ze Libby Furnan op de dag voorafgaande aan de verdwijning van Patrick Furnan niet hebben gezien. Een nicht van Christine Larrabee heeft verklaard dat ze drie dagen tevergeefs heeft geprobeerd telefonisch contact met Larrabee te krijgen. Vandaar dat de politie rekening houdt met de mogelijkheid dat de twee vrouwen al vóór de verdwijning van de anderen slachtoffer zijn geworden van een misdrijf.

De verdwijning van rechercheur Cal Myers heeft er behoorlijk in gehakt bij het korps. Zijn vaste collega, rechercheur Mike Coughlin, zegt in een reactie: 'Myers was een van de recentelijk bevorderde rechercheurs. We hebben nog niet de tijd gehad elkaar beter te leren kennen. Ik heb geen idee wat er gebeurd kan zijn.' Myers (29) werkte sinds zeven jaar bij het politiekorps van Shreveport. Hij was niet getrouwd.

'Als ze allemaal dood zijn, zou je verwachten dat er onderhand ten minste één lichaam zou zijn gevonden,' aldus rechercheur Cromwell gisteren. 'We hebben de huizen en bedrijven van alle vermisten doorzocht, maar tot dusverre hebben we geen enkele aanwijzing gevonden.'

Het mysterie wordt vergroot door het feit dat ook maandag een inwoner van Shreveport het leven liet. Maria-Star Cooper, assistente van een fotograaf, werd om het leven gebracht in haar appartement aan Highway 3. 'Het appartement zag eruit als een slachthuis,' verklaarde Coopers huisbaas, die als een der eersten ter plekke was. Er zijn nog geen arrestaties verricht in verband met de moord. 'Iedereen was dol op Maria-Star,' aldus haar moeder, Stella Cooper. 'Ze was zo'n mooie vrouw, met zoveel talent.'

De politie kan nog niet zeggen of er een verband bestaat tussen Coopers dood en de verdwijningen.

In ander nieuws valt te melden dat Don Dominica, eigenaar van Don's Camperparadijs, de politie in kennis heeft gesteld van het feit dat de bewoners van drie campers die sinds een week op zijn terrein staan, worden vermist. 'Ik weet niet precies om hoeveel mensen het gaat,' heeft Don verklaard. 'Ze arriveerden allemaal tegelijk en ze hebben de plekken voor een maand gehuurd. De naam op de huurovereenkomst is Priscilla Hebert. Ik had de indruk dat er in elke camper minstens zes mensen zaten. En ze leken me allemaal volstrekt normaal.'

Op de vraag of hun persoonlijke bezittingen nog

in de campers aanwezig zijn, antwoordde Dominica: 'Dat weet ik niet. Ik heb het niet gecontroleerd. Daar heb ik geen tijd voor. Maar ik heb ze al in geen dagen gezien. Niemand van de hele groep.'

Andere bewoners van het camperterrein hebben geen contact gehad met de nieuwkomers. 'Ze waren erg op zichzelf,' aldus de eigenaar van een naburige camper.

'Ik twijfel er niet aan of we zullen de misdrijven weten op te lossen,' zegt politiecommissaris Parfit Graham. 'Het wachten is op de juiste informatie. Mocht iemand inlichtingen kunnen verstrekken over de verblijfplaats van een of meerderen van de vermisten, wordt hem of haar vriendelijk verzocht de Tiplijn te bellen.'

Ik overwoog te bellen en stelde me het telefoontje al voor. 'Alle vermisten zijn omgekomen in een oorlog tussen Weers. Zelf behoorden de vermisten ook tot de Weers, en een ontheemde, hongerige troep uit het zuiden van Lousiana zag de tweedracht in de gelederen in Shreveport als een buitenkans.' Het lag niet in de verwachting dat mijn verhaal serieus zou worden genomen.

'Dus ze hebben de plek nog niet gevonden,' zei Sam heel zacht.

'Nee, blijkbaar was het een goede locatie voor de ontmoeting.'

'Maar vroeg of laat...'

'Ja. Ik vraag me af wat er nog van over is.'

'Alcide en zijn troep hebben inmiddels alle tijd gehad,' zei Sam. 'Dus veel zal het niet wezen. Waarschijnlijk hebben ze de lichamen ergens verbrand. Of ze hebben ze begraven, op het land van een van de troepleden.'

Ik huiverde. Goddank dat ik daar geen deel van had hoeven

uitmaken. En goddank dat ik oprecht geen idee had waar de lichamen waren begraven. Na een rondje langs mijn tafels en het serveren van een aantal drankjes wijdde ik me weer aan de krant en sloeg hem open bij de overlijdensberichten. Diep geschokt las ik het bericht onder de kop 'Overledenen in Louisiana'.

> SOPHIE-ANNE LECLERQ, vooraanstaand zakenvrouw, sinds Katrina woonachtig in Baton Rouge, is in haar woning overleden aan sino-aids. De vampier Leclerq bezat veel onroerend goed in New Orleans en in diverse andere delen van de staat. Volgens bronnen in haar naaste omgeving woonde ze al meer dan honderd jaar in Louisiana.

Ik had nog nooit een overlijdensbericht gezien naar aanleiding van de dood van een vampier. En wat ik hier las, was allemaal verzonnen. Sophie-Anne had helemaal niet aan sino-aids geleden, de enige ziekte die van mensen kon overslaan op vampiers. Sophie-Anne was waarschijnlijk nogal abrupt in aanraking gekomen met De Staak. Het spreekt vanzelf dat sino-aids door de vamps werd gevreesd, ook al was het besmettingsgevaar uiterst gering. In dit geval vormde de aandoening echter een voor de menselijke zakenwereld werkbare verklaring voor het feit dat de bezittingen van Sophie-Anne door een andere vampier werden beheerd; een verklaring waar niemand al te nadrukkelijk vraagtekens bij zou zetten, al was het maar door het ontbreken van het lichaam, dat de bewering had kunnen weerleggen. Om het bericht vandaag in de krant te krijgen moest iemand het rechtstreeks na haar dood hebben doorgebeld. Misschien zelfs al vóór haar dood. Er ging een huivering door me heen.

Ik vroeg me af wat er was gebeurd met Sigebert, Sophie-Annes trouwe lijfwacht. Victor had geïmpliceerd dat Sigebert samen met de koningin ten onder was gegaan, maar hij had het niet met zoveel woorden gezegd. Toch kon ik me niet voorstellen dat de lijfwacht nog leefde, simpelweg omdat de moordenaar van Sophie-Anne in dat geval geen schijn van kans zou hebben gehad. Sigebert had de koningin zo lang gediend – eeuwen en eeuwen – dat hij haar dood niet kon hebben overleefd, leek me.

Ik legde de krant op Sams bureau, opengevouwen bij de overlijdensberichten. In het café was het te lawaaiig om te praten, zelfs als we daar de tijd voor hadden gehad. We zaten stampvol. Ik liep de benen uit mijn lijf om alle klanten te bedienen, en dat leverde me een aantal royale fooien op. Maar na de week die ik achter de rug had, viel het niet mee om daar – zoals anders – blij mee te zijn. Sterker nog, het was me onmogelijk om – zoals anders – blij te zijn met mijn werk. Ik deed mijn best om vrolijk te kijken en gepast te reageren wanneer er iets tegen me werd gezegd.

Tegen de tijd dat mijn dienst erop zat, had ik geen zin meer in praten. Met niemand. Nergens over.

Maar zin of geen zin, ik moest er toch aan geloven.

Want toen ik thuiskwam stonden er twee vrouwen voor mijn huis, allebei met een gezicht als een donderwolk. Een van de twee kende ik; dat was Frannie Quinn. En de andere vrouw was haar moeder, veronderstelde ik, en de moeder van Quinn. In het harde licht van de veiligheidslamp kon ik de vrouw die zo'n dramatisch leven achter de rug had, duidelijk onderscheiden. Ineens besefte ik dat ik helemaal niet wist hoe ze heette. Dat had niemand me ooit verteld. Ze was ergens in de vijftig en nog altijd knap, maar door haar gothic voorkomen leek ze ouder dan ze was. Haar wangen waren ingevallen, haar ogen lagen diep in hun kassen. Haar donkere haar was met grijs doorschoten. Ze was lang van postuur, maar veel te mager. Frannie droeg een topje waaronder haar beha zichtbaar was, een strakke spijkerbroek en laarzen. Haar moeder zag er min of meer hetzelfde uit, alleen in andere kleuren. Ik vermoedde dat Frannie de kleren voor haar moeder uitkoos.

Ik stopte naast hen, want ik was niet van plan hen binnen te vragen. Met tegenzin stapte ik uit de auto.

'Wat ben jij een kreng!' Frannies jonge gezichtje was vertrokken van woede. 'Hoe kon je dat mijn broer aandoen? Na alles wat hij voor je heeft gedaan!'

Zo kon je het ook bekijken. 'Frannie...' Ik deed mijn best zo kalm en neutraal mogelijk te klinken. 'Wat er tussen Quinn en mij gebeurt, is niet jouw zaak. Dat gaat je niets aan.'

De voordeur ging open. Amelia verscheen op de veranda. 'Kan ik iets voor je doen, Sookie?'

Ik was me bewust van een geur van magie. 'Een ogenblikje, ik kom zo binnen,' zei ik duidelijk hoorbaar, zonder erbij te zeggen dat ze weer naar binnen moest gaan. Mevrouw Quinn was een volbloed weertijger, Frannie een halfbloed. Ze waren allebei sterker dan ik.

Mevrouw Quinn deed een stap naar voren en keek me vragend aan. 'John houdt van je,' zei ze. 'Maar jij hebt het uitgemaakt.'

'Inderdaad. Want het zou toch nooit iets zijn geworden tussen ons.'

'Ze zeggen dat ik terug moet naar dat huis in de woestijn,' zei ze. 'Dat huis waar ze alle gekke Weers opbergen.'

Je meent het! 'O? Echt waar? Dat wist ik niet.' Ik wilde er geen enkel misverstand over laten bestaan dat ik daar niets mee te maken had.

'Ja,' was alles wat ze zei. Tot mijn grote opluchting verviel ze in stilzwijgen.

Frannie was echter nog niet met me klaar. 'Ik heb je mijn auto geleend,' zei ze. 'Ik ben je komen waarschuwen.'

'En daar ben ik je heel dankbaar voor.' Een gevoel van moedeloosheid bekroop me. Ik kon geen toverspreuk verzinnen om de pijn en het verdriet te verzachten. 'Ik had ook graag gezien dat het anders was gelopen. Echt waar.' Het klonk lamlendig, maar ik meende het oprecht.

'Wat mankeert er aan mijn broer?' vroeg Frannie. 'Hij is knap. Hij houdt van je. Hij heeft geld. Hij is geweldig! Wat mankeert er aan hem dat je hem niet moet?'

Het eerlijke, dappere antwoord – dat ik Quinn bewonderde, maar dat ik niet op de tweede plaats wilde komen, na zijn familie – was geen optie, en wel om twee redenen: het was onnodig kwetsend, en het zou me ernstige fysieke schade kunnen opleveren. Mevrouw Quinn mocht dan niet in het volle bezit zijn van haar geestvermogens, ze luisterde met stijgende opwinding. Als ze haar tijgergedaante aannam, had ik geen idee wat er zou gebeuren. Ze zou ervandoor kunnen gaan en in het bos verdwijnen, maar het was ook mogelijk dat ze aanviel. Dit alles trok in snelle, kleine beelden aan mijn geestesoog voorbij. Ik moest iets zeggen.

'Frannie...' Ik sprak doelbewust langzaam, want ik had nog geen idee wat ik verder ging zeggen. 'Er mankeert helemaal niks aan je broer. Ik vind hem geweldig. Maar er zijn te veel obstakels voor ons als stel. Ik gun hem een onbekommerde relatie, met een vrouw die dolgelukkig mag zijn dat ze hem krijgt. Echt dolgelukkig. Daarom heb ik hem zijn vrijheid teruggegeven. En dat doet mij ook pijn.' Bijna alles wat ik zei, was waar. Daardoor klonk het heel overtuigend, maar ik hoopte dat Amelia klaarstond om een staaltje kwaliteitsmagie af te leveren. En dat ze deze keer geen vergissing zou maken. Voor de zekerheid begon ik voorzichtig bij Frannie en haar moeder vandaan te lopen.

Ik zag aan Frannie dat ze overwoog in actie te komen, en de blik van haar moeder werd steeds onrustiger. Amelia stond inmiddels bij de rand van de veranda. De geur van magie was krachtiger geworden. Het leek alsof de nacht zijn adem inhield.

Toen wendde Frannie zich af. 'Kom mee, mama,' zei ze, en

de twee vrouwen stapten in Frannies auto. Ik maakte van de gelegenheid gebruik om de treden naar de veranda op te rennen. Zwijgend, schouder aan schouder, keken Amelia en ik toe terwijl Frannie de motor startte en wegreed.

'Zo,' zei Amelia. 'Dus je hebt het uitgemaakt?'

'Ja.' Ik was doodop. 'Hij had te veel mentale bagage door alles wat er is gebeurd.' Er ging een schok door me heen. 'Gossie, ik had nooit gedacht dat ik mezelf dat zou horen zeggen. Tenslotte ben ik ook niet bepaald een onbeschreven blad.'

'Hij had zijn moeder.' Amelia deed de ene scherpe waarneming na de andere.

'Inderdaad, hij had zijn moeder. Trouwens, bedankt dat je naar buiten kwam. Dat was niet zonder risico.'

'Waar zijn huisgenoten anders voor?' Amelia knuffelde me vluchtig. 'Je ziet eruit alsof je wel een kop soep kunt gebruiken. En dan naar bed!'

'Dat klinkt goed,' zei ik.

15

De volgende dag sliep ik lang uit. Ik droomde niet, ik draaide niet, ik woelde niet, ik hoefde niet te plassen. Kortom, ik sliep als een blok. Toen ik eindelijk wakker werd, liep het al tegen de middag. Het was maar goed dat ik pas 's avonds in Merlotte hoefde te zijn.

Ik hoorde stemmen in de woonkamer. Dat was de keerzijde van het hebben van een huisgenoot. Er was altijd iemand in huis wanneer je wakker werd, en soms had die persoon zelfs bezoek. Maar Amelia zorgde wel altijd voor koffie als ze eerder op was dan ik. Die gedachte was verleidelijk genoeg om mijn bed uit te komen.

Vanwege het bezoek moest ik me aankleden. Bovendien had ik de indruk, te oordelen naar de stem, dat het om een man ging. Na wat haastig was- en poetswerk in de badkamer verruilde ik mijn nachthemd voor een beha, T-shirt en kaki broek. Zo moest het maar. Ik liep rechtstreeks naar de keuken en ontdekte dat Amelia inderdaad een grote pot koffie had gemaakt. Ze had zelfs al een mok voor me klaargezet. Geweldig! Ik schonk hem vol en deed een snee zuurdesembrood in de rooster. Toen ik de deur van de achterveranda hoorde dichtslaan, draaide ik me om en zag tot mijn verrassing Tyrese Marley binnenkomen, met zijn armen vol haardhout.

'Waar heb je je hout liggen?' vroeg hij.

'Er staat een rek naast de haard in de woonkamer.' Hij had het hout gespleten dat Jason de afgelopen lente had gehakt en tegen het gereedschapsschuurtje had opgestapeld. 'Wat aardig van je,' stamelde ik. 'Heb je... eh... heb je al koffie gehad? Of wil je misschien een geroosterde boterham? Of...' Ik keek op de klok. 'Of heb je trek in een broodje ham of een plak gehaktbrood?'

'Ja, ik lust wel wat.' Hij liep met grote stappen de gang in, alsof het hout niets woog.

Dus de bezoeker was Copley Carmichael! Ik had geen idee wat Amelia's vader kwam doen. Haastig smeerde ik een paar boterhammen, ik schonk een glas water in en legde twee soorten chips naast het bord, zodat Marley kon kiezen. Toen ging ik aan tafel zitten en kon ik eindelijk genieten van mijn koffie en mijn geroosterde boterham. Ik had nog altijd zelfgemaakte pruimenjam van mijn oma. Telkens als ik er een boterham mee smeerde, moest ik vechten tegen mijn tranen. Maar het was zonde om zulke lekkere jam te laten bederven. Dat zou zij ook hebben gevonden.

Marley kwam terug en ging tegenover me zitten, zo te zien volmaakt op zijn gemak. Ik ontspande.

'Ik waardeer het echt, van dat hout,' zei ik, nadat hij een hap van zijn boterham had genomen.

'Ach, ik heb toch niks anders te doen terwijl hij met Amelia zit te praten. Bovendien zal hij het fijn vinden dat ze de haard kan stoken, als ze hier nog de hele winter is. Wie heeft dat hout eigenlijk voor je gehakt, zonder het te splijten?'

'Mijn broer.'

'Hm,' zei Marley, en hij concentreerde zich op zijn boterhammen.

Ik had mijn geroosterde brood op, schonk mezelf een tweede mok koffie in en vroeg Marley of hij nog ergens trek in had.

'Nee hoor, dank je.' En met die woorden maakte hij de zak chips met barbecuesmaak open.

Ik verontschuldigde me om te gaan douchen. Het was duidelijk frisser dan de vorige dag, en ik haalde een T-shirt met lange mouwen uit een la die in geen maanden open was geweest. Het was echt Halloween-weer. Voor een pompoen was ik te laat, en er was ook geen tijd meer om nog snoep te kopen. Niet dat ik veel kinderen aan de deur kreeg. Voor het eerst in dagen voelde ik me weer normaal; dat wil zeggen, ontspannen en gelukkig met mezelf en mijn leven. Er waren heel veel redenen om verdrietig te zijn, en dat was ik ook wel, maar ik weigerde te somberen en bij de pakken neer te zitten.

Natuurlijk had ik dat nog niet gedacht, of ik begon over nare dingen te piekeren. Ik besefte dat ik niets van de vamps in Shreveport had gehoord. Moest dat dan, zei ik tegen mezelf. Zat ik daarop te wachten? De overgang tussen het oude en het nieuwe bewind was ongetwijfeld een periode vol spanningen, en er zou heel wat onderhandeld moeten worden. Dan kon ik hen maar beter met rust laten. Van de Weers in Shreveport had ik ook niets gehoord. En dat was maar goed ook, want het onderzoek naar de verdwijningen was nog in volle gang.

Omdat ik het bovendien net had uitgemaakt met mijn vriendje, was ik – althans, in theorie – vrij en ongebonden. Ik maakte mijn ogen op, om die vrijheid te vieren. En ik stiftte mijn lippen. Als ik eerlijk was, moest ik toegeven dat het moeite kostte me vrij te voelen en klaar voor het avontuur. Want het was een vrijheid die ik niet had gewild.

Ik stond mijn bed op te maken toen Amelia op de deur van mijn slaapkamer klopte.

'Binnen!' Ik vouwde mijn nachthemd op en legde het in de la. 'Wat is er?'

'Mijn vader wil je om een gunst vragen.'

Ik voelde dat er een grimmige trek om mijn mond verscheen. Natuurlijk, Copley was ergens op uit. Hij kwam niet zomaar uit New Orleans hierheen gereden, alleen voor een gezellig praatje met zijn dochter. En ik kon wel raden wat hij wilde.

'O? Wat dan?' Ik sloeg mijn armen over elkaar.

'O, Sookie, ik zie al aan je houding dat je nee gaat zeggen!'

'Daar moet je je niks van aantrekken. Vooruit! Voor de draad ermee!'

Ze slaakte een diepe zucht, om duidelijk te maken hoezeer het haar tegenstond mij in de problemen van haar vader te betrekken. Tegelijkertijd besefte ik dat ze zich gevleid voelde doordat hij een beroep op haar had gedaan. 'Nou, ik had hem gebeld vanwege de overname door de vamps uit Vegas. En nu wil hij zaken met ze doen en met ze in contact komen. Dus hij heeft een introductie nodig. En hij hoopte dat jij in dat opzicht misschien kon bemiddelen.'

'Ik ken Felipe de Castro niet eens!'

'Nee, maar je kent die Victor. En dat lijkt me een behoorlijk ambitieus type.'

'Jij kent hem net zo goed als ik.'

'Jawel, maar waar het om gaat, is dat hij jou ook kent. Ik ben voor hem niet meer dan een van die twee andere vrouwen in de kamer,' zei Amelia, en daar had ze gelijk in, moest ik – met tegenzin – toegeven. 'Hij zal heus wel weten wie ik ben, en hij weet wie mijn vader is, maar jij hebt indruk op hem gemaakt.'

'O, Amelia!' Ik kreunde. Even kon ik haar wel door elkaar rammelen.

'Ik weet dat je daar niet op zit te wachten, maar mijn vader is bereid je te betalen voor de moeite,' mompelde Amelia met een gegeneerd gezicht.

Ik wapperde afwerend met mijn handen, want ik weigerde me door de vader van mijn vriendin te laten betalen voor een telefoontje. Of voor wat er dan ook van me werd verwacht. Want natuurlijk zou ik bemiddelen. Dat kon ik niet weigeren. Niet vanwege Copley, maar vanwege Amelia.

We gingen naar de woonkamer om rechtstreeks met haar vader te overleggen.

Copley Carmichael begroette me met aanzienlijk meer enthousiasme dan bij zijn vorige bezoek. Charmant, innemend, met zo'n blik alsof hij alleen maar oog had voor mij. Ik reageerde met de nodige scepsis. En omdat hij bepaald niet achterlijk was, had hij dat onmiddellijk in de gaten.

'Mevrouw Stackhouse, het spijt me dat ik me ongevraagd aan u opdring, en nog wel zo snel na mijn laatste bezoek,' verontschuldigde hij zich omstandig. 'Maar de situatie in New Orleans is werkelijk wanhopig. We proberen de stad weer op te bouwen en daarmee werkgelegenheid te creëren. Daartoe is contact met de nieuwe machthebbers van het grootste belang. En niet alleen voor mij. Ik heb een hoop mensen in dienst.'

Om te beginnen geloofde ik niet dat Copley Carmichael om werk verlegen zat, dat hij afhankelijk was van de contracten tot de herbouw van het onroerend goed van de vampiers. Bovendien had ik mijn grote twijfels dat zijn enige motivatie de wederopbouw van de getroffen stad was. Na een kijkje in zijn hoofd was ik echter bereid toe te geven dat althans een deel van zijn gedrevenheid daar wel degelijk uit voortkwam.

En ten slotte had Marley hout gespleten voor de winter en al een lading naar binnen gebracht. Dat legde meer gewicht in de schaal dan een op emoties gebaseerd verzoek om hulp.

'Ik zal Fangtasia vanavond bellen,' zei ik. 'Om de zaak voor te leggen. Dan is het verder afwachten, want daar houdt mijn bemoeienis op.'

'Mevrouw Stackhouse, ik sta diep bij u in het krijt,' zei hij. 'Kan ik iets terugdoen?'

'Dat heeft uw chauffeur al gedaan,' zei ik. 'Als hij de rest van het eikenhout ook nog zou kunnen splijten, ben ik daar enorm mee geholpen.' Ik kan niet goed met een bijl overweg, weet ik uit ervaring. Na het splijten van drie of vier blokken ben ik gevloerd.

'Heeft hij haardhout voor u gespleten?' Copleys verbazing was behoorlijk overtuigend. 'Wat buitengewoon ondernemend van Marley!'

Amelia grijnsde, maar ze zorgde er wel voor dat haar vader het niet zag. 'Goed, dat is dan geregeld,' zei ze voortvarend. 'Kan ik een broodje voor je maken, pap? Of een kop soep? We hebben ook chips in huis, of aardappelsalade.'

'Dat klinkt verrukkelijk.' Hij deed erg zijn best 'gewoon' te zijn, of tenminste, zo gewoon mogelijk.

'Marley en ik hebben al gegeten,' zei ik luchtig. 'Trouwens, ik moet naar de stad. Heb jij nog wat nodig, Amelia?'

'Ga je ook naar het postkantoor? Ik zou wel wat postzegels kunnen gebruiken.'

Ik haalde mijn schouders op. 'Ik kom erlangs. Dag, meneer Carmichael.'

'Zeg toch alsjeblieft Cope, Sookie.'

Ik had geweten dat hij dat zou zeggen, en vervolgens zou hij al zijn charmes in de strijd gooien. Ja hoor, in de glimlach waarmee hij me aankeek, lag precies de juiste combinatie bewondering en respect besloten.

Ik pakte mijn tas en liep naar de achterdeur. Marley was nog in hemdsmouwen met de houtstapel aan het werk. Ik hoopte dat het inderdaad zijn eigen idee was geweest. En dat hij opslag zou krijgen.

Ik had niet echt iets te doen in de stad, maar ik was het huis ontvlucht vanwege Amelia's vader. Uiteindelijk stopte ik bij de supermarkt, voor brood en tonijn en rollen keukenpapier.

Daarna reed ik naar de Sonic voor een milkshake. Inderdaad, erg slecht van me. Terwijl ik achter het stuur van mijn milkshake zat te genieten, ontdekte ik twee auto's verderop een interessant duo. Blijkbaar hadden ze mij niet in de gaten, want Tanya en Arlene waren in een geanimeerd gesprek gewikkeld. Ze zaten in de Mustang van Tanya. Arlene had haar haar laten verven. Het was vlammend rood, en ze had het bij elkaar gebonden met een grote speld. Mijn voormalige vriendin had een gebreid topje aan met een tijgerprint. Meer kon ik niet zien van haar kleren. Tanya droeg een chique, stralend groene blouse en een donkerbruine trui. Haar gezicht verried dat ze aandachtig zat te luisteren.

Ik probeerde te geloven dat ze het níét over mij hadden. Want ik doe echt mijn best om niet paranoïde te zijn. Maar wanneer je ziet dat je voormalige vriendin zit te praten met je verklaarde vijandin, dan moet je althans rekening houden met de mogelijkheid dat jij het onderwerp van gesprek bent, en dat er niet op een vleiende manier over je wordt gesproken.

Het kon me niet zoveel schelen dat ze me niet aardig vonden. Er zijn altijd wel mensen geweest voor wie dat gold, en dan wist ik ook altijd precies waarom dat zo was. Leuk is anders, maar wat doe je eraan? Wat me in dit geval stoorde, was het vermoeden dat Arlene en Tanya er in hun antipathie uiteindelijk niet voor zouden terugdeinzen me iets aan te doen.

Zou het me lukken iets van hun gesprek op te vangen, vroeg ik me af. Als ik dichterbij kwam, kregen ze me in de gaten. Maar als ik bleef waar ik was, betwijfelde ik of ik hen kon 'horen'. Ik boog naar voren, alsof ik aan de knoppen van mijn cd-speler draaide, maar ondertussen concentreerde ik me op de twee vriendinnen. Dat viel niet mee, want om mentaal dichterbij te komen moest ik me door de gedachten heen werken van de mensen in de auto's die tussen ons in stonden.

Uiteindelijk herkende ik het vertrouwde patroon van Arlenes gedachten, en het lukte me daarop in te zoomen. De eerste indruk die ik opving, was er een van plezier. Arlene genoot enorm, omdat ze de onverdeelde aandacht had van een betrekkelijk nieuw gehoor en de kans kreeg uitvoerig te vertellen over de overtuigingen van haar nieuwe vriend, die vond dat alle vamps – en misschien ook de mensen die met hen samenwerkten – moesten worden gedood. Arlene had geen stellige meningen die ze op eigen kracht had gevormd, maar ze was een ster in het adopteren van de overtuigingen van anderen wanneer die in haar straatje pasten.

Toen Tanya's irritatie hoog oplaaide, zoomde ik in op haar gedachten. En ik was meteen binnen. Ondertussen bleef ik half voorovergebogen zitten, af en toe door mijn mapje met cd's bladerend, terwijl ik probeerde zo veel mogelijk van het gesprek op te vangen.

Tanya werd betaald door de Pelts, wist ik, om precies te zijn door Sandra Pelt. En geleidelijk aan werd het me duidelijk dat Tanya de opdracht had voor niets terug te deinzen om mij ongelukkig te maken.

Sandra Pelt was de zus van Debbie, die ik bij mij in de keuken had doodgeschoten. Nadat ze had geprobeerd mij om zeep te helpen. Diverse keren zelfs. Laat dat duidelijk zijn.

Shit! Ik was Debbie Pelt inmiddels spuugzat! Toen ze nog leefde, was ze al een nagel aan mijn doodkist geweest. En net zo kwaadaardig en wraakzuchtig als Sandra, haar jongere zus. Ik had geleden onder haar dood, ik had spijt gehad van wat ik had gedaan, ik was gebukt gegaan onder schuldgevoel, ik had het gevoel gehad dat er een reusachtige M van Moordenaar op mijn voorhoofd stond. Een vampier doden is ook verschrikkelijk, maar het lichaam desintegreert, waardoor het als het ware wordt... uitgewist. Het doden van een medemens verandert je voorgoed.

Tenminste, zo zou het moeten zijn.

Maar je kunt ook ziek worden van dat gevoel, je kunt uitgeput raken van die emotionele molensteen om je nek. Ik had onderhand in alle opzichten mijn buik vol van Debbie Pelt. Vervolgens waren haar zus en haar ouders me gaan terroriseren, en ze hadden me zelfs laten ontvoeren. Met die ontvoering waren de bordjes uiteindelijk verhangen en had ik hen in mijn macht weten te krijgen. In ruil voor hun vrijheid hadden Debbies ouders ermee ingestemd me verder met rust te laten. En Sandra had beloofd me tot de dood van haar ouders niet meer lastig te vallen. Dus de vraag drong zich op of de oude Pelts misschien niet meer in het land der levenden waren.

Ik startte mijn auto en reed wat rond in Bon Temps, waarbij ik in bijna elke auto die ik tegenkwam, een bekend gezicht zag. Al groetend en wuivend vroeg ik me af wat me te doen stond. Uiteindelijk stopte ik bij het kleine stadspark. Met mijn handen in mijn zakken slenterde ik door de laantjes. Mijn gedachten werden beheerst door een grimmige woede.

In mijn herinnering ging ik terug naar de nacht waarin ik mijn eerste minnaar, Bill, had bekend dat mijn oudoom me als kind had misbruikt. Bill was zo geraakt door mijn verhaal dat hij iemand naar het huis van mijn oudoom had gestuurd. En nadat de bezoeker weer was vertrokken, bleek dat mijn oudoom was overleden door een val van de trap. Ik was woedend geweest omdat Bill zich mijn verleden had toegeëigend. Maar het was een opluchting dat mijn oom dood was. Dat kon ik niet ontkennen. Tegelijkertijd voelde ik me echter medeplichtig aan zijn overlijden, juist door die opluchting.

Tijdens de zoektocht naar overlevenden in de puinhopen van de Piramide van Gizeh had ik een vampier gevonden die vanwege mijn gave beslag op me wilde leggen, in het belang van zijn koningin. Andre was er verschrikkelijk aan toe geweest, maar hij zou het hebben overleefd als Quinn, die ook ernstig gewond was, hem niet definitief had gedood. Ik had me uit de voeten gemaakt, zonder Quinn tegen te houden, zonder het leven van Andre te redden, en daardoor was mijn schuld aan Andre's dood nog aanzienlijk groter dan aan die van mijn oudoom.

Ik liep met grote stappen door het verlaten park en schopte naar verdwaalde bladeren die door de wind mijn kant uit werden geblazen. Ondertussen worstelde ik met een perverse verleiding. Ik hoefde maar een van de vele leden van de Bovensgemeenschap in te seinen, en Tanya was er geweest. Of ik kon me richten op de bron en zorgen dat Sandra werd uitgeschakeld. En ook daarvoor gold: wat een opluchting zou haar verdwijning betekenen.

Toch kon ik het niet.

Maar ik kon ook niet doorgaan met een situatie waarin Tanya me naar het leven stond. Bovendien had ze er alles aan gedaan om de toch al wankele relatie van mijn broer en zijn vrouw kapot te maken.

Na lang nadenken wist ik wie ik om raad moest vragen. En dat zou geen probleem zijn, want ze woonde bij me in huis.

Tegen de tijd dat ik terugkwam waren Amelia's vader en zijn behulpzame chauffeur vertrokken. Amelia stond aan de afwas.

'Amelia!' Ze schrok toen ik de keuken binnenkwam. 'Sorry,' zei ik haastig. 'Ik wilde je niet laten schrikken.'

'Ik had eigenlijk gehoopt dat mijn vader en ik wat dichter tot elkaar waren gekomen,' bekende ze. 'Maar dat geloof ik toch niet. Hij komt alleen maar als hij me nodig heeft.'

'Nou ja, we hebben in elk geval genoeg hout voor de winter.'

Met een vluchtig lachje droogde ze haar handen af. 'Je kijkt alsof je iets heel belangrijks gaat zeggen.'

'Dat klopt, maar voor alle duidelijkheid: wat ik voor je vader doe, dat doe ik eigenlijk voor jou. Omdat jij mijn huisgenote bent, en omdat jij dat graag wilt, ga ik Fangtasia bellen om een goed woordje voor je vader te doen. Dat heb ik beloofd, en dat doe ik. Zo, en dan ga ik je nu een paar hele erge dingen vertellen die ik heb gedaan.'

Amelia liet zich op een stoel aan de keukentafel vallen, en ik ging tegenover haar zitten, net zoals Marley en ik eerder die dag hadden gezeten. 'Dat klinkt interessant,' zei ze. 'Kom maar op met je verhaal.'

Ik vertelde Amelia alles. Over Debbie Pelt, en over Alcide, en over Sandra Pelt en haar ouders. Over hun belofte dat Sandra me niet meer zou lastigvallen zolang zij leefden. Over de wrok die ze jegens me koesterden, en over mijn gevoelens over wat er was gebeurd. Over Tanya Grissom, als spion en gluiperd en saboteur van het huwelijk van mijn broer.

'Toe maar,' zei Amelia toen ik was uitgesproken. Ze dacht even na. 'Laten we om te beginnen eens controleren of meneer en mevrouw Pelt nog leven.' Dat deden we met de computer die ik uit New Orleans had meegenomen, uit Hadleys appartement. Binnen vijf minuten had ik achterhaald dat Gordon en Barbara Pelt inmiddels twee weken geleden waren gestorven, toen ze links af waren geslagen naar een tankstation en daarbij in de flank waren aangereden door een tractor met aanhanger.

We keken elkaar geschokt aan. 'Ai, wat een afschuwelijke manier om aan je eind te komen,' zei Amelia.

'En Sandra heeft volgens mij niet eens gewacht tot haar ouders begraven waren! Ze is meteen begonnen met Treiter-Sookie-De-Wereld-Uit!' zei ik.

'Ja, en als jij niks doet, zal ze daar niet mee stoppen. Wat een kreng! Weet je zeker dat Debbie Pelt geadopteerd was? Die extreme wraakzuchtigheid lijkt wel een familietrekje.'

'Blijkbaar hebben ze een hechte onderlinge band ontwikkeld,' zei ik. 'Sterker nog, ik kreeg de indruk dat Debbie meer een zus was voor Sandra dan een dochter voor haar ouders.'

Amelia knikte peinzend. 'Behoorlijk ziekelijk, als je het mij vraagt. Afijn, wat gaan we daaraan doen? Dodelijke magie is niet mijn ding. Trouwens, het was ook niet de bedoeling dat Tanya en Sandra zouden sterven. Tenminste, dat zei je.'

'Dat klopt. En eh... ik betaal er natuurlijk voor.'

'Doe niet zo raar!' zei Amelia. 'Je hebt me in huis genomen toen ik een poosje de stad uit moest. En je hebt me nog steeds niet op straat gezet, terwijl ik hier al best lang ben.'

'Je betaalt toch gewoon huur?'

'Ach, dat is misschien net genoeg voor mijn energieverbruik. Bovendien heb je heel wat met me te stellen, maar dat accepteer je allemaal, en je maakt je zelfs niet druk over het probleem Bob. Dus ik ben blij dat ik iets terug kan doen. Ik moet wel even goed nadenken hoe ik het ga aanpakken. Vind je het vervelend als ik met Octavia overleg?'

'Nee, natuurlijk niet.' Ik was alleen maar opgelucht dat ze een beroep wilde doen op de kennis en de ervaring van de oudere heks. Maar dat wilde ik niet laten merken. 'Jij hebt het ook gemerkt, hè? Dat ze geen werk heeft? En geen geld?'

'Ja. Maar ik wist niet hoe ik haar kon helpen zonder dat ze dat als een belediging zou opvatten,' zei Amelia. 'Dit is de ideale gelegenheid. Ze zit bij haar nicht in huis, maar volgens mij heeft ze nauwelijks een plekje voor zichzelf. Tenminste, dat begreep ik uit wat ze vertelde. Maar ik heb geen idee wat ik daaraan zou kunnen doen.'

'Ik zal erover nadenken,' beloofde ik. 'Als ze echt weg moet bij die nicht van haar, kan ze hier wel een tijdje komen logeren, in de extra slaapkamer.' Ik deed het aanbod niet echt van harte, maar de oude heks had zo diepongelukkig geleken. Ons bezoekje aan het appartement van die arme Maria-Star was een uitje voor haar geweest, terwijl ik zelden zoiets gruwelijks had gezien.

'We zullen proberen een blijvende, duurzame oplossing te bedenken,' zei Amelia. 'Ik ga haar vanavond meteen bellen.'

'Oké. Laat me maar weten als jullie iets bedacht hebben. Nu moet ik me gaan verkleden voor mijn werk.'

De weinige huizen die ik passeerde op weg naar Merlotte waren stuk voor stuk versierd met spoken die in de bomen hingen, opgeblazen plastic pompoenen op het erf en een stuk of wat echte pompoenen op de veranda. De Prescotts hadden op het gras in de voortuin een fraai stilleven gemaakt van een schoof mais, een baal hooi en pompoenen in alle soorten en maten. De volgende keer dat ik Lorinda Prescott bij de Walmart of het postkantoor tegenkwam, zou ik tegen haar zeggen hoe mooi het eruitzag, nam ik me voor.

Tegen de tijd dat ik op mijn werk kwam was het donker. Voordat ik naar binnen ging, haalde ik mijn mobiele telefoon tevoorschijn om Fangtasia te bellen.

'Fangtasia, bloedstollend gezellig! Welkom in dé vampierbar van Shreveport, waar de ondoden geen avond overslaan,' klonk een bandje. 'Voor openingstijden, toets één. Om te reserveren voor een privéfeestje, toets twee. Om een levend mens of een dode vamp aan de lijn te krijgen, toets drie. En voor wie lollig wil zijn: we weten je te vinden.'

Ik wist zeker dat het Pam was die het bandje had ingesproken. Ze klonk opmerkelijk verveeld. Ik drukte de 3 in.

'Fangtasia, waar al uw ondode dromen tot leven komen,' zei een van de vampo's. 'U spreekt met Elvira. Met wie mag ik u doorverbinden?'

Elvira! M'n reet! 'Met Sookie Stackhouse. Ik moet Eric spreken.'

'Kan Clancy u misschien ook helpen?' vroeg Elvira.

'Nee.'

Elvira was even overdonderd.

'De meester heeft het erg druk,' zei ze toen, op een toon alsof dat voor een simpele sterveling moeilijk te begrijpen was.

Elvira was duidelijk nog een groentje. Of misschien begon ik arrogant te worden. Hoe dan ook, 'Elvira' irriteerde me. 'Nou moet je eens goed naar me luisteren.' Ik deed mijn best om vriendelijk te klinken. 'Als jij niet zorgt dat ik Eric binnen twee minuten aan de lijn heb, wordt hij heel erg boos op je.'

'Nou zeg, u hoeft niet zo lelijk te doen,' zei Elvira.

'Blijkbaar wel.'

'Ik zet u in de wacht,' zei Elvira kwaadaardig. Ik keek naar de personeelsingang van het café. De tijd begon te dringen.

Klik. 'Met Eric! Spreek ik met mijn vroegere minnares?'

Oké, laat ik het maar toegeven. Zelfs dat was al genoeg om me een huivering van opwinding te bezorgen. 'Ja, met mij.' Het vervulde me met trots dat ik zo onverschillig klonk. 'Luister eens, ik had vandaag een hotemetoot uit New Orleans op bezoek. Een zekere Copley Carmichael. Hij had met Sophie-Anne onderhandeld en een contract gesloten voor de herbouw van het hoofdkwartier. En nu wil hij graag zakendoen met het nieuwe bewind.' Ik haalde diep adem. 'Is alles goed met je?' vroeg ik enigszins ongerust, waarmee ik in één klap mijn zorgvuldig gecultiveerde onverschilligheid logenstrafte.

'Ja. Ik eh... ik red me wel.' Hij klonk bijna intiem. 'Het gaat goed hier. We mogen van geluk spreken dat we in staat waren... Nou ja, wat ik maar wil zeggen, is dat we ontzettend veel geluk hebben gehad.'

Ik liet mijn adem ontsnappen; heel zacht, zodat hij niets in de gaten had. Maar natuurlijk voelde hij mijn opluchting. Ik wil niet zeggen dat ik op hete kolen had gezeten, me afvragend hoe het ging met de vampiers, maar helemaal gerust was ik er ook niet op geweest. 'O, dat is fijn,' zei ik kordaat. 'Maar wat Copley betreft... Met wie kan hij contact opnemen over dat bouwcontract?'

'Is Carmichael in de buurt?'

'Dat weet ik niet. Vanmorgen wel. Dus daarnaar zou ik even moeten informeren.'

'De vampier met wie ik op dit moment samenwerk, is waarschijnlijk de persoon die hij zou moeten benaderen. Ze zou naar Merlotte kunnen komen. Of ze kunnen hier in Fangtasia afspreken.'

'Oké. Ik weet zeker dat Copley voor beide opties openstaat.'

'Laat het me maar weten. Hij moet wel hierheen bellen om een afspraak te regelen. En dan moet hij vragen naar Sandy.'

Ik moest lachen. 'Sandy?'

'Ja.' Hij klonk zo grimmig dat ik meteen weer ernstig werd. 'En daar is niets grappigs aan. Trouwens, aan haar ook niet.'

'Oké, rustig maar. Ik zal het doorgeven aan zijn dochter. Dan belt zij Copley, Copley belt Fangtasia voor een afspraak, en ik heb me aan mijn belofte gehouden.'

'Gaat het soms om de vader van Amelia?'

'Ja. Een zak, dat is het. Maar het is haar vader, en ik neem aan dat hij verstand heeft van bouwen en restaureren.'

'Ik lag met je voor de haard, en we hadden het over je leven,' zei Eric.

Oké, die had ik niet zien aankomen. 'Eh... ja. Ja, dat klopt.'

'Ik herinner me dat we samen onder de douche stonden.'

'Dat hebben we ook gedaan, ja.'

'We deden wel meer.'

'Eh... ja. Maar daar hebben we het nou niet over.'

'Als ik het hier niet zo druk had, zou de verleiding groot zijn om naar Bon Temps te komen, om je eraan te herinneren hoezeer je genoot van alles wat we deden.'

'Niet om het een of ander, maar ik meen me te herinneren dat jij er minstens zo van genoot,' zei ik scherp.

'Nou en of!'

'Eric, ik moet ophangen. Ik moet aan het werk.' Of overgaan tot spontane zelfontbranding. En dat kon elk moment gebeuren als ik nog langer wachtte.

'Oké. Dag.' Hij kon zelfs zo'n simpel woordje sexy laten klinken.

'Dag.' Ik niet.

Het duurde even voordat ik mijn gedachten weer op orde had. Er kwamen herinneringen naar boven die ik uit alle macht had verdrongen. De dagen die Eric bij mij had doorgebracht – of liever gezegd, de nachten – hadden we heel veel gepraat en heel veel gevrijd. En het was allemaal even geweldig geweest. De kameraadschap. De seks. Het plezier. De seks. De gesprekken. De... Nou ja, laat ook maar.

Ineens leek het tappen en serveren van biertjes erg saai.

Maar het was mijn werk, en ik kon Sam niet in de steek laten. Dat had hij niet aan me verdiend. Ik slofte naar binnen, borg mijn tas weg en knikte naar Sam, terwijl ik Holly op de schouder tikte om duidelijk te maken dat ik het overnam. We hadden van dienst geruild, voor de afwisseling en voor het gemak, maar vooral omdat de fooien 's avonds royaler waren. Holly was blij me te zien, want ze ging die avond uit met Hoyt. Ze had een babysit voor Cody geregeld. Hoyt en zij gingen uit eten en naar de film in Shreveport. Ze vertelde het enthousiast, terwijl ik het tegelijkertijd doorkreeg uit haar tevreden brein. Het kostte me moeite niet in de war te raken. Dat bewees hoezeer ik uit mijn evenwicht was door mijn gesprek met Eric.

Het eerste halfuur had ik het razend druk met zorgen dat iedereen een drankje had en van eten werd voorzien. Daarna had ik even een moment om Amelia te bellen en de boodschap van Eric door te geven. Ze zou het haar vader meteen laten weten, zei ze. 'Bedankt, Sook! Ik heb het al eerder gezegd, je bent een geweldige huisgenoot.'

Ik hoopte dat ze daaraan zou denken wanneer ze – samen met Octavia – een magische oplossing bedacht voor het probleem Tanya.

Later op de avond kwam Claudine het café binnen. De harten van alle aanwezige mannen begonnen sneller te slaan terwijl ze naar de bar liep. Ze was gekleed in een groene zijden blouse en een zwarte broek. Dankzij de zwarte laarzen met hoge hakken schatte ik haar op bijna een meter negentig. Tot mijn verbazing kwam ook Claude, haar tweelingbroer, binnenlopen. De hartkloppingen verspreidden zich razendsnel ook over de andere sekse. Claude had net zulk zwart haar als Claudine, alleen niet zo lang. Hij was een onwaarschijnlijk lekker ding; daar konden de modellen in de Calvin Klein-advertenties nog wat van leren. Zijn uitmonstering was een mannelijke versie van wat Claudine droeg. Zijn haar had hij met een leren veter in een staart gebonden. Verder droeg hij echte 'mannenlaarzen'. Als stripper tijdens de *ladies' night* in zijn club in Monroe had hij zich de perfecte glimlach aangeleerd om de vrouwen voor zich in te nemen, ook al was hij niet in hen geïnteresseerd. Hoewel, dat is niet waar. Hij was wel degelijk in hen geïnteresseerd, of liever gezegd in hun portemonnee.

De tweeling was nog nooit samen in Merlotte geweest. Sterker nog, ik herinnerde me niet dat ik Claude er ooit eerder had gezien. Hij had zijn eigen bar, waar hij zijn handen vol aan had.

Het spreekt vanzelf dat ik naar hen toe ging om hen te begroeten. Claudine omhelsde me uitbundig, en tot mijn verbazing volgde Claude haar voorbeeld. Ik vermoedde dat het een gebaar was naar zijn publiek – er was in heel Merlotte bijna niemand die níét van hem onder de indruk was. Zelfs Sam stond met grote ogen toe te kijken. De elfentweeling was nu eenmaal onweerstaanbaar.

We stonden gedrieën aan de bar, met mij in het midden. De tweelingen hadden allebei een arm om me heen geslagen, en ik registreerde door het hele café plotseling oplaaiende fantasieën, waarvan sommige zelfs mij verbaasden. En ik heb toch al heel wat bizarre producten van de menselijke verbeelding gezien. In kleur! Ook dat nog. Ik bof toch maar!

'We komen je de groeten doen van onze grootvader.' Claude zei het op zo'n gedempte toon, met zo'n fluweelzacht stemgeluid, dat verder niemand het kon verstaan. Of misschien alleen Sam, maar die was altijd buitengewoon discreet.

'Hij vraagt zich af waarom je hem niet hebt gebeld,' zei Claudine. 'Zeker gezien wat er onlangs in Shreveport is gebeurd.'

'Ach, dat is allang achter de rug,' zei ik verrast. 'Waarom zou ik hem lastigvallen met iets wat goed heeft uitgepakt? Je bent er zelf bij geweest. Maar laatst heb ik hem wel gebeld.'

'Ja, de telefoon ging één keer over,' zei Claudine.

'Maar toen heeft een niet nader te noemen persoon mijn telefoon tegen de muur gesmeten. Omdat het verkeerd was om te bellen, zei hij. Want dat zou tot een regelrechte oorlog leiden. Afijn, ook dat drama heb ik overleefd. Dus er is niks aan de hand.'

'Je moet met Niall praten, om hem het hele verhaal te vertellen.' Claudine glimlachte naar Catfish Hennessy aan de andere kant van het café. Die zette zijn pul zo hard neer dat het bier over de rand klotste. 'Nu hij zich eenmaal bekend heeft gemaakt, wil hij dat je hem in vertrouwen neemt.'

'Waarom kan hij niet gewoon de telefoon pakken, zoals iedereen?'

'Omdat hij niet permanent in onze wereld verkeert,' antwoordde Claude. 'Er zijn nog altijd oorden waar alleen onze soort kan komen.'

'Heel beperkt, heel klein,' zei Claudine verlangend. 'Maar ook heel bijzonder.'

Ik was blij dat ik familie had, en ik vond het altijd heerlijk om Claudine te zien, die letterlijk mijn leven had gered. Diverse keren. Maar samen waren de tweelingen nogal overdonderend en overweldigend. En wanneer ze aan weerskanten zo dicht naast me stonden – zelfs Sams fantasie werd erdoor geprikkeld – dreigde hun zoete geur me te bedwelmen; de geur die hen zo onweerstaanbaar maakte voor vampiers.

'Kijk eens aan!' zei Claude lichtelijk geamuseerd. 'Volgens mij krijgen we gezelschap.'

Arlene kwam enigszins aarzelend dichterbij, met een verlekkerde blik op Claude, alsof ze een bord gebakken uienringen met barbecuesaus had ontdekt. 'Volgens mij kennen wij elkaar nog niet.'

'Dit is Claude,' zei ik. 'Hij is een verre neef van me.'

'Hallo, Claude. Leuk je te ontmoeten,' zei Arlene.

Waar haalde ze het lef vandaan, dacht ik boos. Want ik wist hoe ze over me dacht. Sinds ze naar de bijeenkomsten van het Verbond van de Zon ging, behandelde ze me als oud vuil.

Claude knikte, maar zijn gezicht verried slechts desinteresse.

Arlene had op meer gehoopt, en toen het stil bleef deed ze alsof ze door een van haar tafels werd geroepen. 'Ik moet een kan bier gaan halen!' zei ze stralend, en ze haastte zich weg. Ik zag dat ze zich over een tafeltje boog om ernstig te overleggen met een stel mannen die ik niet kende.

'Ik vind het altijd heerlijk om jullie te zien,' zei ik. 'Maar ik ben aan het werk. Dus was dat de enige reden om langs te komen? Om me te vertellen dat mijn... dat Niall wil weten waarom ik hem heb gebeld en opgehangen?'

'Zonder hem nogmaals te bellen om het uit te leggen.' Claudine boog zich naar me toe en drukte een kus op mijn wang. 'Doe me een lol. Bel hem vanavond na je werk.'

'Oké. Ook al had ik het leuker gevonden als hij me gewoon zelf had gebeld om dat te vragen,' zei ik. Boodschappers waren leuk en aardig, maar de telefoon was een stuk sneller. Bovendien wilde ik zijn stem graag weer horen. Waar mijn overgrootvader ook uithing, als hij echt zo bezorgd om me was, kon hij vast wel even terugkomen naar mijn wereld om me te bellen.

Tenminste, dat stelde ik me voor.

Ik had natuurlijk geen idee hoe het bestaan van een elfenprins eruitzag. Typisch iets voor mijn lijstje 'Problemen Waarvan Ik Zeker Weet Dat Ik Er Nooit Mee Te Maken Krijg'.

Na nog een rondje zoenen en knuffels verliet de tweeling de bar, gevolgd door talloze verlangende blikken.

'Je houdt er wel erg spannende vrienden op na, Sookie!' riep Catfish Hennessy, bijgevallen door het hele café.

'Ik heb hem wel eens in een club in Monroe gezien. Hij is

toch stripper?' vroeg Debi Murray. Debi werkte als verpleegster in het ziekenhuis in Clarice. Ze was samen met een groepje collega's.

'Ja, dat klopt,' antwoordde ik. 'En hij is bovendien eigenaar van de club.'

'Toe maar! Dus hij heeft nog geld ook!' zei een van de andere verpleegsters. Ene Beverly. Haar achternaam wist ik niet. 'Ik ga met mijn dochter naar de volgende ladies' night. Ze heeft net haar verkering uitgemaakt. Met een ongelooflijke loser.'

'Nou, weet je...' Ik overwoog haar duidelijk te maken dat Claude niet in dochters geïnteresseerd was. Maar dat was niet mijn taak, besloot ik. 'Veel plezier,' zei ik dan ook.

Omdat ik me met mijn 'familie' had beziggehouden, moest ik er een schepje bovenop gooien om te zorgen dat iedereen weer voorzien was. Maar ook al had ik ze dan misschien even verwaarloosd, de gasten van Merlotte hadden hun ogen uitgekeken naar de tweeling. Dus er was niemand die nijdig reageerde.

Mijn dienst zat er bijna op toen Copley Carmichael binnenkwam.

Zo helemaal in zijn eentje bood hij een vreemde aanblik. Ik veronderstelde dat Marley in de auto wachtte.

Met zijn dure pak en zijn voorname kapsel was hij duidelijk een vreemde eend in de bijt. Maar zo gedroeg hij zich niet, dat moest ik hem nageven. Hij wist de indruk te wekken alsof hij zich volmaakt op zijn gemak voelde in een tent als Merlotte. Omdat ik toevallig bij Sam stond, die een whisky-cola mixte voor een van mijn tafels, legde ik hem uit wie de onbekende was.

Ik leverde de whisky-cola af en knikte naar een leeg tafeltje. Meneer Carmichael begreep de hint en ging zitten.

'Meneer Carmichael, goeienavond! Kan ik u iets te drinken brengen?' vroeg ik.

'Ja, graag. Een *single* malt whisky, alsjeblieft. Het merk maakt me niet uit. Ik heb een afspraak. Dankzij jouw telefoontje, Sookie. Dus als ik ook maar iets voor je kan doen, moet je het zeggen.'

'Dat hoeft niet, meneer Carmichael.'

'Cope. Zeg maar Cope.'

'Oké, eh... Ik ga die whisky voor u halen.'

Ik wist niets van whisky, laat staan dat ik wist wat een single malt was. Maar daar had ik Sam voor. Hij gaf me een blinkend schoon glas met een royale hoeveelheid drank. Ik mag dan in een café werken, zelf drink ik nauwelijks. En al helemaal geen sterkedrank. In Merlotte serveer ik vooral het meest gangbare: bier, cola met Amerikaanse whisky, gin-tonic, Jack Daniel's, dat soort drankjes.

Ik zette het glas voor meneer Carmichael op tafel, legde er een cocktailservetje naast en liep terug om een schaaltje zoutjes voor hem te pakken.

Daarna wijdde ik me aan de rest van mijn tafels, maar ik hield Carmichael in de gaten. Daarbij viel het me op dat ook Sam de vader van Amelia niet uit het oog verloor. De rest van het café had het inmiddels weer veel te druk met praten en drinken om veel aandacht te besteden aan een onbekende die lang niet zo interessant was als Claude en Claudine.

Net op een moment dat ik niet keek, kwam er een vampier bij Cope aan zijn tafeltje zitten. Volgens mij was ik de enige die haar als zodanig herkende. Ze was een zeer recente vamp – daarmee bedoel ik dat ze ergens in de afgelopen vijftig jaar moest zijn overleden. Blijkbaar was ze al jong grijs geworden, getuige haar sobere kapsel. Haar haar viel tot net over de oren. Ik schatte haar op nog geen een meter zestig, met stevige rondingen op de juiste plekken. Het feit dat ze een bril droeg, een zilverkleurig montuur met kleine glazen, was pure aanstellerij. Want ik had nog nooit een vampier ontmoet die geen perfecte ogen had, scherper dan gewone mensenogen.

'Kan ik u een glas bloed serveren?' vroeg ik.

Haar blik was als een dubbele laserstraal. Haar onverdeelde aandacht was intimiderend, ontmoedigend.

'Jij bent Sookie,' zei ze.

Gezien de stelligheid waarmee ze het beweerde, leek een bevestiging me niet nodig. Dus ik wachtte af.

'Een glas TrueBlood graag,' zei ze. 'Zo heet mogelijk. En ik wil kennismaken met je baas. Dus ga hem maar halen.'

Alsof ik een hond was en Sam een bot. Maar de klant was nu eenmaal koning. Dus ik verwarmde een TrueBlood en zei tegen Sam dat ze hem wilde spreken.

'Ik kom er zo aan.' Hij was bezig een blad met drankjes klaar te maken voor Arlene.

Ik knikte en bracht de vampier het bloed dat ze had besteld.

'Dank je wel,' zei ze beleefd. 'Ik ben Sandy Sechrest, de nieuwe regio-gedelegeerde van de koning van Louisiana.'

Ik had geen idee waar Sandy was opgegroeid. Ergens in de Verenigde Staten, maar niet in het zuiden. 'Aangenaam kennis te maken,' zei ik zonder veel enthousiasme. Wat moest ik me voorstellen bij een regiogedelegeerde? Was dat niet een van de functies van de sheriffs? En wat betekende dat voor Eric?

Op dat moment kwam Sam naar het tafeltje, en ik liep weg om niet nieuwsgierig te lijken. Bovendien kon ik het besprokene achteraf waarschijnlijk wel uit zijn gedachten vissen, mocht Sam me dat niet willen vertellen. Hij kon goed blokkeren, maar daar moest hij wel extra moeite voor doen.

Ze spraken een paar minuten met elkaar – Copley, Sandy en Sam – waarna Sam zich verontschuldigde en terugliep naar de bar.

Ik hield het tafeltje van de vampier en de grootondernemer in de gaten, voor het geval dat ze nog iets wilden bestellen, maar blijkbaar waren ze geen van beiden erg dorstig. Ze waren serieus in gesprek, allebei bedreven in het handhaven van een pokerface. De vraag waar ze het over hadden, kon me niet genoeg boeien om te proberen de gedachten van meneer Carmichael op te vangen. Sandy Sechrest was in mentaal opzicht uiteraard een totale leegte voor me.

De rest van de avond gebeurde er niets bijzonders. Ik zag de gedelegeerde van de nieuwe koning en meneer Carmichael niet eens vertrekken. En voordat ik het wist, was het tijd om te sluiten en mijn tafels zo neer te zetten dat Terry Bellefleur de boel de volgende morgen kon schoonmaken. Toen ik eindelijk klaar was en om me heen keek, bleek iedereen al weg te zijn, op Sam en mij na.

'Ben je zover?' vroeg hij.

'Ja,' zei ik na een laatste blik in het rond.

'Heb je even voor me?'

Voor Sam altijd.

16

Sam ging achter zijn bureau zitten en helde zoals gebruikelijk gevaarlijk ver achterover met zijn stoel. Ik plofte neer aan de andere kant van het bureau, in de stoel met nog de meeste vulling in de zitting. Alle lichten waren uit, alleen de lampen boven de bar en die in Sams kantoor brandden nog. Na de kakofonie van stemmen die hun best deden boven het lawaai van de jukebox uit te komen, en na het gerinkel van potten en pannen, het geraas van de vaatwasser en het geluid van voetstappen en geschuifel heerste er een weergalmende stilte in het gebouw.

'Die Sandy Sechrest...' begon Sam. 'Dat is een volledig nieuwe functie die ze heeft.'

'O? Wat wordt de gedelegeerde van de koning eigenlijk geacht te doen?'

'Voor zover ik het heb begrepen, is ze voortdurend onderweg, door de hele staat, om te controleren of er problemen zijn tussen burgers en vamps, en of de sheriffs hun zaakjes op orde hebben. Daar brengt ze vervolgens verslag van uit aan de koning. Een soort ondode troubleshooter, dat is ze.'

'O.' Ik dacht even na en kwam tot de conclusie dat Eric niet onder de nieuwe situatie te lijden zou hebben. Zolang het met hem goed ging, ging het ook goed met zijn troep. Verder kon het me niet schelen wat de vamps deden. 'En waarom wilde ze jou spreken? Had ze daar een speciale reden voor?'

'Ze had begrepen dat ik contacten heb in de regionale gemeenschap van Bovens,' zei Sam onbewogen. 'Voor het geval dat zich "problemen voordeden" moest ik weten dat ik altijd een beroep op haar kon doen. Ze heeft me haar kaartje gegeven.' Hij hield het omhoog. Ik weet niet wat ik had verwacht – dat het bloed eraf droop of zoiets? – maar het was een doodgewoon visitekaartje.

'Oké.' Ik haalde mijn schouders op.

'Wat kwamen Claudine en haar broer hier doen?' vroeg Sam.

Ik voelde me schuldig omdat ik mijn nieuwe overgrootvader voor Sam verborgen hield, maar Niall had me op het hart gedrukt dat zijn bestaan een geheim moest blijven. 'Claudine had niets van me gehoord sinds de gevechten in Shreveport,' zei ik. 'Dus ze wilde weten of alles goed met me was. En het was haar gelukt Claude mee te tronen.'

Sam nam me onderzoekend op, maar hij gaf geen commentaar. 'Misschien gaan we wel een periode van vrede tegemoet,' zei hij ten slotte. 'Misschien kunnen we gewoon lekker ons werk doen zonder dat er iets gebeurt in de gemeenschap van Bovens. Ik hoop het echt, want het moment nadert dat de Weers zich bekendmaken.'

'Denk je dat het al snel gaat gebeuren?' Ik had geen idee hoe Amerika zou reageren op het nieuws dat de vampiers niet de enige wezens waren die de nacht bevolkten. 'Denk je dat alle veranderaars zich in dezelfde nacht bekend zullen maken?'

'We zullen wel moeten. Er wordt op onze website uitgebreid over gesproken.'

Ik wist zo goed als niets van Sams leven. Bij die gedachte kwam er een vraag bij me op. Ik aarzelde even, toen zette ik door. Er waren veel te veel vragen in mijn leven. Ik wilde er althans een deel van beantwoord hebben.

'Hoe ben je hier eigenlijk terechtgekomen?' vroeg ik.

'Ik kende het gebied. Ik was er ooit doorheen gekomen, in de vier jaar die ik bij het leger heb gezeten.'

'Heb jij in het leger gezeten?' Ik vond het onvoorstelbaar dat ik daar niets van wist.

'Ja. Ik had geen idee wat ik wilde, en dus ben ik op mijn achttiende in het leger gegaan. Mijn moeder moest ervan huilen, mijn vader vloekte, want ik was al toegelaten tot een studie. Maar mijn besluit stond vast. Ik was zo ongeveer de koppigste tiener van het westelijk halfrond.'

'Waar ben je opgegroeid?'

'Gedeeltelijk in Wright, Texas,' zei hij. 'Een eindje buiten Fort Worth. Of eigenlijk een heel eind van Fort Worth. In een dorpje dat nauwelijks groter was dan Bon Temps. Maar omdat mijn vader ook bij het leger zat, zijn we in mijn jeugd erg vaak verhuisd. Ik was een jaar of veertien toen hij ermee stopte. De familie van mijn moeder zat in Wright, dus daar zijn we gaan wonen.'

'Was het moeilijk om te wennen? Nadat je zo vaak verhuisd was?' Ik had nooit ergens anders gewoond dan in Bon Temps.

'Ik vond het geweldig. Want ik was er echt klaar voor om op één plek te blijven. Maar ik had niet beseft hoe moeilijk het zou zijn om een plekje te bevechten in een groep kinderen die met elkaar waren opgegroeid. Hoe dan ook, ik wist me staande te houden. Ik deed aan honkbal en basketbal, en zo vond ik mijn plek. En toen ik achttien was ging ik ook in het leger. Raar eigenlijk.'

Ik was gefascineerd door zijn verhaal. ‘Wonen je vader en moeder nog steeds in Wright? Dat moet niet gemakkelijk voor je vader zijn geweest. Om als veranderaar een militaire functie te hebben.’ Omdat Sam een vormveranderaar was, wist ik dat hij het eerstgeboren kind moest zijn van twee volbloed veranderaars.

‘Dat klopt. In nachten met vollemaan had hij het zwaar. Zijn Ierse grootmoeder maakte een kruidendrank. Hij heeft geleerd hoe hij die zelf kon maken. Een ongelooflijk smerig goedje, maar hij dronk het wanneer hij dienst had met vollemaan. Daardoor wist hij zichzelf in bedwang te houden... Maar de volgende dag was hij niet te genieten! Mijn vader is een jaar of zes geleden gestorven. Hij heeft me een hoop geld nagelaten. Ik heb dit altijd een prettig gebied gevonden, en toen ik zag dat dit café te koop stond, leek dat me een goede investering.’

‘En je moeder?’

‘Die woont nog in Wright. Twee jaar na de dood van mijn vader is ze hertrouwd. Met een beste vent. Een gewone man.’ Geen veranderaar of ander soort Boven, bedoelde hij daarmee. ‘Dus er zal altijd een zekere afstand tussen ons blijven bestaan.’

‘Maar je moeder is een volbloed. Dan moet hij toch een vermoeden hebben?’

‘Volgens mij houdt hij zich van de domme. Ze gaat ’s avonds de deur uit, zogenaamd om te rennen. Of ze logeert bij haar vriendin in Waco. Of ze bedenkt een smoes om bij mij langs te gaan.’

‘Het zal toch niet meevallen om op die manier te moeten leven.’

‘Ik zou het in elk geval niet willen. Terwijl ik in het leger zat, was ik bijna met een gewoon meisje getrouwd. Maar ik kon het niet. Met iemand trouwen en zoiets belangrijks geheim moeten houden. Ik moet erover kunnen praten, anders word ik gek.' Hij schonk me een glimlach, en ik waardeerde het vertrouwen dat hij in me stelde. 'Als de Weers zich bekendmaken, doen we allemaal mee. En er zal een enorme last van mijn schouders vallen.'

We beseften allebei dat er dan nieuwe problemen voor de Weers zouden rijzen, maar daar hoefden we het nu nog niet over te hebben. Problemen dienen zich aan op hun eigen tijd, in hun eigen tempo.

'Heb je nog broers of zussen?' vroeg ik.

'Een broer en een zus. Mijn zus is getrouwd en heeft twee kinderen. Mijn broer is nog vrijgezel. Hij is een geweldige vent.' Sam glimlachte, en ik had hem nog nooit zo ontspannen gezien. 'Craig gaat in het voorjaar trouwen, zegt hij. Misschien wil je wel met me mee naar de bruiloft.'

Ik was zo verbaasd dat ik niet wist wat ik moest zeggen, maar ik voelde me ook buitengewoon gevleid. 'Dat klinkt leuk! Laat het maar weten als je een datum hebt.' Sam en ik waren een keertje samen uit geweest, en we hadden een geweldige avond gehad. Maar ik zat toen midden in de problemen met Bill, en een tweede date was er nooit van gekomen.

Sam knikte nonchalant, en de milde stoot adrenaline die door me heen was gegaan, ebde weg. Het was tenslotte Sam maar. Mijn baas. En sinds het jaar dat achter me lag, ook een van mijn beste vrienden. Ik stond op. Mijn tas had ik al, en ik trok mijn jasje aan.

'Heb jij dit jaar een uitnodiging gekregen voor de Halloween-party in Fangtasia?' vroeg hij.

'Nee. Na wat er op het laatste feestje is gebeurd, zien ze me daar misschien liever niet meer. Bovendien heb ik geen idee of Eric wel een feestje wil geven, na de enorme verliezen die ze recentelijk hebben geleden.'

'Vind je dat we hier in Merlotte een Halloween-party moeten geven?'

'Nou, misschien niet met snoep en dat soort gedoe,' zei ik,

hardop nadenkend. 'We zouden een goodiebag kunnen maken voor iedere klant, bijvoorbeeld met gebrande pinda's. Of we zouden oranje popcorn op de tafeltjes kunnen zetten. En de boel een beetje versieren.'

Sam keerde zich in de richting van de bar alsof hij door de muren heen kon kijken. 'Ja, dat klinkt goed. Doe dat maar.' Doorgaans versierden we alleen voor Kerstmis, en dat mocht van Sam pas na Thanksgiving.

Ik stak bij wijze van groet mijn hand op en liep naar buiten, het aan Sam overlatend om te controleren dat alles goed was afgesloten.

Het was een koude avond. Dit werd een echte Halloween, zo een als in de boeken die ik als kind had gelezen.

Toen ontdekte ik de gedaante van mijn overgrootvader. Hij stond midden op het parkeerterrein, met zijn gezicht naar de sikkel van de maan gekeerd en met zijn ogen gesloten. Zijn lichtgekleurde haar hing als een zwaar gordijn op zijn rug. Zijn ontelbare kleine rimpeltjes waren onzichtbaar in het maanlicht, of misschien had hij zich ervan ontdaan. Hij had zijn stok bij zich en droeg net als de vorige keer een pak. Een zwart pak. Aan zijn rechterhand, de hand waarmee hij de stok vasthield, droeg hij een grote ring.

Hij was het mooiste levende wezen dat ik ooit had gezien.

En hij leek in niets op een menselijke grootvader. Menselijke grootvaders droegen een overall en een pet met het logo van John Deere. Ze namen je mee vissen. Ze lieten je op hun tractor rijden. Ze mopperden dat je verwend was, en dan kochten ze snoep voor je. En je menselijke *over*grootvader... die kende je in de meeste gevallen helemaal niet.

Ik besefte ineens dat Sam naast me stond.

'Wie is dat?' vroeg hij fluisterend.

'Dat eh... dat is mijn overgrootvader.' Niall stond tenslotte recht voor me.

'O.' Sam was duidelijk verbijsterd.

‘Ik weet het zelf ook nog maar net,’ zei ik verontschuldigend.

Niall hield op het maanlicht in zich op te nemen en deed zijn ogen open. ‘Daar hebben we mijn achterkleindochter.’ Hij zei het alsof mijn aanwezigheid op het parkeerterrein van Merlotte een aangename verrassing was. ‘Wie heb je daar bij je?’

‘Niall, dit is Sam Merlotte, de eigenaar van dit café,’ zei ik.

Sam stak behoedzaam zijn hand uit. Niall keek er aandachtig naar en legde de zijne erin. Ik voelde dat er een lichte schok door Sam heen ging, alsof de hand van mijn overgrootvader elektrisch geladen was.

‘Achterkleindochter,’ vervolgde Niall. ‘Ik heb gehoord dat je in gevaar bent geweest tijdens de vechtpartij tussen de Weers.’

‘Ja, maar Sam was bij me, en Claudine kwam later ook nog.’ Ik voelde me vreemd in de verdediging gedrongen. ‘Toen ik erheen ging wist ik niet dat er een vechtpartij zou ontstaan, zoals u het noemt. Ik probeerde juist de vrede te bewaren. We werden in een hinderlaag gelokt.’

‘Dat heb ik inderdaad van Claudine gehoord,’ zei hij. ‘En dat loeder is dood?’

Daarmee bedoelde hij Priscilla. ‘Dat klopt,’ zei ik. ‘Het loeder is dood.’

‘En de volgende nacht was je alwéér in gevaar?’

Ik begon ronduit een schuldgevoel te ontwikkelen. ‘Doorgaans is mijn leven een stuk minder spannend,’ zei ik. ‘Het was puur toeval dat de vamps van Louisiana werden overweldigd door de vamps uit Nevada.’

Niall leek slechts vluchtig geïnteresseerd. ‘Maar je hebt wel het nummer gebeld dat ik je had gegeven.’

‘Ja, dat klopt. Ik was hartstikke bang. Maar Eric sloeg de telefoon uit mijn hand, want hij dacht dat er een regelrechte oorlog zou uitbreken als jij me te hulp kwam. Achteraf gezien is het waarschijnlijk maar goed dat je niet bent gekomen, want Eric heeft zich overgegeven aan Victor Madden.' Toch was ik nog altijd een beetje boos op Eric, zelfs al had hij me een nieuwe telefoon gestuurd.

'Hm.'

Dat klonk zo vrijblijvend dat ik niet wist wat hij ermee bedoelde. Misschien was dit de schaduwzijde van het hebben van een overgrootvader. Ik werd op het matje geroepen. Dat was me niet meer overkomen sinds ik als puber de wind van voren had gekregen omdat ik het vuilnis niet had buitengezet en de was niet had opgevouwen. Net als toen voelde ik me er ook nu erg onprettig bij.

'Je hebt lef, en daar hou ik van,' zei Niall tot mijn verrassing. 'Maar je bent heel broos – breekbaar en sterfelijk, met maar een kort leven. Ik wil je niet kwijtraken, net nu ik je eindelijk heb leren kennen.'

'Ik weet niet goed wat ik daarop moet zeggen,' mompelde ik.

'Je wilt niet dat ik me met je bemoei. Je wilt niet dat ik je tegenhou als je iets van plan bent. Je wilt niet veranderen. Hoe kan ik je dan beschermen?'

'Dat kun je volgens mij ook niet. Tenminste, niet altijd, tegen alles.'

'Wat héb je dan aan me?'

'Ik hoef niks aan je te "hebben",' zei ik verrast. Blijkbaar zat hij emotioneel anders in elkaar dan ik. Dus ik wist niet goed hoe ik het hem moest uitleggen. 'Voor mij is het genoeg – sterker nog, ik vind het heerlijk – om te weten dat je bestaat. Dat je om me geeft. Dat ik nog familie heb, hoe ver en hoe anders ook. En dat je me niet raar, of gek, of gênant vindt.'

'Gênant?' Hij keek me niet-begrijpend aan. 'Je bent oneindig veel interessanter dan de meeste mensen.'

'Bedankt! Ik vind het fijn dat je me niet ziet als iemand met een gebrek.'

'Vinden mensen dat dan? Dat je een gebrek hebt?' Niall klonk oprecht verontwaardigd.

'Ze voelen zich soms niet bij haar op hun gemak,' zei Sam onverwacht. 'Omdat ze weten dat ze hun gedachten kan lezen.'

'En wat vind jij, vormveranderaar?'

'Ik vind Sookie geweldig,' zei Sam.

Ik kon aan zijn stem horen dat hij het meende. Onwillekeurig rechtte ik mijn rug, vervuld van trots. In het vuur van het moment had ik mijn overgrootvader bijna het grote probleem verteld dat ik die dag had ontdekt, om te bewijzen dat ik echt wel bereid was hem in mijn leven te betrekken. Maar ik had sterk het gevoel dat zijn oplossing voor het probleem Sandra Pelt/Tanya Grissom als de As van het Kwaad een gruwelijke dood voor hen beiden zou behelzen. Mijn 'nicht' Claudine mocht dan proberen een engel te worden, een schepsel dat ik associeerde met het christendom, Niall Brigant hield er duidelijk een geheel ander ethos op na. Geen 'oog om oog, tand om tand', maar 'hier met dat oog, voor het geval dat je op het mijne uit bent'. Nou ja, misschien overdreef ik, maar ik durfde het risico toch niet te nemen.

'Dus er is niets wat ik voor je kan doen?' Hij klonk bijna klaaglijk.

'Ik zou het leuk vinden als je een keer bij me langskwam. Gewoon thuis. En dan zou ik iets lekkers voor je koken.' Ik werd er verlegen van, om hem iets voor te stellen waarvan ik niet wist of hij het zou waarderen.

Zijn ogen schitterden terwijl hij me aankeek. Zijn gezicht was een gesloten boek voor me, en hoewel hij de gedaante had van een mens, was hij dat niet. Hij was in alle opzichten een raadsel voor me. Ik had geen idee of mijn suggestie hem ergerde, of verveelde, of misschien zelfs vervulde met weerzin.

'Goed,' zei hij ten slotte. 'Dat doe ik. En ik laat het je van tevoren weten. Mocht je me in de tussentijd ergens voor nodig hebben, bel me dan. En laat je door niemand ontmoedigen als je denkt dat ik je kan helpen. Ik praat wel met Eric. Ik heb in het verleden veel aan hem gehad, maar ik zal niet tolereren dat hij zich met jou en mij bemoeit.'

'Wist hij al lang dat je mijn overgrootvader bent?' Met ingehouden adem wachtte ik op het antwoord.

Niall had zich al afgewend. Hij draaide zich half om, zodat ik zijn gezicht van opzij zag. 'Nee. Ik moest hem eerst beter leren kennen. Dus ik heb het hem kortgeleden pas verteld, vlak voordat hij je naar me toe bracht. Hij wilde me eerst niet helpen. Dat deed hij pas nadat ik hem de situatie had uitgelegd.'

Toen was hij verdwenen. Het leek wel alsof hij door een deur was gelopen die wij niet konden zien, en misschien was dat ook wel zo.

'Oké,' zei Sam na een lange stilte. 'Oké, dat was... bijzonder.'

'Kun je er wat mee?' Ik gebaarde naar de plek waar Niall had gestaan. Tenminste, daar ging ik van uit. Tenzij wat we gezien hadden, een soort astrale projectie was geweest.

'Dat is niet aan mij, om er iets mee te kunnen. Het gaat om jou,' zei Sam.

'Ik wil hem graag aardig vinden,' zei ik. 'Hij is zo mooi, en het lijkt erop dat hij oprecht om me geeft. Maar hij is wel... erg...'

'Angstaanjagend,' maakte Sam mijn zin af.

'Ja.'

'En hij heeft je benaderd via Eric?'

Omdat mijn overgrootvader er blijkbaar geen moeite mee had dat Sam wist van zijn bestaan, vertelde ik alles over mijn eerste ontmoeting met Niall.

'Hm. Tja. Ik weet niet goed wat ik daarvan moet denken. Vampiers en elfen gaan niet met elkaar om, omdat vamps de neiging hebben elfen op te eten.'

'Niall kan zijn geur maskeren,' legde ik met enige trots uit.

Sam keek alsof hij niet goed raad wist met die informatie. 'Weer iets waar ik nog nooit van had gehoord. Ik hoop dat Jason hier niets van weet?'

'Nee, goddank niet!'

'Hij zou stinkend jaloers zijn, en dat zou hij op jou afreageren.'

'Omdat ik Niall ken en hij niet?'

'Ja, hij zou gek worden van jaloezie.'

'Ik weet heus wel dat Jason niet altijd rekening houdt met anderen,' begon ik, maar Sam onderbrak me met een minachtend gesnuif. 'Oké,' zei ik. 'Jason is een egoïst. Maar hij is wel mijn broer, en ik moet het voor hem opnemen. Maar misschien is het inderdaad beter als ik hem dit nooit vertel. Toch had Niall er geen enkele moeite mee om zich aan jóú te laten zien. Terwijl hij me op het hart had gedrukt dat zijn bestaan een geheim moest blijven.'

'Waarschijnlijk heeft hij inlichtingen over me ingewonnen,' zei Sam welwillend. Toen omhelsde hij me, en dat was een welkome verrassing. Na Nialls plotselinge verschijnen had ik behoefte aan een knuffel. Ik beantwoordde Sams omhelzing. Hij voelde warm, en troostrijk, en menselijk.

Maar we zijn geen van beiden echt honderd procent mens, dacht ik.

Ja, dat zijn we wel! Ons mens-zijn was sterker dan onze andere kant. We leefden als mensen, en we zouden sterven als mensen. Omdat ik Sam vrij goed kende, wist ik dat hij een gezin wilde, een vrouw om van te houden, een toekomst die alles had wat gewone mensen willen: gezondheid, kinderen, plezier, genoeg geld. Sam ambieerde het niet om leider van een troep te worden, net zomin als ik iemands prinses wilde zijn – niet dat ik voor enige volbloed elf ooit iets anders zou zijn dan een inferieur bijproduct van het superieure, schitterende elfenras. Dat was een van de grote verschillen tussen Jason en mij. Jason zou de rest van zijn leven wensen dat zijn bovennatuurlijke kant een groter deel van hem uitmaakte; ik had mijn hele leven het tegenovergestelde gewenst. Als mijn telepathie inderdaad bovennatuurlijk kon worden genoemd.

Sam gaf me een kus op mijn wang, toen wendde hij zich na een korte aarzeling af om naar zijn trailer te gaan. Ik keek hem na terwijl hij door de poort in de zorgvuldig gesnoeide haag liep, de treden op naar de kleine veranda die hij bij zijn voordeur had gebouwd. Toen hij de sleutel in het slot had gestoken, draaide hij zich om en glimlachte.

'Wat een avond, hè?'

'Nou! Wat een avond.'

Sam keek toe terwijl ik in mijn auto stapte. Hij gebaarde dat ik de portieren moest afsluiten en wachtte tot ik dat had gedaan, toen ging hij naar binnen. Ik reed naar huis, volledig in – diepe en ondiepe – gedachten verzonken. Het was maar goed dat ik geen verkeer tegenkwam.

17

Amelia en Octavia zaten aan de keukentafel toen ik de volgende morgen mijn slaapkamer uit kwam sloffen. Ze hadden weliswaar alle koffie opgemaakt, maar gelukkig had Amelia de pot afgewassen, dus ik had binnen een paar minuten nieuwe gezet, en die had ik hard nodig. Terwijl ik cornflakes en zoetstof in een kom schudde en er melk bij schonk, hielden Amelia en haar mentor tactvol een gesprek gaande. Omdat ik geen melk op mijn topje wilde morsen boog ik me diep over de kom. Trouwens, het werd te koud voor alleen maar een hemdje, merkte ik al snel. Dus ik trok een goedkoop vestje aan van sweatshirtstof om behaaglijk warm van mijn koffie en cornflakes te kunnen genieten.

'Waar hadden jullie het over?' vroeg ik, klaar voor interactie met de rest van de wereld toen ik mijn kom leeg had.

'Amelia vertelde me over je probleem,' zei Octavia. 'En over je buitengewoon vriendelijke aanbod.'

O, hemel! Welk aanbod?

Ik knikte begrijpend, alsof ik precies wist waar ze het over had.

'Wat zal ik blij zijn als ik daar weg kan! Je hebt geen idee!' zei Octavia ernstig. 'Janesha... zo heet mijn nichtje... heeft drie kinderen – de jongste is nog maar een peutertje – en een vriend die daar ook min of meer woont. Ik slaap op de bank in de woonkamer, en als de kinderen 's morgens wakker zijn, komen ze beneden en ze zetten de televisie aan, om tekenfilmpjes te kijken. Ook als ik nog lig te slapen. Ik mag er natuurlijk niks van zeggen. Het is hun huis. En ik ben er al weken, dus ze behandelen me niet meer als bezoek.'

Octavia had de keus uit de slaapkamer beneden, tegenover de mijne, en de kamer boven die niet werd gebruikt. Ik zou er de voorkeur aan geven als ze boven ging slapen.

'Tja, en ik ben ook niet meer de jongste. Dus ik moet een beetje in de buurt van de wc blijven.' Ze keek me aan met die guitige mistroostigheid waarmee oudere mensen uitkomen voor de gebreken van hun leeftijd. 'Het zou geweldig zijn als ik beneden kon slapen, ook in verband met de jicht in mijn knieen. Had ik al gezegd dat je naar Janesha's appartement een trap op moet?'

'Nee,' zei ik, enigszins verdwaasd door de snelheid waarmee ik voor een voldongen feit was geplaatst.

'En wat je probleem betreft, ik doe niet aan zwarte magie. Maar we moeten een manier zien te vinden om die twee uit je leven te verwijderen, zowel de vrouw die door Sandra Pelt op je af is gestuurd, als Sandra zelf.'

Ik knikte heftig.

'Dus we hebben een plan bedacht,' zei Amelia, die niet langer haar mond kon houden.

'Ik ben een en al oor.' Ik schonk mezelf een tweede kop koffie in. Want ook die had ik hard nodig.

'De simpelste manier om van Tanya af te komen is natuurlijk je vriend Calvin Norris in vertrouwen nemen,' zei Octavia. 'Hem ronduit vertellen waar ze mee bezig is.'

Ik keek haar geschrokken aan. 'Maar dan ben ik bang dat er akelige dingen met Tanya gebeuren.'

'En dat wil je niet?' vroeg Octavia met een soort sluwe onschuld.

'Jawel, maar ik wil niet dat ze doodgaat. Ik bedoel, ik wil niet dat er iets gebeurt waar ze nooit meer overheen komt. Alleen dat ze weggaat. En nooit meer terugkomt.'

'Dat ze weggaat en nooit meer terugkomt,' herhaalde Amelia. 'Dat klinkt in mijn oren toch behoorlijk definitief.'

En daar had ze gelijk in, moest ik toegeven. 'Laat ik het anders formuleren. Ik wil dat ze gewoon verder kan met haar leven, maar niet bij mij in de buurt. Is dat duidelijk?' Het was niet mijn bedoeling bazig te klinken. Ik wilde alleen maar dat ze begrepen wat ik bedoelde.

'Ja, jongedame, dat lijkt me duidelijk,' zei Octavia nogal ijzig.

'Ik wil gewoon geen enkele ruimte laten voor misverstanden,' zei ik. 'Er staat een hoop op het spel. Ik heb zo'n idee dat Calvin wel een beetje van Tanya gecharmeerd is. Anderzijds weet ik bijna zeker dat hij haar behoorlijk de stuipen op het lijf zou kunnen jagen.'

'Genoeg om te zorgen dat ze voorgoed vertrekt?'

'Dan zou je wel moeten aantonen dat het waar is wat je zegt,' zei Amelia. 'Dat Tanya je het leven zuur maakt.'

'Waar denken jullie dan aan?' vroeg ik.

'Dat zal ik je vertellen,' zei Amelia, en van het ene op het andere moment was Fase Een van het plan in werking getreden. Het bleek te gaan om iets wat ik zelf ook had kunnen bedenken. Maar dankzij de hulp van de heksen verliepen de voorbereidingen wel een stuk soepeler.

Ik belde Calvin en vroeg hem rond lunchtijd langs te komen. Hij klonk verrast om van me te horen, maar zei dat hij wel even tijd kon vrijmaken.

Er wachtte hem opnieuw een verrassing toen hij de keuken binnenkwam en daar Amelia en Octavia trof. Calvin, die leider is van de kleine gemeenschap weerpanters in Hotshot, had Amelia al diverse keren ontmoet, maar Octavia kende hij nog niet. Hij was zich onmiddellijk bewust van haar machtige vermogens en het respect dat daaruit voortvloeide vergemakkelijkte het gesprek enorm.

Ik schatte Calvin ergens halverwege de veertig. Hij was sterk, betrouwbaar en zelfverzekerd. Zijn haar begon al te grijzen, maar zijn rug was nog kaarsrecht, en door de kalmte die hij uitstraalde, wist hij iedereen te imponeren. Hij was een tijdje in me geïnteresseerd geweest, en ik kon het alleen maar jammer vinden dat ik zijn gevoelens niet had kunnen beantwoorden. Want Calvin Norris is een man die deugt.

'Vertel op, Sookie! Wat is er aan de hand?' vroeg hij na te hebben bedankt voor de koekjes, thee en cola die ik hem had aangeboden.

Ik haalde diep adem. 'Ik hou niet van roddelen, Calvin, maar we zitten met een probleem.'

'Tanya,' zei hij prompt.

'Inderdaad.' Ik deed geen moeite mijn opluchting te verbergen.

'Tja, ze is een sluwe vos,' zei hij, en tot mijn spijt hoorde ik een zweem van bewondering in zijn stem.

'Ze is een spion,' zei Amelia, die doorgaans niet om de hete brij heen draaide.

Ik gaf hem een beknopte samenvatting van alles wat er was gebeurd. Hoezeer het me ook tegenstond, het verhaal moest – voor de zoveelste maal – verteld worden. Calvin moest weten hoe diep de wrok ging die de Pelts jegens mij koesterden. Hij moest weten dat Sandra niet zou rusten voordat ik in mijn graf lag, en dat ze Tanya als een soort horzel op me af had gestuurd.

Calvin luisterde aandachtig, met zijn benen gestrekt, zijn armen over elkaar geslagen. Hij droeg een spiksplinternieuwe spijkerbroek met daarop een geruit overhemd en hij rook naar het bos, naar vers gekapte bomen.

'Je wilt een bezwering over haar uitspreken?' vroeg hij aan Amelia toen ik was uitgesproken.

'Precies,' antwoordde ze. 'Maar daar hebben we jou bij nodig. Om haar hier te krijgen.'

'Wat zou het effect zijn van die bezwering? Raakt ze erdoor beschadigd?'

'Ze zou niet langer in Sookie geïnteresseerd zijn, of liever gezegd, ze zou haar en haar familie niet langer kwaad willen doen. En ze zou niet langer bereid zijn Sandra Pelt te gehoorzamen. Fysiek zou ze er geen enkele schade door oplopen.'

'Zou ze er mentaal door veranderen?'

'Nee,' antwoordde Octavia. 'Maar de kans van slagen is minder groot dan bij een bezwering waardoor ze niet langer in deze contreien zal willen blijven. Wanneer we die over haar uitspreken, pakt ze haar koffers, en ze komt nooit meer terug.'

Calvin dacht even na. 'Ik mag haar wel,' zei hij ten slotte. 'Tanya is een vrouw met lef. Ze heeft pit. Maar ik moet bekennen dat ik me grote zorgen maak over de problemen die ze Crystal en Jason bezorgt. Crystal smijt met geld. Ik vroeg me al af wat ik daartegen kon doen. Door wat jullie voorstellen wordt dat probleem ook aangepakt, neem ik aan.'

'Je vindt haar leuk?' Ik wilde honderd procent duidelijkheid.

'Ja, dat zei ik toch?'

'Maar over wat voor soort "leuk" hebben we het dan? Vind je haar echt heel erg leuk?'

'Ach, we hebben het af en toe erg gezellig samen.'

'Dus je wilt niet dat ze weggaat,' zei ik. 'Je geeft de voorkeur aan de andere optie.'

'Ja, daar komt het wel op neer. Want jullie hebben gelijk. Ze kan zo niet doorgaan. Dus óf ze verandert, óf ze moet weg.' Hij keek er erg ongelukkig bij. 'Moet jij vandaag werken, Sookie?'

Ik keek op de kalender aan de muur. 'Nee, het is vandaag mijn vrije dag.' Sterker nog, ik had twee dagen vrij.

'Dan zorg ik dat ze vanavond hier is. Hebben jullie dan genoeg tijd om de boel voor te bereiden, dames?'

De twee heksen keken elkaar aan en overlegden stilzwijgend.

'Vanavond is prima,' zei Octavia ten slotte.

'Goed, dan zijn we er tegen zevenen,' zei Calvin.

Het plan verliep onverwacht gladjes.

'Bedankt, Calvin,' zei ik. 'Daar ben ik echt mee geholpen.'

'Als het werkt, slaan we minstens twee vliegen in één klap,' zei Calvin. 'Maar als het mislukt, dan heb ik natuurlijk wel een appeltje te schillen met de dames.' Hij zei het volkomen zakelijk en beheerst.

Het gezicht van de twee heksen betrok.

Op dat moment kwam Bob de kamer binnenkuieren. 'Hé, maatje!' zei Calvin. Toen kneep hij zijn ogen tot spleetjes en hij keerde zich naar Amelia. 'Blijkbaar lukt het niet altijd met die magie van je.'

Amelia keek schuldbewust en beledigd tegelijk. 'We gaan ervoor zorgen dat het lukt,' zei ze afgemeten. 'Dat zul je zien.'

'Laten we het hopen!'

De rest van die dag deed ik de was, ik lakte mijn nagels, ik verschoonde mijn bed – het soort klusjes dat je bewaart voor je vrije dag. Ik ging langs de bibliotheek om boeken te ruilen, en er gebeurde helemaal niets. Een van de parttimeassistenten van Barbara Beck zat achter de balie, en daar was ik blij om. Ik wilde de verschrikkingen van de overval niet opnieuw beleven, maar daar zou voorlopig niet aan te ontkomen zijn wanneer ik Barbara zag. Het ontging me niet dat de vloer weer schoon was; de bloedvlekken waren verdwenen.

Van de bibliotheek ging ik naar de supermarkt. Ik werd niet aangevallen door Weers. Er verschenen geen vampiers op mijn pad. Er werd geen aanslag gepleegd op mijn leven of op dat van personen die ik kende. Er maakten zich geen geheime verwanten bekend, en niemand probeerde me in zijn problemen te betrekken – niet in huwelijksproblemen en niet in problemen van andere aard.

Alles was volstrekt normaal, en ik verkeerde in een soort euforie tegen de tijd dat ik weer thuiskwam.

Het was die avond mijn beurt om te koken, en ik had varkenskarbonaadjes gekocht. Die bestrooi ik altijd met mijn eigen paneermix, waarvan ik eens in de zoveel tijd een grote hoeveelheid maak. Dus ik dompelde de karbonaadjes in melk en paneerde ze met het mengsel, klaar om ze in de oven te schuiven. Verder maakte ik gebakken appels, gevuld met rozijnen, kaneel en boter. Die zette ik als eerste in de oven. Ik trok een blik sperziebonen en een blik mais open en zette de groenten op een laag pitje. Na een tijdje schoof ik ook het vlees in de oven. Ik overwoog om er harde broodjes bij te bakken, maar daar zag ik van af. Zonder dat kregen we al meer dan genoeg calorieën binnen.

Terwijl ik kookte, waren de heksen in de woonkamer druk bezig met de voorbereidingen. Zo te horen vermaakten ze zich uitstekend. De stem van Octavia klonk alsof ze lesgaf. Ze werd regelmatig onderbroken door Amelia die een vraag stelde.

Ik stond druk in mezelf te mompelen tijdens het koken. Want ik hoopte vurig dat het magische ritueel succes had, en ik was de heksen dankbaar voor hun hulp. Maar tegelijkertijd voelde ik me als gastvrouw een beetje op een zijspoor gezet. Mijn aanbod dat Octavia wel een poosje bij ons kon komen wonen, was een spontane opwelling geweest. Inmiddels besefte ik dat ik voorzichtiger zou moeten zijn met wat ik tegen mijn huisgenote zei. Het feit dat Octavia er met geen woord over had gerept hoe lang ze dacht te blijven – een weekend, een maand; aan langer durfde ik niet te denken – baarde me zorgen.

Ik had Amelia natuurlijk onder druk kunnen zetten – 'Je

hebt me niet gevraagd of Octavia metéén kon komen, en dit is nog altijd míjn huis'. Maar ik hád een kamer over, en Octavia hád onderdak nodig. En ik kwam een beetje laat met mijn ontdekking dat ik het niet echt prettig vond om een derde persoon in huis te hebben. En dan bovendien nog iemand die ik nauwelijks kende.

Misschien kon ik wel een baan voor haar vinden. Met een vast inkomen kreeg Octavia haar onafhankelijkheid terug en kon ze op zoek gaan naar eigen woonruimte. Ik vroeg me af in welke staat haar huis in New Orleans verkeerde en veronderstelde dat het onbewoonbaar was. Octavia mocht dan een machtige heks zijn, zelfs zij kon de schade die een orkaan had aangericht niet ongedaan maken, vermoedde ik. Gezien haar opmerkingen over trappenlopen en frequentere wc-bezoeken was ik tot de conclusie gekomen dat ze blijkbaar ouder was dan ik aanvankelijk had gedacht. Maar ouder dan een jaar of drieënzestig kon ze toch niet zijn, en dan was je tegenwoordig nog een jonge blom.

Om zes uur riep ik de heksen aan tafel. Ik had gedekt en een kan met ijsthee gemaakt, maar ik liet ze hun bord opscheppen bij het fornuis. Niet chic, maar het scheelde in de afwas.

Er werd niet veel gezegd tijdens het eten. We waren alle drie met onze gedachten bij wat er die avond ging gebeuren. En ook al had ik een grondige hekel aan haar, ik was toch een beetje bezorgd om Tanya.

Het was een raar idee dat we iemand gingen veranderen, maar het was onvermijdelijk. We moesten ervoor zorgen dat Tanya me met rust liet. En niet alleen mij, ook de mensen om me heen. Ze moest hier weg, óf ze moest haar gedrag drastisch veranderen. Dankzij mijn nieuwe, praktische kijk op de wereld zag ik de situatie maar al te duidelijk. Als ik moest kiezen tussen een leven waarin Tanya me bleef dwarszitten of een toekomst met een nieuwe, veranderde Tanya, kon er van twijfel geen sprake zijn.

Ik ruimde af. Wie gekookt had, hoefde normaliter niet af te wassen, maar de twee heksen waren nog met hun magische voorbereidingen bezig. En ik vond het prima. Want ik wilde bezig blijven.

Om vijf over zeven hoorden we het grind knerpen onder de wielen van een pick-uptruck.

Toen we afspraken dat Calvin zou zorgen dat ze om zeven uur hier zou zijn, had ik niet beseft dat hij Tanya als een pakketje zou komen afleveren.

Calvin droeg haar over zijn schouder het huis in. Ze was weliswaar niet groot, maar vederlicht was ze ook niet. Calvin moest zich duidelijk inspannen, maar zijn ademhaling bleef beheerst en regelmatig, en van transpireren was geen sprake. Tanya was geboeid aan haar handen en haar enkels, maar het ontging me niet dat Calvin een sjaal onder de touwen had gedaan, zodat ze geen schaafplekken zou oplopen. En hij had haar dan wel gekneveld – iets waar ik erg blij om was – maar daarvoor had hij een vrolijke rode bandana gebruikt. Ja, de leider van de weerpanters was duidelijk van Tanya gecharmeerd.

Tanya was woedend, geheel naar verwachting. Zo woedend als een opgeschrikte ratelslang. Ze spartelde en worstelde en keek woedend om zich heen. Toen ze Calvin probeerde te schoppen gaf hij haar een tik op haar billen. 'Hou op!' zei hij, maar hij klonk niet echt van streek. 'Je hebt dingen gedaan die niet mochten, en daarom krijg je straf.'

Hij was door de voordeur binnengekomen en legde Tanya op de bank.

De heksen hadden met krijt een aantal symbolen op de vloer getekend. Op mijn ontstemde reactie had Amelia me verzekerd dat ze het allemaal weer schoon kon maken. En omdat niemand zo goed kon schoonmaken als Amelia, had ik hen laten begaan.

Bovendien hadden de heksen diverse kommen neergezet, waarvan ik niet wilde weten wat erin zat. Octavia stak de inhoud van een van de kommen in brand en liep ermee naar Tanya. Met haar hand wapperde ze de rook naar Tanya toe. Ik deed nog een stap naar achteren, en Calvin, die achter de bank stond en Tanya bij de schouders hield, wendde zijn hoofd af. Tanya hield zo lang mogelijk haar adem in.

Toen ze de rook eenmaal had ingeademd, ontspande ze.

'Ze moet hier zitten.' Octavia wees naar de plek in het midden van de krijtsymbolen. Calvin zette Tanya op de rechte stoel die daar stond. Dankzij de geheimzinnige rook bleef ze zitten.

Octavia begon te zingen in een taal die ik niet verstond. Amelia had haar bezweringen altijd in het Latijn gedaan. Of in elk geval in een primitieve vorm daarvan, zoals ze me had verteld. De taal die Octavia sprak, klonk anders. De woorden die ze gebruikte, leken me gevarieerder.

Ik had erg tegen het ritueel opgezien, maar tenzij je eraan deelnam bleek het behoorlijk saai te zijn. Ik zou willen dat ik de ramen kon openzetten, om de lucht uit het huis te krijgen, en ik was blij dat Amelia eraan had gedacht de batterijen uit de rookmelders te halen. Het was aan Tanya te merken dat ze iets voelde, maar het was me niet duidelijk of dat het wegebben van de Pelt-invloed was.

'Tanya Grissom,' zei Octavia. 'Ruk de wortels van het kwaad uit je ziel. Maak je los van de invloed van hen die je willen gebruiken voor hun eigen kwaadaardige bedoelingen.' Octavia maakte een reeks gebaren boven Tanya's hoofd, waarbij ze een merkwaardig voorwerp in haar hand hield; iets wat leek op een menselijk bot, omwikkeld met een groene rank. Ik vroeg me maar niet af hoe ze aan dat bot was gekomen.

Tanya krijste achter haar knevel, haar rug trok verontrustend hol. Toen ontspande ze.

Op een gebaar van Amelia begon Calvin de rode bandana los te maken, waarmee Tanya eruit had gezien als een kleine bandiet. Daaronder bleek een schone witte zakdoek te zitten.

Opnieuw een bewijs dat Tanya bij haar ontvoering was ontzien en met zachtheid behandeld.

'Hoe durf je!' krijste ze zodra ze iets verstaanbaars kon uitbrengen. 'Hoe durf je me te ontvoeren? Een hufter, dat ben je! Een neanderthaler in een berenvel!' Als ze haar handen vrij had gehad, zou Calvin ervan langs hebben gekregen. 'En wat moet die rook voorstellen, verdomme! Probeer je soms je huis in de fik te steken, Sookie? En jij! Ga weg met die troep uit mijn gezicht, mens!' Tanya sloeg met haar geboeide handen naar het omwikkelde bot.

'Mijn naam is Octavia Fant.'

'Het zal wel. Maak die touwen los, Octavia Fant!'

Octavia en Amelia keken elkaar aan.

Toen keerde Tanya zich naar mij. 'Sookie, zeg tegen die idioten dat ze me losmaken! En Calvin, ik begon je net leuk te vinden! Wat bezielt je? Waar denk je dat je mee bezig bent?'

'Je leven redden,' antwoordde Calvin. 'Je gaat er niet vandoor, hè? Want we moeten praten.'

'Oké,' zei Tanya langzaam toen het tot haar doordrong – dat las ik in haar gedachten – dat het om een serieuze kwestie ging. 'Waarover?'

'Over Sandra Pelt,' antwoordde ik.

'Sandra Pelt. Die ken ik. Wat is daarmee?'

'Hoe ken je haar?' vroeg Amelia.

'Wat gaat jou dat aan, Amy?' beet Tanya haar toe.

'Amelia,' verbeterde ik haar terwijl ik op de grote voetenbank voor Tanya ging zitten. 'Geef antwoord op de vraag.'

Tanya keek me nijdig aan – ze had een uitgebreid repertoire aan nijdige blikken. 'Mijn nichtje was geadopteerd door de Pelts. En Sandra is de adoptiezus van mijn nichtje.'

'Zijn Sandra en jij dikke vriendinnen?' vroeg ik.

'Nee, niet echt. Ik heb haar al een tijdje niet gezien.'

'Je hebt niet recentelijk een soort overeenkomst met haar gesloten?'

'Nee, zo vaak zien we elkaar niet.'

'Wat vind je van haar?' vroeg Octavia.

'Sandra is een kreng. En niet zo'n beetje ook. Maar toch heb ik wel bewondering voor haar,' zei Tanya. 'Als ze iets wil, dan gaat ze ervoor.' Tanya haalde haar schouders op. 'Maar ik vind haar nogal extreem.'

'Dus als ze tegen je zou zeggen dat je iemands leven kapot moet maken, dan zou je dat niet doen?' Octavia nam Tanya onderzoekend op.

'Ik heb wel wat beters te doen,' zei Tanya. 'Als ze dat zo graag wil, doet ze het zelf maar. Mensen het leven zuur maken.'

'Daar zou jij geen deel aan willen hebben?'

'Nee, natuurlijk niet!' antwoordde Tanya, en ik wist dat ze de waarheid sprak. Sterker nog, ze begon onrustig te worden door de vragen die haar werden gesteld. 'Heb ik eh... heb ik soms iets slechts gedaan?'

'Volgens mij ben je gemanipuleerd om iets te doen wat je eigenlijk helemaal niet wilde,' zei Calvin. 'En daar hebben deze aardige dames nu een eind aan gemaakt. Amelia en Octavia zijn eh... wijze vrouwen. Sookie kende je al.'

'Ja, Sookie ken ik.' Tanya keek me vuil aan. 'Wat ik ook doe, ze wil geen vriendinnen met me worden.'

Nee, want ik wilde je niet de kans geven een mes in mijn rug te steken. Maar dat zei ik niet.

'Je bent de laatste tijd wel erg vaak met mijn schoonzuster gaan winkelen, Tanya,' zei ik in plaats daarvan.

Tanya barstte in lachen uit. 'Te veel winkeltherapie voor de zwangere bruid?' Maar toen kwam er een verwarde uitdrukking op haar gezicht. 'Ja, volgens mij gingen we wel erg vaak naar het winkelcentrum in Monroe. Dat kan ik helemaal niet betalen. Hoe kwam ik aan het geld? Trouwens, ik hou helemaal niet zo van winkelen. Dus waarom deed ik dat?'

'Van nu af aan doe je het in elk geval niet meer,' zei Calvin.

'Dat maak ik zelf wel uit, Calvin Norris!' luidde Tanya's vinnige repliek. 'Als ik niet ga winkelen, dan is dat omdat ik zelf niet wil. Niet omdat jij zegt dat het niet mag.'

Calvin keek opgelucht.

Amelia en Octavia keken opgelucht.

En we knikten instemmend. Zo kenden we Tanya weer. Het leek erop dat de vernietigende invloed van Sandra Pelt ongedaan was gemaakt. Misschien had Sandra ook wat hekserij toegepast, of misschien had ze Tanya gewoon een hoop geld geboden en haar wijsgemaakt dat ik schuldig was aan de dood van Debbie. Maar het had er alle schijn van dat de heksen erin waren geslaagd Tanya van de besmetting door Sandra Pelt te genezen.

Het was bijna een anticlimax dat het allemaal zo gemakkelijk was gegaan – tenminste, gemakkelijk voor mij. En ik betrapte me op de wens dat we Sandra Pelt ook konden ontvoeren en herprogrammeren. Maar haar bekering zou vast niet zo gemakkelijk verlopen. Daarvoor waren de Pelts te verdorven, te verziekt.

De heksen waren blij. Calvin was tevreden. Ik was opgelucht. Calvin zei tegen Tanya dat hij haar zou terugbrengen naar Hotshot. Ze vertrok weliswaar enigszins verward, maar met aanzienlijk meer waardigheid dan ze was gekomen. Het was haar volstrekt onduidelijk wat ze bij mij te zoeken had gehad. Ze leek zich niets meer te herinneren van wat de heksen hadden gedaan. Maar ze wekte niet de indruk van streek te zijn door die leemte in haar geheugen.

Kortom, eind goed, al goed.

En misschien zou het tussen Jason en Crystal ook beter gaan nu de verderfelijke invloed van Tanya ongedaan was gemaakt. Tenslotte had Crystal echt met Jason willen trouwen, en haar blijdschap over haar zwangerschap had oprecht geleken. Waarom ze dan toch zo ontevreden was... dat begreep ik simpelweg niet.

Ik kon Crystal toevoegen aan de lange lijst van mensen die ik niet begreep.

Terwijl de heksen met de ramen wijd open de woonkamer opruimden – het was een kille avond, maar ik wilde van de geur van de kruiden af – ging ik met een boek op bed liggen. Ik merkte echter dat ik me niet kon concentreren. Dus uiteindelijk besloot ik weer op te staan. Ik trok een trui met een capuchon aan en riep naar Amelia dat ik naar buiten ging. Daar liet ik me in een van de houten stoelen vallen die Amelia en ik aan het eind van de zomer zwaar afgeprijsd bij de Walmart hadden gekocht. Niet voor het eerst bewonderde ik de bijpassende tafel met parasol. Voor de winter moest ik de parasol binnen zetten en de meubels afdekken, nam ik me voor. Toen leunde ik naar achteren en ik liet mijn gedachten de vrije loop.

Het was heerlijk om buiten te zitten, om de bomen en de aarde te ruiken, om de raadselachtige roep van de nachtzwaluw in de omringende bossen te horen. Dankzij de buitenlamp voelde ik me veilig, ook al wist ik dat die veiligheid een illusie was. Ook wanneer er licht brandt, kan er gevaar dreigen. Je kunt het alleen beter zien aankomen.

Op dat moment verscheen Bill tussen de bomen. Hij liep geruisloos naar me toe en liet zich in een van de andere stoelen vallen.

Geruime tijd werd er niets gezegd. Ik werd niet overspoeld door de golf van ongeluk en verdriet die me maandenlang had overweldigd wanneer ik hem zag. Sterker nog, in plaats van de herfstavond te verstoren, leek hij daar deel van uit te maken.

'Selah is naar Little Rock verhuisd,' zei hij.

'O? Waarom?'

'Ze kon een baan krijgen bij een groot bedrijf. Precies wat ze altijd heeft gewild, zei ze. Onroerend goed voor vampiers.'

'Is ze een vampo?'

'Volgens mij wel. Maar dat komt niet door mij.'

'Was je niet haar eerste?' Ik sloot niet uit dat ik misschien wat verbitterd klonk. Hij was wel mijn eerste geweest, in elk opzicht.

'Niet doen.' Hij keerde zich naar me toe. Zijn gezicht was stralend bleek. 'Nee,' zei hij ten slotte. 'Ik was niet haar eerste. En ik heb altijd geweten dat ze zich aangetrokken voelde tot de vampier in mij, niet tot mij als persoon.'

Ik begreep precies wat hij bedoelde. Toen ik ontdekte dat hij opdracht had gekregen mijn hart te veroveren, had ik beseft dat zijn aandacht naar de telepaat in mij was gegaan, niet naar mij als mens. 'Wie kaatst, moet de bal verwachten.'

'Ik heb nooit om haar gegeven,' zei hij. 'Tenminste, niet echt.' Hij haalde zijn schouders op. 'Zoals Selah zijn er zoveel geweest.'

'Waarom zeg je dat? En hoe denk je dat ik me daarbij voel?'

'Ik vertel je gewoon de waarheid. In al die tijd is er maar een geweest zoals jij.' Na die woorden stond hij op en liep hij terug naar de bossen. Langzaam, als een mens. En ik keek hem na tot hij uit het gezicht was verdwenen.

Blijkbaar voerde Bill een subtiele campagne om weer te stijgen in mijn achting. Hoopte hij dat ik weer van hem kon gaan houden, vroeg ik me af. Het deed nog altijd pijn wanneer ik terugdacht aan de nacht waarin ik achter de waarheid was gekomen. Op meer dan achting hoefde hij niet te rekenen. Daar lag de grens. Vertrouwen? Liefde? Dat leek me hoogstonwaarschijnlijk.

Ik bleef nog een paar minuten zitten en dacht na over wat er die avond was gebeurd. Eén vijandelijke agent uitgeschakeld. Nu de vijand zelf nog. Mijn gedachten gingen naar het politieonderzoek naar de vermissingen in Shreveport – allemaal Weers. Wanneer zou de politie het zoeken opgeven, vroeg ik me af.

Op korte termijn zou ik niet meer met de Weers en hun intriges te maken krijgen, daar was ik van overtuigd. Degenen die de strijd hadden overleefd, moesten orde op zaken stellen en daar hadden ze hun handen vol aan.

Ik hoopte dat Alcide genoot van zijn positie als leider, en ik vroeg me af of het hem was gelukt in de nacht van de overname een nieuwe volbloed te verwekken. En wie had zich over de kinderen Furnan ontfermd?

Al speculerend kwam ik bij de vraag waar Felipe de Castro zijn hoofdkwartier in Louisiana had gevestigd. Of zou hij in Vegas zijn gebleven? En had iemand Bubba verteld dat er een nieuwe koning was in Louisiana? Zou ik Bubba ooit weerzien? Hij had een van de beroemdste gezichten ter wereld, maar helaas was hij geestelijk behoorlijk de weg kwijt doordat hij op het allerlaatste nippertje was overgebracht door een vampier die in het mortuarium van Memphis werkte. Bubba had het door Katrina zwaar te verduren gehad. Hij was geïsoleerd geraakt van de andere vamps in New Orleans en had zich in leven gehouden door het eten van ratten en andere kleine dieren – achtergelaten katten, vermoedde ik – totdat hij op een nacht was gered door een zoekteam van vamps uit Baton Rouge. Volgens de laatste berichten was hij voor zijn rust en herstel naar elders gestuurd. Misschien kwam hij wel in Vegas terecht. Tijdens zijn leven had hij het daar altijd goed gedaan.

Ik besefte ineens dat ik stijf was van het lange zitten. Bovendien begon ik het onaangenaam koud te krijgen in mijn dunne jack. Tijd om naar binnen te gaan, en naar bed. De rest van het huis was in duisternis gehuld. Blijkbaar waren Octavia en Amelia al naar bed, uitgeput van hun heksenwerk.

Ik hees me uit mijn stoel, klapte de parasol in en liep naar het gereedschapsschuurtje. Daar zette ik de parasol tegen de werkbank waaraan de man van wie ik had gedacht dat hij mijn grootvader was, altijd aan het klussen was geweest. Toen ik de deur van het schuurtje weer dichtdeed, had ik het gevoel dat ik de zomer daarachter had weggesloten.

18

Na een vredige, rustige vrije maandag ging ik dinsdag weer aan het werk om de lunch te draaien. Toen ik van huis ging was Amelia bezig met het schilderen van een ladekast die ze in de plaatselijke rommelwinkel op de kop had getikt. En Octavia had zich op de rozen gestort, om de dode knoppen te verwijderen. Ze moesten vóór de winter worden teruggesnoeid, beweerde ze, en ik had gezegd dat ze haar gang kon gaan. Tot voor kort was het mijn oma geweest die zich over de rozen had ontfermd. Ik had ze met geen vinger mogen aanraken, behalve als er moest worden gesproeid tegen de luizen. Dat was een van mijn taken geweest.

In Merlotte kwam Jason met een stel collega's binnen voor de lunch. Ze schoven twee tafeltjes tegen elkaar, waar ze als een vrolijk groepje mannen omheen gingen zitten. Dankzij het koelere weer en de afwezigheid van extreem noodweer hadden de ploegen die het regionale wegennet onderhielden weinig te klagen. Jason leek bijna overdreven druk en vrolijk, ik registreerde een wirwar van beweeglijke gedachten in zijn hoofd. Misschien was de verdwijning van Tanya's verderfelijke invloed al merkbaar. Maar ik deed mijn uiterste best me verre te houden van wat er in zijn hoofd omging. Hij was tenslotte mijn broer.

'Je moet de groeten hebben van Crystal,' zei Jason toen ik met een blad vol mokken thee en glazen cola naar hun tafel kwam.

'Hoe voelt ze zich vandaag?' vroeg ik om interesse te tonen. Jason maakte een rondje met duim en wijsvinger. Terwijl ik de laatste mok thee op tafel zette en mijn best deed niet te morsen, vroeg ik aan Dove Beck, een neef van Alcee, of hij er een schijfje citroen bij wilde.

'Nee, dank je,' antwoordde hij beleefd. Dove, die op de dag nadat hij van college kwam, was getrouwd, vormde een wereld van verschil met Alcee. Met zijn dertig jaar was hij een stuk jonger, en voor zover ik dat kon zeggen – en dat ging best ver – bezat hij niet die verborgen kern van woede waardoor de rechercheur werd beheerst. Ik had met een van de zussen van Dove in de klas gezeten.

'Hoe is het met Angela?' vroeg ik.

Er verscheen een glimlach op zijn gezicht. 'Die is getrouwd. Met Maurice Kershaw. Ze hebben een jongetje, echt een schattig kind. En Angela is zo veranderd. Ze rookt niet, ze drinkt niet, en ze zit elke zondag vooraan in de kerk.'

'Wat fijn om te horen! Doe haar de groeten van me.' Terwijl ik bestellingen begon op te nemen, hoorde ik Jason aan zijn maten vertellen dat hij een omheining ging plaatsen. Maar ik had geen tijd om er aandacht aan te besteden.

Toen de anderen vertrokken en naar hun auto liepen, bleef Jason nog even hangen. 'Zeg Sook, tegen de tijd dat je hier klaar bent, zou jij dan even langs Crystal willen rijden, om te zien of alles goed is?'

'Natuurlijk. Maar dan zit jouw dag er toch ook op?'

'Jawel, maar ik moet naar Clarice, om gaas te halen. Crystal wil een deel van de achtertuin afzetten. Dan kan de baby daar straks veilig spelen.'

Het verraste me dat Crystal al zo ver vooruitkeek en blijk gaf van zoveel moederinstinct. Misschien zou ze door de baby veranderen, en ik dacht aan Angela Kershaw en haar zoontje.

Ik wilde er niet aan denken hoeveel meisjes die jonger waren dan ik al jaren getrouwd waren en kinderen hadden – of in sommige gevallen alleen kinderen. Jaloezie was een slechte eigenschap, hield ik mezelf voor, en ik zette een vrolijk gezicht op en stortte me op mijn werk. Gelukkig hadden we een drukke lunch. Tegen de tijd dat de rust weerkeerde, vroeg Sam me te helpen met het inventariseren van de voorraad. Ondertussen bemande Holly de bar. Dat kon gemakkelijk, want de enige gasten die er nog zaten, waren onze twee vaste alcoholisten.

Omdat ik doodzenuwachtig werd van Sams BlackBerry noteerde hij de aantallen terwijl ik telde. Dat betekende dat ik wel vijftig keer de ladder op en af moest, om te tellen en de boel af te stoffen. Onze schoonmaakmiddelen kochten we ook in het groot in en ook die moesten worden geteld. Er kwam geen eind aan.

De opslagruimte heeft geen ramen, en het werd er behoorlijk warm. Tegen de tijd dat Sam eindelijk tevreden was, vond ik het een opluchting uit het stoffige hok te kunnen ontsnappen. Ik viste een spinnenweb uit zijn haar toen ik langs hem heen liep, op weg naar de wc. Daar schrobde ik mijn handen, ik waste mijn gezicht, fatsoeneerde mijn paardenstaart en controleerde mezelf – voor zover mogelijk – op spinnenwebben.

Toen mijn dienst erop zat en ik naar buiten liep, snakte ik zo naar een verkwikkende douche dat ik haast had om thuis te komen. Ik wilde al links afslaan, toen ik me herinnerde dat ik had beloofd even bij Crystal langs te wippen. Dus ik gaf mijn stuur een ruk naar rechts.

Jason woont in het huis van mijn ouders, en hij houdt de boel keurig bij. Zijn huis is zijn trots. In zijn vrije tijd vindt hij het heerlijk om te schilderen, te maaien en te klussen. Het is een kant van hem die me telkens weer verrast. Nog niet zo lang geleden heeft hij de buitenkant geelbruin geschilderd en de sierlijsten stralend wit, waardoor het huisje een buitengewoon keurige aanblik biedt. Het tuinpad aan de voorkant heeft de vorm van een u en Jason heeft een aftakking gemaakt naar de carport, achter het huis. Ik zette mijn auto bij de treden naar de voordeur. Terwijl ik de sleutels in mijn zak stopte, liep ik de veranda over. Bij de deur gekomen legde ik mijn hand op de kruk, want ik wilde mijn hoofd naar binnen steken om Crystal te roepen. Ik was tenslotte familie. De voordeur zat niet op slot, zoals dat overdag bij de meeste voordeuren het geval is. De woonkamer lag er verlaten bij.

'Crystal, hallo! Ik ben het! Sookie!' riep ik, niet te hard want ik wilde haar niet laten schrikken als ze net een dutje lag te doen.

Ik hoorde een gedempt geluid, een soort gekreun. Het kwam uit de grootste slaapkamer, waar ooit mijn ouders hadden geslapen. De kamer lag aan mijn rechterhand, tegenover de woonkamer.

Shit, ze heeft weer een miskraam, was mijn eerste gedachte. Ik rende naar de dichte deur en gooide die zo hard open dat hij tegen de muur stuiterde. Maar dat merkte ik nauwelijks, want op het bed lagen Crystal en Dove Beck te stuiteren.

Ik was zo geschokt, zo kwaad, zo van streek dat ik het ergste zei wat ik kon bedenken toen ze ophielden met stuiteren en me aankeken. 'Geen wonder dat je al je baby's kwijtraakt!' Toen draaide ik me met een ruk om en liep driftig het huis uit. Omdat ik trilde van verontwaardiging kreeg ik het portier van mijn auto niet open. Tot overmaat van ramp stopte net op dat moment Calvin achter me. Al bijna voordat zijn pick-up tot stilstand kwam, sprong hij eruit.

'Mijn god, wat is er aan de hand?' vroeg hij. 'Is alles goed met Crystal?'

'Dat kun je beter aan haarzelf vragen,' zei ik hatelijk. Ik liet me achter het stuur vallen, maar het enige wat ik kon doen, was beven. Calvin rende het huis in alsof hij een brand moest blussen, en die omvang had deze ramp ook wel, veronderstelde ik.

'Jason, verdomme!' Woedend beukte ik met mijn vuist op het stuur. Ik had de tijd moeten nemen om naar zijn gedachten te luisteren. Hij had het geweten! Omdat hij naar Clarice moest, had hij geweten dat Dove en Crystal van de gelegenheid gebruik zouden maken om in het geheim af te spreken. Jason kende me, hij wist dat ik me zou houden aan mijn belofte en bij Crystal langs zou gaan. En het kon geen toeval zijn dat Calvin op hetzelfde moment voor de deur stond. Blijkbaar had Jason hem ook gevraagd even bij Crystal langs te rijden. Zo kon er van ontkennen en verdoezelen geen sprake zijn. Calvin en ik waren getuige! Ik had me terecht zorgen gemaakt over de voorwaarden waaronder het huwelijk was gesloten, en inmiddels had ik opnieuw reden tot zorg.

Bovendien schaamde ik me. Ik schaamde me voor het gedrag van alle betrokkenen. Volgens de principes die ik erop na houd – en die nou niet echt de principes van een heel brave christen zijn – moeten vrijgezellen in de liefde vooral zelf weten wat ze doen. En ook als het gaat om vrijblijvender relaties, vind ik alles best, zolang mensen elkaar respecteren. Maar in mijn opvatting gelden er andere regels voor een stel dat elkaar trouw heeft beloofd ten overstaan van allen.

Blijkbaar dacht Crystal – en Dove – daar anders over.

Op dat moment kwam Calvin weer naar buiten, en het ontging me niet dat hij ineens jaren ouder leek. Bij mijn auto bleef hij staan. Zijn gezicht verried dat hij dezelfde emoties voelde als ik. Ontgoocheling, weerzin, teleurstelling. Dat is nog eens een ander rijtje dan geloof, hoop en liefde.

'Ik bel je,' zei hij. 'We ontkomen niet aan de ceremonie.'

Crystal kwam de veranda oplopen, gehuld in een kamerjas met luipaardprint. Om de confrontatie uit de weg te gaan startte ik de auto en vertrok, zo snel als ik kon. Verdwaasd reed ik naar huis. Toen ik de achterdeur binnenkwam, stond Amelia iets te hakken op het oude hakbord; het bord dat de brand had overleefd en slechts een paar schroeiplekken had opgelopen. Ze draaide zich naar me om en deed haar mond al open om iets te zeggen, toen ze mijn gezicht zag. Ik schudde mijn hoofd en liep rechtstreeks door naar mijn kamer.

Op een dag als vandaag zou ik het heerlijk hebben gevonden om weer alleen te wonen.

Ik ging in het stoeltje in de hoek van mijn kamer zitten. De stoel die de laatste tijd aan zoveel bezoekers plaats had geboden. Bob lag opgerold op mijn bed, hoewel hem dat nadrukkelijk verboden was. Blijkbaar had iemand mijn deur opengezet. Ik overwoog Amelia de wind van voren te geven, maar verwierp de gedachte toen ik het keurige stapeltje schoon ondergoed op de ladekast ontdekte.

'Bob,' zei ik, waarop de kat zich in één vloeiende beweging uitrekte en overeind kwam. Met zijn grote goudgele ogen keek hij me aan. 'Maak dat je wegkomt!' Bob sprong van het bed en liep waardig naar de deur, die ik een paar centimeter voor hem opendeed. Hij werkte zich door de kier en slaagde erin de indruk te wekken dat hij uit eigen vrije wil vertrok. Toen hij weg was, deed ik de deur weer achter hem dicht.

Ik ben dol op katten. Maar ik wilde gewoon alleen zijn.

De telefoon ging, en ik kwam uit mijn stoel om op te nemen.

'Morgenavond,' zei Calvin. 'Trek iets gemakkelijks aan. Zeven uur.' Hij klonk verdrietig en vermoeid.

'Oké.' Meer werd er niet gezegd. Ik ging weer zitten. Wat die ceremonie ook behelsde, moest ik daar per se aan deelnemen? Ja, dat moest. Anders dan Crystal hield ik me aan mijn beloften. Als zijn naaste familielid had ik bij zijn huwelijk borg moeten staan voor Jason, wat inhield dat ik in zijn plaats gestraft mocht worden in geval van ontrouw aan zijn nieuwe vrouw. Calvin had datzelfde gedaan voor Crystal. En daarvan moesten we nu de consequenties onder ogen zien.

Ik wist niet wat er ging gebeuren, maar ik wist wel dat het verschrikkelijk zou zijn. Hoewel de weerpanters doordrongen waren van de noodzaak dat iedere beschikbare volbloedman paarde met iedere beschikbare volbloedvrouw – dat was de enige manier om bloedzuivere jonge weerpanters te verwekken – huldigden ze de opvatting dat partnerschappen die werden gevormd nadat het voortbestaan van de soort was gediend, monogaam hoorden te zijn. Wie niet bereid was die gelofte af te leggen, ging geen relatie aan of trouwde niet. Dat waren de regels binnen de gemeenschap. Crystal was ermee opgegroeid, Jason was vóór zijn huwelijk door Calvin geïnstrueerd.

Mijn broer belde niet, en daar was ik blij om. Ik vroeg me af wat er op dat moment in zijn huis gebeurde, maar eigenlijk wilde ik het helemaal niet weten. Wanneer hadden Crystal en Dove Beck elkaar leren kennen? En wist de vrouw van Dove hiervan? Crystals bedrog verbaasde me minder dan de man met wie ze Jason had bedrogen.

Blijkbaar had ze hem haar ontrouw dubbel en dwars willen inpeperen. 'Als ik dat wil heb ik seks met een ander, terwijl ik zwanger ben van jou! En die ander is slimmer dan jij! Hij behoort tot een ander soort dan jij! En hij werkt voor je!' Stuk voor stuk aspecten waarmee ze hem nog een extra trap na gaf. Als dit haar wraak was voor die cheeseburger, dan ging ze wel behoorlijk ver!

Omdat ik niet chagrijnig wilde lijken, kwam ik tevoorschijn voor het avondeten, een troostrijke, simpele ovenschotel van tonijn met noedels, erwten en uien. Nadat ik de vaat op het aanrecht had gezet, zodat Octavia kon afwassen, trok ik me weer terug in mijn kamer. De twee heksen liepen bijna op hun tenen door de gang. Het was duidelijk dat ze me niet wilden storen, maar ook dat ze me dolgraag zouden vragen wat er aan de hand was.

Dat deden ze echter niet, en daar was ik hun erg dankbaar voor. Want geschokt als ik was, had ik het hun niet kunnen uitleggen.

Voordat ik die avond ging slapen, putte ik me uit in gebeden, maar het mocht allemaal niet baten. Ik voelde me nog steeds ellendig.

De volgende dag ging ik aan het werk. Ik moest wel. Trouwens, door thuis te blijven zou ik me geen haar beter hebben gevoeld. Ik was erg blij dat Jason zich niet in Merlotte liet zien, want ik zou hem een bierpul naar zijn hoofd hebben gegooid.

Sam nam me herhaalde malen onderzoekend op, en ten slotte trok hij me achter de bar. 'Vertel op! Wat is er aan de hand?'

Er kwamen tranen in mijn ogen, en het scheelde niet veel of ik was in janken uitgebarsten. Maar ik liet me haastig door mijn knieën zakken, alsof ik iets had laten vallen. 'Vraag het me niet,' zei ik smekend. 'Ik ben zo van streek. Ik kan er niet over praten.' Terwijl ik het zei, besefte ik dat het een enorme troost zou betekenen om Sam in vertrouwen te nemen. Maar ik kreeg het simpelweg niet voor elkaar. Niet op dat moment, in een vol café.

'Oké, maar als je me nodig hebt, weet je me te vinden. Afgesproken?' Hij klopte me op de schouder. Zijn gezicht stond ernstig.

Ik prees me innig gelukkig met hem als baas.

Zijn gebaar herinnerde me eraan dat ik werd omringd door mensen die zich nooit zo beschamend zouden gedragen als Crystal dat had gedaan. Trouwens, Jason moest zich ook schamen, omdat hij Calvin en mij had gedwongen getuige te zijn van haar ordinaire verraad. Mijn vrienden zouden zoiets nooit doen! Het was een gruwelijke speling van het lot dat uitgerekend mijn eigen broer het wel had gedaan.

Door die gedachte voelde ik me beter, sterker.

En tegen de tijd dat ik thuiskwam liep ik weer met opgeheven hoofd. Er was niemand. Ik aarzelde, me afvragend of ik Tara zou bellen, of Sam zou vragen een uurtje vrij te nemen. Ik overwoog zelfs Bill te bellen, om hem te vragen met me mee te gaan naar Hotshot... Maar dat zou een zwaktebod zijn. Dit was iets wat ik alleen moest doen. Calvin had gezegd dat ik iets gemakkelijks moest aantrekken. En dat ik me vooral niet moest opdirken. De kleren die ik naar Merlotte droeg, voldeden aan alle eisen. Maar het voelde niet goed om in mijn werkkleren naar een dergelijke gebeurtenis te gaan. Misschien zou er bloed vloeien. Ik had geen idee wat ik kon verwachten. Uiteindelijk koos ik voor een yogabroek en een oude grijze sweater. Met mijn haar in een paardenstaart zag ik eruit alsof ik mijn kasten ging opruimen.

Onderweg naar Hotshot zette ik de radio keihard aan en ik zong uit volle borst mee om niet te hoeven nadenken. Ik zong de tweede stem bij Evanescence en ik was het roerend eens met de Dixie Chicks dat ik me er niet onder liet krijgen... 'Not Ready to Make Nice' was echt het perfecte nummer om mijn vastberadenheid te versterken.

Ruim voor zevenen reed ik Hotshot binnen. Ik was er voor het laatst geweest met de bruiloft van Jason en Crystal. Dat was de avond waarop ik met Quinn had gedanst. En de enige keer dat ik met hem naar bed was geweest. Achteraf had ik daar spijt van. Ik had gerekend op een toekomst die nooit werkelijkheid was geworden. En daarom had ik te veel haast gehad. Ik hoopte dat ik die fout nooit meer zou maken.

Net als op de avond van Jasons bruiloft parkeerde ik langs de kant van de weg. Er stonden nu lang niet zoveel auto's als toen, omdat er bij de bruiloft veel 'gewone' gasten waren geweest. Ik herkende de pick-up van Jason, de andere auto's waren van de weinige weerpanters die niet in Hotshot woonden, veronderstelde ik.

In de achtertuin van Calvins huis had zich al een kleine menigte verzameld. Er werd ruim baan voor me gemaakt toen ik naar het centrum van de drukte liep en daar Crystal, Jason en Calvin aantrof. In de menigte zag ik diverse bekende gezichten. Een pantervrouw van middelbare leeftijd die Maryelizabeth heette, knikte me toe. Haar dochter stond vlakbij. De naam van het meisje kon ik me niet meer herinneren, maar ze was bij lange na niet de enige minderjarige onder de aanwezigen. Ik werd bekropen door dat griezelige gevoel waardoor de haartjes op je armen overeind gaan staan, zoals me dat ook altijd gebeurde wanneer ik me het dagelijks leven in Hotshot probeerde voor te stellen.

Calvin staarde naar zijn laarzen en keek niet op. Ook Jason wilde me niet aankijken. Alleen Crystal stond met opgeheven hoofd. Haar donkere ogen zochten de mijne, alsof ze me uitdaagde haar aan te kijken, om te zien wie als eerste de ogen neersloeg. Ik nam de uitdaging aan, en het duurde niet lang of ze gaf het op en keek naar een punt ergens tussen ons in.

Maryelizabeth hield een duidelijk veelgebruikt, oud boek in haar hand. Ze sloeg het open op een bladzijde die ze had gemarkeerd met een stukje krantenpapier. Geleidelijk aan werd het stil om ons heen. Hier waren de weerpanters voor gekomen.

'Wij, het volk van tand en klauw, zijn hier bijeen omdat een van ons haar geloften heeft gebroken,' las Maryelizabeth. 'Bij het huwelijk van Crystal en Jason, weerpanters die deel uitmaken van onze gemeenschap, hebben beiden beloofd hun huwelijksgeloften gestand te doen, in zowel de geest van de kat als van de mens. Crystals plaatsvervanger was haar oom Calvin, die van Jason zijn zus, Sookie.'

Ik was me ervan bewust dat de ogen van de hele gemeenschap van Calvin naar mij gingen. Veel van die ogen waren goudgeel-met-groen. Inteelt had in Hotshot tot enkele licht verontrustende resultaten geleid.

'Nu Crystal haar geloften heeft gebroken – een daad waarvan de plaatsvervangers kunnen getuigen – heeft haar oom aangeboden haar plaats in te nemen omdat ze zwanger is.'

Het werd allemaal nog veel akeliger dan ik had gevreesd, besefte ik.

'En nu Calvin de plaats van Crystal inneemt, moet ik jou vragen of jij hetzelfde voor Jason wilt doen, Sookie?'

Shit! Terwijl ik Calvin aankeek, besefte ik dat ik hem met mijn hele gezicht smeekte om een uitweg. Op zijn beurt vertelde hij me met zijn hele gezicht dat die uitweg er niet was. Sterker nog, ik las in zijn ogen dat hij medelijden met me had.

Dit zou ik mijn broer – en Crystal – nooit vergeven.

'Sookie,' drong Maryelizabeth aan.

'Wat zou ik dan moeten doen?' Ik hoorde zelf hoe mokkend en wrokkend en boos het klonk, maar daar had ik alle reden toe, vond ik.

Maryelizabeth sloeg het boek weer open en las het antwoord voor. 'We bestaan bij de gratie van ons vernuft en onze klauwen, en als vertrouwen wordt verkracht, treft een klauw hetzelfde lot.'

Ik staarde haar aan en probeerde te begrijpen wat ze bedoelde.

'Dat betekent dat óf jij, óf Jason een vinger van Calvin moet breken,' zei Maryelizabeth kalm. 'Of liever gezegd, omdat Crystal het vertrouwen op de ergst mogelijke manier heeft beschaamd, zullen er twee vingers moeten worden gebroken. Sterker nog, minstens twee. Meer zou beter zijn. Ik neem aan dat de keuze aan Jason is.'

Meer zou beter zijn. Jezusmina, godallemachtig. Ik probeerde kalm te blijven en rationeel te denken. Wie zou mijn vriend Calvin de meeste schade toebrengen? Mijn broer, daar was geen twijfel over mogelijk. Ik was het aan mijn vriendschap met Calvin verplicht het te doen. Maar kon ik me daartoe zetten? Toen werd de beslissing me uit handen genomen.

'Ik had niet gedacht dat het zover zou komen, Sookie.' Jason klonk zowel boos als verward, en alsof hij zich in de verdediging voelde gedrongen. 'Als Calvin de plaats inneemt van Crystal, wil ik dat Sookie dat voor mij doet,' zei hij tegen Maryelizabeth. Ik had nooit gedacht dat ik mijn eigen broer kon haten.

'Zo zal het gebeuren,' zei Maryelizabeth.

Ik probeerde mezelf moed in te spreken. Tenslotte bleek het allemaal niet zo erg als ik had verwacht. Ik had me voorgesteld dat Calvin misschien zweepslagen zou krijgen, of dat hij zou worden gedwongen Crystal af te ranselen met een zweep. Of dat we iets afschuwelijks hadden moeten doen waar messen aan te pas kwamen. Dat zou allemaal veel erger zijn geweest.

Zo probeerde ik mezelf moed in te spreken, totdat twee mannelijke weerpanters een stel betonblokken aandroegen en die op de picknicktafel legden.

Vervolgens hield Maryelizabeth me een baksteen voor.

Onwillekeurig begon ik mijn hoofd te schudden, want ik voelde een pijnlijke steek in mijn maag. Een gevoel van misselijkheid maakte salto's in mijn buik. Terwijl ik naar de ordinaire rode baksteen keek, begon het tot me door te dringen wat er van me werd verwacht.

Calvin stapte naar voren, nam mijn hand en boog zich naar me toe. 'Lieverd, je moet het doen,' fluisterde hij in mijn oor. 'Toen ik bij haar trouwen borg voor haar stond, wist ik dat dit zou kunnen gebeuren. Want ik ken mijn nicht. Net zoals jij je broer kent. Het had net zo goed andersom kunnen zijn. In dat geval had ik dit bij jou moeten doen. En jij geneest niet zo goed als ik. Dus het is beter zo. En het moet gebeuren. Dat eist ons volk.' Hij richtte zich op en keek me recht aan. Zijn vreemde ogen waren goudgeel-met-groen, maar de blik die ik daarin las, was kalm en beheerst.

Ik drukte mijn lippen op elkaar en dwong mezelf te knikken. Na een laatste bemoedigende blik wendde Calvin zich af. Hij nam zijn plaats in bij de tafel en legde zijn hand op de betonblokken. Zonder verdere plichtplegingen gaf Maryelizabeth me de baksteen. De rest van de panters wachtte geduldig totdat ik de straf ten uitvoer bracht. De vampiers zouden deze ceremonie hebben opgesierd met speciale gewaden en een bijzondere baksteen; een fraaie steen uit een oude tempel of zoiets. Zo niet de panters. De baksteen was een doodgewoon, ordinair stuk steen. Ik hield hem met beide handen vast, met mijn vingers om een van de lange zijden geklemd.

Nadat ik een volle minuut naar de steen had gekeken richtte ik me tot Jason. 'Ik wil je nooit meer zien. Nooit meer.' Daarop keerde ik me naar Crystal. 'Ik hoop dat je ervan hebt genoten, kreng.' Toen draaide ik me om, zo snel als ik kon, en ik liet de baksteen neerdalen op Calvins hand.

19

Nadat ze twee dagen nerveus om me heen hadden gehangen, kwamen Amelia en Octavia tot de conclusie dat ze me maar het beste met rust konden laten. Door het lezen van hun bezorgde gedachten werd ik alleen maar nóg chagrijniger, want ik wilde geen enkele troost accepteren. Ik moest lijden voor wat ik had gedaan, vond ik, en daarom stond ik mezelf niet toe ook maar iets aan te nemen wat mijn ellende zou verzachten. Dus ik tobde en mokte en piekerde, en ik liet mijn grimmigheid als een lijkwade neerdalen over het hele huis.

Mijn broer liet zich één keer zien in het café, maar ik keerde hem de rug toe. Dove Beck had blijkbaar besloten Merlotte te mijden, en dat was maar goed ook. Weliswaar trof hem in mijn ogen de minste schuld, maar dat pleitte hem bepaald niet vrij. Toen Alcee Beck binnenkwam, kon ik aan hem merken dat zijn neef hem in vertrouwen had genomen. Alcee keek zo mogelijk nog woedender dan anders, en hij liet geen kans voorbijgaan om mijn blik te onderscheppen en me duidelijk te maken dat ik het niet moest wagen op hem neer te kijken.

Goddank liet Calvin zich niet zien. Dat had ik niet kunnen verdragen. Maar zijn collega's bij Norcross praatten honderduit over het ongeluk dat hem was overkomen, toen hij thuis aan zijn pick-up werkte.

Volkomen onverwacht kwam Eric op de derde avond na de ceremonie Merlotte binnenlopen. Op het moment dat ik hem zag, leek het alsof mijn keel ineens niet meer werd dichtgesnoerd, en ik kreeg tranen in mijn ogen. Maar Eric liep met een bezittersair door naar achteren, naar het kantoor. Even later stak Sam zijn hoofd om de deur en wenkte me.

Toen ik het kantoor binnenkwam, deed Sam tot mijn verrassing de deur dicht.

'Wat is er aan de hand?' vroeg hij. Daar probeerde hij al dagen achter te komen, maar ik had zijn goedbedoelde vragen steeds afgehouden.

Eric stond enigszins afzijdig, met zijn armen over elkaar. 'Vertel op!' Hij gebaarde met één hand. 'We willen het weten.' Ondanks zijn bruuskheid zorgde zijn aanwezigheid ervoor dat de strakke knoop binnen in me ontspande, de knoop die de woorden had tegengehouden.

'Ik heb de hand van Calvin Norris gebroken,' zei ik. 'Met een baksteen.'

'Dus hij heeft... Hij stond borg voor je schoonzus bij het huwelijk.' Sam had het onmiddellijk door. Erics gezicht verried geen enkele emotie. De vamps weten het nodige over de Weers – ze moeten wel – maar ze vinden zichzelf zo superieur dat ze geen enkele moeite doen om zich te verdiepen in hun gebruiken en rituelen.

'Ze moest zijn hand breken. Die vertegenwoordigt de klauwen van de panter,' legde Sam ongeduldig uit. 'Ze heeft de plaats ingenomen van Jason.' Sam en Eric keken elkaar aan met zo'n blik van eensgezindheid dat ik er bang van werd. Want ze kunnen Jason allebei niet luchten of zien.

Sam keek van mij naar Eric alsof hij verwachtte dat die iets zou doen waardoor ik me beter voelde. 'Ik ben niet van hem, ik hoor niet bij hem!' zei ik scherp, want ik voelde me op een afschuwelijke manier gemanipuleerd. 'Dacht je nou echt dat Eric zijn gezicht maar hoeft te laten zien om te zorgen dat ik weer helemaal vrolijk word?'

'Nee.' Sam klonk ook enigszins geërgerd. 'Maar ik hoopte wel dat het je zou helpen om je mond open te doen. Om te vertellen wat er mis is.'

'Wat er mis is,' herhaalde ik heel zacht. 'Oké, wat er mis is, dat is dat mijn broer het zo heeft geregeld dat Calvin en ik langsgingen bij de vier maanden zwangere Crystal. Jason heeft er bovendien voor gezorgd dat Calvin en ik ongeveer tegelijk bij zijn huis waren. En dat we Crystal in bed aantroffen met Dove Beck!'

'En daarom moest jij de vingers van de weerpanter breken.' Eric zei het op een toon alsof hij informeerde naar de zonderlinge, schilderachtige gewoonten van een primitieve stam. Alsof ik met een stel kippenbotten om mijn nek drie keer in het rond had moeten draaien.

'Inderdaad,' zei ik grimmig. 'Ik moest de vingers van mijn vriend breken. Met een baksteen. Ten overstaan van een heleboel mensen.'

Het leek tot Eric door te dringen dat hij voor de verkeerde benadering had gekozen. Sam keek hem woedend aan. 'En ik dacht nog wel dat ze steun aan je zou hebben.'

'Ik heb op het moment erg veel aan mijn hoofd in Shreveport.' Eric voelde zich duidelijk in de verdediging gedrongen. 'Niet in de laatste plaats de ontvangst van een nieuwe koning.'

Sam mompelde iets wat verdacht veel klonk als: 'Klotevampiers.'

De redelijkheid was totaal zoek. Ik had verwacht te worden overstelpt met medeleven nadat ik de reden van mijn somberheid eindelijk had opgebiecht. In plaats daarvan waren Sam en Eric zo gebeten op elkaar dat ze geen moment meer aan mij dachten. 'Nou, reuze bedankt, jongens,' zei ik. 'Het was geweldig. Eric, je hebt me enorm geholpen. Ik waardeer je lieve woorden.' En ik vertrok met opgestoken veren, zoals mijn oma dat noemde. Driftig liep ik terug naar de bar, en ik bediende mijn tafels met zo'n grimmig gezicht dat sommige klanten amper nog een drankje durfden te bestellen.

Ik besloot de werkbladen en de kastjes achter de bar schoon te maken omdat Sam nog met Eric in zijn kantoor zat. Ook al sloot ik niet uit dat Eric inmiddels via de achterdeur was vertrokken. Ik schrobde en boende, ik tapte af en toe een paar biertjes voor Holly, en ik ruimde alles zo zorgvuldig op dat Sam wel eens moeite zou kunnen hebben dingen te vinden. Nou ja, dat was met een week of twee ook weer over.

Toen hij tevoorschijn kwam om zijn plek achter de bar weer in te nemen, keek hij misprijzend om zich heen, en hij gebaarde met zijn hoofd dat ik daar weg moest. Mijn slechte humeur was aanstekelijk.

Ken je dat? Dat iemand oprecht zijn best doet je op te beuren? En dat jij besluit dat niets, maar dan ook helemaal niets je weer vrolijk kan maken? Sam had Eric opgetrommeld als een soort kalmeringsmiddel, en hij was nijdig omdat ik had geweigerd het medicijn te slikken. In plaats van dankbaar te zijn dat hij in zijn bezorgdheid Eric had gebeld, was ik kwaad op hem vanwege het effect dat hij van Eric had verwacht.

Ik wentelde me in somberheid.

Quinn was verdwenen. Omdat ik hem had weggestuurd. Was dat een stomme fout geweest of een wijs besluit? Dat zou nog moeten blijken.

Bij de aanval door Priscilla had een groot aantal Weers in Shreveport de dood gevonden, en ik had sommigen voor mijn ogen zien sterven. Nou, dat gaat je niet in je kouwe kleren zitten.

Er waren ook veel vamps omgekomen, van wie ik er een aantal vrij goed had gekend.

Mijn broer was een achterbakse, manipulerende klootzak.

Mijn overgrootvader zou me nooit mee uit vissen nemen.

Kom op! Nu stelde ik me aan. En plotseling grijnsde ik, bij het beeld van de prins der elfen in een oude tuinbroek van spijkerstof, met een petje van de Bon Temps Hawks, gewapend met een blikje wurmen en een stel hengels.

Terwijl ik een tafel afruimde, ontmoette mijn blik die van Sam. Ik knipoogde naar hem.

Hij wendde zich hoofdschuddend af, maar het ontging me niet dat er een zweem van een glimlach om zijn mondhoeken speelde.

En van het ene op het andere moment was mijn pestbui officieel over. Mijn gezond verstand trad weer in werking. Het had geen zin om mezelf verwijten te blijven maken over wat er in Hotshot was gebeurd. Ik had gedaan wat ik moest doen. Calvin begreep dat beter dan ik. Mijn broer was een klootzak, Crystal was een hoer, maar daar kon ik niets aan veranderen. Dat ze zich misdroegen, kwam doordat ze zich ongelukkig voelden omdat ze met de verkeerde partner getrouwd waren. Maar ze waren allebei – althans in jaren – volwassen mensen, en ik kon hun huwelijk niet redden, net zomin als ik het had kunnen voorkomen.

De Weers hadden hun problemen op hun manier opgelost, en ik had mijn best gedaan hen daarbij te helpen. Hetzelfde gold min of meer voor de vamps.

Nou vooruit, ik was er nog niet helemaal, maar ik voelde me een stuk beter.

Toen ik na mijn dienst naar buiten liep, voelde ik slechts lichte ergernis bij de aanblik van Eric die bij mijn auto stond te wachten. Hij was moederziel alleen, en het was een koude nacht, maar hij zag eruit alsof hij genoot. Ik huiverde, want ik had de verkeerde jas aan. Mijn jekker was niet dik genoeg.

'Het was heerlijk om even alleen te zijn,' zei Eric onverwacht.

'Ja, in Fangtasia heb je natuurlijk altijd mensen om je heen.'

'Precies, en die willen allemaal wat van me.'

'Maar dat vind je toch fijn? Om de grote baas te zijn? Om door iedereen naar de ogen te worden gekeken?'

Eric trok een gezicht alsof hij daarover nadacht. 'Ja, dat vind ik fijn. Ik geniet ervan om de baas te zijn. Maar niet om... op mijn vingers te worden gekeken. Zeg je dat zo? Ik zal blij zijn als Felipe de Castro en Sandy, zijn trouwe volgeling, weer vertrekken. Victor blijft hier, om New Orleans over te nemen.'

Eric maakte me deelgenoot van zijn overwegingen! Dat was ongekend! Het leek wel een gelijkwaardig gesprek dat we voerden!

'Hoe is de nieuwe koning?' Ik mocht het dan koud hebben, ik kon de verleiding niet weerstaan om dit zeldzame geven en nemen nog even te laten voortduren.

'Hij is knap, genadeloos en slim,' zei Eric.

'Net als jij.' Ik had mezelf wel kunnen slaan!

Eric dacht even na, toen knikte hij. 'Maar in de overtreffende trap.' Zijn stem klonk grimmig. 'Ik zal buitengewoon alert moeten zijn om hem vóór te blijven.'

'Wat buitengewoon bevredigend om je dat te horen zeggen,' zei een stem met een latino-accent.

Dit was typisch zo'n moment van *O shit!* (Een OSM, zoals ik het in gedachten noemde.) Er kwam een schitterende man tussen de bomen vandaan. Met grote ogen zag ik hem dichterbij komen. Terwijl Eric een buiging maakte, gleed mijn blik van de glanzende schoenen naar de wilskrachtige gelaatstrekken van Felipe de Castro. Ten slotte boog ik ook – te laat! – en ik besefte dat Eric niet had overdreven toen hij de nieuwe koning knap had genoemd. Felipe de Castro was een donkere man, een latino in wiens schaduw zelfs Jimmy Smits niets te zoeken had. En ik ben een groot bewonderaar van Jimmy. Hoewel De Castro niet veel langer was dan een meter zeventig, straalde hij zoveel kracht uit, zoveel gezag, dat niemand hem klein van stuk zou noemen. Sterker nog, met hem vergeleken leken andere mannen te lang. Zijn donkere, dikke haar was kort geknipt, hij had een snor en een smalle streep haar op zijn kin. De wenkbrauwen boven zijn donkere ogen waren sterk gewelfd, hij had een karamelkleurige huid en een krachtige neus. De koning droeg een cape – nee, ik maak geen grapje. Hij droeg een lange zwarte cape. En uit het feit dat het niet eens bij me opkwam om te giechelen, blijkt wel hoe indrukwekkend hij er daarin uitzag. Op de cape na leek hij gekleed voor een avond... flamencodansen. Tenminste, dat zou zomaar kunnen. Hij droeg een wit overhemd met een zwart vest en een geklede zwarte broek. Hij had een piercing in een van zijn oren, met een donker glanzende steen. In het licht van de veiligheidslamp hoog boven het parkeerterrein kon ik niet goed zien wat voor steen het was. Misschien een robijn? Of een smaragd?

Ik had me opgericht en stond hem opnieuw aan te staren. Maar toen ik opzij keek, zag ik dat Eric nog steeds boog voor de koning. O-o. Nou, ik was niet een van zijn onderdanen, en ik was niet van plan het nog eens te doen. Die ene keer had me als rechtgeaarde Amerikaan al danig tegen de borst gestuit.

'Hallo, ik ben Sookie Stackhouse,' zei ik, want de stilte begon ongemakkelijk te worden. Ik stak automatisch mijn hand uit, maar toen schoot het me te binnen dat vampiers daar niet aan doen. Dus ik trok hem haastig weer terug. 'Neem me niet kwalijk.'

De koning neigde licht zijn hoofd. 'Mevrouw Stackhouse.' Door zijn accent klonk mijn naam als lieflijk snaargetokkel. 'Mevrrrouw Stekhuss.'

'Ja, het spijt me dat onze ontmoeting niet langer kan duren, maar het is hier ijskoud en ik moet echt naar huis.' Ik keek hem stralend aan, met de manische blik die ik krijg als ik echt goed zenuwachtig ben. 'Dag, Eric,' zei ik gejaagd. Ik ging op mijn tenen staan en kuste hem op zijn wang. 'Bel me als je tijd hebt. Tenzij je, om welke krankzinnige reden ook, wilt dat ik blijf?'

'Nee, m'n lief, je moet naar huis, naar de warmte.' Eric nam mijn handen in de zijne. 'Ik bel je zodra het werk dat toestaat.'

Toen hij me losliet nam ik een onbeholpen soort duik in de richting van de koning – Amerikaan! Niet gewend aan buigen! – en ik sprong in de auto voordat een van de twee vamps zich kon bedenken. Ik voelde me een lafaard – een erg opgeluchte lafaard – toen ik achteruitstak, mijn stuur draaide en het parkeerterrein verliet. Maar op het moment dat ik Hummingbird Road opreed, begon ik al te twijfelen aan de juistheid van mijn besluit.

Ik maakte me zorgen om Eric. Dat was een tamelijk nieuw verschijnsel, een fenomeen waarbij ik me erg ongemakkelijk voelde, en het was begonnen in de nacht van de coup. Me zorgen maken om Eric was net zo zinloos als me zorgen maken om het welzijn van een rots of een orkaan. En ik had er toch nooit reden voor gehad? Hij was een van de machtigste vamps die ik kende. Maar Sophie-Anne was nog machtiger geweest en ze had de bescherming genoten van Sigebert, de reusachtige krijger. Toch was het slecht met haar afgelopen! Ik voelde me acuut en hevig ongelukkig. Wat was er aan de hand? Wat bezielde me?

Er kwam een afschuwelijke gedachte bij me op. Misschien werd mijn bezorgdheid om Eric wel ingegeven door Erics eigen bezorgdheid! En voelde ik me ellendig omdat Eric zich ellendig voelde. Zou dat kunnen? Kon het zo zijn dat ik zijn emoties zo sterk doorkreeg? En van zo'n grote afstand? Moest ik keren om erachter te komen wat er aan de hand was? Als de koning Eric wreed behandelde, zou ik daar toch niets tegen kunnen doen. Ik was zo van streek dat ik de auto langs de kant van de weg moest zetten.

Ik had nog nooit een paniekaanval gehad, maar dit had er alle symptomen van. Bovendien was ik verlamd door besluiteloosheid. Ook niet iets waar ze me anders op kunnen betrappen. Terwijl ik in tweestrijd verkeerde en uit alle macht probeerde helder na te denken, besefte ik dat ik rechtsomkeert moest maken, of ik wilde of niet. Het was een soort moeten waaraan ik me niet kon onttrekken; niet omdat ik aan Eric gebonden was, maar omdat ik oprecht om hem gaf.

Ik gaf een ruk aan het stuur en keerde, midden op Hummingbird Road. Sinds ik bij het café was weggereden, was ik maar twee auto's tegengekomen, dus het was niet echt een gevaarlijke manoeuvre. Aanzienlijk sneller dan ik was vertrokken, reed ik terug. Toen ik bij Merlotte aankwam, lag het parkeerterrein voor de klanten er verlaten bij. Ik zette mijn auto aan de voorkant en haalde mijn honkbalknuppel onder mijn stoel vandaan. Die had ik voor mijn zestiende verjaardag van mijn oma gekregen. Een prima ding, maar het had betere tijden gekend. Dekking zoekend tussen het groen langs de muren, sloop ik om het café heen. De begroeiing bestond uit *Nandina*'s, een soort struiken waar ik een gruwelijke hekel aan heb. Ze zijn warrig en lelijk en spichtig, en bovendien ben ik er allergisch voor. Ondanks mijn jekker, mijn broek en mijn sokken begon mijn neus te lopen zodra ik me tussen de planten waagde.

Heel voorzichtig gluurde ik om de hoek van het café.

Wat ik toen zag, was zo schokkend dat ik mijn ogen bijna niet kon geloven.

Sigebert, de lijfwacht van de koningin, was helemaal niet omgekomen tijdens de coup! Hij was nog volledig in het land der ondoden. Sterker nog, hij was hier, op het parkeerterrein van Merlotte! En hij vermaakte zich kostelijk met de nieuwe koning, Felipe de Castro, en met Eric, en met Sam, van wie ik veronderstelde dat hij nietsvermoedend in de fuik was gelopen toen hij naar buiten kwam om naar zijn trailer te gaan.

Ik haalde diep – en geluidloos – adem en dwong mezelf de situatie te analyseren. Sigebert was een kolos van een man, die eeuwenlang had gewaakt over de veiligheid van de koningin. Voor zijn broer, Wybert, gold hetzelfde, en hij was voor zijn koningin gestorven. Ik twijfelde er niet aan of de vamps uit Nevada hadden geprobeerd Sigebert uit de weg te ruimen. Ze hadden hem behoorlijk te pakken gehad. Vamps genezen snel, maar Sigebert was zo zwaargewond geraakt dat de schade zelfs dagen na het gevecht nog goed te zien was. Hij had een reusachtige jaap op zijn voorhoofd en een gruwelijk uitziend litteken net boven de plek waar zijn hart zou moeten zitten. Zijn kleren waren gescheurd en smerig en zaten onder de vlekken. Misschien hadden de vamps uit Nevada gedacht dat hij gedesintegreerd was, terwijl hij in werkelijkheid had weten weg te komen en zich verborgen had gehouden.

Maar dat doet er nou niet toe, zei ik tegen mezelf.

Wat ertoe deed, was dat hij zowel Eric als Felipe de Castro met zilveren ketenen had weten te boeien. Hoe had hij dat voor elkaar gekregen?

Dat doet er nou niet toe, zei ik opnieuw tegen mezelf. Misschien kwam die neiging om af te dwalen wel van Eric, die er aanzienlijk gehavender uitzag dan de koning. In de ogen van Sigebert was Eric natuurlijk een verrader.

Eric had een bloedende hoofdwond en zo te zien een gebroken arm. Uit de mond van De Castro sijpelde een traag stroompje bloed, dus blijkbaar had Sigebert hem een stoot verkocht. De twee vampiers lagen op de grond, en in het schelle licht van de veiligheidslamp leken ze witter dan sneeuw. Sam was aan de bumper van zijn eigen pick-up gebonden. Op het eerste gezicht mankeerde hij niets. Goddank.

Ik vroeg me af hoe ik Sigebert zou kunnen uitschakelen met mijn aluminium knuppel, maar ik kon niets bedenken. Als ik hem te lijf ging, zou hij me hard uitlachen. Hij mocht dan zwaargewond zijn, als simpele sterveling maakte ik geen schijn van kans tegen een vamp. Tenzij ik een list bedacht. Dus ik keek, en ik piekerde, maar uiteindelijk kon ik niet meer aanzien hoe Eric door Sigebert werd gepijnigd. Want reken maar dat het pijn doet als een vampier je een trap verkoopt. En dan zwaaide Sigebert ook nog eens enthousiast met een groot mes.

Wat was het grootste wapen dat ik tot mijn beschikking had? Mijn auto! Even voelde ik een steek van spijt, want het was de beste auto die ik ooit had gehad. Ik had hem van Tara gekregen toen zij een nieuwe had gekocht. Maar de auto was het enige wapen waarmee ik misschien een kans maakte Sigebert uit te schakelen.

Dus ik sloop terug naar de voorkant, vurig hopend dat Sigebert zo opging in zijn martelpraktijken dat hij het geluid van het portier niet hoorde. Eenmaal in de auto legde ik mijn hoofd op het stuur en ik dacht koortsachtig na. Ik stelde me het parkeerterrein voor, de ligging van het café, de locatie van de trailer en de plek waar de geboeide vamps lagen. Toen haalde ik diep adem en ik startte de motor. Terwijl ik om de hoek van het café reed, wenste ik dat ik met mijn auto ook door die vervloekte nandina's kon kruipen. Ik maakte een ruime bocht, om meer speling te hebben bij de aanval. Op het moment dat Sigebert in het licht van mijn koplampen verscheen, trapte ik het gaspedaal diep in. Hij probeerde weg te komen, maar erg slim was hij niet. Bovendien stond hij met zijn broek op zijn enkels – echt waar! Ik durfde me niet af te vragen waar zijn volgende martelpraktijk uit had moeten bestaan. Ik raakte hem zo hard dat hij de lucht in vloog en met een enorme dreun op het dak van de auto belandde.

Ik slaakte een gil en trapte op de rem, want verder ging mijn plan niet. Sigebert gleed door. Hij trok een gruwelijk spoor van donker bloed over de auto en verdween uit het gezicht. Omdat ik bang was dat hij in mijn spiegeltje zou opduiken, zette ik de auto vliegensvlug in zijn achteruit. Toen trapte ik het gaspedaal opnieuw diep in. Twee harde dreunen! Ik zette de auto stil en sprong eruit, gewapend met mijn knuppel. Sigeberts benen en het grootste deel van zijn romp zaten klem onder de auto. Ik rende naar Eric, die me met opengesperde ogen aanstaarde, en begon met trillende vingers de zilveren ketenen los te maken. De Castro barstte los in een stroom van – welbespraakte – vloeken in het Spaans, en Sam riep: 'Schiet op, Sookie! Schiet op!' wat niet echt bevorderlijk was voor mijn concentratie.

Uiteindelijk gaf ik het op met die vervloekte ketenen, en ik haalde het grote mes om Sam los te snijden, zodat hij me kon helpen. Het mes kwam gevaarlijk dicht bij zijn huid, en een paar keer gilde hij het uit van angst, maar ik deed mijn best, en er vloeide geen bloed. Het siert hem dat hij in volle vaart naar De Castro rende en de koning begon los te maken, terwijl ik me terug haastte naar Eric. Het mes legde ik naast me op de grond. Nu ik althans één bondgenoot had die zijn handen en benen kon gebruiken, lukte het beter me te concentreren en slaagde ik erin eerst Erics benen te bevrijden – waarschijnlijk omdat hij het dan desnoods op een lopen kon zetten. Daarna volgden zijn handen en zijn armen, maar daar had ik langer voor nodig. Sigebert had de zilveren ketenen diverse malen om hem heen gewikkeld, vooral – en met opzet – om zijn handen. Die zagen er dan ook gruwelijk uit. De Castro had zelfs nog meer van de ketenen te lijden gehad, want Sigebert had hem zijn prachtige cape uitgetrokken en zijn overhemd kapotgescheurd.

Ik wikkelde net de laatste schakels los, toen Eric me uit alle macht wegduwde, het mes greep en overeind sprong. Het ging allemaal zo snel dat ik nauwelijks besefte wat er gebeurde. Toen ik opkeek had Eric zich al op Sigebert gestort, die zich had weten te bevrijden door de auto op te tillen! Hij probeerde zich op te richten. Nog even, en hij zou op ons af zijn gekomen.

Had ik al gezegd dat het een erg groot mes was? En blijkbaar ook erg scherp. Want met de woorden 'Keer terug naar je maker!' sneed Eric de vampierkrijger zijn hoofd af.

'O,' zei ik beverig, en ik ging abrupt op het koude grind van het parkeerterrein zitten. 'Allemachtig!' We verroerden ons niet. Geen van allen. Wel vijf minuten lang. Zwaar hijgend. Ten slotte richtte Sam zich op en stak zijn hand uit naar Felipe de Castro, die nog altijd op de grond lag. De vamp pakte de hand aan. Zodra hij overeind stond stelde hij zich aan Sam voor, die automatisch hetzelfde deed.

'Mevrouw Stackhouse, ik sta bij u in het krijt,' zei de koning.

Reken maar!

'O, dat is wel goed.' Ik klonk niet half zo kalm en beheerst als ik wel had gewild.

'Dank u. Maar als uw auto niet meer gerepareerd kan worden, koop ik met alle plezier een nieuwe voor u.'

'Bedankt,' zei ik uit de grond van mijn hart terwijl ik overeind krabbelde. 'Ik zal proberen ermee naar huis te rijden. Maar hoe moet ik de schade verklaren? Zouden ze me bij de garage geloven als ik zeg dat ik een alligator heb overreden?' Dat was in deze contreien geen zeldzaamheid. Is het raar dat ik me zorgen maakte over de verzekering?

'Dawson wil er vast wel naar kijken,' zei Sam. Zijn stem klonk net zo raar als de mijne. Maar net als ik was ook hij ervan overtuigd geweest dat zijn laatste uur had geslagen. 'Hij doet eigenlijk alleen motoren in zijn werkplaats, maar volgens mij moet het wel lukken. Hij is ook voortdurend met zijn eigen auto bezig.'

'Doe wat er gedaan moet worden,' zei Castro royaal. 'Ik betaal. Eric, kun je me nu alsjeblieft uitleggen wat hier zojuist is gebeurd?' Zijn stem klonk ineens aanzienlijk scherper.

'Dat zou u aan uw mensen moeten vragen.' Eric klonk kortaf, en niet ten onrechte. 'Ze hadden toch gezegd dat Sigebert dood was? De lijfwacht van de koningin? Nou, blijkbaar niet!'

'Inderdaad. Goed opgemerkt.' De Castro keek naar het desintegrerende lijk. 'Dus dat was de legendarische Sigebert.

Hij heeft zich eindelijk bij zijn broer Wybert gevoegd.' De Castro klonk tevreden.

Ik had niet geweten dat de broers zo beroemd waren onder de vamps. Maar ze waren dan ook absoluut uniek geweest, met hun kolossale gedaante, hun gebroken en archaische Engels en hun onvoorwaardelijke trouw en toewijding aan de vrouw die hen eeuwen eerder had overgebracht. Het was een verhaal waar iedere vampier van smulde. Ineens werd het me allemaal te veel, en ik zakte in elkaar. In een oogwenk was Eric bij me en tilde me op. Echt een Scarlett-en-Rhett-moment, dat helaas werd bedorven door het feit dat we niet alleen waren, en dan ook nog op een saai parkeerterrein, terwijl ik me bovendien zorgen maakte over de schade aan mijn auto. Om nog maar te zwijgen over de shock waarin ik verkeerde.

'Hoe is het hem gelukt om drie sterke kerels te overvallen en vast te binden?' Ik voelde me geen sikkepitje ongemakkelijk in Erics armen. Integendeel, het gaf me een aangenaam gevoel van nietigheid – een luxe die me maar zelden was gegund.

Mijn vraag werd ontvangen met een beschaamd stilzwijgen.

'Ik stond met mijn rug naar het bos,' zei De Castro toen bij wijze van uitleg. 'Hij gebruikte de ketenen als een... Het woord dat jullie daarvoor hebben is bijna hetzelfde. *Lazo*.'

'Een lasso,' zei Sam.

'Precies, als een lasso. De eerste worp was voor mij, en de schok was natuurlijk enorm. Voordat Eric hem kon aanvallen, had hij hem ook te pakken. De pijn van het zilver was zo gruwelijk... voor we wisten wat er gebeurde, had hij ons geboeid. En toen hij' – De Castro gebaarde met zijn hoofd naar Sam – 'ons te hulp kwam, sloeg Sigebert hem bewusteloos, hij haalde een touw uit de achterbak van de pick-up en bond hem vast.'

'We gingen zo op in ons gesprek dat we niet opletten.' Eric

klonk grimmig, en dat kon ik hem niet kwalijk nemen. Maar ik besloot mijn mond te houden.

'Is het niet ironisch dat we door een mensenmeisje gered moesten worden?' zei de koning opgewekt, daarmee verwoordend wat ik had besloten voor me te houden.

'Ja, erg grappig.' Eric kon er duidelijk niet om lachen. 'Waarom ben je eigenlijk teruggekomen, Sookie?'

'Ik voelde je... eh... boosheid toen je werd aangevallen.' Ik zei 'boosheid' maar ik dacht 'wanhoop'.

De nieuwe koning keek ineens erg geïnteresseerd. 'Een bloedband. Boeiend!'

'Niet echt,' zei ik. 'Sam, ik durf het toch niet aan met de auto. Zou jij me misschien naar huis kunnen brengen? Waar hebben jullie je auto staan?' Dat vroeg ik aan Eric en De Castro. 'Of zijn jullie komen vliegen? Ik vraag me trouwens wel af hoe Sigebert wist waar hij jullie kon vinden.'

Op hun beider gezicht verscheen dezelfde peinzende uitdrukking.

'Daar komen we nog wel achter.' Eric zette me neer. 'En reken maar dat er dan koppen zullen rollen.' Daar was hij goed in. Sterker nog, koppen doen rollen was een van zijn favoriete bezigheden. En ik durfde er heel wat om te verwedden dat voor De Castro hetzelfde gold, want alleen al bij het vooruitzicht klaarde zijn hele gezicht op.

Zonder een woord te zeggen viste Sam zijn sleutels uit zijn zak, en ik klom naast hem in de pick-up. De twee vampiers waren diep in gesprek toen we wegreden. Het lichaam van Sigebert, dat nog altijd gedeeltelijk onder mijn arme auto lag, was bijna verdwenen, met achterlating van een donker, vettig residu op het grind. Dat is het voordeel bij vampiers: er hoeven geen lijken te worden weggewerkt.

'Ik zal Dawson meteen bellen,' zei Sam onverwacht.

'Dank je wel!' zei ik. 'O Sam, ik ben toch zo blij dat je er was.'

'Natuurlijk was ik er! Het is mijn café, mijn parkeerterrein!' Misschien kwam het door mijn schuldgevoel, maar ik meende een zweem van verwijt in zijn stem te horen. En ineens besefte ik ten volle wat er was gebeurd. Dat Sam in zijn eigen achtertuin in een conflict was beland waar hij part noch deel aan had, maar dat hem wel bijna fataal was geworden. En waarom was Eric die avond naar Merlotte gekomen? Om met mij te praten! Met in zijn kielzog Felipe de Castro. Wat die met Eric te schaften had, dat wist ik niet. Hoe dan ook, het was allemaal mijn schuld! Zonder mij zouden Eric en De Castro niet naar Merlotte zijn gekomen.

'O, Sam!' Ik was bijna in tranen. 'Het spijt me zo. Ik had geen idee dat Eric op me zou wachten, laat staan dat ik wist dat de koning achter hem aan zou komen. Wat die daar te zoeken had, weet ik trouwens nog steeds niet. Maar het spijt me,' zei ik nogmaals. En ik zou het wel honderd keer willen zeggen, als Sam dan niet meer zo verwijtend zou klinken.

'Jij kunt er niks aan doen,' zei hij. 'Ik heb Eric gevraagd hierheen te komen. Het is hun schuld. Ik wou dat ik wist hoe ik je kon losweken.'

'Het was verschrikkelijk, maar op de een of andere manier reageer je anders dan ik had verwacht.'

'Ik wil gewoon met rust worden gelaten!' De heftigheid waarmee hij het zei, verraste me. 'Ik wil niets te maken hebben met de intriges van de Bovens. Ik wil niet gedwongen worden partij te kiezen in het gedonder tussen de Weers. Ik ben geen Weer. Ik ben een vormveranderaar, en veranderaars organiseren zich niet. Daar zijn we allemaal te verschillend voor. En de vampiers met hun gekonkel staan me zo mogelijk nog meer tegen dan de Weers.'

'Je bent boos op me.'

'Nee!' Hij wilde iets zeggen, maar het was duidelijk dat hij worstelde met zichzelf. 'En ik wou dat jij er ook niets mee te maken had! Was je vroeger niet veel gelukkiger?'

'Je bedoelt voordat ik met de vampiers in contact kwam? Voordat ik de wereld ontdekte die voorbij onze grenzen ligt?'

Sam knikte.

'In sommige opzichten wel. Het was prettig om duidelijkheid te hebben; om precies te weten waar ik aan toe was. Ik word echt doodziek van alle strijd, al het gekonkel. Maar ik had het niet makkelijk, Sam. Mijn leven was elke dag weer een worsteling om me te gedragen als een gewoon mens, om te doen alsof ik geen weet had van alles wat ik wist van de mensen om me heen. Het bedrog, de ontrouw, de grote en de kleine leugens, de wreedheid. Het genadeloze oordeel dat mensen over elkaar vellen. Het gebrek aan naastenliefde. Het is geen pretje om dat allemaal te weten. Toen ik de wereld van de Bovens leerde kennen, kwam alles in een ander perspectief te staan. Ik kan niet goed uitleggen waarom. Mensen zijn niet beter of slechter dan Bovens, maar ze zijn ook niet alles wat er is. Misschien is dat het.'

'Ik denk dat ik het wel begrijp,' zei Sam, maar hij klonk een beetje weifelend.

'Bovendien is het wel eens leuk,' vervolgde ik heel zacht, 'om waardering te krijgen voor iets waarom gewone mensen me voor knettergek verslijten.'

'Dat begrijp ik zeker,' zei Sam. 'Maar alles heeft zijn prijs.'

'Absoluut.'

'En je bent bereid die te betalen?'

'Tot dusverre wel.'

We reden mijn tuinpad op. Het huis was in duisternis gehuld. De twee heksen waren al naar bed, of misschien zetten ze ergens de bloemetjes buiten of waren ze druk met heksendingen.

'Het is nu te laat, maar morgenochtend bel ik Dawson,' zei Sam. 'Dan kan hij je auto nakijken om te zien of je er nog mee kunt rijden. En zo niet, dan kan hij hem naar zijn werkplaats laten slepen. Denk je dat je een lift kunt krijgen naar je werk?'

'Vast wel. Ik denk dat Amelia me wel wil brengen.'

Sam liep met me mee naar de achterdeur alsof hij me thuisbracht na een date. Het licht op de veranda brandde, wat ik erg attent vond van Amelia. Tot mijn verrassing sloeg Sam zijn armen om me heen, en toen legde hij zijn hoofd tegen het mijne. Zo bleven we staan, genietend van elkaars warmte.

'We hebben de oorlog tussen de Weers overleefd,' zei hij. 'Jij hebt de coup van de vampiers doorstaan. En inmiddels kunnen we ook de aanval door de woeste lijfwacht navertellen. Ik hoop dat we onze reputatie eer blijven aandoen.'

'Zeg, doe me een lol! Probeer je me soms bang te maken?' Ik dacht aan alle andere incidenten die ik had overleefd. En besefte dat ik allang dood had moeten zijn.

Sam streek met zijn warme lippen langs mijn wang. 'Dat zou misschien geen kwaad kunnen.' Hij wendde zich af en liep terug naar de pick-up.

Toen hij erin was geklommen en wegreed, deed ik de achterdeur van het slot en ik liep rechtstreeks door naar mijn kamer. Na alle angst en adrenaline en na de snelheid waarmee het leven – en de dood – op het parkeerterrein van Merlotte aan me voorbij was getrokken, leek mijn slaapkamer verrukkelijk schoon, en vredig, en veilig. Ik had er alles aan gedaan om iemand om zeep te helpen. Het was puur toeval dat Sigebert mijn moordaanslag-met-auto had overleefd. Tot twee keer toe. En ik was me ervan bewust dat ik geen greintje berouw voelde. Dat was vast heel slecht van me, maar dat kon me op dat moment geen zier schelen. Ik bezat nu eenmaal eigenschappen waar ik niet trots op was, en er waren momenten dat ik mezelf niet echt sympathiek kon vinden. Maar ik nam elke nieuwe dag zoals hij kwam, en tot dusverre had ik me staande weten te houden in alles waarmee het leven me confronteerde. Ik kon alleen maar hopen dat ik om te overleven niet een te hoge prijs had betaald.

20

Tot mijn opluchting was het huis leeg toen ik wakker werd. Ik registreerde geen gedachtegolven, van Amelia noch Octavia. Genietend van dat besef bleef ik nog even in bed liggen. Mijn volgende vrije dag kon ik misschien in gelukzalige afzondering doorbrengen. Het leek me niet waarschijnlijk, maar je moet altijd blijven dromen. Nadat ik plannen had gemaakt over wat ik zou doen voordat ik naar mijn werk moest – Sam bellen om te informeren naar mijn auto en wat rekeningen betalen – stapte ik onder de douche en schrobde mezelf naar hartenlust. Ik gebruikte net zoveel heet water als ik wilde. Daarna lakte ik de nagels van mijn vingers en mijn tenen, ik trok een joggingbroek en een T-shirt aan, en ik ging naar de keuken om koffie te zetten. Alles glom en blonk, en in gedachten stak ik de loftrompet over Amelia.

De koffie smaakte verrukkelijk, net als mijn geroosterde

boterham met bosbessenjam. Wat een heerlijke ochtend! Zelfs mijn smaakpapillen waren gelukkig. Nadat ik de ontbijtboel had weggeruimd liep ik bijna te zingen, genietend van de eenzaamheid. Ik ging terug naar mijn kamer om mijn bed op te maken en make-up op te doen.

Natuurlijk werd er op dat moment op de achterdeur geklopt. Ik schrok me een hoedje, trok mijn schoenen aan en ging opendoen.

Het was Tray Dawson. 'Je auto rijdt weer als een zonnetje, Sookie,' zei hij met een stralend gezicht. 'Ik moest hier en daar een onderdeeltje vervangen, en het is me nog niet eerder gebeurd dat ik vampier-as van een chassis moest schrapen, maar inmiddels kun je weer rijden.'

'O, wat fijn! Dank je wel! Heb je tijd om even binnen te komen?'

'Heel even dan. Heb je misschien een glas ijskoude cola voor me?'

'Natuurlijk.' Ik schonk cola voor hem in en vroeg of hij er wat koekjes of een boterham bij wilde. Toen hij daarvoor bedankte, verontschuldigde ik me om mijn make-up af te maken. Ik ging ervan uit dat Dawson me naar mijn auto zou brengen, maar het bleek dat hij in mijn auto was gekomen en dat ik hem een lift terug naar huis moest geven.

Gewapend met een pen en mijn chequeboek ging ik tegenover de vriendelijke reus aan tafel zitten, en ik vroeg hoeveel ik hem schuldig was.

'Geen cent,' luidde het antwoord. 'Die nieuwe heeft de rekening betaald.'

'De nieuwe koning?'

'Ja, hij belde midden in de nacht. Met het hele verhaal. Tenminste, zo klonk het wel. En toen vroeg hij of ik vanochtend meteen naar je auto wilde kijken. Ik was al wakker toen hij belde, dus het gaf niet. Ik ben vanmorgen vroeg al naar Merlotte gegaan, om tegen Sam te zeggen dat hij niet meer hoefde te bellen. En toen ben ik achter hem aan gereden terwijl hij jouw auto naar de werkplaats bracht. Daar hebben we hem op de brug gezet.'

Het was een ongekend lange toespraak voor Dawson. Al luisterend stopte ik mijn chequeboek weer weg. Zonder hem te onderbreken, maar door naar zijn glas te wijzen, vroeg ik of hij nog meer cola wilde. Hij schudde zijn hoofd. 'We moesten de boel hier en daar weer goed aandraaien en het reservoir voor je ruitenwisservloeistof vervangen. Toevallig wist ik dat er net zo'n auto als de jouwe naar de sloop was gebracht, bij Rusty's Salvage. Al met al was het zo gepiept.'

Ik kon hem alleen maar nogmaals bedanken, en toen bracht ik hem terug naar zijn werkplaats. Sinds de vorige keer dat ik daar langs was gekomen, had hij zijn voortuin opgeknapt. Hij woonde in een keurig, bescheiden huis met daarnaast een royale werkplaats. Behalve dat hij zijn voortuin had gedaan, had hij ook alle motoronderdelen geordend en weggeborgen, zodat ze niet meer – misschien handig, maar ook erg rommelig – overal rondslingerden. En zelfs zijn pick-up zag er keurig uit.

'Nogmaals heel erg bedankt,' zei ik toen hij uitstapte. 'Ik weet dat auto's niet je specialiteit zijn, dus ik waardeer het enorm.' *Tray Dawson, automonteur van de onderwereld.*

'Ik heb het met plezier gedaan,' zei Dawson. Hij aarzelde even. 'En als je dat zou willen, zou ik het leuk vinden als je een goed woordje voor me doet bij je vriendin Amelia.'

'Ik heb niet veel invloed op Amelia,' zei ik. 'Maar ik wil haar met alle plezier vertellen hoe geweldig je bent!'

Hij grijnsde breed. Zo open en spontaan kende ik hem niet. Ik kon me tenminste niet herinneren dat ik hem ooit zo stralend had zien kijken. 'Die Amelia... daar mankeert niks aan,' zei hij waarderend. Ik had geen idee wat zijn criteria waren, maar het was wel duidelijk dat hij een diepe bewondering voor mijn huisgenote koesterde.

'Als je haar belt, kun je mij als referentie noemen,' zei ik.

'Afgesproken.'

Allebei tevreden namen we afscheid, en Dawson liep met verende tred over het keurig opgeruimde erf naar zijn werkplaats. Ik wist niet of hij Amelia's type was, maar ik zou mijn best doen haar zover te krijgen dat ze hem een kans gaf.

Terwijl ik naar huis reed was ik alert op vreemde geluiden, maar de auto reed inderdaad als een zonnetje.

Ik wilde net naar mijn werk gaan toen Amelia en Octavia thuiskwamen.

'Hoe is het met je?' vroeg Amelia met een veelbetekenend gezicht.

'Prima,' zei ik automatisch. Toen begreep ik het. Ze dacht dat ik die nacht niet thuis was geweest; dat ik een avontuurtje had gehad. 'Trouwens, kun je je Tray Dawson nog herinneren? Je hebt hem ontmoet in het appartement van Maria-Star.'

'Ja, natuurlijk. Tray Dawson.'

'Hij gaat je bellen. Wees een beetje aardig tegen hem.'

Ze keek me grijnzend na toen ik in mijn auto stapte.

Bij wijze van uitzondering gebeurde er die dag niets bijzonders op mijn werk. Sterker nog, het was een saaie boel. Terry verving Sam, want die had er een hekel aan om op zondagmiddag te moeten werken. Hij was zelfs een tijdje dicht geweest. Tegenwoordig gingen we op zondag laat open en al vroeg weer dicht. Dus tegen zevenen zat mijn dienst erop. Er stond niemand achter het café op me te wachten. Ik kon ongehinderd naar mijn auto lopen, zonder dat ik werd aangevallen, of aangeklampt voor een raar, langdurig gesprek.

De volgende morgen moest ik de stad in om boodschappen te doen. Omdat ik geen geld meer had, reed ik eerst naar de automaat en zwaaide naar Tara Thornton du Rone. Ze zwaaide stralend terug. Het huwelijk deed haar goed. Ik hoopte dat JB en zij gelukkiger waren dan mijn broer en zijn vrouw. Toen ik wegreed bij de bank zag ik tot mijn verbazing Alcide Herveaux uit het kantoor van Sid Matt Lancaster komen, een stokoude maar vermaarde advocaat. Ik reed het parkeerterrein van Sid Matt op, en Alcide kwam naar me toe.

Ik had door moeten rijden, dacht ik. Misschien had hij me dan niet gezien.

Het werd een ongemakkelijk gesprek. En dat was ook niet zo vreemd. Alcide had een hoop voor zijn kiezen gekregen. Hij had zijn vriendin verloren. Sterker nog, ze was op gruwelijke wijze vermoord. Diverse leden van zijn troep waren omgekomen, en Alcide moest zorgen dat de ware toedracht niet aan het licht kwam. Maar hij was inmiddels wel troepleider, en hij had zijn overwinning op de traditionele manier kunnen vieren. Achteraf gezien vermoed ik dat hij zich nogal geneerde omdat hij in het openbaar seks had gehad met een jonge vrouw, en dan ook nog zo kort na de dood van zijn vriendin. Dat alles zorgde voor een opeenstapeling van emoties die van zijn gezicht waren af te lezen, en er lag een blos op zijn wangen toen hij zich naar het raampje van mijn auto boog.

'Sookie, ik heb nog geen kans gehad je te bedanken voor je hulp. En wat ben ik blij dat je baas die nacht met je mee was gekomen!'

Anders ik wel, want jij zou geen vinger voor me hebben uitgestoken. 'Graag gedaan, Alcide,' zei ik, verrukkelijk kalm en onbewogen. Ik was niet van plan mijn dag te laten bederven! Door niemand! 'Is de rust in Shreveport inmiddels een beetje weergekeerd?'

'De politie staat voor een raadsel.' Hij keek om zich heen, om zeker te weten dat niemand ons kon horen. 'Ze hebben de plek nog niet gevonden, en er is sindsdien veel regen gevallen. We hopen dat ze het onderzoek vroeg of laat zullen staken.'

'Maken jullie nog steeds plannen voor de grote bekendmaking?'

'Het zal op korte termijn moeten gebeuren. De leiders van de andere troepen in het gebied hebben contact met me gezocht. In tegenstelling tot de vamps houden wij geen bijeenkomsten van alle leiders, voornamelijk omdat de vamps één leider per staat hebben, terwijl wij in elke staat diverse troepleiders kennen. Zoals het er nu uitziet, kiezen we per staat een afgevaardigde uit de leiders, en die afgevaardigden gaan dan naar een nationale bijeenkomst.'

'Dat klinkt als een stap in de goede richting.'

'Daarnaast zouden we andere weerdieren kunnen vragen of ze zich bij ons willen aansluiten. En dat zou Sam ook kunnen doen, al is hij dan geen Weer. Verder zou het goed zijn als de eenlingen, zoals Dawson, af en toe naar de feesten van de troep kwamen... of bijvoorbeeld met ons mee zouden huilen bij vollemaan.'

'Volgens mij is Dawson heel tevreden met zijn bestaan zoals het nu is,' zei ik. 'En je zult zelf met Sam moeten praten. Dat kan ik niet voor je doen.'

'Nee, natuurlijk niet. Maar jij schijnt nogal invloed op hem te hebben. Dus ik dacht dat je het misschien ter sprake zou kunnen brengen.'

Dat zag ik heel anders. In mijn ogen had Sam grote invloed op mij, maar andersom... Dat betwijfelde ik. De vluchtige, rusteloze bewegingen van Alcide verrieden me net zo duidelijk als de gedachten die ik van hem opving dat hij verder wilde met zijn besognes in Bon Temps. Wat die besognes ook mochten zijn.

Er schoot me iets te binnen. 'Alcide, nog één vraag.'

'Ja, zeg het maar.'

'Wie zorgt er voor de kinderen Furnan?'

Hij keek me aan, toen wendde hij zijn blik af. 'Libby's zus. Ze heeft er zelf al drie, maar ze nam de kinderen met liefde in huis, zei ze. Er is genoeg geld voor hun opvoeding. En tegen de tijd dat ze gaan studeren, zullen we zien wat we kunnen doen voor Furnans zoon.'

'Waarom alleen voor hem?'

'Hij maakt deel uit van de troep.'

Als ik een baksteen had gehad, zou ik die met plezier tegen Alcide hebben gebruikt. Godallemachtig! Ik haalde diep adem. De eerlijkheid gebiedt me te zeggen dat het Alcide niet ging om het geslacht van het kind, maar om het zuivere bloed van de jongen.

'Misschien keert de verzekering genoeg uit zodat het meisje ook kan studeren.' Alcide was niet achterlijk. 'Daar was hun tante niet helemaal duidelijk over, maar ze weet dat wij bereid zijn bij te springen.'

'En weet ze ook wie "wij" zijn?'

Alcide schudde zijn hoofd. 'Nee, we hebben gezegd dat Furnan lid was een geheim genootschap. Zoiets als de vrijmetselaars.'

Er viel niets meer te zeggen.

'Veel geluk!' wenste ik hem. En daar ontbrak het hem niet aan, ondanks zijn twee dode vriendinnen. Zelf leefde hij tenslotte nog, en het was hem gelukt de droom van zijn vader te verwezenlijken.

'Dank je wel, en nogmaals bedankt voor jouw aandeel daarin. Je blijft een vriend van de troep,' zei hij met een ernstige blik in zijn prachtige groene ogen. 'En van alle vrouwen op de hele wereld blijf jij een van mijn favorieten,' voegde hij er onverwacht aan toe.

'Dank je wel, Alcide. Dat is erg aardig van je.' Toen reed ik weg, toch blij dat ik hem had gesproken. Alcide was de afgelopen weken erg gegroeid en bezig zich te ontwikkelen tot iemand voor wie ik aanzienlijk meer bewondering had dan voor de oude Alcide.

Al het bloed en het gegil in die gruwelijke nacht op het verlaten bedrijfsterrein van Shreveport zou ik nooit vergeten, maar ik begon voorzichtig te denken dat er toch iets goeds uit was voortgekomen.

Toen ik thuiskwam waren Octavia en Amelia bezig de voortuin te harken. Wat een heerlijke verrassing! Er waren weinig klusjes waar ik zo'n hekel aan had, maar als ik het erf in de herfst niet een of twee keer aanharkte, werd de laag dennennaalden zo dik dat er geen doorkomen meer aan was.

Ik had vandaag alle reden om mijn medemens dankbaar te zijn. Nadat ik de auto achter het huis had geparkeerd, kwam ik naar de voorkant.

'Doe je de dennennaalden in zakken of verbrand je ze?' riep Amelia.

'Het laatste. Tenminste, wanneer er geen verbrandingsverbod van kracht is,' antwoordde ik. 'Wat ontzettend aardig van jullie!' Ik probeerde niet al te uitbundig te reageren, maar het is echt een cadeautje als anderen je grootste rotklus voor hun rekening nemen.

'Ik kan wel een beetje beweging gebruiken,' zei Octavia. 'Gisteren heeft Amelia me meegenomen naar het winkelcentrum in Monroe, dus daar heb ik de benen ook al kunnen strekken.'

Amelia behandelde Octavia meer als een oma dan als een mentor, dacht ik onwillekeurig.

'Heeft Tray al gebeld?' vroeg ik.

'Nou en of!' Amelia schonk me een brede grijns.

'Hij vindt dat je er goed uitziet.'

Octavia begon te lachen. 'Echt een femme fatale, onze Amelia.'

Die straalde. 'Ik vind hem interessant.'

'Hij is wel iets ouder dan jij.' Ik vond dat ze dat moest weten.

Amelia haalde haar schouders op. 'Dat kan me niet schelen. Ik ben er klaar voor om te daten. Met Pam is het meer vriendschap dan lust. En sinds ik dat nest jonge katjes heb gevonden, sta ik weer open voor een vent.'

'Denk je echt dat Bob daar bewust voor heeft gekozen? Zou dat niet gewoon een kwestie van eh... instinct zijn geweest?' vroeg ik.

Op dat moment kwam de kat in kwestie het erf op slenteren, nieuwsgierig waarom we allemaal buiten bleven, terwijl er binnen zo'n heerlijke bank en een stel voortreffelijke bedden beschikbaar waren.

Octavia slaakte een diepe zucht van berusting. 'Vooruit dan maar,' hoorde ik haar mompelen. Ze richtte zich op en strekte haar armen. '*Potestas mea te in formam veram tuam commutabit quid natura ipsa reaffirmet. Incantationes previae deletae sunt*,' zei ze.

De kat keek met knipperende ogen naar haar op. Toen bracht hij een merkwaardig geluid uit; een kreet zoals ik nog nooit een kat had horen slaken. Plotseling begon de lucht om hem heen dik en dicht te worden, troebel en gevuld met vonken. De kat krijste nogmaals. Amelia keek met open mond toe. Het gezicht van Octavia stond berustend en een beetje verdrietig.

De kat liet zich stuiptrekkend op het gebleekte herfstgras vallen, en plotseling stak er een mensenbeen uit zijn lijf.

'Godallemachtig!' Ik sloeg een hand voor mijn mond.

Inmiddels had hij twee benen, twee harige benen. Na de benen volgde een penis, en geleidelijk aan veranderde het hele kattenlijf onder luid gekrijs in het lichaam van een man. Twee gruwelijke minuten later lag de heks Bob Jessup op het gras, bevend over zijn hele lichaam maar weer helemaal mens. Weer een minuut later stopte hij met krijsen en lag hij alleen nog maar te stuiptrekken. Niet echt een verbetering, alleen voor onze trommelvliezen.

Toen sprong hij overeind, en hij stortte zich op Amelia, vastbesloten haar te wurgen.

Ik pakte hem bij zijn schouders om hem weg te trekken, en Octavia dreigde: 'Je wilt toch niet dat ik opnieuw een bezwering over je uitspreek, hè?'

Dat bleek buitengewoon doeltreffend. Bob liet los en keek Amelia hijgend en bibberend aan. 'Hoe kón je?' riep hij uit.

'Hoe kon je me in een kat veranderen? En niet even! Maanden! Het is niet te geloven!'

'Hoe voel je je?' vroeg ik. 'Verzwakt? Moet ik je naar binnen helpen? Zal ik wat kleren voor je pakken?'

Verdwaasd liet hij zijn blik langs zijn lichaam gaan. Hij had in geen maanden meer kleren gedragen, maar plotseling begon hij te blozen. Bijna zijn hele lichaam kleurde rood. 'Ja,' zei hij stijfjes. 'Ja, iets om aan te trekken zou fijn zijn.'

'Kom maar mee.' In de vallende schemering loodste ik Bob het huis binnen. Hij was klein van postuur, dus een van mijn joggingbroeken zou hem wel passen, dacht ik. Hoewel, Amelia was iets langer dan ik, en ik vond het niet meer dan redelijk dat zij haar kleren afstond. Op de trap stond een mand met opgevouwen wasgoed, die Amelia daar had neergezet om hem later mee naar boven te nemen. En tot mijn vreugde zat er een oude blauwe sweater in en een zwarte joggingbroek. Zonder een woord te zeggen gaf ik de kleren aan Bob, die ze met trillende vingers aantrok. Ondertussen wist ik ook nog een paar witte sokken uit de mand te vissen. Bob ging op de bank zitten om ze aan te trekken. Meer kon ik hem niet bieden. Zijn voeten waren groter dan de onze, dus aan schoenen konden we hem niet helpen.

Alsof hij bang was dat hij zijn lichaam weer zou kwijtraken, sloeg Bob zijn armen stijf om zich heen. Zijn donkere haar plakte aan zijn schedel. Hij knipperde met zijn ogen. Ik vroeg me af wat er met zijn bril was gebeurd en hoopte dat Amelia die ergens had opgeborgen.

'Wil je misschien iets drinken?' vroeg ik.

'Ja, graag.' Bob leek moeite te hebben met praten. Hij bracht in een merkwaardig gebaar zijn hand naar zijn mond, en ik herkende de beweging van toen hij nog een kat was, wanneer hij aan zijn poot likte om zich te wassen. Toen Bob besefte wat hij deed, liet hij zijn hand abrupt zakken.

Ik overwoog hem een kommetje melk te geven, maar verwierp dat als kwetsend. In plaats daarvan schonk ik een glas ijsthee voor hem in. Hij nam gretig een slok, toen vertrok hij zijn gezicht van afschuw.

'Sorry, ik had moeten vragen of je van ijsthee houdt,' zei ik.

'Ik hou wel van ijsthee...' Hij staarde naar het glas alsof hij nu pas besefte dat hij dat had gedronken. 'Maar ik moet er weer aan wennen.'

Het is echt vreselijk, dat geef ik toe, maar ik had hem bijna gevraagd of hij wat brokjes wilde. Amelia bewaarde een zak kattenbrokjes in de kast op de veranda aan de achterkant van het huis. Ik beet uit alle macht op de binnenkant van mijn wang. 'Heb je misschien trek in een boterham?' Ik had geen idee waar ik het met Bob over moest hebben. Muizen?

'Graag.' Hij leek niet te weten wat hij verder moest doen.

Dus ik smeerde een volkoren boterham met pindakaas en jam, en een met ham, augurk en mosterd. Hij at ze allebei op, langzaam en zorgvuldig kauwend. 'Neem me niet kwalijk,' zei hij toen, en hij stond op om naar de wc te gaan. De deur deed hij achter zich op slot, en het duurde geruime tijd voordat hij weer tevoorschijn kwam.

Inmiddels waren Amelia en Octavia ook binnengekomen.

'Het spijt me zo,' zei Amelia.

'Mij ook,' zei Octavia. Ze leek ineens ouder. En kleiner.

'Je wist van meet af aan hoe je hem weer in een mens kon veranderen?' Ik probeerde mijn stem vlak te houden en niet veroordelend te klinken. 'Die mislukte poging... dat deed je met opzet?'

Octavia knikte. 'Als jullie me niet meer nodig hadden, was ik bang dat ik niet meer welkom zou zijn. Dat ik dan de hele dag bij mijn nichtje zou moeten zitten. Het is hier zoveel fijner. Maar ik zou hoe dan ook binnenkort iets hebben gezegd, want ik begon gruwelijk veel last van mijn geweten te krijgen, vooral sinds ik hier in huis ben.' Ze schudde haar grijze hoofd. 'Het was slecht van me om Bob langer dan nodig kat te laten blijven.'

Amelia was geschokt. Het was duidelijk dat de verbijsterende morele teloorgang van haar mentor haar eigen schuldgevoel om wat ze Bob had aangedaan, volledig overschaduwde. Amelia is echt iemand die in het hier en nu leeft.

Op dat moment kwam Bob de wc uit. Hij liep vastberaden naar ons toe. 'Ik wil naar huis. Terug naar New Orleans,' zei hij. 'Waar zijn we hier eigenlijk? En hoe ben ik hier gekomen?'

Alle uitdrukking verdween uit Amelia's gezicht, dat van Octavia werd grimmig. Ik liep stilletjes de kamer uit. Want ik wilde er niet bij zijn als de twee heksen Bob over Katrina vertelden; als Bob, na alles wat hij had doorgemaakt, ook dat verschrikkelijke nieuws nog moest verwerken.

Ik vroeg me af waar hij had gewoond. Zou zijn huis of zijn appartement nog overeind staan? Zouden zijn bezittingen intact zijn gebleven? Zou zijn familie nog leven? Ik hoorde de stem van Octavia, die aanvankelijk krachtig had geklonken, steeds zachter worden. En ten slotte viel er een beklemmende stilte.

21

De volgende dag ging ik met Bob naar de Walmart om kleren te kopen. Amelia had hem wat geld in de hand gedrukt, en dat had hij geaccepteerd, simpelweg omdat hij geen keus had. Hij wilde weg. Naar huis. Weg van Amelia. En wel zo snel mogelijk. Ik kon het hem niet kwalijk nemen.

In de auto, op weg naar de stad, keek Bob in totale verbijstering om zich heen. Toen we de Walmart binnenkwamen liep hij naar het eerste winkelpad en wreef met zijn hoofd langs de hoek van de stelling. Net op dat moment kwam Marcia Albanese naar ons toe. Ik begroette haar met een stralende glimlach. Marcia was schatrijk, van middelbare leeftijd en lid van het schoolbestuur. Ik had haar niet meer gezien sinds de bruids-shower die ze voor Halleigh had georganiseerd.

'Wie heb je daar bij je?' Marcia was behalve sociaal ook erg nieuwsgierig. Ze gaf geen commentaar op Bobs merkwaardige gewrijf, waardoor ze me voor eeuwig dierbaar werd.

'Marcia, mag ik je voorstellen aan Bob Jessup? Bob logeert bij ons.' Terwijl ik het zei wenste ik dat ik een goed verhaal had voorbereid. Bob keek Marcia met grote ogen aan, knikte en stak zijn hand uit. Ik was opgelucht dat hij zijn hoofd niet tegen haar aan drukte, in de hoop dat ze hem achter zijn oren zou kriebelen. Marcia schudde hem de hand en zei dat ze het enig vond hem te ontmoeten.

'Bedankt. Het genoegen is geheel wederzijds,' zei Bob. Gelukkig, hij klonk volstrekt normaal.

'Blijf je nog lang in Bon Temps, Bob?' vroeg Marcia.

'Ik mag hopen van niet! Sorry, ik moet dringend schoenen kopen.' En hij verdween – met soepele, lenige tred, ondanks de iets te kleine, felgroene slippers die Amelia hem had geleend – in de richting van de herenschoenen.

Marcia keek hem verbijsterd na, maar ik kon echt geen bevredigende uitleg bedenken. 'Ik zie je wel weer.' Na die woorden haastte me achter Bob aan. Hij kocht een paar gympen, wat sokken, twee broeken, twee T-shirts, een jasje en ondergoed. Toen ik vroeg wat hij die avond wilde eten, stelde hij zalmkroketjes voor. Of ik die kon maken?

'Natuurlijk!' zei ik, opgelucht dat hij om zoiets simpels had gevraagd. Ik deed een paar blikken zalm in mijn wagentje. Voor toe wilde Bob chocoladepudding. Ook lekker gemakkelijk. De rest van het menu liet hij aan mij over.

We aten die avond al vroeg, omdat ik moest werken. Bob toonde zich oprecht enthousiast over de kroketten en de pudding. Hij zag er veel beter uit sinds hij had gedoucht en in zijn nieuwe kleren stak. En hij praatte zelfs met Amelia. Uit hun gesprek begreep ik dat ze samen de websites hadden bekeken met bijzonderheden omtrent Katrina en de overlevenden van de ramp. Bovendien had hij contact opgenomen met het Rode Kruis. Hij was opgegroeid bij zijn tante, die met haar gezin in Bay Saint Louis woonde, in het zuiden van Mississippi. Maar we wisten allemaal wat daar was gebeurd. Het stadje was zwaar beschadigd toen Katrina uitgerekend daar aan land was gekomen.

'Wat ben je nu van plan?' vroeg ik, in de veronderstelling dat hij inmiddels de tijd had gehad om daarover na te denken.

'Ik moet erheen,' zei hij. 'Natuurlijk wil ik ook weten wat er met mijn appartement in New Orleans is gebeurd, maar mijn familie is belangrijker. En ik moet erover nadenken wat ik tegen ze ga zeggen. Waarom ik al die maanden niks van me heb laten horen.'

Niemand zei iets, want dat was inderdaad een probleem.

'Misschien kun je zeggen dat je betoverd was door een boze heks,' zei Amelia somber.

Bob snoof. 'En dat zouden ze misschien nog geloven ook. Ze weten dat ik anders ben. Maar die betovering heeft wel erg lang geduurd. Ik denk dat ze daar moeite mee zouden hebben. Ik kan natuurlijk zeggen dat ik aan geheugenverlies heb geleden. Of dat ik naar Vegas ben geweest en dat ik daar ben getrouwd.'

'Hadden jullie regelmatig contact? Vóór Katrina?' vroeg ik.

Hij haalde zijn schouders op. 'Om de paar weken. Zo close waren we nou ook weer niet. Maar na Katrina zou ik beslist contact hebben gezocht. Ik hou van ze.' Hij wendde even zijn hoofd af.

We speelden wat met ideeën, maar er viel geen geloofwaardige reden te bedenken waarom hij zo lang niets van zich had laten horen. Amelia zei dat ze een busticket voor hem zou betalen naar Hattiesburg. Van daar zou hij proberen een lift te krijgen naar het zwaarst getroffen gebied, in de hoop dat hij zijn familie zou weten op te sporen.

Het was duidelijk dat Amelia haar geweten probeerde te sussen door geld aan Bob uit te geven. En daar had ik geen moeite mee. Het was goed dat ze dat deed, en ik hoopte dat Bob zijn familie vond. Dat hij wist te achterhalen wat er met zijn tante en haar gezin was gebeurd, of waar ze inmiddels woonden.

Voordat ik naar mijn werk ging, bleef ik nog even in de

deuropening staan. En terwijl ik naar hen drieën keek, probeerde ik te begrijpen wat Amelia in Bob had gezien. Wat haar zo in hem had aangetrokken. Bob was tenger van postuur en niet echt groot, zijn inktzwarte haar lag plat op zijn schedel. Amelia had zijn bril teruggevonden. Een zwart montuur met dikke glazen. Ik had Bob in zijn volle glorie gezien, en daardoor wist ik dat Moeder Natuur hem in de mannenhoek royaal had bedeeld. Maar dat kon nauwelijks genoeg zijn om de vurige sekscapades te verklaren die Amelia met hem had beleefd.

Toen lachte Bob, voor het eerst sinds hij weer mens was geworden, en ineens begreep ik het. Bob had regelmatige, witte tanden en geweldige lippen, en wanneer hij lachte, kreeg hij iets sardonisch – heel subtiel en intellectueel – wat hem buitengewoon sexy maakte.

Weer een mysterie opgelost.

Tegen de tijd dat ik thuiskwam, zou hij al vertrokken zijn. Dus ik nam afscheid van Bob, ervan uitgaand dat ik hem nooit meer zou zien, tenzij hij besloot terug te komen naar Bon Temps om wraak te nemen op Amelia.

Onderweg naar de stad vroeg ik me af of we niet een echte kat konden nemen. Tenslotte hadden we al een bak en brokjes. Over een paar dagen zou ik het bij Amelia en Octavia ter sprake brengen. Tegen die tijd was de stress over Bob de kat wel weggeëbd, veronderstelde ik.

In Merlotte zat Alcide Herveaux aan de bar met Sam te praten. Merkwaardig dat ik hem nu alweer tegenkwam. Ik bleef even staan. Toen dwong ik mezelf door te lopen en te knikken. Ik wuifde naar Holly, om het van haar over te nemen, en ze stak één vinger op. Ze moest nog met één klant afrekenen, dan was ze klaar, betekende dat. Een vrouwelijke klant zei hallo, een van de mannen zei hoi, en ik voelde me meteen weer helemaal op mijn gemak. Hier hoorde ik, dit was mijn tweede thuis.

Jasper Voss wilde nog een rum-cola, Catfish bestelde een kan bier voor hem en zijn vrouw en een ander stel, en Jane Bodehouse, een van onze alcoholisten, wilde wel iets eten. Het kon haar niet schelen wat, zei ze. Dus ik bestelde het mandje drumsticks. Het viel niet mee haar zover te krijgen dat ze iets at, en ik hoopte dat ze althans de helft van het mandje naar binnen zou werken. Jane zat op de hoek van de bar, en Sam – op de andere hoek – gebaarde met zijn hoofd om bij hem en Alcide te komen. Ik gaf de bestelling van Jane aan de keuken door, liep met tegenzin naar de mannen en leunde op het uiteinde van de bar.

'Sookie!' Alcide knikte me toe. 'Ik kwam Sam bedanken.'

'Dat is mooi,' zei ik bot.

Alcide knikte en ontweek mijn blik.

'Niemand zal het nu nog wagen te infiltreren,' zei de nieuwe troepleider ten slotte. 'Als Priscilla niet uitgerekend op dat moment had aangevallen, terwijl we allemaal verzameld waren, doordrongen van het gevaar dat we als groep in de ogen zagen, had ze ons verdeeld kunnen houden en ons tegen elkaar kunnen uitspelen tot we elkaar hadden uitgemoord.'

'Maar ze ging door het lint, en dat was jouw geluk,' zei ik.

'Het is aan jou te danken dat we er allemaal waren,' zei Alcide. 'Je zult altijd een vriend van de troep blijven. Net als Sam. Als we ook maar iets voor jullie kunnen doen, waar of wanneer dan ook, zullen we er zijn.' Hij knikte Sam toe, legde wat geld op de bar en vertrok.

'Toch leuk om ergens nog een gunst te hebben uitstaan, vind je niet?' zei Sam.

Ik kon een grijns niet onderdrukken. 'Nou en of! Echt een heerlijk gevoel.' Sterker nog, ik kon ineens wel juichen. Toen ik me omdraaide naar de deur begreep ik waarom. Eric kwam binnen, samen met Pam. Ze gingen aan een van de tafeltjes in mijn wijk zitten, en ik liep naar hen toe, razend nieuwsgierig. Maar ook geërgerd. Waarom konden ze me niet met rust laten?

Ze bestelden allebei TrueBlood, en nadat ik Jane Bodehouse haar mandje kip had gebracht en nadat Sam de flesjes had opgewarmd, ging ik opnieuw naar hun tafeltje. Hun aanwezigheid zou geen enkel opzien hebben gebaard als Arlene en haar nieuwe vrienden die avond niet ook in Merlotte waren geweest.

Het was duidelijk dat ze hatelijk zaten te smoezen toen ik de flesjes voor Eric en Pam neerzette, en het kostte me de grootste moeite mijn serveersterskalmte te bewaren terwijl ik vroeg of ze er een pul bij wilden.

'Nee hoor, de fles is prima,' zei Eric. 'Die heb ik misschien nog nodig om deze of gene de hersens in te slaan.'

Net zoals ik Erics uitgelaten stemming had geregistreerd, voelde hij mijn nervositeit.

'Niet doen!' zei ik bijna fluisterend, maar ik wist dat ze me konden horen. 'Laten we alsjeblieft zorgen dat we de vrede bewaren. Er is genoeg gevochten en gemoord.'

'Dat vind ik ook,' viel Pam me bij. 'We kunnen best even wachten met moorden.'

'Ik vind het enig om jullie te zien. Echt waar. Maar ik ben aan het werk, ik heb het druk,' zei ik. 'Zijn jullie gewoon op kroegentocht, om nieuwe ideetjes op te doen voor Fangtasia? Of kan ik iets voor jullie doen?'

'Wij kunnen iets voor jou doen,' zei Pam. Ze glimlachte naar de twee mannen in T-shirts van het Verbond van de Zon, en omdat ze zich een heel klein beetje nijdig maakte, waren haar hoektanden zichtbaar. Ik hoopte dat de mannen van het Verbond zich erdoor lieten ontmoedigen. Maar helaas. Omdat het klootzakken waren zonder een greintje verstand, werden ze juist fanatieker. Pam nam een slok bloed en likte met haar tong langs haar lippen.

'Pam,' zei ik nijdig, met mijn tanden op elkaar geklemd. 'Hou alsjeblieft op! Je maakt het alleen maar erger.'

Ze schonk me een flirterige glimlach, blijkbaar vastbesloten om alle registers open te trekken.

'Pam,' zei Eric. Onmiddellijk was het gedaan met haar provocerende gedrag, ook al keek ze wel een beetje teleurgesteld. Maar ze ging iets meer rechtop zitten, legde haar handen in haar schoot en sloeg haar benen bij de enkels over elkaar. Een toonbeeld van onschuld en ingetogenheid.

'Dank je wel,' zei Eric. 'Lieverd – daar bedoel ik jou mee, Sookie – je hebt zoveel indruk gemaakt op Felipe de Castro dat hij ons toestemming heeft gegeven je officieel onze bescherming aan te bieden. Alleen de koning kan daarover beslissen, dat begrijp je, en het is een bindend contract. Je hebt hem zo'n enorme dienst bewezen dat dit de enige manier was om iets terug te doen, vond hij.'

'Dus dat betekent heel wat?'

'Ja, mijn lief, dat betekent echt heel wat! Namelijk dat we verplicht zijn te komen en ons leven voor je op het spel te zetten wanneer je onze hulp inroept. Het is een belofte waar vampiers erg zuinig mee zijn, want hoe langer ons leven duurt, hoe meer we eraan hechten. Terwijl je juist het tegenovergestelde zou verwachten.'

'Ach, je komt af en toe ook wel eens een vampier tegen die na een lang leven snakt naar de zon,' zei Pam, om volledig te zijn, veronderstelde ik.

'Inderdaad, af en toe.' Eric fronste zijn wenkbrauwen. 'Neem nou maar van mij aan dat het echt een grote eer is, Sookie, wat de koning je aanbiedt.'

'Nou, reuze bedankt dat jullie me dit zijn komen vertellen.'

'Ik had natuurlijk gehoopt dat je prachtige huisgenote er ook zou zijn.' Pam schonk me een wellustige blik. Dus misschien was het niet alleen Erics idee geweest dat ze met Amelia had aangepapt.

Ik begon te lachen. 'Nou, mijn huisgenote heeft vanavond een hoop om over na te denken.'

Ik was in gedachten zo met de vampierbescherming bezig geweest, dat ik de kleinste van de aanhangers van het Verbond niet had zien aankomen. Hij werkte zich lomp langs me heen, stootte tegen mijn schouder en duwde me welbewust opzij. Ik wankelde even voordat ik mijn evenwicht had hervonden. Van de klanten zag slechts een enkeling wat er gebeurde. Maar Sam kwam onmiddellijk achter de bar vandaan, en Eric was al opgestaan toen ik me omdraaide en mijn dienblad met alle kracht die ik in me had op het hoofd van de hufter liet neerdalen.

Nu was het zijn beurt om te wankelen.

De klanten die de lichte commotie hadden opgemerkt, begonnen te applaudisseren. 'Goed gedaan, Sookie!' riep Catfish. 'Hé, rukker! Laat de serveerster met rust!'

Arlene zag rood van woede, en het scheelde niet veel of ze ging door het lint. Sam liep naar haar toe en fluisterde haar iets in het oor, waardoor haar blos nog vuriger werd. Ze keek hem woedend aan maar hield haar mond. De langste van de twee mannen van het Verbond kwam zijn maat te hulp, en samen verlieten ze het café. Er werd geen woord gezegd – ik wist niet eens of de kleine wel kón praten – maar hun houding sprak boekdelen; alsof er 'denk maar niet dat je van ons af bent!' op hun voorhoofd getatoeëerd stond.

De bescherming door de vamps en mijn status als vriend van de troep zouden nog wel eens goed van pas kunnen komen, begreep ik.

Eric en Pam dronken hun fles leeg en bleven lang genoeg zitten om niet de schijn te wekken dat ze vluchtten omdat ze zich niet welkom voelden, of dat ze achter de aanhangers van het Verbond aan gingen. Eric gaf me twintig dollar fooi en blies me vanaf de deur een kus toe. Pam deed hetzelfde, wat me een extra woedende blik opleverde van mijn Vroegere Allerbeste Vriendin Arlene.

Ik had het de rest van de avond te druk om aan alle interessante gebeurtenissen van die dag te denken. Toen alle klanten naar huis waren – Jane Bodehouse was door haar zoon gehaald – versierden we de boel voor Halloween. Sam had kleine pompoenen gekocht – een voor elke tafel – en met gezichten beschilderd. Ik bekeek ze bewonderend, want het was echt prachtig gedaan. Sommige gezichten leken op vaste klanten van het café. Er was er zelfs een waarin ik mijn lieve broertje herkende.

'Ik wist helemaal dat je kon schilderen!' zei ik.

Sam was duidelijk blij met mijn reactie. 'Het was leuk om te doen.' Hij drapeerde een lange slinger herfstbladeren – gemaakt van stof – rond de spiegel achter de bar en tussen de flessen. Ondertussen hing ik een levensgroot kartonnen skelet op met splitpennen in de gewrichten, zodat je het in allerlei standen kon zetten. Ik schikte het in een danshouding. We wilden geen treurige skeletten in het café, alleen maar vrolijke.

Zelfs Arlene ontdooide een beetje dankzij de afwisseling en omdat het zo'n leuk karweitje was, ook al moesten we daar wat langer voor blijven.

Tegen de tijd dat ik Sam en Arlene welterusten zei, was ik wel aan mijn bed toe. Arlene reageerde niet, maar de blik van weerzin waarop ze me doorgaans onthaalde, bleef uit.

Mijn dag was echter nog niet voorbij. Ik had het kunnen weten!

Toen ik thuiskwam, zat mijn overgrootvader op de veranda bij de voordeur. Het was erg vreemd om hem op de schommelbank te zien zitten, in die merkwaardige combinatie van licht en donker, gecreëerd door de veiligheidslamp en de duistere nacht. Even wenste ik dat ik net zo mooi was als hij, toen moest ik lachen om mezelf.

Ik parkeerde voor het huis en stapte uit. Zo zachtjes mogelijk, om Amelia niet wakker te maken, die aan de voorkant sliep. Het huis was in duisternis gehuld, dus blijkbaar waren de heksen al naar bed, tenzij ze vertraging hadden opgelopen bij het busstation toen ze Bob wegbrachten.

'Overgrootvader!' zei ik. 'Wat leuk dat je er bent.'

'Je bent moe, Sookie.'

'Nou ja, ik kom net van mijn werk.' Ik vroeg me af of hij ooit ergens moe van werd. Het viel niet mee om me een elfenprins voor te stellen die hout hakte of de leidingen voor het water inspecteerde, op zoek naar een lek.

'Ik wilde je spreken,' zei hij. 'Heb je al iets bedacht wat ik voor je kan doen?' Zijn stem verried hoe vurig hij hoopte dat ik ja zou zeggen.

Wat een avond vol positieve respons! Waarom had ik niet meer van dit soort avonden?

Ik dacht even na. De Weers hadden op hun manier vrede gesloten. Quinn was terecht. De vampiers hadden zich neergelegd bij het nieuwe bewind. De fanatici van het Verbond hadden het café zonder noemenswaardige problemen verlaten. Bob was weer mens. Ik veronderstelde niet dat Niall bereid zou zijn Octavia een kamer in zijn huis aan te bieden, waar dat ook mocht zijn. Misschien woonde hij wel ergens op de bodem van een kabbelende beek of onder een grote eikenboom, diep in de bossen.

'Ik weet iets!' zei ik, verbaasd dat ik daar niet eerder aan had gedacht.

'Vertel!' Hij klonk heel erg blij.

'Ik wil de verblijfplaats weten van ene Remy Savoy. Het is mogelijk dat hij na Katrina uit New Orleans is weggegaan. En misschien heeft hij een klein kind bij zich.' Ik gaf mijn overgrootvader het laatst bekende adres van Savoy.

Niall keek me vol vertrouwen aan. 'Ik zal hem voor je vinden, Sookie.'

'Daar zou je me erg blij mee maken.'

'Verder nog iets?'

'Nou... en het klinkt verschrikkelijk ondankbaar... maar waarom wil je toch zo graag iets voor me doen?'

'Waarom niet? Je bent mijn enige nog levende familie.'

'Maar blijkbaar kon je de eerste zevenentwintig jaar van mijn leven prima zonder me.'

'Ik mocht van mijn zoon niet bij je in de buurt komen.'

'Dat zei je, maar daar begrijp ik niks van. Waarom niet? Hij heeft zelf ook nooit contact gezocht. Hij liet zich niet zien, hij...' Speelde geen scrabble met me, hij stuurde geen cadeautje voor mijn afstuderen, hij huurde geen limo voor me bij het eindexamengala, hij kocht geen mooie jurk voor me, hij nam me niet in zijn armen als ik moest huilen – en dat moest ik heel vaak, want het valt niet mee om als telepaat op te groeien. Mijn grootvader had me het misbruik door mijn oudoom niet bespaard; hij had mijn ouders – zijn zoon – niet gered toen ze door een plotselinge overstroming werden getroffen; hij had niet voorkomen dat een vampier mijn huis in brand stak terwijl ik lag te slapen. Al dat waken en bewaken dat mijn grootvader Fintan zou hebben gedaan, had geen zichtbaar resultaat opgeleverd. En als het tot onzichtbare resultaten had geleid, dan wist ik daar niets van.

Zouden er zonder zijn bescherming zelfs nog ergere dingen zijn gebeurd? Dat kon ik me nauwelijks voorstellen.

Het kon natuurlijk best dat mijn grootvader nacht na nacht voor mijn slaapkamerraam met hordes kwijlende demonen had gevochten, maar zolang ik daar niets van wist, kon ik geen dankbaarheid voelen.

Niall leek van streek; zo kende ik hem niet. 'Ik kan je helaas niet alles vertellen,' zei hij ten slotte. 'Maar zodra ik erover kan praten, zal ik dat doen.'

'Oké,' zei ik een beetje bot. 'Maar eerlijk gezegd had ik me het contact met mijn overgrootvader anders voorgesteld. Ik had gedacht dat het een kwestie van geven en nemen zou zijn, maar het komt erop neer dat ik jou alles vertel, terwijl jij helemaal niks loslaat.'

'Het is misschien niet wat je je had voorgesteld, maar meer kan ik je niet bieden,' zei Niall enigszins stijfjes. 'Ik hou van je, en dat is waar het om gaat. Tenminste, dat had ik gehoopt.'

'Natuurlijk vind ik het fijn dat je dat zegt,' zei ik langzaam, weloverwogen, want ik wilde niet het risico lopen dat hij genoeg kreeg van die Veeleisende Sookie. 'Maar het zou nog fijner zijn als je er ook iets mee deed.'

'En dat doe ik niet?'

'Nou, je komt en je gaat zoals het jou uitkomt. En als je aanbiedt me te helpen, dan gaat het niet om echt praktische dingen, zoals bij de meeste andere grootvaders. Of overgrootvaders. Die repareren de auto van hun kleindochter, of ze betalen haar collegegeld, of ze maaien het gras, zodat zij dat niet hoeft te doen. Of ze nemen haar mee als ze gaan jagen. Dat hoef ik van jou niet te verwachten.'

'Nee, dat klopt.' Er speelde een zweem van een glimlach om zijn mond. 'Je zou niet eens willen dat ik je meeneem als ik ga jagen.'

Daar kon ik maar beter niet te diep over nadenken, besloot ik. 'Het komt erop neer dat ik geen idee heb wat ik kan verwachten. Je valt volledig buiten mijn referentiekader.'

'Dat begrijp ik,' zei hij ernstig. 'Alle overgrootvaders die je kent zijn menselijk, en dat ben ik niet. Maar jij bent ook niet wat ik had verwacht.'

'Dat heb ik inmiddels begrepen.' Kende ik andere overgrootvaders, vroeg ik me af. In mijn vriendenkring had lang niet iedereen nog een grootvader, laat staan een overgrootvader. Maar de grootouders die ik had ontmoet, waren inderdaad honderd procent menselijk. 'Ik hoop dat ik geen teleurstelling ben.'

'Nee,' zei hij langzaam. 'Je bent een verrassing. Geen teleurstelling. Ik vind het net zo moeilijk om jouw acties en reacties te voorspellen als dat omgekeerd voor jou geldt. We zullen moeten proberen langzaam en geleidelijk aan elkaar te wennen.' Niet voor het eerst vroeg ik me af waarom hij niet meer interesse toonde in Jason. En bij de gedachte aan mijn broer voelde ik een steek van pijn. Een dezer dagen zou ik met mijn broer moeten praten, maar op dit moment kon ik dat nog niet aan. Ik had bijna aan Niall gevraagd of hij wilde kijken of alles goed was met Jason, maar ik bedacht me en zweeg. Niall nam me onderzoekend op.

'Er is iets wat je me niet wilt vertellen. Als ik dat merk, maak ik me zorgen. Mijn liefde is diep en oprecht, en ik zal Remy Savoy voor je vinden.' Hij kuste me op de wang. 'Je ruikt naar mijn familie,' zei hij goedkeurend.

Er klonk een zacht plofje, en hij was verdwenen.

En zo was er voor de zoveelste keer een raadselachtig gesprek met mijn raadselachtige overgrootvader door hem afgebroken, op zijn voorwaarden. Ik zuchtte, viste mijn sleutels uit mijn tas en maakte de voordeur open. Binnen was het stil en donker. Zo zachtjes mogelijk liep ik de woonkamer en de gang door. In mijn slaapkamer deed ik het lichtje aan naast mijn bed, en na mijn avondritueel kroop ik onder het dek, met de gordijnen dicht tegen de ochtendzon, die me alweer over een paar uur zou proberen te wekken.

Had ik me als een ondankbaar kreng gedragen tegenover Niall? Terugdenkend aan wat ik tegen mijn overgrootvader had gezegd, vroeg ik me af of ik veeleisend en ontevreden had geklonken. Maar positiever bekeken kon ik ook zeggen dat ik had gereageerd als een vrouw die voor zichzelf opkwam, een vrouw die niet met zich liet sollen, een vrouw die van haar hart geen moordkuil maakte.

Ik had de kachel aangezet voordat ik naar bed ging. Octavia en Amelia hadden weliswaar niet geklaagd, maar het was de laatste ochtenden echt kil in huis geweest. De verschaalde lucht die je ruikt wanneer de verwarming voor het eerst aangaat, begon zich te verspreiden, en ik trok mijn neus op terwijl ik nog dieper onder het dek kroop. Toen wiegde het geloei van de kachel me in slaap.

Ik hoorde al enige tijd stemmen, voordat ik besefte dat ze vlak voor mijn deur klonken. Slaperig knipperend zag ik dat het al dag was, en ik deed mijn ogen weer dicht. In de hoop opnieuw weg te zakken. Maar de stemmen wisten van geen ophouden, en ik hoorde dat ze ruzieden. Met één oog op een kiertje keek ik op de digitale wekker op mijn nachtkastje. Het was halftien. Hè, nee! Omdat de stemmen niet wilden verstommen of verdwijnen, deed ik met tegenzin allebei mijn ogen open, ik registreerde dat de zon niet scheen, ging rechtop zitten en sloeg het dek van me af. Toen liep ik naar het raam en keek naar buiten. De wereld zag er grijs en regenachtig uit. En terwijl ik nog voor het raam stond, begonnen er regendruppels tegen het glas te slaan. Zo'n dag dus.

Toen ik naar de wc ging, hoorde ik dat de stemmen werden gedempt in het besef dat ik mijn bed uit was. En toen ik de deur van mijn slaapkamer openzwaaide, stond ik oog in oog met mijn twee huisgenotes. Niet echt een verrassing.

'We wisten niet of we je wakker moesten maken,' zei Octavia met een ongerust gezicht.

'Maar ik dacht van wel, want een boodschap van een magische bron moet wel belangrijk zijn,' zei Amelia. Voor de zoveelste keer, te oordelen naar de uitdrukking op Octavia's gezicht.

'Wat voor boodschap?' Ik had besloten de ruzieachtige stemming te negeren.

'Deze.' Octavia gaf me een grote, geelbruine envelop van zwaar papier, zoals van een superchique trouwkaart. Mijn naam stond erop. Geen adres, alleen mijn naam. De envelop was verzegeld met was. Het stempel in de was stelde het hoofd van een eenhoorn voor.

'Nou, ik ben benieuwd,' zei ik. Dit was duidelijk een ongebruikelijke brief.

Ik liep naar de keuken voor een kop koffie en een mes, in die volgorde, met de twee heksen achter me aan als een soort Griekse rei. Met de koffie en het mes ging ik aan tafel zitten. Voorzichtig schoof ik het mes onder het zegel en ik opende de flap van de envelop, die een kaart bleek te bevatten. Er stond een adres op, met de hand geschreven: 1245 Bienville, Red Ditch, Louisiana. Dat was alles.

'Wat betekent dat?' vroeg Octavia. Amelia en zij stonden natuurlijk vlak achter me, om over mijn schouder mee te kijken.

'Dat is het adres van iemand naar wie ik heb gezocht.' Dat klopte niet helemaal, maar het kwam een eind in de buurt.

'Red Ditch? Waar ligt dat?' vroeg Octavia. 'Ik heb er nog nooit van gehoord.' Amelia was al op weg om de kaart van Louisiana uit de la onder de telefoon te halen. Met haar vinger liep ze de kolommen met namen langs.

'O, dat ligt hier niet zo ver vandaan. Kijk maar!' Ze legde haar vinger op een klein stipje, zo'n honderddertig kilometer ten zuidoosten van Bon Temps.

Zo snel als ik kon dronk ik mijn koffie op. Toen schoot ik haastig een spijkerbroek aan, ik maakte me licht op, borstelde mijn haar en stormde naar mijn auto, met de kaart in mijn hand.

Octavia en Amelia kwamen me achterna, bijna stikkend van nieuwsgierigheid. Maar ik was niet van plan hun te vertellen wat de boodschap betekende en wat ik ging doen. Nog niet. Waarom had ik eigenlijk zo'n haast, vroeg ik me af. Het viel niet te verwachten dat Remy Savoy in lucht zou oplossen, tenzij hij ook een elf was. En dat leek me hoogstonwaarschijnlijk.

Vanwege mijn werk moest ik vóór de avond terug zijn, maar ik had alle tijd.

Ik zette de radio aan in de auto. Vanochtend was ik in de stemming voor countrymuziek. Travis Tritt en Carrie Underwood hielden me gezelschap, en tegen de tijd dat ik Red Ditch binnenreed, was ik helemaal *in touch* met mijn roots. Red Ditch was zelfs nog kleiner dan Bon Temps, en dat wil heel wat zeggen.

Ik veronderstelde dat het bewuste adres gemakkelijk te vinden zou zijn, en dat bleek te kloppen. Bienville Street was het soort straat dat je overal in Amerika tegenkomt. De huizen deden denken aan keurige, bescheiden schoenendozen, met een kleine tuin en ruimte voor één auto onder de carport. Bij nummer 1245 was de achtertuin omheind, en ik zag een zwart hondje uitbundig rondrennen. Een hondenhok ontbrak, dus blijkbaar was de hond een echt huisdier. Alles zag er netjes uit, maar niet obsessief gepoetst en opgeruimd. De struiken om het huis waren gesnoeid, het erf was geharkt. Ik reed er een paar keer langs, me afvragend wat ik zou doen. Hoe kwam ik erachter wat ik wilde weten?

Er stond een pick-up in de garage, dus ik ging ervan uit dat Savoy thuis was. Na een paar keer diep zuchten parkeerde ik tegenover het huis en stuurde ik mijn telepathische krachten op jacht. Maar in een buurt met zoveel huizen, waar het wemelde van de gedachten, viel het niet mee om concreet iets op te pikken. Ik meende twee gedachtebronnen te signaleren in het huis dat ik in de gaten hield, maar dat kon ik niet met zekerheid zeggen.

'Op hoop van zegen!' Ik stapte uit de auto, stopte mijn sleutels in de zak van mijn jasje en liep naar de voordeur.

'Even wachten, zoon!' hoorde ik een mannenstem zeggen toen ik had aangeklopt, meteen gevolgd door het stemmetje van een kind: 'Ik doe het, papa! Ik doe open!'

'Nee, Hunter,' zei de mannenstem. De deur ging open, en de eigenaar van de stem keek me aan vanachter de hor. Toen hij zag dat ik een vrouw was, deed hij ook de hordeur van de haak. 'Goeiemorgen. Wat kan ik voor u doen?'

Ik keek neer op het kind dat zich langs hem heen werkte. Het jongetje was een jaar of vier, met donker haar en donkere ogen. En het was het evenbeeld van Hadley. Toen sloeg ik mijn blik weer op naar de man. In die paar korte momenten had zich een subtiele verandering voltrokken in de uitdrukking op zijn gezicht.

'Wie bent u?' Zijn stem klonk ineens heel anders.

'Mijn naam is Sookie Stackhouse.' Ik kon niet bedenken hoe ik mijn boodschap minder direct zou kunnen afleveren. 'Ik ben het nichtje van Hadley en ik weet uw adres pas sinds vanmorgen.'

'U kunt geen enkele aanspraak op hem maken.' Zijn stem verried dat hij zich tot het uiterste moest beheersen om kalm te blijven.

'Nee, natuurlijk niet,' zei ik verrast. 'Ik wil hem alleen graag leren kennen. Zoveel familie heb ik niet meer.'

Er viel opnieuw een geladen stilte. Hij woog mijn woorden en mijn houding om te besluiten of hij de deur dicht zou gooien of me zou binnenlaten.

'Ze is knap, papa,' zei het jongetje, en dat deed de balans doorslaan in mijn voordeel.

'Komt u binnen,' zei Hadleys ex-man.

In de kleine woonkamer keek ik om me heen. Er stond een bank, een gemakkelijke stoel, een televisie en een boekenkast vol dvd's en kinderboeken, de vloer lag bezaaid met speelgoed.

'Ik heb zaterdag gewerkt, dus vandaar dat ik vrij ben.' Blijkbaar wilde hij niet dat ik dacht dat hij werkloos was. 'O, en ik ben Remy Savoy. Maar dat wist u al, neem ik aan.'

Ik knikte.

'Dit is Hunter,' stelde hij zijn zoontje voor. Het kind kreeg plotseling last van verlegenheid. Het verstopte zich achter de benen van zijn vader en gluurde om een hoekje naar me. 'Gaat u zitten,' zei Remy.

Ik schoof een krant naar het uiteinde van de bank en probeerde Savoy en het kind niet al te nadrukkelijk aan te gapen. Mijn nicht Hadley was een erg mooie vrouw geweest, en ze had een knappe man gekozen om mee te trouwen. Het was moeilijk te zeggen waar zijn aantrekkelijkheid in school. Hij had een grote neus, een iets vooruitstekende kaak, en zijn ogen stonden wat te ver uit elkaar. Maar het resultaat van dat alles was een verschijning die de verlangende blikken zou oogsten van heel wat vrouwen. Zijn dikke, in laagjes geknipte donkerblonde haar hing aan de achterkant over zijn boord. Zijn flanellen overhemd viel losgeknoopt over een wit T-shirt met daaronder een spijkerbroek en blote voeten. En hij had een kuiltje in zijn kin.

Hunter droeg een ribfluwelen broek en een trui met een grote rugbybal op de voorkant. Zijn kleren waren duidelijk gloednieuw, in tegenstelling tot die van zijn vader.

Ik was eerder klaar met mijn inspectie dan Remy, die mij aandachtig opnam. Hij vond dat ik helemaal niet op Hadley leek. Mijn figuur was voller, mijn haar lichter, net als mijn huid, en mijn gezicht was minder hard. Ik zag eruit alsof ik niet echt veel geld had, dacht hij. En net als zijn zoon vond hij me knap om te zien. Maar hij vertrouwde me niet.

'Wanneer hebt u voor het laatst van haar gehoord?' vroeg ik.

'O, we hebben al geen contact meer sinds een paar maanden na zijn geboorte,' antwoordde Savoy. Daar was hij aan gewend, maar ik registreerde ook een zeker verdriet bij hem.

Hunter was op de grond gaan zitten en speelde met zijn autootjes. Hij laadde een partij Duplo-stenen in een vuilniswagen en stuurde die met zijn kleine vingertjes langzaam achteruit naar een brandweerauto. Tot verbazing van de Duplo-man achter het stuur van de brandweerauto – en tot verrukking van Hunter – stortte de vuilniswagen zijn hele lading over hem uit. 'Papa! Kijk dan!'

'Ik zie het, jongen.' Remy nam me doordringend op. 'Wat komt u hier doen?' Hij had blijkbaar besloten er niet omheen te draaien.

'Ik ben er pas een paar weken geleden achter gekomen dat Hadley misschien een kind had nagelaten,' zei ik. 'Daarvóór had het geen zin naar u op zoek te gaan.'

'Ik heb haar familie nooit ontmoet,' zei Savoy. 'Hoe wist u dat ze getrouwd is geweest? Heeft ze u dat verteld?' Hij aarzelde even. 'Is alles goed met haar?' vroeg hij toen ondanks zichzelf.

'Nee.' Ik zei het heel zacht, om niet de aandacht van Hunter te trekken. Het kind was bezig alle Duplo-stenen weer in de vuilniswagen te laden. 'Ze is al vóór Katrina overleden.'

Ik registreerde de schok als een kleine bom die afging in zijn hoofd. 'Ze was een vampier geworden, heb ik gehoord,' zei hij onzeker, met haperende stem. 'Bedoelt u op die manier dood?'

'Nee. Ik bedoel echt, definitief dood.'

'Wat is er gebeurd?'

'Ze is aangevallen door een andere vampier. Hij was jaloers vanwege Hadleys relatie met haar eh... haar...'

'Vriendin?' De bitterheid in zijn stem was onmiskenbaar, zijn gedachten waren voor slechts een uitleg vatbaar.

'Ja.'

'Tja, dat was wel een schok,' zei hij, maar inmiddels was hij eroverheen, besefte ik, en ik registreerde alleen nog een grimmige vastberadenheid, gecombineerd met een verlies van trots.

'Ik heb het allemaal pas gehoord toen ze al overleden was.'

'U bent haar nicht? Ik herinner me dat ze het ook over een neef had... Klopt dat? Hebt u een broer?'

'Ja, dat klopt.'

'En u wist dat ze met mij getrouwd is geweest?'

'Dat ontdekte ik toen ik een paar maanden geleden haar safeloket bij de bank leeghaalde. Ik wist niet dat Hadley ook een zoontje had gekregen. Sorry.' Waarom zei ik sorry? Hoe had ik dat moeten weten? Maar het speet me dat de mogelijkheid van een kind niet eens bij me was opgekomen. Hadley was iets ouder geweest dan ik, en ik schatte Remy ook ergens rond de dertig.

'U ziet er prima uit,' zei hij plotseling, en ik bloosde, want ik begreep onmiddellijk wat hij bedoelde.

'Hadley heeft u verteld dat ik een gebrek had.' Ik wendde mijn blik af en keek naar het kind. De kleine sprong overeind, kondigde aan dat hij naar de wc moest en rende de kamer uit. Ik glimlachte ondanks mezelf.

'Ja, ze zei zoiets van... Nou ja, dat u het daardoor niet makkelijk had op school.' Hij formuleerde het tactvol. Hadley had gewoon gezegd dat ik knettergek was. En omdat hij daar niets van terugzag, vroeg hij zich af waarom Hadley dat had beweerd. Maar terwijl hij het zei keek hij in de richting waarin het kind was verdwenen, en ik wist dat hij zichzelf voorhield voorzichtig te zijn, met Hunter in huis. Hij moest alert zijn op tekenen van instabiliteit – ook al had Hadley 'knettergek' nooit gespecificeerd.

'Dat klopt. Het viel inderdaad niet mee op school,' zei ik. 'En Hadley maakte het er bepaald niet makkelijker op. Haar moeder daarentegen, mijn tante Linda, was een enorme steun voor me. Totdat ze kanker kreeg. Ze was echt een schat. Altijd lief voor me. En we hebben mooie momenten gekend samen.'

'Dat zou ik ook kunnen zeggen. Van die mooie momenten, bedoel ik.' Remy had zijn armen op zijn dijen gezet, zijn grote handen hingen naar beneden. Handen vol eelt en littekens. Handen die verrieden dat Savoy een harde werker was.

Er klonk geluid bij de voordeur, en er kwam een vrouw binnen, zonder kloppen. 'Hallo, schat!' Ze glimlachte naar Remy. Toen ze mij zag, haperde haar glimlach en verbleekte.

'Kristen, dit is Sookie Stackhouse. Ze is de nicht van mijn ex-vrouw,' zei Remy, zonder een zweem van gejaagdheid of verontschuldiging in zijn stem.

Kristen had lang bruin haar en grote bruine ogen. Ik schatte haar op een jaar of vijfentwintig. Ze droeg een kaki broek en een poloshirt met een logo van een lachende eend op de borst. JERRY'S DECORATIESHOP, stond er boven de eend. 'Aangenaam kennis te maken,' zei Kristen onoprecht. 'Ik ben Kristen Duchesne, Remy's vriendin.'

'Leuk je te ontmoeten,' zei ik, iets minder onoprecht, en ik herhaalde mijn naam. 'Sookie Stackhouse.'

'Remy, je hebt haar helemaal niets te drinken aangeboden! Kan ik iets voor je inschenken, Sookie? *Sprite* of cola?'

Ze wist wat er in de koelkast stond. Woonde ze hier, vroeg ik me af. Nou ja, dat ging me niets aan, zolang ze maar goed was voor Hadleys zoon.

'Nee, dank je. Ik moet er zo weer vandoor,' zei ik met een demonstratieve blik op mijn horloge. 'Ik moet vanavond werken.'

'O, waar werk je?' Kristen ontspande een beetje.

'Bij Merlotte. Dat is een café in Bon Temps. Een kilometer of honderddertig naar het noordwesten.'

'O ja, daar kwam je vrouw ook vandaan.' Kristen keek Remy aan.

'Sookie heeft slecht nieuws, vrees ik.' Remy wrong zijn handen, maar zijn stem klonk krachtig en vast. 'Hadley is dood.'

Kristen hield geschokt haar adem in, maar ze kon verder niet reageren want op dat moment kwam Hunter de kamer weer binnenstormen. 'Papa! Ik heb mijn handen gewassen!' schreeuwde hij.

Zijn vader glimlachte. 'Goed zo.' Hij maakte het donkere haar van zijn zoon in de war. 'Zeg eens dag tegen Kristen.'

'Hoi, Kristen,' zei Hunter weinig geïnteresseerd.

Ik stond op en wenste dat ik een visitekaartje bij me had gehad dat ik kon achterlaten. Het leek vreemd en verkeerd om zomaar weg te gaan. Maar de aanwezigheid van Kristen had een merkwaardig remmend effect. Ze tilde Hunter op en zette hem op haar heup. Hij was behoorlijk zwaar, maar ze deed haar best om de indruk te wekken dat ze het gewend was en dat ze hem gemakkelijk kon houden. Dat was niet zo, maar ik las in haar gedachten dat ze het kleine mannetje graag mocht.

'Kristen vindt me aardig,' zei Hunter.

Ik nam hem onderzoekend op.

'Reken maar!' zei Kristen lachend.

Remy keek met een bezorgd gezicht van Hunter naar mij, en ik besefte dat die bezorgdheid net pas was gerezen.

Ik vroeg me af hoe ik onze relatie aan Hunter moest uitleggen. Waarschijnlijk zou hij tante het best begrijpen, en dat kwam in elk geval een eind in de buurt. Achternicht zegt een kind niks.

'Ben jij mijn tante?' vroeg Hunter. 'Tante Sookie.' Het klonk alsof hij experimenteerde met het woord.

Ik haalde diep adem. *Ja, ik ben je tante, Hunter.*

'Ik heb nog nooit een tante gehad.'

'Maar nu wel.' Ik keerde me naar Remy en las angst in zijn ogen. Hij had het nog niet toegegeven tegenover zichzelf, maar hij wist wat er aan de hand was.

Kirsten of geen Kirsten, ik móést iets zeggen. Ze begreep het niet, maar ze voelde dat er iets speelde waar zij geen weet van had. Ik had echter niet de ruimte om me ook nog zorgen te maken over Kirsten. Het ging om Hunter.

'Je zult me nodig hebben,' zei ik tegen Remy. 'Tegen de tijd dat hij wat groter is, moet je met hem praten. Ik sta in het telefoonboek. Dus je weet waar je me kunt vinden. Afgesproken?'

'Wat is er aan de hand?' vroeg Kristen. 'Waarom is iedereen ineens zo ernstig?'

'Maak je geen zorgen, Kris,' zei Remy geduldig. 'Een familiekwestie.'

Kristen zette de spartelende Hunter op de grond. 'Hm.' De toon waarop ze het zei, verried dat ze hem niet geloofde.

'Stackhouse,' hielp ik Remy herinneren. 'Wacht niet te lang. Stel het niet uit tot hij zich ongelukkig gaat voelen.'

'Oké, duidelijk.' Hij zag eruit alsof hij zich ongelukkig voelde, en dat kon ik hem niet kwalijk nemen.

'Ik moet ervandoor,' zei ik nogmaals, om Kristen gerust te stellen.

'Tante Sookie, ga je weg?' Hunter was er nog niet aan toe om me te knuffelen, maar hij overwoog het wel. Hij vond me aardig. 'Kom je terug?'

'Over een poosje, Hunter,' zei ik. 'Misschien kom je samen met papa wel een keertje bij me op bezoek.'

Ik schudde Kristen en Remy de hand, wat ze allebei raar vonden, en liep naar de deur. *Dag, tante Sookie,* zei Hunter geluidloos toen ik naar buiten stapte.

Dag Hunter! zei ik terug.